SOCIOLOGIE POLITIQUE

ÉLÉMENTS DE SCIENCE POLITIQUE

COLLECTION « UNIVERSITÉ NOUVELLE »

PRÉCIS DOMAT

Ouvrages parus :

INSTITUTIONS ET PUBLICS DES MOYENS D'INFORMATION. Presse - Radiodiffusion - Télévision. — Francis BALLE.

LES MÉTHODES DES SCIENCES SOCIALES. — Albert BRIMO.

SCIENCE ADMINISTRATIVE. Conscience et Pouvoir. — Robert CATHERINE et Guy THUILLIER.

HISTOIRE ÉCONOMIQUE ET SOCIALE CONTEMPORAINE. — Maurice FLAMANT.

HISTOIRE DU DROIT ET DES INSTITUTIONS. T. I (Le Pouvoir des Temps féodaux à la Révolution). — Francis GARRISSON.

LES INSTITUTIONS DE L'ANTIQUITÉ. — Jean GAUDEMET.

FINANCES PUBLIQUES. T. I (3e éd.) (Politique financière - Budget et Trésor). — Paul-Marie GAUDEMET.

FINANCES PUBLIQUES. T. II (2e éd.) (Emprunt et Impôt). — Paul-Marie GAUDEMET.

DROIT DES AFFAIRES. T. I (2e éd.) (Le particularisme du Droit des Affaires - Le Statut général des Commerçants). — François GORÉ.

DROIT DES AFFAIRES. T. II (Structures juridiques de l'entreprise et groupements d'entreprises). — François GORÉ.

INSTITUTIONS POLITIQUES ET DROIT CONSTITUTIONNEL. — André HAURIOU, Lucien SFEZ.

HISTOIRE DES INSTITUTIONS ET DES RÉGIMES POLITIQUES DE LA RÉVOLUTION A LA IVe RÉPUBLIQUE. — Jehan de MALAFOSSE.

DROIT INTERNATIONAL PRIVÉ. — Pierre MAYER.

LIBERTÉS PUBLIQUES (2e éd.). — Jacques ROBERT.

SOCIOLOGIE POLITIQUE (3e éd.). — Roger-Gérard SCHWARTZENBERG.

GRANDS SERVICES PUBLICS ET ENTREPRISES NATIONALES, avec mise à jour au 1er octobre 1972. — Jean de SOTO.

DROIT INTERNATIONAL PUBLIC. — Hubert THIERRY, Jean COMBACAU, Serge SUR, Charles VALLÉE.

Ouvrage à paraître :

LA VIE POLITIQUE EN FRANCE SOUS LA Ve RÉPUBLIQUE. — Serge SUR (rentrée 1977).

COLLECTION UNIVERSITÉ NOUVELLE

PRÉCIS DOMAT

SOCIOLOGIE POLITIQUE

ÉLÉMENTS DE SCIENCE POLITIQUE

par

Roger-Gérard Schwartzenberg

Professeur à l'Université de Droit, d'Economie et de Sciences Sociales de Paris

Professeur à l'Institut d'Etudes Politiques de Paris

TROISIÈME ÉDITION
mise à jour

ÉDITIONS MONTCHRESTIEN

158-160, Rue Saint-Jacques - PARIS (Ve)

DU MÊME AUTEUR

La campagne présidentielle de 1965. Presses Universitaires de France, 1967.

La guerre de succession. Les élections présidentielles de 1969. Presses Universitaires de France, 1969.

L'autorité de chose décidée. Sur la force juridique des décisions administratives. Librairie Générale de Droit et de Jurisprudence, 1969.

L'Etat spectacle. Flammarion, 1977.

*

Dans la collection « Pour la politique » (Seghers), présentation de :

Jean-Jacques Rousseau, *Du contrat social,* 1971.
Machiavel, *Le Prince,* 1972.

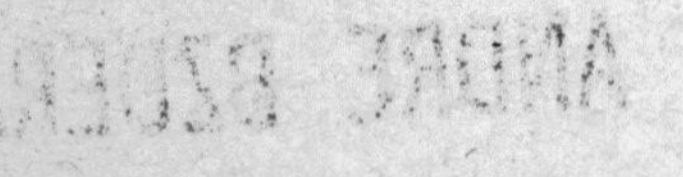

I.S.B.N. : 2-7076-0206-X.

AVERTISSEMENT

QUELLE SOCIOLOGIE POLITIQUE ?

Après 1971, après 1974, voici donc — déjà — la troisième édition de ce Précis. Troisième édition « actualisée », mise à jour. Car, depuis 1974, les événements se sont précipités et accumulés qui modifient et parfois bouleversent les bases mêmes sur lesquelles vivent les sociétés politiques.

Restent les grandes interrogations. Et, d'abord, que faut-il dire ? Sociologie politique ? Science politique ? On peut en disputer à l'infini. Pourtant ces deux termes sont presque synonymiques. Et cette querelle byzantine a peu d'intérêt. Reste, alors, l'essentiel : indiquer les axes et les options qui inspirent ce livre.

Axes.

Que faire en 700 pages ? A l'évidence, il ne saurait s'agir d'un exposé complet, exhaustif. Mieux vaut aller à l'essentiel. Dans trois directions :

— Pour expliquer, d'abord, ce qu'est l'analyse scientique de la politique. Sans méditer doctement sur la sociologie politique, sa définition, son essence. Cet exercice scolastique serait assez vain.

Mieux vaut définir la science politique, non par ce qu'elle *est,* mais par ce qu'elle *fait.* En indiquant les principaux apports (approches, concepts, modèles), qui constituent peu à peu une *théorie politique.* Ou, du moins, ses premiers éléments. D'où le sous-titre du livre : Eléments de science politique.

— On peut, ensuite, appliquer ces quelques éléments de théorie politique à l'analyse du réel. Pour étudier les *systèmes politiques* d'aujourd'hui dans leur forme concrète.

Trop longtemps, les politistes ont fragmenté la réalité politique. Au lieu de la considérer comme un ensemble, elle-même englobée dans un ensemble plus vaste, avec qui elle entretient des rapports complexes. Désormais, le concept de système politique permet cette réorientation, si nécessaire.

Car l'ensemble social exerce sur le système politique une pression que celui-ci tente souvent de compenser. Si les sociétés sous-développées sont portées au sur-pouvoir, si les sociétés sur-développées sécrètent des sous-pouvoirs, cela ne tient pas au hasard.

En vérité, la société industrielle, minutieusement analysée dans les ouvrages d'hier, n'existe guère. La plupart des systèmes se trouvent encore en deçà de ce stade; quelques-uns sont déjà au-delà. Plutôt que de décrire cet état moyen, qui concerne peu de nations, on s'arrêtera donc aux deux réalités majeures de notre époque : le sous-développement et le sur-développement.

— Reste, enfin, à examiner les pièces maîtresses, les pièces motrices du système politique. C'est-à-dire les *organisations politiques* (partis, groupes de pression), qui animent la vie publique.

Options.

Par elle-même, cette triple étude implique déjà certaines options. Quant à la conception même de la sociologie politique.

— Comme toute autre *science*, la science politique se construit pièce par pièce. Beaucoup est dit, et l'on vient trop tard pour imiter Aristote. Pour élaborer langage et concepts comme si la table était rase.

La science politique, c'est souvent le mythe de Pénélope. Chacun défait aujourd'hui tout le travail d'hier. Chaque politiste réinvente tout et repart à zéro. Avec l'apesanteur sereine des aventuriers de l'espace épistémologique.

Il existe une autre voie, moins grisante, mais plus efficace : tenir compte de ce que font les autres chercheurs, utiliser l'acquis pour progresser un peu plus, expérimenter les schémas d'autrui. En prêtant spécialement attention aux recherches conduites à l'étranger, trop souvent méconnues faute de traductions.

— Cette démarche scientifique doit demeurer *attentive au réel.* Trop longtemps, la politique a été conçue comme l'univers de l'ordre et de l'intégration. Il est temps de prendre la politique telle qu'elle est, non telle qu'elle devrait être.

Aujourd'hui comme hier, la politique ce sont aussi des luttes, des tensions, des combats. Il faut quitter le royaume des idées pures et compléter la recherche fondamentale par la recherche appliquée. Le politiste peut et doit s'intéresser aux conflits de son temps.

— A tous égards, il faut en finir avec l'académisme et ***désacraliser la politique***, en la sortant du tabernacle où l'ont enfermée les légistes. Les attitudes révérencielles, la mystique de l'Etat souverain, maintenaient la politique dans un enclos sacré. Il faut quitter ce *pomerium*. Le fait politique n'a pas une essence particulière. Tout fait de société (l'art, la condition féminine) a une dimension politique. La politique ne gît pas dans un mausolée. Elle est sans rivages.

— C'est précisément pourquoi le politiste n'est pas seul. Quittant son splendide isolement, il doit ***s'ouvrir aux autres sciences***. En évitant tout chauvinisme de discipline ou tout patriotisme d'université. Aujourd'hui, la sociologie, l'économie, la psychanalyse — parmi d'autres — ont autant à dire sur le fait politique que la science politique elle-même. Il serait peu convenable de négliger ces apports multidisciplinaires.

D'autant que ce livre s'adresse aux étudiantes, aux étudiants en droit, en économie, en administration et en science politique. Où qu'ils soient : universités de droit, d'économie et de sciences sociales, universités de lettres et de sciences humaines, instituts d'études politiques. Et quel que soit le nom du diplôme qu'ils préparent : D.E.U.G., licence ou maîtrise.

Suivre ces quatre options, c'est le pari de ce précis. A celles, à ceux qui le liront de dire s'il est tenu. Et, s'ils le veulent, de m'écrire. Pour dire leur sentiment et ouvrir un dialogue. Car la sociologie ne peut être un exercice solitaire. Par définition.

R.-G. S.

INTRODUCTION

SUR LA SOCIOLOGIE POLITIQUE

L'archéologie des sciences humaines est rarement un exercice vain. Spécialement quand il s'agit de la sociologie politique, qui est, à la fois, la plus vieille et la plus neuve des sciences sociales. Son *histoire* explique largement ses *problèmes actuels.*

SECTION I
HISTOIRE DE LA SOCIOLOGIE POLITIQUE

A l'état civil épistémologique, la sociologie politique apparaît tardivement. Sans éclat, elle naît discrètement d'une rencontre fortuite : celle d'un néologisme contestable et d'une tradition multiséculaire. Car, en vérité, de toutes les sciences sociales, ce fut la première à voir le jour. Paradoxalement, la sociologie politique précède la sociologie, puis manque d'être absorbée par elle au XIXe siècle, et retrouve enfin une autonomie relative dès le début de ce siècle.

§ 1. — LA SOCIOLOGIE POLITIQUE AVANT LE XIXe SIÈCLE

1839. Au tome IV de son *Cours de Philosophie positive,* Auguste Comte crée le terme « sociologie », pour désigner *la science de la société,* l'étude scientifique des phénomènes sociaux. Mais, bien avant le XIXe siècle qui voit ainsi naître la sociologie, la sociologie politique existait déjà. Sans le nom, il est vrai. Mais avec la conscience de son objet, de sa méthode et de ses lois. Conscience développée successivement par trois grands précurseurs, qui créent véritablement la sociologie politique — ou la science politique (les deux termes étant presque entièrement synonymiques, cf. *infra*, p. 40). Ces trois « piliers de la sagesse » sociologique sont Aristote, Machiavel et Montesquieu.

A. — Aristote (384-322 av. J.-C.)

A sa manière, Aristote fait déjà de la sociologie politique, et non plus — ou non plus seulement — de la philosophie politique. Sa réflexion philosophique se fonde, en effet, sur *l'examen des conduites effectives* et de la réalité sociale. Elle s'appuie sur des recherches concrètes, très variées et très étendues, conduites dans un esprit d'observation scientifique.

A la différence de ses prédécesseurs — et spécialement de Platon — Aristote emploie une méthode non pas abstraite et déductive, mais comparative et inductive. Sa doctrine politique *(La Politique)*, il l'étaye par l'étude systématique des régimes politiques existants. En rédigeant — ou en faisant rédiger par ses étudiants — une série de monographies sur les constitutions de 158 cités grecques et étrangères, dont une seule *(La Constitution des Athéniens)* nous est parvenue.

Cette observation empirique des faits sociaux est capitale. Mais, la démarche intellectuelle d'Aristote reste surtout philosophique. Dès lors, la frontière entre l'éthique et la politique n'est pas toujours nettement tracée.

B. — Machiavel (1469-1527)

A peine esquissée, la science politique ne renaît vraiment qu'au sortir du Moyen Age. Avec Machiavel dans deux œuvres maîtresses : les *Discours sur la première décade de Tite-Live*, achevés en 1520, et surtout *Le Prince*, écrit en 1513 et publié en 1532 (1). Cette œuvre de circonstance, que ce courtisan dédie à Laurent II de Médicis pour rentrer en grâce, constitue, en même temps, une aventure épistémologique. Elle crée véritablement la science politique. En lui donnant son objet, sa méthode et presque ses lois.

(1) Voir la nouvelle édition du *Prince*, présentée par R.-G. Schwartzenberg (Collection « Pour la politique », Seghers, 1972).

1° **L'objet de la science politique.** — Qu'on définisse la science politique comme la science de l'*Etat* ou comme la science du *pouvoir,* Machiavel lui donne son objet. Il crée une discipline nouvelle, parce que limitée à l'étude d'un objet nouveau, clairement individualisé. Cette délimitation de l'objet est essentielle pour la constitution de toute science. *Le Prince* fonde l'autonomie de la connaissance politique.

Machiavel écrit à une époque tournante, où, sur le déclin de la Papauté et de l'Empire, sur les décombres de la féodalité, s'édifient les premiers Etats nationaux (Angleterre, France, Espagne). L'Etat est l'objet central de son étude. Il crée le concept et le terme, employant, dès les premières lignes du *Prince,* le mot « *Etat* » dans son sens moderne.

Mais si l'Etat est le cadre d'analyse permanent, la réflexion porte, au sein de cet Etat, sur la conquête et l'exercice du *pouvoir. Le Prince* est une enquête sur le pouvoir, son obtention, son maintien, son accroissement, sa perte. C'est une étude clinique du pouvoir, de son anatomie et de sa pathologie. Rarement la science politique apparaîtra avec autant d'évidence comme la science du pouvoir.

2° **La méthode de la science politique.** — Modernité de l'objet. Mais aussi modernité de la démarche. Machiavel accomplit le saut qui fait passer de la philosophie politique à la science politique. Et ce saut est un saut méthodologique.

Car, au sortir du Moyen Age, il fallait réagir contre une double tare. D'une part, un mélange entre l'analyse des faits objectifs et l'affirmation de principes normatifs, entre « les jugements de réalité et les jugements de valeur », comme dira Durkheim. D'autre part, la prédominance du raisonnement *a priori* et de la méthode déductive sur l'observation et la méthode inductive. En deux mots, il fallait imposer le positivisme et l'objectivisme méthodologiques.

— Au Moyen Age, l'impérialisme scientifique de la théologie avait fait de la philosophie sociale le reflet de la religion et de la morale. La Renaissance, c'est d'abord la renaissance de l'esprit critique, l'émancipation intellectuelle, la scission du divin et de l'humain. On quitte enfin la « Cité de Dieu » et des siècles d'augustinisme politique. A son rang, Machiavel expulse la métaphysique et la morale des sciences sociales.

Sa démarche est « *positive* », au sens où l'entendra Auguste Comte. Elle coupe la science politique de la théologie. Elle l'affranchit du religieux et du métaphysique. Machiavel se pose en observateur, non en philosophe, en témoin, non en juge. Machiavel peint les hommes politiques tels qu'ils sont, non tels qu'ils devraient être.

Le Prince est un constat, un procès-verbal. Il fonde la politologie positive. La science politique devient une discipline descriptive, et non plus normative. Elle s'exprime à l'indicatif et non plus à l'impératif. Elle constate, et ne porte plus de jugements de valeur.

— Machiavel réagit encore contre une seconde tare, complémentaire. Car les méthodes scolastiques du Moyen Age avaient fait prédominer le raisonnement déductif sur l'observation des faits. Elles avaient privilégié le logicisme abstrait, le jeu d'idées pures, le raisonnement *a priori.*

Machiavel, au contraire, se met *à l'école des faits.* Il substitue au raisonnement pur *l'observation* directe. Le secrétaire florentin étudie la réalité sociale, comme Vinci, son contemporain, étudie la réalité physique. Comme un objet. Etude *objective,* qui ne s'embarrasse d'aucune préoccupation religieuse ou métaphysique, d'aucun a-priorisme abstrait et logicien. « Il m'a semblé plus convenable de suivre la vérité effective de la chose *(verità effettuale della cosa)* que son imagination » (*Le Prince,* XV).

L'étude politique doit s'en tenir aux faits. Reposer sur l'observation, la comparaison, l'induction. Ce faisant, Machiavel retrouve la démarche qui fut, parfois, celle d'Aristote. Mais, lui, coupe définitivement la science politique de la philosophie.

3° Les lois de la science politique. — Enfin, le Florentin dégage de la multitude des faits observés des constantes, des relations, des successions significatives. Il s'efforce toujours de tirer d'une série de faits des généralisations, de découvrir les « lois » qui relient et expliquent les événements. C'est dire qu'il fonde la notion de loi sociologique, *loi* — scientifique et non morale — qui régit les faits sociaux.

C. — Montesquieu (1689-1755)

A son tour, Montesquieu fait œuvre essentielle avec *L'Esprit des lois* (1748). Il y entreprend une vaste enquête sur les *lois,* sur les systèmes juridiques et politiques des divers pays. Chaque loi, même apparemment arbitraire, n'est pas due au hasard, au caprice des hommes ou à l'action de la Providence. Elle a sa raison d'être. Elle trouve sa cause dans le contexte (régime politique, religion, climat, population, nature du sol, etc.) ou dans son rapport avec les autres lois existantes.

« Les lois, dans la signification la plus étendue, sont les rapports nécessaires qui dérivent de la nature des choses » (livre I, chap. I). « J'ai vu chaque loi particulière liée avec une autre, ou dépendre d'une autre plus générale » (Préface).

L'Etat comme totalité. — Louis Althusser (*Montesquieu, La politique et l'histoire,* 4e éd., 1974) l'a souligné : Montesquieu conçoit l'Etat comme une structure, c'est-à-dire une *totalité.* Pour lui, « l'Etat est une totalité réelle; tous les détails de sa législation, de ses institutions et de ses coutumes ne sont que l'effet et l'expression nécessaires de son unité interne » (p. 48). Au lieu d'analyser séparément les divers éléments de la société, Montesquieu entend saisir l'*ensemble,* expliquer les parties par le tout. Car la totalité ne peut être appréhendée à partir de ses éléments isolés. Il faut, au contraire, commencer par l'ensemble pour étudier ses éléments.

En considérant ainsi la réalité politique et sociale comme une *totalité,* Montesquieu annonce déjà les notions de *système* social et de *structure* sociale. « Nous disons qu'il y a structure (sous son aspect le plus général) quand les éléments sont réunis en une totalité présentant certaines propriétés en tant que totalité et quand les propriétés des éléments dépendent, entièrement ou partiellement, de ces caractères de la totalité » (J. Piaget).

Les lois. — Totalité, interrelations, ensemble de rapports : Montesquieu retrouve et développe l'intuition fondamentale : les faits sociaux sont reliés entre eux par des liens objectifs. Dès lors, la science sociale peut se constituer. Dès lors, il est possible de prendre la société au même titre que la nature physique comme objet d'étude. Elle aussi obéit à des *lois,* au sens scientifique du terme, qui expriment des régularités tendancielles. Il existe des lois causales, qui expliquent, relient et coordonnent les faits sociaux.

L'on doit pouvoir découvrir, induire et vérifier ces lois sociales. Faire de la science politique une science nomothétique. A une double condition. D'abord, abandonner le raisonnement *a priori* pour l'observation des faits : « Je n'ai point tiré mes principes de mes préjugés, mais de la nature des choses » (préface de l'*Esprit des lois*). Ensuite, se conduire en témoin qui constate les faits, non en moraliste qui porte des jugements de valeur : « On dit ici ce qui est, et non pas ce qui doit être » (livre IV, chap. II).

§ 2. — LA SOCIOLOGIE DEPUIS LE XIXe SIÈCLE

Le relativisme et l'empirisme sociologiques de Montesquieu, venant après la « physique sociale » de Hobbes (1588-1679) et de Spinoza (1632-1677) et après les travaux de Leibniz (1646-1716) et ceux de Locke (1632-1704), ouvraient donc la voie à des recherches originales. Il faut, cependant, attendre le XIXe siècle, pour voir s'affirmer avec force la tendance à des recherches objectives en sciences sociales. Seule *l'économie politique* connaît un remarquable essor dès la seconde moitié du XVIIIe siècle, avec les Physiocrates en France et Adam Smith (1723-1790) en Grande-Bretagne, puis surtout, dans ce même pays, dès le début du siècle suivant, avec Malthus (1776-1834) et Ricardo (1772-1823).

Mais le XIXe siècle allait connaître les débuts, puis l'essor de la sociologie.

A. — Les débuts de la sociologie

C'est, en effet, l'époque des derniers précurseurs ou des premiers fondateurs.

Tocqueville (1805-1859). — *De la démocratie en Amérique* (1835-1840) constitue déjà une très grande œuvre sociologique. Par l'esprit et par le ton, Tocqueville apparaît comme le successeur de Montesquieu. Avec ses dons exceptionnels d'observation, il donne une analyse complète et pénétrante de la société américaine. On remarquera la modernité de la problématique : étude des effets politiques du développement socio-économique. Bien qu'inachevé, *L'Ancien Régime et la Révolution* (1856), méditation sur la décadence de l'aristocratie et sur la centralisation, constitue aussi une puissante réflexion sociologique.

La réflexion socialiste. — Dans un secteur idéologique différent, la réflexion socialiste est le plus souvent d'essence sociologique. Avec Claude-Henri de Saint-Simon (1760-1825), initiateur de la « physiologie sociale » ou de la « physique sociale » (2), et, par là même, « père spirituel de la sociologie contemporaine » (G. Gurvitch). Avec

(2) « L'histoire est une physique sociale » (1er cahier du *Catéchisme des industriels,* 1823).

Charles Fourier (1772-1837), prophète d'une harmonie culturelle, régie par la « loi d'attraction ». Avec Pierre-Joseph Proudhon (1809-1865), pour qui la « science sociale » doit révéler les antinomies toujours nouvelles qui surgissent dans la société. A sa manière différente, chacun d'eux fonde sa doctrine politique sur une réflexion sociologique.

Marx (1818-1883). — « Socialisme utopique » et non « socialisme scientifique », diront les marxistes (3). Car Marx, lui, entend poursuivre une explication et élaborer une doctrine plus réalistes. Amalgamant la philosophie dialectique de l'histoire (Hegel), l'économie politique anglaise (Adam Smith, Ricardo) et le socialisme français (Saint-Simon, Fourier, Proudhon, Blanqui, Louis Blanc), Karl Marx marque une étape essentielle de la pensée sociologique. Avec ce goût et ce talent de la synthèse totale, de l'intégration des manifestations sociales partielles dans des cadres totaux, qui caractérisent la sociologie du XIXe siècle. Comme ses autres écrits, *Le Capital* (1er vol., 1867) constituera un chef-d'œuvre d'analyse sociologique, proposant une explication scientifique de la réalité et de l'histoire sociales (*infra*, p. 61-72).

Coauteur avec lui de *La Sainte Famille* (1844), de *l'Idéologie allemande* (1844-1846) et du *Manifeste du parti communiste* (1848), Friedrich Engels (1820-1895) fait également œuvre sociologique. Spécialement dans *L'Origine de la famille, de la propriété privée et de l'Etat* (1884).

Comte (1798-1857). — Il restait à dénommer cette science sociale qui s'ébauchait avec force. Auguste Comte avait d'abord utilisé l'expression « physique sociale » (*Cours de philosophie positive*, vol. I-III, 1832-1839), selon une dénomination retenue jadis par Hobbes et naguère par Saint-Simon, dont il fut le secrétaire. Mais, dans son ouvrage *L'Homme et le développement de ses facultés, essai de physique sociale* (1835), le mathématicien belge Quételet s'appropria ce terme, pour désigner l'étude statistique des phénomènes moraux. En 1839 (*Cours de philosophie positive*, vol. IV), Auguste Comte forge donc le terme « *sociologie* », jumelage insolite du latin et du grec.

Par-là, il entend affirmer avec éclat l'intention *scientifique* qui guide sa recherche : étudier la réalité sociale comme d'autres étudient la réalité physique. La science de la société s'inspirera des sciences de la

(3) Cf. F. ENGELS, *Socialisme utopique et socialisme scientifique*, 1880.

nature. La sociologie doit être véritablement une discipline scientifique, c'est-à-dire « objective » et « *positive* ». Elle sera l' « étude positive de l'ensemble des lois fondamentales propres aux phénomènes sociaux ». Elle observera les phénomènes sociaux selon des méthodes et des techniques scientifiques.

Cette conception nourrit une vision particulièrement ambitieuse de la sociologie. Celle-ci doit être la synthèse totale, la science-reine, la science terminale, l'aboutissement final vers lequel convergent toutes les réflexions, une sorte de panthéon polydisciplinaire.

D'ailleurs, en tant que « science des sciences », la sociologie ne sépare que préalablement la science de l'art. D'où la formule préliminaire de la seconde leçon du Cours (vol. I) : « Science d'où prévoyance, prévoyance d'où action ». « Les phénomènes sociaux, écrit encore Comte, sont assujettis à de véritables lois naturelles, par conséquent tout aussi susceptibles de prévision scientifique que les autres phénomènes. »

Comte sombrera bientôt dans les excès de la *sociocratie* (gouvernement sacerdotal des savants qui détiennent la connaissance sociologique), puis dans les extravagances de la *sociolâtrie* et de la religion positiviste de l'Humanité. Mais il avait fait ressortir le caractère irréductible de la réalité sociale, affirmé et consacré une méthodologie. Ouvrant ainsi la voie à une véritable sociologie scientifique.

L'importance de cet héritage transparaît, dans deux définitions contemporaines de la sociologie. Celle de Raymond Aron, qui voit en elle « l'étude qui se veut scientifique du social en tant que tel » (4). Celle d'Armand Cuvillier, qui la définit comme « la science positive des faits sociaux » (5). Avec Comte, les bases étaient définitivement posées à partir desquelles une sociologie scientifique allait pouvoir se développer.

B. — L'essor de la sociologie

Dès la seconde moitié du XIXe siècle, le développement de la nouvelle discipline est particulièrement fécond en France, en Grande-Bretagne, en Allemagne, en Italie et aux Etats-Unis.

1° **En France,** Frédéric Le Play (1806-1882) et des disciples apparaissent comme les précurseurs de la recherche empirique en socio-

(4) *Les étapes de la pensée sociologique,* 1967, p. 16.
(5) *Manuel de sociologie,* 3e édit., 1958, t. I, p. 99.

logie, combinant la statistique et la description monographique.

Mais la contribution la plus essentielle à la nouvelle discipline est celle d'Emile Durkheim (1858-1917), qui se situe dans la lignée du positivisme comtien : « Les phénomènes sociaux sont des choses et doivent être traités comme des choses... Est chose, en effet, tout ce qui est donné, tout ce qui s'offre ou, plutôt, s'impose à l'observation » (6).

Durkheim produit une œuvre scientifique fondamentale (*De la division du travail social,* 1893; *Les règles de la méthode sociologique,* 1895, code et manifeste pour la nouvelle discipline; *Le suicide,* 1897; *Les formes élémentaires de la vie religieuse,* 1912).

L'étude sur *Le suicide,* modèle de travail scientifique, démontre l'efficacité des méthodes empiriques fondées sur des statistiques, des données quantitatives ou qualitatives pour la mise en évidence de corrélation entre les phénomènes sociaux, et pour la recherche des causes, grâce à un appareil théorique et conceptuel perfectionné.

En outre, Durkheim donne naissance à toute une école. Avec Marcel Mauss (1872-1950), qui ouvre la voie à l'anthropologie moderne, Paul Fauconnet (1874-1938), Maurice Halbwachs (1877-1945), auteur de plusieurs travaux sur les classes sociales, sur la mémoire collective, sur le suicide, Célestin Bouglé (1870-1940), François Simiand (1873-1935) et Lucien Lévy-Bruhl (1857-1939). Ses disciples développent les analyses de Durkheim en les appliquant aux *divers secteurs de la connaissance sociologique* (sociologie économique avec François Simiand, sociologie politique avec Georges Davy, sociologie juridique avec Henri Lévy-Bruhl, etc.).

Durkheim et ses disciples insistent sur la spécificité du fait social, lui attribuant des caractères propres. La société est elle-même quelque chose de plus et d'autre que la somme des individus la composant. Elle n'est pas une addition, mais « un tout » — certains vont même jusqu'à dire un être — avec sa vie, son histoire, sa conscience, ses intérêts.

L'influence du fondateur de l'*Ecole sociologique* française s'étend même aux Facultés de droit par le relais de Léon Duguit, tandis que, dans le même temps, la sociologie ou l' « interpsychologie » de Gabriel de Tarde influence Maurice Hauriou.

2° **En Grande-Bretagne,** Herbert Spencer (1820-1903) apparaît, dans ses *Principles of Sociology* (1876-1890), comme le premier représen-

(6) E. Durkheim, *Les règles de la méthode sociologique,* 1895, p. 35.

tant d'une sociologie à tendance naturaliste. Porté aux analyses organologiques, il emprunte à la biologie les concepts de *structure* et de *fonction,* devenus depuis si usuels.

S'inspirant de Lamarck et de Darwin, Spencer formule une loi générale d'après laquelle l'évolution de tous les corps s'opère par le passage d'un stade primitif, caractérisé par l'homogénéité ou la simplicité de la structure, vers des stades toujours plus avancés, marqués par une hétérogénéité croissante des parties, laquelle s'accompagne de nouveaux modes d'intégration de ces parties. La société doit être considérée comme un être vivant qui obéit à cette « *loi générale de l'évolution* », tout comme les organismes biologiques. Et ce champion de la *théorie évolutionniste* entreprend de démontrer que les sociétés humaines furent à l'origine des petites collectivités simples, indifférenciées, homogènes et qu'elles ont évolué en devenant toujours plus complexes, différenciées, hétérogènes.

Cependant, par la suite, les foyers anglais d'enseignement et de recherche sociologiques devaient rester réduits. Malgré la présence d'auteurs comme Benjamin Kidd (1858-1916), dont la *Social Evolution* (1894) porte l'empreinte du darwinisme, ou Graham Wallas (1858-1932). Et en dépit des travaux conduits par le rameau britannique de l'école de Le Play, qui, avec Charles Booth (1840-1916), Patrick Geddes (1854-1932) et Victor Branford (1864-1930), introduisent en Grande-Bretagne les enquêtes sociales empiriques de grande envergure *(social surveys)*.

3° **En Allemagne,** paraissent les travaux de Wilhelm Dilthey (1833-1912), Georg Simmel (1858-1918), Max Scheler (1874-1928), Ferdinand Tönnies (1858-1920). Scheler introduit en sociologie le point de vue de la phénoménologie, qui conduit à rechercher les significations essentielles de la réalité vécue; de plus, il imprime son impulsion à la sociologie de la connaissance. Tönnies reste célèbre par la distinction qu'il établit entre deux sortes de rapports sociaux; les uns, qu'ils dénomment « sociétaires », reposent uniquement sur des calculs d'intérêt; les autres, qu'il appelle « communautaires », se fondent sur des tendances naturelles et engagent l'être tout entier. Cette opposition entre communauté (*Gemeinschaft*) et société (*Gesellschaft*) inspirera de nombreux travaux.

Mais la discipline est surtout dominée par Max Weber (1864-1920), fondateur de la « *sociologie compréhensive* ». Pour lui, les sciences de l'homme ont sur les sciences de la nature l'avantage de pouvoir

« *comprendre* » *de l'intérieur* les phénomènes étudiés. Ainsi, le sociologue peut interpréter l'action sociale en prenant mentalement la place des sujets, en s'associant à leurs sentiments ou à leurs représentations. La méthode principale consistera à élaborer des « *types idéaux* », qui ne sont pas le reflet de ce qui est donné dans l'expérience, mais qui constituent des instruments logiques et heuristiques, apportant de la cohérence dans la matière étudiée par le sociologue. Son œuvre (*Wirtschaft und Gesellschaft,* 1921, tr. *Economie et Société,* Plon, 1971; *L'Ethique protestante et l'esprit du capitalisme,* tr. 1964; *Le savant et la politique,* tr. 1959; *Essais sur la théorie de la science,* tr. 1965, etc.) (7) exercera la plus large influence en Allemagne comme à l'étranger.

4° **En Italie,** la figure dominante est Vilfredo Pareto (1848-1923), grand économiste — il est, avec Walras et Cournot, l'un des fondateurs de l'économie mathématique — et grand sociologue. La traduction française de son *Traité de sociologie* paraît en 1917-1919. De Pareto, théoricien de la « circulation des élites », se rapproche Gaetano Mosca (1856-1941), théoricien de la « classe dirigeante » (8), dont les *Elementi di scienza politica* paraissent en 1896. L'un et l'autre, face au marxisme qui privilégie les facteurs économiques, soulignent l'importance des facteurs politiques dans la vie sociale (*infra,* p. 214-218).

5° **Les Etats-Unis,** enfin, connaissent un essor considérable de la sociologie et de la psychologie sociale, marqué notamment par les travaux de W. G. Summer (1840-1910), A. Small (1854-1926), F. H. Giddings (1855-1931) et surtout de C. H. Cooley (1864-1929) et G. H. Mead (1863-1932).

Mais, spécialement aux Etats-Unis, on prend déjà conscience de la difficulté pour un seul chercheur d'embrasser la totalité de la réalité sociale. De plus en plus, à *une* sociologie « encyclopédique », appréhendant tous les phénomènes sociaux, succèdent *des* sociologies, étudiant seulement tel ou tel type de phénomènes. La renaissance d'une sociologie politique illustre exemplairement ce retour du général au plus particulier.

(7) Voir aussi : *La sociologie du droit de Max Weber, Introduction et traduction* par J. GROSCLAUDE, thèse dact. Strasbourg, 2e éd. 1973.

(8) Cf. la traduction en anglais, sous le titre *The Ruling Class* (London, 1939) de ses *Elementi di Scienza Politica.*

§ 3. — LA SOCIOLOGIE POLITIQUE AU XXe SIÈCLE

« La sociologie politique, comme science spécialisée, est récente » (R. Bendix et S. Lipset) (9). « La science politique est un produit du XXe siècle » (D. Waldo) (10). Ces deux témoignages concordants marquent bien un tournant essentiel : dès la fin du XIXe siècle, la sociologie politique — ou la science politique — retrouve une certaine autonomie par rapport à la sociologie générale. Elle avait presque manqué d'être absorbée par une sociologie ambitieuse, à vocation universelle. Elle avait failli devenir un dérivé, un sous-produit de la sociologie générale. Désormais, la science politique reprend conscience de sa relative spécificité et la revendique. L'ère de la spécialisation et de la professionnalisation commence. Voici venu le temps des « *political scientists* ». Car, désormais, l'histoire de la science politique, c'est, souvent, l'histoire de la science politique américaine, qui sera d'ailleurs renforcée par l'immigration d'universitaires européens chassés par le fascisme ou le nazisme.

A. — La renaissance de la science politique

Entre 1890 et 1914, plusieurs universités américaines créent des départements de science politique. En 1903 est fondée *l'American Political Science Association,* dont Goodnow, Brice, Lowell et Wilson assumeront successivement la présidence. Plusieurs préoccupations communes animent ces politistes.

Contre la philosophie et la théorie politiques. — Soucieux d'améliorer les institutions existantes, tous croient fermement que les études politiques doivent avoir une utilité directe pour l'action politique pratique. Mais, pour pouvoir réformer, il faut *d'abord observer et connaître les faits.* C'est-à-dire rompre avec la tendance précédente à la philosophie ou à la théorie politiques, prêchant ce qui devrait être, au lieu de décrire ce qui est.

Chez F. J. Goodnow, par exemple, le mot « théoricien » prend un

(9) Political Sociology, n° spécial de *Current Sociology,* vol. VI, n° 2, 1957, p. 77-99.
(10) *Political Science in the U.S.A.*, Unesco, 1956.

sens nettement péjoratif (11). Contre « les vieux théoriciens spéculatifs et les faiseurs d'utopies » (12), les auteurs de cette époque — James Bryce, Charles A. Beard, Frank J. Goodnow, Lawrence Lowell, Woodrow Wilson, A. B. Hart, E. J. James, W. B. Munro — se veulent « réalistes ». Que signifie ce « *réalisme* » ?

Dans l'immédiat, ils entendent s'en tenir à l'examen des faits. Avant tout, il importe de s'attacher aux faits, de rapporter scrupuleusement « les faits de l'espèce », en séparant rigoureusement constatations factuelles et propositions normatives. Pour eux, la science ne consiste pas, d'abord, à construire et à vérifier des théories générales. C'est, plus modestement, une entreprise qui commence par décrire le réel. Quand *tous* les faits auront été rassemblés, alors — mais alors seulement — une théorie pourra être hasardée.

Cette volonté d'observer empiriquement le réel inspire d'abord des recherches de type *institutionnaliste.* Dans la voie ouverte dès 1893 par Lord Bryce avec *The American Commonwealth,* qui entend peindre « les institutions et le peuple américain tels qu'ils sont ». L'ouvrage devait exercer une profonde influence sur la science politique américaine, en l'orientant vers des recherches plus concrètes. Pour découvrir, par-delà les formes juridiques, le contenu réel des relations politiques.

Le dépassement de l'approche institutionnelle. — Cette approche « réaliste » va provoquer le dépassement du strict point de vue institutionnel, et l'apparition du concept de « *processus politique* », envisagé comme l'interaction des institutions publiques et des *groupes* sociaux.

Le meilleur interprète de cette nouvelle tendance est Arthur Fisher Bentley, qui publie en 1908 *The Process of Government,* où abondent les métaphores biologiques et les emprunts au darwinisme social : « processus », « fonction », « ajustement », « environnement », etc. Dans ce processus, Bentley met nettement l'accent sur les *groupes* : la vie politique lui apparaît comme la résultante des interactions de groupes. Son livre connaîtra un regain de célébrité quarante ans plus tard, quand s'en réclameront les analystes des groupes d'intérêts, et spécialement David B. Truman dont *The Governmental Process* (New York, 1951) est un hommage à Bentley.

Ce type d'analyse traduit une impatience certaine à l'égard des

(11) Cf. F. J. Goodnow, *Social Reform and the Constitution,* 1911.
(12) Charles A. Beard, « Politics » in Columbia University, *Lectures on Science, Philosophy and Art,* 1908.

descriptions d'institutions, jugées trop juridiques, trop formelles, voire trop optimistes. La volonté apparaît d'appréhender le réel en s'intéressant au *processus* plutôt qu'aux structures, aux *groupes* qui contrôlent vraiment le pouvoir plutôt qu'à l'aménagement constitutionnel de celui-ci.

Cette approche plus *dynamique* (par le processus) et plus *réaliste* (par les groupes) rendait prévisible un déplacement de l'observation des données institutionnelles vers les données psychologiques du « comportement politique » (political behaviour). Désormais, la concurrence allait se développer entre deux types de recherches, permettant d'évoquer une opposition entre « institutionnalistes » et « behavioristes » (13).

B. — L'ÉPOQUE BEHAVIORISTE

L'approche behavioriste. — S'attachant à « ce qui peut être observé », les sciences du comportement *(behavioral sciences)* concernent plusieurs secteurs de la connaissance (psychologie et psychologie sociale, sociologie, anthropologie, économie, etc.). L'étude du *comportement politique (political behaviour)* marque l'application de l'approche behavioriste aux phénomènes politiques.

En réaction contre la science politique conventionnelle, contre l'approche institutionnelle, il s'agit de poser les problèmes politiques en termes de comportement observé et observable.

Histoire. — En science politique, le mouvement behavioriste commence à s'affirmer dans les années 20 et surtout dans les années 30.

Doyen et chef de file de la science politique américaine, Charles Merriam (1876-1953) annonce déjà la nouvelle approche. A un double titre.

— D'abord, par son insistance sur les problèmes de *méthodologie.* La science politique doit définitivement remplacer la pensée politique, en développant des techniques scientifiques. Promoteur de la recherche, Merriam organise et dirige, au sein de *l'American Political Science Association,* un *Committee on Political Research.* Et c'est en grande partie grâce à ses efforts qu'en 1923 est créé le *Social Science Research Council,* dont il devient le premier président.

(13) DAVID B. TRUMAN, « The Impact on Political Science of the Revolution in the Behavioral Sciences », dans *Research Frontiers in Politics and Government,* 1955.

— Ensuite, par sa faveur pour la *psychologie,* spécialement perceptible dans *New Aspects of Politics* (Chicago, 1925), dont un chapitre s'intitule « Politique et psychologie ». Merriam y insiste sur « les larges possibilités offertes par la coordination de la médecine, de la psychiatrie, de la psychologie et de la science politique ». Cette tentative pour relier la science politique et la psychologie influence directement son élève Harold D. Lasswell, qui publie en 1928 *Psychopathology and Politics* (14).

Disciple et dauphin de Merriam, Harold D. Lasswell continue d'accréditer la même idée : l'étude de la politique constitue une véritable science; elle requiert l'utilisation de techniques rigoureuses. Au plan méthodologique, il promeut, notamment, l'analyse du contenu *(content analysis),* spécialement en matière de propagande (symboles, mots-clés, etc.).

En même temps, dans les années 30, la science politique américaine reçoit le renfort d'universitaires européens, immigrés aux Etats-Unis, qui soulignent l'importance des méthodes sociologiques et psychologiques pour la compréhension de la politique, et qui font mieux connaître Durkheim, Weber, Pareto ou Freud. La seconde guerre mondiale stimule aussi le mouvement behavioriste américain, en confrontant les politistes à de multiples problèmes concrets. En 1945, le *Social Science Research Council* crée un *Committee on Political Behaviour,* dont V.O. Key Jr. devient le président en 1949.

Objet et méthodes. — L'approche behavioriste vise donc à l'observation systématique du comportement. Désormais, l'analyse se concentre sur le « comportement observable ». Pour découvrir des uniformités, des régularités dans ce comportement réel, élaborer des modèles de comportement, des généralisations et, à terme, formuler des théories.

L'objectif est de rendre la science politique plus « scientifique », plus rigoureuse. En utilisant des modes d'investigation et d'analyse scientifiques, en affinant les instruments et les méthodes de recherche. Désormais, l'accent est mis sur les impératifs méthodologiques, sur les problèmes d'observation, de vérification et de quantification.

Car, dans une telle recherche, les techniques quantitatives tiennent évidemment une place importante. L'idée d'utiliser les mathématiques

(14) Comme Lasswell, de nombreux auteurs — Cantril, Lane, Mac Closky, Adorno, etc. — insisteront sur les caractéristiques psychologiques de l'*homo politicus* : personnalité, attitudes, prédispositions, croyances.

en science politique n'est certes pas nouvelle. Déjà Condorcet tablait sur les méthodes mathématiques pour dégager des perspectives originales. Cependant, l'analyse politique contemporaine a longtemps hésité à emprunter cette voie.

Il faut attendre 1928, pour voir paraître *Quantitative Methods in Politics* de Stuart Rice, qui est le premier à employer les techniques statistiques en science politique, et qui ne sera imité que lentement. Autre précurseur en la matière : Harold F. Gosnell, dont plusieurs travaux *(Machine Politics, Chicago Model,* 1937; *Grassroots of Politics, National Voting Behaviour of Typical States,* 1942) constituent un apport déterminant pour l'enrichissement méthodologique.

Bientôt, dans l'analyse du comportement des individus ou des groupes, une part croissante sera donnée aux quantifications mathématiques. Et l'utilisation des méthodes des *behavioral scientists* (sondages, enquête d'opinion, interviews intensives, panels, analyses du contenu, échelles d'attitudes, analyses statistiques, etc.) deviendra courante.

Les champs d'étude privilégiés par l'approche behavioriste. — D'une certaine manière, le choix de ces méthodes (empiriques et quantitatives) ira jusqu'à dicter le choix des secteurs de recherche. Les domaines les plus explorés seront ceux où les données quantitatives ou quantifiables sont les plus abondantes. D'où toutes les études entreprises en matière de vote, de participation électorale et d'opinion publique (15). D'où l'ampleur des recherches sur les partis politiques, les groupes d'intérêts et les processus de prise des décisions *(decision-marking)*. Cette « tyrannie de l'instrument » explique, en bonne part, « l'inégale pénétration de l'approche behavioriste » (D. Waldo).

L'âge d'or behavioriste. — En science politique, la vogue du behaviorisme atteint son apogée dans les années 1950. L'observation systématique du comportement constitue alors la tendance à la mode. Elle bénéficie de l'impulsion des études de recherche opérationnelle conduites par les universités et les instituts de recherche sous contrat avec les instances fédérales. Elle se trouve fortement encouragée par les grandes Fondations (spécialement la Fondation Ford). A l'époque, et selon Kenneth Boulding (*The Image,* 1956), la définition la plus

(15) Cf., à titre d'exemple, deux grandes études du comportement électoral : P. Lazarsfeld, Berelson, H. Gaudet, *The People's Choice,* New York, 1944, et A. Campbell, P. Converse et al., *The American Voter,* New York, 1960.

exacte de la science du comportement serait, au fond, celle-ci : constitue une science du comportement celle qui permet d'obtenir une subvention de la Fondation Ford.

C'est la période où apparaît avec le plus de clarté l'opposition entre « scientifiques » et « philosophes », entre behavioristes et traditionalistes.

« D'un côté, ceux qui veulent faire des études politiques une science véritable fondée sur l'observation des faits, la vérification prudente et méthodique des hypothèses, le recours aux mathématiques et à la quantification, la chasse impitoyable à la métaphysique et aux préoccupations morales avouées. De l'autre, ceux qui restent sceptiques à l'égard de la possibilité d'une science sociale comparable en rigueur aux sciences physiques et naturelles, et qui refusent de procéder à une séparation rigoureuse entre « ce qui est » et « ce qui devrait être ». » (S. Hoffmann, *RFSP,* 1957, p. 913 et s.).

Mais l'âge d'or behavioriste est près de s'achever. En dehors de l'école, mais aussi en son sein même, montent des critiques contre un type de recherche qui ne respecte guère la voie moyenne, que Harold D. Lasswell définissait ainsi, dans l'introduction de *Power and Society, A. Framework for Political Inquiry,* publié avec Abraham Kaplan en 1952 ;

« La théorisation politique ne doit pas être confondue avec les spéculations métaphysiques abstraites, désespérément détachées de la vérification et de l'observation empiriques. » Mais, à l'inverse, il convient aussi d'éviter « l'empirisme brut », « la collecte des faits sans élaboration d'hypothèses ». « D'eux-mêmes, bien sûr, les faits sont de simples collections de détails : ils n'ont de sens que comme données pour des hypothèses. »

Cette exhortation à ne pas négliger la théorie pour la pratique, cet appel à la « modélisation », venaient trop tard pour désamorcer les vigoureuses critiques qui allaient être adressées au courant dominant la science politique.

C. — La phase post-behavioriste

Trois temps se succèdent : la critique du courant behavioriste, l'élaboration de théories et de modèles, et, enfin, leur opérationnalisation.

1° *La critique du courant behavioriste.*

La critique se développe sur trois plans complémentaires. Elle concerne, à la fois, les ***méthodes***, l'***esprit*** et les ***résultats*** des recherches menées par les behavioristes. Cette critique a d'autant plus de poids qu'elle émane parfois d'anciens behavioristes fervents.

a) **Les méthodes.** — Les critiques formulées contre les méthodes empiriques et quantitatives sont d'autant plus abondantes que certaines procèdent de l'esprit de routine, sinon de la mauvaise foi. Déconcertés par une terminologie et des concepts non familiers provenant d'autres sciences, déroutés par l'usage des mathématiques, certains procureurs requièrent contre cette innovation méthodologique, qui trouble leur confort universitaire.

D'autres griefs, en revanche, sont mieux fondés. Comme ceux formulés contre l'impérialisme de la méthodologie. Paradoxalement, ce sont les sujets qui s'adaptent aux méthodes, et non l'inverse. *Les méthodes dictent presque l'objet des recherches.* L'engouement pour les mathématiques et les techniques de behavioral scientists tend à déséquilibrer la discipline, à réduire la réalité sociale à ce qui est mesurable. Dorénavant, ce qui compte, c'est ce qui peut être compté. Cette « *quantophrénie* », cette « testomanie » (16) détournent la sociologie des questions essentielles, pour l'orienter vers des problèmes dépourvus d'importance intrinsèque, mais qui se prêtent à l'emploi des techniques nouvelles, voire à l'octroi d'une subvention par une Fondation. Pour David B. Truman, cette attitude évoque celle de l'ivrogne, qui a perdu sa montre dans une ruelle sombre la nuit, mais qui s'obstine à la chercher sous le réverbère du boulevard, sous prétexte qu'il y fait plus clair.

b) **L'esprit de la recherche : les valeurs.** — La seconde critique concerne plus généralement l'esprit même des recherches conduites par les behavioristes. C'est-à-dire la prétention à construire une science objective et *neutre,* en *séparant les faits et les valeurs.*

En vérité, il ne peut exister de science sociale libérée des valeurs. Ici l'observateur participe à la société observée et, consciemment ou non, se situe par rapport à son système de valeurs. Le politiste ne

(16) P. Sorokin, *Tendances et déboires de la sociologie américaine contemporaine,* tr. 1959.

parviendra à l'objectivité que s'il prend conscience de ses propres valeurs et de l'influence constante qu'elle exerce sur ses démarches intellectuelles. Dans le cas contraire, le refus pseudo-scientifique d'exprimer ses préférences entraînera une résurgence inopinée de ces valeurs, qui viendra fausser la neutralité de l'analyse.

A cet égard, visant surtout Merriam et Lasswell, Stanley Hoffmann (*RFSP*, 1957) note : « N'est-il pas curieux que des pionniers de la science « *neutre* » en soient arrivés, à un moment de leur carrière, quand la pression du milieu était particulièrement forte, à se transformer en chantres et serviteurs de la démocratie américaine ? »

Au fond, comme l'indique Dwight Waldo (*Political Science in the U.S.A.*, Unesco, 1956), les valeurs américaines traditionnelles continuent d'animer les chercheurs à leur insu. Qu'ils s'en rendent compte ou non, les valeurs nationales sont aussi leurs valeurs personnelles. Dès lors, l'expérience nationale se transforme furtivement en archétype scientifique. Cette négation ou cette occultation des valeurs profite donc finalement aux valeurs sociales dominantes, c'est-à-dire au conformisme. Phénomène classique : en sociologie, dès 1943, dans *Knowledge for what,* Robert Lyndt dénonçait la mécanisation des enquêtes empiriques, en dévoilant les implications conformistes inconscientes de la prétendue description « pour voir ».

Au demeurant — et plus clairement — Harold Lasswell passera de la science « neutre » à *la science politique « appliquée »*, dans l'ouvrage qu'il publie en 1951 : *The Policy Sciences* (Les Sciences de la Politique) (17). En 1963, *The Future of Political Science* ira aussi dans le sens de l'engagement des *political scientists* aux côtés des « décideurs » et de leur participation aux décisions politiques.

c) **Les résultats des recherches.** — Dernier grief, fréquemment formulé : les enquêtes menues, minutieuses et longues n'aboutissent qu'à engranger des faits, encore et toujours des faits. Une masse impressionnante de faits se trouve ainsi accumulée, dont on ne tire pas grand-chose, faute de systématisation, de cadres conceptuels de recherche. L'essentiel de l'effort se porte sur l'observation scientifique, délaissant l'interprétation et la théorisation des résultats.

(17) Sur H. D. Lasswell, voir David Easton, « Harold Lasswell : Policy Scientist for a Democratic Society », *Journal of Politics*, vol. XIII, n° 3, août 1956.

Le résultat, ce sont des études de détail, de plus en plus fragmentaires et vaines, qui morcellent le réel, qui font perdre toute vision d'ensemble de la réalité sociale. La critique la plus vigoureuse contre ce « scientisme sociologique », contre cet hyperempirisme, contre cet « hyperfactualisme » (Easton), se trouve dans *L'Imagination sociologique* (1959, tr. 1967) de C. Wright Mills. Contestant nommément Paul Lazarsfeld, George Lundberg, Stuart Dodd et Samuel Stouffer, l'auteur écrit :

« J'entends d'ici les docteurs rappeler du haut de leur chaire que les progrès de la science demandent des siècles et non des décennies. Tôt ou tard, nous dit-on, l'abondance de ces études permettra de généraliser et d'obtenir des résultats intéressants. C'est assimiler la croissance de la sociologie à un jeu de Meccano. » Ou encore : « La sociologie, sachons-le, n'est pas une grande tapisserie aux quatre coins de laquelle les ouvriers travailleraient pour leur propre compte : les petits morceaux de tapisserie, quelle que soit leur forme, ne sauraient se raccorder mécaniquement, pièce à pièce, et donner un ensemble. »

Il est grand temps de passer à la « structuration », à l'interprétation des résultats, à la systématisation des multiples recherches effectuées. Il est grand temps d'abandonner « le fétichisme de la méthode et de la technique », pour laisser libre cours à « l'imagination sociologique ». Vertu qui distingue le sociologue du simple technicien.

Le même constat pourrait être fait en ce qui concerne plus spécialement la sociologie politique. Elle aussi a beaucoup décrit, mais peu cherché à généraliser. L'observation systématique des faits est indispensable. Mais ce travail ne saurait devenir une fin en soi. Sans formulation de théories ou d'hypothèses permettant de classer ou d'interpréter ces faits, il comporte le risque d'une submersion par la masse des données recueillies. Dans la démarche scientifique, les faits et la théorie doivent être en interaction permanente.

Le retard de la fonction théorique. — Au « départ », une formulation au moins *hypothétique* du problème étudié doit guider la collecte des faits. Sinon, sans cadres d'analyse, sans esquisse de théorie, sans fil directeur, on aboutira seulement à accumuler une masse de données, qui, loin de parler d'elles-mêmes, conserveront leur opacité.

A l' « arrivée », la systématisation théorique est le but normal de la recherche scientifique. Le progrès d'une science réside dans l'élaboration de théories de plus en plus générales. Aux hypothèses de travail mineures et isolées, succèdent des formulations plus compréhensives, puis, enfin, un cadre conceptuel global, générateur lui-même de nouvelles hypothèses de recherche.

2° *L'élaboration de théories et de modèles.*

L'impératif théorique. — Cette nécessité d'une réorientation vers la théorie était déjà apparue en *sociologie générale.* Dès les années 30, Talcott Parsons (*infra,* p. 107) réagit contre l'excessif empirisme de la sociologie américaine. Pour lui, la recherche de « faits bruts » ne peut suffire. Il faut élaborer un appareil conceptuel et théorique.

La science ne se satisfait pas de la seule recherche pragmatique. Celle-ci doit être encadrée par une pensée théorique, qui fournisse les hypothèses, les liens logiques, les interprétations explicatives. En pionnier, Parsons impose donc des exigences théoriques à la sociologie américaine.Il lui propose un modèle logique, intégré et cohérent. Il la dégage de l'empirisme dans lequel elle risquait de se dégrader.

En réaction contre ces mêmes risques, un courant analogue anime la *science politique,* à partir des années 50. Il marque la fin d'une excessive division des tâches.

La théorisation. — En effet, avec le renouveau de la science politique dans les premières décennies du xxe siècle, la théorie politique était devenue un domaine de spécialisation. Rapidement, on l'associa à l'étude des valeurs, à l'histoire des idées et à la philosophie. D'où une défiance croissante des politistes « scientifiques » envers les « théoriciens politiques », tenus pour une catégorie dépassée ou dangereuse pour le progrès de la connaissance scientifique.

Mais, dans les années 50, on prend conscience que cette mise à l'écart de la théorie comporte des dangers. Et plusieurs politistes soulignent la nécessité d'une systématisation, empruntée soit à la théorie normative, soit surtout à la théorie descriptive ou causale.

Le représentant le plus éminent de ce nouveau courant est David Easton, politiste canadien, professeur à l'Université de Chicago, qui va exercer une influence profonde sur l'orientation actuelle de la science politique. En 1953, David Easton publie un ouvrage très remarqué, *The Political System : An Inquiry into the State of Political Science.* Qui constitue une critique acerbe de l'hyperfactualisme, de la prétention à imiter les sciences physiques, et de l'idée d'une science politique « libérée des valeurs ». Le propos est net : si « l'état de la science politique » est moins satisfaisant qu'il devrait être, c'est parce que, dans cette discipline, *la fonction théorique est insuffisamment assurée.* La théorie éthique et la théorie causale sont, toutes deux, faibles et confuses; et la distinction tranchée entre les valeurs et les faits empêche chacune d'éclairer l'autre.

Que faire, alors ? Développer une théorie dite « causale », c'est-à-dire non plus une *value theory,* orientée vers la recherche du Bien ou de la Cité idéale, mais un système cohérent et global d'interprétation des phénomènes politiques, comportant l'identification des principales variables. A la théorie philosophique traditionnelle doit s'ajouter *la théorie empirique,* construite à partir des observations accumulées par les recherches antérieures et génératrice d'un cadre conceptuel pour les recherches futures.

Ainsi Easton rompt avec l'empirisme et ses excès, avec le *gap* théorique de naguère. Il dote enfin la science politique d'un cadre général d'analyse (*infra,* p. 119). D'autres — comme Deutsch (*infra,* p. 158) ou Almond (*infra,* p. 141) —, utilisant d'autres approches, fourniront d'autres schémas théoriques. Ainsi se développent les cadres conceptuels, propres à guider les recherches et à interpréter leurs résultats. Ainsi se précisent et se renouvellent les catégories d'analyse des phénomènes politiques. Ainsi se renouvellent la problématique, les interrogations, les centres d'intérêt. Il y a là tout un effort de théorisation et de formalisation, qui marque profondément la science politique américaine des années 60.

La modélisation. — L'ambition est de bâtir des « *modèles* » de la vie politique, susceptibles de guider les recherches ou de systématiser leurs résultats.

De tout temps, les observateurs de la vie sociale ont jugé utile de recourir à des modèles, à des maquettes représentant la réalité, à des représentations figurées de la réalité. Pour faciliter l'étude, le classement ou la comparaison des sociétés ou des systèmes politiques. Pour s'élever à un niveau supérieur d'abstraction ou de généralité.

Dans cette voie, on est passé des modèles matériels aux modèles formels.

Les modèles matériels. — Les modèles sont d'abord des analogies entre deux réalités, des images ou des comparaisons sommaires, encore très proches du sens commun. Par exemple, on se représentera le cosmos comme les boules d'un jeu de billard. On figurera la composition démographique d'une société par une pyramide des âges. Un modèle matériel propose une réalité concrète, tangible comme point d'appui pour élaborer une représentation plus abstraite.

Ainsi, en sociologie, on a beaucoup utilisé des modèles *mécaniques,* assimilant la société à un mécanisme (l'image de l'échelle pour représenter une hiérarchie; celle de l'horloge pour figurer la complexité et l'harmonie d'une société, etc.) et des modèles *organiques,* comparant la société à un organisme vivant. D'Aristote à Spencer ou à Durkheim, en utilisant ces modèles organiques, on voulait illustrer l'interdépendance, la solidarité et la complémentarité existant entre les membres de la société, du « corps » social.

Mais l'usage des modèles matériels comporte des risques. En effet, étant une comparaison entre deux réalités, le modèle matériel risque de tronquer ou de déformer l'observation, d'entretenir une vision fragmentaire, en fixant l'attention sur les propriétés analogues et en laissant de côté d'autres éléments, pourtant importants.

Les modèles formels. — D'où le recours aux modèles formels, que A. Rosenblueth et N. Wiener définissent ainsi : « Un modèle formel est une construction symbolique et logique d'une situation relativement simple, élaborée mentalement et dotée des mêmes propriétés que le système factuel original » (18).

Ainsi le modèle formel diffère du modèle matériel. Il n'est pas une analogie. Il ne consiste pas en une comparaison avec une réalité d'une autre nature ou d'un autre ordre. Il est une reconstruction mentale de la réalité, à l'aide de symboles divers. Comme le note G. Rocher : « Il est véritablement de l'ordre de l'*abstraction,* parce qu'il est construit en extrayant de la réalité étudiée certaines propriétés qui, une fois représentées par des signes ou des concepts, peuvent servir à donner de cette réalité une interprétation et une explication de caractère logique » (19).

Ainsi le modèle est la description de la réalité sous la forme de concepts et de rapports entre ces concepts. Il est une conceptualisation de la réalité, qui en permet une représentation globale et simplifiée. Il est un mode de perception et d'explication de la réalité. L'objectif de cet instrument intellectuel est d'atteindre à un niveau élevé d'abstraction et de logique, donc d'intelligibilité.

(18) A. Rosenblueth, N. Wiener, « The Role of Models in Science », *Philosophy of Science*, vol. 12, oct. 1954, p. 317.
(19) G. Rocher, *Introduction à la sociologie générale,* 1968, t. 11, p. 154-155.

Les modèles formels mathématiques. — Certes, il existe beaucoup de modèles formels non mathématiques. Mais le modèle formel le plus pur est sans doute le modèle mathématique. En effet, le langage commun demeure chargé d'expressions affectives ou de tendances analogiques, métaphoriques, figuratives. En revanche, le langage mathématique, épuré, dégagé de tous ces errements, est fondamentalement non figuratif.

L'usage de modèles mathématiques commence donc à marquer certaines sciences sociales, comme la démographie, l'anthropologie, la sociologie ou la psychologie sociale. Mais, de toutes les sciences sociales, c'est la *science économique* qui, portant sur des données quantifiables, est le mieux parvenue jusqu'à présent à intégrer le langage mathématique et à bâtir des modèles formels valables.

On notera d'ailleurs les tentatives faites par certains pour transposer en *science politique* les concepts de l'analyse économique, pour réaliser une analyse économique de la vie politique. C'est le cas d'Anthony Downs (*An Economic Theory of Democracy,* New York, 1957), élaborant dès 1957 un modèle de stratégie des partis politiques, construit par analogie avec le modèle d'échange des biens et des services dans une économie de marché (*infra,* p. 495).

Au demeurant, l'étude des stratégies partisanes recourt souvent à la théorie des jeux et *mathématise* un certain nombre de relations politiques, pour introduire les principes de rationalité en science politique. C'est le cas de William H. Riker dans son livre *The Theory of Political Coalitions* (New Haven, 1962) (*infra,* p. 496).

Les modèles formels non mathématiques. — D'une manière générale, en réaction contre l'hyperfactualisme, contre la sociographie de la période précédente, la vogue de la modélisation a été très forte en science politique dans les années 60. Un très grand nombre de modèles formels ont été alors élaborés. Surtout aux Etats-Unis, les Européens ayant suivi avec un certain retard, en adaptant ou en perfectionnant les modèles américains, plutôt qu'en créant des modèles originaux.

Parsons avait ouvert la voie en sociologie avec sa théorie générale de l'action, avec son modèle général applicable à la totalité des phénomènes sociaux (*infra,* p. 107). En science politique, il faut surtout citer les apports d'Easton (*infra,* p. 119) et de Deutsch (*infra,* p. 158).

Ces modèles sociaux ou politiques sont très vastes. Ces modèles formels embrassent l'ensemble du système social ou du système politique. C'est dire qu'ils correspondent à des réalités où les éléments quantifiables sont bien plus rares qu'en science économique. En outre, la plupart de ces modèles formels ne sont pas axiomatiques, mais analogiques. Ils ne recourent pas aux mathématiques, mais à la figuration graphique, en s'inspirant d'un système emprunté dans un autre domaine. Ainsi les modèles d'Easton et de Deutsch sont bâtis autour d'un schéma cybernétique d'autorégulation, dont le modèle de Parsons s'inspirait déjà partiellement. Car le schéma cybernétique comme le système des échanges économiques — et surtout le tableau d'échanges intersectoriels de Leontief — influencent souvent les vastes modèles sociaux ou politiques créés depuis vingt ans.

Ces modèles ont souvent un point commun. Ils considèrent les phénomènes sociaux ou politiques comme un *système*. Ils postulent que la réalité étudiée présente les propriétés d'un système. Cela signifie qu'elle se compose d'éléments interdépendants, que la totalité formée par ces éléments n'est pas réductible à leur somme, et qu'enfin les rapports d'interdépendance entre ces éléments et la totalité en résultant obéissent à des règles qui peuvent s'exprimer en termes logiques.

Théories et modèles. — Au total, cet effort de théorisation, de formalisation et de modélisation a produit des résultats importants. Désormais, la science politique se trouve pourvue de plusieurs modèles ou constructions théoriques, qui seront étudiés plus loin (*infra,* p. 101-174), en mettant surtout l'accent sur l'analyse systémique (D. Easton), sur l'analyse fonctionnelle (G. Almond) et sur l'approche par la cybernétique (K. Deutsch).

3° *L'expérimentation des théories et des modèles.*

En vérité, aujourd'hui, la science politique — au moins américaine — semble parvenue à une troisième phase (20).

La première phase correspondait aux études empiriques, conduites avec les amples moyens dont disposent les Universités et les Instituts

(20) Cf., sur ce point, l'intervention de Georges Lavau au colloque de l'Association française de science politique (mars 1969) sur *L'état de la science politique en France* (multigraphié, p. 14). Et sur les problèmes posés par la théorisation et la formalisation : David B. Truman, « Disillution and Regeneration : The Quest for a Discipline », *APSR,* déc. 1965, p. 865-873; Gabriel A. Almond, « Political Theory and Political Science », *APSR,* déc. 1966, p. 869-879.

de recherche aux Etats-Unis, et portant spécialement sur les élections, les partis politiques et les groupes d'intérêts. Puis ces études sont devenues relativement moins fréquentes et moins cotées.

Ce reflux correspond à l'apparition d'une seconde phase, qui va, à peu près, de 1955 à 1965, et qui fut celle de la formalisation, de la conceptualisation à outrance, marquée par l'élaboration de modèles de plus en plus « sophistiqués ».

Enfin, depuis quelques années, se dessine une troisième phase, qui marque une certaine pause, sinon un retrait. Il y a, à présent, retour non pas à des études purement concrètes et empiriques, mais à des recherches qui s'emploient à *expérimenter*, à *« opérationnaliser »* les outils, concepts et modèles, élaborés dans la période précédente.

Cette démarche n'est, d'ailleurs, pas étrangère aux créateurs mêmes des principaux modèles. Ainsi David Easton explique, dans la préface de *A Systems Analysis of Political Life* (1re éd., 1965) : « Mon premier livre, *The Political System*, cherchait à plaider la cause de la théorie générale en science politique. Le second, *A Framework for Political Analysis*, a défini les grandes catégories de cette théorie. Ce présent livre *met cette structure de concepts à l'œuvre* pour les élaborer davantage. »

De même Almond et Powell précisent, dans l'introduction de *Comparative Politics* (1966, p. 10) : « Ce volume introductif s'efforce de définir un cadre conceptuel, qui, nous l'espérons, sera amélioré et affiné dans nos séries analytiques et éventuellement remplacé. » Et l'on sait, précisément, toute l'ampleur des travaux qui ont opérationnalisé ces concepts fonctionnels en matière de « politique comparée » *(comparative politics)* (21) et de développement politique (cf. *infra*, p. 228).

Cependant, pour certains politistes, cette troisième phase est aussi une « phase de retrait, de scepticisme, de critique » (G. Lavau) à l'égard des outils forgés dans la période précédente, et dont l'opérationnalisation n'apparaît pas toujours fructueuse. Ce relatif scepticisme invite à examiner, plus généralement, les problèmes de la sociologie politique aujourd'hui.

(21) La traduction de « comparative politics » par « politique comparée » — de même qu'on parle de « droit comparé » — paraît, en effet, la plus exacte et la plus simple. Elle évite d'inutiles périphrases : analyse politique comparée, études politiques comparatives, etc. Voir R.-G. SCHWARTZENBERG, *Politique comparée*, Institut d'études politiques de Paris. Les Cours de droit, 1972-1973.

SECTION II

LA SOCIOLOGIE POLITIQUE AUJOURD'HUI : PROFIL ET PROBLÈMES DE LA DISCIPLINE

Quels sont, aujourd'hui, au terme de cette évolution, les tendances et les problèmes principaux de la sociologie politique ? Plusieurs questions se posent avec acuité, qui concernent les rapports de la sociologie politique avec la théorie, avec la critique, avec l'action et avec la connaissance.

§ 1. — SOCIOLOGIE ET THÉORIE

Tout le monde s'accorde sur un point : la systématisation théorique est le but normal de l'explication scientifique. Mais un désaccord existe quant aux voies et au rythme à suivre pour parvenir à cette systématisation.

En vérité, la sociologie politique retrouve là un problème qu'a connu avant elle la sociologie générale : le problème du choix entre *théories générales et théories de niveau intermédiaire, de moyenne portée (theories of the middle range)*. Il y a vingt ans, ce débat entre partisans du « rang lointain » et tenants du « rang moyen » opposait déjà Parsons et Merton. Ce dernier affirmait (*Eléments de théorie et de méthode sociologique*, tr. 1re éd., 1953) : « Notre tâche majeure consiste à développer des théories applicables à une gamme limitée de données, plutôt que de chercher immédiatement un cadre conceptuel « intégré » qui permette de dériver toutes ces théories. Il faut d'abord travailler sur des théories spécialisées, si l'on ne veut pas s'exposer à de graves lacunes. »

En bref, l'élaboration du cadre théorique doit débuter par l'établissement de formulations embrassant des domaines limités. Il faut commencer par construire des théories particulières, des « *généralisations départementales* », valables pour certains secteurs de la réalité sociale (par ex. une théorie des petits groupes, une théorie des organisations bureaucratiques, etc.). Le progrès d'une science réside dans la formulation de théories de plus en plus compréhensives. Mais cet effort vers la généralisation ne peut être que progressif. La présentation d'une théorie générale doit constituer l'aboutissement, non le commencement.

La vogue actuelle de la formalisation et des modèles théoriques confronte de plus en plus la sociologie politique à ce même problème. Quel niveau de généralisation ou d'abstraction faut-il adopter ? La question s'est spécialement posée à propos du système de Deutsch, système à ambition générale qui prétend poser un grand nombre de problèmes en termes à la fois abstraits et quantifiables (*infra*, p. 158), et surtout à propos du système d'Easton, constitué en instrument d'analyse suffisamment abstrait et neutre pour être transposable à tous les systèmes politiques (*infra*, p. 119).

L'excès d'abstraction. — Dès 1957 (*RFSP*, p. 927 et s.), Stanley Hoffmann mettait en garde contre « l'immaturité des travaux faits pour arriver d'emblée à une théorie générale ». Il invitait à ne pas verser des excès de l'empirisme dans ceux de la théorisation :

« Si le fait pur est de peu d'intérêt, la théorie pure, du genre de celle de M. Easton, nous paraît présenter un caractère d'*abstraction* tout à fait excessif. On risque de superposer à la myopie « hyperfactuelle » une nouvelle scolastique « presbyte » (22). A retenir un modèle trop global et trop général, on aboutira à une « *théorie pure de la politique* », comme il y eut naguère avec Kelsen une théorie pure du droit. » Hoffmann avait cette boutade significative : « Il est certain que, pour explorer intelligemment le monde des phénomènes politiques, la pénible marche à pied des behavioristes empiriques ne suffit pas; mais le remède ne consiste certainement pas à lui substituer la fusée interplanétaire de la théorie générale. » Avant de conclure prudemment : « Dans l'état actuel des connaissances, ce qu'il faut c'est élaborer des *théories partielles*, applicables à des secteurs relativement limités de la discipline. »

Aujourd'hui encore, de semblables critiques sont formulées contre l'abstraction excessive et le caractère peu opératoire de modèles trop généraux, insuffisamment adaptés à la réalité. Au colloque de mars 1969 sur *L'état de la science politique en France*, Maurice Duverger déclarait en ce sens :

« Ce que je reproche aux modèles d'Easton ou d'autres, c'est essentiellement que ce sont des modèles faits à un degré de généralité tellement élevé

(22) Cf., pour les mêmes critiques, BARRINGTON MOORE Jr., « The New Scholasticism and the Study of Politics », *World Politics*, oct. 1953.

que finalement ils sont utilisables partout sans apporter grand chose nulle part. Est-ce que, finalement, les modèles qui se sont avérés utiles efficaces, ne sont pas des modèles à des niveaux intermédiaires, qui ne se placeraient pas dans le problème général des actions cybernétiques du pouvoir, etc., mais qui se situeraient dans des cadres beaucoup plus limités ? »

Autre grief corrélativement formulé : « Au niveau d'abstraction où l'on se place, la réalité n'a plus grande importance. Nul souffle de vie ne se perçoit dans cet air vierge des cimes. Les questions fondamentales de la politique ne peuvent plus guère s'exprimer. Le jeu des idées pures et désincarnées masque les conflits d'intérêts et de passions. On verse dans la mystification idéaliste » (23).

Les limites de la modélisation. — Il faut le reconnaître : l'élaboration de modèles formels de plus en plus sophistiqués ne s'accompagne pas toujours d'un progrès parallèle de l'explication et néglige parfois les problèmes les plus importants. Ainsi, des variables pertinentes ou essentielles, mais rebelles à la formalisation, sont laissées en dehors des modèles. Ainsi l'on s'écarte de la vie politique réelle. Les théoriciens continuent à présenter modèle après modèle, en créant un univers clos, sécurisant parce que distant des difficultés concrètes. Trop souvent, le progrès dans la modélisation se borne à une axiomatisation de plus en plus éloignée de la réalité et de plus en plus dépendante des progrès autonomes de la théorie mathématique. Souvent ce courant aboutirait donc à un double écueil. Car ces théories ou ces modèles trop généraux risqueraient de déboucher, soit sur une opérationnalisation peu fructueuse, décevante, soit sur une utilisation idéologiquement orientée, d'une manière consciente ou non. Car il y aurait un conservatisme implicite des modèles les plus en vogue.

§ 2. — SOCIOLOGIE ET CRITIQUE

Herbert Marcuse et d'autres auteurs de l'école critique de Francfort ont souvent fait grief à la science politique de son conservatisme. Une science qui ne s'intéresse qu'à la réalité sociale telle qu'elle est, et non telle qu'elle pourrait ou devrait être, une science qui rejette ce

(23) M. Duverger, « De la science politique considérée comme une mystification », *Revue française de l'enseignement supérieur*, 1965, n° 4.

type d'interrogation vers la philosophie, privilégie nécessairement ce qui existe. Elle tourne à l'apologie du statu quo.

Aujourd'hui, les modèles formels camoufleraient une idéologie sous une objectivité apparente. Considérant le système politique comme un ensemble destiné à se maintenir en l'état, insistant sur l'autorégulation et sur la persistance, ils auraient une orientation conservatrice. La formalisation serait donc une idéologie occultée.

Ainsi, les analyses systémique (*infra*, p. 101) et fonctionnelle (*infra*, p. 131) seraient, en définitive, mystificatrices, car elles reposeraient sur un conformisme sous-jacent, sur une vision implicite de la société comme un système d'équilibre. Ce seraient des théories de l'ordre social, tendant à privilégier l'aspect intégrateur de la politique et à reléguer au second plan les inégalités, les conflits, les tensions violentes (24).

L'analyse systémique et le conservatisme. — Pendant près de vingt ans, David Easton fixe son attention avec insistance sur les conditions de stabilité des systèmes politiques. La capacité d'un système politique à *persister*, à *survivre*, constitue le cœur de son interrogation.

Il écrit encore, dans la préface de *A Systems Analysis of Political Life* (1re éd., 1965) : « Je continue de voir la vie politique comme un système entouré par divers environnements. Parce que c'est un système ouvert, il est constamment exposé à d'éventuelles tensions provenant de ces environnements. Cependant, malgré ces dangers pour la vie politique, beaucoup de systèmes sont capables de prendre les mesures nécessaires pour assurer leur propre *persistance* dans le temps. Notre problème sera celui-ci, d'une simplicité décevante : comment un type de système parvient-il à *persister* néanmoins, même sous la pression de crises fréquentes ou constantes ? » Et Easton de considérer cette interrogation comme le « problème central de la théorie empirique en science politique ».

Ainsi, même si l'analyse systémique incorpore les éléments de changement ou de crise, le thème central, voire la finalité, de sa recherche, ce sont la durée, la persistance et leurs facteurs. L'approche porte à « maximer » la stabilité. Elle incite à sous-estimer les tensions, les contradictions, les conflits inhérents à la vie sociale, bref à négliger la dialectique sociale. En mettant l'accent sur le « tout » et sur

(24) Cf., en ce sens, l'intervention de M. Duverger au colloque sur *L'état de la science politique en France* (mars 1969, ronéotypé, p. 17), et l'analyse de L. Hamon, dans *Acteurs et données de l'histoire*, t. 2, ch. XXIII, 1971.

l'autorégulation, elle privilégie naturellement l'intégration. Dès lors, l'analyse systémique a plus dissimulé que révélé les grandes mutations qui affectent depuis quelques années la société américaine.

L'analyse fonctionnelle et le conservatisme. — Les reproches adressés à l'analyse fonctionnelle, taxée de tourner à l'apologie du statu quo dans une société « bien ajustée », sont évidemment plus anciens. Avec lucidité, R. K. Merton lui-même avait déjà relevé les excès que peut engendrer l'analyse fonctionnelle en anthropologie et en sociologie (*infra*, p. 136).

En science politique aussi, l'analyse fonctionnelle verse parfois dans le conservatisme. En oubliant trop souvent les mises en garde et les correctifs de Merton (dysfonctions, fonctions latentes, etc.). Ainsi, on insiste sur les fonctions de maintien et d'adaptation du système politique, sur les conditions de sa stabilité, de sa cohésion et de sa survie. Les affrontements sociaux, les antagonismes de classes paraissent négligés ou occultés. Ce qui prévaut, c'est la foi dans l'intégration, c'est l'idéologie du consensus.

De plus, les fonctionnalistes versent aussi dans l'*ethnocentrisme*, dans la célébration nationale, dans l'idéalisation — consciente ou non — de leur propre système, proposé comme modèle universel. Ainsi Almond, qui postule « l'universalité des fonctions politiques », dérive ses catégories fonctionnelles de l'examen des systèmes occidentaux. A partir de là, il se demande comment ces fonctions — discernables dans les systèmes occidentaux et postulées universelles — se trouvent remplies ailleurs, dans d'autres systèmes.

« La méthode utilisée pour dégager ces catégories fut très simple. Le problème essentiel était de nous poser une série de questions sur les activités politiques distinctes dans les systèmes occidentaux modernes. Autrement dit, nous avons déduit ces fonctions des systèmes politiques où la spécialisation des structures et la différenciation des fonctions sont devenues très importantes. Ainsi, les fonctions remplies par les groupes d'intérêts dans les systèmes occidentaux nous amenèrent à nous poser la question suivante : « comment les intérêts sont-ils exprimés dans des systèmes politiques différents ? », et à découvrir du même coup la fonction d'*expression des intérêts*. Les fonctions remplies par les partis politiques dans les systèmes politiques occidentaux nous conduisirent à une autre question : « comment les demandes ou les intérêts exprimés sont-ils agrégés ou combinés dans des systèmes politiques différents ? » et donc à la fonction d'*agrégation des intérêts* ... » (G. A. Almond, préf. de G. A. Almond, J. S. Coleman, *The Politics of the Developing Areas*, Princeton, 1960).

Avec cet « occidentalocentrisme », c'est un problème plus général qui, en fait, se pose : l'analyse fonctionnaliste tend à confondre le réel et le souhaitable, l'habituel et le nécessaire. Mettant l'accent sur l'adaptation et l'ajustement, insistant sur les phénomènes d'intégration et de persistance, les fonctionnalistes pourraient passer pour des partisans du statu quo, tenant l'ordre établi pour la structure « normale » du pouvoir.

Des griefs excessifs. — Cela dit, il convient de nuancer ces accusations de « conservatisme » ou de « mystification » (25). Certains courants de l'école fonctionnaliste, dans la tradition de Malinowski ou même de Parsons, peuvent effectivement être soupçonnés de privilégier une hypothèse implicite d'ordre social. Mais rien n'interdit, en utilisant les mêmes matériaux analytiques, de retailler tous ces outils pour les faire servir à l'explication des phénomènes de changement, de crise ou de révolution.

Ainsi, on peut intégrer l'étude du changement dans un modèle systémique, y incorporer les contradictions et les conflits de la vie sociale. De même, les démarches des fonctionnalistes sont aisément réversibles : une recherche sur les conditions de l'équilibre ou de la persistance recèle, négativement mais symétriquement, un diagnostic sur les facteurs du mouvement ou du changement. Et, précisément, dans la voie ouverte par Almond, beaucoup d'analyses fonctionnelles, depuis le début des années 1960, se consacrent à l'étude du développement ou de la modernisation politiques.

Tout dépend donc de l'orientation donnée à la recherche. Ces toutes dernières années, le conservatisme implicite des modèles s'est trouvé conjuré par la référence des chercheurs à la politique concrète. D'où plusieurs études des tensions ou des révolutions. Au contact d'un monde changeant et conflictuel, les chercheurs ont ressenti la nécessité d'adapter les modèles, au lieu de les appliquer mécaniquement. Les théories et les concepts se trouvent ainsi critiqués, remaniés, retaillés, « raffinés », à la lumière des problèmes réels.

Cette opérationnalisation critique des catégories forgées antérieurement semble marquer le début d'un troisième âge (*supra,* p. 25), après la phase des études purement empiriques (avant 1955), puis la phase de la formalisation à outrance (1955-1965).

(25) Cf., en ce sens, les interventions de S. Hurtig et G. Lavau au colloque de 1969 sur *L'état de la science politique en France.*

La sociologie critique. — Il reste qu'on peut trouver cette critique encore trop limitée et parcellaire. Et renvoyer dos à dos les politistes du premier âge analytique et empirique et ceux du second âge, tenants d'une théorie formelle et ahistorique, telle qu'elle s'exprime chez Parsons (*infra*, p. 107). Récuser, à la fois, la sociographie sans théorie et la théorie formelle, qui, l'une comme l'autre, délaisseraient la critique globale ou totale de l'ordre existant.

Empirique ou théorique, la sociologie des Etats-Unis validerait implicitement les principes de la société américaine. Aussi sûrement qu'à l'Est, à sa manière différente, la sociologie marxiste, dérivée d'une idéologie, justifie le pouvoir du Parti et de l'Etat. Ici et là, à l'Ouest comme à l'Est, la sociologie aurait cessé d'être *critique*, au sens marxiste du terme : elle ne mettrait plus en question l'ordre social dans ses traits fondamentaux. Elle ne soulignerait plus les aspects dysfonctionnels de la société, ses déséquilibres, ses faiblesses. D'où les protestations de jeunes sociologues « *radicaux* » au Congrès de l'*American Sociological Association*, à Boston, en août 1968.

Il faut citer, de même, l'appréciation sévère de Barrington Moore Jr. : « Quand nous comparons l'ensemble de nos connaissances aux caractères principaux que revêtaient celles du XIXe siècle, nous sommes frappés par les différences suivantes. Premièrement, *tout esprit critique a presque complètement disparu*. Deuxièmement, la sociologie moderne, et peut-être aussi, quoique dans une moindre mesure, la science politique, l'économie politique et la psychologie sont aujourd'hui devenues « *ahistoriques* ». Troisièmement, les sciences sociales contemporaines tendent vers *l'abstraction et le formalisme*. En matière de recherche, les sciences sociales montrent aujourd'hui une virtuosité technique remarquable. Mais cette virtuosité a été acquise aux dépens du contenu. La sociologie contemporaine a moins a dire sur la société qu'il y a cinquante ans. » Ce diagnostic date déjà de 1958 (*Political Power and Social Theory*, Cambridge, Mass., 1958). Mais, aujourd'hui même, il est cité avec approbation et repris à son compte par un politiste aussi peu suspect de passion que Zbigniew Brzezinski (*Between Two Ages*, 1970, traduit en 1971 sous le titre *La révolution technétronique*, p. 15).

Cependant, en Europe comme aux Etats-Unis, la tradition de *la critique* (au sens marxiste), la tradition de la sociologie synthétique et historique ont encore — ou avaient encore récemment — de brillants porte-parole (26). C. Wright Mills et Herbert Marcuse aux

(26) Cf., en ce sens, les observations de RAYMOND ARON dans la préface de son livre, *Les étapes de la pensée sociologique*, 1967.

Etats-Unis (*infra*, p. 371). T. W. Adorno en Allemagne, Lucien Goldmann en France, contestent à la fois les études fragmentaires et empiriques et la théorie formelle et ahistorique d'un Parsons. Ils préconisent une sociologie qui n'abandonne pas la critique globale ou totale de l'ordre existant.

§ 3. — SOCIOLOGIE ET ACTION

Au demeurant, tout sociologue, et *a fortiori* tout politiste, se trouve aujourd'hui obligé de poser consciemment le problème des rapports de sa discipline avec l'action politique.

A la période behavioriste, la difficulté avait été quelque peu contournée. D'une part, les chercheurs voulaient édifier une science objective, « neutre ». Mais, d'autre part, ils souhaitaient aussi parfois contribuer activement à la solution des problèmes politiques concrets. Ainsi, après la guerre, Lasswell s'était montré presque moins préoccupé de *la* science politique, que *des* « sciences de la politique » *(policy sciences)* (27). Le *social scientist* retrouvait un peu la nostalgie du pouvoir spirituel d'Auguste Comte et le vieux rêve d'une discipline, capable de servir de thérapeutique sociale, de prévoir, et de guider la société.

Cependant, cet « *involvment* », cette « *policy-orientation* », ce goût pour la science politique « appliquée », étaient restés secondaires par rapport à l'orientation dominante. Par rapport à l'empirisme et à l'hyperfactualisme, qui dégradaient un peu la sociologie en sociographie. Et contre lesquels C. Wright Mills requérait au nom de « l'imagination sociologique » : « Ma conception de la sociologie n'est pas « dans le vent ». Elle condamne la science sociale des techniques bureaucratiques, qui inhibent la recherche par des prétentions méthodologiques, l'alourdissent de conceptions confuses, la galvaudent dans des problèmes mineurs coupés des enjeux collectifs. »

Par ce pamphlet (*L'Imagination sociologique,* 1959, tr. 1967) comme par ses différents ouvrages (*Les Cols blancs, Essai sur les classes moyennes,* tr. 1966, *L'Elite du pouvoir,* 1956, tr. 1969, etc.), Charles

(27) Cf., surtout, H. D. Lasswell et D. Lerner, *Les sciences de la politique aux Etats-Unis,* Paris, 1951 ; H. D. Lasswell, *The Future of Political Science,* New York, 1963.

Wright Mills marque sa volonté de faire servir la sociologie à l'action, d'en faire une science non plus seulement « désintéressée », mais *utile,* éclairante pour la solution des problèmes réels du présent.

Mais, à cette époque, Mills (décédé en 1961) représente une tendance relativement isolée. La fin de l'âge d'or behavioriste ne se traduit pas par un engagement accru de la sociologie politique, bien au contraire. En effet, la décennie 1956-1966 est fortement marquée, dans la voie ouverte par David Easton, par la quête d'une théorie générale. Cette quête paraît « le produit d'un désir d'évasion, au moins autant que le fruit d'une volonté d'explication » (S. Hoffmann, *RFSP,* 1957, p. 926). A l' « *involment* » de certains dans la période précédente succèdent le désengagement, le détachement de polistes se plaçant délibérément à un niveau très élevé d'abstraction, planant dans les hauteurs académiques.

« La nouvelle révolution dans la science politique ». — Mais il se produit aujourd'hui une nette *réorientation,* une véritable redéfinition du rôle et des tâches du poliste. Après avoir exercé l'influence que l'on sait sur la science politique, après l'avoir dirigée vers la recherche fondamentale, David Easton, lui-même, prend conscience de cette réorientation et de sa nécessité. C'est le thème de son adresse présidentielle à la 65e réunion de l'*American Political Science Association,* en septembre 1969. Elle traite de « la nouvelle révolution dans la science politique » (28).

Cette « *révolution post-behavioriste* » rompt avec les erreurs de naguère. Prétendant édifier une science neutre, mettant au point des instruments d'analyse sophistiqués, le behaviorisme s'est confiné dans la description des faits. En réalité, il a occulté les réalités brutales de la politique et dissimulé « une idéologie de conservatisme social ». Résultat : la science politique a fait preuve de myopie ou d'aveuglement. Elle n'a pas réussi à prévoir les crises auxquelles les Etats-Unis sont confrontés en 1969 : la crise urbaine, les conflits raciaux, la violence, la pauvreté, etc.

La tâche du mouvement post-behavioriste est d'aider la science politique à déceler les besoins réels de l'humanité en temps de crise. « Le rôle historique des intellectuels a été et doit être de protéger les valeurs humaines

(28) D. Easton, « The New Revolution in Political Science », texte reproduit dans : M. Haas, H. S. Kariel, *Approaches to the Study of Political Science,* Scranton, 1970, p. 511-529.

de civilisation. C'est leur unique tâche et obligation. Sinon, ils deviennent de purs techniciens, de simples mécaniciens, pour réparer la société... *Savoir, c'est porter la responsabilité d'agir, et agir, c'est s'engager dans la réforme de la société.* L'intellectuel, comme le scientifique, porte la responsabilité de mettre son savoir à l'œuvre. »

L'époque n'est plus à la science contemplative, mais à la science de l'action. En effet, le temps presse. Certains pays, comme les Etats-Unis, connaissent de graves dissensions internes d'origine ethnique ou économique. Et toute l'humanité est confrontée à des problèmes urgents et graves : le péril nucléaire, l'explosion démographique, la pollution de l'environnement. C'est, pour tous, l'accumulation des conflits sociaux, des périls et des anxiétés.

Dès lors, les politistes doivent concentrer leur attention sur les problèmes urgents du présent. Ils doivent chercher des réponses rapides à ces problèmes immédiats, prescrire et agir pour améliorer la vie publique. La priorité n'est plus la recherche fondamentale, mais *la recherche appliquée.* Pour trouver des solutions aux problèmes sociaux. Dans cette perspective, le politiste doit s'attacher à établir le contact avec l'ensemble des forces sociales :

« Beaucoup de post-behavioristes examinent les activités des universitaires dans les années récentes et concluent que les talents des politistes ont été largement mis *au service des élites* de la société, dans le gouvernement, les affaires, l'armée. Le professionnel semble avoir peu de communication et de contact avec ceux qui, à l'évidence, bénéficient moins des fruits de la société industrielle moderne : les minorités raciales et économiques, les catégories non représentées à l'intérieur et les masses coloniales à l'étranger. Ce sont les groupes les moins aptes à pouvoir réunir les ressources nécessaires à une expertise de science politique. La responsabilité sociale des experts en science politique est de rectifier ce déséquilibre. »

D. Easton a repris ce même thème au VIIIe Congrès mondial de l'Association internationale de science politique (Munich, août-sept. 1970). Face aux crises, la recherche appliquée doit devenir la priorité. Pour tenter de déceler des solutions aux conflits et aux tensions qui se multiplient. Le politiste ne peut plus se contenter d'observer et de commenter les phénomènes sociaux : il doit imaginer des thérapeutiques et s'engager au besoin. Suscitée par l'inquiétude et le désarroi, cette réorientation marquée risque, évidemment, de provoquer une certaine confusion du politique et du scientifique.

Elle conduit à « la politisation de la profession », puisque c'est bien, selon Easton, une responsabilité politique qui incombe aux politistes. Pour lui, l'engagement est une responsabilité sociale de l'intellectuel.

La politique et ses « nouveaux mandarins ». — Au demeurant, Noam Chomsky, professeur de linguistique au Massachusetts Institute of Technology et animateur de la « *New Left* », a, d'ores et déjà, prononcé un vif réquisitoire contre la montée de ceux qu'il appelle « les nouveaux mandarins » (*American Power and the New Mandarins*, 1968, traduit en 1969 sous le titre *L'Amérique et ses nouveaux mandarins*). Ceux-ci constituent une caste de « technologues », une « intelligentsia technique », composée des scientifiques de toutes catégories : mathématiques, physique nucléaire, psychologie, économie, sociologie, etc., et, surtout, science politique. « Les cas d'asservissement contre-révolutionnaire cités jusqu'ici, écrit Chomsky, m'ont été fournis presque tous par les sciences politiques », dont les spécialistes « insistent sur le rôle déterminant de ceux qui ont la connaissance et le discernement nécessaires (disent-ils) pour diriger la société » (p. 253).

Cet Establishment intellectuel (dont les prototypes furent Mac George Bundy, Arthur Schlesinger Jr. et Walt Rostow dans les administrations Kennedy et Johnson (29), puis Henry Kissinger et James Schlesinger dans les administrations Nixon et Ford est en train d'accéder latéralement au pouvoir. Or ce pouvoir des nouveaux mandarins serait redoutable. Au moins pour trois raisons.

— En premier lieu, ces technologues — qui revendiquent le pouvoir au nom de leur compétence technique — risquent de se montrer dangereusement *arrogants*, incapables d'accepter démocratiquement les critiques ou de tirer la leçon d'un échec. Ils risquent d'être beaucoup plus autoritaires que leurs prédécesseurs qui, eux, au moins, ne se targuaient pas d'infaillibilité scientifique. En outre, les techniques d'organisation et de contrôle qu'ils maîtrisent pourraient être orientées vers la répression.

— En second lieu, ces nouveaux mandarins se coulent avec *conformisme* dans le moule idéologique actuel. Au lieu de résister à l'idéologie de la société industrielle avancée, les nouveaux mandarins acceptent de se mettre à son service. *Ils ne contestent pas vraiment la*

(29) Voir David Halberstam, *On les disait les meilleurs et les plus intelligents*, 1974.

société actuelle. Ils entendent seulement la faire fonctionner sans secousses et créer plus de bonheur, en s'attachant à résoudre ses problèmes par la technologie. Cette intelligentsia prétend posséder les techniques et les connaissances nécessaires pour *gérer efficacement et rationnellement la société post-industrielle.*

« L'idéologie de la nouvelle élite insiste sur le respect de l'ordre et le maintien du statu quo, jugé parfaitement heureux et fondamentalement juste. » Ce conformisme idéologique, cet « *asservissement contre-révolutionnaire* » des nouveaux mandarins, est particulièrement regrettable à l'heure où il conviendrait de contester l'idéologie de la société post-industrielle et ses injustices.

— Enfin ces nouveaux mandarins professent un « pragmatisme » proche de l'*amoralisme.* Seules des considérations pragmatiques d'utilité les guident. Orientés vers l'organisation et l'application, ils se préoccupent seulement des moyens et deviennent insensibles aux fins. Ils se cantonnent dans « *une politique d'adaptation, qui sait exclure les considérations morales* ». Avec « une incapacité stupéfiante à comprendre les facteurs politiques et humains ».

Ce pamphlet contre « les calmes dissertations des spécialistes ès sciences politiques » pose donc — avec une rare vigueur — le problème des rapports entre sociologie politique et action. Mais un dernier problème se pose encore, avec moins de passion, il est vrai : celui des rapports entre la sociologie politique et les autres sciences sociales, et les autres secteurs de la connaissance.

§ 4. — SOCIOLOGIE ET CONNAISSANCE

Sociologie et sociologies. — Deux mouvements successifs semblent avoir affecté la connaissance sociologique : le premier l'a portée de l'unité à la pluralité; le second, de la pluralité à l'interdisciplinarité des sciences sociales.

— Les synthèses encyclopédiques (comme les aimaient Comte ou Marx, chacun à sa manière) ont cessé d'être possibles. Un siècle plus tard, en effet, les connaissances sont beaucoup trop diversifiées et multipliées pour que la sociologie reste une science unique, une science globale, une science de synthèse. Nul ne peut plus embrasser, à lui seul, la totalité de la réalité sociale.

Si bien qu'il n'existe plus *une* sociologie; mais *des* sociologies : sociologie économique, sociologie religieuse, sociologie politique, sociologie juridique, sociologie criminelle, etc. Le développement même de la science sociale l'a fait éclater en de multiples disciplines spécialisées. En un mot, *la sociologie générale s'efface, de plus en plus, devant une série de sciences sociales particulières.* Celles-ci étudient non tous les phénomènes sociaux, mais seulement tel ou tel type de phénomènes sociaux. *L'unité fait place à la pluralité.* L'existence même d'une *sociologie politique* illustre ce passage du général au plus particulier.

— Cependant, la spécialisation avait été trop excessive ces dernières décennies pour ne pas susciter un salutaire choc en retour. Sous la forme de *l'interdisciplinarité.* Plusieurs disciplines sont conjointement utilisées pour mieux cerner une réalité sociale de plus en plus complexe. Entre les diverses sciences sociales des contacts s'établissent, qui les enrichissent mutuellement.

Cette tentative de « *cross-fertilization* » est particulièrement visible chez les chercheurs américains. Désormais, ceux-ci ne se satisfont plus d'une explication unique, mais cherchent la pluralité des significations. Ce refus de l'interprétation univoque conduit le sociologue Riesman à rendre compte de la société en termes également économiques, l'économiste Galbraith à faire appel à plusieurs sciences sociales, l'historien Genovese à aborder la société esclavagiste comme un ensemble irréductible à une approche unique. Déjà W. Reich et Marcuse avaient fait œuvre interdisciplinaire en conjointant la sociologie marxiste et la psychanalyse freudienne (*infra,* p. 370). Ces approches pluridisciplinaires traduisent la conscience d'un univers global, qui ne peut être cerné que par des explications multiples, complémentaires, voire contradictoires.

L'approche pluridisciplinaire et la sociologe politique. — Ce flux pluridisciplinaire atteint et concerne particulièrement la science politique, depuis plusieurs années. On sait déjà ce que le système d'Easton doit originairement à la science économique et à W. Leontief, ou ce que l'analyse fonctionnelle d'Almond doit à la sociologie et à Parsons, Marion Levy Jr. ou Merton.

Mais il y a mieux : depuis vingt ans, beaucoup d'analyses essentielles du phénomène politique ont été, directement, le fait de chercheurs extérieurs aux départements de science politique. Ainsi, dans les années 1950, la description la plus pénétrante de la vie politique américaine est venue, non de politistes, mais de sociologues (Riesman : *The Lonely Crowd*, 1953; Mills : *The Power Elite,* 1956), d'un historien (Hofstader : *The Age of Reform,* 1955) et d'un philosophe politique (Hartz).

Le chemin parcouru depuis lors peut se mesurer à la lecture de deux analyses de Seymour Martin Lipset, distantes de treize ans. En 1956, dans le rapport collectif *Sociology in the U.S.A.* (Unesco), Lipset, traitant de la sociologie politique, soulignait déjà « l'irruption des sociologues » et l'importance de leur contribution dans quatre domaines traditionnels de la science politique : l'étude de la participation politique, du comportement électoral (spécialement avec les travaux de Lazarsfeld et Berelson), de la bureaucratie, et des mouvements extrémistes, autoritaires ou totalitaires. Treize ans plus tard l'ouvrage collectif, *Politics and the Social Sciences* (Londres, 1969), publié sous sa direction, souligne tout ce que la science politique a emprunté, en fait de méthodes et de techniques de recherche, à des disciplines voisines (histoire, anthropologie, sociologie, science économique, statistique, psychanalyse, etc.). Ce qui pose le problème de son autonomie et de sa spécificité. Ce qui accroît la difficulté de délimiter son champ exact.

Sociologie politique ou science politique ? — Pour diverses qu'elles soient aujourd'hui, les différentes sciences sociales n'en partagent pas moins un même objet — l'étude de la société, des phénomènes sociaux — et participent, comme telles, d'une même démarche. C'est pourquoi l'expression « sociologie politique » semble préférable à l'intitulé « science politique » ou encore « politologie ».

Certes, ces formules sont *synonymiques*. Elles désignent la même recherche. Comme le notent Reinhard Bendix et Seymour Martin Lipset (*Political Sociology, Current Sociology,* vol. VI, n° 2, 1957), Maurice Duverger (*Sociologie de la politique,* 1973, p. 5) ou Raymond Aron. Ce dernier écrit fort justement :

> « A la limite, on pourrait dire que la science politique, considérée globalement, se confond avec la sociologie politique, elle est *le chapitre politique de la sociologie*. Mais il subsiste le plus souvent, aux Etats-Unis ou en France, des nuances de formation, d'attitudes, entre politicologues et sociologues. Les premiers, aux Etats-Unis, n'ont pas toujours une formation proprement sociologique; en France, ils viennent fréquemment des facultés de droit. Dans les universités américaines, science politique et sociologie constituent chacune un « département » différent. Enfin le sociologue est plus enclin à envisager les réalités politiques par rapport à la société globale. » (« La sociologie politique », in *Revue de l'enseignement supérieur,* 1965, n° 1, p. 21 et s.).

Il s'agit donc de distinctions subtiles, de nuances presque imperceptibles. Mais leur existence — même frêle — incite à préférer l'expression « sociologie politique » à l'expression « science politique ». En fait, en Europe, les recherches dites de « *science politique* » ont été souvent conduites par des chercheurs, dont la formation de base était juridique. Ces juristes de droit public, ces « publicistes » manifestaient une certaine tendance à l'étude isolée des phénomènes politiques, en limitant les contacts avec les autres sciences sociales. Au contraire, l'expression « *sociologie politique* » symbolise l'intention de replacer les phénomènes politiques dans l'ensemble des phénomènes sociaux, de supprimer les frontières entre les disciplines, pour marquer l'unité profonde des diverses sciences sociales. De plus, elle sous-entend la volonté d'utiliser une méthodologie sociologique — c'est-à-dire scientifique — et d'abandonner le raisonnement abstrait et déductif.

L'objet de la sociologie politique. — Pour cette double raison, l'expression « sociologie politique » est préférable. Elle marque bien que la sociologie politique constitue une branche de la sociologie, une science sociale particulière. Qui étudie certains phénomènes sociaux : les phénomènes politiques. Mais *qu'est-ce qu'un phénomène politique ?* Là des controverses existent. En fonction de cette controverse sur *l'objet* même de la discipline, il existe, au moins, deux grandes conceptions de la sociologie politique.

La sociologie politique, science de l'Etat. — La première conception — qui est la plus ancienne — s'en tient à l'éthymologie du mot « politique ». La « *polis* », la cité, c'est, aujourd'hui, l'Etat. Littré, d'ailleurs, définit la politique comme « la science du gouvernement des Etats ». La sociologie politique — ou la science politique — aura donc l'Etat comme objet d'étude. Ce sera *la science de l'Etat.*

En France, cette conception a trouvé ses défenseurs chez le doyen G. Davy (*Eléments de sociologie,* vol. I, *Sociologie politique,* 1924) et le recteur M. Prélot (*La conception française de la science politique,* cours de science politique professé à la Faculté de droit de Paris, 1956-1957, polycopié par les Cours de Droit, Paris). Elle a trouvé également des partisans en Suisse — avec Marcel Bridel — et surtout en Belgique — avec Jean Dabin. Elle est aussi soutenue par les sociologues de l'U.R.S.S. et des démocraties populaires. Enfin, même quelques auteurs anglais et américains, en rupture avec le point de vue dominant, continuent de professer cette thèse traditionnelle de la science politique, science de l'Etat : R. H. Soltau, A. de Gracia, R. G. de Gettell, J. S. Roncek et G. de Huzar.

Les tenants de cette conception restrictive évitent, généralement, l'expression « sociologie politique ». Ils préfèrent parler de « science politique », ou de « politologie » (connaissance systématique de l'Etat, de *polis* = Cité, Etat, et *logos* = raison, exposé raisonné), voire de « statologie » comme Marcel de la Bigne de Villeneuve (30).

Cependant, les tenants de cette conception traditionnelle sentent bien la nécessité d'élargir leur champ d'étude au-delà des phénomènes strictement étatiques. Ainsi Marcel Prélot (*op. cit.*), s'il définit la science politique comme « la connaissance du seul Etat », s'empresse de préciser : « *connaissance de tout l'Etat* ». Il englobe dans son analyse « la totalité des diversités étatiques » (l'Etat envisagé dans toutes ses formes constitutionnelles et historiques, dans tous ses prolongements, dits « internationaux », dans ses formes imparfaites, comme la mi-souveraineté, dans ses organes pré-étatiques) et « la totalité des composantes étatiques » (territoire, population, pouvoir).

La sociologie politique, science du pouvoir. — Malgré ces efforts pour assouplir ou approfondir la thèse précédente, aujourd'hui la majorité des auteurs soutient une conception plus moderne, plus réaliste et moins formelle. La sociologie politique est *la science du pouvoir* (de l'autorité, du commandement, du gouvernement) dans quelque société humaine que ce soit, et pas seulement dans la société étatique. Dans tout groupe humain, en effet, se retrouve ce que Léon Duguit appelait la distinction des « gouvernants » et des « gouvernés ». Le phénomène de l'autorité et du pouvoir n'est pas propre à l'Etat; il se retrouve dans toute « organisation sociale », même la plus réduite (entreprise, université, section de parti, de syndicat, etc.). Précisée dans l'entre-deux-guerres avec Charles Merriam, Harold Lasswell et George Catlin (31), cette conception, qui fait du *pouvoir* le concept central de la sociologie politique, est, aujourd'hui, la plus répandue. En France, par exemple, c'est celle de Raymond Aron, Georges Burdeau, Maurice Duverger et Georges Vedel.

Le fond de la controverse et ses limites. — Cette opposition de deux conceptions principales provient, au fond, d'une *controverse sur la*

(30) M. de la Bigne de Villeneuve, « Une science nouvelle, la statologie », in *L'Egypte contemporaine, Revue de la société royale d'économie politique de droit, de statistique et de législation,* 1935.

(31) Cf., spécialement, C. Merriam, *Political Power,* New York, 1934; G. Catlin, *The Science and Method of Politics,* New York, 1926, et *The Principles of Politics,* New York, 1930.

nature même de l'Etat. Pour les fidèles de la première conception, l'Etat-Nation est un groupe d'une essence particulière. Détenteur de la souveraineté et de la puissance publique, l'Etat constitue une sorte de société parfaite. Au contraire, pour les partisans de la seconde thèse, le pouvoir dans l'Etat n'est pas d'une essence différente de ce qu'il est dans les autres organisations sociales. Cette seconde analyse met fin à une conception mythique et idéaliste de l'Etat souverain, société parfaite, seul détenteur de l' « *imperium* ». Cette démystification réaliste est salutaire. En outre, elle évite de tomber dans les excès du formalisme et du juridisme, liés au concept d'Etat.

Mais il ne faudrait pas surestimer la portée de cette controverse. Certes, il faut étudier le phénomène du pouvoir partout où il se manifeste, mais il reste qu'il se manifeste avec le plus de perfection et d'ampleur dans le cadre étatique. Il faudrait presque distinguer une macrosociologie politique, science du pouvoir dans la société globale, et une microsociologie politique, science du pouvoir dans les sociétés particulières.

En résumé, *la sociologie politique* est la branche des sciences sociales qui *étudie les phénomènes du pouvoir.* Etant entendu que les manifestations les plus évidentes du pouvoir se produisent dans le cadre étatique, mais qu'il s'en produit aussi d'autres dans des cadres plus restreints.

Il serait donc vain de forger d'autres critères de la sociologie politique, qui la définiraient comme « la science des rapports politiques » (P. Duclos, « L'introuvable science politique », *Dalloz,* 1949, chr. XL), comme « la science de la distribution autoritaire des valeurs dans une société » (D. Easton, *The Political System,* 1953), comme l'étude de « l'ensemble des processus par lesquels une société réalise — ou ne réalise pas — son consensus » (F. Bourricaud, « Science politique et sociologie », *RFSP,* 1958, p. 249-276), etc. Mieux vaut définir la sociologie politique parce qu'elle *fait* plutôt que par ce qu'elle *est,* par son existence plutôt que par son essence.

La liste des matières étudiées par la sociologie politique. — Faute de dégager un critère bénéficiant d'un accord unanime, il paraît plus expédient de dresser, avec pragmatisme, la *liste des matières* qui forment principalement le champ d'investigation de la science politique. C'est ce qu'ont fait, en 1950, les experts de l'Unesco, en établissant la *nomenclature* suivante, articulée en quatre grandes rubriques :

« 1° La théorie politique :

a) La théorie politique;
b) L'histoire des idées;

2° Les institutions politiques :

a) La constitution;
b) Le gouvernement central;
c) Le gouvernement régional et local;
d) L'administration publique;
e) Les fonctions économiques et sociales du gouvernement;
f) Les institutions politiques comparées;

3° Partis, groupes et opinion publique :

a) Les partis politiques;
b) Les groupes et les associations;
c) La participation du citoyen au gouvernement et à l'administration;
d) L'opinion publique;

4° Les relations internationales :

a) La politique internationale;
b) La politique et l'organisation internationale;
c) Le droit international. »

Pour leur part, en 1957, dans *Political Sociology,* R. Bendix et S. M. Lipset donnaient une liste plus concentrée. Ils écrivaient : « La sociologie politique comprend les études sur :

1. Le comportement électoral (recherche des attitudes et des opinions);
2. Le processus de prise des décisions politiques *(political decision-making)*;
3. Les idéologies des mouvements politiques et des groupes d'intérêts;
4. Les partis politiques, les groupements volontaires, le problème de l'oligarchie;
5. Le « gouvernement » *(government)* et les problèmes d'administration. »

Cette liste, non exhaustive, reflétait bien les préoccupations dominantes de la recherche politique à la fin de l'ère behavioriste. Par rapport à cette époque, l'approfondissement et l'élargissement (32) se sont surtout faits dans les directions suivantes :

(32) La liste des sujets débattus en « groupe de spécialistes » au *VIII*e *Congrès mondial de science politique* (31 août-5 sept. 1970) illustre bien cette large ouverture de l'éventail en matière de recherche politique d'aujourd'hui. Elle comportait, en effet, les quinze thèmes suivants : intégration européenne; étude comparative des politiques locales; ressources alimentaires et politique; psychologie et décisions politiques, tendances récentes de la théorie politique; finances et politique; théorie des relations internationales; analyse

— collecte et analyse de multiples *données* en de nombreux domaines;

— développement des études sur le *comportement politique* (attitudes, culture, socialisations politiques, etc.), s'appuyant sur la psychologie et la psychologie sociale;

— développement des études de *processus de prise des décisions,* avec des progrès très considérables de la formalisation et de la mathématisation;

— multiplication des *modèles mathématiques* et des applications de la théorie des jeux (*infra,* p. 51-52);

— développement des études sur la *communication;*

— étude des *aspects politiques du fonctionnement des groupes :* partis politiques, groupes d'intérêts (dont l'observation connaît un relatif déclin), mais aussi familles, églises, entreprises, etc.;

— élaboration de *schémas théoriques;* mise au point et opérationnalisation de *nouvelles approches* (analyse systémique, analyse fonctionnelle, approche par la cybernétique, etc.);

— essor de l'étude des *relations internationales* et progrès très brillants des études de « *politique comparée* » *(comparative politics)* dont la problématique et la méthodologie ont gagné une très grande rigueur avec les travaux conduits sous l'égide du *Committee on Comparative Politics,* présidé par Gabriel Almond, puis Lucian Pye (*infra,* p. 229);

— corrélativement, étude des *systèmes politiques non occidentaux :* systèmes autoritaires ou totalitaires, systèmes des pays en voie de développement, systèmes des « sociétés primitives », systèmes non contemporains (y compris ceux de l'Antiquité);

— et, complémentairement, étude des processus de transformation des systèmes, des processus de « *modernisation* » ou de « *développement* » politiques (alors qu'en 1959, Jean Meynaud pouvait légitimement intituler un de ses paragraphes : « Une dimension négligée : le changement politique »).

Ces nombreux et nouveaux apports incitent à faire le point sur les principaux *éléments de théorie politique.* Avant de les utiliser concrètement pour l'analyse des systèmes politiques contemporains et de leurs principales composantes.

comparative du recrutement politique; organisation de l'Etat et formation des dirigeants en Europe; techniques nouvelles dans l'étude des structures sociales et du comportement électoral; jeunesse et politique; contestation politique; processus de décision politique; modernisation politique.

BIBLIOGRAPHIE

I. — *Sociologie.*

— *Sur l'histoire de la sociologie :*

R. Aron, *Les étapes de la pensée sociologique,* 1967 (qui retient sept grandes figures : Montesquieu, Tocqueville, Marx, Comte, Durkheim, Weber et Pareto); G. Gurvitch, « *Histoire de la sociologie* », chap. II du *Traité de sociologie,* 2 vol., 1958-1960; A. Cuvillier, *Manuel de sociologie,* t. I, 3e édit., 1958, p. 1-96; et le résumé succinct de G. Bouthoul, *Histoire de la sociologie,* 1971.

En anglais, sur ce même sujet : A. W. Small, *Origins of Sociology,* Chicago, 1924; F. N. House, *The Development of Sociology,* New York, 1936; H. E. Barnes, *An Introduction to the History of Sociology,* Chicago, 1947; et *Historical Sociology,* New York, 1948; P. Abrams, *Origins of British Sociology* (1834-1914), Chicago, 1968.

— *Sur les grands ancêtres,* outre les textes classiques des précurseurs et fondateurs de la sociologie (cités *supra,* p. 2-11) :

L. Althusser, *Montesquieu, La politique et l'histoire,* 4e éd., 1974; J. Ehrard, *Politique de Montesquieu,* 1965; J. Nantet, *Tocqueville,* 1971; P. Arnaud, *Politique d'Auguste Comte,* 1965; D. Desanti, *Les socialistes de l'utopie,* 1971; J. Goret, *La pensée de Fourier,* 1974; L. Althusser, *Pour Marx,* 1965; L. Althusser et al., *Lire le Capital,* 1965; H. Lefebvre, *Sociologie de Marx,* 2e éd., 1968; N. Guterman, H. Lefebvre, *Karl Marx : œuvres choisies,* 2 vol., 1963; K. Papaioannou, *Les marxistes,* 2e éd., 1973 (recueil de morceaux choisis); J. Freund, *Sociologie de Max Weger,* 2e éd., 1968; M. Weber, *Essais sur la théorie de la science,* 1965 (traduits et préfacés par J. Freund, une réunion des principaux essais méthodologiques); G. Perrin, *Sociologie de Pareto,* 1966; J. H. Meisel, ed., *Pareto and Mosca,* Englewood Cliffs, 1965 (par plusieurs auteurs contemporains, une présentation des deux grands sociologues italiens).

— *Pour une présentation générale de la sociologie ou une initiation à l'analyse sociologique :*

P. Lazarsfeld, « *Qu'est-ce que la sociologie ?* », tr. 1970, ainsi que *Philosophie des sciences sociales,* tr. 1969; G. Gurvitch et al., *Traité de sociologie,* 2 vol., 1963; A. Cuvillier, *Manuel de sociologie,* 2 vol., 4e éd., 1960; J. Duvignaud, *Introduction à la sociologie,* 1966; H. Mendras, *Eléments de sociologie,* 1975; G. Rocher, *Introduction à la sociologie générale,* 3 vol., 1968 (un excellent ouvrage, précis, clair et très utile); G. Bouthoul, *Traité de sociologie,* 1968; J. Cazeneuve et D. Victoroff, édit., *La sociologie,* 1970; J. Cazeneuve, A. Akoun, édit., *La sociologie et les sciences de la société,* 1975; J. Cazeneuve, F. Balle, A. Akoun, *Guide de l'étudiant en sociologie,* 1971. On consultera également le numéro spécial de la *Revue de l'enseignement supérieur* consacré à « La sociologie » (1965, n° 1), ainsi que l'essai de N. Herpin, *Les sociologues américains et le siècle,* 1973. Voir aussi : A. Tou-

RAINE, *Pour la sociologie,* 1974; P. BIRNBAUM, F. CHAZEL, *Théorie sociologique,* 1975.

En anglais, on pourra lire deux petits livres d'accès facile : P. BERGER, *Invitation to Sociology, A Humanistic Perspective,* New York, 1963; A. INKELES, *What is Sociology ? An Introduction to the Discipline and Profession,* Englewood Cliffs, 1964. Ainsi que : P. LAZARSFELD, *Main Trends in Sociology,* New York, 1973; J. H. ABRAHAM, *Sociology,* Londres, 1967; J. H. CURTIS, J. A. COLEMAN, R. LANE, *Sociology, An Introduction,* Milwaukee, 1967; N. J. SMELSER, *Sociology, An Introduction,* New York, 1967; R. LOWRY, R. P. RANKIN, *Sociology : The Science of Society,* New York, 1969. Et surtout : S. M. LIPSET, N. J. SMELSER, ed., *Sociology, The Progress of a Decade,* Englewood Cliffs, 1961; R. K. MERTON, L. BROOM, *Sociology To-day, Problems and Prospects,* New York, 1959; T. PARSONS, ed., *American Sociology. Perspectives, Problems, Methods,* New York, 1968 (un tableau des tendances actuelles, qui privilégie l'analyse en termes de systèmes et de fonctions). Sur la sociologie « radicale » : I. L. HOROWITZ, *Professing Sociology,* Aldine, 1968; J. D. COLFAX, J. L. ROACK, *Radical Sociology,* New York, 1971. Enfin, sur l'état de la connaissance sociologique en U.R.S.S. : *Social Sciences in the U.S.S.R.,* Paris, 1965; E. A. WEINBERG, *The Development of Sociology in the Soviet Union,* London, 1974.

— *Sur la méthode sociologique :*

E. DURKHEIM, *Les règles de la méthode sociologique,* 1re éd., 1895, 18e éd., 1973; M. WEBER, *Essais sur la théorie de la science,* tr. 1965; L. FESTINGER, D. KATZ, *Les méthodes de recherche dans les sciences sociales,* 2 vol., 3e éd., 1974; R. K. MERTON, *Eléments de théorie et de méthode sociologique,* 2e éd. augmentée, tr. 1965; C. W. MILLS, *L'imagination sociologique,* tr. 1967; R. BOUDON, P. LAZARSFELD, *Le vocabulaire des sciences sociales,* 1965 ; R. BOUDON, *L'analyse mathématique des faits sociaux,* 1967, et son très précieux résumé *Les méthodes en sociologie,* 2e éd., 1960; P. BOURDIEU et al., *Le métier de sociologue,* 1968; H. et A. BLALACK, *Methodology in Social Research,* New York, 1968.

A signaler surtout deux manuels essentiels : M. DUVERGER, *Méthodes des sciences sociales*; M. GRAWITZ, *Méthodes des sciences sociales,* 1972, et, sous le même titre, son recueil de textes paru en 1975.

Consulter aussi pour une approche particulière : J. VIET, *Les méthodes structuralistes dans les sciences sociales,* 1965.

Voir aussi un pamphlet contre le « jargon » des sociologues par un de leurs pairs, S. ANDRESKI, *Les sciences sociales, sorcellerie des temps modernes,* 1975.

II. — *Sociologie politique.*

— *Comme traités ou manuels de base :*

G. BURDEAU, *Traité de science politique,* 7 vol., 1948-1957, en rééd.; J. MEYNAUD, *Introduction à la science politique,* 1959, et *La science politique : fondements et perspectives,* Lausanne, 1960; M. DUVERGER, *Sociologie de la politique,* 1973; M. PRELOT, *Sociologie politique,* 1973, ainsi que son bref essai sur *La science politique,* 4e éd., 1969; J. MOREAU, G. DUPUIS, J. GEORGEL,

Sociologie politique, 1966; M. Chemillier-Gendreau, C. Courvoisier, *Introduction à la sociologie politique,* 1971 (un mémento); J.-P. Cot, J.-P. Mounier, *Pour une sociologie politique,* 2 vol., 1974; A. Grosser, S. Hurtig, *Science politique et science sociale,* 1966-1967 (polycopié de l'Amicale des élèves de l'I.E.P. de Paris); S. Hurtig, *Science politique,* 1970-1971 *(id.).* A signaler aussi : l'ouvrage collectif dirigé par J.-L. Parodi, *La politique,* 1971. Ainsi que le recueil de textes présenté par P. Birnbaum, F. Chazel, *Sociologie politique,* 2 vol., 1971. Voir aussi : P. Birnbaum, *Le pouvoir politique,* 1975 (sélection de textes) et *La fin du politique,* 1975.

— *Sur les tendances récentes de la sociologie politique :*

W. J. M. Mackenzie, « La science politique », in *Tendances principales de la recherche dans les sciences sociales et humaines,* t. 1, chap. II, U.N.E.S.C.O., 1970, p. 198-273. A comparer avec, pour la période précédente : U.N.E.S.C.O., *La science politique contemporaine,* 1950; C. B. Mac Pherson, « Les tendances mondiales de la recherche en science politique », *R.F.S.P.,* 1954, p. 514-544; W. A. Robson, *The University Teaching of Social Sciences : Political Science,* U.N.E.S.C.O., tr. 1955; R. Bendix, S. M. Lipset, *Political Sociology* (n° spécial de *Current Sociology,* vol. VI, n° 2, 1957, p. 79-99); J. H. Storing et al., *Essays in the Scientific Study of Politics,* New York, 1962.

On consultera aussi les neuf volumes correspondant aux travaux du VIIIe Congrès mondial de l'Association internationale de science politique (Munich, août-sept. 1970) et spécialement les communications sur « Les tendances récentes de la théorie politique ». Ainsi que le numéro spécial de la *Revue de l'enseignement supérieur* sur « La science politique », 1965, n° 4.

— *Comme initiation à la sociologie politique :*

S. M. Lipset, *L'homme et la politique,* tr. 1963; R. Dahl, *L'analyse politique contemporaine,* tr. 1973; H. V. Wiseman, *Political Systems, Some Sociological Approaches,* Londres, 1966 (claire introduction à la sociologie politique fonctionnaliste : Merton, Almond, Apter, etc.); J. C. Charlesworth, ed., *Contemporary Political Analysis,* New York, 1967 (excellente initiation aux tendances récentes); D. Easton, ed., *Varieties of Political Theory,* Englewood Cliffs, 1966 (présentation collective de quelques-unes des principales conceptions théoriques actuelles de la science politique); O. Young, *Systems of Political Science,* Englewood Cliffs, 1968 (exposé très utile de quelques grands modèles élaborés par la science politique américaine); J. Rasmussen, *The Process of Politics, A Comparative Approach,* New York, 1969 (un aperçu des réalisations actuelles de la science politique américaine, par un tenant du fonctionnalisme structurel); P. Strum, M. Shmidman, *On studying Political Science,* Pacific Palisades, 1969 (une introduction à la science politique, qui constitue un record de concision : 90 pages); M. Haas, H. S. Kariel, ed., *Approaches to the Study of Political Science,* Scranton, 1970 (un ouvrage collectif comportant des contributions de choix : Easton, Deutsch, Russett, etc.); N. P. Guild, K. T. Palmer, ed., *Introduction to Politics, Essays and Readings,* New York, 1968 (avec des contributions de Dahl, Almond, Lipset, Sorauf, etc.); M. Rush, Ph. Althoff, *An Introduction to Political Sociology,* London, 1971 (un ouvrage trop partiel qui traite surtout de la socialisation, de la participation, du recrutement et de la communication politiques);

A. C. ISAAK, *Scopes and Methods of Political Science. An Introduction to the Methodology of Political Inquiry,* Homewood, 1969 (excellent manuel); O. H. IBELE, *Political Science : an Introduction,* Scranton, 1971 (inférieur au précédent); H. BALL, T. P. LAUTH, ed., *Changing Perspectives in Contemporary Political Analysis. Readings on the Nature and Dimensions of Scientific and Political Inquiry,* Englewood Cliffs, 1971; G. ABCARIAN, G. S. MASANNAT, *Contemporary Political Systems. An Introduction to Government,* New York, 1970 (une étude globale, qui va des origines de la science politique aux approches modernes, mais de manière rapide et peu synthétique); R. E. DOWSE, J. A. HUGUES, *Political Sociology,* London, 1972 (solide et dense); D. H. EVERSON, P. P. PAINE, *An Introduction to Systematic Political Science,* Homewood, 1973; R. A. DAHL, D. E. NEUBAUER, ed., *Readings in Modern Political Analysis,* Englewood Cliffs, 1968 (sélection commentée de textes essentiels); D. DOGAN, R. ROSE, *European Politics. A Reader,* Boston, 1970; W. A. WELSH, *Studying Politics,* London, 1973 (les comptes de base); F. I. GREENSTEIN, N. W. POLSBY, ed., *Handbook of Political Science,* 9 vol., Readings, 1975.

En italien : G. SARTORI, ed., *Antologia di scienza politica,* Bologna, 1970 (une remarquable anthologie). Sur chaque problème particulier, il est utile de se reporter à l'article correspondant de l'*International Encyclopedia of the Social Sciences* (17 vol., New York, 1968), qui fait le point des connaissances à cette date, dans une optique parfois trop exclusivement américaine.

— *Sur le développement de la science politique depuis le début du XX*[e] *siècle :*

Pour la première période :

Les ouvrages classiques de J. BRYCE, C. A. BEARD, L. LOWELL, W. WILSON, A. B. HART, E. J. JAMES, W. B. MUNRO, etc., et tout spécialement F. J. GOODNOW, *Politics and Administration,* New York, 1900, et *Social Reform and the Constitution,* New York, 1911, ainsi que A. F. BENTLEY, *The Process of Government,* 1re éd., Chicago, 1908.

Pour l'ère behavioriste :

C. E. MERRIAM, *News Aspects of Politics,* Chicago, 1925; *Political Power : Its Composition and Incidence,* 1934; *et Systematic Politics,* 1945; B. D. KARL, *Charles E. Merriam and the Study of Politics,* Chicago, 1974 (la biographie du principal fondateur de l'Ecole de Chicago); H. D. LASSWELL, *Psychopathology and Politics,* 1928; *Politics : Who Get What, When, How,* 1936; *Power and Personality,* 1948, ainsi que ses ouvrages plus récents, consacrés, soit aux « policy sciences » — H. D. LASSWELL, D. LERNER, *Les sciences de la politique aux Etats-Unis,* tr. 1951; H. D. LASSWELL, *The Future of Political Science,* New York, 1963 —, soit à un effort plus sensible de formalisation. — H. D. LASSWELL, A. KAPLAN, *Power and Society, A Framework for Political Inquiry,* 1952; H. D. LASSWELL, *The Decision Process,* Maryland, 1956. Sur les groupes d'intérêts et le processus de prise de décisions, la littérature est extrêmement abondante; on signalera seulement, pour l'instant : D. B. TRUMAN, *The Governmental Process; Political Interests and Public Opinion,* 1951, et D. R. MATTHEWS, *The Social Background of Political Decision Makers,* 1954.

Sur cette même période, on pourra consulter : D. B. TRUMAN, « The Impact on Political Science of the Revolution in the Behavioral Sciences », dans *Research Frontiers in Politics and Government*, 1955, p. 203-231; D. EASTON, « The Current Meaning of « Behavioralism », dans J. C. CHARLESWORTH, ed., *Contemporary Political Analysis*, New York, 1967, p. 11-31; R. A. DAHL, « The Behavioral Approach in Political Science : Epitaph for a Monument to a Successful Protest », dans N. P. GUILD, K. T. PALMER, *Introduction to Politics, Essays and Readings*, New York, 1968, p. 271-289; M. HAAS, T. L. BECKER, « The Behavioral Revolution and After », dans M. HAAS, H. S. KARIEL, *Approach to the Study of Political Science*, Scranton, 1970, p. 479-510; J. G. MILLER, « Toward a General Theory of the Behavioral Sciences », dans *The State of the Social Sciences*, p. 29-65; R. LICKERT, S. P. HAYES, *Some Applications of Behavioral Research*, U.N.E.S.C.O., 1957; H. EULAU, S. J. ELDERSVELD, M. JANOWITZ, *Political Behaviour*, Glencoë, 1956. (collection de readings); K. BOULDING, *The Image*, Ann Arbor, 1956. — Pour un exposé rapide mais très clair des analyses du political behaviour : « Research in Political Behaviour », *APSR*, déc. 1952, p. 1003-1032. — Pour un témoignage personnel : H. EULAU, « The Behavioral Movement in Political Science : A Personal Document », *Social Research*, 1968, p. 1-29.

Pour la période post-behavioriste :

— *Sur l'analyse systématique :* D. EASTON, *The Political System, An Inquiry into the State of Political Science*, New York, 1953; *A Framework for Political Analysis*, New York, 1965; et *A Systems Analysis of Political Life*, 2e éd., 1967 (trois ouvrages d'une importance capitale, dont le dernier est indispensable); il a été traduit sous le titre *Analyse du système politique*, 1974. Voir aussi le discours de D. EASTON sur la « révolution post-behavioriste », intitulé « *The New Revolution in Political Science* », in M. HAAS, H. J. KARIEL, *op. cit.*, p. 511-529 (où EASTON se prononce, avec éclat, pour une réorientation et un engagement de la science politique). On pourra aussi lire, en français, l'étude de D. EASTON, « La science politique américaine et les problèmes de méthode », *Bulletin international des sciences sociales*, vol. IV, n° 1, p. 109-128. Sur l'analyse systématique, voir aussi la bibliographie, *infra*, p. 127-128.

— *Sur l'analyse fonctionnelle :* en sociologie : PARSONS, *Eléments pour une sociologie de l'action*, tr. 1955; *The Social System*, Glencoë, 1951; *Essays in Sociological Theory*, Glencoë, 1958; *Structure and Process in Modern Societies*, Glencoë, 1960, et (sous sa direction) *American Sociology. Perspectives, Problems, Methods*, New York, 1968. Sur Parsons, qu'il faut plutôt rattacher aujourd'hui au fonctionnalisme systémique, voir aussi la bibliographie, *infra*, p. 127. On peut lire, avec grand profit, R. K. MERTON, *Eléments de théorie et de méthode sociologique*, tr., 2e éd., 1965 (essentiel et d'un accès aisé). Ainsi que la bibliographie, *infra*, p. 126.

En sociologie politique, outre les ouvrages cités *infra*, p. 153, on consultera tout spécialement le livre tout à fait essentiel de G. A. ALMOND, G. B. POWELL, *Comparative Politics. A Developmental Approach*, Boston, 1966, ainsi que G. A. ALMOND, J. S. COLEMAN, ed., *The Politics of the Developing Areas*, Princeton, 1960; G. A. ALMOND, S. VERBA, *The Civic Culture*, Princeton, 1963; et G. A. ALMOND, *Political Development. Essays in Heuristic Theory*, Boston,

1970 (qui offre un très précieux recueil des principaux écrits publiés par l'auteur de 1956 à 1968, et montre la « sophistication » croissante des concepts et des techniques de recherche). On pourra aussi lire, notamment : D. APTER, *The Politics of Modernization,* 5e éd., Chicago, 1969 (proche de Marion Levy Jr. et de la « théorie de l'action » de T. Parsons).

— Enfin, à titre d'initiation à l'*analyse organisationnelle* : J. MARCH, H. A. SIMON, *Les organisations,* tr. 1969 (préface de M. CROZIER); et de M. CROZIER, *Le phénomène bureaucratique,* 1963, et *La Société bloquée,* 1969. Voir aussi : A. ETZIONI, *Les organisations modernes,* tr. 1971 (synthèse des travaux relatifs à l'étude des organisations). Et, pour un exemple d'*analyse cybernétique* : K. W. DEUTSCH, *The Nerves of Government, Models of Political Communication and Control,* New York, 1963. Cf. *infra,* p. 156.
— Sur ces divers types d'analyse : A. HAURIOU, « Recherches sur une problématique et une méthodologie applicables à l'analyse des institutions politiques », *RDP,* 1971, p. 305-352.

— *Sur l'approche interdisciplinaire* et l'apport des autres sciences sociales à la sociologie politique :

W. MACKENZIE, *Politics and Social Science,* Harmondsworth, 1967; A. KUHN, *The Study of Society. A Multi-disciplinary Approach,* Londres, 1966; M. PALMER, L. STERN, C. GAILES, *The Interdisciplinary Study of Politics,* New York, 1974 (le recensement des concepts empruntés par la source politique aux autres sciences sociales); et, surtout, S. M. LIPSET, ed., *Politics and the Social Sciences,* Londres, 1969.

MATHÉMATIQUES ET SCIENCE POLITIQUE

Sur l'ensemble du problème : « Les mathématiques et les sciences sociales », *Bulletin international des sciences sociales,* 1954, n° 4, p. 643-753, ainsi que O. BENSON, « The Mathematical Approach to Political Science », in J. C. CHARLESWORTH, *op. cit.,* p. 108-133, et H. F. HERNDEN, J. L. BERND, ed., *Mathematical Applications in Political Science,* Charlottesville, 1972; H. R. ALKER, K. W. DEUTSCH, A. H. STOETZEL, *Mathematical Approaches to Politics,* Amsterdam, 1973; H. R. ALKER, *Introduction à la Sociologie mathématique,* Paris, 1973.

Plusieurs auteurs proposent des modèles d'analyse, permettant d'atteindre ou de dégager la rationalité des décisions ou des comportements politiques. Présentée en 1944 par J. VON NEUMANN et O. MORGENSTERN (*Theory of Games and Economic Behaviour,* Princeton, 1944), et conçue surtout pour l'explication du comportement économique, la *théorie des jeux* représente une tentative — étendue aujourd'hui à de nombreux autres domaines — pour formaliser mathématiquement les intentions et les processus décisionnels. Consulter notamment : M. SHUBIK, *Readings in Game Theory and Political Behaviour,* New York, 1954, et M. SHUBIK, ed., *Game Theory and Related Approaches to Social Behaviour,* New York, 1964, et l'article du même auteur, intitulé « The Uses of Game Theory », in J. C. CHARLESWORTH, *op. cit.,* p. 239-272; voir dans ce même recueil, T. C. SCHELLING, « What is Game Theory », p. 212-238; R. SNYDER, « Game Theory and the Analysis of Political Behaviour », dans l'ouvrage collectif déjà cité, *Research Frontiers in Politics and Government,* 1955, p. 70-103; J. D. WILLIAMS, *La stratégie dans les actions humaines, les affaires, la guerre, les jeux,* 1956 ; L. HAMON, *La stratégie contre la guerre,* 1968 (plus proche de l'approche structuraliste) ; J. BOUZITAT, « Quelques aspects théoriques et pratiques des jeux de stratégie » dans l'ouvrage collectif *Science et action économique,* 1958 ; A. RAPOPORT, *N-Person Game Theory, Concepts and Applications,* Ann Arbor, 1969 (exposé de l'état actuel de la théorie des jeux à plus de deux joueurs) ; et du même auteur, *Combats, débats, jeux,* tr. 1967 ; M. D. DAVIS, *La théorie des jeux,* tr. 1973 ; M. PLON, *La théorie des jeux,* 1976.

La théorie des jeux a été appliquée à l'étude des *conflits internationaux* : voir notamment : T. C. SCHELLING, *The Strategy of Conflit,* Cambridge, 1960, et K. BOULDING, *Conflit and Defense,* New York, 1962. Ainsi qu'à *la stratégie* et à *la tactique militaires* : M. DRESHER, *Games of Strategy, Theory and Application,* Englewood Cliffs, 1961.

Par ailleurs, à partir de la théorie des jeux, on a développé beaucoup de modèles de coalitions entre partis, éclairant *la stratégie des partis.* Il faut spécialement citer l'ouvrage d'Anthony DOWNS, *An Economic Theory of Democracy,* New York, 1957, et celui de William H. RIKER, *The theory of Political Coalitions,* New Haven, 1962. Sur ces deux analyses stratégiques, voir *infra,* p. 485-486.

L'application à la science politique de ces nouveaux concepts et méthodes a souvent été le fait d'économistes, comme Kenneth ARROW, Duncan BLACK, Kenneth BOULDING, James BUCHANAN, Anthony DOWNS, Charles LINDBLOM, Thomas SCHELLING ou Gordon TULLOCK.

Il faut surtout citer les importants travaux de K. ARROW (*Social Choice and Individual Values,* 1re éd., 1951, traduit sous le titre *Choix collectif et préférences individuelles,* Paris, 1974) sur le choix social en démocratie, qui applique la logique mathématique à des concepts purement qualitatifs, avec pour interrogation fondamentale : le vote permet-il de parvenir à des choix sociaux rationnels ? Dans la même voie, il importe de mentionner les très intéressantes recherches, qui, s'inspirant des modèles économiques pour l'étude des phénomènes politiques, s'attachent à dégager la rationalité de comportements sociaux paraissant jusqu'alors peu cohérents : A. DOWNS, *An Economic Theory of Democracy,* New York, 1957 ; J. BUCHANAN, G. TULLOCK, *The Calculus of Consent, Logical Foundations of Constitutional Democracy,* Ann Arbor, 1962 ; J. BUCHANAN, R. D. TOLLISON, *Theory of Public Choice. Political Applications of Economics,* Ann Arbor, 1972 ; G. TULLOCK, *Toward a Mathematics of Politics,* Ann Arbor, 1967.

En français, sur ces problèmes et ces analyses, on consultera J. ATTALI, *Analyse économique de la vie politique,* 1972 (avec une importante bibliographie), et *Les modèles politiques,* 1972 (version abrégée de l'ouvrage précédent).

LA SOCIOLOGIE POLITIQUE AUX ETATS-UNIS

La large place accordée aux auteurs américains dans cette introduction est proportionnée à leur importance et à leur influence concrètes. Depuis 1890-1900, en effet, c'est essentiellement aux Etats-Unis que la science politique a repris son essor, au plan de l'enseignement comme à celui de la recherche. Essor accentué par l'immigration, dans les années 1930, d'un grand nombre de spécialistes européens des sciences sociales, fuyant le nazisme. L'*American Political Science Association* comptait 200 membres en 1903, 1 800 en 1934, 3 200 en 1944, 6 000 en 1954, et, enfin, 15 000 en 1966. A la même date, Gabriel ALMOND pouvait écrire : « Neuf politistes sur dix dans le monde aujourd'hui sont américains (« Political Theory and Political Science », *APSR*, déc. 1966, p. 869-879). Pour sa part, W. J. MACKENZIE (« La science politique », in *Tendances principales de la recherche en sciences sociales et humaines*, U.N.E.S.C.O., 1970, p. 217) note que « les trois quarts des spécialistes » de la science politique travaillent aujourd'hui aux Etats-Unis.

Sur la science politique américaine, on peut consulter : D. WALDO, *Political Science in the U.S.A.*, U.N.E.S.C.O., 1956; S. HOFFMANN, « Tendances de la science politique aux Etats-Unis », *RFSP*, 1957, p. 913 et s.; B. CRICK, *The American Science of Politics*, Londres, 1959 (avec une très bonne galerie de portraits : Bentley, Merriam, Lasswell, etc.); A. SOMIT, J. TANENHAUS, *The Development of American Political Science*, Boston, 1967.

Des mêmes auteurs (A. SOMIT, J. TANENHAUS, *American Political Science, A Profile of Discipline*, New York, 1964) on pourra lire une très intéressante enquête sur le « statut » de la science politique aux Etats-Unis — considérée moins comme une discipline que comme une profession —, à partir des résultats d'un questionnaire administré à un échantillon de membres de l'*American Political Science Association*. Ce document sur la science politique américaine vue par les siens donne, notamment, le classement préférentiel des *départements* de science politique des diverses universités; les onze premiers dans l'ordre étant : Harvard, Yale, Berkeley, Chicago, Princeton, Columbia, Michigan, Stanford, Wisconcin, California (U.C.L.A.) et Cornell (p. 34). Il donne aussi le classement préférentiel des *politistes* considérés alors comme les plus éminents par les membres mêmes de la « profession », soit :

	Période antérieure à 1945.	*Période postérieure à 1945.*	
1.	CHARLES E. MERRIAM.	V. O. KEY Jr.	
2.	HAROLD D. LASSWELL.	DAVID B. TRUMAN.	
3.	LEONARD D. WHITE.	HANS J. MORGENTHAU.	
4.	CHARLES A. BEARD.	ROBERT A. DAHL.	
5.	EDWARD S. CORWIN.	HAROLD D. LASSWELL.	
6.	ARTHUR F. BENTLEY.	HERBERT A. SIMON.	
7.	WOODROW WILSON.	GABRIEL A. ALMOND.	*ex-æquo.*
8.	PENDLETON HERRING.	DAVID EASTON.	*ex-æquo.*
9.	QUINCY WRIGHT.	LEO STRAUSS.	
10.	FREDERIC A. OGG.	CARL J. FRIEDRICH.	

A noter, enfin, après ce tableau révélateur de la « circulation des élites » — et qui date déjà de 1964 — le classement préférentiel par les intéressés eux-mêmes des *qualités* contribuant au succès professionnel. Sur dix « attributs », le volume de publication vient nettement en tête, tandis que la capacité pédagogique *(teaching ability)* n'est citée qu'en dixième position. Ce classement, qui justifie le slogan « *publish or perish* » et qu'expliquent en partie les modes de recrutement des enseignants aux Etats-Unis, inspire à A. SOMIT et J. TANENHAUS un paragraphe significativement intitulé « *Teaching versus Research* ».

La sociologie politique en Europe

Malgré une tradition très ancienne et la présence de grands classiques, l'Europe — à l'exception de la Suède — a longtemps connu un développement insuffisant de la sociologie politique en tant que discipline universitaire. En *Grande-Bretagne,* malgré l'effort ancien des universités écossaises (qui trouvera des prolongements au Canada, en Australie et en Nouvelle-Zélande), la tradition universitaire anglaise n'accorde pas une véritable spécificité à la discipline; et l'on préfère parler prudemment d' « études politiques » plutôt que de « science politique ». En *Allemagne,* la prééminance des facultés de droit reste longtemps très forte; il faut attendre les années 1960 pour voir véritablement la science politique prendre un essor autonome. Il est encore difficile de savoir quelle est la situation en *U.R.S.S.* et en *Europe de l'Est.* Les anciennes facultés de droit semblent y avoir accepté une diminution de leur rôle, tandis que les sciences sociales progressent. Ainsi la sociologie (y compris la sociologie politique) s'est développée en Pologne. Mais la science politique, dans la mesure où elle touche à la formation politique, relève avant tout des plus hautes écoles du Parti (1).

La sociologie politique en France

De même en France, en dépit de grands ancêtres (Montesquieu, Tocqueville, etc.), le développement autonome de la science politique va prendre un notable retard. Jusqu'en 1945, le statut universitaire de la sociologie politique explique, pour beaucoup, la rareté des travaux spécialisés. Les auteurs qui s'y illustrent font alors figure de brillantes exceptions — comme les doyens Léon Duguit et Maurice Hauriou dans les facultés de droit, sous l'influence, le premier, de Durkheim, le second de Tarde (2) — ou de pionniers — comme André Siegfried qui, en 1913, avec son *Tableau politique de la France de l'Ouest sous la IIIe République,* ouvre la voie à la sociologie électorale.

Depuis 1945, diverses circonstances ont contribué à faire de la science politique une discipline de plein exercice, qui ne soit plus à la remorque de telle ou telle autre. A la Libération, la transformation de l'Ecole libre de la rue Saint-Guillaume (fondée en 1872) en Fondation nationale des sciences politiques et en Institut d'études politiques de Paris, la création d'Instituts analogues en province, marquent un premier pas. Un second progrès réside dans la réforme de la licence de droit par l'introduction du cours de science politique en 1954 et dans la création d'un doctorat de science politique. Désormais, aussi bien au niveau de la licence qu'à celui du doctorat, la science politique se trouve officiellement présente dans les facultés de

(1) Sur ces pays, comme sur l' « exportation » des modèles américains, anglais et européens d'enseignement politique vers les universités des pays en voie de développement, voir W. J. M. Mackenzie, « La science politique », in *Tendances principales de la recherche dans les sciences sociales et humaines,* t. I, chap. II, U.N.E.S.C.O., 1970 (spécialement p. 216-222).

(2) Cf. M. Hauriou, « Les facultés de droit et la sociologie », *Revue générale du droit,* 1893; et « Réponse à un docteur en droit sur la sociologie », *Revue internationale de sociologie,* 1894. Sur L. Duguit : E. Pisier-Kouchner, *Les fondements de la notion de service public dans l'œuvre de Léon Duguit,* 1972.

droit, où elle s'était historiquement développée, en se greffant sur le droit public (comme en témoigne le titre de la Revue du droit public *et de la science politique,* imposé par Gaston Jèze dès l'entre-deux-guerres). Dernière étape : l'organisation en 1973 du premier concours d'*agrégation de science politique,* qui marque l'autonomie de la discipline par rapport au droit public. Enfin, dans les facultés de lettres, l'essor de la sociologie bénéficie à la sociologie politique.

Depuis 1968, le redécoupage des universités françaises sur des bases pluridisciplinaires peut être profitable à la science politique, en la plaçant au contact permanent d'autres sciences sociales (économie, sociologie, psychologie sociale, philosophie, histoire, droit, etc.), dont les apports peuvent être fructueux pour son propre essor. En définitive, et par rapport au reste de l'Europe, le statut qu'a conquis la science politique dans les universités françaises est honorable, même s'il est hors de rapport avec la puissance des départements américains spécialisés dans cette même discipline.

Par-delà le strict problème de son « statut » universitaire, la santé de la sociologie politique française se constate à la qualité des travaux publiés. Qu'il s'agisse des institutions politiques (G. Vedel, A. Hauriou, G. Burdeau), des idées politiques (J.-J. Chevallier, M. Prélot, J. Touchard), de la vie politique (J. Chapsal, R. Rémond), des partis politiques (M. Duverger, G. Lavau), de la sociologie électorale (F. Goguel), des relations internationales (R. Aron, J.-F. Duroselle, M. Merle), de la prospective (B. de Jouvenel), de la sociologie des organisations (M. Crozier), de l'étude des groupes de pression (J. Meynaud), du « leadership » (F. Bourricaud), de la psychologie sociale (J. Stoetzel), etc.

On pourra consulter le numéro spécial de la Revue de l'Enseignement supérieur consacré à *La science politique* (1965, n° 4), et le compte rendu sténographique du colloque organisé le 8 mars 1969 par l'Association française de science politique sur *L'état de la science politique en France* (ronéotypé). Lire aussi : M. PRÉLOT, *La conception française de la science politique,* cours de doctorat professé à la Faculté de droit de Paris en 1956-1957, polycopié par Les Cours de Droit, et son bref ouvrage, *La science politique,* 4e éd., 1969, ainsi que F. BOURRICAUD, « Science politique et sociologie », *RFSP* 1958, p. 249. Il faut, enfin, citer deux approches originales du phénomène politique : l'une de G. BALANDIER, *Anthropologie politique,* 1967 (qui permet d'utiles comparaisons avec les sociétés non industrielles), l'autre, de type philosophique, de J.-W. LAPIERRE, *Essai sur le fondement du pouvoir politique,* 1968.

Revues.

Enfin, figure ci-dessous une liste sommaire des revues les plus directement utiles, avec leurs abréviations usuelles :

The American Behavioral Scientist (ABS);
The American Journal of Sociology, Chicago (AJS);
The American Political Science Review (APSR) (essentielle);
The American Sociological Review, New York University (ASR);
L'Année sociologique, Paris (AS);

Archives de sociologie européenne, Paris.
The British Journal of Sociology, Londres (Br. Journ. Soc.);
Cahiers internationaux de sociologie, Paris (Cah. Int. Soc.);
The Journal of Politics, The Southern Political Science Association (JOP);
Pouvoirs (P);
Public Opinion Quaterly, The American Association for Public Opinion Research (POQ);
Revue française du droit public et de la science politique (RDP);
Revue française de science politique (RFSP) (indispensable);
Revue française de sociologie (RFS);
Revue internationale des sciences sociales, Paris, Unesco (Rev. Int. Sc. Soc.);
World Politics (WP).

Il faut rappeler, en dernier lieu, l'existence de l'*Internationale Encyclopedia of the Social Sciences* (17 vol., New York, 1968) et de la *Bibliographie internationale des sciences sociales*, publiée par l'U.N.E.S.C.O., qui concerne, notamment, la science politique.

PREMIÈRE PARTIE

THÉORIE POLITIQUE

Eléments de théorie politique. — Il s'agit ici de préciser quelques *éléments de théorie politique,* de donner quelques indications sur les grands apports théoriques, qui orientent la science politique contemporaine.

Faute de pouvoir être complet, on a retenu ici quelques grands types d'analyse, pour mieux faire comprendre certaines catégories et certains concepts essentiels. C'est-à-dire :

— l'analyse marxiste pour :
l'Etat et la société (chap. I);

— l'analyse systémique pour :
le système politique (chap. II);

— l'analyse fonctionnelle pour :
les fonctions politiques (chap. III);

— l'approche par la cybernétique pour :
la communication politique (chap. IV).

Une approche globale. — Par-delà les divergences et les dissemblances, ces types d'analyse présentent un trait commun. Tous conçoivent l'objet étudié comme une *totalité,* dont les éléments sont liés, interdépendants. Tous s'inspirent d'une *approche globale.*

L'attitude commune, c'est d'abandonner l'analyse séparée des divers éléments de la société. Pour *saisir l'ensemble,* pour expliquer les parties par le tout. La totalité ne peut être appréhendée à partir de ses éléments isolés. Au contraire, il faut commencer par l'ensemble pour expliquer ses éléments.

C'est se conformer à un précepte fondamental d'Auguste Comte, au primat du tout sur les parties. En effet, pour le père de la sociologie, il n'est pas possible de comprendre et d'expliquer un phénomène social particulier sans le replacer dans le contexte social global auquel il appartient. De même qu'en biologie, il est impossible d'examiner un organe et ses fonctions sans les considérer par rapport à l'organisme tout entier.

La réalité comme totalité. — Ainsi Marx s'attache à l'homme total, à la société totale. Les phénomènes étudiés sont rapportés à l'ensemble de la société. L'objet d'étude, c'est « la réalité sociale prise dans l'ensemble de ses paliers en profondeur » (G. Gurvitch) (1).

— Le *marxisme* est une approche globale de la réalité sociale. Comme le souligne Georg Lukacs : « Ce qui distingue de façon décisive le marxisme de la science bourgeoise, c'est le point de vue de la totalité... La domination du tout sur les parties... constitue l'essence même de la méthode que Marx a empruntée à Hegel. »

— L'*analyse systémique* s'attache, elle aussi, à étudier des ensembles de rapports. Elle part, en effet, du postulat que la réalité sociale présente les caractères d'un *système,* pour interpréter et expliquer les phénomènes sociaux par les liens d'interdépendance qui les relient et qui les constituent en une totalité.

Un *système* peut se définir comme un ensemble d'éléments interdépendants, comme un ensemble d'éléments se trouvant en interaction. Un *système politique* peut se définir comme l'ensemble des interactions politiques constatées dans une société donnée. Car le système politique n'est que la partie d'un tout. Il se trouve englobé dans un « environnement », dans un ensemble social avec lequel il entretient des rapports complexes. Bref, cet ensemble politique est lui-même le sous-ensemble d'un ensemble plus vaste.

— L'approche globale caractérise aussi le *fonctionnalisme.* Mieux que tout autre, Malinowski présente la société et la culture comme des ensembles organisés, intégrés, composant une totalité faite de l'agencement de parties diverses et multiples. Pour lui, la société forme un ensemble cohérent et ordonné.

— La même intention globalisante marque le *structuralisme.* J. Piaget écrit ainsi : « Nous disons qu'il y a structure (sous son aspect le plus général) quand les éléments sont réunis en une totalité présentant

(1) G. Gurvitch, « La sociologie de Marx », dans *La Vocation actuelle de la sociologie,* vol. 2, chap. XII, p. 225.

certaines propriétés en tant que totalité et quand les propriétés des éléments dépendent, entièrement ou partiellement, de ces caractères de la totalité. »

— Enfin, l'*approche par la cybernétique* conduit aussi à une vision synthétique. Elle assimile le système politique à un système de pilotage, à un système cybernétique, dépendant de l'information provenant de son environnement.

Ainsi, même divers, même divergents, ces types d'analyse reposent au moins sur une idée commune : l'idée que la réalité sociale et politique constitue une *totalité.* Toute analyse d'un élément isolé risque d'altérer la réalité. Seule l'approche globale permet d'éviter ces déformations ou ces mutilations du réel. Il faut cesser d'isoler tel ou tel phénomène politique. Pour examiner la réalité politique comme une totalité, comme un ensemble, qui requiert une étude globale.

Tel est, précisément, l'objet des chapitres suivants.

CHAPITRE PREMIER

L'ÉTAT ET LA SOCIÉTÉ

L'analyse marxiste. — Pour étudier les rapports existant entre l'Etat et la société qu'il régit, divers types d'analyses pourraient être utilisés avec profit. Mais, en ce domaine, l'apport théorique le plus important est celui du marxisme.

L'apport du marxisme à la science politique peut être étudié à trois niveaux. Celui des fondateurs : *Marx et Engels* (section I). Celui du *marxisme soviétique*, qui est à la fois un approfondissement théorique et une expérimentation concrète (section II). Celui, enfin, du *marxisme critique*, en entendant par là les ajouts ou les corrections récentes, soit au marxisme originaire, soit au marxisme soviétique (section III).

SECTION I

MARX ET ENGELS

Un modèle théorique général. — Le marxisme apparaît comme une conception du monde, comme une *Weltanschauung*. Il est, tout à la fois, une philosophie, une histoire, une sociologie et une économie politique.

Car, appuyés sur une très vaste culture, Marx (1818-1883) et Engels (1820-1895) synthétisent, rapprochent et prolongent les recherches antérieures. Ils combinent puissamment la philosophie dialectique de l'histoire de Hegel, l'économie politique anglaise (Adem Smith, Ricardo), le socialisme français (Saint-Simon, Fourier, Proudhon) et les travaux historiques d'alors (Augustin Thierry, Guizot).

A partir de là, à partir de ces explications fragmentaires du réel, dont ils font la *synthèse,* Marx et Engels créent une *théorie générale.* Pour proposer, avec ce modèle théorique général, une explication scientifique de la réalité et de l'histoire sociales.

Le politique. — Marx et Engels tiennent le politique pour un *phénomène second,* dépendant de l'économique. Ainsi Engels écrit : « L'idée que les actions politiques de premier plan sont le facteur décisif en histoire est aussi vieille que l'historiographie elle-même. » Pourtant, « le côté économique du rapport est plus fondamental dans l'histoire que le côté politique » (2).

La dynamique politique n'est que l'expression de la dynamique sociale — la lutte des classes —, qui résulte elle-même de la base économique. Ainsi, en s'employant à analyser la « base réelle » des phénomènes sociaux et politiques, Marx et Engels sont conduits à délaisser quelque peu l'analyse de la vie politique elle-même.

Cependant, plusieurs de leurs ouvrages intéressent plus directement la science politique. On peut spécialement citer, écrits en collaboration par Marx et Engels : *L'Idéologie allemande* (1845-1846) et le *Manifeste du parti communiste* (1848). De Marx : *Critique de la philosophie du droit de Hegel* (1843-1844); les *Manuscrits de 1844; La lutte des classes en France* (1850); *Le 18 Brumaire de Louis-Napoléon Bonaparte* (1852); *Contribution à la critique de l'économie politique* (1859); *Le Capital* (premier volume, 1867); *La Guerre civile en France* (1871). D'Engels : *M. E. Dühring bouleverse la science* (série d'articles publiée en 1878, et plus connue sous le titre d'*Anti-Dühring*); *L'Origine de la famille, de la propriété privée et de l'Etat* (1884); *Critique du programme d'Erfurt* (1891) (3).

§ 1. — LE MATÉRIALISME HISTORIQUE : LA DÉPENDANCE DU POLITIQUE

Marx et Engels proposent une explication matérialiste et déterministe de l'histoire. Ce matérialisme historique est un matérialisme dialectique, d'inspiration hégélienne.

(2) F. ENGELS, *Anti-Dühring,* Londres, 1878, tr. fr. 1971, Editions sociales, p. 188.

(3) Les dates mentionnées sont celles de la rédaction ou de la première publication.

Infrastructure et superstructure. — L'évolution de la société résulte de l'évolution des conditions matérielles de la vie. A la base se trouvent les *forces productives* (instruments et techniques de production, force de travail des hommes et objets auxquels s'applique ce travail). Ces forces productives engendrent des *rapports de production :* ce sont les rapports que les individus nouent entre eux à l'occasion de la production. Ces deux éléments — forces productives et rapports de production — constituent ensemble le *mode de production.* Ce mode (ou système) de production est essentiel à connaître, car une société est déterminée à la fois par le niveau des forces productives et par l'état des rapports de production.

Ces rapports de production modèlent la structure sociale, la répartition des *classes sociales* (groupes d'individus qui occupent la même position dans le mode de production). Et cette structure sociale produit certaines façons de penser, certaines croyances, certaines *institutions* politiques et juridiques, etc.

En un mot, l'*infrastructure* — c'est-à-dire les forces productives et les rapports de production — détermine une *superstructure,* qui en est le reflet. Cette superstructure comprend les institutions politiques, le droit, la morale, la religion, les arts, etc.

Marx écrit : « Dans la production sociale de leur existence, les hommes entrent en des rapports déterminés, indépendants de leur volonté, *rapports de production* qui correspondent à un degré de développement déterminé de leurs *forces productives* matérielles. L'ensemble de ces rapports de production constituent la structure économique de la société, la base concrète sur laquelle s'élève une *superstructure* juridique et politique et à laquelle correspondent des formes de conscience sociales déterminées. Le mode de production de la vie matérielle conditionne le processus de vie social, politique et intellectuel en général » (Préface de la *Contribution à la critique de l'économie politique*).

Bref, le mode de production domine le développement de la superstructure. De cette base économique dépend tout le reste.

L'absence d'autonomie du politique. — Certes, Marx admet qu'il peut y avoir interaction, que la superstructure peut agir, à son tour, sur l'infrastructure. Car il y a action et réaction de tous les facteurs. Mais ce qui est à retenir — et ce qui est essentiel — c'est que la superstructure est engendrée par l'infrastructure. Le phénomène politique est un *reflet* des rapports de production.

Le régime politique est le fruit du système de production. Le mécanisme général de cette dépendance peut se résumer ainsi, en remontant ou en descendant la chaîne des causalités.

La compétition politique est essentiellement le reflet de la lutte des classes; les classes elles-mêmes sont modelées par le système de production; ce dernier est lui-même engendré par l'état des forces productives (et spécialement des techniques de production).

Dans l'ordre causal inverse, le schéma de la dépendance des phénomènes politiques par rapport à l'infrastructure technico-économique est donc le suivant : Forces productives → Système de production → Classes sociales → Lutte des classes → Compétition politique.

Les types d'Etat. — L'histoire le montre : à chaque système de production, correspond un type d'Etat.

Ainsi les techniques primitives ont engendré le système de production de l'Antiquité, avec la lutte des maîtres et des esclaves, et l'Etat *esclavagiste.* Les techniques agricoles médiévales ont engendré le système de production *féodal,* avec la lutte des seigneurs et des serfs, et l'Etat d'Ancien Régime. Les techniques industrielles ont engendré le système de production capitaliste, avec la lutte des capitalistes et des prolétaires, et l'Etat *bourgeois.*

Le *Manifeste du Parti communiste* contient même cette image : « Le moulin à bras donne la société avec le suzerain; le moulin à vapeur donne la société avec le capitalisme industriel. »

Enfin, l'évolution même des techniques industrielles tend à la suppression de la propriété privée des moyens de production — base des systèmes antérieurs — et à l'établissement du système de production socialiste, qui met fin à la lutte des classes et conduit à l'Etat *socialiste,* puis au dépérissement de l'Etat.

Ainsi, il existe quatre types d'Etat : l'Etat esclavagiste, l'Etat féodal, l'Etat bourgeois et l'Etat socialiste. Chaque type correspondant à un système de production spécifique, et donc à un système de classes déterminé.

Les formes d'Etat. — Ensuite, dans le cadre de chaque type d'Etat, l'analyse marxienne réintroduit des distinctions qui rappellent la typologie classique.

A l'intérieur de chaque « *type d'Etat* », il existe, en effet, plusieurs « *formes d'Etat* ». Cette notion de « forme d'Etat » correspondant à peu près à la notion classique de régime politique. Un « type » d'Etat donné peut s'incarner dans des « formes » variées.

L'Etat *esclavagiste* de l'Antiquité a été tantôt un despotisme (Egypte, Perse), tantôt une tyrannie (dans certaines citées grecques), tantôt une démocratie (dans d'autres cités grecques), tantôt un Empire (Rome).

L'Etat *féodal* a évolué d'une décentralisation, fondée sur des fiefs très indépendants les uns des autres, vers une monarchie centralisée à l'époque de Louis XIV.

L'Etat *bourgeois* est tantôt une démocratie libérale, tantôt un régime autoritaire.

Enfin, on peut aujourd'hui ajouter que *l'Etat socialiste* peut revêtir diverses formes : la forme soviétique, la forme plus laxiste de la démocratie populaire, la forme chinoise, plus rigide, etc.

Cependant, à l'intérieur de chaque type d'Etat et de chaque forme d'Etat, sous ses aspects divers, *la compétition fondamentale reste toujours la même.* Quelle se déroule entre maîtres et esclaves (Etat esclavagiste), entre seigneurs et serfs (Etat féodal), entre capitalistes et prolétaires (Etat bourgeois), dans tous les cas, cette compétition oppose les propriétaires des moyens de production et ceux qui n'ont pour vivre que leur force de travail.

§ 2. — LA LUTTE DES CLASSES

« L'histoire de toute société jusqu'à nos jours est l'histoire de la lutte des classes. Homme libre et esclave, patricien et plébéien, baron et serf, maître de jurande et compagnon, en un mot oppresseurs et opprimés, en opposition constante, ont mené une guerre ininterrompue... » *(Manifeste).*

Il y a toujours eu une classe dominante et une ou plusieurs classes dominées, une classe exploitante et des classes exploitées et toujours lutte entre ces deux camps. L'antagonisme des classes est une constante dans les sociétés fondées sur la propriété privée des moyens de production. Et cette lutte des classes antagonistes est le ressort de la dynamique sociale.

Le concept de classe. — On peut définir une classe sociale comme un groupe d'individus qui occupent la même position dans le mode de production. Lénine en donnera la définition suivante :

« On appelle classes sociales de grands groupements humains se distinguant par leur place dans un système historique déterminé de production sociale, par leurs rapports (le plus souvent fixés par la loi) avec les moyens de production, par leur rôle dans leur manière de recevoir leur part de la richesse sociale, ainsi que par la grandeur de cette part. Les classes sociales sont des groupements humains dont l'un peut s'approprier le travail de l'autre par suite de la place qu'il occupe dans un régime économique donné. »

Les classes sociales se définissent donc par leur place dans le système de production et, spécialement, par leur situation par rapport à la propriété des moyens de production, traduction juridique des rapports de production.

Les classes sociales au XIXe siècle. — La classe dominante est celle qui possède les moyens de production. Dès lors, *la classe dominante change quand change le mode essentiel de production des richesses.*

Au XVIIIe siècle, la terre est encore le facteur de production principal; la classe dominante reste donc l'aristocratie foncière. En revanche, au XIXe siècle, les moyens de production essentiels sont les matières premières et l'outillage industriel; alors la classe dominante nouvelle est *la bourgeoisie capitaliste,* qui possède ces moyens de production.

D'ailleurs, soulignent Marx et Engels, la situation se clarifie. A certaines époques, la lutte des classes était confuse, parce qu'il y avait plusieurs classes exploitées et même parfois plusieurs classes exploitantes. Mais, au XIXe siècle, le schéma se simplifie : « Le caractère distinctif de notre époque, de l'époque de la bourgeoisie, est d'avoir simplifié les antagonismes de classes. La société se divise de plus en plus en deux vastes camps ennemis, en deux grandes classes diamétralement opposées : la bourgeoisie et le prolétariat » *(Manifeste).*

La *bourgeoisie* détient le capital, c'est-à-dire la propriété privée des moyens de production, et tire profit du travail d'autrui. Engels la définit ainsi : c'est « la classe des capitalistes modernes qui sont les propriétaires des moyens de production et qui tirent profit du salaire » (préface de 1888 au *Manifeste*).

La classe antagoniste est le *prolétariat,* « la classe des ouvriers modernes ». Le prolétaire, lui, n'a que ses bras pour travailler. Obligé de vendre sa force de travail au capitaliste, il est rémunéré au niveau du minimum vital, tandis que le capitaliste s'approprie la différence entre ce minimum vital et le produit réel du travail, c'est-à-dire la « plus-value ».

Outre ces deux grandes classes antagonistes, l'analyse marxiste reconnaît l'existence d'autres classes. Comme le « *lumpenproletariat* », ce « prolétariat en haillons », ce sous-prolétariat, « ce relent, ce déchet, cette écume de toutes les classes de la société » (4), qui forme une masse confuse et hétéroclite. Comme les *classes moyennes* — « petits fabricants, détaillants, artisans, paysans » *(Manifeste)* — qui constituent des groupes sociaux antérieurs à la société capitaliste, des survivances de l'ancien mode de production, que la concentration capitaliste risque de faire disparaître. Ces classes moyennes peuvent devenir révolutionnaires. Mais elles sont le plus souvent réactionnaires, car « elles cherchent à faire tourner à rebours la roue de l'histoire ».

L'Etat dans une société de classes. — Quant à l'Etat, il n'est absolument pas neutre dans cette lutte des classes. Même s'il prétend s'ériger au-dessus de la société, même s'il prend l'apparence d'un arbitre impartial au-dessus des classes. L'intérêt général, le bien commun sont autant de mythes. En réalité, l'Etat n'exprime, ne traduit et ne sanctionne que la domination d'une classe. C'est « le pouvoir organisé d'une classe en vue de l'oppression d'une autre classe » *(Manifeste)*. Immense appareil bureaucratique et militaire, « l'Etat n'est pas autre chose qu'une machine d'oppression d'une classe par une autre » (Engels).

L'Etat est l'instrument coercitif de contrainte et de répression utilisé par la classe dominante pour maintenir sa domination. La classe dominante est à la fois la classe possédante (qui possède les instruments de production) et la classe dirigeante (qui dirige l'appareil d'Etat). L'Etat n'est qu'un instrument de domination, d'exploitation, d'une classe par une autre.

Dans *L'Origine de la famille, de la propriété privée et de l'Etat,* Engels écrit : « Comme l'Etat est né du besoin de réfréner des oppositions de classes, mais comme il est né, en même temps, au milieu du conflit de ces classes, il est, dans la règle, *l'Etat de la classe la plus puissante, de celle qui domine au point de vue économique et qui, grâce à lui, devient aussi classe politiquement dominante* et acquiert ainsi de nouveaux moyens pour mater et exploiter la classe opprimée. C'est ainsi que *l'Etat antique* était avant tout l'Etat des propriétaires d'esclaves pour mater les esclaves, comme *l'Etat féodal* fut l'organe de la noblesse pour mater les paysans serfs et corvéables, et comme *l'Etat représentatif moderne* est l'instrument de l'exploitation du travail salarié par le capital. »

(4) K. MARX, *Le 18 Brumaire de Louis-Napoléon Bonaparte,* 1852.

Exceptionnellement, cependant, l'Etat peut assurer un équilibre apparent entre les classes. Ainsi, Engels poursuit : « Par exception, il se présente pourtant des périodes où les classes en lutte sont si près de s'équilibrer que le pouvoir de l'Etat, comme pseudo-médiateur, garde pour un temps une certaine indépendance vis-à-vis de l'une et de l'autre. Ainsi, la monarchie du XVIIe et du XVIIIe siècle maintint la balance égale entre la noblesse et la bourgeoisie; ainsi, le bonapartisme du Premier, et notamment celui du Second Empire français, faisant jouer le prolétariat contre la bourgeoisie et la bourgeoisie contre le prolétariat. »

Ainsi, en règle générale, « l'Etat est une organisation de la classe possédante, pour la protéger contre la classe non possédante ». L'Etat bourgeois, par exemple, est l'organisation politique que s'est donnée la bourgeoisie capitaliste pour assurer et maintenir sa domination sur le prolétariat.

Démocratie formelle et démocratie réelle. — Sans doute l'Etat bourgeois peut-il revêtir des formes apparemment démocratiques. Mais, en réalité, ces formes démocratiques n'existent qu'au bénéfice de la seule classe dominante. Pour les autres citoyens, elles constituent un artifice, un subterfuge.

La démocratie bourgeoise est purement formelle. Les droits et libertés qu'elle accorde aux classes dominées ont un caractère purement *théorique :* ils ne correspondent pas à des possibilités d'exercice *pratique.*

La liberté de la presse n'a pas de sens pour celui qui n'a pas les capitaux nécessaires à la publication d'un journal. La liberté de la culture n'a pas de signification pour celui que sa pauvreté empêche d'accéder à l'enseignement. Toutes *ces libertés, reconnues à tous en droit, sont en fait monopolisées par la bourgeoisie* capitaliste, qui a seule les moyens concrets de les exercer. Seule la classe dominante peut exercer en fait les libertés reconnues à tous.

Dans une société divisé en classes, la démocratie est purement *formelle.* Cette démocratie ne peut devenir *concrète,* réelle que dans la mesure où la société est unifiée et où, par conséquent, l'Etat est mis au service de la société tout entière, et non pas d'une classe dominante.

Pour aboutir à cette société unifiée, ne connaissant plus la division en classes, il faut d'abord qu'intervienne la victoire du prolétariat, qui marquera la « lutte finale ».

§ 3. — LA VICTOIRE FINALE DU PROLÉTARIAT

La contradiction fondamentale. — Le prolétariat finira nécessairement par renverser cette domination de la bourgeoisie. Celle-ci court fatalement à sa perte du fait de la contradiction fondamentale qui se développe entre les forces productives et les rapports de production, entre les réalités matérielles et les règles juridiques.

Marx écrit : « A un certain stade de leur développement, les forces productives matérielles de la société entrent en *contradiction* avec les rapports de production existants, ou, ce qui n'en est que l'expression juridique, avec les rapports de propriété au sein desquels elles s'étaient mues jusqu'alors. De formes de développement des forces productives qu'ils étaient ces rapports en deviennent des entraves. Alors s'ouvre une époque de révolution sociale. Le changement dans la base économique bouleverse plus ou moins rapidement toute l'énorme superstructure » (Préface de la *Contribution à la critique de l'économie politique*).

Pour le capitalisme, quelle est cette contradiction fondamentale ? Elle est entre la *production sociale* et la *propriété privée*. Production sociale : car la production n'est plus individuelle, mais collective. Les nouveaux moyens de production ne sont pas mis en œuvre par un seul homme, mais par un ensemble d'hommes. A l'ère de la machine à vapeur et du métier mécanique, la manufacture et la fabrique remplacent l'atelier individuel. Les produits eux-mêmes deviennent des produits sociaux : tout objet produit est passé par des mains nombreuses.

Mais si la production est sociale, la *propriété reste privée*, Les moyens de production utilisés socialement et les produits créés socialement continuent d'être traités comme des moyens et des produits d'individus, qui s'approprient les instruments et les fruits du travail collectif. Pour en finir avec cette contradiction, il faudra réaliser la socialisation des moyens de production, base de la société socialiste.

« L'accumulation du capital et l'accumulation de la misère ». — En attendant cette issue, la contradiction fondamentale s'aggrave. La richesse capitaliste s'accroît et se concentre, tandis que le prolétariat grossit et s'appauvrit. Il s'établit « une corrélation fatale entre l'accumulation du capital et l'accumulation de la misère » (5).

(5) K. Marx, *Le Capital,* livre I, tome III, Editions Sociales, 1969, p. 88.

La bourgeoisie capitaliste est dépassée par la révolte, par l'essor prodigieux des forces productives qu'elle concentre; révolte contre le régime devenu trop étroit de la propriété privée des moyens de production. Le régime capitaliste produit toutes choses en abondance, en trop par rapport à son systère défectueux de répartition. De là des crises de *surproduction*, de pléthore.

« La bourgeoisie produit ses propres fossoyeurs » : les prolétaires. Par accumulation des plus-values, le capital s'accroît et se concentre sans cesse entre des mains toujours moins nombreuses. Tandis que les classes moyennes, les petits bourgeois qui disposent de trop faibles capitaux « tombent dans le prolétariat », incapables de résister à la concurrence des grandes entreprises.

Le prolétariat s'étendant sans cesse et constituant « l'armée de réserve industrielle », le salaire des prolétaires s'abaisse mécaniquement (6). Au terme de l'évolution, on aura, *face à face, une bourgeoisie capitaliste très restreinte et très riche* et *un prolétariat immense et très pauvre.* Le choc de ces deux classes et la victoire du prolétariat sont inévitables. Et le prolétariat abolira la propriété privée des moyens de production, désormais socialisés, c'est-à-dire remis à la société tout entière, à la collectivité.

Cet assaut du prolétariat contre la bourgeoisie est la lutte finale. Il n'y aura pas, ensuite, de nouveaux antagonismes entre exploiteurs et exploités. Pourquoi ? Marx et Engels l'expliquent ainsi :

« Tous les moments historiques ont été, jusqu'ici, accomplis par des minorités ou au profit des minorités. Le mouvement prolétarien est *le mouvement spontané de l'immense majorité au profit de l'immense majorité* » *(Manifeste).*

§ 4. — UNE SOCIÉTÉ D'ABONDANCE ET SANS ÉTAT

En se libérant, le prolétariat libère nécessairement en même temps et pour toujours la société tout entière. L'histoire s'arrête et le prolétariat donne naissance à une *société fraternelle et unanime* qui ignore la division en classes antagonistes et la contrainte étatique liée à cette

(6) La « loi d'airain des salaires » de Lassalle, comme la thèse de la *paupérisation absolue,* infirmées par les faits, ont été abandonnées par la plupart des marxistes contemporains, au profit de la thèse de la paupérisation relative.

division. La société produit en abondance et donne à chacun selon ses besoins. Le socialisme, c'est-à-dire *la socialisation,* la collectivisation des moyens de production, *débouche sur l'âge d'or communiste.*

Le dépérissement de l'Etat. — Engels dresse un tableau idyllique de la société communiste dans *L'Anti-Dühring* : libération des forces productives jugulées jusqu'alors par le capitalisme malthusien, énorme développement de la production et abondance des biens.

Cette société sans classes sera une société sans Etat. Devenu inutile, l'Etat *dépérit* et disparaît. Engels écrit ainsi dans *L'origine de la famille, de la propriété privée et de l'Etat* (1884) : « Avec la disparition des classes disparaîtra inéluctablement l'Etat. La société qui réorganisera la production sur la base de l'association libre et égale des producteurs *reléguera la machine de l'Etat* à la place qui lui convient : *au musée des antiquités,* à côté du rouet et de la hache de bronze. »

Dans l'*Anti-Dühring* (1878), Engels explique de même : « Quand l'Etat finit par devenir effectivement le représentant de toute la société, il se rend lui-même *superflu.* Dès qu'il n'y a plus de classe sociale à tenir dans l'oppression; dès que, avec la domination de classe et la lutte pour l'existence individuelle motivée par l'anarchie antérieure de la production, sont éliminés également les collisions et les excès qui en résultent, il n'y a plus rien à réprimer qui rende nécessaire un pouvoir de répression, un Etat... L'intervention d'un pouvoir d'Etat dans des rapports sociaux devient superflue dans un domaine après l'autre, et entre alors naturellement en sommeil. Le gouvernement des personnes fait place à l'administration des choses et à la direction des opérations de production. L'Etat n'est pas « aboli », *il s'éteint.* »

Dépérissement rapide de l'Etat ou dictature transitoire du prolétariat ? — Mais cet âge d'or est-il pour aujourd'hui ou pour demain ? Marx et Engels paraissent hésiter.

Quelquefois, à l'instar des anarchistes partisans d'une suppression immédiate de l'Etat, ils semblent près de croire à l'âge d'or pour aujourd'hui. N'ont-ils pas sous les yeux le modèle de la Commune de 1871 ? Modèle *d'autogestion,* de démocratie prolétarienne spontanée, de démocratie directe, la Commune a montré comment se passer de la bureaucratie et abolir la machine d'Etat bourgeoise.

Mais, d'autres fois, Marx et Engels paraissent juger nécessaire une *phase transitoire de dictature du prolétariat,* avant d'accéder à la société communiste. Ainsi Engels (*Lettre à Von Patten,* 1883) récuse les thèses anarchistes. La révolution ne doit pas détruire immédiatement l'appareil étatique : provisoirement elle doit maintenir cet appareil coercitif pour le retourner contre les anciennes classes dirigeantes, les subjuguer définitivement, et mener à bien l'édification de la société nouvelle.

SECTION II
LE MARXISME SOVIÉTIQUE

Le marxisme soviétique constitue à la fois un approfondissement théorique et une expérimentation concrète des thèses de Marx et d'Engels. Il faut donc l'examiner sous l'angle et de la théorie (§ 1) et de la pratique (§ 2). L'une et l'autre ont d'ailleurs suscité des critiques qu'il faudra évoquer par ailleurs.

§ 1. — LA THÉORIE

L'apport essentiel est, bien sûr, celui de Lénine et de Trotsky. Mais il faut aussi mentionner l'apport théorique — même mineur — de Staline, de Khrouchtchev et des dirigeants actuels de l'U.R.S.S.

A. — LÉNINE : LES DEUX PHASES DANS LA CONSTRUCTION DE LA SOCIÉTÉ NOUVELLE

Depuis le *Manifeste du parti communiste* qui restait dans le vague (l'expression même de dictature prolétarienne n'y figurait pas), plusieurs textes savants et contradictoires de Marx et Engels étaient donc intervenus sur la question de la prise et de l'exercice du pouvoir. Lénine, lui, rassemble et précise le tout. Travail urgent, car l'Etat tsariste, lancé dans la Grande Guerre, vacille sur ses bases. Plus que jamais, il importe de donner une doctrine précise et concrète au mouvement révolutionnaire russe. Et en 1917, en pleine préparation de la révolution bolchevique d'octobre, Lénine écrit *L'Etat et la Révolution.*

Selon lui, et contrairement aux thèses anarchistes, ce n'est pas du jour au lendemain qu'après la révolution la société débouchera sur l'abondance, l'harmonie et l'absence de contraintes. En réalité, la construction de la société nouvelle comportera deux phases : une phase inférieure, *socialiste,* et une phase supérieure, proprement *communiste.*

La phase inférieure : le socialisme : de la dictature du prolétariat à l'extinction de l'Etat. — Dans la phase inférieure, les moyens de production sont collectivisés, remis à la société tout entière. Cette socialisation, cette abolition de la propriété privée des moyens de production supprime — et c'est essentiel — l'exploitation capitaliste de l'homme par l'homme. Mais il est *impossible de supprimer dès maintenant la contrainte étatique.* Et ce pour deux raisons principales.

a) D'abord, le prolétariat victorieux doit conserver l'appareil coercitif d'Etat pour le retourner contre les classes dirigeantes déchues et les subjuguer définitivement. En effet, la bourgeoisie est vaincue par la révolution, mais elle n'est pas encore anéantie. Le prolétariat s'est emparé, par la révolution, de l'appareil d'Etat. Il doit *utiliser cet appareil répressif et coercitif contre la bourgeoisie,* pour la réduire définitivement et l'empêcher de menacer la construction socialiste. La « *dictature du prolétariat* » sur les anciennes classes dirigeantes est le bouclier du socialisme. « La répression est encore nécessaire, mais elle est déjà exercée contre une minorité d'exploiteurs par une majorité d'exploités. » Ce qui la rend plus aisée, moins brutale et moins durable.

b) Le maintien de la contrainte étatique correspond encore à une seconde nécessité. Certes, les moyens de production sont collectivisés, mais l'abondance des biens n'est pas encore atteinte. Leur répartition doit donc se faire *selon le travail* (socialisme) et non selon les besoins (communisme). Il faut donc encore un appareil de contrôle, un « régulateur de la répartition des produits et de la répartition du travail ». « C'est pourquoi subsiste la nécessité d'un Etat chargé, tout en protégeant la propriété commune des moyens de production, de *protéger l'égalité du travail et l'égalité dans la répartition des produits.* »

Mais, déjà, cet Etat n'est plus le même. « L'Etat est encore nécessaire, mais c'est déjà un Etat transitoire, ce n'est plus l'Etat proprement dit. » Car, l'exploitation des masses ayant cessé, les excès qui en étaient la conséquence « commenceront infailliblement à *s'éteindre.* Et, avec eux, l'Etat *s'éteindra* à son tour. »

Lénine écrit : « *L'Etat s'éteint*, pour autant qu'il n'y a plus de capitalistes, plus de classes et que, par conséquent, il n'y a pas de classe à mater. *Mais l'Etat n'a pas encore entièrement disparu...* Pour que l'Etat s'éteigne complètement, il faut l'avènement du communisme intégral » (7).

La phase supérieure : le communisme et l'extinction totale de l'Etat. — « La base économique de l'extinction totale de l'Etat, c'est le communisme » (8). Car, à terme, cet ensemble d'efforts et de contraintes enfante une société nouvelle : la société communiste, qui est une société d'abondance, sans classes et sans Etat.

Société d'abondance : l'état de rareté et de pénurie a disparu avec la libération des forces productives entravées autrefois par le capitalisme malthusien. Tous les biens existent désormais en abondance. A la répartition inégalitaire selon le travail peut succéder *la répartition égalitaire selon les besoins* : « A chacun selon ses besoins ». L'état d'abondance permet désormais la satisfaction illimitée des besoins de chacun.

Société sans classes : la bourgeoisie n'existe plus; le prolétariat lui-même a disparu en tant que classe. *La société nouvelle ignore l'ancienne division en classes* qui résultait de l'appropriation privée des moyens de production. Il s'agit désormais d'une société unanime, fondée sur « l'association libre et égale des producteurs » (Engels).

Société sans Etat : logiquement cette société est une société sans Etat. L'Etat a progressivement dépéri. L'Etat pourra s'éteindre complètement, car il est devenu inutile. D'une part, les anciennes classes dominantes qu'il fallait subjuguer ont disparu depuis longtemps. D'autre part, la production illimitée, l'état d'abondance rendent inutiles tout contrôle du travail et de la consommation. Un homme nouveau est apparu, débarrassé des séquelles du capitalisme. Il comprend et respecte naturellement les règles de cette société fraternelle. Le travail est fourni gratuitement et spontanément, sans nécessité d'une contrainte : « Le travail, au lieu d'être un fardeau, sera une joie » (Engels). Tout appareil de coercition est devenu inutile. L'Etat disparaît dans la société communiste.

1917-1924. — Mais cette vision concerne l'avenir. *Dans l'immédiat*, c'est-à-dire après le succès de la révolution de 1917, il ne s'agit

(7) Cette citation, comme les précédentes, est extraite de LÉNINE, *L'Etat et la révolution*, Editions sociales, p. 133-135.
(8) LÉNINE, *ibid.*, p. 139-143.

encore que de la phase inférieure : construction du socialisme sous la dictature du prolétariat. Et, concrètement cette dictature du prolétariat sera la dictature du parti, avant-garde consciente du prolétariat, organisation fortement centralisée et disciplinée, telle que Lénine l'avait conçue dès 1902 dans *Que faire ?* (*infra*, p. 504). Cette élite de « révolutionnaires professionnels », cette minorité agissante doit diriger le mouvement spontané, inorganique, confus de la masse prolétarienne.

Lénine au pouvoir substitue la dictature du parti unique à la dictature du prolétariat. Mais, au sein même du parti (au congrès, au comité central, comme dans les instances inférieures), la liberté d'expression et de discussion, la gestion collégiale, subsistent malgré la prééminence prestigieuse de Lénine. Il existe bien une dictature *du* parti, il n'existe pas encore de dictature *sur* le parti.

B. — Staline : la construction du socialisme et la dictature du prolétariat

Lénine meurt en janvier 1924. La lutte pour sa succession oppose Trotsky et Staline, secrétaire général du parti. Ce dernier l'emporte en s'appuyant sur l'appareil du parti et en concluant avec d'autres dignitaires du parti des alliances qu'il dénoue brutalement au fur et à mesure qu'il est plus assuré de son pouvoir. En 1928-1929, Staline a éliminé tous ses principaux rivaux. Il commence un règne sans partage jusqu'à sa mort en 1953. Durant cette longue période, plusieurs écrits et des rapports aux Congrès successifs du parti illustreront l'analyse stalinienne du marxisme.

Le socialisme dans un seul pays. — Trotsky professe la théorie de *la révolution permanente.* La Russie est un pays attardé, qui n'a connu vraiment ni le capitalisme dans l'ordre économique, ni la démocratie bourgeoise dans l'ordre politique. Dans une telle société, non « mûre » selon certains, la révolution peut cependant aboutir, sans passer au préalable par une période plus ou moins longue de démocratie bourgeoise. Le prolétariat, entraînant derrière lui les masses paysannes, peut conquérir le pouvoir. Mais :

« La conquête du pouvoir par le prolétariat ne met pas un terme à la révolution, elle ne fait que l'inaugurer. La construction socialiste n'est concevable que sur la base de la lutte des classes à l'échelle nationale et internationale. Cette lutte, étant donné la domination décisive des rapports capitalistes sur l'arène mondiale, amènera inévitablement des éruptions violentes, c'est-à-dire à l'intérieur des guerres civiles et à l'extérieur des guerres révolutionnaires. C'est en cela que consiste le caractère *permanent* de la révolution socialiste...

« *La révolution socialiste ne peut être achevée dans les limites nationales...* La révolution socialiste commence sur le terrain national, se développe sur l'arène internationale et s'achève sur l'arène mondiale. Ainsi la révolution socialiste devient *permanente* au sens nouveau et le plus large du terme : elle ne s'achève que dans le triomphe définitif de la nouvelle société sur toute notre planète » (Trotsky, *La révolution permanente,* 1932, tr. coll. Idées, 1964, p. 228-233).

Dans ce même ouvrage, Trotsky écrit encore : « La révolution socialiste commence sur le terrain national, mais ne peut en rester là... Si l'Etat prolétarien continuait à rester isolé, il succomberait à la fin, victime de ses contradictions. Son talent réside uniquement dans la victoire du prolétariat des pays avancés. De ce point de vue, la révolution nationale ne constitue pas un but en soi : elle ne représente *qu'un maillon de la chaîne internationale. La révolution internationale,* malgré ses flux et ses reflux provisoires, *représente un processus permanent.* »

Ainsi, sous peine de voir échouer l'expérience russe dans un environnement hostile, il est temps de restituer sa logique à l'histoire et de faire la révolution là où, normalement, elle doit se produire, c'est-à-dire dans les pays les plus avancés économiquement et politiquement.

Dès 1925, une controverse sur ce problème avait opposé Staline et Zinoviev. Pour ce dernier, en effet, s'il est possible d'entreprendre la construction du socialisme en U.R.S.S., celle-ci, seule, ne saurait aller loin : « La victoire *définitive* du socialisme est impossible dans un seul pays et le socialisme ne triomphera complètement du capitalisme qu'à l'échelle internationale » (9).

Au contraire, Staline fait preuve de prudence dans le domaine des relations internationales et défend la thèse du *socialisme dans un seul pays.* Le socialisme ne peut vaincre simultanément partout. L'important, c'est qu'il s'implante et qu'il s'incarne concrètement dans un pays puissant. Pays du socialisme, la Russie soviétique doit accroître sa puissance par tous les moyens. De façon à devenir une *citadelle* inexpugnable contre le capitalisme toujours agressif, et un *exemple*

(9) Zinoniev, « Le léninisme », in *Staline contre Trotsky,* Paris, Maspero, tr. 1965, p. 1981.

vivant dont les succès convertiront les autres pays à l'idéologie socialiste.

La dictature du prolétariat. — Cette construction du socialisme dans un seul pays, dans un bastion fortifié, s'effectue presque dans un climat de psychose obsidionale. La forteresse socialiste se sent assiégée par le monde capitaliste. Cet « état de siège » est l'alibi d'un autoritarisme rigide (cf. *infra,* p. 81), appuyé sur le concept de « dictature du prolétariat ».

En 1937, pour justifier la répression qui s'abat sur ses adversaires, Staline formule la thèse de l'accentuation de la lutte des classes pendant la période de construction du socialisme. Le 10 mars 1939, dans son rapport au XVIIIe Congrès du Parti, il justifie ainsi le maintien d'un régime autoritaire : « Dans le cas particulier et concret de la victoire du socialisme dans un seul pays pris séparément, entouré de pays capitalistes, menacé d'une agression militaire du dehors, ce pays doit avoir un Etat suffisamment fort pour pouvoir défendre les conquêtes du socialisme contre les attaques de l'extérieur. »

Le communisme lointain. — Même à la veille de sa mort, Staline considère encore la phase communiste comme lointaine. Comme l'attestent ses articles publiés en octobre 1952 sous le titre *Problèmes économiques du socialisme en U.R.S.S.*, à la veille du XIXe Congrès du Parti. A ceux qui s'étonnent de l'éloignement du passage au communisme, avec son corollaire l'extinction de l'Etat, Staline répond : le communisme ne se décrète pas; il repose sur une base économique.

Or trois conditions doivent encore se trouver remplies pour rendre possible l'accès à la phase supérieure. D'abord, la poursuite durable de l'effort d'équipement, pour obtenir un développement énorme de la production sociale et la satisfaction de tous les besoins. Ensuite, la collectivisation intégrale de l'agriculture, qui doit passer du stade coopératif à une structure pleinement socialiste. Enfin, le développement de la formation et de la culture, de manière à rendre le travailleur hautement productif et apte à des travaux très divers. Toutes ces tâches requièrent beaucoup de temps. Elles relèguent dans un lointain futur l'âge communiste et le dépérissement de la contrainte.

C. — KHROUCHTCHEV : LA CONSTRUCTION DU COMMUNISME ET L'ETAT DU PEUPLE TOUT ENTIER

Khrouchtchev au pouvoir. — La mort de Staline en 1953 provoque une tentative de retour à la gestion collégiale. La direction du parti, confiée à Khrouchtchev, est séparée de la direction du gouvernement, remise à M. Malenkov, remplacé en 1955 par le maréchal Boulganine. Bientôt, cependant, Khrouchtchev réussit à écarter ses rivaux, en s'appuyant sur l'appareil du parti et en contractant des alliances successives vite dénouées. En mars 1958, il remplace le maréchal Boulganine à la présidence du Conseil des ministres, tout en demeurant à la tête du parti. Il retrouve, ainsi, la position monocratique de Staline.

Mais pour mener une politique différente et dans un style différent. *A l'extérieur,* c'est la recherche de la coexistence pacifique avec l'Ouest : voyage aux Etats-Unis et entretien à Camp David avec Eisenhower en septembre 1959; voyage en France en 1960; rencontre avec John Kennedy à Vienne en juin 1961; signature, en août 1963, du traité de Moscou sur la cessation de certains essais nucléaires, etc. Dans le même temps, la controverse publique avec la Chine commence en 1961.

A *l'intérieur,* c'est le « dégel » qui s'amorce avec la « déstalinisation » (XXe Congrès, février 1956) : une certaine libéralisation en matière politique et culturelle, la faveur pour des formes moins autoritaires et moins centralisées de gestion économique, la recherche de la décentralisation, la lutte contre les excès bureaucratiques, etc.

Les XXIe et XXIIe Congrès du P.C.U.S. — Au *XXIe Congrès* (janvier 1959) du parti communiste de l'Union soviétique, Khrouchtchev lance un défi économique aux Etats-Unis, qui doivent être rattrapés en 1970, puis dépassés dans la décennie suivante. L'U.R.S.S. aura, alors, devancé les pays les plus développés pour la production par habitant et détiendra le plus haut niveau de vie. Selon Khrouchtchev, le peuple soviétique a « réalisé des transformations si grandes dans tous les domaines de la vie économique, sociale et politique que le pays est maintenant capable d'aborder une nouvelle période décisive de son développement, la période de l'édification interne de la société communiste ».

Au même Congrès, Khrouchtchev remet à l'ordre du jour la thèse du *dépérissement de l'Etat* — pratiquement délaissée par Staline — et dépeint celui-ci comme la « transformation de la structure d'Etat socialiste en une société communiste s'administrant elle-même ». Il en voit la manifestation dans le transfert à des « organisations sociales », à des associations, de fonctions assumées jusqu'alors par l'Etat dans les domaines social, culturel ou dans celui du maintien de l'ordre.

Ce desserrement des contraintes reçoit une consécration symbolique dans le programme qu'adopte le *XXIIe Congrès* (octobre 1961) et qui ne retient plus la notion de dictature du prolétariat : « Après avoir assuré la victoire totale et définitive du socialisme et le passage de la société à la construction du communisme, *la dictature du prolétariat* a rempli sa mission historique et *a cessé d'être une nécessité* en U.R.S.S. L'Etat, qui a surgi comme un Etat de la dictature du prolétariat, s'est converti en *Etat de tout le peuple,* en organe qui traduit les intérêts et la volonté de l'ensemble du peuple. »

En d'autres termes, maintenant que l'U.R.S.S. a édifié le socialisme et commence à construire le communisme, il n'existe plus d'antagonismes de classes. D'instrument de domination de la classe prolétarienne, l'Etat devient l'organe d'expression de tout le peuple. A la dictature du seul prolétariat succède *l'Etat du peuple tout entier. L'Etat ne disparaît pas encore, mais il se transforme.* Il se convertit en *Etat de tout le peuple,* qui traduit les intérêts et la volonté de l'ensemble du peuple. Cet Etat, caractérisé par le développement et le perfectionnement de la démocratie socialiste, a pour tâche essentielle d'organiser le passage au communisme. Il constitue une forme d'Etat intermédiaire se situant entre la dictature du prolétariat et l'auto-administration communiste. Et quand la société communiste développée sera édifiée, alors cet Etat lui-même *disparaîtra.* Le programme poursuit en ce sens :

« L'orientation principale du développement du système d'Etat socialiste dans sa période de construction du communisme doit être le développement et le perfectionnement sous tous ses aspects de la démocratie socialiste, la participation active de tous les citoyens à la direction de l'Etat, à la direction de l'édification de l'économie et de la culture, l'amélioration du fonctionnement de l'appareil d'Etat et le renforcement du contrôle populaire sur son activité... Le développement de l'organisation d'Etat socialiste conduira progressivement à sa transformation en une *auto-administration communiste* de la société, dans laquelle seront réunis les Soviets, les syndicats, les coopératives et autres organisations de masse des travailleurs. Ce processus représentera un nouveau développement de la démocratie, assurant la participation active de tous les membres de la société à la gestion des affaires publiques. » (IIe partie, chap. III, section II.)

On est loin, au moins dans les intentions et les déclarations, du stalinisme. Trop loin peut-être. Le 15 octobre 1964 — en réaction, il est vrai, contre la concentration du pouvoir —, le Præsidium et le Comité central du parti provoquent la démission de Khrouchtchev. MM. Léonide Brejnev et Alexis Kossyguine prennent, respectivement, la direction du parti et du gouvernement.

D. — L. Brejnev : le centrisme idéologique

Le « juste milieu ». — Après l'éviction de M. Khrouchtchev, le parti continue d'affirmer que « la construction de la base matérielle et technique du communisme » constitue la « tâche économique fondamentale de la société soviétique ». Mais il se montre beaucoup plus discret sur le rythme de réalisation de cet objectif.

Le *XXIIIe Congrès* (1966), puis le *XXIVe* (1971) et le *XXVe* (1976), attestent le souci de tenir un « juste milieu » idéologique. Dans le discours qu'il prononce le 30 mars 1971 devant le XXIVe Congrès, M. Brejnev a soin de tenir la distance égale entre le stalinisme et le khrouchtchevisme :

« L'expérience des années écoulées a confirmé de façon éclatante que la liquidation des séquelles du culte de la personnalité et des erreurs d'ordre subjectiviste a eu des répercussions bénéfiques sur l'atmosphère politique et avant tout idéologique du pays. Nous sommes restés et resteront fidèles aux principes fondamentaux du marxisme-léninisme, et n'accepterons jamais la moindre concession sur les questions d'idéologie » (10).

L'Etat socialiste du peuple tout entier dans la nouvelle Constitution. — En juin 1977, un projet de nouvelle Constitution est rendu public, qui reprend pour l'essentiel les dispositions de la Constitution de 1936, promulguée sous Staline. Cependant, ce projet introduit dans l'ordre constitutionnel le concept khrouchtchévien d' « Etat du peuple tout entier », souvent taxé de révisionnisme par la propagande sino-albanaise.

L'article 1er de la Constitution de 1936 disposait : « L'U.R.S.S. est un Etat socialiste des ouvriers et des paysans. » L'article 1er du texte de 1977 déclare : « L'U.R.S.S. est l'*Etat socialiste du peuple tout entier.* »

(10) *Le Monde,* 1er avril 1971.

Ainsi, pour sa part, l'U.R.S.S. abandonne constitutionnellement la dictature du prolétariat. Non qu'elle rejette ce concept de la doctrine. Comme les « eurocommunistes » et notamment le P.C.F. à son XXIIe Congrès (1976). Mais les communistes soviétiques jugent que la dictature du prolétariat a rempli sa mission historique et qu'elle a donc cessé d'être nécessaire *en U.R.S.S.* En ce sens, le préambule du projet constitutionnel précise :

« L'unité sociale, politique, de la société soviétique, dont l'élément moteur est la classe ouvrière, s'est affirmée. *Une fois menées à bien les tâches de la dictature du prolétariat, l'Etat soviétique est devenu l'Etat du peuple tout entier.* »

Cependant, entre l'Etat de la dictature du prolétariat et l'Etat du peuple tout entier, tel que le conçoivent les successeurs de Khrouchtchev, la différence est mince (11). Pour eux, l'auto-administration ne peut s'exercer que par ou dans un cadre étatique. En vérité, le courant est plus à la réhabilitation de l'Etat qu'à son dépérissement.

De plus, alors que la Constitution de 1936 traitait du parti avec discrétion, le projet de 1977 souligne très fermement son rôle dirigeant : « Le parti communiste de l'Union soviétique est la force qui dirige et oriente la société soviétique; c'est l'élément central de son système politique et de toutes les organisations d'Etat et sociales » (art. 6).

En pratique, le pouvoir soviétique restera donc concentré au bénéfice du P.C.U.S., lui-même régi par une oligarchie, qui interprète à son profit le « centralisme démocratique ».

§ 2. — LA PRATIQUE

La pratique, c'est, encore, un pouvoir autoritaire, appuyé sur une nouvelle couche, voire sur une nouvelle classe.

A. — Un pouvoir autoritaire

A l'évidence, la société fraternelle qui ignore la contrainte étatique est loin d'être réalisée. Le pouvoir d'Etat persiste sous tous ses aspects (justice, police, défense nationale, gestion de l'économie, etc.). Au lieu d'un déperis-

(11) Cf. l'analyse de Tchesnokov, dans la revue *Kommunist* (1965, n° 17) et dans la *Pravda* du 27 février 1967 : l'Etat du peuple tout entier et la dictature du prolétariat constituent une seule et même *forme d'Etat* socialiste.

sement de l'Etat, on assiste à un renforcement de ses attributions et à une extension de ses compétences. A cet égard, la période stalinienne incarne un modèle.

L'ère stalinienne. — A partir de 1928-1929, Staline, qui a évincé tous ses principaux rivaux, établit sa dictature sur le parti et sur l'Etat. Cette dictature s'appuie sur trois piliers. D'abord, *l'appareil du Parti,* dont Staline est le secrétaire général : ce dernier s'appuie sur les « apparatchiki », sur les fonctionnaires permanents du Parti. Ensuite, l'énorme *bureaucratie d'Etat,* née du dirigisme et de la centralisation économiques. Enfin, *la police,* qui préfabrique bon nombre de procès politiques et exécute les purges, spécialement en 1937-1938.

L'élimination physique décime les milieux dirigeants. Dans son rapport au XXe Congrès (1956), Khrouchtchev fournira des précisions à cet égard. Sur 139 membres du Comité central élus au XVIIe Congrès (janvier 1934), 98 — c'est-à-dire 70 % — ont été arrêtés et fusillés, la plupart en 1937-1938. Des 1966 délégués à ce XVIIe Congrès, 1 108 ont été arrêtés, sous l'accusation de crimes contre-révolutionnaires.

La guerre confère encore de nouveaux titres d'autorité à Staline. Jusqu'en 1941, il n'était officiellement que le premier dirigeant du Parti. A cette date, il devient aussi le premier dirigeant de l'Etat, en prenant les fonctions de président du conseil des ministres et de généralissime. Tous les pouvoirs sont maintenant concentrés ouvertement dans ses mains, Jusqu'à sa mort, en 1953, Staline sera l'objet d'un véritable « *culte de la personnalité* », que Khrouchtchev dénoncera dans son rapport au XXe Congrès du Parti en 1956.

Dans ce même rapport, Khrouchtchev établira un parallèle contrasté entre Lénine et Staline. Pour montrer, de manière un peu manichéiste, que le premier respectait et que le second violait les procédures régulières du Parti. Lénine respectait le principe de la direction collégiale et les instances collectives du Parti (congrès, comité central, etc.). Au contraire, « Staline ignorait les règles de la vie du Parti et piétinait le principe léniniste de la direction collective du Parti ».

Cette tendance s'accentue après la guerre. Entre mars 1939 (XVIIIe Congrès) et octobre 1952 (XIXe Congrès), aucun Congrès n'est convoqué. Le Comité central lui-même n'est réuni que deux fois (en 1947 et en 1952) entre la fin de la guerre et la mort de Staline. De même, ce dernier évite toute direction collégiale au Politburo, rarement réuni et fractionné en commissions restreintes.

La parenthèse khrouchtchevienne. — Dès 1958 (*supra,* p. 78), Khrouchtchev cumule, à son tour, la direction du Parti et la direction du gouvernement. Mais dans un autre style et pour une autre politique. La période khrouchtchevienne est une phase d' « ouverture ».

A l'extérieur, c'est la recherche de la « *coexistence pacifique* » avec les pays dotés de régimes sociaux différents. A l'intérieur, c'est la déstalinisation, c'est le « *dégel* » : une certaine libéralisation en matière politique et culturelle, la faveur pour des formes moins autoritaires et moins centralisées de gestion économique, le souci de la décentralisation, la lutte contre les excès bureaucratiques, le retour à l'idée de dépérissement de l'Etat et la perspective de l'auto-administration, etc.

L'U.R.S.S. aujourd'hui. — Aujourd'hui, où en est l'U.R.S.S. ? Où en est l'évolution du système soviétique ? La libéralisation, dont on note quelques éléments, va-t-elle s'affirmer ? Ou bien, au contraire, le système, loin de se libéraliser, conservera-t-il sa spécificité, sans vouloir ou sans pouvoir rompre avec l'héritage stalinien ? En vérité, l'on relève à la fois des éléments d'innovation et des éléments de blocage.

LES ÉLÉMENTS D'INNOVATION. — C'est d'abord l'évolution du *système socio-économique :* urbanisation; développement massif de l'instruction et de la culture; développement d'une classe de « technologues » (techniciens, gestionnaires, chercheurs, etc.); réforme économique de 1965, qui réinjecte dans le système socialiste quelques mécanismes empruntés à l'économie du marché; réalisation du IXe Plan quinquennal (1971-1975), qui vise à perfectionner et à assouplir la direction de l'économie; recherche de nouvelles méthodes de gestion, etc.

C'est aussi l'évolution du *système politique,* déjà commencée sous Khrouchtchev : établissement de procédures régulières pour la désignation et la révocation des dirigeants; fin des éliminations physiques (dès 1953); retour à une certaine direction collégiale dans l'Etat et dans le Parti; esquisse d'une « parlementarisation » (avec le développement et la spécialisation des commissions du Soviet Suprême); décentralisation de l'administration locale; référence au concept de l' « Etat socialiste de tout le peuple travailleur », etc.

LES ÉLÉMENTS DE BLOCAGE. — Mais, à côté de cela, persistent ou réapparaissent certains éléments de blocage, qui tendent à faire de l'U.R.S.S. une « société bloquée ». Ce sont : l'excessive stabilité du personnel dirigeant; les abus du centralisme démocratique dans le Parti (qui enlèvent toute initiative, toute participation véritables à la base); le pesant monopole du Parti sur la vie politique, économique, sociale et intellectuelle; l'impuissance du Soviet Suprême, sinon de ses commissions; les atteintes aux libertés (condamnations des intellectuels dissidents, internement psychiatrique de certains protestataires, expulsion de Soljenitsyne en 1974, etc.), la doctrine de la « souveraineté limitée » et l'intervention en Tchécoslovaquie en 1968, etc. A noter aussi, surtout au XXVe Congrès (février-mars 1976), la naissance d'un certain « culte de la personnalité » au profit de M. Brejnev, dont le 70e anniversaire sera fêté avec des fastes quasi « monarchiques », le 19 décembre 1976 (12). En outre, en juin 1977, M. Brejnev remplace M. Podgorny à la présidence du présidium du Soviet Suprême. Il se retrouve donc à la fois chef de l'Etat et chef du Parti.

Au total, l'évolution semble freinée ou contrariée par les bureaucrates du Parti et de l'Etat, qui constituent une classe de soutien pour les entreprises conservatrices.

B. — Une nouvelle classe ?

Le fait bureaucratique. — Les membres de l'appareil du Parti ou de l'Etat forment une catégorie privilégiée, qui ne se confond pas avec le reste de la population. En ce qui concerne le logement, la disposition d'une *datcha* ou d'une voiture, l'accès à des magasins spéciaux, l'accès de leurs enfants à l'enseignement supérieur.

Le maintien de cette « *aristocratie bureaucratique du Parti* » (Eugène Varga), de cette « *bourgeoisie d'Etat* » (Charles Bettelheim) dépend du maintien de la centralisation politique et économique. La conservation de ses fonctions et privilèges dépend de cette sur-administration de la société soviétique, qui constitue la source même de son pouvoir et de sa promotion sociale. Plus que toute autre classe dirigeante, celle-ci incline au conservatisme et résiste aux changements qui menacent sa situation.

Cette élite bureaucratique donne son visage et sa permanence au « marxisme soviétique », contesté par Marcuse. Publié en 1958, *Le marxisme soviétique* (tr. 1963) est un réquisitoire contre la sclérose de l'élan révolutionnaire par un socialisme répressif et autoritaire. Où la bureaucratie détermine arbitrairement les besoins de la société, hors de tout contrôle.

Dix ans plus tard, dans un manifeste publié à l'Ouest en 1968 (*New York Times* du 22 juillet 1968), le physicien Andrei Sakharov condamne, de même, « le dogmatisme ossifié d'une oligarchie bureaucratique ». Il demande aussi : « Qui garantira que ces fonctionnaires exprimeront toujours les intérêts authentiques de la classe ouvrière dans son ensemble et les intérêts du progrès plutôt que ceux de leur propre caste ? »

La bureaucratie : ses formes et ses origines. — Le phénomène bureaucratique consiste donc dans l'existence d'une élite privilégiée de politiciens professionnels ou fonctionnaires de l'Etat ou du Parti, qui détient le monopole de tout le pouvoir politique et économique. C'est donc la négation des exigences démocratiques du gouvernement du peuple par le peuple.

Cette déviation bureaucratique a ses origines dans l'histoire (l'U.R.S.S. hérite de l'appareil tsariste), dans la tradition culturelle nationale (fondée sur l'autoritarisme, non sur la démocratie), dans la centralisation requise

(12) Voir R.-G. Schwartzenberg, *L'Etat spectacle*, Flammarion, 1977, p. 38-40.

par un développement économique planifié, dans le principe du centralisme démocratique (qui régit le Parti et qui assujettit la base au sommet), etc.

Reste à définir cette élite bureaucratique en termes de classes sociales. Là, les interprétations divergent.

La couche bureaucratique. — Trotsky a souvent dénoncé cette déviation bureaucratique. Pour lui, la bureaucratie constitue une *caste,* une *couche* privilégiée, mais non une classe. Sa puissance, qui ne repose pas sur l'appropriation des moyens de production, reste précaire et fragile.

Trotsky écrit : « Quand la bureaucratie vole le peuple, nous avons affaire non à une *exploitation de classe,* au sens scientifique du mot, mais à un *parasitisme social,* fût-ce à une très grande échelle... Cette bureaucratie ne peut pas se transformer en une nouvelle classe dirigeante » (*L'U.R.S.S. en guerre,* 1939).

Les bases économiques d'un pouvoir prolétarien existent et persistent. Le prolétariat reste la classe économiquement dominante, dont la bureaucratie usurpe le pouvoir. Reste à réaliser une révolution *politique* démocratique, pour enlever le pouvoir à la couche bureaucratique et le remettre au prolétariat lui-même.

La bourgeoisie d'Etat. — Charles Bettelheim parle, pour sa part, d'une « bourgeoisie d'Etat », formée par un corps de fonctionnaires et d'administrateurs devenus effectivement propriétaires des moyens de production. Une nouvelle bourgeoisie s'est reconstituée, qui accapare le pouvoir politique et dont la direction du P.C.U.S. est l'instrument.

Certes, la propriété privée des moyens de production a été abolie. Mais « la propriété d'Etat des moyens de production joue un rôle dominant ». Il existe une propriété capitaliste « collective », qui sert d'assise économique à la bourgeoisie d'Etat.

Comme par le passé, l'appareil d'Etat reste séparé des masses. Il entretient avec elles des rapports de *domination-répression,* qui marquent la restauration d'un Etat bourgeois.

« Ainsi, une révolution prolétarienne peut se transformer en son contraire : une contre-révolution bourgeoise. L'expérience soviétique confirme que le plus difficile n'est pas de renverser les anciennes classes dominantes : le plus difficile est, d'abord, de détruire les *anciens rapports sociaux,* sur lesquels peut se reconstituer un système d'exploitation semblable à celui que l'on a cru définitivement renverser... » (C. Bettelheim, *Les luttes de classes en U.R.S.S.*, 1974).

La nouvelle classe. — D'autres auteurs admettent l'apparition d'une véritable nouvelle classe dirigeante. C'est le cas, dès 1957, du Yougoslave Milovan Djilas, dans son livre *La nouvelle classe dirigeante.* Mais l'existence de cette classe résulte du pouvoir politique, non de la place tenue dans les rapports de production. La nouvelle classe tire sa puissance économique de sa puissance politique. Celle-ci lui confère, non la propriété juridique, mais la possession effective des moyens de production étatisés.

Claude Lefort (*Eléments d'une critique de la bureaucratie*, 1972) dénonce aussi une nouvelle société de classes et d'exploitation. La bureaucratie des Etats socialistes ne représente pas un phénomène adventice de sclérose, mais bien une classe, une classe dominante : « La forme que revêt la propriété des instruments de production n'est pas déterminante. Ce qui l'est, c'est la division du capital et du travail. Que le prolétariat soit exclu de la gestion de la production et réduit à des fonctions de pure exécution, voilà ce qui établit sa nature de classe exploitée. »

A citer aussi l'analyse de Marc Paillet dans *Marx contre Marx, La société technobureaucratique* (1971). Une « *nouvelle classe* » s'est constituée en U.R.S.S. : la « *technobureaucratie* », c'est-à-dire l'ensemble formé par les bureaucrates et les technocrates (managers, économistes, etc.). Celle-ci n'est pas juridiquement propriétaire des usines ou de la terre. Mais, par ses fonctions, elle détient, en fait, la propriété réelle de l'appareil de production. Elle gère comme si elle était propriétaire et décide souverainement de l'orientation de la production.

Un élément de blocage. — Ainsi, les interprétations divergent. S'agit-il d'une couche, d'une caste ou d'une véritable nouvelle classe ? En tout cas, les constats concordent. Il y a là un groupe social, avec ses règles, ses habitudes, sa psychologie sociale, ses privilèges et son style de vie. Et ce groupe, par conformisme ou par volonté de défendre ses privilèges, tend à entraver l'évolution de la société soviétique.

SECTION III

LE MARXISME CRITIQUE

On vient de le voir. Certaines insuffisances ou déviations du modèle soviétique suscitent, ici et là, des approfondissements, des critiques, des remises en cause. De la part d'auteurs marxistes.

Tout cela contribue à nourrir ce qu'on pourrait peut-être appeler un « *marxisme critique* ». En entendant par-là les ajouts et les corrections, soit au marxisme originaire, soit au marxisme soviétique. Sous cette rubrique, on peut évoquer quelques nouveaux apports, analysant lucidement ou remettant en question, dans certains de leurs traits fondamentaux, la théorie établie ou l'ordre établi, fussent-ils marxistes.

§ 1. — LE MODÈLE CHINOIS

L'apport chinois consiste, à la fois, dans une réflexion théorique et dans une pratique révolutionnaire.

A. — LA THÉORIE

La controverse avec le P.C.U.S. — Dès les années 1960, à l'époque où l'U.R.S.S. est dirigée par Khrouchtchev, se développe la controverse théorique avec le P.C. soviétique, dont les thèses sont jugées laxistes, révisionnistes, infidèles au marxisme authentique. Le point de vue chinois s'exprime notamment dans une *lettre du P.C. chinois* dite *des 25 points,* du 14 juin 1963.

Pour le P.C. chinois, la construction du socialisme et la dictature du prolétariat doivent occuper une période historique assez longue, si l'on veut éviter le danger d'une restauration capitaliste. Tant que l'accès au stade supérieur de la société communiste n'est pas réalisé, il faut se garder d'initiatives ou de remises en cause prématurées.

La critique chinoise porte, à la fois, sur la société socialiste, l'Etat et le Parti, tels que les conçoivent les Soviétiques.

La société socialiste et les classes. — Pour le P.C. chinois, les classes et la lutte des classes existent, dans tous les pays socialistes sans exception. Il subsiste dans la société socialiste des éléments des anciennes classes exploiteuses. En outre, il y apparaît de nouveaux éléments bourgeois.

Par ailleurs, la société socialiste connaît encore deux formes de propriété et de rapports de production : la propriété de l'Etat (du peuple) et la propriété collective (simplement coopérative). Entre ouvriers et paysans demeurent donc des différences de classe, qui ne pourront disparaître avant l'accès au communisme.

Pour ces diverses raisons, la dictature du prolétariat a encore sa raison d'être.

L'Etat. — Le P.C. chinois critique donc la thèse soviétique de l'Etat du peuple tout entier. L'Etat n'est jamais au-dessus des classes. Il a toujours un caractère de classe qu'il conserve jusqu'à la disparition des classes, donc jusqu'à sa propre disparition.

Tant que l'Etat existe, on ne peut donc parler d' « Etat du peuple tout entier ». Cette théorie rappelle la théorie classique de l'Etat bourgeois, toujours présenté comme l'Etat où la souveraineté appartient à tout le peuple ou à toute la nation.

Le Parti. — De même, on ne peut organiser un « Parti du peuple tout entier ». La dictature du prolétariat requiert la direction du parti du prolétariat. Le P.C. doit rester le *parti du prolétariat.* Ce n'est que de la sorte qu'il représente les intérêts du peuple tout entier; car le prolétariat, en se libérant, libère nécessairement toute la société.

B. — La pratique

A cette réfutation théorique, s'ajoute une nouvelle pratique, avec la « *révolution culturelle* » (1966-1969).

Une révolution anticapitaliste. — Certes, la transformation socialiste de la société est très largement réalisée. Mais pour échapper au risque d'une restauration contre-révolutionnaire du capitalisme, il faut éliminer les séquelles de l'ancienne société (bourgeoisie, petite bourgeoisie, anciens propriétaires fonciers, etc.).

La « révolution culturelle prolétarienne » est donc une révolution anticapitaliste, conduite par le prolétariat contre la bourgeoisie et les anciennes classes exploiteuses.

Une révolution des croyances et des mœurs. — Mais c'est surtout une révolution entreprise dans le domaine des *superstructures idéologiques.* En effet, le secteur de l'éducation et de la culture est celui où persistent le plus aisément les séquelles de l'ancienne société. Ici, la bourgeoisie, pourtant privée de la propriété des moyens de production, peut maintenir une partie de son emprise et préparer les esprits à des menées contre-révolutionnaires.

La révolution culturelle vise donc à « transformer la physionomie morale de toute la société avec la pensée, la culture et les mœurs et coutumes nouvelles propres au prolétariat » (13). L'objectif est de placer sous le contrôle du prolétariat des secteurs essentiels comme

(13) Rapport Lin Piao au IXe Congrès du Parti (1969).

l'éducation, la culture, l'art, la presse. L'objectif est aussi de diffuser directement auprès des masses révolutionnaires la pensée de Mao Tsé-toung, condensée dans le « petit livre rouge ».

Une révolution politique. — C'est aussi une révolution politique, consolidant la dictature du prolétariat. Par la restauration d'un *Parti* authentiquement révolutionnaire, épuré de ses responsables « engagés dans la voie capitaliste », renforcé par l'adhésion d'éléments plus avancés, de militants plus actifs. Par l'appui et le rôle décisif de l'*armée* populaire. Par la formation de « *comités révolutionnaires de triple alliance* », associant, à travers tout le pays, des représentants des masses, de l'armée et du parti.

Les faits. — Après les déboires du « grand bond en avant », Mao Tsé-toung est quelque peu écarté de la direction des affaires publiques, vers la fin de 1965. Sous la direction du Président de la République Liu Shao-chi, le Parti, les technocrates et les économistes prennent en main l'essentiel du pouvoir. Mais, en s'appuyant sur la jeunesse révolutionnaire et sur l'armée (commandée par Lin Piao), Mao reprend le premier rôle.

La « Triple Alliance » ou coalition de l'armée, des forces révolutionnaires et de ceux des cadres du P.C. qui étaient restés fidèles à Mao, se déploie à travers tout le pays par la formation de « comités révolutionnaires ».

En août 1966, Mao invite les masses à participer à la vie publique. Il lance le slogan : « Occupez-vous des affaires de l'Etat. »

Parti de l'Université et des *gardes rouges,* un vaste débat s'installe à partir de la fin de 1966 dans toute la Chine. La critique permanente de l'ordre établi — y compris du Parti et du Président de la République Liu Shao-chi, qualifié de « Khrouchtchev chinois » — se développe à travers une campagne d'affiches et de journaux muraux, de discussions sur la réforme de la société. En revanche, Mao et son Petit livre rouge sont l'objet d'un véritable culte.

L'année 1967 voit la reprise en main de tout le pays par les partisans de Mao et le retour au calme à partir de l'automne.

L'année 1968 voit se développer la campagne contre les syndicats, accusés d'économisme, et contre le Parti, accusé de sclérose, de mandarinat et de révisionnisme. L'objectif est de restaurer un nouveau Parti communiste authentiquement révolutionnaire, répudiant le révisionnisme et la bureaucratisation. L'objectif est de rétablir une interprétation rigoureuse du marxisme-léninisme et de maintenir intact l'élan révolutionnaire de la Chine.

Enfin, le IXe Congrès du Parti, réuni en 1969, marque la fin et le succès de la révolution culturelle. Le Congrès adopte de nouveaux statuts et nomme le maréchal Lin Piao successeur du président Mao.

La révolution culturelle a donc été dirigée contre la nouvelle classe, contre la couche bureaucratique. Les masses ont été invitées à « bombarder la nouvelle classe ». Mais on peut se demander si la nouvelle classe a disparu ou si elle s'est simplement épurée, transformée.

Gilles Martinet écrit : « A regarder les choses de près, on s'aperçoit cependant qu'il s'est agi d'une explosion contrôlée. Les réactions en chaîne ont été enrayées là où elles paraissaient dangereuses. Une partie de la classe a sacrifié l'autre partie. Après quoi elle a consolidé son pouvoir sur de nouvelles bases » (*Les cinq communismes*, 1971).

Ainsi, comme les autres Etats socialistes, la Chine semble rester confrontée à ce problème constant.

Le *Xe Congrès du P.C.C. (1973)*. — Un an après le IXe Congrès, lors du plénum de Lushan (août-septembre 1970), le maréchal Lin Piao, soutenu par M. Chen Po-ta, tente, sans succès, de se faire porter à la tête du pays. C'est ensuite, probablement en septembre 1971, la mort de Lin Piao dans une tentative de fuite en U.R.S.S. après un complot manqué.

Le Xe Congrès du Parti communiste chinois se tient à Pékin en août 1973. Le « groupe anti-parti » de l'ancien vice-président Lin Piao et de son principal allié M. Chen Po-ta sont condamnés en des termes très violents. Des personnalités et des dirigeants qui avaient disparu pendant la révolution culturelle prennent place dans le nouveau comité central.

Les statuts du parti sont à nouveau révisés, sur le rapport de M. Wang Hong-wen, nouveau n° 3 du régime. Ces statuts invitent les militants à lutter contre le phénomène bureaucratique, les exhortent à « oser aller à contre-courant », à agir contre l'inertie, le conformisme et le révisionnisme :

« La classe ouvrière, les paysans pauvres et moyennement pauvres et les autres masses travailleuses sont les maîtres du pays. Ils ont le droit de soumettre à un contrôle révolutionnaire les cadres de notre parti et de notre Etat aux différents échelons. »

La révision constitutionnelle de 1975. — L'année 1974 est marquée par des « campagnes » animées (contre Confucius, etc.). Enfin, en janvier 1975, l'Assemblée nationale révise la Constitution de 1954 dans le sens d'une orthodoxie marxiste croissante :

Préambule : « La société socialiste s'étend sur une assez longue période historique. Tout au long de cette période existent les classes, la contradiction de classes, de même que la lutte entre la voie socialiste et la voie capitaliste, le danger d'une restauration du capitalisme, ainsi que la menace de subversion et d'agression de la part de l'impérialisme et du social-impérialisme. »

Article 1. — « La République populaire de Chine est un Etat socialiste de dictature du prolétariat, dirigé par la classe ouvrière et basé sur l'alliance des ouvriers et paysans. »

Article 2. — « Le parti communiste chinois est le noyau dirigeant du peuple chinois tout entier. Le marxisme, le léninisme, la pensée maotsétoung constitue le fondement théorique sur lequel notre Etat guide sa pensée... »

Article 12. — « Le prolétariat doit exercer sa dictature intégrale sur la bourgeoisie dans le domaine de la superstructure, y compris les divers secteurs de la culture. »

L'année 1976. — En vérité, la lutte se poursuit entre deux grandes tendances : l'une « radicale », « révolutionnaire »; l'autre « gestionnaire ». L'année 1976 est celle des grands événements.

En janvier 1976, c'est le décès du premier ministre Chou En-lai, qui est remplacé par M. Teng Hsiao-ping. Evincé par la révolution culturelle, celui-ci était revenu à la vie politique en avril 1973 et était devenu premier vice-premier ministre en janvier 1975.

Mettant les mots d'ordre de stabilité, d'unité et de développement économique sur le même plan que ceux de la lutte des classes, M. Teng Hsiao-ping passe pour le chef de file des « révisionnistes », des « déviationnistes de droite ». Il est destitué de ses fonctions en avril 1976. En conséquence, M. Hua Kuo-feng devient le chef du gouvernement et occupe le poste — spécialement créé — de premier vice-président du comité central du P.C.

Cela ne signifie pas pour autant la victoire des « radicaux ». On le voit bien avec la mort de Mao, le 9 septembre 1976. Devenu président du parti, M. Hua Kuo-feng prend l'initiative contre les « radicaux » et évince les dirigeants de la tendance de gauche, accusés de complot : Mme Chiang Ching, la propre veuve de Mao, MM. Wang Hong-wen, second vice-président du parti et chef de la gauche changhaïenne, Chang Chung-chiao, premier vice-premier ministre et Yao Wen-yuan, le théoricien de la révolution culturelle.

Cette éviction, en octobre 1976, de la « clique anti-parti » s'accompagne de la mise en sourdine des attaques contre les « déviationnistes de droite » et leur chef de file, M. Teng Hsiao-ping. En juillet 1977, celui-ci, réhabilité, redevient vice-premier ministre.

Dans le même temps, un certain « culte de la personnalité » renaît au profit de M. Hua Kuo-feng. Quatre jours de manifestations de masses dans toute la Chine culminent à Pékin, le 24 octobre 1976, avec un meeting d'un million de personnes, qui le consacre comme l'héritier du « Grand Timonier ». Revêtu d'un uniforme militaire, M. Hua Kuo-feng apparaît pour la première fois à la tribune historique de la porte Tien An-men, où seul Mao avait autrefois présidé des manifestations de foules. A son tour, il reçoit l'hommage vibrant du peuple chinois. Six semaines seulement après la mort de Mao (14).

§ 2. — L'APPORT DE GRAMSCI

On note, depuis quelques années, la vogue croissante des thèses d'Antonio Gramsci (1891-1937), qui fut l'un des principaux dirigeants du Parti communiste italien et qui fut emprisonné par le régime fasciste de 1926 à sa mort.

L'importance des superstructures. — Les interprètes classiques du marxisme posent en règle la primauté de l'infrastructure — de la base économique — sur les superstructures, et notamment sur l'idéologie considérée comme un « reflet ». D'où l'attitude de beaucoup de sociaux-démocrates du XIXe siècle, attendant que l'essor des forces productives provoque inéluctablement la révolution socialiste.

En revanche, au XXe siècle, divers théoriciens marxistes, sans nier l'importance capitale de l'infrastructure, facteur essentiel de l'évolution historique, cherchent à *préciser la part d'autonomie et le rôle des superstructures*. C'est le cas de Gramsci, réfléchissant sur les conditions de passage au socialisme dans les systèmes occidentaux.

Jusqu'ici, la bourgeoisie a résisté à la pression de l'évolution des forces productives. Cette résistance tient aux superstructures de la société capitaliste, qui forment avec l'infrastructure un « bloc historique », au sein duquel la bourgeoisie établit son hégémonie sur les autres classes, dont le prolétariat.

La société civile et la société politique. — Dans la superstructure, Gramsci discerne deux éléments : la « société politique », qui s'appuie sur la contrainte, et la « société civile », qui repose sur la persuasion.

(14) Sur le culte de Mao, voir R.-G. SCHWARTZENBERG, *L'Etat spectacle*, 1977, p. 35-38.

La *société civile* concerne l'idéologie sous tous ses aspects (religion, philosophie, droit, économie, science, art, culture, etc.) et les institutions qui la créent et la diffusent (églises, écoles, moyens d'information, etc.). Quant à la *société politique,* c'est l'appareil de commandement et de coercition, l'Etat ou le gouvernement au sens large. Toutes deux servent à la classe dominante pour assurer sa domination.

Si la société civile est « primitive et gélatineuse » (cas des systèmes absolutistes), l'Etat est l'instrument essentiel de cette domination. En conséquence, la révolution socialiste peut se borner pour l'essentiel à s'emparer de l'appareil coercitif de l'Etat. Ensuite, on pourra développer une véritable société civile, en harmonie avec l'infrastructure socio-économique. C'est le cas de la révolution russe.

En revanche, la situation n'est pas la même dans les pays où la société civile est fortement organisée. C'est le cas des systèmes occidentaux, où « l'Etat est seulement une tranchée avancée, derrière laquelle se trouve une robuste chaîne de forteresses et de casemates ».

Pour Lénine et les révolutionnaires russes, l'essentiel c'était bien le renversement de l'appareil d'Etat. Mais, pour les révolutionnaires occidentaux, le terrain essentiel de la lutte se situe dans la société civile.

L'hégémonie. — Là, la bourgeoisie est parvenue à établir une domination intellectuelle et morale sur la société, à imprégner idéologiquement tout le système social. Elle a fait accepter ses valeurs, sa morale, sa religion, son idéologie par ceux qu'elle domine, dont le prolétariat. L'idéologie dominante est l'idéologie de la classe dominante.

D'où une situation d' « *hégémonie* ». L'hégémonie peut se définir comme un pouvoir de classe « réussi », comme un pouvoir de classe ressenti comme nécessaire sur l'ensemble de la société. Les institutions d'ordre idéologique diffusent les valeurs de la classe dominante dans toute la société. Et celle-ci intériorise à ce point ces valeurs particulières qu'elles finissent par être ressenties comme universelles, à l'abri de toute remise en question. Tant que les valeurs de la classe dominante sont adoptées par les autres classes, le pouvoir de la première sera considéré comme légitime et n'aura pas besoin d'être défendu par la force. Telle est l'hégémonie.

Un des exemples historiques les plus réussis d'*hégémonie,* selon Gramsci, est celui de la bourgeoisie française au XVIIIe siècle. Celle-ci avait si bien réussi à faire partager ses valeurs et sa vision du monde par l'ensemble de la société avant même la Révolution, que sa prise du pouvoir politique apparut alors comme légitime et naturelle. La liberté, l'égalité et même la propriété n'étaient pas seulement les mots d'ordre de la bourgeoisie, mais ceux de la nation tout entière. La bourgeoisie italienne du *Risorgimento* ne parvint jamais à rééditer cet exploit historique. D'où le caractère incertain et fragile de son pouvoir.

Le rôle des intellectuels. — Cette fonction d'hégémonie par la diffusion de l'idéologie dominante est assurée par les intellectuels, au sens large du terme. Ou plus précisément par les intellectuels liés à la classe dominante, que Gramsci dénomme intellectuels « *organiques* », puisqu'ils sont l'élément organisateur de la société civile. Ces « fonctionnaires de la superstructure » sont les agents de la cohésion d'un « bloc historique » déterminé dont ils établissent et illustrent le caractère organique autour d'une certaine vision du monde.

Ainsi, dans le bloc agraire réactionnaire du *Mezzogiorno* italien, « le paysan méridional est lié au grand propriétaire par l'intermédiaire de l'intellectuel ».

Dans la société féodale, les membres du clergé étaient les *intellectuels organiques* des classes dominantes. Avec l'avènement de la bourgeoisie, ils ont été progressivement remplacés par les universités. Aujourd'hui, celles-ci cèdent de plus en plus la place aux technocrates et aux ingénieurs.

Le « bloc historique ». — Ainsi se constitue un « bloc historique », où l'infrastructure socio-économique et la superstructure sont étroitement liées, celle-ci étant fortement organisée autour de la classe dominante. Le « bloc historique » ne désigne pas, en tout cas pas uniquement, une alliance de classes, mais bien le rapport de l'infrastructure et de la superstructure au sein de cette alliance; c'est-à-dire le rôle organique d'unificateur joué par les idéologies.

Dans une première phase, l'infrastructure engendre le bloc historique, lequel ne peut se former sans elle, et la superstructure est un reflet de l'infrastructure. Mais, une fois le bloc historique constitué, c'est au sein de la *superstructure* que se déroule alors l'essentiel du mouvement historique. A tel point que celle-ci peut bloquer l'évolution de l'infrastructure.

Vers l'hégémonie des travailleurs ? — Ainsi Gramsci estime que « l'absence d'une culture révolutionnaire de masse dans le prolétariat de certains pays est une réalité qui empêche le développement du mouvement d'émancipation et arrête le développement de l'infrastructure même ». Selon lui, le développement d'intellectuels organiques du prolétariat peut seul permettre l'apparition d'une telle culture, qui mettra un terme à l'hégémonie idéologique de la bourgeoisie et préparera l'avènement d'un nouveau bloc historique.

La leçon révolutionnaire de Gramsci pourrait se formuler ainsi. Les travailleurs ne s'affirmeront véritablement candidats à la direction de la société occidentale que pour autant qu'ils chercheront dès à présent à faire prévaloir leur propre système de valeurs, leur propre vision du monde. L'impératif, c'est de « prendre la direction culturelle et morale de la société » (15). C'est de « devenir une classe dirigeante avant même d'être une classe dominante » (16).

Tel est bien, aujourd'hui, le problème fondamental. Oui ou non, les travailleurs sont-ils candidats à l'hégémonie ? Où sont leurs valeurs ? Qui les véhicule ? Comme l'écrit Gramsci : « La crise consiste justement en ceci que le vieux meurt et que le neuf ne peut pas naître. »

L'apport de Gramsci. — L'apport de Gramsci c'est, en tout cas, de réintroduire, grâce à sa théorie de l'hégémonie, un lien intelligible entre le marxisme ordinaire et le mouvement réel des forces sociales et intellectuelles qui se déroule sous nos yeux. C'est « d'avoir arraché ledit marxisme à un discours réaliste et résigné, à la limite, réactionnaire, sur le « rapport des forces » et de l'avoir élevé à la hauteur d'une stratégie du consentement » (17).

§ 3. — L'APPORT D'ALTHUSSER

Comme Gramsci, Louis Althusser pose essentiellement le problème de l'autonomie relative des superstructures. Dans une étude intitulée « Idéologie et appareils idéologiques d'Etat » (*La Pensée,* n° 151, juin 1970, p. 3-38).

(15) D. Grisoni, R. Maggiori, *Lire Gramsci,* 1974.

(16) M.-A. Macchiocchi, *Pour Gramsci,* tr. 1974.

(17) J. Julliard, « Le Lénine de l'Occident », dans *Le Nouvel Observateur* du 13 avril 1974.

Les A.I.E. — La théorie marxiste traditionnelle considère surtout l'*Appareil Répressif d'Etat* (A.R.E.), qui comprend le gouvernement, l'administration, l'armée, la police, la justice, etc. Mais, à côté de cet A.R.E., il existe une pluralité d'*Appareils Idéologiques d'Etat* (A.I.E.) : l'A.I.E. religieux (Eglises), l'A.I.E. scolaire (« Ecoles »), l'A.I.E. familial, l'A.I.E. juridique (le droit), l'A.I.E. politique (les partis, etc.), l'A.I.E. syndical, l'A.I.E. de l'information (presse, radio, télévision, etc.), l'A.I.E. culturel (lettres, beaux-arts, etc.).

A la différence de l'A.R.E., les A.I.E. constituent une pluralité d'appareils et relèvent pour la plupart du secteur privé, bien qu'ils soient des « appareils d'Etat ». D'autre part, l'A.R.E. « fonctionne à la violence », tandis que les A.I.E. « fonctionnent à l'idéologie ». Au moins de manière principale.

Produire et maintenir l'idéologie dominante. — Car la fonction des A.I.E. est de produire et maintenir l'idéologie dominante. Pour assurer la reproduction des moyens de production (spécialement de la force de travail) et, surtout, des rapports de production. Ce sont eux qui inculquent la qualification professionnelle et surtout l'*habitus* de soumission aux rapports de production établis.

Autrefois, l'A.I.E. dominant était *l'Eglise,* qui exerçait des fonctions religieuses, mais aussi scolaires, culturelles et informatives. D'où la lutte anti-cléricale, qui aboutit en 1905, avec la loi de séparation. La bourgeoisie parvient enfin à priver l'Eglise de sa position dominante et à lui ravir sa fonction idéologique principale : la reproduction des rapports de production.

Aujourd'hui, l'A.I.E. dominant est *l'A.I.E. scolaire,* même si d'autres A.I.E. jouent leur rôle (A.I.E. politique, qui consolide l'idéologie politique d'Etat; A.I.E. d'information, qui diffuse les valeurs établies; A.I.E. religieux, qui conforte la résignation). Mais l'Ecole a une position dominante, privilégiée. Pour inculquer, dès l'enfance, l'idéologie dominante, de façon directe ou indirecte. Pour assigner à chacun sa place dans le mode de production. Présentée comme « un milieu neutre », elle contribue, en fait, à *reproduire « les rapports de production* d'une formation sociale capitaliste, c'est-à-dire les rapports d'exploités à exploiteurs et d'exploiteurs à exploités ».

L'enjeu et le lieu de la lutte des classes. — Ces A.I.E. sont donc l'enjeu et le lieu de la lutte des classes. Car la classe au pouvoir ne les contrôle pas aussi facilement que l'A.R.E. Car les anciennes classes dominantes peuvent y conserver longtemps de solides positions. Car, enfin, la résistance des classes dominées peut trouver le moyen et l'occasion de s'y exprimer, soit en utilisant les contradictions qui y existent, soit en y conquérant par la lutte des positions de combat.

Ainsi Althusser souligne, lui aussi, l'importance des *superstructures* — et spécialement des superstructures « idéologiques » — et s'interroge sur leur autonomie relative, sur leur « efficace spécifique ».

BIBLIOGRAPHIE

I. — *Marx et Engels.*

— De K. MARX et F. ENGELS, on lira *L'Idéologie allemande* (1845-1846) et surtout le *Manifeste du parti communiste* (1848).

— De K. MARX, on lira surtout : *Critique de la philosophie du droit de Hegel* (1843-1844) ; les *Manuscrits de 1844; La lutte des classes en France* (1850) ; *Le 18 Brumaire de Louis-Napoléon Bonaparte* (1852) ; *Contribution à la critique de l'économie politique* (1859) — dont l'introduction formule très clairement la thèse du déterminisme historique — ; *Le Capital* (premier livre, 1867) ; *La Guerre civile en France* (1871).

— De F. ENGELS, voir surtout : l'*Anti-Dühring (M. Eugène Dühring bouleverse la science)*, 1878; *L'Origine de la famille, de la propriété privée et de l'Etat*, 1884; *Critique du programme d'Erfurt*, 1891 (1).

On peut consulter comme sélection de textes : H. LEFEBVRE, N. GUTERMAN, *Karl Marx : œuvres choisies*, 2 vol., 1963-1966; J. KANAPA, *Karl Marx : textes*, 1966; K. PAPAÏOANNOU, *Marx et les marxistes*, 2e édit., 1972 (qui inclut aussi des auteurs marxistes contemporains).

— Parmi les nombreuses études sur Marx, Engels et le marxisme : H. LEFEBVRE, *Pour connaître la pensée de Karl Marx*, 2e éd., 1956; *Le marxisme*, rééd., 1969; et *Sociologie du marxisme*, 1966; K. AXELOS, *Marx, penseur de la technique*, 1961; J.-Y. CALVEZ, *La pensée de Karl Marx*, 1956; H. BARTOLI, *La doctrine économique et sociale de Karl Marx*, 1950; A. PIETTRE, *Marx et marxisme*, 2e éd., 1959; A. CORNU, *K. Marx et F. Engels, leur vie et leur œuvre*, 4 vol. parus, 1955-1970; J. LACROIX, *Marxisme, existentialisme, personnalisme*, 2e éd., 1951; M. RUBEL, *Marx devant le bonapartisme*, 1960, et *Marx, critique du marxisme*, 1974.

— A titre de transition : P. et M. FAVRE, *Les marxismes après Marx*, 1975; F. CHATELET, E. PISIER-KOUCHNER, *Les marxistes et la politique*, 1975 (textes choisis et présentés) ; H. CHAMBRE, *De Karl Marx à Lénine et Mao Tsé-toung*, 1976.

(1) Les éditions étant multiples, ces dates concernent, comme pour Marx, la rédaction ou la première publication.

II. — *Le marxisme soviétique.*

— De Lénine, il faut avoir lu *Que faire ?*, 1902 (rééd. Seuil, 1966, avec une remarquable présentation de J.-J. Marie), et *L'Etat et la Révolution*, 1917 (rééd. Seghers, Coll. « Pour la politique », 1971, avec une précieuse introduction de P. Gelard). Sans oublier des textes comme *Un pas en avant, deux pas en arrière*, 1904; *L'impérialisme, stade suprême du capitalisme*, 1916; *La révolution prolétarienne et le rénégat Kautsky*, 1918; *Le gauchisme, maladie infantile du communisme*, 1920.

Sur le léninisme : H. Lefebvre, *La pensée de Lénine*, 1957; A. Meyer, *Lénine et le léninisme*, tr. 1966; J. Laloy, *Le socialisme de Lénine*, 1967; M. Liebman, *Le léninisme sans Lénine*, 2 vol., 1974.

— De Trotsky, lire surtout : *La révolution permanente*, 1932, rééd. Coll. Idées, 1964; *La révolution trahie*, 1937. — Sur Trotsky : I. Deutscher, *Trotsky*, 3 vol., 1962-1965.

— De Staline, consulter surtout : *Questions du léninisme*, Moscou, Editions en langue étrangère, 1949 (ce recueil d'articles, de discours et de conférences inclut notamment *Matérialisme dialectique et matérialisme historique*, également publié en brochure séparée) ; *Le marxisme et les problèmes de la linguistique*, Editions sociales, 1950 (brochure essentielle pour l'analyse stalinienne des rapports infrastructure-superstructures) ; et *Problèmes économiques du socialisme en U.R.S.S.*, Editions sociales, 1952, ainsi que les différents rapports de Staline aux Congrès successifs du P.C.U.S., Moscou, E.L.E.

— Sur Staline et le stalinisme : I. Deutscher, *Staline*, tr. 1953; J.-J. Marie, *Staline*, 1967; R. Medvedev, *Le stalinisme*, tr. 1972 (vu par un intellectuel dissident) ; J. Ellenstein, *Le socialisme dans un seul pays*, tome II de l'*Histoire de l'U.R.S.S.*, Editions sociales, 1973 (vu par un membre du P.C.F.), et *Histoire du phénomène stalinien*, 1975.

Voir aussi P. et I. Sorlin, *Lénine, Trotsky et Staline, 1921-1927*, 1972; H. Carrère d'Encausse, *Une Révolution, une victoire. L'Union soviétique de Lénine à Staline, 1917-1953*, 1974.

— Sur N. Khrouchtchev : C. Pineau, *Khrouchtchev*, 1965; E. Crankshaw, *Khrouchtchev*, tr. 1967; M. Frankland, *Krushchev*, Harmondsworth, 1966. — On trouvera le rapport « secret » de N. Khrouchtchev sur le « culte de la personnalité » et la « déstalinisation » dans Rossi, *Autopsie du stalinisme*, p. 127. — Voir aussi : J. C. Collignon, *La théorie de l'Etat du peuple tout entier en Union soviétique*, 1967.

— Sur l'U.R.S.S. d'aujourd'hui : G. Vedel, *Les démocraties soviétique et populaires*, polycopié, Les Cours de droit, 1963-1964; R.-G. Schwartzenberg, *Politique comparée*, polycopié, Les Cours de droit, 1972-1973 (qui comporte une étude détaillée du système soviétique, p. 589-720) ; M. Tatu, *Le pouvoir en U.R.S.S.*, 1967; P. Sorlin, *La société soviétique*, 1967; M. Lesage, *Les régimes politiques de l'U.R.S.S. et de l'Europe de l'Est*, 1971 (avec de précieuses bibliographies détaillées) ; B. Feron, *L'U.R.S.S. sans idole. De Staline à Brejnev et Kossyguine*, 1966; H. Chambre, *Le marxisme en Union soviétique, idéologie et institutions*, 1955; *L'Union soviétique*, 1966; et *L'évolution du marxisme soviétique, Théorie économique et droit,* 1974; F. COHEN, *Les Soviétiques : classe et société en U.R.S.S.,* Editions sociales, 1974; M. MOROZOW, *L'Establishment soviétique,* tr. 1974.

Voir aussi : J. ARMSTRONG, *Ideology, Politics and Government in the Soviet Union,* New York, 1962; J. FAINSOD, *How Russia is Ruled,* Cambridge, Mass., 1965; J. HAZARD, *The Soviet System of Government,* 4e éd., Chicago, 1968 (un ouvrage déjà classique, avec en annexes la constitution soviétique et les statuts du P.C.U.S.); L. SHAPIRO, *The Government and Politics of the Soviet Union,* 2e éd., Londres, 1967; F. BARGHOORN, *Politics in the U.S.S.R.,* Boston, 1966 (application au système soviétique d'une approche fonctionnaliste inspirée d'Almond); Z. BRZEZINSKI, *Ideology and Power in Soviet Politics,* New York, 1962; Z. BRZEZINSKI, S. P. HUNTINGTON, *Political Power U.S.A./U.S.S.R.,* New York, 1965; Z. BRZEZINSKI, *La révolution technétronique,* tr. 1971 (IIIe partie, p. 157-236 : une analyse très fine et bien informée des sociétés politiques de l'Europe de l'Est); J. AZRAEL, *Managerial Power and Soviet Politics,* Cambridge, Mass., 1966 (sur l'influence politique réelle des « managers »); J. W. STRONG, ed., *The Soviet Union under Brezhnev and Kosygin : the Transition Years,* New York, 1968; A. G. MEYER, *The Soviet Political System,* New York, 1965.

Sur les « intellectuels dissidents » : N. et P. FORGUES, *L'affaire Siniavski-Daniel,* 1967; J.-J. MARIE, C. HEAD, *L'affaire Guinzbourg-Galanskov,* 1969; A. AMALRIK, *L'U.R.S.S. survivra-t-elle en 1984 ?* tr. 1970; V. BOUKOVSKI, *Une nouvelle maladie mentale en U.R.S.S. : l'opposition,* tr. 1971; J. et R. MEDVEDEV, *Un cas de folie,* tr. 1972; R. MEDVEDEV, *Grandeur et chute de Lyssenko,* tr. 1971.

Pour une approche marxiste « officielle » : *Les principes du marxisme-léninisme,* Moscou, E.L.E., 2e éd., 1962; K. ZARODOV *et al., Le marxisme-léninisme et notre temps,* Prague, 1974.

III. — *Le marxisme « critique ».*

— Pour le modèle chinois : *Citations du Président Mao Tsé-toung,* tr. 1967 (le petit livre rouge); MAO TSÉ-TOUNG, *Œuvres choisies,* 4 vol., Editions sociales, 1955-1960; *Mao Tsé-toung et la construction du socialisme,* 1975 et *Textes réunis* par S. SCHRAM, 1972; S. SCHRAM, *Mao Tsé-toung,* tr. 1963; P. DEVILLERS, *Ce que Mao a vraiment dit,* 1968; K. S. KAROL, *La Chine de Mao,* 1966, et *La deuxième révolution chinoise,* 1973; M.-A. MACCHIOCCHI, *De la Chine,* tr. 1971; J. DAUBIER, *Histoire de la révolution culturelle prolétarienne en Chine,* 2 vol., 1970; J. GUILLERMAZ, *Histoire du P.C. chinois, 1921-1949* et *Le P.C. chinois au pouvoir,* 1971; *Débat sur la ligne générale du mouvement communiste international,* Editions en langue étrangère, Pékin, 1965; T. MERAY, *La rupture Moscou-Pékin,* 1966; F. FETJO, *Chine-U.R.S.S. : de l'alliance au conflit (1950-1972),* 1972; C. BETTELHEIM, J. CHARRIÈRE, H. MARCHISIO, *La construction du socialisme en Chine,* 1965; A. PEYREFITTE, *Quand la Chine s'éveillera,* 1973; A. BOUC, *Mao Tsé-toung ou la révolution approfondie,* 1975; A. ROUX, *La révolution culturelle en Chine,* 1976; S. LEYS, *Ombres chinoises,* 1975 (un réquisitoire).

— Pour d'autres analyses critiques du marxisme soviétique : H. MARCUSE,

Le marxisme soviétique, tr. 1963; M. PAILLET, *Marx contre Marx. La société technobureaucratique,* 1971; C. LEFORT, *Eléments d'une critique de la bureaucratie,* 1972; C. BETTELHEIM, *Les luttes de classes en U.R.S.S. (1917-1923),* 1974; et le classique du Yougoslave M. DJILAS, *La nouvelle classe,* 1957. Voir aussi A. GLUCKSMANN, *La cuisinière et le mangeur d'hommes : essai sur les rapports entre l'Etat, le marxisme et les camps de concentration,* 1975.

— D'A. GRAMSCI : *Lettres de prison,* tr. 1971; *Œuvres choisies,* Editions sociales, tr. 1959; *Ecrits politiques, 1914-1920,* t. 1, 1974. — Sur Gramsci : M.-A. MACCHIOCCHI, *Pour Gramsci,* 1974; J.-M. PIOTTE, *La pensée politique de Gramsci,* 1970; G. FIORI, *La vie d'Antonio Gramsci,* 1970; D. GRISONI, R. MAGGIORI, *Lire Gramsci,* 1973; H. PORTELLI, *Gramsci et le bloc historique,* 1972 et *Gramsci et la question religieuse,* 1974; A. LEONETTI, *Notes sur Gramsci,* tr. 1974 (par un compagnon de combat).

— De G. LUKACS, *Histoire et conscience de classe,* tr. 1960.

— De L. ALTHUSSER, *Pour Marx,* 1965; *Réponse à John Lewis,* 1973, et l'étude intitulée « Idéologie et appareils idéologiques d'Etat », *La Pensée,* n° 151, juin 1970, p. 3-38. Voir aussi *Philosophie et philosophie spontanée des savants,* 1975 et *Eléments d'autocritique,* 1975. Lire aussi J. RANCIÈRE, *La leçon d'*ALTHUSSER, 1975 (à quoi sert politiquement le discours d'ALTHUSSER ? ou ALTHUSSER contesté par son disciple).

— Parmi les contributions théoriques récentes à signaler aussi : S. OSSOWSKI, *La structure de classes dans la conscience sociale,* 1971; N. POULANTZAS, *Pouvoir politique et classes sociales,* 2 vol., 1971; *Fascisme et dictature : La Troisième Internationale face au fascisme,* 1970, et *Les classes sociales dans le capitalisme d'aujourd'hui,* 1974; R. MILIBAND, *L'Etat dans la société capitaliste,* tr. 1973; R. GARAUDY, *Marxisme du XXe siècle,* 1966; *Peut-on être communiste aujourd'hui ?,* et *Pour un modèle français du socialisme,* 1968.

— Sur le concept de dictature du prolétariat, abandonné par le XXIIe Congrès du P.C.F. (1976) : E. BALIBAR, *Sur la dictature du prolétariat,* 1976 (par un minoritaire) et la thèse de K. RADJAVI, *La dictature du prolétariat et le dépérissement de l'Etat de Marx à Lénine,* 1975.

— Sur l'application du marxisme à diverses sociétés, voir : G. MARTINET, *Les cinq communismes,* 1971 (cinq « modèles » : U.R.S.S., Chine, Yougoslavie, Tchécoslovaquie et Cuba); H. CARRÈRE D'ENCAUSSE, S. SCHRAM, *Le marxisme et l'Asie,* 1970; F. FETJO, *Histoire des démocraties populaires,* 2 vol., 1969; M. RODINSON, *Marxisme et monde musulman,* 1973; R. DEBRAY, *Révolution dans la révolution,* 1967; Patrice GÉLARD, *Les systèmes politiques des Etats socialistes,* 2 vol., 1975; Robert CHARVIN, *Les Etats socialistes européens,* 1975.

CHAPITRE II

LE SYSTÈME POLITIQUE

L'analyse systémique. — Qu'est-ce que l'analyse systémique, ou l'analyse en termes de systèmes ? On peut appeler ainsi toute recherche, théorique ou empirique, qui part du postulat que la réalité sociale présente les caractères d'un *système,* pour interpréter et expliquer les phénomènes sociaux par les liens d'interdépendance qui les relient et qui les constituent en une totalité.

Cette définition invite, bien sûr, à préciser ce qu'est un système.

Le concept de système. — On peut définir un système comme *un ensemble d'éléments interdépendants,* comme un ensemble d' « éléments se trouvant en interaction » (1). Tout système possède des *propriétés* fondamentales.

Dire que la réalité étudiée forme un système signifie qu'on lui attribue les propriétés suivantes :

— elle est constituée d'éléments ayant entre eux des rapports d'interdépendance;

— la totalité formée par l'ensemble des éléments n'est pas réductible à leur somme;

— les rapports d'interdépendance entre les éléments, et la totalité qui en résulte, obéissent à des règles qui peuvent s'exprimer en termes logiques.

L'idée est qu'un système réagit globalement, comme un tout, aux pressions extérieures et aux réactions de ses éléments internes.

Sur la base de ce concept de système s'édifie une théorie générale des systèmes, et l'analyse systémique se développe, en sociologie, puis en science politique.

(1) L. Von Bertalanffy, « General System Theory », *General Systems,* vol. I, 1956, p. 3.

SECTION I

LA THÉORIE GÉNÉRALE DES SYSTÈMES

L'ambition. — La théorie générale des systèmes procède d'une *double réaction*. Réaction, d'abord, contre la tendance qui développe les études de détail, les études fragmentaires, à l'exclusion et au détriment des considérations théoriques, abstraites et générales. Réaction, aussi, contre la tendance à compartimenter la connaissance, en établissant des cloisonnements rigides entre les diverses disciplines.

L'ambition est, au contraire, d'intégrer le savoir acquis dans les autres disciplines, d'unifier la science et l'analyse scientifique. D'où toute une recherche interdisciplinaire, qui s'efforce d'*élaborer un ensemble cohérent de concepts généraux,* applicable aussi bien aux processus physiques ou mécaniques qu'aux processus biologiques ou sociaux. Le même mode d'analyse, fondé sur des postulats identiques et poursuivant des buts similaires, s'appliquerait à tous les niveaux de la réalité, de la cellule organique à l'univers socio-culturel. C'est presque le vieux rêve d'Auguste Comte : l'unité du savoir scientifique s'opérerait sur la base d'une même intention et d'une même méthodologie dans tout le champ de la science.

En tout cas, l'objectif est de dégager un corps de concepts fondamentaux, *utilisable dans les disciplines les plus variées* et qui rende largement disponibles les découvertes et les progrès réalisés dans les disciplines particulières.

Dans cette unification de la connaissance et de l'analyse scientifique, le concept de *système* constitue la notion centrale. L'idée fondamentale, c'est que, dans un grand nombre de domaines, il existe des systèmes présentant des propriétés communes. De tels ensembles, construits dans divers domaines de la connaissance, peuvent être l'objet d'un savoir relativement unifié.

Il existe donc tout un courant de recherches théoriques qu'on désigne sous le nom de *théorie des systèmes.* Il s'agit d'un effort de réflexion portant sur les propriétés générales des systèmes et visant à élaborer un ensemble de concepts généraux applicable à toutes les catégories de systèmes (physiques, mécaniques, biologiques, sociaux). L'idée est qu'une science des systèmes est possible — et profitable — par-delà les frontières traditionnelles des disciplines.

Origines et développement de la théorie des systèmes. — A l'origine de la théorie générale des systèmes, on trouve surtout la *biologie* et la cybernétique. Dans les années 20, le biologiste Ludwig von Bertalanffy reprend ses travaux sur la cellule et sur ses échanges avec l'extérieur. Il entreprend de formaliser ces échanges, en utilisant la notion de système en relations avec son environnement (2).

Cependant, pour voir se développer la théorie générale des systèmes, il faut attendre les années 50. C'est l'époque où plusieurs chercheurs, appartenant à des disciplines variées, commencent à réfléchir à l'unification de la science et à tenir d'importants colloques en ce sens, notamment à Chicago (3). Dans le même temps, Norbert Wiener fonde la *cybernétique* sur le principe de la boîte noire, qui réagit aux sollicitations, pressions ou demandes qui lui sont adressées (4).

Dès lors, il était possible de tenter la synthèse des travaux accomplis en biologie, en cybernétique, en théorie de la communication, ainsi qu'en thermodynamique, en science des organisations ou en recherche opérationnelle. L. von Bertalanffy lance la formule « théorie générale des systèmes ». Et en 1956 est fondée la Society for the Advancement of General Systems Research, qui publie depuis cette date un annuaire intitulé *General Systems.*

En 1971 est créée l'A.F.D.A.S., l'Association française pour le développement de l'analyse de systèmes (5). Et, en 1972, douze pays, dont la France, créent l'Institut International pour l'Analyse Appliquée des Systèmes (I.A.S.A.), qui a son siège en Autriche près de Vienne, au Château de Laxenburg. Le Conseil de l'I.A.S.A. est actuellement présidé par le Docteur Gvishiani (U.R.S.S.).

Les principaux concepts de la théorie des systèmes. — L'ambition est donc d'élaborer des propositions et des concepts généraux, d'établir des principes de base, qui soient applicables à de nombreux systèmes

(2) Pour une utile introduction aux perspectives de la théorie générale des systèmes, voir L. von BERTALANFFY, « General System Theory », in *General Systems,* vol. I, 1956. Pour un exposé plus complet du même auteur : *General System Theory, Foundations, Development, Applications,* New York, 1968 et *Théorie générale des systèmes. Physique, biologie, psychologie, sociologie, philosophie,* tr. 1973.

(3) Cf. Roy R. GRINKER, ed., *Toward a Unified Theory of Human Behaviour,* New York, 1956.

(4) Cf. Norbet WIENER, *The Human Use of Human Beings,* New York, 1954.

(5) A.F.D.A.S., 35, rue Saint-Dominique, Paris (7e).

et transposables d'une discipline à l'autre. Elle est enfin de développer des techniques, pour appliquer ces principes aux systèmes spécifiques et concrets.

Dès lors, une des notions principales est l'*isomorphisme*. L'isomorphisme, c'est la propriété que possèdent plusieurs systèmes de présenter des formes identiques ou voisines. L'isomorphisme peut être structurel; il peut être aussi fonctionnel. Ce n'est plus alors sur la forme, sur l'agencement des éléments, mais sur les fonctions remplies, que doit porter l'analyse.

Au total, les concepts de la théorie générale des systèmes peuvent se classer en trois groupes principaux. Les premiers sont simplement descriptifs, les seconds concernent la régulation et le maintien des systèmes; les derniers envisagent leur dynamique.

1° Le premier groupe se compose donc de concepts *descriptifs*. Il comprend ainsi :

— les concepts qui servent à distinguer les différents types de systèmes, comme la distinction des *systèmes ouverts* et des *systèmes clos*. Les systèmes clos se suffisent à eux-mêmes; au contraire, les systèmes ouverts se caractérisent par leurs échanges avec l'extérieur.

— les concepts concernant les niveaux hiérarchiques des systèmes, comme le concept de *sous-système* : car un système peut, à son tour, comprendre des sous-systèmes, c'est-à-dire des éléments organisés eux-mêmes en systèmes. Par exemple, le système de partis est un sous-système du système politique.

— les concepts décrivant des aspects de l'organisation interne des systèmes, comme l'*intégration*, la *différenciation*, l'*interdépendance* et la *centralisation*.

— les concepts relatifs à l'interaction des systèmes avec leurs environnements, comme les *inputs* et les *outputs*.

2° Le second groupe de concepts est axé sur les facteurs qui assurent la *régulation* et le *maintien* des systèmes. Il comprend ainsi les notions de stabilité, d'équilibre, d'homéostasie, de feedback ou d'entropie négative.

La *stabilité* est la tendance des variables ou des éléments d'un système à demeurer à l'intérieur de limites définies et reconnaissables malgré les impulsions subies.

L'*équilibre* désigne un état de repos procuré par l'interaction de forces opposées, mais se faisant contrepoids.

L'*homéostasie* désigne l'autorégulation dynamique, la capacité d'un système à maintenir ses équilibres internes fondamentaux, même sous le coup de divers processus de changement.

L'*entropie négative* est la tendance à aller vers des relations croissant en nombre et en complexité organisationnelle.

3° Enfin, le troisième groupe de concepts est centré sur la *dynamique*. Ce sont des concepts tels que l'*adaptation*, la *croissance*, la *crise*, la *tension*, la *surcharge*, le *déclin* et la fameuse loi de l'*entropie positive*. C'est la seconde loi de la thermodynamique qui établit que, toutes choses étant égales, les éléments individuels dans un groupe d'éléments tendront à trouver leur distribution la plus probable (c'est-à-dire se disposent au hasard).

Les lacunes de la théorie générale des systèmes. — Certaines critiques peuvent être formulées à l'encontre de la théorie générale des systèmes.

D'abord, par son ambition polyvalente, celle-ci risque d'incliner à la *confusion des genres*. Au nom de la pluridisciplinarité, la théorie générale des systèmes risque de se transformer en nébuleuse, qui accueille toutes les contributions, sans se préoccuper assez des contraintes propres à chaque discipline.

Ensuite, la formule « théorie générale des systèmes » est d'une ambition exagérée. La prétendue théorie générale est loin d'offrir un ensemble d'hypothèses logiquement coordonnées et directement vérifiables sur le terrain. Elle constitue plutôt une matrice d'une grande *abstraction*, qui peut suggérer quelques idées aux chercheurs. Car il est impossible de construire une théorie unifiée applicable à un grand nombre de disciplines, qui ne soit pas très abstraite.

Au demeurant, les travaux existants s'attachent plus à perfectionner l'élaboration générale de l'approche qu'à réaliser des applications empiriques. La théorie générale des systèmes procure une structure conceptuelle élaborée et abstraite, mais demeure le problème de son opérationnalisation empirique. Selon certains, l'application empirique de ses concepts et propositions s'avérerait décevante.

Les apports de la théorie générale des systèmes. — Ces griefs sont parfois excessifs. En vérité, la théorie des systèmes présente, au moins, deux avantages majeurs.

Il faut souligner, d'abord, sa valeur *heuristique*. Procédant par rapprochements, transpositions et comparaisons entre diverses branches, ce courant interdisciplinaire stimule la recherche et la découverte. Il ouvre aux chercheurs de nouvelles pistes. Il leur offre des intuitions et des idées originales, qui leur auraient échappé s'ils étaient demeurés cloisonnés dans leurs spécialités particulières. La théorie des systèmes permet de poser des questions nouvelles, qui ne viennent pas spontanément à l'esprit dans beaucoup de disciplines. Grâce à elle, des questions, des aperçus, des acquis féconds peuvent être transposés d'un système à un autre, par-delà les frontières des disciplines particulières.

Ensuite, la théorie des systèmes fournit, d'ores et déjà, tout un *jeu de concepts,* d'hypothèses et (à mesure que le temps passe) de propositions validées. Elle procure un ensemble de techniques et un cadre pour un processus systématique d'analyse. Elle représente une source de concepts et de modèles opératoires, dont l'expérimentation empirique peut être fécond, spécialement avec l'usage croissant, dans les années récentes, des techniques mathématiques et de computation.

La théorie des systèmes et les sciences sociales. — Jusqu'ici, c'est surtout dans certaines sciences physiques, en biologie, en psychologie, en technologie, que la théorie des systèmes a apporté quantité d'idées, d'intuitions et de perspectives nouvelles. En revanche, en sciences sociales, la théorie générale des systèmes, proprement dite, a été très peu utilisée jusqu'à présent. Il est donc encore trop tôt pour porter un jugement en ce domaine.

Pourtant, certains auteurs pensent que l'analyse du système socioculturel profiterait, elle aussi, d'une réorientation à la lumière des recherches et de l'acquis en théorie des systèmes. C'est le cas, par exemple, du sociologue Walter Buckley (*Sociology and Modern Systems Theory,* Englewood Cliffs, 1967). Mais, en *sociologie,* la contribution principale à l'analyse systémique reste celle de Talcott Parsons. Dans les dernières formulations de son modèle, celui-ci a notamment cherché à tirer profit de la cybernétique et de la théorie de l'information (*infra,* p. 112).

La théorie générale des systèmes, sous sa forme complète et intégrale, a très rarement été appliquée à l'analyse des phénomènes politiques. Cependant, dans les années récentes, bon nombre de concepts fondamentaux de la théorie sont devenus très populaires. C'est spécialement vrai des concepts de système, de différenciation, de stabilité, d'équilibre et de feedback. Bref, en *science politique* comme ailleurs, les concepts et les catégories de la théorie des systèmes tendent à se vulgariser, tendent à passer dans le domaine commun. De plus, la théorie générale des systèmes invite à s'intéresser aux problèmes de changement, de crise et de pathologie des systèmes, qui avaient été quelque peu négligés par l'analyse politique moderne.

En science politique, c'est surtout le modèle de David Easton qu'il faut évoquer (*infra*, p. 119). Car il constitue la principale application de la théorie générale des systèmes à l'analyse politique.

Après avoir ébauché le cadre fondamental de la théorie générale des systèmes, il importe donc d'analyser les deux approches systémiques les plus influentes en sciences sociales. Celle de Talcott Parsons en sociologie générale. Celle de David Easton en sociologie politique.

SECTION II

LE MODÈLE DE PARSONS

L'œuvre de Talcott Parsons. — Né en 1902, Talcott Parsons est sans doute le sociologue américain le plus connu. Entré à l'Université Harvard en 1927, il y devient professeur en 1939, puis directeur du département de relations sociales (1946-1956). Il a présidé l'Association américaine de Sociologie (1949) et l'Académie américaine des Arts et des Sciences (1967).

Son œuvre est considérable. Il faut spécialement citer : *The Structure of Social Action,* son premier grand ouvrage, qui paraît en 1937 et qui consacre déjà sa réputation de théoricien; *Toward a General Theory of Action* (en collab. avec Edward Shils et autres) (1951) : *The Social System* (1951); *Working Papers in the Theory of Action* (en collab. avec Robert F. Bales et Edward A. Shils) (1953) : ces trois derniers ouvrages présentent d'une manière définitive sa *théorie générale de l'action,* qu'il veut assez abstraite et générale pour pouvoir s'appliquer à toute forme d'action humaine.

Ensuite paraissent *Economy and Society* (en collab. avec Neil Smelser) (1956), où Parsons applique son modèle à l'analyse du système économique; *Social Structure and Personality* (1964), qui entreprend la même opération en psychologie; *Politics and Social Structure* (1969), où Parsons cherche à intégrer la science politique dans sa théorie générale de l'action.

Enfin, revenant à un évolutionnisme largement inspiré de Spencer, Parsons formule son interprétation de l'évolution générale des sociétés et des civilisations dans *Societies : Evolutionary and Comparative Perspectives* (1966), que complète un dernier livre sur les sociétés modernes, *The System of Modern Societies* (1971) (6).

L'impératif théorique. — Dans la dédicace de *The Social System,* Parsons se présente lui-même comme un « incurable théoricien ». C'est qu'en effet, dans une sociologie américaine dominée jusque-là par l'empirisme, il opère une sorte de révolution théorique. Toute son œuvre répond au même objectif principal : élaborer un cadre conceptuel et théorique.

Contrairement à la plupart des sociologues américains des années 30, Parsons s'inspire de penseurs européens méconnus aux Etats-Unis : Durkheim, Pareto, Weber, Malinowski, l'économiste anglais Alfred Marshall. A ces sources intellectuelles, il puise son *anti-empirisme,* qui le situe à contre-courant de la sociologie américaine de l'entre-deux-guerres.

Pour lui, l'accumulation des « faits bruts » ne peut suffire. Il faut élaborer un appareil conceptuel et théorique. La science ne se satisfait pas de la seule recherche empirique, « pragmatique ». Celle-ci doit être encadrée par une pensée théorique, qui fournisse les intuitions, les hypothèses, les liens logiques, les interprétations explicatives.

De l'approche structuro-fonctionnelle à l'approche systémique. — Au cœur de cette entreprise théorique se situe le concept de *système,* axe principal de l'analyse scientifique. La notion de système est essentielle à la science. Pour Parsons, l'universalité de cette notion fonde l'unité de la connaissance scientifique.

Certes, la théorie de Parsons est souvent considérée comme l'expression la plus achevée du *fonctionnalisme,* dans la lignée de Spencer, Malinowski, Durkheim. Car Parsons a très largement employé les notions de fonction et de structure. Car, dans certaines déclarations déjà anciennes, il a lui-même insisté sur l'utilité d'un cadre fonctionnel dans les sciences humaines. Il est donc souvent classé parmi les tenants de l' « *analyse structuro-fonctionnelle* » (7), comme Marion

(6) Sur PARSONS et son œuvre, on lira l'excellent petit livre de Guy ROCHER, *Talcott Parsons et la sociologie américaine,* 1972, qui a inspiré beaucoup de ces développements. Voir également : T. PARSONS, *Eléments pour une sociologie de l'action,* préf. et trad. de F. BOURRICAUD, Paris, 1955.

(7) Cf. J. C. CHARLESWORTH, ed., *Contemporary Political Analysis,* New York, 1967, p. 75-76, ou M. RUSH, Ph. ALTHOFF, *An Introduction to Political Sociology,* London, 1971, p. 11-13.

Levy et Robert King Merton en sociologie ou comme Gabriel Almond et David Apter en science politique.

Pourtant, le fonctionnalisme de Parsons est d'un type très particulier. Ou, plutôt, il est devenu un aspect secondaire dans sa réflexion et dans l'évolution de sa recherche. Aujourd'hui, il vaudrait mieux parler de *fonctionnalisme systémique*. Car Parsons adopte comme point de départ l'ensemble, la totalité, qu'il traite à la manière d'un système. Pour lui, l'analyse fonctionnelle revient désormais à étudier les problèmes que tout système doit résoudre pour exister et se maintenir en activité.

Au fil de l'œuvre, son approche, de structuro-fonctionnelle, est devenue *systémique*. Pour Parsons, le modèle qu'il a développé depuis 1953 a dépassé le stade du structuro-fonctionnalisme. Dans ce nouveau modèle, la notion de fonction est dissociée de celle de structure pour être associée à celle de système. Ce qui donne à l'approche fonctionnelle un caractère plus général et plus dynamique. Désormais, celle-ci s'intégrère au modèle systémique à la manière d'une logique ou d'un langage. Elle sert cette méthodologie plus large, cette analyse systémique de l'action.

§ 1. — LA THÉORIE GÉNÉRALE DE L'ACTION

L'ambition est de construire un schème général d'analyse directement applicable à tous les systèmes d'action. Le modèle parsonien vise à embrasser tous les phénomènes sociaux.

La notion d'action sociale. — Comme l'écrit Guy Rocher (*op. cit.*, p. 44) : « L'action sociale, c'est toute conduite humaine qui est motivée et guidée par les significations que l'acteur découvre dans le monde extérieur, significations dont il tient compte et auxquelles il répond. Les traits essentiels de l'action sociale résident donc dans la sensibilisation de l'acteur à la signification des choses et des êtres ambiants, la prise de conscience de ces significations et la réaction aux messages que ces dernières transmettent. »

L'action sociale comporte les quatre éléments suivants.

— D'abord, un *sujet-acteur*, qui n'est pas nécessairement un individu, qui peut être un groupe, une organisation, etc.

— Ensuite, une *situation*, qui comprend des objets avec lesquels l'acteur entre en rapport. Car l'acteur de Parsons est un être en situation : son action est toujours la réponse à un ensemble de signes qu'il perçoit dans son environnement. Cet environnement comprend des objets physiques (climat, géographie, biens matériels, constitution biologique des individus, etc.) et des objets sociaux, c'est-à-dire d'abord les autres acteurs. Avec eux, l'action sociale devient interaction.

— C'est à travers des signes et des *symboles* que l'acteur entre en rapport avec les différents éléments de la situation et leur attribue une signification.

— Enfin, des *règles, normes et valeurs* guident l'acteur dans l'orientation de son action, lui fournissent des buts.

Le système de l'action sociale. — Et Parsons pose un postulat fondamental : l'action humaine présente toujours les caractères d'un *système*. Elle se prête bien à l'analyse systématique, car elle n'est jamais ni simple, ni isolée.

En effet, toute action se présente comme un ensemble d'unités-actes d'un ou de plusieurs acteurs. Et, à son tour, celle-ci s'inscrit dans un cadre plus large. Toute action peut être considérée en même temps comme une totalité d'unités-actes et comme un élément d'une totalité plus large.

Le système d'action, c'est essentiellement l'organisation des rapports d'interaction entre l'acteur et sa situation.

Les prérequis fonctionnels du système d'action. — La notion de fonction est ici le corollaire de la notion de système. Pour exister et se maintenir, un système doit organiser et mobiliser les activités nécessaires. La *fonction* d'un système correspond à un ensemble d'activités destinées à répondre à un besoin ou à des besoins du système en tant que système.

Tout système comporte nécessairement *quatre fonctions* pour satisfaire ses besoins élémentaires. Ces fonctions sont les « prérequis fonctionnels » du système d'action. Ces quatre fonctions élémentaires sont les suivantes.

1° L'*adaptation* vise à établir des rapports entre le système d'action et son milieu extérieur. Cette fonction consiste pour le système à puiser dans les systèmes extérieurs les ressources qui lui sont nécessaires, à les aménager, à les transformer pour ses besoins et à offrir en échange ses propres produits. C'est donc la fonction par laquelle le système s'adapte à son environnement et à ses contraintes et adapte celui-ci à ses besoins.

2° La *poursuite des buts* (goal-attainment) consiste à définir les fins du système et à mobiliser les énergies et les ressources pour les atteindre.

3° L'*intégration* est la dimension stabilisatrice du système. Elle vise à maintenir la coordination entre les parties, la cohérence ou la « solidarité » du système, à protéger celui-ci contre des changements brusques et des perturbations majeures.

4° Enfin, tout système d'action doit assurer chez ses acteurs la motivation nécessaire; il doit disposer d'un réservoir de motivation, qui accumule et diffuse l'énergie nécessaire : c'est ce que Parsons appelle la « *latence* ». Cette fonction de « maintien des modèles » (pattern-maintenance) vise à assurer que les acteurs demeurent fidèles aux normes et valeurs du système et continuent de s'en inspirer.

Parsons a classé ces quatre fonctions suivant les distinctions externe/interne et moyens/buts. Ce qui donne le tableau AGIL (8) ci-dessous, qui exprime le paradigme fonctionnel du système de l'action.

	Moyens A	Buts G
Relations externes	**Adaptation**	**Poursuite des buts *(Goal-attainment)***
Eléments internes	**Latence**	**Intégration**
	L	I

Les sous-systèmes de l'action. — En outre, Parsons considère que le système général de l'action se subdivise en *quatre sous-systèmes* — l'organisme biologique, la personnalité psychique, le système social et la culture. Cette division correspond à la division du système d'action en quatre fonctions élémentaires.

L'*organisme biologique* correspond à la fonction d'adaptation : c'est

(8) Pour *Goal-attainment,* qui signifie poursuite des buts, atteinte des fins.

par les sens que s'établit le contact avec l'univers physique, soit pour s'y adapter, soit pour le manipuler ou le transformer. La *personnalité psychique* correspond à la fonction de poursuite des buts : c'est le système psychique qui définit les objectifs, qui mobilise les énergies et les ressources pour les atteindre. Le *système social* correspond à la fonction d'intégration : il crée des solidarités, impose des contraintes, maintient la cohérence. Enfin, la *culture* correspond à la fonction de latence : elle propose ou impose aux acteurs des normes, des idéaux, des valeurs, qui les « motivent ».

D'où le tableau AGIL ci-dessous, qui classe les sous-systèmes du système général de l'action.

A	G
L'organisme biologique (Adaptation)	La personnalité (Poursuite des buts)
La culture (Latence)	Le système social (Intégration)
L	I

La hiérarchie cybernétique. — S'inspirant de la cybernétique, Parsons souligne que le système d'action connaît une constante circulation d'énergie et d'information. Or un principe essentiel de cybernétique établit que les parties les plus riches en information imposent des contrôles sur les parties les plus riches en énergie. Dès lors, il existe dans tout système d'action une série de contrôles successifs et cumulatifs, qui s'ordonnent entre eux d'une manière hiérarchique. A la base de la hiérarchie, les parties les plus riches en *énergie,* qui y jouent le rôle de facteurs de conditionnement de l'action. Au sommet, les parties les plus riches en *information,* qui y servent de facteurs de contrôle.

Ce principe s'applique aux quatre sous-systèmes du système général de l'action. L'*organisme* biologique est le sous-système le plus riche en énergie et le plus pauvre en information. Viennent ensuite la *personnalité,* puis le *système social,* et enfin la *culture* qui est, à l'évidence, le sous-système le plus riche en information et le plus dépourvu d'énergie. En conséquence, une hiérarchie de contrôle s'établit entre ces quatre sous-systèmes.

Le même principe s'applique encore aux quatre prérequis fonctionnels. La hiérarchie des contrôles s'établit donc à partir de la *latence* pour aller ensuite à l'*intégration,* à la *poursuite des buts,* et finalement à l'*adaptation.*

§ 2. — SYSTÈME SOCIAL ET SOCIÉTÉ

Le système social. — En sociologie, l'essentiel à considérer est, bien sûr, le système social, qui se compose des interactions entre les acteurs d'une collectivité.

Pour ce système social, comme pour chacun des sous-systèmes de l'action, les trois autres constituent son « environnement ». Un réseau d'interdépendance unit ainsi les quatre sous-systèmes. Chaque sous-système se trouve dans des rapports d'interaction et d'échange avec chacun des trois autres sous-systèmes.

La société. — Mais l'on peut aussi changer de niveau d'analyse. Pour considérer le système social non plus comme un sous-système, mais comme un système d'action, qui contient à son tour quatre sous-systèmes correspondant à l'adaptation, à la poursuite des buts, à l'intégration et à la latence. Sous cet angle, Parsons préfère parler de « société », plutôt que de « système social ».

A la différence du système social, qui est une catégorie analytique, abstraite, la notion de *société* fait référence à une réalité concrète, identifiable. C'est, en gros, ce que la sociologie française appelle une « société globale », c'est-à-dire une collectivité assez complète pour que ses membres puissent y vivre entièrement, puissent y satisfaire l'ensemble des besoins. Empiriquement, la société globale, c'est un pays, une nation, une civilisation.

Les sous-systèmes de la société. — Si l'on applique à l'organisation interne de la société le modèle analytique du système de l'action, on y retrouve les quatre sous-systèmes. Quatre sous-systèmes composent la « société ».

1° L'adaptation concerne l'ensemble des activités relatives à la production et à la circulation des biens de consommation. Elle correspond donc à toutes les activités qui composent l'*économie,* ou le sous-système économique.

2° La poursuite des buts, c'est ici la recherche d'objectifs collectifs et la mobilisation des acteurs et des ressources de la société en vue d'atteindre ces objectifs. C'est ce que Parsons appelle le *politique*. On notera qu'il emploie ce terme dans un sens très général, pour désigner toutes les formes de prise de décisions, d'organisation et de mobilisation des ressources du système. Ainsi entendu, le politique se retrouve aussi bien dans une entreprise que dans l'Etat lui-même.

3° La latence réside ici dans le réseau de *socialisation* (famille, enseignement, etc.) des membres de la société. Par-là la culture est transmise à ceux-ci, intériorisée par eux, et devient un facteur important dans la motivation de leur conduite sociale.

4° Enfin, l'intégration de la société dépend de la « *communauté sociétale* », cet ensemble d'institutions (droit, appareil judiciaire, etc.) qui ont pour fonction d'établir et de maintenir les solidarités qu'une société peut exiger de ses membres.

L'échange entre les sous-systèmes. — Un réseau complexe d'échanges s'instaure entre ces quatre sous-systèmes : l'économie, le politique, les institutions de socialisation et la communauté sociétale. Car chacun est un système ouvert, qui entretient des rapports d'interaction avec son environnement. Chaque système est en perpétuelle communication avec les trois autres, qui composent son environnement.

S'inspirant de la théorie économique et spécialement de Léontieff, Parsons ramène l'échange entre les systèmes à un *tableau d'input-output*. Il y a toujours un double échange. Chaque système reçoit des trois autres des éléments, des facteurs de production *(inputs)* qui sont essentiels à son fonctionnement; il leur offre en retour des produits *(outputs)* de son activité.

§ 3. — LE SOUS-SYSTÈME POLITIQUE

Parsons considère donc le politique comme un sous-système de la société. Au demeurant, on le sait, il donne à ce terme une acception très générale. Pour lui, le politique comprend la définition des buts collectifs, la mobilisation des ressources et la prise des décisions nécessaires à l'obtention de ces buts. Cette activité politique n'est pas le propre des institutions publiques; on la trouve aussi dans toutes les organisations sociales (parti, syndicat, université, entreprise, etc.).

Le concept de pouvoir. — Parsons définit le pouvoir comme la capacité d'obliger les acteurs d'une société à remplir les obligations que leur imposent les buts collectifs, de manière à pouvoir mobiliser les ressources de la société en vue d'atteindre les fins proposées.

Avec lui, le pouvoir se trouve singulièrement démystifié. En effet, s'inspirant de sa propre analyse du sous-système économique, Parsons établit un étroit parallélisme entre la science économique et la science politique, entre la notion de *monnaie* et celle de *pouvoir*. Comme le sous-système économique, le sous-système politique donne lieu à des rapports d'échange et d'interaction, qui peuvent être décrits dans les mêmes termes.

Ainsi, Parsons redéfinit le pouvoir sur le modèle de la monnaie. Il en fait un simple instrument d'échange, un médium d'échange au sein du sous-système politique et entre ce dernier et les autres sous-systèmes.

Le pouvoir et ses propriétés. — Dès lors, à l'image de la monnaie, le pouvoir possède des propriétés adéquates.

Le pouvoir est un élément *en circulation.* Mobile, actif, il connaît sans cesse des échanges, des déplacements. Il n'est pas une masse stable et fixe : comme la somme de monnaie, la somme de pouvoir en circulation peut augmenter ou diminuer.

Ainsi, Parsons étudie, par exemple, le « processus d'augmentation du pouvoir », la « production accrue de pouvoir », grâce à la « création de crédit politique ». Car il existe un équivalent politique du système bancaire, qui permet d'apporter des additions nettes à la quantité de pouvoir dans le système. Comparant les dirigeants à des banquiers ou à des courtiers, Parsons écrit :

> « Je suggère que, et c'est particulièrement vrai dans le cas des systèmes électoraux démocratiques, le soutien politique doit être conçu comme une concession généralisée de pouvoir, qui, si elle conduit à un succès électoral, place les leaders élus dans une position analogue à celle du banquier. Les « dépôts » de pouvoir faits par les électeurs sont révocables, sinon à volonté, du moins à l'élection suivante, par une condition analogue à la régularité des heures de fonctionnement d'une banque » (T. Parsons, « On the Concept of Political Power », *Sociological Theory and Modern Society,* chap. X, New York, 1967).

Il y a donc, au sein des systèmes politiques développés, un élément relativement « libre et flottant », qui est analogue à un système de crédit. Ce « crédit de pouvoir » est sujet à des variations. Cet élément subit des fluctuations du type inflation-déflation.

Par ailleurs, le pouvoir a un caractère *symbolique.* Comme l'argent, il n'a pas d'utilité directe. Il n'a pas « valeur d'usage », mais « valeur d'échange ». Il peut être échangé contre quelque chose d'intrinsèquement valable pour l'efficacité collective, à savoir l'obéissance. Le pouvoir est un moyen d'échange et un symbole de valeur. Il vaut par ce qu'il permet d'obtenir.

Le fondement dernier du pouvoir, c'est *la force physique.* Mais ce droit d'utiliser la force n'est pas immédiatement apparent dans le pouvoir. Celui-ci s'établit plutôt sur des fondements seconds, qui symbolisent la force ou qui en tiennent lieu. Là encore, la comparaison est possible avec la monnaie :

« De même qu'un système monétaire qui repose entièrement sur l'or comme intermédiaire réel d'échange est un système très primitif, qui ne peut pas faire fonctionner un système complexe d'échanges de marché, de même un système de pouvoir, dans lequel la seule sanction négative est la menace de la force, est un système très primitif qui ne peut faire fonctionner un système complexe... L'argent doit être institutionnalisé en tant que symbole; il doit être légitimé et inspirer « confiance » dans le système... De façon analogue, le pouvoir ne peut pas être seulement un instrument de dissuasion intrinsèquement efficace; s'il doit être l'instrument généralisé de mobilisation des ressources pour une action collective efficace et assumer les engagements pris par les collectivités envers leurs éléments constitutifs, il doit être aussi généralisé sous forme de symbole, et légitimé » *(ibid.).*

Ainsi, le pouvoir devient un intermédiaire symbolique et généralisé. Un simple instrument d'échange qui serait, à l'instar de l'argent, symbolique et reconnu, c'est-à-dire légitime.

La structure institutionnelle du politique. — Dans le sous-système politique, Parsons discerne trois institutions, dont la première est la source des deux autres : le leadership, l'autorité et la réglementation.

Parsons écrit : « Par l'institutionnalisation du *leadership,* j'entends le modèle d'ordre normatif par lequel certains sous-groupes, par suite de la position qu'ils occupent dans une collectivité donnée, ont l'autorisation et même l'obligation de prendre des initiatives et des décisions, en vue de l'obtention des buts de la collectivité, avec le droit d'engager la collectivité comme totalité » (9). Ainsi définie, l'institution

(9) T. Parsons, *Structure and Process in Modern Societies,* New York, 1960, p. 149-150.

du leadership se retrouve à différents paliers. Avec l'Etat dans la société globale, avec les postes d'autorité reconnus dans les organisations bureaucratiques, etc.

La seconde institution est celle de l'*autorité*. Autorité et pouvoir ne sont pas synonymes. L'autorité est le lieu où s'accumule le pouvoir et à partir duquel il circule. Ainsi, le détenteur d'un poste d'autorité bénéficie d'une somme de pouvoir qu'il peut utiliser et mettre en circulation.

Enfin, la troisième institution politique est la *réglementation*. Elle consiste dans l'émission de normes et de règles, qui constituent le cadre explicite du contrôle social. Entrent dans cette catégorie le droit proprement dit, les règles professionnelles, les statuts et la discipline des partis ou des associations, etc.

Le système politique, système ouvert. — Il faut le rappeler, car cela est essentiel : le système politique, ainsi défini, est un système autonome et *ouvert*. Il entretient des relations et des échanges constants avec les autres sous-systèmes de la société. Comme dans le système économique, on y retrouve le même type d'échange de facteurs *(inputs)* et de produits *(outputs)*.

§ 4. — L'APPORT DE TALCOTT PARSONS

Limites. — On peut faire à Parsons deux griefs principaux. C'est, d'abord, d'élaborer un modèle si général qu'il a *peu de valeur explicative*. Ce modèle fournit au chercheur un cadre intellectuel pour ranger ses observations, plus qu'il ne lui procure des éléments d'explication. Comme le note Guy Rocher (*op. cit.*, p. 228) : « Le modèle parsonien fait figure d'une construction conceptuelle vide de tout contenu. » A la différence du système marxiste d'explication, c'est un modèle plus conceptuel que causal.

C'est aussi un modèle qui paraît plus *conservateur*. Dans la mesure où il privilégie l'équilibre, l'ordre social, la stabilité du statu quo. Sans beaucoup analyser les contradictions potentielles, qui peuvent être sources de tensions, de conflits et de changement social. D'où les griefs formulés par les tenants de la sociologie critique, marxiste ou radicale.

Apports. — Mais beaucoup reste à inscrire à l'actif de Parsons, notamment parce qu'il a mis l'accent sur deux impératifs majeurs : l'impératif théorique et l'impératif interdisciplinaire.

Pionnier à l'origine, Parsons est devenu un chef de file, qui a influencé profondément toute la sociologie américaine. En lui offrant le cadre conceptuel et analytique, qui lui faisait tant défaut. En lui proposant un modèle logique, intégré et cohérent. Il a imposé à la sociologie américaine des *exigences théoriques.* Il l'a dégagée de l'empirisme où elle risquait de se dégrader.

En outre, Parsons a réagi contre l'atomisation et la spécialisation excessives. Il s'est attaché à établir des points de contact entre la sociologie et les autres disciplines (économie, psychologie, ethnologie, science politique). En pionnier de *l'interdisciplinarité.* Sa théorie de l'action humaine et sociale vise à créer un cadre général qui englobe toutes les sciences de l'homme. D'où, d'ailleurs, en contrepartie de cette ambition, les défauts signalés plus haut.

Influence. — On l'a dit : Parsons exerce un très fort ascendant sur toute la *sociologie* américaine. D'une certaine manière, il influence même ses adversaires. Ainsi, la « nouvelle sociologie », dont C. Wright Mills est l'inspirateur — et qui insiste sur les conflits sociaux, les luttes d'intérêts, etc. —, s'est construite par référence critique et par opposition à la sociologie parsonienne — qui met l'accent sur les notions d'équilibre, d'intégration et de contrôle.

Parsons a aussi influencé la *science politique* américaine. Et spécialement les politistes qui entreprennent l'analyse systémique de la vie politique, comme David Easton, ou ceux qui mettent l'accent sur les phénomènes de communication et de contrôle, comme Karl Deutsch.

SECTION III

LE MODÈLE D'EASTON

L'œuvre de David Easton. — David Easton applique la théorie générale des systèmes à l'analyse politique. Avec lui, la science politique s'ouvre, elle aussi, à *l'analyse systémique.*

A cet égard, parmi ses ouvrages, trois titres sont essentiels : *The Political System, An Inquiry into the State of Political Science* (1953), *A Framework for Political Analysis* (1965) et surtout *A Systems Analysis of Political Life* (1965).

Easton fait pour la sociologie politique ce que Parsons avait fait pour la sociologie générale. En réaction contre l' « hyperfactualisme », contre les excès de l'empirisme, il met l'accent sur l'impératif théorique. L'objectif est de doter la science politique d'un modèle, d'un cadre général d'analyse.

§ 1. — LE SYSTÈME POLITIQUE DANS SON ENVIRONNEMENT

Le système politique. — Pour Easton, la politique est *l'allocation autoritaire de valeurs,* l'attribution autoritaire de choses de valeur. Et « un système politique peut être désigné comme l'ensemble des interactions par lesquelles s'effectue l'allocution autoritaire des valeurs ». Un système politique se définit comme *l'ensemble des interactions politiques* constatées dans une société donnée.

Easton écrit : « Dans une société, les interactions politiques constituent un *système de comportement.* » Il convient d' « envisager la vie politique comme un système de comportement inclus dans un *environnement,* exposé ainsi aux influences de ce dernier, mais avec la possibilité d'y répondre ». « Une analyse systémique de la vie politique repose sur la notion *d'un système immergé dans son environnement* et sujet de la part de ce dernier à des influences... Une telle analyse suggère que, pour durer, le système doit être capable de réagir » (in D. Easton, ed., *Varieties of Political Theory,* Englewood Cliffs, 1966, p. 143-154).

L'environnement. — Easton propose de considérer le système politique comme une « boîte noire », en négligeant ce qui se passe à l'intérieur de cette boîte. Car l'analyse systémique porte essentiellement sur les relations du système avec son environnement.

Cet environnement peut être considéré sous deux aspects : l'environnement *intrasociétal* et l'environnement *extrasociétal* (cf. *infra*, p. 128).

L'environnement *intrasociétal* comprend les systèmes non politiques qui font partie de la même société globale que le système politique considéré : système écologique, système biologique, systèmes psychologiques (personality systems), systèmes sociaux.

L'environnement *extrasociétal* comprend tous les systèmes qui existent en dehors de la société elle-même : systèmes politiques, écologiques et sociaux internationaux.

Avec cet « environnement total », le système politique entretient des relations constantes. Car le système politique n'est pas un « système clos ». C'est un « *système ouvert* », qui entretient de multiples échanges et transactions avec son environnement. Englobé, immergé dans son environnement, le système politique entretient avec lui des rapports complexes.

§ 2. — L'ANALYSE INPUT-OUTPUT

L'influence de Wassili Leontieff.— Pour décrire ces rapports, Easton transpose une construction économique dans le domaine de la science politique. Jadis Quesnay, naguère Waldras, avaient tenté de dresser un tableau de l'activité économique. En se fondant sur des réalités statistiques, et en adoptant une représentation non plus statique mais dynamique, Wassili Leontieff donne une vision plus élaborée du système économique, dans son ouvrage fondamental, *The Structure of American Economy, 1914-1929, An Empirical Application of Equilibrium Analysis* (Harvard, 1941) (10).

Recourant à des damiers et à des matrices, analysant les flux réels

(10) Trad. fr. : *La Structure de l'Economie américaine*, 1958 (Ed. Génin). De W. LEONTIEFF, on peut aussi lire en français : *Essais d'économique*, tr. 1974 (Calmann-Lévy). Sur son œuvre : J. VIET, *Input-Output, Essai de présentation documentaire du système de W. Leontieff*, 1966; A. CHABERT, « Le système d'input-output de W. Leontieff et l'analyse économique quantitative », *Economie appliquée*, 1950, n° 1, p. 173-205; J. BOUDEVILLE, « W. Leontieff et l'étude dynamique du circuit économique », *Revue économique*, nov.-déc. 1953.

de produits, W. Leontieff vise à retracer les relations interindustrielles, c'est-à-dire la circulation des marchandises d'une branche à l'autre (acier brut → acier fini → constructions métalliques, etc.), par entrées entrées (*inputs*) et par sorties (*outputs*). Un système économique reçoit des inputs (apports, facteurs de production) et produit des outputs (produits).

Avec ce tableau input-output, avec ce *tableau d'échanges intersectoriels*, W. Leontieff dresse une véritable maquette de l'économie globale. Ces travaux sur les relations intersectorielles dans l'économie lui ont valu, en 1973, le Prix Nobel de science économique.

S'inspirant de Leontieff, Easton compare le système politique au système économique. La machine politique fonctionne comme la machine économique. Là aussi, il y a ce qui entre *(inputs)* dans la machine et ce qui en sort *(outputs)*. Il y a ce qui alimente le système et ce que le système produit. Comme le montre ce *modèle simplifié du système politique* :

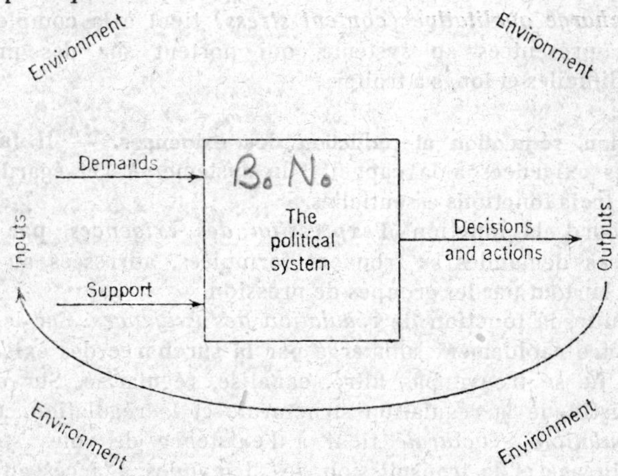

Les inputs : 1) les exigences. — Easton distingue deux types d'inputs : les exigences (*demands*) et le soutien (*support*).

« Une exigence peut être définie comme l'expression de l'opinion qu'une allocation autoritaire relative à un objet déterminé devrait ou ne devrait pas être faite par les responsables » (D. Easton, *A Systems Analysis of Political Life*, New York, 1965, p. 38).

Comme exemples d'*exigences* (demands) réclamant du système

politique l'allocation de choses de valeur, on pourrait citer des revendications de salariés pour l'augmentation du S.M.I.C., des revendications d'étudiants pour l'attribution d'une allocation d'études, etc.

L'accumulation d'exigences nombreuses, et souvent contradictoires, crée une *surcharge,* que le système peut supporter, absorber dans certaines limites. Cette surcharge peut être quantitative, si les demandes sont trop nombreuses, qualitative, si elles sont trop complexes.

La *surcharge quantitative (volume stress)* tient à l'accumulation matérielle de très nombreuses exigences, que le système, débordé, ne peut plus traiter. Le parlement ne peut plus examiner tous les textes de loi dont il est saisi; le gouvernement ne peut plus examiner toutes les revendications dont il est assailli, etc. Easton compare cette surcharge quantitative à celle des aéroports encombrés : la tour de contrôle ne peut plus organiser l'atterrissage des avions à mesure de leur arrivée et le délai d'atterrissage s'allonge.

La *surcharge qualitative (content stress)* tient à la complexité des exigences présentées au système, qui portent sur des problèmes délicats, difficiles et longs à traiter.

Expression, régulation et réduction des exigences. — Il faut donc ajuster les exigences à la capacité du système. A cet égard, Easton distingue trois fonctions essentielles.

a) D'abord, la fonction d'*expression des exigences,* par laquelle les diverses demandes se trouvent formulées, adressées au système politique, surtout par les groupes de pression.

b) Ensuite, la fonction de *régulation des exigences.* Car le système risque d'être rapidement submergé par la surcharge des exigences, si leur flux ne se trouve pas filtré, canalisé, régularisé. Sur ce point, Easton distingue la régulation structurale et la régulation culturelle.

La *régulation structurale* tient à l'existence de rôles spécialisés dans le filtrage et la transmission des demandes. L'accès au système politique se fait par des « portillons » structurels, que gardent des « portiers » *(gatekeepers).* A l'entrée du système politique, ceux-ci canalisent et filtrent les demandes, éliminant certaines et laissant pénétrer les autres. Ces portiers et ces portillons se multiplient et se diversifient à mesure que les sociétés se développent. Les partis, les notables, les parlementaires constituent ainsi des structures de régulation des demandes.

Certaines structures d'expression des exigences sont aussi des structures de régulation : c'est le cas des syndicats ouvriers, qui expriment les revendications des masses, mais qui contribuent aussi à les filtrer, à les contrôler.

De leur côté, les autorités politiques peuvent anticiper sur les demandes prévisibles, avant que celles-ci n'aient été exprimées. Pour satisfaire leur clientèle, accroître leur popularité ou désamorcer des revendications. Le résultat, ce peut être une auto-alimentation en demandes, les autorités politiques alimentant le système de leurs propres exigences. Il y a ainsi des inputs intérieurs au système — qu'Easton dénomme « *withinputs* » — à côté des inputs venus de l'environnement.

Quand à la *régulation culturelle,* elle tient aux normes, valeurs et croyances, qui prohibent ou qui restreignent certaines demandes. Ces inhibitions culturelles peuvent concerner les exigences dans leur *contenu* (certaines exigences sont considérées comme démagogiques, déraisonnables, immorales, etc.) ou dans leur *forme,* dans leur mode de formulation. Ainsi, il existe, d'ailleurs en déclin, une restriction culturelle de la violence : dans les systèmes occidentaux, la culture politique prohibe ou limite le recours à la violence pour exprimer une exigence politique.

Malgré ce filtrage, cette double régulation, le système peut se trouver surchargé, assailli de demandes trop nombreuses et trop diverses, pour pouvoir y répondre convenablement. Par analogie avec la cybernétique et la théorie des communications, Easton montre comment cette surcharge d'exigences provoque un afflux et un embouteillage des messages destinés au système. Face à cela, le système a deux issues : augmenter sa capacité de communication, en multipliant et en différenciant ses canaux de circulation des informations (spécialisation du personnel politique, développement d'une bureaucratie, etc.), et procéder à un traitement des demandes qui aboutit à leur réduction.

c) La *réduction des exigences,* c'est, en effet, la fonction par laquelle le flux des exigences se trouve ordonné, agencé, réduit à un nombre limité d'alternatives qui sont présentées au système politique. Ainsi, de multiples demandes identiques se trouvent réunies en une demande unique, qui les résume. Ainsi, des demandes variées, diverses, se trouvent amalgamées, synthéthisées en une demande globale. C'est ce qu'Easton appelle la « combinaison des demandes » et ce qu'Almond appelle l' « agrégation des intérêts » (cf. *infra,* p. 144).

Les programmes des partis politiques correspondent à ce processus.

Car les principales structures de réduction des exigences, dans les systèmes occidentaux, sont les partis. Rassemblant et harmonisant les demandes de sa clientèle, le parti formule une exigence unique, présentée aux autorités politiques.

Les inputs : 2) Le soutien. — Mais, à côté des exigences *(demands)*, il existe un second type d'inputs : le soutien *(support)*. En effet, outre ces exigences, qui tendent à l'affaiblir, le système politique bénéficie de ce soutien, qui le renforce. Sans lui, il s'effondrerait à la moindre surcharge.

Ce soutien englobe toutes les attitudes et tous les comportements favorables au système. A titre d'exemple, on pourrait citer : le patriotisme, le respect des institutions, l'attachement aux dirigeants en place, une manifestation ou une campagne de presse en leur faveur, l'accomplissement des obligations militaires, le paiement des impôts, etc.

Easton envisage trois types de soutien, selon que celui-ci a pour objet la communauté, le régime ou les autorités.

a) C'est, d'abord, le *soutien à la communauté politique* tout entière. C'est-à-dire l'attachement à l'ensemble collectif, à la communauté nationale.

b) C'est, ensuite, le *soutien au régime,* entendu comme l'ensemble des « règles du jeu ». Ce qui englobe les valeurs (par exemple, liberté d'opinion, pluralisme, etc.) sur lesquelles reposent le système politique, les normes (constitutionnelles, législatives, coutumières, etc.) et la structure du pouvoir (c'est-à-dire la distribution des rôles d'autorité).

c) C'est, enfin, le *soutien aux autorités,* c'est-à-dire le soutien accordé aux titulaires de rôles d'autorité dans le système politique. Easton écrit : « Tous les systèmes comportent des membres qui s'expriment généralement au nom et à la place du système tout entier : nous pouvons les désigner comme les autorités » (11). Dans certains systèmes dirigés par des chefs charismatiques, le soutien accordé aux autorités prend une telle importance qu'il en vient à supplanter le soutien au régime. La personnalisation du pouvoir est telle que la fidélité s'adresse davantage aux dirigeants qu'aux institutions (cf. *infra,* p. 305).

Car ces trois types de soutien, ainsi distingués, ne sont pas néces-

(11) In D. EASTON, ed., *Varieties of Political Theory,* Englewood Cliffs, 1966.

sairement cumulatifs. Ainsi, un citoyen français, attaché à la communauté nationale, peut cependant refuser son soutien au régime et aux autorités, s'il désapprouve les institutions de la Ve République et ses dirigeants. Ou bien, un citoyen américain, fidèle à la communauté américaine et à la constitution des Etats-Unis, peut néanmoins refuser son soutien au président en place, s'il désapprouve sa politique ou ses méthodes.

Au total, quel que soit son objet — la communauté, le régime ou les autorités —, le soutien est toujours menacé, soit d'érosion — c'est le phénomène d'usure du pouvoir —, soit d'effondrement. Ainsi, le système politique français a vu son soutien s'effondrer en mai 1958. Puis en mai 1968 : le soutien, dont bénéficiaient le régime et les autorités, s'est brusquement affaissé (prise de conscience des échecs gouvernementaux, diminution du prestige et de l'audience du général de Gaulle, etc.), avant de se reconstituer au bout de quelques semaines.

Les outputs. — Reste à considérer la « production » du système politique. Car à ces inputs, le système répond par des outputs. Pour satisfaire des exigences ou susciter des soutiens. Ces outputs peuvent être, par exemple, des lois nouvelles, des règlements, des subventions, des campagnes d'information, des allocutions publiques, etc. Car Easton attache de l'importance aux déclarations symboliques comme aux décisions autoritaires.

Cette notion d'output est beaucoup plus brièvement analysée que celle d'input. Pour Easton, ces outputs, « produits » par le système en réponse aux impulsions reçues par lui, sont des décisions et des actions. Les *décisions* s'imposent avec force de droit. Les *actions* n'ont pas ce caractère contraignant, mais elles affectent elles aussi la vie des citoyens (politique économique et sociale, politique étrangère, etc.).

La rétroaction. — Le système politique est donc, fondamentalement, en interdépendance avec son environnement. Il doit s'employer à convertir les exigences et les soutiens qui en proviennent en décisions et en actions appropriées. Etant entendu qu'il peut se produire une auto-régulation, une régulation par rétroaction, un effet de *feedback* comme en cybernétique. Influencé par les exigences et les soutiens, le système politique peut, à son tour, prendre des dispositions pour réagir directement sur ces exigences et ces soutiens.

En effet, la décision est d'abord une *réponse* aux exigences et aux soutiens adressés au système. Mais elle est aussi une *source* de nouvelles exigences et de nouveaux soutiens. Elle s'inscrit dans un circuit ininterrompu, dans un *flux continu,* qui ne peut être appréhendé que par une analyse dynamique.

Le système politique produit des outputs, qui *répondent* aux inputs, mais qui, à leur tour, *réagissent* sur eux et les façonnent. C'est le processus de rétroaction, par lequel le fonctionnement d'un système dépend de ses propres outputs.

Décrivant ce qu'il appelle « la boucle de rétroaction » *(the feedback loop)*. Easton note, en effet : « Les outputs peuvent modifier les influences qui continuent d'agir sur les inputs et, de cette façon, modifier les prochains flux d'inputs eux-mêmes » (12). Autrement dit, les outputs réagissent sur les inputs; ils influencent les « vagues suivantes d'inputs ».

Au demeurant, les actions et décisions que prend le système politique — et qui réalisent la conversion des exigences — visent, de façon constante, à maximer les soutiens disponibles. Easton conçoit donc le système politique en termes de « réponse dynamique » à son environnement, et en propose finalement le modèle reproduit ci-contre.

§ 3. — L'APPORT DE DAVID EASTON

Limites. — On connaît déjà (cf. *supra,* p. 28-30) les deux principaux reproches adressés à David Easton.

D'abord, l'excès d'*abstraction.* Certes, son modèle entend être un cadre général d'analyse. Mais, à un tel degré de généralité et d'abstraction, permet-il vraiment de saisir les problèmes essentiels de l'analyse politique ? D'une part, Easton néglige ce qui se passe à l'intérieur de la « boîte noire », c'est-à-dire la vie interne du système politique, sa structure interne. D'autre part, l'environnement, dont il privilégie l'analyse, reste étrangement désincarné, amorphe. C'est le reproche que peuvent lui faire les marxistes : l'environnement d'Easton ignore les rapports de production, les classes sociales, etc.

Second grief, complémentaire : l'obsession du concept de « *persistance* ». Selon son propre aveu, « la question fondamentale » que se pose Easton est celle-ci : « comment les systèmes réussissent-ils à

(12) D. EASTON, *A Systems Analysis of Political Life,* New York, 2e éd., 1967, p. 32.

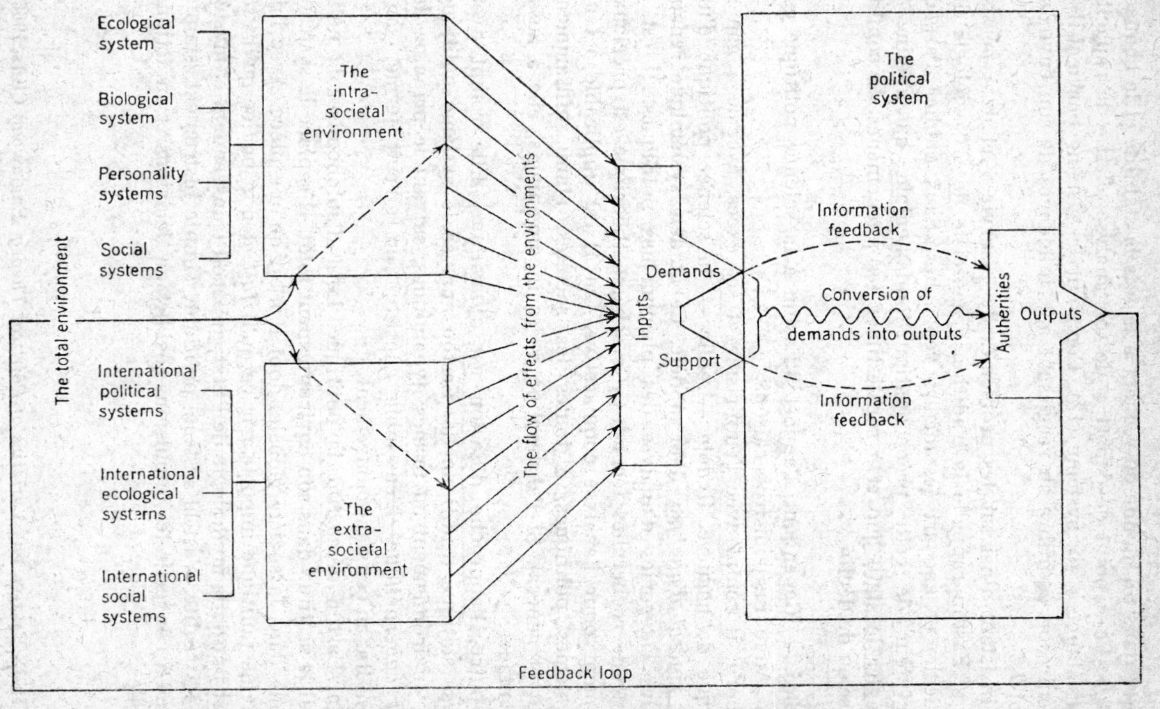

A dynamic response model of a political system.
(David Easton : *A Systems Analysis of Political Life.*)

persister dans un monde où règnent à la fois la stabilité et le changement ? ». Le « point de départ » de son analyse, c'est « la capacité de persistance » du système (13). Comment le système parvient-il à maintenir son équilibre en réagissant aux influences de son environnement ?

En insistant ainsi sur les problèmes de « survie » et de « persistance », Easton rappelle la tradition organiciste de la sociologie du XIXe siècle, et encourt les mêmes reproches. Sans oublier l'aspect conservateur de cette préoccupation fondamentale, qui incline à privilégier le statu quo et à sous-estimer les phénomènes de conflit, de crise ou de déclin.

Mérites. — Cependant, l'apport d'Easton à la science politique est capital. Au moins pour trois raisons.

D'abord, il rompt avec l'empirisme et ses excès, avec le « gap » théorique de naguère. Il dote — enfin — la science politique d'un *cadre général d'analyse,* d'un modèle. Ce modèle systémique renouvelle les catégories d'analyse des phénomènes politiques. Il est à l'origine de recherches fécondes. Ce schéma théorique est précieux, notamment pour l'analyse comparative. Car il est applicable à tous les systèmes politiques, à toutes les sociétés, étant suffisamment abstrait et général. Si l'abstraction a ses inconvénients, elle a aussi ses avantages.

En outre, l'approche d'Easton est *dynamique.* Elle rompt avec l'analyse statique traditionnelle. Easton analyse le système politique et son environnement en termes dynamiques, suivant le principe du *circuit cybernétique.* L'ensemble constitue un circuit fermé, sans début ni fin, en constant mouvement.

Enfin, Easton *démystifie* la politique. Loin d'autonomiser la politique, il la restitue dans son environnement total. Il replace le système politique dans la société globale, dont il n'est qu'une pièce. Avec lui, le système politique importe par ce qu'il *fait* et non par ce qu'il *est.* C'en est fini de la mythologie de l'Etat, appareil transcendant et mystérieux. La réalité, c'est le système politique, simple instrument, simple machine à convertir les impulsions sociales en décisions et en actions politiques.

(13) In D. EASTON, ed., *Varieties of Political Theory,* Englewood Cliffs, 1966.

BIBLIOGRAPHIE

— *Sur la théorie générale des systèmes :*

L. von BERTALANFFY, « General System Theory », *in General Systems,* vol. 1, 1956 (pour une utile introduction à la théorie générale des systèmes); L. von BERTALANFFY, *General System Theory, Foundations, Development, Applications,* New York, 1968 (pour un exposé plus complet du même auteur) ou *Théorie générale des systèmes. Physique, biologie, psychologie, sociologie, philosophie,* tr. 1973; *General Systems* (l'annuaire de la Society for the Advancement of General Systems Research, qui paraît annuellement depuis 1956); une autre source fondamentale est le volume issu des réunions de Chicago des années 50 : R. R. GRINKER, ed., *Toward a Unified Theory of Human Behaviour,* New York, 1956; N. WIENER, *The Human Use of Human Beings,* Garden City, 1954 (par le spécialiste de la cybernétique): T. PARSONS, « An Outline of the Social System », in T. PARSONS, E. SHILS et al., eds., *Theories of Society,* New York, 1961, p. 30-79; W. BUCKLEY, *Sociology and Modern Systems Theory,* Englewood Cliffs, 1967. — Pour un exposé succinct : O. YOUNG, *Systems of Political Science,* Englewood Cliffs, 1968, p. 13-26. — Lire aussi : C. ROIG, « La théorie générale des systèmes et ses perspectives de développement dans les sciences sociales », *Revue française de sociologie,* n° spécial, 1970.

Sur l'analogie entre biologie et sociologie : les livres des biologistes H. LABORIT, *La Nouvelle Grille,* 1974 (une nouvelle méthode d'interprétation des phénomènes sociaux fondée sur les principes qui gouvernent la totalité des systèmes vivants) et J. DE ROSNAY, *Le Microscope. Vers une vision globale,* 1975; A. SOMIT, *Biology and Politics. Recent Explorations,* 1976 (sept rapports présentés à une rencontre internationale).

— *Sur le modèle de Talcott Parsons :*

• De Talcott PARSONS, parmi une œuvre considérable, on peut lire : *The Structure of Social Action,* New York, 1937 (son premier grand ouvrage); *Toward a General Theory of Action* (en collab.), Cambridge, 1957; *The Social System,* New York, 1951, et *Working Papers in the Theory of Action* (en collab.), New York, 1953 (ces trois ouvrages présentent d'une manière définitive sa théorie générale de l'action); *Economy and Society* (en collab.), New York, 1956; *Social Structure and Personality,* New York, 1964; *Politics and Social Structure,* New York, 1969 (la science politique et la théorie générale de l'action); *Societies : Evolutionary and Comparative Perspectives,* Englewood Cliffs, 1966 (sur l'évolution générale des sociétés); *The System of Modern Societies,* Englewood Cliffs, 1971 (sur les sociétés modernes), trad. : *Le système des sociétés modernes,* 1974.

• Sur Talcott PARSONS et son œuvre : l'excellent petit livre de G. ROCHER, *Talcott Parsons et la sociologie américaine,* 1972 (qui contient, en outre, une bibliographie détaillée); F. BOURRICAUD, « Introduction en marge de l'œuvre de Talcott Parsons : la sociologie et la théorie de l'action », dans T. PARSONS,

Eléments pour une sociologie de l'action, tr. F. Bourricaud, Paris, 1955; F. Chazel, « Réflexions sur la conception parsonienne du pouvoir et de l'influence », *Revue française de sociologie*, V (oct.-déc. 1964), 4, p. 387-401, et *La théorie analytique de la société dans l'œuvre de Talcott Parsons*, 1974; A. W. Gouldner, *The Coming Crisis of Western Sociology*, New York, 1970; W. C. Mitchell, *Sociological Analysis and Politics : The Theories of Talcott Parsons*, Englewood Cliffs, 1967. — De ce dernier, on peut lire aussi *The American Polity*, New York, 1962 (qui applique les concepts parsoniens à la société politique), et en collaboration avec J. L. Mitchell, *Political Analysis and Public Policy*, Chicago, 1969.

— *Sur le modèle de David Easton :*

• De David Easton : *The Political System, An Inquiry into the State of Political Science*, New York, 1953, 2e éd., 1971; *A Framework for Political Analysis*, Englewood Cliffs, 1965; et *A Systems Analysis of Political Life*, New York, 1965, 2e éd., 1967 (trois ouvrages essentiels, dont le dernier est capital : ce dernier ouvrage a été traduit sous le titre *Analyse du système politique*, 1974); en collaboration, *Varieties of Political Theory*, Englewood Cliffs, 1966 (un ouvrage collectif, dont Easton est l' « éditeur », et qui comporte sa propre contribution). Sur la socialisation politique des enfants, on peut lire : D. Easton, J. Dennis, *Children in the Political System*, New York, 1969.

Parmi les articles de D. Easton qui constituent une réflexion sur la science politique, ses méthodes et ses problèmes, on peut citer : « La science politique américaine et les problèmes de méthode », *Bulletin international des sciences sociales*, vol. IV, n° 1, p. 109-128; « The Current Meaning of Behavioralism », in J. C. Charlesworth, ed., *Contemporary Political Analysis*, New York, 1967, p. 11-31; « Classical Theory », ainsi que « The New Revolution in Political Science », in M. Haas, H. S. Kariel, éd., *Approaches to the Study of Political Science*, Scranton, 1970, p. 51-73 et p. 511-529.

• Sur l'analyse systémique et notamment sur Easton : J.-W. Lapierre, *L'analyse des systèmes politiques*, Paris, 1973; L. Hamon, *Acteurs et données de l'histoire*, Paris, 1971, t. 2, ch. XXIII; et le numéro spécial précité de la *Revue française de sociologie*, 1970-1971, consacré à l' « *Analyse des systèmes en sciences sociales* », avec les contributions de C. Roig (spéc. p. 84-90), G. Lavau, « Le système politique et son environnement » (p. 169-181) et C. Polin (p. 183-193).

CHAPITRE III

LES FONCTIONS POLITIQUES

Il importe de définir ce qu'est le fonctionnalisme, pour comprendre ce que l'analyse fonctionnelle apporte à la science politique.

SECTION I

FONCTION ET FONCTIONNALISME

Qu'est-ce que le concept de fonction ? Quelle est l'influence du fonctionnalisme sur les sciences sociales ? Ce sont les deux points qu'il faut examiner au préalable.

§ 1. — LA NOTION DE FONCTION

En sociologie, le terme « fonction » revêt, au moins, trois significations discernables.

La signification commune. — Il peut d'abord désigner une *profession*, un *emploi*, un *poste*. On dira, par exemple, que tel universitaire a été appelé à la fonction de recteur, que telle personnalité a été promue à une nouvelle fonction, etc.

Dans un sens voisin, c'est l'*ensemble des tâches*, qui incombent à celui qui occupe un poste. La fonction de ministre, par exemple, comporte l'exercice de diverses responsabilités, l'accomplissement de différentes tâches, etc. En ce sens, en dira de quelqu'un qu'il « néglige ses fonctions », s'il n'exerce pas toutes les compétences attachées au poste qu'il occupe.

La signification d'ordre mathématique. — Le terme possède aussi une signification d'ordre « *mathématique* ». La fonction désigne alors « la relation existant entre deux ou plusieurs éléments, telle que tout changement introduit en l'un provoque une modification dans l'autre ou les autres et entraîne de leur part une adaptation » (1). Ainsi, on peut dire que X est fonction de Y, quand la valeur de X dépend de la valeur de Y.

De la sorte, ce qu'on souligne, c'est le lien entre les éléments, l'interdépendance qui les affecte.

L'étude de Durkheim sur *Le Suicide* (1897) s'apparente à ce type d'analyse fonctionnelle. Le sociologue y établit que le taux des suicides est lié au statut marital (les célibataires se suicident davantage), au fait d'avoir ou non des enfants (les personnes mariées sans enfant se suicident plus que les personnes mariées ayant des enfants), à la religion (les catholiques se suicident moins que les protestants), etc. Donc, la tendance au suicide varie *en fonction* de certains caractères sociaux. La conclusion générale est la suivante : « Le suicide varie en raison inverse du degré d'intégration des groupes sociaux dont fait partie l'individu » (2). Il existe un rapport fonctionnel entre le suicide et l'intégration sociale.

La signification d'ordre biologique. — Mais l'influence du fonctionnalisme en sciences sociales procède surtout d'un quatrième sens du terme « fonction ». La fonction, c'est alors « *la contribution qu'apporte un élément à l'organisation ou à l'action de l'ensemble dont il fait partie* » (3).

Ainsi définie, la notion provient de la *biologie*, de l'étude de l'organisme vivant. De même qu'il y a des fonctions indispensables, vitales pour le *corps humain* (fonction respiratoire, fonction digestive, etc.), de même il existe des fonctions qui contribuent à l'organisation, au maintien et à l'activité de la *société*.

L'idée sous-jacente est celle-ci : à l'image de l'organisme biologique, de l'être vivant, la société forme un tout, une *totalité*, dont les éléments constituants, interdépendants, assument certaines *fonctions*, qui répondent à ses besoins fondamentaux.

C'est ce quatrième sens du concept de fonction qui est à l'origine du fonctionnalisme en sciences sociales.

(1) G. Rocher, *Introduction à la sociologie générale*, t. 2, p. 162.
(2) E. Durkheim, *Le Suicide*, 1897, rééd. 1960, p. 223.
(3) G. Rocher, *op. cit.*, p. 165.

§ 2. — FONCTIONNALISME ET SCIENCES SOCIALES

L'organicisme de Spencer. — Le précurseur du fonctionnalisme est le sociologue anglais Herbert Spencer (1820-1903) (*supra*, p. 9), qui s'inspire du modèle organique dans ses *Principles of Sociology* (1er vol., 1876).

Spencer y développe un parallèle entre l'organisation et l'évolution des organismes vivants et celles des sociétés. Il entreprend de « considérer la société comme un organisme » et parle d' « *organisme social* » pour la désigner (4). Comme l'organisme biologique, cet organisme social obéit à une évolution, qui se caractérise par une diversification et une spécialisation croissantes des organes ou des parties. La conséquence, c'est une multiplication des « *structures sociales* » et des « *fonctions sociales* », comme des structures et des fonctions biologiques.

Malgré ses excès, cette analogie organiciste, cette référence au modèle de l'organisme vivant, a une vertu fondamentale. Elle permet à Spencer de concevoir la réalité sociale comme un ensemble de relations entre des parties interdépendantes, constituant une *totalité* intégrée.

Durkheim et l'analyse fonctionnaliste. — Avec plus de nuances et de mesure, Durhkeim (1858-1917) s'inscrit aussi dans ce courant. Même s'il accorde aussi un autre sens au terme « fonction » (*supra*, p. 132), lui aussi s'inspire explicitement du modèle organique et compare les fonctions sociales aux grandes fonctions biologiques (digestion, respiration, etc.).

Ainsi, il donne une analyse fonctionnaliste de la division du travail : « Se demander quelle est la fonction de la division du travail, c'est chercher à quel besoin elle correspond » (5). Pour lui, cette division du travail répond au besoin de solidarité sociale dans une société qui se développe et se complexifie.

Mais ce fonctionnalisme, qui se développe, ne va pas offrir un seul visage. Comme Raymond Boudon, on peut distinguer trois types de fonctionnalisme : le fonctionnalisme absolu, le fonctionnalisme relativisé et le structuro-fonctionnalisme (6).

(4) H. Spencer, *The Principles of Sociology*, 3e éd., 1925, p. 462, tr. fr. 1878.

(5) E. Durkheim, *De la division du travail social*, 1893, 7e éd., 1960, p. 11.

(6) R. Boudon, « Remarques sur la notion de fonction », *Revue française de sociologie*, VIII, 1967, p. 198-206.

A. — Le fonctionnalisme absolu

Anthropologie et fonctionnalisme. — De ce fonctionnalisme absolu, Bronislaw Malinowski (1884-1942) est le meilleur représentant. Cet anthropologue anglais d'origine polonaise fait figure d'initiateur. A un double titre.

D'abord, il est l'initiateur de la méthode d'enquête anthropologique *sur le terrain.* Il est le premier ethnologue moderne à se livrer à des études sur le terrain, à observer la réalité vivante sur place, en partageant la vie des peuples archaïques qu'il étudie. Ensuite, et surtout, on peut voir en lui le fondateur du fonctionnalisme anthropologique et sociologique.

En effet, Malinowski considère chaque société, chaque culture comme un tout. Comme un ensemble cohérent, organisé et intégré, qu'il faut étudier en tant que *totalité,* qu'il faut expliquer dans sa globalité. Cette totalité se compose de parties diverses et multiples, d'*éléments* ordonnés selon un agencement particulier. Chacun d'eux remplit une *fonction* indispensable à la totalité, chacun d'eux contribue à faire « fonctionner » l'ensemble.

Chaque objet matériel, chaque institution, chaque trait de culture (coutumes, droit, art, religion, magie, etc.) apportent une contribution qui les rend nécessaires, répondent à des besoins qu'ils ont pour fonction de satisfaire. Tout ce qui existe dans une société, dans une culture y est utile, nécessaire.

Dans le même courant se situe son disciple, l'anthropologue anglais Alfred R. Radcliffe-Brown (1881-1955) (7). Encore que son fonctionnalisme soit moins absolu que celui de Malinowski (cf. *infra,* p. 138).

B. — Le fonctionnalisme relativisé

A partir de là, le fonctionnalisme va inspirer fortement la sociologie, mais en subissant une critique interne, qui vise à éliminer les excès de l'hyperfonctionnalisme. Cette autocritique et ce renouveau sont surtout le fait du sociologue Robert King Merton.

(7) Voir A. R. Radcliffe-Brown, *Structure and Function in Primitive Society,* London, 1952, tr. *Structure et fonction dans la société primitive,* 1969.

1° *La critique de Merton.*

La critique des postulats du fonctionnalisme absolu. — Avec lucidité, Merton souligne lui-même les excès que peut engendrer l'analyse fonctionnelle, dans un ouvrage traduit en français sous le titre *Eléments de théorie et de méthode sociologique* (Paris, 1965) (8). Selon lui, le fonctionnalisme « absolu » de Malinowski se fonde sur trois postulats contestables.

— D'abord, le postulat de *l'unité fonctionnelle de la société :* les éléments culturels et les activités sociales sont « fonctionnels pour le système culturel ou social *tout entier* ». Ce postulat se vérifie sans doute dans certaines petites sociétés archaïques, hautement intégrées. Mais dans les sociétés complexes, différenciées, on ne peut affirmer ainsi que toute activité remplit une fonction pour l'ensemble de la société.

— Ensuite, le postulat du *fonctionnalisme universel :* tout élément culturel ou social remplit une ou plusieurs fonctions. Aucun ne subsiste s'il ne répond pas à un besoin. Malinowski écrit ainsi : « L'analyse fonctionnelle de la culture part du principe que dans tous les types de civilisation, chaque coutume, chaque objet matériel, chaque idée et chaque croyance remplit une fonction vitale quelconque, a une tâche à accomplir, représente une partie indispensable d'une totalité organique » (9).

— Ce qui conduit au troisième postulat, corollaire des deux précédents, celui de *la nécessité fonctionnelle :* comme tout est utile au fonctionnement du tout, il est nécessaire que les choses soient ce qu'elles sont. Chaque élément culturel ou social est indispensable. Sur ces bases, on verse aisément dans l'outrance d'un finalisme, qui évoque un peu Michelet admirant à quel point la nature a tout prévu : aussitôt que l'enfant vient au monde, il trouve une mère pour s'occuper de lui...

Merton le souligne à juste titre : il est abusif d'affirmer que *tout* élément social ou culturel remplit nécessairement une fonction et est indispensable. En fait, certains éléments ont un caractère superfétatoire, ayant perdu toute fonction ou n'en ayant jamais eu. Vouloir

(8) Sur ces excès du fonctionnalisme, voir aussi H. Mendras, *Eléments de sociologie,* Paris, 1967, p. 117 et s.

(9) B. Malinowski, Article « Anthropology » in *Encyclopaedia Britannica,* cité par R. K. Merton, *op. cit.*

absolument trouver une fonction à chaque élément conduit parfois à des explications peu convaincantes.

Ainsi Kluckhohn affirme : « Les boutons des manches des costumes masculins, maintenant inutiles, remplissent la fonction de conserver les usages et de maintenir la tradition. En général, les gens sont plus à leur aise s'ils ont le sentiment d'une certaine continuité dans le comportement et l'impression de suivre les usages orthodoxes et socialement admis. »

Fonctionnalisme et conservatisme. — Il n'est donc pas surprenant que ce fonctionnalisme absolu ait été taxé de conservatisme. Myrdal écrit, par exemple : « Une description des institutions d'après leurs fonctions doit conduire à un finalisme conservateur. » Consciemment ou non, l'approche fonctionnaliste refléterait la tendance du sociologue conservateur à défendre le présent ordre des choses. Le fonctionnaliste ignorerait le conseil de Tocqueville de ne pas *confondre l'habituel avec le nécessaire :* « Ce que nous appelons des institutions nécessaires ne sont souvent que des institutions auxquelles nous sommes habitués. »

En revanche, pour Merton, qui présente sa défense, « l'analyse fonctionnelle est *neutre* ». Une approche de ce type n'est intrinsèquement ni conservatrice, ni révolutionnaire. Révisée et critiquée, elle peut être très utile. A condition de dégager des concepts supplémentaires, pour relativiser les postulats de départ, assouplir et opérationnaliser le fonctionnalisme.

2° *L'apport de Merton.*

Entreprenant cette révision, Merton propose trois nouveaux concepts fonctionnels, pour rendre l'analyse plus opératoire.

Les équivalents fonctionnels. — D'abord, la notion d'*équivalent fonctionnel* ou de *substitut fonctionnel.* Merton écrit : « De même qu'un seul élément peut avoir plusieurs fonctions, de même une seule fonction peut être remplie par des éléments interchangeables. »

Tel élément peut servir d'équivalent ou de substitut fonctionnel à tel autre, pour exercer la même activité à ses côtés ou à sa place. Prenons des exemples. Un club politique peut exercer la fonction programmatique à la manière d'un parti. Un petit parti peut remplir la fonction d' « articulation des intérêts » pour une catégorie socio-professionnelle particulière, comme le ferait un groupe de pression, etc.

Les dysfonctions. — Autre notion essentielle : celle de dysfonction. « Les fonctions sont, parmi les conséquences observées, celles qui contribuent à l'adaptation ou à l'ajustement du système. » En revanche, les dysfonctions sont « celles qui gênent l'adaptation ou l'ajustement du système » (10). Car certains éléments culturels ou sociaux peuvent avoir des conséquences néfastes ou fâcheuses. Ils peuvent entraver le bon fonctionnement du système.

Ainsi telle croyance religieuse, tel rite, peuvent entraîner des inconvénients économiques, entraver le développement économique d'un pays. On notera, cependant, qu'une telle distinction peut incliner l'observateur à porter des jugements de valeur implicites. C'est là son risque.

Fonctions manifestes et fonctions latentes. — Pour mieux dépasser encore l'analyse des intentions subjectives, des buts conscients et avoués, Merton, dans un langage dérivé de Freud, propose encore une autre distinction. Celle des « *fonctions manifestes* » (comprises et voulues) et des « *fonctions latentes* ».

« Les fonctions *manifestes* sont les conséquences objectives qui, contribuant à l'ajustement ou à l'adaptation du système, sont comprises et voulues par les participants du système. Les fonctions *latentes* sont, corrélativement, celles qui ne sont ni comprises ni voulues » (*op. cit.*, p. 128 et s.).

Les fonctions manifestes contribuent en pleine conscience à l'ajustement ou à l'adaptation. Les fonctions latentes comportent des conséquences du même ordre, mais involontaires et inconscientes. Ces fonctions latentes ou ces dysfonctions latentes — que l'observateur extérieur peut déceler — ne sont ni perçues ni recherchées par les membres de la société.

Pour illustrer cette distinction, Merton utilise l'analyse de Thorstein Veblen sur *la consommation ostentatoire* (*Théorie de la classe de loisir,* 1899, tr. 1970). Pourquoi consomme-t-on des articles dispendieux (caviar, couverts d'argent, etc.) ? Veblen souligne moins l'équation *manifeste* (cherté = qualité, excellence du produit) que l'équation *latente* (cherté = marque d'un statut social élevé). C'est le paradoxe veblénien : les consommateurs achètent des choses chères, moins parce qu'elles sont meilleures que parce qu'elles sont chères. La consommation ostentatoire a pour résultat d'élever ou de confirmer la

(10) R. K. MERTON, *op. cit.,* p. 118.

position dans l'échelle sociale, de symboliser la puissance pécuniaire et, par là, le maintien ou l'acquisition du prestige.

Pour sa part, Merton, on le verra (*infra,* p. 489), analyse les fonctions latentes de la machine politique aux Etats-Unis.

C. — Le structuro-fonctionnalisme

Troisième type d'analyse fonctionnelle : le *structuro-fonctionnalisme.* A la différence des précédentes, l'analyse ne part pas des éléments culturels ou sociaux, mais de la société envisagée d'une façon globale et abstraite. Ici, l'on pose d'abord les fonctions essentielles qui doivent être assurées pour que toute société existe et se maintienne. C'est la recherche de ce qu'on nomme les *impératifs fonctionnels* ou les *prérequis fonctionnels* (11).

Ainsi, pour Talcott Parsons (*supra,* p. 110), tout système social, et plus généralement tout système d'action, doit répondre à quatre impératifs fonctionnels : l'adaptation, la poursuite des buts, l'intégration et la latence.

Ici, l'analyse fonctionnelle adopte une approche plus théorique qu'empirique. L'approche *empirique* consiste à scruter le réel, pour y déceler des interdépendances entre divers éléments sociaux, et pour élaborer, sur cette base concrète, un système théorique qui en rende compte. L'approche *théorique* est celle, notamment, de Talcott Parsons et de Marion Levy Jr. (12). Elle définit, en pure logique, un certain nombre de fonctions qui doivent être assurées pour qu'un système existe et persiste; et, ensuite, elle se retourne vers le réel pour observer si et comment ces fonctions sont remplies dans les systèmes concrets existants.

Structures et fonctions. — Dans cette analyse, les fonctions ne sont jamais complètement séparées des structures. Les aspects fonctionnels sont reliés aux aspects structurels, sur lesquels on insiste aussi, comme dans le « fonctionnalisme structuraliste », cher à Radcliffe-Brown. C'est pourquoi l'on parle de « *structuro-fonctionnalisme* ».

(11) Cf. D. F. Aberle, A. K. Cohen, A. K. Davis, M. J. Lévy, F. X. Sutton, « The Functional Prerequisites of a Society », *Ethics,* IX (janvier 1950), p. 100-111.

(12) Cf. M. Lévy, *The Structure of Society,* Princeton, 1951.

Qu'entend-on par « *structure sociale* » ? Au sens étymologique, la structure évoque « la manière dont un édifice est bâti » (Larousse), la manière dont les parties d'un tout sont arrangées entre elles. Ainsi, chez Spencer, la notion de structure équivaut à celle d'organisation. Pour lui, tout arrangement de cellules, d'organes ou d'éléments constitue une structure.

Radcliffe-Brown reprend l'analogie organiciste et les notions de structure et de fonction sociales. En leur conférant plus de précision. Pour lui, « la structure est un arrangement de personnes ayant entre elles des relations institutionnellement contrôlées ou définies, telles que les relations du roi et de son sujet, ou celles du mari et de la femme » (13). Une structure, c'est donc un assemblage. C'est un ensemble de positions, de rôles, de groupes stratifiés, liés les uns aux autres suivant des rapports fonctionnels, dans un équilibre constamment refait.

La notion de rôle. — La structure pouvant donc se définir comme un ensemble de rôles reliés les uns aux autres, il est donc nécessaire de définir les concepts de rôle et de statut, souvent employés en sociologie.

Ces concepts ont été originairement définis par l'anthropologue Ralph Linton (*The Study of Man,* 1re éd., 1936). Jean Stoetzel en propose les définitions suivantes. « Le *statut* d'une personne se définit par l'ensemble des comportements à l'égard d'elle-même qu'elle peut légitimement attendre de la part des autres. » Quant au *rôle,* il consiste dans « l'ensemble des comportements qui sont légitimement attendus d'elle par les autres ».

Le *statut* est la place qu'un individu donné occupe dans un système particulier à un moment donné. C'est la position qu'il occupe dans l'organisation de la société. Et le *rôle* représente, au fond, l'aspect dynamique du statut. Le rôle, c'est l'action que la société attend d'un individu.

Par exemple, par son statut, un professeur peut escompter de ses étudiants assiduité et attention. Par son rôle, il devient, à son tour, l'objet d'attentes de comportements de la part de ses étudiants, qui peuvent attendre de lui compétence, clarté dans l'exposition, etc.

Au total, l'analyse structuro-fonctionnelle associe donc la notion de fonction à celle de structure. Aspects fonctionnels et aspects struc-

(13) A. R. Radcliffe-Brown, *op. cit.*, p. 11.

turels se trouvent reliés. Le structuro-fonctionnalisme examine comment tous les comportements et phénomènes sociaux (constitués en modèles d'action, en structures) remplissent (ou ne parviennent pas à remplir) les diverses fonctions du système.

SECTION II

FONCTIONNALISME ET SCIENCE POLITIQUE

L'analyse fonctionnelle en science politique. — Sous ces diverses formes, le fonctionnalisme, après avoir inspiré l'anthropologie et la sociologie, inspire aujourd'hui aussi plusieurs spécialistes de la science politique.

En effet, la décolonisation, l'indépendance d'une multitude de nouveaux Etats dans le Tiers Monde, rendent peu opératoires les instruments d'analyse traditionnelle. L'analyse institutionnelle, empreinte de juridisme, devient peu efficace. Car, même quand ils adoptent des institutions analogues, les systèmes « en développement » n'ont pas le même substrat socio-économique et culturel que les systèmes occidentaux. L'environnement n'est pas le même. Les analyses et les comparaisons institutionnelles deviennent donc secondaires et insuffisantes à elles seules.

Désormais, on ne peut plus se contenter d'une analyse *institutionnelle,* privilégiant l'examen des structures constitutionnelles. Car, ici plus encore qu'ailleurs, le droit constitutionnel est loin d'épuiser la réalité politique; en outre, dans les nouveaux Etats, son application est souvent peu fidèle.

D'une manière générale, on ne peut plus se borner à une analyse purement ou primordialement *structurelle.* Comme le note Almond : « La comparaison structurelle n'a qu'une portée restreinte... La seule comparaison des structures peut nous induire en erreur » (14).

Pour pouvoir procéder à des comparaisons utiles d'un système à un autre, il faut cesser de privilégier l'étude des institutions ou des structures, pour observer les comportements politiques concrets, pour saisir les processus politiques réels.

A ce titre, l'approche fonctionnelle est essentielle. Car la démarche fonctionnaliste consiste, précisément, à *partir des fonctions, au lieu*

(14) G. A. ALMOND, préface de *The Politics of the Developing Areas,* Princeton, 1960.

de commencer par les structures, à « s'interroger sur les fonctions plutôt que sur les structures ». La première question à se poser est la suivante : quelles sont les *fonctions* de base que remplit tout système politique, quelles sont les fonctions qui doivent être assurées dans tout système ? (15). Ensuite — et ensuite seulement —, on examine quelles *structures* assurent, et dans quelle mesure, ces fonctions politiques.

Bref, deux questions successives. *Que* doit faire un système politique (quelles *fonctions* doit-il remplir) ? *Comment* le fait-il (par quelles *structures* et avec quelle efficacité) ?

Cette analyse fonctionnelle inspire surtout la « politique comparée » (c'est-à-dire l'étude comparative des systèmes politiques) et, tout spécialement, l'examen des systèmes en développement. Cette approche « développementaliste » (*infra,* p. 229) prend son essor aux Etats-Unis, sous l'impulsion du *Committee on Comparative Politics* qu'animent James Coleman, Joseph LaPalombara, Roy Macridis, Lucian Pye, Sidney Verba, Myron Weiner et d'autres politistes. De 1954 à 1963, ce Comité a été présidé par Gabriel Almond, qui fait figure de chef de file de l'école fonctionnaliste en science politique. Ce sont donc surtout ses travaux qu'on évoquera ci-dessous.

Les travaux de Gabriel A. Almond. — Professeur à Princeton, puis à Stanford, Gabriel A. Almond a donc été président du *Committee* on *Comparative Politics* du *Social Research Council* de 1954 à 1963, puis président de l'*American Political Science Association* en 1965-1966.

Almond exerce une très forte influence sur la recherche, d'abord par une série d'articles (rédigés de 1956 à 1968, puis rassemblés sous le titre *Political Development, Essays in Heuristic Theory,* Boston, 1970), puis par la publication de trois ouvrages fondamentaux : *The Politics of the Developing Areas* (co- « éditeur » : James S. Coleman, Princeton, 1960) (16); *The Civic Culture* (co-auteur : Sidney Verba, Princeton, 1963); *Comparative Politics, A Developmental Approach* (co-auteur : G. Bingham Powell, Boston, 1966).

Les trois niveaux d'analyses. — Almond et Powell écrivent : « Le système politique n'inclut pas seulement les institutions gouvernemen-

(15) Cf. *supra,* p. 31.
(16) Dans cet ouvrage collectif, lire surtout la préface de G. A. ALMOND, intitulée « A Functional Approach to Comparative Politics ».

tales, mais toutes les structures dans leurs aspects politiques » (*op. cit.*, p. 18). Et, pour eux, une structure est un ensemble de rôles reliés les uns aux autres. Le système politique apparaît donc comme un ensemble de rôles et d'interactions entre ces rôles, comme un « système d'interactions ».

A l'exemple d'Easton, Almond et Powell rattachent le système politique à la société globale; ils l'analysent dans son environnement.

Leur approche fonctionnelle permet de distinguer, dans le fonctionnement du système politique, trois niveaux d'analyses. En considérant successivement ce système dans ses rapports avec son milieu, dans son fonctionnement interne et, enfin, dans son maintien et son adaptation.

§ 1. — LES CAPACITÉS DU SYSTÈME POLITIQUE

En premier lieu, dans ses rapports avec son environnement, le système doit mettre en œuvre quatre « capacités » *(capabilities)* essentielles.

La capacité régulative. — La capacité « *régulative* » concerne le contrôle, la coordination des comportements des individus et des groupes. Cette capacité de régulation peut s'exercer par l'imposition de normes, par l'action de l'administration et des tribunaux, etc.

Cette capacité régulatrice peut être plus ou moins forte. Dans les systèmes totalitaires, l'ambition est de « régler », de contrôler l'ensemble de la vie sociale. En revanche, les systèmes libéraux appliquent leur contrôle à des secteurs plus restreints; ils reconnaissent davantage l'autonomie des individus et des sous-systèmes.

La capacité extractive. — Tout système doit pouvoir *extraire* de son environnement interne ou international les ressources nécessaires à son fonctionnement : moyens économiques et financiers, soutiens politiques, etc. Par exemple, l'administration fiscale extrait des ressources financières.

La capacité distributive. — La capacité distributive concerne l'allocation, par le système politique, de biens, de services ou d'honneurs aux individus et aux groupes sociaux. C'est, par exemple, l'attribution de subventions, la remise de décorations, la prestation de services en matière d'enseignement, de justice, etc.

Cette distribution réalise, généralement, une redistribution des ressources extraites dans l'environnement. Ainsi, le système fiscal, qui est un mécanisme d'extraction, contribue aussi à la redistribution des revenus. Mais le système consomme aussi — donc sans les redistribuer — une partie des ressources qu'il a extraites : ainsi, une partie des ressources financières sert à la rémunération du personnel administratif et militaire, etc.

La capacité « responsive ». — Par cette capacité de réponse, le système « *répond* » aux impulsions de son milieu, spécialement aux demandes qui lui sont présentées par les individus et les groupes. Certains systèmes, pourvus d'une forte capacité réactive, savent s'adapter avec rapidité. D'autres, au contraire, sont plus rigides.

§ 2. — LES FONCTIONS DE CONVERSION

Décrivant, en second lieu, le fonctionnement interne du système politique, Almond et Powell — s'inspirant d'Easton (*supra*, p. 120) — énumèrent les « *fonctions de conversion* », par lesquelles le système transforme les inputs en outputs. Ces fonctions de conversion sont au nombre de six : les deux premières sont des fonctions d'input, les quatre dernières d'output. Soit :

— l'expression des intérêts *(interest articulation)*;
— l'agrégation des intérêts *(interest aggregation)*;
— l'élaboration des règles *(rule-making)*;
— l'application des règles *(rule-application)*;
— l' « adjudication » des règles *(rule-application)*;
— la communication politique *(political communication)*.

Les fonctions d'input. — D'abord, la fonction d'expression des intérêts, qu'Almond et Powell appellent la fonction d' « *articulation des intérêts* » (comme on parle encore, en procédure, de l'articulation des griefs). C'est la fonction par laquelle « les individus et les groupes formulent leurs demandes auprès des décideurs politiques ». C'est « la première étape fonctionnelle du processus de conversion ». Elle sert de transition « entre la société et le système politique ». Les modes et les styles d'articulation des intérêts (*infra*, p. 638) varient selon les types de structure et de culture politiques.

Ensuite, la fonction d'*agrégation des intérêts*. Les intérêts des individus et des groupes, qui viennent d'être ainsi « articulés », exprimés, sont évidemment multiples et divers. Il faut donc qu'ils se trouvent homogénéisés, hiérarchisés, simplifiés. Ces intérêts divers, ces demandes multiples ainsi formulées, doivent être combinés, harmonisés. Cette fonction, qui consiste à « convertir les demandes en termes de politique générale », est appelée « agrégation des intérêts ». On notera son analogie avec la « réduction des exigences », avec la « combinaison des demandes » chez Easton (*supra*, p. 123).

Dans la préface de *The Politics of the Developing Areas* (p. 39), Almond précisait à cet égard : « Dans notre définition, nous réservons le terme « *agrégation* » pour les niveaux les plus compréhensifs des processus combinatoires, réservant le terme « *articulation* » pour les formulations d'intérêts plus limitées. Ce n'est pas la même chose qu'identifier articulation des intérêts et groupes de pression et agrégation et partis politiques, bien que dans les systèmes modernes et développés ces fonctions reviennent distinctement à ces institutions. C'est le système de partis qui est la structure moderne de la fonction agrégative. »

Cette fonction d'agrégation, de sommation des intérêts, constitue la plaque tournante entre l'articulation des intérêts et l'élaboration des règles. Dans un système moderne, l'articulation des intérêts revient aux groupes d'intérêts « associatifs »; le système de partis assure l'agrégation des intérêts; et l'ensemble gouvernement-parlement procède aux choix normatifs ultimes *(final rule-making choices)*.

Les fonctions d'output. — C'est déjà aborder les fonctions d'output, qui englobent d'abord ce qu'Almond et Powell appellent les « fonctions gouvernementales » *(governmental functions)* : c'est-à-dire les fonctions d'*élaboration des règles* (rule-making), d'*application des règles* (rule-application) et d' « *adjudication* » *des règles* (application contentieuse, judiciaire : rule-adjudication).

On est très proche de l'analyse classique des fonctions législative, exécutive et judiciaire. On retrouve les trois fonctions traditionnelles de Montesquieu, celles du système de séparation des pouvoirs. Mais pour Almond et Powell, il faut se garder de tout apriorisme structurel. Ces trois fonctions ne sont pas nécessairement assumées par des organes distincts. Tout dépend, dans chaque système, du degré de « spécialisation des structures ».

Reste une quatrième fonction d'output : la *communication politique,* qui assure la transmission de l'information politique entre gouvernants et gouvernés, comme entre les divers éléments composant le système (*infra,* p. 157). A vrai dire, cette fonction, classée ici comme fonction d'output, est assurée dans les deux sens; elle réalise un échange réciproque entre gouvernants et gouvernés.

§ 3. — LES FONCTIONS DE MAINTIEN ET D'ADAPTATION DU SYSTÈME

Troisième et dernier niveau d'analyse : les fonctions qui contribuent au maintien et à l'adaptation du système, c'est-à-dire le *recrutement politique* et la *socialisation politique.*

Le recrutement politique. — Le recrutement politique, c'est le processus par lequel est formé, sélectionné le personnel qui assumera les principaux rôles politiques. C'est la fonction qui pourvoit ces rôles de titulaires.

Dans tout système politique un peu différencié, il faut assurer l'exercice de bon nombre de rôles politiques par des individus dont ce sera la fonction principale. D'où proviennent ces titulaires de rôles politiques ? Par quels mécanismes sont-ils choisis et formés ? Quelles sont les méthodes de recrutement du personnel politique ? Autant de questions que l'étude de cette fonction invite à se poser.

La socialisation politique. — Les travaux de Freud et de ses disciples, ceux de George H. Mead et de Jean Piaget ont souligné l'importance du processus de *socialisation.* La socialisation, c'est le processus par lequel les normes sociales sont assimilées, intériorisées. Tout au long de sa vie, l'individu apprend et intériorise les éléments socio-culturels de son milieu et les intègre à sa personnalité. Cette intériorisation des modèles culturels est essentielle.

La socialisation est donc un processus d'*acquisition* des connaissances, des croyances, des sentiments, bref des manières d'être, de penser et de sentir propres à la société où l'on est appelé à vivre, d'*intégration* de cette culture à sa personnalité psychique et, donc, d'*adaptation* à son environnement social. La personne socialisée « appartient » à son « milieu »; elle partage avec son groupe beaucoup d'opinions, de valeurs, de goûts; elle communie dans la même culture.

Au plan politique, on retrouve ce processus. Par la *socialisation politique,* la culture politique est inculquée et transmise aux individus, qui intériorisent valeurs, orientations et attitudes à l'égard du système politique.

Les attitudes politiques. — Une culture politique, c'est surtout un ensemble d'attitudes politiques. Une attitude est « une disposition ou encore une préparation à agir d'une façon plutôt que d'une autre. Elle est la probabilité de l'apparition d'un comportement donné dans un certain type de situation » (17). Les attitudes politiques sont donc des prédispositions, des propensions sous-jacentes à réagir d'une certaine manière face à certaines situations politiques. Par exemple, le racisme est une attitude : face à certaines situations, il provoquera certains comportements.

Selon Almond et Powell, les attitudes politiques possèdent trois types de composantes : cognitives (les connaissances), affectives (les sentiments), évaluatives (les valeurs). La culture politique, c'est donc tout à la fois ce que l'on sait, ce que l'on sent, ce que l'on croit.

Les composantes *cognitives :* ce sont les connaissances, ce que l'on sait — ou ce que l'on croit savoir — sur les institutions, sur les partis, sur les dirigeants politiques, etc., et qui vous prédispose à réagir de telle ou telle façon.

Les composantes *affectives* : au-delà du jugement rationnel, jouent des sentiments d'attirance ou de répulsion, de sympathie ou d'antipathie, d'admiration ou de mépris, etc. C'est sur de tels ressorts que se fonde la personnalisation du pouvoir (*infra,* p. 305), l'attachement qui lie le notable local à sa clientèle, etc.

Les composantes « *évaluatives* » (ou normatives) : les valeurs, les croyances, les idéaux et les idéologies, sous-tendent, eux aussi, les comportements politiques.

Selon que domine tel ou tel type de ces composantes, la culture politique sera plus ou moins « sécularisée ». Almond et Powell définissent en effet la *sécularisation culturelle* comme « le processus par lequel les individus deviennent de plus en plus rationnels, analytiques et empiriques dans leur action politique ». La raison prend le pas sur la passion et sur l'idéologie. Le jugement rationnel prévaut.

(17) A. Lancelot, *Les attitudes politiques,* 4e éd., 1974, p. 6-7.

Les trois types de culture politique. — Les deux auteurs distinguent trois grands types de culture politique : la culture « paroissiale », la culture de sujétion et la culture de participation.

La *culture « paroissiale » (parochial)* : les individus sont peu sensibles au système politique global, à l'ensemble national. Ils ignorent l'Etat-nation et se tournent surtout vers un sous-système politique plus limité (village, clan, tribu). Ce trait marque beaucoup de nouveaux Etats, qui rassemblent des collectivités hétérogènes. En ce cas, la culture politique nationale n'est souvent, au départ, qu'une juxtaposition de cultures politiques locales, de *sous-cultures.*

Des sous-cultures, ce sont, au sein de la société globale, des ensembles spécifiques, distincts, d'attitudes. Cette fragmentation de la culture politique en sous-cultures politiques (*political subcultures*) distinctes constitue une donnée fréquente dans les systèmes en développement (*infra*, p. 293). Mais il existe aussi de fortes cultures politiques locales, de puissantes sous-cultures, dans certains systèmes anciens et développés. Ainsi, le localisme américain prend souvent la forme de cultures paroissiales : dans le *Deep South,* par exemple, l'Etat fédéré revêt plus d'importance que l'Etat fédéral aux yeux des citoyens. Ainsi, en France, il persiste de fortes traditions politiques locales (chouannerie, radicalisme du sud-ouest, etc.), dont certaines même déterminent des revendications autonomistes (Bretagne, Corse, etc.).

Cependant, l'horizon dépasse généralement tel ou tel sous-système local et s'élargit au système politique tout entier, au cadre national. Mais, à ce niveau, il faut encore distinguer deux types de culture.

La *culture de sujétion (subject culture)* : on connaît l'existence du système politique, on en a conscience, mais on reste passif à son égard. On le ressent comme extérieur et supérieur. On espère ses bienfaits (services, prestations, etc.), on redoute ses exactions ou ses diktats, sans penser pouvoir participer à son action.

En revanche, dans la *culture de participation (participant culture),* les « sujets » deviennent de véritables « participants », de véritables citoyens. Ils entendent agir sur le système politique, orienter ou infléchir son action par des moyens divers : élections, manifestations, pétitions, etc.

La congruence. — Ici intervient la notion de *congruence* entre la culture politique et la structure politique. Chaque type de culture est en correspondance, en harmonie avec un type de structure. Telle culture *convient* mieux à telle structure. Sans cette congruence, le système politique fonctionne mal et se trouve vulnérable.

Une culture politique *paroissiale* correspond à une structure traditionnelle décentralisée. Une *culture de sujétion* convient à une structure autoritaire et centralisée. Enfin, une *culture de participation* s'accorde à une structure démocratique.

Cependant, cette congruence n'est jamais parfaite, car aucune culture politique n'est homogène. En réalité, une culture politique ne supprime pas la précédente; elle vient se surajouter à elle, en prévalant. Toute culture politique est donc *mixte*. Elle comprend — en proportions, certes, inégales — des éléments paroissiaux, de sujétion et de participation.

La culture civique. — Mais, loin d'être un inconvénient, cette mixité culturelle est un facteur positif, qui consolide la démocratie. C'est l'analyse de Gabriel A. Almond et de Sidney Verba, dans leur livre *The Civic Culture, Political Attitudes and Democracy in Five Nations* (Princeton, 1963). Cet ouvrage procède d'une vaste étude comparative conduite, de 1958 à 1963, dans cinq pays (Etats-Unis, Grande-Bretagne, Allemagne, Italie, Mexique) avec de puissants moyens d'investigation scientifiques (enquête par sondage sur un échantillon d'un millier d'enquêtés dans chacun des pays étudiés). But de l'enquête : déterminer ce qu'est la « *culture civique* », qui contribue au maintien et à l'adaptation des structures politiques démocratiques.

Résultat : la culture civique idéale — celle qui concourt au bon fonctionnement de la démocratie — est une culture *mixte,* équilibrant de façon harmonieuse des éléments paroissiaux, de sujétion et de participation.

Cinq exemples. — Ainsi, au terme d'un développement historique harmonieux, la *Grande-Bretagne* a pleinement intégré les trois types d'éléments. La participation, fondée sur des traditions paroissiales, est nuancée par la déférence envers la Couronne et l'Establishment, marque mineure de sujétion.

Aux *Etats-Unis,* le citoyen est politiquement actif. La culture de participation domine et prévaut au détriment de la sujétion nécessaire (défiance envers l'administration, etc.). Ces traits s'expliquent, sans doute, par l'histoire, par la révolte originaire des colons contre la métropole britannique et son administration.

L'Allemagne, en revanche, présente de forts éléments de sujétion, qui tiennent aussi à son histoire. La tradition prussienne de soumission, puis l'expérience nationale-socialiste inclinent à la passivité, au détachement vis-à-vis du système politique.

De même, *l'Italie* possède une culture politique d'aliénation. Des siècles de division et de principat avant l'unité italienne ont entravé l'épanouissement des sentiments d'allégeance et de participation. Le fascisme puis son effondrement ont exercé la même influence. Aujourd'hui, le parti dominant, la démocratie chrétienne, entretient une culture paroissiale et de sujétion, peu propice au fonctionnement d'un système démocratique.

Au *Mexique*, enfin, la culture civique mêle des éléments paroissiaux et des éléments de participation. Mais la sujétion à l'égard des autorités nationales est insuffisante. L'ambiguïté de la révolution de 1910 persiste.

Une culture équilibrée. — Ainsi donc, pour Almond et Verba, la culture civique idéale ne s'identifie pas à l'activisme civique, à la participation constante des citoyens à la vie politique. Les éléments paroissiaux et de sujétion importent aussi, qui limitent le degré d'engagement politique et donc l'intensité des clivages. Il convient de trouver un équilibre entre le pouvoir des gouvernants et le contrôle des gouvernés, entre les impératifs de l'action et les exigences de la démocratie.

Le citoyen modèle doit être engagé, mais sans excès, influent, mais aussi déférent envers les autorités, actif, mais aussi passif. En fait, il possède une réserve d'influence : il est potentiellement actif, mais il n'agit pas constamment. A l'ordinaire, il demeure passif et n'intervient qu'occasionnellement dans le processus politique. Mais en temps de crise ou quand un choix fondamental est à exercer, il redevient un participant influent.

C'est, au fond, la réalité des systèmes occidentaux. Aux grands carrefours de l'existence nationale, tous les quatre ou cinq ans, les citoyens choisissent eux-mêmes les grandes orientations, par le canal des élections. Puis ils s'en remettent à leurs élus pour la gestion courante, pour appliquer ces orientations et avancer dans la voie ainsi choisie.

Culture nationale et classes sociales. — Même si elle rejoint parfois les clichés et les stéréotypes nationaux traditionnels, l'analyse est intéressante. Pourtant, on peut lui reprocher de construire une culture politique nationale « coupée du système de relations sociales » (18), en négligeant les *sous-cultures de classes.*

Même si celles-ci sont partiellement intégrées par la culture nationale, il n'en reste pas moins que l'ouvrier français, par exemple, a des valeurs, des croyances, des modèles de comportement qui ne sont pas toujours ceux du paysan français ou du bourgeois français. Car la division de la société en classes sociales exerce sur la culture une influence qu'Almond et Verba paraissent négliger.

La socialisation politique des enfants. — La socialisation politique est donc un processus d'induction à la culture politique, et spécialement à la culture politique dominante. Ce processus continue durant toute la vie de l'individu et s'exerce par l'intermédiaire d'agents divers. Ces *agents de la sociologie politique* sont, par exemple : la famille, l'école, les groupes de référence, les organisations politiques (partis, etc.), les organes d'informations (presse, radio, télévision), etc.

L'enfance est, bien sûr, la période la plus intense de socialisation. D'où plusieurs études, dont celle de David Easton et Jack Dennis, qui propose un *modèle de socialisation politique des enfants* (19).

L'apprentissage du système politique se fait par la médiation de figures clefs, visibles et aisément indentifiables. Dans le système américain, ce rôle incombe au président. Premier élément appréhendé, il est le premier maillon à partir duquel l'enfant va progressivement édifier tout son système, en y incorporant de plus en plus d'éléments et en apprenant à discerner les fonctions de chacun.

Dans ce processus de socialisation, Easton et Dennis distinguent quatre temps : 1° *politisation,* c'est-à-dire sensibilisation diffuse à la

(18) J.-P. Cot, *Sociologie politique,* polycopié des *Cours de droit,* 1973, p. 307.

(19) D. Easton, J. Dennis, *Children in the Political System,* New York, 1969; et aussi F. Greenstein, *Children and Politics,* New Haven, 2e éd., 1969; R. Hess, J. Torney, *The Development of Political Attitudes in Children,* Chicago, 1967; C. Roig, F. Billon-Grand, *La socialisation politique des enfants,* 1968; A. Percheron, « La conception de l'autorité chez les enfants », *RFSP,* 1971, p. 103-128, et *L'Univers politique des enfants,* 1974; ainsi que P. Bourdieu, J.-C. Passeron, *Les Héritiers,* 1964, et *La Reproduction,* 1970; C. Baudelot, R. Establet, *L'école capitaliste en France,* 1971. — Sur la socialisation politique en général : H. H. Hyman, *Political Socialization : a Study in the Psychology,* Glencoë, 1959; E. S. Greenberg, ed., *Political Socialization,* New York, 1970; et le colloque organisé le 26 juin 1971 par l'Association française de science politique.

politique; 2° *personnalisation* : quelques figures d'autorité servent de point de contact entre l'enfant et le système; 3° *idéalisation* de l'autorité politique : l'enfant perçoit celle-ci comme idéalement bienveillante (ou malveillante), apprend à l'aimer (ou à la haïr); 4° *institutionnalisation* : l'enfant passe d'une vision personnalisée à une conception institutionnelle, impersonnelle, du système politique.

Le cas de la France. — Des chercheurs français ont contesté le caractère universel de ce modèle et son adéquation à la culture politique française. C'est le cas de Charles Roig et d'Annick Percheron (20).

Cette dernière se fonde sur une enquête menée en janvier-février 1969, dans la banlieue parisienne, auprès d'enfants des classes de sixième, cinquième et quatrième, pour soutenir que la personnalisation et l'idéalisation sont inhérentes au processus de socialisation des enfants américains. Pour les enfants français, la *personnalisation* ne joue pas le même rôle moteur : pour eux, le président de la République — c'était pourtant, le général de Gaulle — demeure un personnage abstrait et lointain. De plus, l'*idéalisation* reste faible : on ne peut discerner une nette attirance ou une nette répulsion.

Au total, l'autorité politique serait perçue par l'enfant français comme « une autorité forte mais lointaine et abstraite, à l'égard de laquelle il marque une certaine distanciation et un certain détachement affectif » (21).

Cette conception particulière procède peut-être d'une culture nationale spécifique. Comme l'a montré Michel Crozier (*infra,* p. 171), il existe un « *modèle bureaucratique français* », à base de centralisation et de stratification. Caractérisé par ses faibles capacités de participation et de communication, ce système administratif a influencé, à la longue, les attitudes collectives et presque formé un « modèle français » de société. Ce modèle repose sur deux traits essentiels : le goût pour les autorités lointaines et diffuses, et la recherche de règles impersonnelles assurant l'indépendance de tous en protégeant chacun de l'arbitraire de ces mêmes autorités.

(20) C. Roig, F. Billon-Grand, *La socialisation politique des enfants*, 1968; A. Percheron, « La conception de l'autorité chez les enfants », *RFSP*, 1971, p. 103-128, et *L'Univers politique des enfants,* 1974. Voir aussi A. Percheron, F. Subileau, « Mode de transmission des valeurs politiques et sociales. Enquête sur les préadolescents français de 10 à 16 ans », *RFSP*, 1974, p. 33-51 et p. 189-213.

(21) A. Percheron, *RFSP*, 1971, p. 117.

En tout cas, quel que soit leur fondement, ces particularités, notées chez les enfants français, rendent difficile, sinon impossible, la construction d'un modèle universel de socialisation.

§ 4. — BILAN : L'APPORT DE L'ANALYSE FONCTIONNELLE

Finalement, quel est l'apport de l'analyse fonctionnelle à la science politique, spécialement sous la forme que lui ont donnée Almond et ses collaborateurs ? On peut discerner deux avantages et deux inconvénients principaux.

L'essor de la politique comparée. — Le premier avantage — évident —, c'est de *faciliter l'analyse comparative* des systèmes politiques. L'analyse et la comparaison traditionnelles des régimes politiques étaient de type formaliste : on comparait essentiellement des institutions, des règles juridiques. Déjà insuffisante quand il s'agissait de comparer entre eux des systèmes occidentaux, cette approche institutionnelle apparaît très artificielle et superficielle quand il s'agit de confronter ceux-ci aux nouveaux Etats, aux systèmes en développement du Tiers Monde.

Là, plus encore qu'ailleurs, le droit constitutionnel est loin d'épuiser la réalité politique ou de l'exprimer fidèlement. Par-delà les analogies ou les dissemblances superficielles, mieux vaut observer la vie politique réelle, le fonctionnement concret du système politique. En sortant du cadre très étroit, très formaliste de l'analyse institutionnelle. En recourant à des catégories fonctionnelles. En privilégiant l'observation des *fonctions* et non plus celle des structures.

Car l'analyse fonctionnelle fournit tout un jeu de catégories et de concepts, qu'on peut utiliser avec profit pour l'observation et la comparaison de systèmes politiques disparates, dissemblables par leurs structures.

D'où, dans les vingt dernières années, le très remarquable essor des études de « *politique comparée* » *(comparative politics)*. D'où, tout spécialement, le succès de l'approche « *développementaliste* » (*infra*, p. 229), pour analyser le développement politique des nouveaux systèmes, apparus avec la décolonisation et l'explosion nationale qui ont suivi la seconde guerre mondiale.

Mais l'analyse fonctionnelle sert aussi à l'observation des systèmes développés, occidentaux ou non occidentaux. Comme le montre la collection dirigée par Almond, Coleman et Pye (*The Little, Brown Series in Comparative Politics*, Boston), qui comporte aussi des titres consacrés à l'Angleterre, à l'Allemagne, à la France, à l'U.R.S.S., etc.

Le système politique et la totalité sociale. — Autre mérite : en appliquant une démarche *sociologique* — la démarche fonctionnaliste — à l'analyse politique, Almond contribue à raccorder la sociologie politique et la sociologie générale. En utilisant cette démarche et ces concepts, il éclaire le problème des relations entre le système politique et la société globale.

Mieux encore que chez Easton, le système politique apparaît comme la partie d'un tout, comme une *pièce d'une totalité sociale.* Et, comme chez celui-ci, le système politique importe plus par ce qu'il *fait* (fonctions) que par ce qu'il *est* (structures). Autant d'orientations, qui contribuent utilement à « banaliser », à démystifier le système politique.

Cependant, deux griefs peuvent être adressés à Almond et aux fonctionnalistes.

Le conservatisme. — Comme en anthropologie ou en sociologie (*supra*, p. 136), l'analyse fonctionnelle verse parfois dans le conservatisme. En oubliant trop souvent les mises en garde et les correctifs de Merton (dysfonctions, fonctions latentes, etc.).

On notera, spécialement, l'importance accordée aux fonctions de maintien et d'adaptation du système, aux conditions de sa stabilité, de sa cohésion et de sa survie. Les affrontements sociaux, les antagonismes de classes sont négligés ou occultés. Ce qui prévaut, c'est l'idéologie intégrationniste, c'est la foi dans le consensus.

L'ethnocentrisme. — Dans la même voie, Almond pose en postulat *l'universalité des fonctions politiques.* « Les mêmes fonctions sont remplies dans tous les systèmes politiques » (22). Même si elles le sont par des types de structures différents et avec une fréquence et une efficacité variables (cf. *supra*, p. 31).

La démarche devient nettement ethnocentriste, quand il s'agit de discerner ces fonctions, assurées dans tous les systèmes politiques. En effet, Almond écrit, avec franchise : « Nous avons déduit ces

(22) G. A. Almond, préf. de G. A. Almond, J. S. Coleman, éd., *The Politics of the Developing Areas*, Princeton, 1960.

fonctions des systèmes politiques où la spécialisation des structures et la différenciation des fonctions sont devenues très importantes » (23).

En d'autres termes, il *dérive ses catégories fonctionnelles de l'observation des systèmes politiques occidentaux.* Pour examiner ensuite comment ces fonctions — postulées indispensables partout et toujours — se trouvent assurées dans d'autres systèmes politiques. Avec cet « *occidentalocentrisme* », on verse aisément dans la célébration nationale, dans l'idéalisation de son propre système, proposé aux autres comme modèle universel.

L'ethnocentrisme se retrouve aussi dans l'approche *développementaliste.* Cette volonté de dégager des étapes uniformes du développement politique — ce qui rappelle l'évolutionnisme de Spencer — revient à nier la diversité des sociétés humaines, la variété de leurs cultures et de leurs évolutions. Cette vision monolinéaire de l'évolution de l'humanité est contestable (*infra,* p. 225).

Tous les systèmes politiques doivent-ils nécessairement évoluer vers le système occidental — et spécialement vers le système anglo-saxon —, pour accéder à la « modernité » ? Peut-on mesurer leur degré de développement, en comptant les étapes parcourues ou à parcourir dans cette progression vers un modèle unique, idéalisé et considéré comme d'application universelle ?

Bilan. — Cependant, malgré ces imperfections, l'analyse fonctionnelle a eu — et continue d'avoir — une réelle valeur *heuristique.* Elle stimule la recherche politique, en l'entraînant dans des voies originales. Elle renouvelle la problématique, les interrogations, les centres d'intérêt. Ce qui est capital.

Par ailleurs, son conservatisme latent peut être surmonté. A condition de s'interroger — aussi — sur les dysfonctions, les tensions et les conflits. D'ailleurs, l'analyse fonctionnelle peut être aisément « retournée », car elle est *réversible* (*supra,* p. 32). Analyser les conditions de stabilité et de survie, n'est-ce pas, du même coup, symétriquement, analyser les conditions de changement et de mutation ? Tout dépend donc de l'orientation donnée à la recherche.

(23) *Ibid.*

BIBLIOGRAPHIE

— *Sur le fonctionnalisme dans les sciences sociales :*

H. SPENCER, *The Principles of Sociology,* 3e éd., 1925, tr. 1878; E. DURKHEIM, *De la division du travail social,* 1893, 7e éd., 1960; B. MALINOWSKI, *Une théorie scientifique de la culture,* 1944, tr. 1968; *Les Argonautes du Pacifique occidental,* 1922, tr. 1963; *Les Jardins de corail,* 1935, tr. 1974, ainsi que l'article « Anthropology » dans l'*Encyclopaedia Britannica*; A. R. RADCLIFFE-BROWN, *Structure et fonction dans la société primitive,* 1923-1949, tr. 1969; R. K. MERTON, *Eléments de théorie et de méthode sociologique,* tr. 2e éd., 1965 (essentiel); D. F. ABERLE, A. K. COHEN, A. K. DAVIS, M. J. LÉVY, F. X. SUTTON, « The Functional Prerequisites of a Society », dans *Ethics,* IX (janvier 1950), p. 100-111; M. LEVY, *The Structure of Society,* Princeton, 1951. — Sur T. PARSONS, voir la bibliographie, *supra,* p. 127.

Voir aussi : R. BOUDON, « Remarques sur la notion de fonction », *Revue française de sociologie,* VIII, 1967, p. 198-206, et *Essai sur la signification de la notion de structure dans les sciences humaines,* 1968; H. MENDRAS, *Eléments de sociologie,* 1967, p. 117-135; G. ROCHER, *Introduction à la sociologie générale,* 1968, t. 2, p. 160-201; K. DAVIS, « Le mythe de l'analyse fonctionnelle en tant que méthode sociologique et anthropologique particulière » dans l'*American Sociological Review,* 1959, tr. dans H. MENDRAS, *Eléments de sociologie : Textes,* p. 93-128.

Sur le *structuralisme :* R. BOUDON, *op. cit.;* J. VIET, *Les méthodes structuralistes dans les sciences sociales,* 1965, et, bien sûr, C. LEVI-STRAUSS, *Anthropologie structurale,* 1958; *Les structures élémentaires de la parenté,* 1949, et *Le cru et le cuit,* 1964.

— *Sur le fonctionnalisme en science politique :*

• Parmi les travaux de G. A. Almond : G. A. ALMOND, J. S. COLEMAN, ed., *The Politics of the Developing Areas,* Princeton, 1960 (dans cet ouvrage collectif, lire surtout la préface de G. A. ALMOND, intitulée « A Functional Approach to Comparative Politics »); G. A. ALMOND, S. VERBA, *The Civic Culture,* Princeton, 1963; G. A. ALMOND, G. B. POWELL, *Comparative Politics. A Developmental Approach,* Boston, 1966 (capital); G. A. ALMOND, *Political Development. Essays in Heuristic Theory,* Boston, 1970 (qui offre un précieux recueil des principaux écrits publiés par l'auteur de 1956 à 1968 et qui montre la « sophistication » croissante des concepts et des techniques de recherche).

• Dans la collection dirigée par Almond, Coleman et Pie (*The Little, Brown Series in Comparative Politics,* Little Brown and Co., Boston), on peut lire : R. ROSE, *Politics in England,* London, 2e éd., 1974; H. W. EHRMANN, *Politics in France,* Boston, 2e éd., 1971; F. BARGHOORN, *Polititics in the U.S.S.R.,* Boston, 1966; L. G. EDINGER, *Politics in Germany,* Boston, 1968; F. LANGDON, *Politics in Japan,* Boston, 1967; ainsi que des titres sur Israël, les Philippines, l'Inde, l'Afrique du Nord, la République Sud-Africaine, etc.

• Sur le développement politique et l'approche développementaliste : la bibliographie donnée *infra,* p. 246.

• Sur la socialisation politique : sur la socialisation en général : G. H. MEAD, *L'esprit, le soi et la société,* tr. 1963; J. PIAGET, *Le jugement moral chez l'enfant,* 1932 et *Le langage et la pensée chez l'enfant,* Neuchatel, 4e éd., 1956; M. HALBWACHS, *Esquisse d'une psychologie des classes sociales,* 1955; S. N. EISENSTADT, *From Generation to Generation,* Glencoe, 1956; T. PARSONS, *Family, Socialization and Interaction Process,* Glencoe, 1955. — Sur la socialisation politique : H. H. HYMAN, *Political Socialization : a Study in the Psychology,* Glencoe, 1959; E. S. GREENBERG, ed., *Political Socialisation,* New York, 1970; J. DENNIS, ed., *Socialization to Politics :* A. Reader, New York, 1973; le chapitre intitulé « Political Socialization » dans M. RUSH, P. ALTHOFF, *An Introduction to Political Sociology,* London, 1971 (p. 16-74); et les travaux du colloque organisé le 26 juin 1971 par l'Association française de science politique.

Sur la socialisation politique des enfants : D. EASTON, J. DENNIS, *Children in the Political System,* New York, 1969; F. GREENSTEIN, *Children and Politics,* New York, 2e éd., 1969; R. HESS, J. TORNEY, *The Development of Political Attitudes in Children,* Chicago, 1967; C. ROIG, F. BILLON-GRAND, *La socialisation politique des enfants,* 1968; A. PERCHERON, « La conception de l'autorité chez les enfants », *RFSP,* 1971, p. 103-128; et *L'Univers politique des enfants,* 1974; P. BOURDIEU, J.-C. PASSERON, *Les héritiers,* 1964 et *La reproduction,* 1970; C. BAUDELOT, R. ESTABLET, *L'école capitaliste en France,* 1971.

• D'un autre maître de l'analyse fonctionnelle en science politique, David E. Apter on peut lire : D. E. APTER, *The Politics of Modernization,* 5e éd., Chicago, 1969 (proche de Marion Levy Jr. et de la « théorie de l'action » de Parsons); *Some Conceptual Approaches to the Study of Modernization,* Englewood Cliffs, 1968; *The Gold Coast in Transition,* Princeton, 1956; *The Political Kingdom in Uganda : A Study in Bureaucratic Nationalism,* Princeton, 1961, et *Ghana in Transition,* New York, 1963.

Enfin, sur l'analyse fonctionnelle en politique : R. E. JONES, *The Functional Analysis of Politics,* London, 1967.

CHAPITRE IV

LA COMMUNICATION POLITIQUE

L'approche par la cybernétique. — Comme Parsons (*supra*, p. 107), Easton s'inspire notamment de la cybernétique. Son modèle est construit par analogie avec le système cybernétique. Il décrit les relations entre le système politique et son environnement, sous la forme d'un circuit cybernétique fermé (*supra*, p. 119).

En effet, l'analyse des systèmes sociaux utilise de plus en plus des modèles mécanistes. Et la science politique voit se développer une « approche de la communication », une *approche par la cybernétique*, dont Karl Deutsch fournit le meilleur exemple.

Ce sont ces approches inspirées de la théorie de la communication et de la cybernétique qu'il faut évoquer, même brièvement.

SECTION I

LA CYBERNÉTIQUE

Définition. — Etymologiquement, la cybernétique (du grec *kubernêtikê*) peut se définir comme la « science du gouvernement ». Comme le latin « *gubernare* », le grec « *kubernân* » évoque, d'abord, l'art de gouverner, de piloter un navire. A la manière dont on parle encore de « gouvernes » ou de « gouvernail ».

Aujourd'hui, la cybernétique peut se définir comme « la science constituée par l'ensemble des théories relatives aux communications et à la régulation dans l'être vivant et la machine » (Robert). C'est l'étude des processus de pilotage et de contrôle dans les différents types de systèmes.

Hommes, sociétés et machines. — En effet, la cybernétique pose le problème de l'homologie entre les comportements humains et sociaux et les comportements des machines. Elle naît de l'étude comparée des machines électroniques automatiques, surtout des ordinatrices, et du système nerveux humain (1).

Elle refuse la dichotomie traditionnelle entre systèmes mécaniques et systèmes organiques. Elle s'attache à considérer un ensemble de systèmes autoguidés, qui réagissent à leur environnement aussi bien qu'aux résultats de leur propre comportement.

L'efficacité de l'action. — Les propriétés communes aux divers mécanismes font apparaître une certaine théorie de l'action, et surtout des techniques d'organisation et de contrôle de cette action.

Louis Couffignal définit la cybernétique comme « *l'art de rendre efficace l'action* » (2); cette action étant celle de l'homme ou de la machine qui le remplace.

Pour obtenir cette plus grande efficacité de l'action, la cybernétique considère surtout deux éléments : la communication, c'est-à-dire la transmission de l'information, et les différents mécanismes de commande, de guidage ou de contrôle de l'action. L. Couffignal définit ainsi le contrôle de l'efficacité de l'action : « Un contrôle consiste à comparer les résultats obtenus aux prévisions. Il a pour effet, en cas d'écart, de déclencher des opérations correctives » (3).

SECTION II

LE MODÈLE DE DEUTSCH

Karl Deutsch, professeur à Harvard, a présenté le système d'analyse cybernétique le plus ambitieux dans son livre *The Nerves of Government, Models of Political Communication and Control* (New York, 1963, 2e éd. 1966) (4). Deutsch propose d'assimiler le système

(1) Cf. N. Wiener, *The Human Use of Human Beings,* Garden City, 1954, et *Cybernetics,* 2e éd., Cambridge, Mass., 1961.

(2) L. Couffignal, *La Cybernétique,* Paris, 1966, p. 23.

(3) *Ibid.,* p. 118.

(4) On trouvera dans J. C. Charlesworth, ed., *Contemporary Political Analysis,* New Kork, 1967, une sélection de cet ouvrage présentée par K. Deutsch lui-même, sous le titre « Communication Models and Decision Systems », p. 273-299. Ce même texte, plus abrégé, se trouve traduit en français dans P. Birnbaum, F. Chazel, *Sociologie politique,* t. I, p. 104-115, 1971.

politique à un système cybernétique. La politique et le gouvernement lui apparaissent essentiellement comme des processus de pilotage et de coordination des efforts humains pour la poursuite de buts déterminés.

Le gouvernement comme système de pilotage. — Rappelant que le mot « gouvernement » vient d'une racine grecque se référant à l'art de piloter un navire, Deutsch écrit :

« Il existe une certaine similarité sous-jacente entre la façon de « gouverner » un navire ou une machine (soit de main d'homme, soit par pilotage automatique) et l'art de gouverner les organisations humaines. Piloter un navire revient à guider son comportement futur, à partir d'informations concernant, d'une part, sa marche dans le passé, et, d'autre part, la position qu'il occupe dans le présent par rapport à un certain nombre d'éléments qui lui sont extérieurs, notamment route, but ou cible.

Le concept sous-jacent à toutes les opérations de ce genre peut être désigné sous le nom de « *rétroaction* » *(feedback)*. Les applications de ce principe de rétroaction aux machines modernes nous entourent de toutes parts. Les thermostats dans nos maisons, les ascenseurs automatiques des immeubles commerciaux, les appareils de visée automatique des batteries aériennes et les missiles téléguidés aujourd'hui, tous représentent des applications de ce principe » (5).

Le processus de rétroaction. — La rétroaction négative *(negative feedback)*, c'est le processus par lequel des informations sur les conséquences de ses décisions et actions reviennent au système, de façon à modifier son comportement et à le rapprocher des buts poursuivis. C'est ce qui se produit, par exemple, quand un thermostat réagit à l'élévation de la température en fermant un fourneau, puis à une baisse de la température en le rallumant. Ainsi, un système thermique peut tenir compte de sa propre température pour se refroidir ou, au contraire, se réchauffer.

Le principe de rétroaction est capital. Un système cybernétique tient compte d'informations sur son propre état. Il réagit à ses propres transformations, aux informations qui lui reviennent à ce sujet. Il prend ses décisions au vu d'informations sur son environnement et aussi sur son propre état.

(5) K. Deutsch, dans J. C. Charlesworth, *op. cit.*, p. 279-280.

Pour les systèmes mécaniques, le processus est le suivant. Le système est en état de *tension*. Il cherche à atteindre un *but* (goal). Pour qu'il se rapproche effectivement de ce but, il faut réaliser les conditions de *rétroaction*. Le système doit recevoir des informations sur la position du but visé et sur la distance qui l'en sépare; et il doit recevoir des informations sur les changements intervenus dans cette distance du fait de sa propre action. Le système doit être capable de répondre à ces informations en effectuant d'autres changements de sa position ou de son comportement propres. Finalement, si ces changements sont efficaces et si le système atteint son but, une partie de son énergie ou de sa tension interne sera habituellement réduite.

Des machines et des hommes. — L'étude du fonctionnement du *système nerveux de l'homme* a permis de découvrir des modèles de comportement similaires. Les processus de rétroaction paraissent correspondre au mécanisme particulier de l'*homéostasie* par lequel certaines fonctions ou certains états essentiels d'un organisme, comme la température du corps ou le rythme de la respiration, sont maintenus à un niveau constant.

Pour Deutsch, le *système politique* peut être analysé de la même manière :

« La ressemblance de ces processus de pilotage, de recherche du but et de contrôle autonome avec certains processus en *politique* semble frappante. Les gouvernements peuvent chercher à atteindre des buts de politique intérieure ou extérieure. Il leur faut guider leur conduite en fonction d'un flux d'informations sur leur propre position par rapport à ces buts; en fonction de la distance qui les en sépare encore; en fonction des résultats réels (à distinguer des résultats envisagés) de leurs plus récentes démarches ou tentatives pour s'en approcher » (6).

Le système de décision politique est ainsi identique à un servomécanisme analogue à celui qui mène un projectile autoguidé vers une cible.

Deutsch *assimile le système politique à un système cybernétique* de contrôle par l'erreur. Le gouvernement consiste essentiellement en un exercice de pilotage, en fonction d'informations sur la position de la cible, sur la distance restant à franchir et sur les résultats des actions précédentes. Deutsch propose une analyse en termes de rétroaction, de contrôle de l'action sur la base des erreurs passées.

(6) *Ibid.*, p. 280-281.

Le système politique n'est pas isolé de son *environnement*. Au contraire, il dépend pour son fonctionnement tant d'un flux permanent d'informations en provenance de cet environnement que d'un flux permanent d'informations relatives à sa propre marche.

Les quatre facteurs. — Le système n'est pas en « équilibre », selon l'image classique. Il participe à des processus dynamiques. Il est, en fait, à la recherche permanente d'un but dont la réalisation dépend des rapports mutuels entre quatre facteurs quantitatifs. Ces quatre facteurs sont les suivants.

1° Le *poids (load)* de l'information reçue par le système. Ce poids correspond à l'importance et à la vitesse des changements de position de la cible par rapport au « système chercheur ». Dans le cas d'un avion en mouvement, ce poids peut être considérable. En politique, ce poids correspond à l'ampleur et à la fréquence des changements auxquels le gouvernement doit faire face.

2° Le *retard (lag)* dans la réponse du système, autrement dit le délai qui s'écoule entre la réception de l'information concernant la position de la cible et l'exécution du mouvement approprié par le système chercheur. Deutsch donne cet exemple : « C'est la fraction de temps qui s'écoule entre la réception de l'information sur la position d'un avion ennemi et le moment où les canons anti-aériens seront réellement pointés sur l'endroit choisi pour l'interception » (7).

En politique, ce peut être le retard que met un gouvernement ou un parti à répondre à une nouvelle urgence ou à un défi. Combien de temps faut-il aux responsables politiques pour être informés d'une nouvelle situation, pour parvenir à une décision, pour la transmettre et la voir exécuter, etc. ?

3° Troisième facteur : le *gain (gain)*, c'est-à-dire la somme des modifications réelles du comportement qui résultent de ces opérations correctives. Si le taux de gain est trop élevé, le risque de cette correction excessive est de s'écarter de l'axe de direction désiré. Autrement dit, la réaction, trop violente ou trop vive, dépassera le but recherché.

En politique, le gain de la réponse, c'est la vitesse et l'importance de la réaction d'un système politique aux nouvelles données dont il a pris connaissance. Exemple de gain élevé : la vaste et rapide riposte des Etats-Unis à l'attaque de Pearl Harbor.

(7) *Ibid.*, p. 283-285.

4° Le *décalage (lead),* c'est la distance entre la position correctement prédite de la cible mobile et la position réelle d'où les derniers signaux ont été reçus. Ainsi, pour tenir compte de ce décalage, le chasseur anticipe, tire en avant de l'oiseau en vol ou du pigeon d'argile; il vise, non la cible elle-même, mais un point prévu sur sa trajectoire.

En politique, quelle est l'aptitude d'un gouvernement à prédire et à anticiper utilement les nouveaux problèmes qui vont surgir ? Quelle est son efficacité prévisionnelle ? Quelle est son aptitude à anticiper sur les situations futures ? Comment tente-t-il d'augmenter son « *avance* », d'améliorer son taux de « décalage » ? Possède-t-il des services d'information, de prévision et de planification spécialisés et efficaces ? Quel est l'effet des débats publics et libres, où peuvent s'exprimer les opinions non orthodoxes ?

Quel est le jeu combiné de ces facteurs, leur équilibre réciproque ? Dans l'atteinte du but, les chances de succès sont toujours en raison inverse du *poids* et du *retard.* Jusqu'à un certain point, elles peuvent être liées à l'importance du *gain*; cependant, quand le taux du gain est trop élevé, ce rapport peut se trouver inversé. Et les chances de succès sont toujours en relation positive avec l'importance du *décalage,* de l' « avance ».

L'efficacité des systèmes politiques. — Comme le note Deutsch, des considérations de cet ordre peuvent être de quelque secours dans le débat éternel et apparemment vain portant sur la « supériorité » de tel ou tel système politique. Souvent, un tel débat s'enlise dans les problèmes de valeurs, de morale ou d'idéologie et tourne à l' « exercice ethnocentrique ».

Au contraire, avec le modèle de Deutsch, on pourrait évaluer l'efficacité opérationnelle des divers systèmes politiques. Sans apriorisme et sans jugements de valeur. « Si nous admettons que tous les gouvernements s'efforcent de contrôler leur propre comportement, de maintenir aussi longtemps que possible les conditions nécessaires à l'existence de leur système politique, et de se rapprocher plutôt que de s'éloigner des objectifs qu'ils ont choisis, alors il devient possible d'évaluer les différentes formes d'institutions politiques *selon leur capacité à fonctionner comme un dispositif de pilotage plus ou moins efficace* » (8).

Bref, il s'agirait d'apprécier le délai de réponse d'un gouverne-

(8) *Ibid.*, p. 286.

ment à des situations ou à des difficultés nouvelles, l'importance de ses ripostes et enfin sa capacité d'anticipation.

Le schéma de Deutsch. — Deutsch conçoit donc le gouvernement comme un système de prise des décisions fondé sur des flux d'informations variés. Son modèle est complexe et très détaillé (9). Mais on peut présenter ce schéma *simplifié,* qui illustre ses éléments principaux (10).

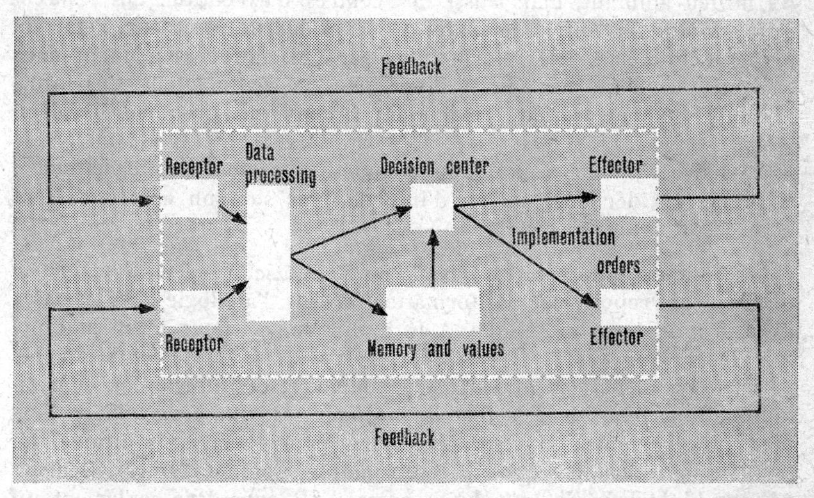

Les messages, provenant de l'environnement interne ou externe, sont reçus par des « récepteurs » *(receptors),* par des centres récepteurs nombreux et divers. Au-delà de cette simple interception, la notion de réception englobe plusieurs fonctions, dont le codage, la sélection de l'information et la mise en données *(data processing).*

A l'intérieur de l'appareil de décision, l'information est traitée par des structures représentant la « mémoire » et les « valeurs »; elle est utilisée pour l'action par des « centres de décision » *(decision centers).*

La « mémoire » *(memory)* représente de l'information stockée,

(9) On trouvera ce modèle détaillé reproduit dans J.-M. COTTERET, *Gouvernants et gouvernés, La communication politique,* Paris, 1973, p. 102.

(10) D'après O. YOUNG, *Systems of Political Science,* Englewood Cliffs, 1968, p. 51.

emmagasinée. Elle confronte l'information nouvelle aux expériences du passé pertinentes. Quant aux « valeurs » *(values)*, elles assurent la tâche normative de confronter les possibilités aux préférences. Enfin, des structures qui « fabriquent » les décisions, partent des ordres vers ceux qui doivent les exécuter, vers les « effecteurs » *(effectors)*.

Le schéma comporte, bien sûr, le processus de rétroaction *(feed-back)*. Les centres récepteurs reçoivent des messages non seulement du milieu ambiant, mais aussi des centres d'exécution, qui les renseignent sur les effets produits par les décisions et sur l'état du système lui-même. Les informations sur l'exécution reviennent dans le système comme un nouvel input, elles le réalimentent. Ces informations, dûment traitées, reviennent à ceux qui prennent les décisions.

Ainsi, le système fonctionne comme un système *cybernétique* : il prend ses décisions au vu d'informations sur son environnement et aussi sur son propre état.

Les critiques adressées au modèle de K. Deutsch. — Toute la théorie de Deutsch repose sur l'information et sur l'analogie très poussée avec le modèle cybernétique. A la limite, son système n'est qu'information.

Or, il est difficile d'admettre que tout n'est qu'information et communication. Deutsch a le tort de *négliger les autres variables,* d'exclure des variables souvent essentielles pour l'analyse politique. Le pouvoir ne repose pas que sur l'information. Comme d'autres, Deutsch néglige l'intérieur de la « boîte noire ». Il considère seulement un aspect du système politique, auquel celui-ci ne peut être réduit.

Beaucoup lui reprochent donc de réduire la politique à une technique, plus ou moins efficace, de communication et d'éluder ainsi les phénomènes inhérents au pouvoir.

L'apport de Deutsch. — Pourtant, le modèle de Deutsch a des mérites essentiels.

C'est un système à ambition générale, qui permet de poser un grand nombre de problèmes en termes à la fois abstraits et quantifiables. A partir de ses définitions et de ses hypothèses, on peut formuler une relation *quantifiable,* en interprétant des statistiques, en utilisant des « indicateurs ». Ce que les autres modes d'analyse ne permettent guère.

Cette approche a surtout le mérite de mettre l'accent — même à l'excès — sur l'information et les processus d'information, trop souvent négligés en science politique.

Information et communication chez K. Deutsch. — Il faut que l'information circule, irrigue le système politique, l'innerve par des réseaux, qui sont comme « *les nerfs du gouvernement* ». Il faut que le pouvoir soit informé et qu'il puisse informer, pour fonctionner efficacement. Il faut qu'il existe toutes sortes de réseaux de communication, de circuits d'information, allant du pouvoir aux citoyens et des citoyens au pouvoir.

La qualité des décisions et même l'anticipation dépendent des informations, des données que possède le système. Certains systèmes politiques s'emploient à s'informer sur la réalité avec le maximum d'exactitude. D'autres systèmes, en revanche, se trouvent sous-informés ou mal informés, faute souvent de laisser assez de liberté aux mécanismes d'information. Certains messages sont filtrés ou stoppés; ils ne parviennent pas aux centres de décision. D'autres sont tronqués, transmis de manière partielle.

Ainsi, note Deutsch, un système totalitaire peut réduire son taux de « retard » *(lag)* dans la réponse, en assurant une rapide transmission des ordres du sommet vers la base. Mais cet avantage risque d'être compromis et le taux de « retard » risque d'être accru par un autre élément : la difficulté, probable pour un tel système, à acheminer les informations dans l'autre sens, c'est-à-dire de la base vers le sommet. Si la « descente » est rapide, la « remontée » peut être lente ou incomplète.

Un système peut pâtir gravement de l'appauvrissement des informations qu'il reçoit sur son environnement et sur lui-même. Au demeurant, outre ces informations nouvelles, un système peut filtrer les informations anciennes stockées en « mémoire ». Il peut refuser de prendre en considération certaines expériences du passé qu'il a pourtant emmagasinées. Au nom, par exemple, d'une volonté politique ou d'une idéologie.

Un système, qui ne perçoit plus certains messages nouveaux, qui ne prend plus en compte une partie de sa « mémoire », risque l'aventure, voire l'effondrement. En effet, il perd une partie de sa capacité de guidage, c'est-à-dire de son efficacité à coordonner les efforts. Il peut moins compter sur la confiance des citoyens, sur sa légitimité, pour se faire obéir. Il recourra donc davantage à des mesures autoritaires et répressives.

SECTION III

LA FONCTION DE COMMUNICATION POLITIQUE

Ainsi, même s'il a tort de négliger ou de minorer les autres variables, Deutsch apporte beaucoup à la science politique, en mettant l'accent, opportunément, sur les problèmes d'information et de communication.

Un processus crucial. — Même s'ils ne privilégient pas autant cette variable, de nombreux politistes, aujourd'hui, s'attachent à ce problème de la communication politique. Car la communication est nécessaire au fonctionnement du système politique. Elle en constitue un élément dynamique indispensable.

La communication politique, c'est le processus de transmission par lequel l'information politique circule d'une partie à l'autre du système politique, et entre celui-ci et le système social. C'est un processus continu d'échange d'informations entre les individus et les groupes à tous les niveaux.

C'est, spécialement, *un échange d'informations entre gouvernants et gouvernés.* De manière à assurer leur accord. En effet, tout gouvernant cherche à faire accepter ses décisions et chaque gouverné tente de formuler et de faire prendre en considération ses besoins. L'accord entre les deux termes ne peut se réaliser que par la communication, c'est-à-dire par l'échange.

Comme le note J.-M. Cotteret : « La communication politique assure l'adéquation entre les gouvernants et les gouvernés par un échange permanent d'information... Les gouvernants doivent être l'écho des souhaits, des demandes et des exigences des gouvernés, ces derniers doivent accepter les décisions contraignantes prises par les gouvernants. Ce rapprochement s'effectue par un échange de messages des gouvernants vers les gouvernés, mais aussi des gouvernés vers les gouvernants » (11).

La communication correspond donc à une exigence fondamentale du système politique. « On peut écrire que la communication politique est au système politique ce qu'est la circulation sanguine pour le corps humain » (12).

(11) J.-M. Cotteret, *Gouvernants et gouvernés. La communication politique,* Paris, 1973, p. 9 et p. 112.
(12) *Ibid.*, p. 10.

Les moyens de la communication politique. — Quels sont les supports de la communication ? Par quels moyens, l'information est-elle diffusée, véhiculée ? On peut surtout distinguer trois modes de communication.

— La *communication par les mass media.* Qu'il s'agisse des media imprimés (presse, livre, affiche, etc.) ou des media électroniques (radio, télévision, etc.).

— La *communication par les organisations.* Comme les partis politiques, qui servent de relais entre gouvernants et gouvernés. Comme les groupes de pression. Ainsi Lester Milbraith analyse le gouvernement comme un réseau de communications, qui oriente ses actions d'après les informations qui lui sont communiquées et souligne l'importance des *lobbyists :*

« Tous les gouvernants élaborent une décision à partir de ce qu'ils perçoivent et non de ce qui est objectivement vrai ou réel. Par conséquent la seule manière d'influencer une décision est d'agir sur les perceptions de ceux qui la prennent. La *communication* sera donc le seul moyen de changer ou d'influencer une perception : le processus de *lobbying* est entièrement un processus de communication » (13).

— La *communication par contacts informels.* Ce mode de communication par relations « face à face » est essentiel dans les sociétés primitives ou traditionnelles. Mais il demeure important dans les sociétés développées, même avec l'essor des mass media.

Les analyses de Paul Lazarsfeld sur la propagande et les effets des mass media l'ont montré. Les mass media n'atteignent pas le public comme un bloc indifférencié. La masse dans laquelle se crée l'opinion se comporte comme si elle était structurée. Les effets des media se font sentir par l'intermédiaire de certaines personnes, jouant dans ce processus un rôle d'incitateurs et de relais : les « *opinion leaders* » (les guides d'opinion, les prescripteurs d'opinion). Chacun d'eux influence les membres du « groupe primaire » (famille, groupe de travail, etc.) auquel il appartient.

L'effet des organes de diffusion collective doit être analysé comme s'il se produisait en deux temps, en *deux vagues successives.* La première atteint les « leaders d'opinion »; la seconde part de ces derniers pour se propager autour d'eux dans l'ensemble du public. Ces « leaders d'opinion » se caractérisent par divers traits : ils paraissent

(13) L. Milbrath, *The Washington Lobbyists*, Chicago, 1963.

mieux informés que les personnes de leur entourage; ils sont plus attentifs aux informations; ils lisent beaucoup de journaux, écoutent la radio, regardent la télévision, etc.

Lazarsfeld, Berelson et Gaudet écrivent donc : « Les idées se répandent à partir de la radio et de la presse aux leaders d'opinion, et ensuite de ceux-ci aux sections moins actives » (14). La diffusion se fait en gerbes successives. La communication comporte deux flux successifs *(two-step flow of communication)*. Ainsi les leaders d'opinion médiatisent l'influence des mass media sur les individus.

Communication et systèmes politiques. — Chaque système politique développe son propre réseau de communication politique. En fonction, notamment, de ses possibilités et de son développement économique. Car il y a une étroite relation entre le niveau de *développement économique* et le niveau de développement des mass media (15).

Il y a, en même temps, une relation plus générale entre la communication et le *développement politique*. Les structures de communication se développent parallèlement aux systèmes politiques.

Par ailleurs, le degré d'autonomie des structures de communication permet de distinguer les systèmes libéraux des systèmes autoritaires ou totalitaires, ces derniers cherchant à contrôler étroitement la communication politique pour modeler l'opinion publique.

La communication et le système politique français. — La communication politique correspond donc à un besoin fondamental. Comment se trouve-t-elle assurée dans le système politique français, au moins jusqu'en 1974 ? C'est l'interrogation à laquelle tentait de répondre cette analyse :

« Après tout, qu'est-ce que l'Etat ? Loin des mythes et des mystères, la science politique fournit sa réponse. Prosaïque, concrète. L'Etat n'est qu'un instrument. Un dispositif pour convertir les exigences sociales en actions politiques. A lui de rester en éveil. A l'écoute de la base, des sentiments, des besoins. Pour capter les courants, saisir les réalités et s'y adapter. Pour informer et s'informer.

« Aussi, s'inspirant de la cybernétique, plusieurs auteurs considèrent le

(14) Lazarsfeld, Berelson, Gaudet, *The People's Choice*, New York, 1948, p. 151.

(15) Cf. R. Fagen, *Politics and Communication*, Boston, 1966, p. 58, et B. M. Russett, *World Handbook of Political and Social Indicators*, New Haven, 1964, p. 272-275.

système politique comme un système de communications. Englobé dans son environnement, celui-ci diffuse et reçoit sans cesse des « messages ». Un flux constant d'informations circule ainsi de l'Etat vers la société et de la société vers l'Etat. En empruntant divers réseaux de communication qui sont comme « les nerfs du gouvernement ».

« De la sorte, le système politique reçoit des indications essentielles, notamment des indications sur son propre état, dont il peut tenir compte pour se modifier. C'est le « feedback », l'autorégulation par rétroaction. Le système réagit et s'adapte aux informations qui lui sont transmises. Grâce à ces « clignotants », à ces « indicateurs d'alerte », il effectue les « corrections de trajectoire » nécessaires pour mieux répondre aux attentes sociales.

« En revanche, le pire est possible quand l'information se trouve filtrée ou stoppée. Quand ne parviennent aux gouvernants que des messages tronqués ou pipés. Quand les échelons subordonnés pratiquent l'autocensure ou la rétention de l'information. Alors, aveuglé sur certaines réalités, l'Etat risque l'échec ou l'aventure. Ses décisions ne correspondent plus aux besoins et aux souhaits. Son crédit s'effrite. Son autorité se dégrade.

« Le sort d'un régime tient donc à la diversité, à la « fiabilité » des circuits d'information dont il dispose. Dans une démocratie représentative, ces relais sont, naturellement, les Chambres, les partis, les assemblées locales. Mais, sous la Ve République, ces circuits sont trop souvent déconnectés. »

Selon l'étymologie même, le *Parlement* devrait être un lieu de parole, une instance de débat institutionnalisé. Où les points de vue s'affrontent et se confrontent. Où toutes les tendances, toutes les opinions peuvent se faire entendre. Le Parlement devrait être un forum, une caisse de résonance, une chambre d'écho du pays tout entier. Or, plus encore que dans d'autres systèmes occidentaux, le jeu parlementaire perd sa vitalité et son efficacité. De même, le dialogue du pouvoir avec les *partis* reste limité. Spécialement avec les partis d'opposition, voués à la non-communication. Quant aux *assemblées locales,* elles ont peu d'influence réelle. Ce qui menace le pouvoir, c'est donc la mono-information, l'auto-information par ses propres services.

« Le risque, c'est, alors, la monopolisation de l'information par l'appareil techno-bureaucratique. A tous les niveaux. Dans les cabinets, dans les administrations centrales, dans les préfectures. Placée en position stratégique, cette « technocratie » peut, si elle le veut, couper les autres circuits de communication, bloquer ou filtrer l'information. Pour ne plus transmettre aux gouvernants que des « messages » rassurants, qui attestent ses performances et confortent son emprise. »

Ces phénomènes (mémoire sélective, information unilatérale, sous-utilisation des autres sources, des circuits traditionnels, etc.) risquent de « déphaser » l'Etat par rapport à la société. Auto-informé, privé de contacts suffisants avec l'extérieur, le pouvoir risque de fonctionner en circuit fermé. Sans communiquer véritablement avec toute la collectivité. Donc sans percevoir ni satisfaire toutes ses attentes. D'où des risques d'erreurs et de ruptures.

Pour être efficace, un système politique doit demeurer en éveil. Réceptif, attentif aux courants et aux besoins de la société. Pour réagir fidèlement à ses impulsions, pour répondre à ses attentes. Naguère, les juristes appelaient cela un « *gouvernement d'opinion* ». En définissant la démocratie par l'échange, la communication, le dialogue permanent entre le pouvoir et l'opinion. Cette opinion publique que Maurice Hauriou comparait à « un océan de discussion, où se croisent et s'entrecroisent les courants les plus divers ».

« Comment bien gouverner sans ce flux constant d'informations ? Comment connaître et satisfaire les véritables besoins, sans utiliser tous les circuits de transmission disponibles (Parlement, partis, assemblées locales, etc.) ? Sans ces signaux et ces relais, le pouvoir est aveugle. Donc vulnérable. Plus que jamais, la communication est la clé de l'efficacité » (Roger-Gérard Schwartzenberg, « Le charme discret de la démocratie », *Le Monde* du 30 septembre 1972).

Le principe de solitude. — Pour la Ve République, le risque est d'autant plus grand que toute la structure du pouvoir coupe le décideur suprême de l'extérieur, *isole* le président de la République. C'est le sens de cette autre analyse :

« Montesquieu l'a souligné : chaque régime repose sur un « principe », qui exprime sa réalité profonde. Pour la Ve République, ce ressort essentiel, c'est la solitude. Elle forme le cœur de la doctrine gaullienne, dont on connaît les postulats. Les partis sont un péril pour la nation, qu'ils divisent, pour l'Etat, qu'ils débilitent. Et le Parlement est leur citadelle. Donc, le président doit se tenir en dehors et au-dessus des partis et des assemblées. Pour gouverner de haut et de loin, « puissant et solitaire ».

« L'ambition est noble. Elle n'omet qu'un détail, capital : ces structures décriées sont aussi et surtout des structures de *communication,* qui transmettent des indications essentielles sur le pays, ses aspirations et ses besoins. »

Même avec son propre parti, le chef de l'Etat est sans contact organisé. A la différence du président américain. A la différence, surtout, du premier ministre anglais ou du chancelier allemand, qui assistent toujours au congrès de leur parti et participent parfois aux réunions de leur groupe parlementaire. De la sorte, l'exécutif reste à l'écoute du pays. Dont militants et députés retransmettent les réactions, les doléances et les critiques. Par ces relais, plus discrets, il demeure réceptif aux attentes populaires. Acceptant, à l'occasion, d'infléchir sa politique sous l'impulsion de ses propres partisans. Comme le fit M. Harold Wilson, qui, en 1969, à la requête du groupe travailliste, modifia son attitude sur plusieurs problèmes (réforme des relations industrielles, réorganisation de la Chambre des Lords, etc.).

« En France, les formations de la majorité tiennent des séances de travail analogues. Spécialement l'U.D.R., qu'il s'agisse des instances du mouvement (assises, conseil national, comité central) ou des réunions du groupe parlementaire. Seulement — et c'est la différence capitale — à ces délibérations collectives ne participe jamais le chef véritable de l'exécutif, c'est-à-dire le président de la République. Seuls s'y rendent des ministres et, au mieux, le premier d'entre eux. Dès lors, la coalition majoritaire ne peut dialoguer directement avec celui qui, pour l'essentiel, détermine la politique de la nation. Elle perd donc l'espoir de le conseiller, de l'influencer et, a fortiori, de la fléchir...

« Défiant envers les assemblées, distant envers les partis, *l'Elysée se condamne lui-même à la solitude.* Car, faute de dialogue avec les élus ou avec ses propres partisans, que lui reste-t-il pour communiquer avec le pays ? Un seul réseau : la technostructure administrative, qui transmet une information uniforme et unilatérale... Ainsi va le pouvoir suprême, coupé d'autres relais, mono-informé, donc sous-informé... » (Roger-Gérard Schwartzenberg. « Le principe de solitude », *Le Monde* du 30 janvier 1973).

La communication et le système administratif français. — Car cette communication imparfaite tient, notamment, à ce que Michel Crozier appelle le « *modèle bureaucratique français* », à ce « système de relations » que sécrète l'Administration française.

Selon M. Crozier, notre système administratif est bloqué par les traditions de centralisation et de stratification, qui constituent des entraves à la communication. La *centralisation* creuse la distance entre les décideurs et ceux qui seront affectés par leurs décisions. La *stratification* établit des écrans et des cloisonnements; elle multiplie les hiérarchies et les catégories entre lesquelles l'information circule mal.

Résultat : « Le pouvoir qui tend effectivement à se concentrer au sommet de la pyramide est un pouvoir surtout formel, qui se trouve paralysé par *le manque d'informations et de contacts vivants.* Ceux qui décident n'ont pas les moyens de connaissance suffisants des aspects pratiques des problèmes qu'ils ont à traiter. Ceux qui ont des connaissances n'ont pas le pouvoir de décision. »

Cela est dommageable, car : « La capacité de *communication* constitue désormais une des conditions essentielles du bon fonctionnement d'un système d'organisation moderne. Son efficacité dépend de plus en plus en effet des possibilités que peuvent avoir ses dirigeants, d'une part, d'*être informés* le plus rapidement possible et de façon précise de toutes les variables qui commandent leurs décisions, d'autre part, de *faire connaître* à leurs subordonnés rapidement et dans toutes les nuances les objectifs que fixent ces décisions, les moyens utilisables et les conditions de mise en œuvre qu'elles impliquent » (Michel Crozier, *La société bloquée,* 1970, rééd. 1971, p. 95 et p. 105).

Pour que notre système administratif offre de meilleures possibilités de communication, il faudrait donc réduire les distances et éliminer les barrières qui interdisent aux groupes et aux strates hiérarchiques et fonctionnelles de communiquer efficacement.

La communication comme fonction. — La communication est donc indispensable à tout système. Certes, il faut se garder de négliger les autres variables. Mais il est nécessaire que l'analyse politique prenne en compte les problèmes d'information et de communication, qu'elle les insère parmi les autres variables. Comme le fait, par exemple, l'analyse fonctionnelle, qui fait de la communication une des fonctions du système politique (*supra,* p. 145).

Ainsi, Almond et Coleman parlent expressément de « la *fonction* de communication politique ». Fonction capitale, qui permet au système de se réaliser. Fonction autonome, sans laquelle les autres fonctions du système ne pourraient s'exercer.

Ces auteurs envisagent cette fonction sous quatre angles d'analyse : l'homogénéité de l'information politique, sa mobilité, son volume et sa direction (16).

Dans les systèmes développés, les messages politiques sont généralement compris par tous. En revanche, dans les systèmes en développement, l'information est hétérogène. Elle peut être différenciée,

(16) G. A. Almond, J. S. Coleman, *The Politics of the Developing Areas,* Princeton, 1960, p. 50-59.

par exemple, selon qu'elle s'adresse aux habitants des villes ou à ceux des campagnes. L'écart est plus ou moins fort selon le niveau de développement socio-culturel et politique du pays.

De même, la circulation de l'information ne rencontre pas d'obstacles dans les systèmes développés. Mais, dans les systèmes en développement, la pénétration de l'information est plus ou moins forte selon les zones (urbaines ou rurales).

Dans ces derniers systèmes, le volume de l'information politique est moins important que dans les systèmes développés.

Enfin, l'échange entre gouvernants et gouvernés se fait surtout à sens unique, des premiers vers les seconds, dans les systèmes en développement. En revanche, la réciprocité de l'échange caractérise souvent les autres systèmes.

On le voit donc : pour cette variable comme pour beaucoup d'autres, l'analyse gagne à distinguer les systèmes en développement et les systèmes développés. C'est précisément l'objet des chapitres suivants.

BIBLIOGRAPHIE

— *Sur la cybernétique et sur la théorie de la communication :*

N. WIENER, *Cybernetics,* 2e éd., New York, 1961, et *The Human Use of Human Beings : Cybernetics and Society,* 2e éd., Garden City, 1954; W. R. ASHBY, *An Introduction to Cybernetics,* New York, 1956, et *Design for a Brain,* 2e éd., New York, 1960; J. FELDMAN, E. FEIGENBAUM, eds., *Computers and Thought,* New York, 1963; C. R. DECHERT, ed., *The Social Impact of Cybernetics,* Notre-Dame, 1966; C. SHANNON, W. WEAVER, *The Mathematical Theory of Communication,* Urbana, 1949; C. CHERRY, *On Human Communication,* New York, 1957; J. D. STEINBRUNER, *The Cybernetics Theory of Decision,* Princeton, 1974.

En français : L. COUFFIGNAL, *La Cybernétique,* Paris, 1966, p. 23; R. ASHBY, *Introduction à la cybernétique,* 1956; et surtout A. DAVID, *La cybernétique et l'humain,* 3e éd., 1970 et *Matière, machines, personnes,* 1973.

— *Sur le modèle de Karl Deutsch :*

K. W. DEUTSCH, *The Nerves of Government : Models of Political Communication and Control,* New York, 1963, 2e éd., 1966, et « *Communication Models and Decision Systems* », in J. C. CHARLESWORTH, *Contemporary Political Analysis,* New York, 1967, p. 273-299 (qui reprend des extraits essentiels du précédent titre), ainsi que *Nationalism and Social Communication,* New York, 1953. — On peut lire aussi de K. W. DEUTSCH, N. L. RIESELBACH, « Empirical Theory » (une réflexion sur la théorie politique) dans M. HAAS, H. S. KARIEL, *Approaches to the Study of Political Science,* Scranton, 1970, p. 74-109.

Parmi les autres modèles inspirés du schéma cybernétique : J. T. DORSEY, « An Information-Energy Model », dans F. HEADEY, S. L. STOKES, eds., *Papers in Comparative Public Administration,* Ann. Arbor, 1962. — Sans oublier l'article de L. Melh, dans le *Traité de science administrative,* Paris, 1966.

Pour une brève analyse du modèle de K. Deutsch : J.-M. Cotteret, *Gouvernants et gouvernés. La communication politique,* Paris, 1973, p. 101-110; et O. Young, *Systems of Political Science,* Englewood Cliffs, 1968, p. 49-64.

— *Sur la communication politique :*

J.-M. Cotteret, *op. cit.* (bref et utile); R. R. Fagen, *Politics and Communication,* Boston, 1966; Lord Windlesman, *Communication and Political Power,* London, 1966; N. Polsby, *Communication Power and Political Theory,* New Haven, 1963; L. W. Pye, ed., *Communication and Political Development,* Princeton, 1963; W. Schramm, *Mass media and National Development,* Stanford, 1964; P. Lazarsfeld, B. Berelson, H. Gaudet, *The People's Choice,* New York, 1944; H. D. Lasswell, *The Structure and Function of Communication in Society of Ideas,* New York, 1948; F. A. Almond, J. S. Coleman, eds., *The Politics of the Developing Areas,* Princeton, 1960; G. A. Almond, G. B. Powell, *Comparative Politics,* Boston, 1966; D. Easton, *A Systems Analysis of Political Life,* New York, 1965, 2ᵉ éd., 1967.

Sur la communication et le système politique français : R.-G. Schwartzenberg, « L'Etat-Puissance et l'Etat-République », *Le Monde* du 8 janvier 1972; « Le charme discret de la démocratie », *Le Monde* du 30 septembre 1972; et « Le principe de solitude », *Le Monde* du 30 janvier 1973.

Sur la communication et le système administratif français : M. Crozier, *Le phénomène bureaucratique,* Paris, 1963, et *La société bloquée,* Paris, 1970 (très éclairant).

Sur la communication en campagne électorale présidentielle : R.-G. Schwartzenberg, *La campagne présidentielle de 1965,* Paris, 1967, et *La guerre de succession,* Paris, 1969 (la campagne présidentielle de 1969), J.-M. Cotteret, C. Emeri *et al., Giscard d'Estaing - Mitterrand : 54 774 mots pour convaincre,* 1976. Sur la propagande et la persuasion politiques en général : M. Charlot, *La persuasion politique,* Paris, 1970 (un recueil de textes très utile, qui comporte, en outre, une bibliographie détaillée). Et la bibliographie citée *infra,* p. 666.

Sur le lobbying comme processus de communication : L. Milbrath, *The Washington Lobbyists,* Chicago, 1963. Et la bibliographie citée *infra,* p. 660.

DEUXIÈME PARTIE

SYSTÈMES POLITIQUES

Les systèmes politiques du réel. — Il convient, à présent, d'appliquer les quelques éléments de théorie politique, dégagés plus haut, à l'analyse du réel. Pour étudier *les systèmes politiques d'aujourd'hui*, dans leur réalité concrète.

Trop longtemps, les politistes ont fragmenté et isolé la réalité politique. Au lieu de la considérer comme un ensemble, elle-même englobée dans un ensemble plus vaste.

Désormais, le concept de système politique permet cette réorientation (*supra*, p. 99). Car un système se définit comme un *ensemble d'éléments interdépendants*. Car un système politique s'analyse comme l'ensemble des interactions politiques constatées dans une société donnée. C'est ainsi qu'il faut le concevoir : *englobé dans un « environnement »* et réagissant à ses influences.

Bref, il s'agit de considérer le système politique comme la partie d'un tout, comme incorporé dans un ensemble social avec lequel il entretient des rapports complexes.

Plan d'étude. — Aujourd'hui, *la problématique du développement* (chap. I) permet de mieux comprendre ce qu'est un système politique et ce que sont ses fonctions. Observant le processus de mutation qui affecte à la fois le système et son environnement, cette approche réaliste s'avère éclairante. Saisie en période de transformation, sinon de crise, la réalité politique révèle ses structures profondes.

En 1950 — ou même en 1960 — l'analyse pouvait continuer de porter essentiellement sur la démocratie « classique ». Vingt-sept ans plus tard, la décolonisation et l'évolution économique ont bouleversé le paysage politique. Désormais, le monde juxtapose un grand nombre de nations peu développées et un petit groupe de nations très avancées. Et celles-ci dépassent déjà le modèle politique classique que celles-là n'ont pas encore atteint.

Il importe donc d'approfondir l'analyse traditionnelle. Pour observer ce qui existe *en deçà et au-delà* du modèle classique, parmi les systèmes moins développés et parmi les systèmes sur-développés. Et constater qu'un net contraste se dessine.

Dans les sociétés en voie de modernisation, le pouvoir s'unifie et se concentre. Comme si des rapports se nouaient entre *sous-développement et sur-pouvoir* (chap. II).

A l'autre pôle, dans les sociétés très avancées, le pouvoir semble se fractionner et se disséminer. Comme s'il existait une relation entre *sur-développement et sous-pouvoirs* (chap. III).

CHAPITRE PREMIER

LA PROBLÉMATIQUE DU DÉVELOPPEMENT

Pour observer le réel, les politistes peuvent notamment recourir à trois types d'analyse : l'analyse classique, l'analyse marxiste, l'analyse développementaliste. Chacune d'elles privilégie un élément principal différent. Le *pouvoir,* l'aménagement du pouvoir pour l'analyse classique. La *propriété* pour l'analyse marxiste. Le *développement,* bien sûr, pour l'analyse développementaliste.

Aujourd'hui, pour étudier les systèmes du temps présent, les politistes n'abandonnent certes pas l'analyse classique et l'analyse marxiste. Mais ils la complètent par l'analyse développementaliste, qui paraît souvent plus réaliste, plus concrète.

L'analyse classique. — L'analyse classique — par exemple, celle des Facultés de droit autrefois — reposait sur le concept de « *régime politique* ». Elle privilégiait l'étude des règles juridiques régissant *le pouvoir,* son aménagement et son exercice (confusion ou séparation des pouvoirs, monocamérisme ou bicamérisme, monocéphalisme ou bicéphalisme de l'exécutif, régime présidentiel ou parlementaire, etc.).

On étudiait, dans le détail, les règles du droit constitutionnel, les règles relatives au *pouvoir.* On étudiait le pouvoir, mais non la société à laquelle il s'appliquait. L'analyse portait sur les institutions et les normes, non sur les comportements concrets et leur environnement.

Ce *formalisme* peut se comprendre. Car, à l'époque, l'observation porte sur des milieux homogènes, identiques : l'Europe occidentale et ses prolongements européens dans le reste du monde (Amérique du Nord, Australie, Nouvelle-Zélande, etc.). Ces pays ont en commun la même civilisation, le même type de société, le même degré de développement socio-économique. En outre, ces Etats, de même civilisation, partagent la même idéologie : le libéralisme, économique et politique.

Dès lors, beaucoup de choses s'expliquent. Si les universitaires du XIXe et du début du XXe siècle se consacrent presque exclusivement à l'étude des règles constitutionnelles sans examiner leur substrat socio-culturel, c'est parce que ce substrat est homogène et stable. C'est, en gros, le même. Pourquoi alors étudier une donnée invariable et connue de tous ? Ce serait exposer des vérités d'évidence. Mieux vaut, en revanche, faire porter l'analyse sur les différences existant dans l'organisation juridique du pouvoir.

On comprend mieux, alors, l'allure abstraite et intemporelle que prennent les exposés des publicistes de l'époque. Les infrastructures étant identiques et bien connues, on peut s'épargner de les étudier. Et réserver son attention à la diversité des superstructures juridiques.

Face à un milieu social stable et homogène, les publicistes peuvent se comporter comme des physiciens, qui fonderaient leurs démonstrations sur l'identité, la non-variation de la température et de la pression.

Ses insuffisances. — A partir de 1945, la pression des faits aura raison de cette analyse classique, en soulignant avec éclat ses insuffisances. Car, désormais, l'homogénéité se trouve rompue.

L'homogénéité *idéologique* disparaît avec la victoire du marxisme en Russie en 1917, puis dans les démocraties populaires à partir de 1945, en Chine en 1949, etc. D'une tout autre manière, la montée du fascisme et du nazisme dans l'entre-deux-guerres avait déjà rompu l'uniformité idéologique.

L'homogénéité *socio-économique* disparaît aussi : la seconde guerre mondiale donne le branle à la décolonisation et à l'explosion nationale au Moyen-Orient, en Asie, en Afrique. Une multitude de nouveaux Etats acquièrent leur indépendance, qui n'ont pas la même structure socio-économique que les Etats occidentaux.

Jusqu'alors, l'analyse politique s'était peu souciée d'étudier ces pays, confiés à l'administration coloniale des grandes puissances. Le phénomène colonial apparaissait comme un peu subalterne, indigne de retenir longtemps l'attention des politicologues, qui réservaient l'essentiel de leurs spéculations au monde occidental. Dorénavant, ce « paroissisme » (*parochialism,* selon l'expression de G. Almond), cet « occidentalocentrisme », ne sont plus de mise.

De plus, cette hétérogénité, cette découverte de la vie politique des pays « non occidentaux » ou moins développés, interdisent, désormais, de raisonner exclusivement sur les règles constitutionnelles en négligeant leur infrastructure. Car ces *discordances idéologiques et socio-économiques* se traduisent nécessairement par des discordances institutionnelles. Le droit constitutionnel classique ne répond plus universellement à la diversité des situations et des besoins.

Des variables diverses (sociales, économiques, culturelles, idéologiques, etc.) sont apparues, qu'il faut intégrer. Le champ de la réflexion s'élargit. Le droit constitutionnel est loin d'épuiser la réalité politique; d'autant que dans les nouveaux Etats son application est souvent peu fidèle.

Dès lors, le *réalisme* doit remplacer le formalisme. Il faut cesser de privilégier d'étude des institutions et des règles, pour examiner toutes les structures et tous les processus politiques. Dans leur réalité concrète et dans leur environnement. L'étude des régimes politiques doit s'élargir en une étude des systèmes politiques.

L'analyse marxiste. — Dans cet abandon du formalisme, dans cette volonté de réalisme, le marxisme constitue un apport décisif. Car il raccorde, légitimement, les phénomènes politiques aux phénomènes socio-économiques, qui forment leur infrastructure (*supra*, p. 61).

Cette fois, le critère essentiel n'est plus l'aménagement du *pouvoir*, mais le régime de *propriété* des moyens de production. D'où une division binaire : d'un côté, les *Etats capitalistes*, fondés sur l'appropriation privée des moyens de production; de l'autre, les *Etats socialistes*, fondés sur la socialisation de ces moyens. Ce contraste dans le seul régime de la propriété suffirait déjà à produire deux types de régimes politiques d'une essence tout à fait dissemblable.

Que penser de cette *summa divisio*, opposant Etats capitalistes et Etats socialistes ? Il serait absurde de prétendre que cette distinction est sans importance. Elle est essentielle. Il convient seulement de se demander si cette distinction est vraiment *la* plus importante aujourd'hui et si l'on peut fonder sur elle l'analyse la plus opératoire des systèmes politiques contemporains.

Ses limites. — Ce qui peut en faire douter, c'est que de bons observateurs notent certaines ressemblances — voire une certaine « convergence » — entre Etats capitalistes et Etats socialistes. Ainsi Raymond Aron, dans le cours de sociologie qu'il professe à la Sorbonne en 1955-1956 (publié sous le titre *Dix-huit leçons sur la société industrielle*), propose une nouvelle approche :

« Mon voyage en Asie m'a convaincu que le concept majeur de notre époque est celui de *société industrielle*. L'Europe vue d'Asie n'est pas composée de deux mondes fondamentalement hétérogènes, le monde soviétique et le monde occidental, elle est faite d'une seule réalité, la civilisation industrielle. *Les sociétés soviétiques et capitalistes ne sont que deux espèces d'un même genre* ou deux modalités du même type social, *la société industrielle progressive*. Je partirai donc de la notion de société industrielle comme du genre par rapport aux espèces des sociétés soviétiques ou des sociétés capitalistes. »

Ainsi, le clivage socialisme-capitalisme est minoré ou négligé. L'opposition traditionnelle des systèmes marxistes et non marxistes est tenue pour accessoire, sinon pour caduque. La problématique retenue se fonde non sur les *structures* (de propriété), mais sur les *niveaux* (de développement). Le niveau de la production serait plus important que les structures juridiques de la production. La division fondamentale du monde actuel n'opposerait pas pays capitalistes et pays socialistes, mais pays développés et pays « sous-développés ».

Dans un autre registre — et avec un autre objectif — Herbert Marcuse procède au même constat. Malgré leur coupure idéologique radicale, la société américaine et la société soviétique ont des aspects communs et des exigences identiques. Dans l'une comme dans l'autre, des « bureaucraties » déterminent unilatéralement les besoins de la société, sans contrôle véritable de la population. Quel que soit le régime envisagé, la rationalité économique des *sociétés industrielles avancées* impose sa loi uniforme.

« S'il y a une différence fondamentale entre les sociétés occidentale et soviétique, il y a parallèlement un *fort courant vers l'assimilation*. Les deux systèmes possèdent *des traits communs à la civilisation industrielle la plus récente :* la centralisation et l'embrigadement évincent l'initiative individuelle et l'autonomie de l'individu. La concurrence est organisée et rationalisée; les bureaucraties économiques et politiques exercent conjointement le pouvoir » (H. Marcuse, *Soviet Marxism. A critical Analysis*, 1958, tr. *Le Marxisme soviétique*, 1963, p. 103-104).

Par-delà la division capitalisme-socialisme, il existerait une analogie des structures culturelles, jugées également « répressives » (*infra*, p. 366). Ainsi apparaissent les limites d'une typologie fondée sur le régime de la propriété, au profit d'une typologie plus réaliste, fondée sur le développement socio-économique.

La coexistence pacifique. — Au demeurant, l'affrontement bipolaire Est-Ouest a perdu son caractère de « guerre froide ». Khrouchtchev, puis ses successeurs, ont établi et développé une politique de « *coexistence pacifique* » avec l'Ouest. Dans le même temps, à mesure que s'affermit cette politique de rapprochement avec le monde capitaliste, le bloc socialiste se fissure. En 1962, la controverse entre l'U.R.S.S. et la Chine s'étale au grand jour.

Cela illustre comment l'analogie dans le niveau de développement peut provoquer des rapprochements d'un système à l'autre (entre l'U.R.S.S. et les Etats-Unis). Et comment, à l'inverse, la disparité du niveau de développement peut contribuer à engendrer des tensions au sein d'un même système (entre l'U.R.S.S. et la Chine). On peut se demander si l'Union soviétique ne commence pas à se sentir plus solidaire du monde développé (même capitaliste) que de la Chine (même communiste).

Dans cette voie, un politiste comme Zbigniew Brzezinski, aujourd'hui conseiller du président Carter et président du Conseil national de Sécurité, à naguère proposé de rejeter « les divisions persistantes entre les pays industrialisés, et surtout celles qui prennent pour justification des concepts idéologiques démodés ». Pour suggérer de réunir les Etats confrontés aux « mêmes problèmes de modernité » dans une « *communauté des pays développés* qui comprendrait les Etats atlantiques, les pays communistes les plus avancés et le Japon » (*La révolution technétronique*, tr. 1971, p. 352-370).

Symétriquement, il est possible de faire la contre-épreuve, qui dépasse, elle aussi, la *summa divisio* capitalisme-socialisme. Non seulement, il existe des ressemblances — voire une « convergence » — entre sociétés appartenant aux deux systèmes opposés. Mais encore, il existe des dissemblances entre sociétés se réclamant du même système.

En d'autres termes, les problèmes des Etats-Unis et de l'U.R.S.S. se ressemblent largement; non ceux des Etats-Unis et de la Côte-d'Ivoire, ni ceux de l'U.R.S.S. et de la Corée du Nord. En bref, l'analogie des situations résulte moins de la parenté des *structures* de production que de l'analogie des *niveaux* de production.

La scène internationale. — En vérité, par-delà le clivage capitalisme-socialisme, et même s'ils se réclament publiquement de l'un ou l'autre camp, les nouveaux Etats, apparus dans le second après-guerre, prennent progressivement conscience de leur similitude et aussi de leur originalité par rapport aux pays développés, qu'ils soient capitalistes ou socialistes.

Ainsi apparaît un « *Tiers-Monde* », à côté du monde capitaliste et du monde socialiste, qui proclame la spécificité de ses problèmes et revendique parfois son « non-engagement » dans la querelle Est-Ouest. Plusieurs Etats du Tiers-Monde tentent, en effet, d'échapper à la bipolarisation, à l'adhésion à l'un des deux grands blocs de puissances, respectivement dirigés par les Etats-Unis et l'U.R.S.S. Cette volonté anime la Conférence de Bandoeng (1955), puis la Conférence de Belgrade (1961), où 24 Etats, pour la plupart anciennes colonies, affirment la doctrine du neutralisme et du non-alignement. Plus tard, une autre entreprise, la « Tricontinentale », tentera de réunir sur une base révolutionnaire les Etats d'Amérique latine, d'Asie et d'Afrique.

En définitive, le fossé se comble entre l'Occident et l'Europe de l'Est, alors qu'il paraît se creuser entre eux-mêmes, d'une part, et le reste du monde, d'autre part. L'expression « Tiers-Monde » ne correspond plus exactement à la réalité. Il n'existe pas vraiment trois mondes sociologiquement distincts. En fait, il n'y en a — ou il n'y en aura bientôt — que deux. La division fondamentale est moins entre pays capitalistes et pays socialistes, qu'entre pays développés et pays non développés.

C'est d'ailleurs l'opinion qui prévaut désormais dans le Tiers-Monde. En septembre 1973 se tient la Conférence des chefs d'Etat et de gouvernement des pays non alignés, à Alger. C'est la quatrième Conférence de ce type, après celles de Belgrade (1961), du Caire (1964) et de Lusaka (1970) (1). A cette Conférence d'Alger, s'affirme la thèse chinoise de *la division du monde en pays riches et pays pauvres*.

Malgré la mise en garde de M. Brejnev, qui, le 31 août 1973, avant l'ouverture de cette Conférence, adresse un message à son président, M. Boumediène : « Pour nous, la ligne de partage principale dans le monde actuel passe non pas entre les « grands » et les « petits », les « riches » et les « pauvres », mais entre les forces du socialisme, du progrès et de la paix et celles de l'impérialisme, du colonialisme et de la réaction qui leur font face » (*Le Monde* du 4 septembre 1973).

Au contraire, la thèse chinoise insiste sur la division du monde en pays riches et pays pauvres et tend à accréditer l'idée qu'il n'y aurait pas de

(1) La cinquième Conférence se tiendra à Colombo (1976).

différence fondamentale entre l'Union soviétique et les Etats-Unis, les deux puissances cherchant à défendre leurs intérêts d'Etat avant les intérêts idéologiques.

Ce qui rappelle l'analyse de certains auteurs occidentaux. Pour eux, cet écart entre un petit nombre de pays développés riches et une masse de pays sous-développés pauvres et plus ou moins dépendants des premiers constitue l'extension à l'ensemble du monde des rapports de classe caractéristiques du capitalisme.

La lutte des classes serait transposée du plan interne au plan international. Les pays développés constitueraient une classe de nations dominantes et les pays sous-développés seraient des « *nations prolétaires* » (P. Moussa) (1 *bis*), formeraient le « prolétariat extérieur de l'Occident » (A. Toynbee). Analyse reprise par Herbert Marcuse, qui, dans *Vers la libération* (tr. 1969, p. 106-107), reprend cette notion de « *prolétariat externe* » des nations impérialistes : « prolétariat essentiellement agraire ».

La Conférence Nord-Sud (1975-1977). — Même caricaturale, cette image a une vertu symbolique. Elle exprime bien le fossé qui existe — et qui se creuse — entre sociétés riches et sociétés pauvres. Au demeurant, cette division reproduit souvent un *partage géographique,* en opposant nations riches et industrialisées de l'hémisphère nord et nations pauvres et en développement de l'hémisphère sud.

En avril 1974, M. Giscard d'Estaing lance l'idée d'un dialogue entre les unes et les autres. Pour tenter d'édifier un « nouvel ordre économique mondial » et des relations plus justes entre le bloc industriel occidental et les nations en développement.

La Conférence sur la coopération économique internationale (CCEI) voit le jour en avril 1975. Elle confronte sept pays industrialisés (Canada, Etats-Unis, Japon, Australie, Espagne, Suède et Suisse) et la C.E.E. (qui représente les Neuf du Marché Commun) à dix-neuf pays en voie de développement (Venezuela, Algérie, Arabie séoudite, Brésil, Inde, Iran, etc.).

Souvent baptisée « Conférence Nord-Sud », cette Conférence, qui se tient à Paris, prend fin par un échec en juin 1977. Elle traduit, très concrètement, ce clivage entre le nord de la planète (les pays riches et industrialisés) et le sud (pays peu développés... mais possédant énergie et matières premières).

Ce clivage, ces inégalités de développement laissent prévoir les disparités politiques qui peuvent en résulter.

La problématique du développement. — *Le développement économique et ses effets.* — Ainsi une nouvelle approche s'affirme. Le progrès des études consacrées au développement économique conduit de plus en plus d'économistes, mais aussi des politistes et des socio-

(1 *bis*) P. MOUSSA, *Les nations prolétaires,* 2e éd., 1961.

logues, à réfléchir à cette question. Et à poser le problème des effets politiques du développement économique.

Dès 1958, Walt W. Rostow donne une série de conférences à l'Université de Cambridge (Mass.), bientôt publiées sous le titre *The Stages of Economic Growth* (Cambridge, 1960; tr. *Les étapes de la croissance économique,* 1963) (2).

Dans sa préface, W. W. Rostow expose, sans modestie excessive, la préoccupation fondamentale qui guide ses recherches : « Etablir une corrélation entre les forces économiques et les forces sociales et politiques... Je n'étais pas satisfait de l'explication que Marx a donnée de *la relation entre le comportement économique et le comportement non économique...* L'analyse des étapes de la croissance offre une explication qui pourrait remplacer la théorie marxiste de l'histoire moderne. »

Et Rostow résume ainsi sa thèse : « A considérer le degré de développement de l'économie, on peut dire de toutes les sociétés qu'elles passent par l'une des *cinq phases* suivantes : la société traditionnelle, les conditions préalables au démarrage, le démarrage, la marche vers la maturité, et l'ère de la consommation de masse » (p. 16).

Ainsi, sur cette échelle de la croissance, les sociétés contemporaines se situent à des niveaux différents. Cette disparité *économique* se traduit par une disparité *politique.* Car chacun de ces « modèles » économiques successifs ne saurait se satisfaire du même « modèle » politique. La société traditionnelle et la société de consommation de masse ne se gouvernent pas de la même manière. A des situations socio-économiques dissemblables correspondent des systèmes politiques différents.

Dès lors, beaucoup d'analyses — celle de Robert A. Dahl ou de Bruce M. Russett notamment — allaient porter sur *les effets politiques du développement socio-économique.* Pour s'interroger sur les fondements socio-économiques de la « polyarchie », sur la façon dont le développement socio-économique conditionnerait l'accès à la démocratie libérale de type occidental. Même portée à l'ethnocentrisme et à une vision monolinéaire de l'histoire, cette approche a une vertu. Elle pose brutalement et concrètement un problème classique : celui du conditionnement ou de l'autonomie du politique.

Le développement politique. — Puis, en un second temps, une approche plus originale met l'accent, cette fois, sur *l'aspect propre-*

(2) Voir aussi de W. W. Rostow, *Les étapes du développement politique,* tr. 1975.

ment politique du développement. De même qu'on parlait de « développement » ou de « modernisation » *économiques,* on parlera désormais de « développement » ou de « modernisation » *politiques,* pour désigner un processus conduisant d'un système politique traditionnel à un système politique moderne. De même qu'on analysait les économies en voie de développement, on analysera dorénavant les systèmes politiques en voie de modernisation.

Dans cette vision dynamique, le développement n'est plus seulement économique, mais aussi *politique.* Désormais, la recherche porte sur la mutation du système politique lui-même, et non plus seulement sur la mutation de son environnement socio-économique. L'étude de la modernisation politique complète et vient englober l'étude des effets politiques de la modernisation socio-économique.

Il convient donc d'examiner cette problématique du développement, telle qu'elle s'est affirmée dans ses deux aspects complémentaires. Pour s'interroger, d'abord, sur le développement socio-économique et ses effets politiques (section I). Pour s'interroger, ensuite, sur le développement politique (section II).

SECTION I

LE DÉVELOPPEMENT SOCIO-ÉCONOMIQUE ET SES EFFETS POLITIQUES

Le développement socio-économique exerce-t-il une influence sur le système politique ? Plus précisément encore, *l'accès à un certain niveau de développement socio-économique conditionne-t-il l'accès à la démocratie libérale* de type classique ou à ce que Robert A. Dahl préfère appeler la « polyarchie » ?

La polyarchie. — Dans *A Preface to Democratic Theory* (Chicago, 1956), Dahl propose, en effet, de réserver le terme de « *démocratie* » à un idéal théorique, qui s'incarne plus ou moins imparfaitement dans la réalité. La « démocratie » pure, authentique, est aussi difficile à atteindre pratiquement que la « concurrence parfaite » en économie. La réalité concrète, c'est, au mieux, la « *polyarchie* » — c'est-à-dire le gouvernement de plusieurs, du grand nombre — qui permet au peuple de participer aux principaux choix (notamment à celui des dirigeants) et qui vise à l' « ajustement » pacifique des différends.

Peu importe que ce modèle polyarchique verse, inconsciemment, dans l'ethnocentrisme et la « célébration nationale » — comme l'a fait remarquer C. W. Mills —, ce qui est essentiel c'est l'idée d'une *corrélation* entre polyarchie et niveau de développement socio-économique. Sur cette idée, se fonde une *thèse* souvent vérifiée. Mais celle-ci connaît aussi des *exceptions,* qui interdisent de considérer la question sous l'angle d'un déterminisme absolu.

§ 1. — POLYARCHIE ET DÉVELOPPEMENT

Une thèse s'est, en effet, développée, s'efforçant d'établir le conditionnement socio-économique de la polyarchie. En d'autres termes, la démocratie occidentale, le libéralisme politique, auraient des racines socio-économiques.

Au fond, on retrouve chez des auteurs occidentaux « libéraux » une idée qui est à la base de la théorie marxiste. *Le progrès politique des sociétés est commandé par le progrès de l'économie,* par le progrès des « forces productives ». L'évolution de l'infrastructure technico-économique influence — voire commande — l'évolution de la suprastructure politique.

A. — Le constat

L'argumentation s'appuie sur un triple constat : géographique, historique et statistique.

1° **Le fait géographique.** — L'examen de deux cartes, celle des pays développés et sous-développés, et celle des systèmes libéraux et autoritaires, révèle une coïncidence presque absolue. Les grandes *zones d'industrialisation* (Amérique du Nord, Europe occidentale, Japon, etc.) sont aussi les grandes *zones de libéralisme politique.* Réciproquement, les zones de sous-développement économique (Amérique latine, Asie, Afrique) sont aussi les zones d'autoritarisme.

En descendant davantage dans le détail, il apparaît même que, dans le groupe des *nations industrielles,* la démocratie libérale est plus stable dans les pays anglo-saxons et nordiques (plus développés) qu'en France ou en Italie (naguère moins développées).

De même, dans le groupe des *nations en voie de développement,* des pays qui adhèrent à la même idéologie marxiste adoptent des comportements politiques dissemblables s'ils sont placés à des niveaux de développement différents. Ainsi le socialisme est plus rigoureux en Chine ou en Albanie, moins développées, qu'en U.R.S.S. et en Europe orientale.

L'observation d'une carte du monde est donc éclairante. Les institutions politique libérales (élections disputées, pluripartisme, opposition, débats parlementaires, libertés publiques, etc.) ne fonctionnent bien que dans des pays économiquement développés. Leur aire d'application géographique correspond aux nations industrielles les plus avancées. A l'inverse, ces institutions fonctionnent mal et, donc, ne se rencontrent guère dans les pays en voie de développement. Placés au seuil de l'industrialisation et contraints à d'énormes sacrifices d'investissements, ces derniers se tournent vers l'autoritarisme pour résoudre ces problèmes.

En résumé, la dictature serait « la maladie infantile » du développement. A l'opposé la démocratie pluraliste correspondrait à un degré élevé d'industrialisation. Les peuples libres seraient des peuples riches. Il y aurait corrélation entre industrialisation et démocratisation, entre développement économique et régime démocratique.

2° **Le fait historique.** — Pour vérifier cette corrélation, l'analyse historique ne serait pas moins éclairante que l'analyse géographique.

Est-ce un hasard si les premiers éléments du parlementarisme apparaissent d'abord en Grande-Bretagne, c'est-à-dire dans le pays qui est le premier à connaître la révolution industrielle ? Si en France, où le développement économique est moins ancien, le régime parlementaire ne s'implante qu'après 1815 ? Si en Italie, où le capitalisme ne commence à se développer au Piémont qu'à partir de 1850, cette implantation est encore plus tardive ? Si, enfin, en Scandinavie, les techniques parlementaires ne parviennent vraiment à s'acclimater que dans les années précédant 1914, au moment où se produit un processus d'industrialisation accéléré ? A l'origine, l'essor du parlementarisme dans les pays européens coïncide avec l'avènement du capitalisme industriel.

A l'inverse, en Europe même, le régime parlementaire n'a pas réussi à s'implanter là où l'infrastructure socio-économique demeurait archaïque. Les pays d'Europe centrale ou orientale qui avaient adopté le modèle parlementaire après la première guerre mondiale ont, finalement, évolué vers des régimes autoritaires : la plupart avaient conservé des structures économiques agraires et des structures sociales traditionnelles. De même, l'échec de la République parlementaire en Espagne résulte, en partie, de la prédominance de structures socio-économiques archaïques. Comme l'a noté Harold Laski : « Une démocratie politique a besoin, pour être solide, d'une économie en voie d'expansion. »

Même sommaires, ces éléments géographiques et historiques permettent, déjà, une double vérification, synchronique et diachronique. Mais, aujourd'hui, cette vérification peut se fonder, plus solidement, sur de nombreuses données quantitatives, regroupées dans des séries statistiques.

3° **Le fait statistique.** — Plusieurs recherches ont dégagé des données et des « indicateurs » susceptibles d'alimenter une analyse comparative plus précise. Parmi ces travaux, il faut citer notamment le recueil de textes de spécialistes (comme Alker, Dahl, Deutsch, Russett) publié en 1968 sous la direction de C. L. Taylor et intitulé *Aggregate Data Analysis, Political and Social Indicators in Cross-National Research.* Ou, dès 1964, l'ouvrage publié sous la direction de Bruce M. Russett (avec la collaboration de divers politistes, dont Alker, Deutsch et Lasswell) et qui porte le titre de *World Handbook of Political and Social Indicators* (2e éd., New Haven, 1972). Ce dernier manuel fournit, dans le cadre de 133 pays, des statistiques comparatives pour 75 variables, et examine déjà certaines relations entre ces variables.

Bruce M. Russett : les cinq « étapes du développement économique et politique ». — En utilisant le même type de données quantitatives, Bruce M. Russett publie en 1965 *Trends in World Politics* (New York). Il y combine des indices socio-économiques (revenu par habitant, alphabétisation, scolarisation, industrialisation, urbanisation, diffusion de la presse, etc.) et des indices politiques (participation électorale, effectifs militaires, dépenses publiques). Pour définir cinq niveaux ou « étapes de développement économique et politique ». Comme le montre le tableau reproduit, p. 188 (Bruce M. Russett, *Trends in*

« Etapes » de développement économique et politique (107 pays).

Etape	Nomb. de pays		Produit national brut par habitant	% Urbanisation	% Alphabétisation	Etudiants sur 100 000 h.	Lits d'hôpitaux par habitant	Radios pour 1 000 h.	% Participation électorale	Pourcentage des ressources du gouvern. central par rapport au P.N.B.
I	11	Fourchette :	45-64	0-18	3-48	5-63	.0001-.0031	1-63	0-55	7-26
		Moyenne :	56	6	13	27	.0004	12	30	17
II	15	Fourchette :	70-105	0-19	1-68	4-251	.0001-.0056	3-78	0-83	9-23
		Moyenne :	87	10	24	86	.0006	20	49	13
III	31	Fourchette :	108-239	6-72	3-91	3-976	.0003-.0056	7-161	0-95	9-37
		Moyenne :	173	21	42	165	.0014	57	41	22
IV	36	Fourchette :	262-794	7-82	38-99	42-1192	.0005-.0143	37-348	0-100	10-40
		Moyenne :	445	34	77	386	.0041	158	69	25
V	14	Fourchette :	836-2577	30-70	96-99	36-1983	.0077-.0125	215-948	28-92	17-40
		Moyenne :	1330	45	98	650	.0097	352	78	27

World Politics, New York, Macmillan, 1965, table 8.1. p. 127) (3).

De cette manière, Bruce M. Russett classe les « sociétés » de 107 pays en cinq grands types, correspondant à ces *cinq « étapes du développement économique et politique »*. Soit :

Etape I. Sociétés « traditionnelles primitives » (« Traditional Primitive » Societies).

Etape II. « Civilisations traditionnelles » (« Traditional Civilizations »).

Etape III. Sociétés « transitoires » (« Transitional » Societies).

Etape IV. Sociétés « à révolution industrielle » (« Industrial Revolution » Societies).

Etape V. Sociétés de « haute consommation de masse » (« High Mass-Consumption » Societies).

Polyarchie et niveau de développement socio-économique. — Dans *L'Analyse politique contemporaine* (tr. 1973), Robert A. Dahl combine sa typologie avec celle de Bruce M. Russett. Dénombrant 32 polyarchies sur 107 pays, Dahl dresse le tableau suivant, qui figure leur répartition par niveau de développement socio-économique :

Répartition de 32 polyarchies par niveau de développement socio-économique.

	Total (N)	P.N.B. par tête		Polyarchies		
		Fourch.	Moy.	Total (N)	Pourcentage du total	Pourcentage de toutes les polyarchies
Sociétés « traditionnelles primitives »	11	$45-64	$ 56	0	0 %	0 %
« Civilisations traditionnelles »	15	70-105	87	1	6.7	3
« Sociétés transitoires »..	31	108-239	173	3	9.7	9
Sociétés à « révolution industrielle »	36	262-794	445	14	25.6	44
Sociétés de « haute consommation de masse ».	14	836-2577	1 330	14	100	44
	107			32		100 %

(3) Toutes les données sont de 1960. Le produit national brut est exprimé en dollars américains de 1957. Le pourcentage d'urbanisation est le pourcentage de la population totale vivant dans des villes de plus de 20 000 habitants. Les ressources du gouvernement central englobent les fonds de sécurité sociale et les entreprises publiques. La participation électorale est calculée sur la population en âge de voter aux élections nationales.

Dahl écrit ainsi : « **Dans les 5 étapes du développement** économique et politique de Russett, 107 pays **sont d'abord rangés sur la base du produit national** brut (P.N.B.) **par tête, depuis le Népal (45 $) jusqu'aux Etats-Unis** (2 577 $). Il apparaît qu'à l'étape I (P.N.B. **par tête le plus bas), il n'y** a pas de polyarchies, tandis qu'à l'étape V (P.N.B. **par tête le plus élevé) tout pays** est une polyarchie. »

En d'autres termes, *la fréquence de la polyarchie croît avec le P.N.B. par tête et les autres variables qui lui sont associées.* Ce qui permet à Dahl de conclure : « Statistiquement parlant, il y a une forte *corrélation* entre le niveau socio-économique des différents pays et la fréquence d'un jeu politique concurrentiel en général et de la polyarchie en particulier. »

Développement socio-économique et concurrence politique. — Le caractère compétitif du jeu politique constitue aussi un élément souvent observé dans ce type de recherches. Ainsi, dès 1959, Seymour Martin Lipset (« *Some Social Requisites of Democracy : Economic Development and Political Legitimacy* », *APSR*, vol. LIII, mars 1959, p. 69-105) examine cette relation entre le développement économique et la concurrence politique *(political competitiveness)*, considérée comme une composante essentielle du jeu démocratique. En utilisant plusieurs indices de développement socio-économique (revenu, industrialisation, urbanisation, scolarisation, etc.) pour comparer les régimes d'Europe occidentale et d'Amérique latine.

Certaines réserves peuvent être formulées quant à l'exactitude et à la similitude des statistiques disponibles, et quant à la validité des jugements sommaires sur le caractère compétitif ou autoritaire des systèmes politiques. Mais les résultats de cette étude sont, pour le moins, suggestifs. Sauf exception, et en se plaçant à un niveau élevé de généralisation, il y a bien coïncidence entre le développement économique et le caractère compétitif des systèmes politiques. Globalement, l'hypothèse de départ de Lipset se trouve vérifiée : *il existe une corrélation positive entre développement et concurrence politique.*

Dans cette même voie, Arthur S. Banks et Robert B. Textor (*A Cross-Polity Survey,* Cambridge, Mass., 1963) classent 115 pays selon le *caractère plus ou moins compétitif de leur système électoral,* en 4 groupes, définis comme suit :

1. Systèmes compétitifs (interdiction d'aucun parti ou seulement des partis extrémistes ou extra-constitutionnels) . . . 43
2. Systèmes partiellement compétitifs (un parti détient 85 % ou plus des sièges parlementaires) 9

3. Systèmes non compétitifs (suffrage à liste unique ou absence d'opposition élue) 30
4. Systèmes ambigus, non vérifiés ou non vérifiables....... 33

Si l'on compare les 43 pays à système électoral compétitif avec les 30 pays à système non compétitif, on s'aperçoit que la concurrence politique est associée à divers indices de « modernisation » : une part plus restreinte de la population employée dans l'agriculture, un produit national brut plus élevé, une urbanisation et une alphabétisation plus fortes, une meilleure diffusion de la presse, etc. Là encore, *la concurrence politique paraît croître avec le développement socio-économique.*

De cette série de *constats,* de vérifications concordantes sur les relations existant entre développement socio-économique et polyarchie, il convient de passer à l'argumentation proprement dite. Pour *expliquer* en quoi le développement socio-économique conditionne ou conforte le jeu démocratique.

B. — L'ARGUMENTATION

A l'appui de cette thèse qui lie polyarchie et richesse, autoritarisme et pauvreté, qui affirme la concordance du développement socio-économique et du développement démocratique, trois types d'arguments sont surtout invoqués. Le développement socio-économique procurerait trois conditions indispensables au jeu démocratique : la diminution des conflits, la redistribution des « ressources politiques », et, enfin, la diffusion de la culture.

1° **Développement et diminution des conflits.** — Ayant étudié les conflits politiques dans 84 pays de 1948 à 1965, Ivo K. Feierabend, Rosalind L. Feieraband et Betty A. Nesvold (« Social Change and Political Violence : Cross-National Patterns », in Hugh Davis Graham et Ted Robert Gurr, *The History of Violence in America,* New York, 1969) établissent que les sociétés relativement « modernes » ont un *niveau de conflit* nettement inférieur à celui des sociétés « traditionnelles » et, surtout, à celui des sociétés « transitoires » (c'est-à-dire en transit entre le traditionalisme et la modernité). Comme le montre le tableau reproduit ci-dessous (*op. cit.,* tableau 18.3, p. 655) :

Taux de conflit politique et niveau de développement socio-économique, dans 84 pays, de 1948 à 1965.

	Conflit politique			
			Total	
	Bas %	Elevé %	%	Nombre pays
Traditionnelles	43	57	100	(23)
Transitoires	32	68	100	(37)
Modernes	87	7	100	(24)
Total (nombre de pays).	(42)	(42)		(84)

Cela incline à conclure que les chances d'ajustement pacifique des conflits politiques croissent avec le produit national brut par tête, et avec les autres indices de « modernisation » qui lui sont associés.

Il y a corrélation positive entre le développement socio-économique et l'ajustement pacifique des conflits; *le niveau de conflit s'abaisse avec le développement.* Et, précisément, comme le souligne Dahl, la fréquence des polyarchies est inversement proportionnelle au niveau des conflits.

a) Cette décroissance du niveau conflictuel avec le développement économique s'explique, d'abord, par *la fin de l'état de pénurie,* de la loi de rareté. Auparavant, les besoins à satisfaire étaient nettement supérieurs aux biens disponibles. D'où une lutte implacable pour l'appropriation des ressources existantes, des tensions très vives, des antagonismes sociaux très profonds, qui opposaient, généralement, une minorité privilégiée, vivant dans l'abondance, et une masse supportant de graves privations.

Ces inégalités criantes créent une atmosphère de peur et de haine. Et *l'impossibilité d'une compétition politique pacifique, non violente.* Faute d'un consensus sur les bases fondamentales de la société. La violence des privilégiés alterne avec la violence des masses. Dans un climat proche de la guerre civile. Tempérée par quelque dictature souvent conservatrice, parfois révolutionnaire. Qui impose la volonté d'une partie du pays à l'autre.

La croissance économique met précisément fin à cet état de pénurie, source d'antagonismes sociaux très profonds. Les sociétés industrielles garantissent le minimum vital à presque tous leurs citoyens. Outre ces besoins élémentaires ou primaires (nourriture, vêtement, logement), elles couvriront aussi bientôt les besoins secondaires de tous (confort, loisirs, culture). Visiblement, le niveau de vie général s'élève. Tandis que tendent à disparaître la très grande richesse et la très grande misère. La société industrielle avancée tend à l'égalisation relative des conditions de vie.

b) Cette expansion économique a donc pour résultat *d'atténuer les antagonismes de classes, d'apaiser les tensions sociales.* Un *consensus* — c'est-à-dire un assentiment de tous sur les fondements essentiels de la société — s'établit. Cette coexistence pacifique entre les diverses classes sociales rend possible une compétition politique non violente. La lutte *dans* le régime — dans le cadre d'institutions acceptées par tous — remplace la lutte *sur* le régime.

En réduisant notablement les antagonismes sociaux, le développement économique transforme une société *conflictuelle* en une société *consensuelle.* Seul cadre possible pour une démocratie libérale, fondée sur des élections libres, l'existence d'une opposition, l'alternance au pouvoir, etc.

2° **Développement et répartition des ressources politiques.** — D'une manière plus générale, le développement socio-économique permet une meilleure distribution des ressources politiques. Calquée sur la notion de ressource économique, la notion de « *ressource politique* » a été imaginée par Robert A. Dahl pour désigner les instruments de l'influence politique, pour dénommer « tout moyen par lequel une personne peut influencer le comportement d'autrui » (*L'Analyse politique contemporaine,* tr. 1973, p. 94). Ce qui inclut : l'argent, le temps, le savoir, l'information, les relations, la position sociale, le droit de vote, etc.

Si la répartition de ces ressources politiques est très inégalitaire chaque citoyen disposera d'un pouvoir d'influence fort dissemblable. Le jeu démocratique sera en péril. Les théoriciens politiques l'ont souvent souligné : une relative égalité socio-économique est le préalable nécessaire de la démocratie. Ainsi, dans le *Contrat social* (livre II, chap. XI), Rousseau écrit :

« Voulez-vous donc donner à l'Etat de la consistance, rapprochez les degrés autant qu'il est possible; ne souffrez ni des gens opulents, ni des gueux. Ces deux états, naturellement inséparables, sont également funestes au bien commun; de l'un sortent les fauteurs de la tyrannie, et de l'autre les tyrans : c'est toujours entre eux que se fait le trafic de la liberté publique : l'un l'achète, et l'autre la vend. »

Or, précisément, selon Dahl, *la répartition des ressources politiques, et, par conséquent, les chances de la polyarchie, varient avec le niveau de développement socio-économique.* Sauf exceptions, l'inégalité dans la répartition des ressources politiques est la plus forte dans les sociétés agraires, moins forte dans les pays industriels et la plus faible dans les pays parvenus au stade de la consommation de masse. Certes, dans tous les systèmes, les ressources politiques sont réparties inégalement. Mais cette inégalité varie d'un système à l'autre. Que l'on considère *chaque ressource* isolément ou *l'ensemble des ressources,* la répartition est plus ou moins inégalitaire selon les sociétés.

a) C'est d'abord vrai pour *chaque ressource* considérée isolément. Le *savoir,* par exemple, ne se trouve également partagé nulle part. Mais ce partage est plus ou moins inéquitable selon les régions. En Afrique, 73,3 % de la population en âge d'être instruite ne bénéficie pas de l'alphabétisation. Alors que, pour l'ensemble de la planète, le taux moyen d'analphabétisme est tombé à 34,4 % (UNESCO, août 1971).

Il en va de même de la *richesse,* distribuée partout inégalement, mais dans des proportions variables. La terre, facteur essentiel de la richesse dans les pays agricoles, est répartie inégalement partout. Mais l'inégalité dans la détention de la terre est bien plus extrême en Amérique latine qu'en Europe occidentale.

b) Cette répartition inégalitaire se vérifie aussi pour *l'ensemble des ressources,* envisagées globalement. Mais, là encore, cette inégalité est plus ou moins cumulative selon les sociétés.

— Aux trois premières étapes du développement discernées par Russett, ce caractère *cumulatif* est très accentué. *Un petit nombre d'individus concentre la plupart des ressources.* C'est surtout vrai des sociétés agraires, particulièrement portées aux inégalités cumulatives : en effet, la possession de la terre ne détermine pas seulement la richesse, mais encore le statut social, les chances d'instruction et les perspectives de carrière (politique, administrative ou militaire). Donc dans une société agraire où la terre est inégalement répartie, il en va de même des autres ressources politiques et, partant, de la détention du pouvoir.

Cela a été vérifié par Russett, qui a étudié la relation existant entre possession de la terre et système politique dans 47 pays. Et trouvé une corrélation marquée entre la répartition inégalitaire de la terre et la dictature ou d'autres formes non polyarchiques. De même, selon Dahl, « les polyarchies sont fortement concentrées dans les pays ayant dépassé le stade agraire, tandis que les non-polyarchies sont concentrées dans les pays à prédominance agraire » *(op. cit.)*.

— En revanche, après les trois premières étapes de Russett, les inégalités en ressources politiques, bien qu'elles persistent, deviennent *moins cumulatives*. Il devient malaisé d'identifier une élite restreinte et bien délimitée qui « tiendrait » véritablement le pays. Car désormais, à chaque ressource correspond une élite particulière; et les relations entre ces élites deviennent hautement complexes. Ce caractère peu cumulatif des ressources politiques donne à ces sociétés modernes une base pluraliste, indispensable au fonctionnement d'une polyarchie.

3° **Développement et culture.** — Enfin le développement socio-économique agit sur l'état de la culture, aux divers sens de ce terme.

a) En premier lieu, la démocratie n'est pas viable si l'ensemble des citoyens ne possède pas *un minimum de culture, de connaissances*. Le suffrage universel, par exemple, est privé de signification si la masse des citoyens ne comprend pas les problèmes fondamentaux soumis à son vote. Reposant sur une certaine « sophistication » du jeu politique (campagnes électorales, débats parlementaires, controverses dans la presse, etc.), la démocratie libérale ne peut exister au-dessous d'un certain seuil culturel.

Or, dans les sociétés traditionnelles, cette culture minimum fait souvent défaut. Le taux d'analphabétisme s'élève fréquemment à 50, voire à 70 % de la population en âge d'être instruite (4). En outre, les nécessités de la survie immédiate absorbent tout le temps et toute l'énergie des individus. Il n'existe pas de loisirs, pour pouvoir acquérir un minimum de culture politique et de conscience civique.

En revanche, le développement technico-économique favorise le développement culturel. Au moins pour deux raisons. D'une part, il libère l'homme de la servitude du travail permanent. Les conditions de la production se transforment, permettant ainsi la réduction de la durée du travail, l'allongement de la durée des études et, parfois, l'avènement d'une « civilisation des loisirs ». Tous facteurs qui favorisent le développement d'une culture de masse. D'autant que, d'autre part, le progrès technique perfectionne et multiplie les moyens maté-

(4) Selon les statistiques de l'UNESCO (août 1971), la proportion des illettrés demeure, malgré de sensibles progrès, de 73,7 % en Afrique et de 46,8 % en Asie.

riels de diffusion de la culture. Les moyens de communication de masse (*mass media :* presse, cinéma, radio, télévision) mettent à la disposition de tous de larges possibilités d'information et de culture.

Dès lors, le niveau culturel général s'élève notablement. La « ressource politique » qu'est la connaissance, le savoir, est, désormais, répartie de manière beaucoup moins inégale. Ce qui permet un meilleur fonctionnement des mécanismes délicats de la démocratie libérale, qui réservent une place de choix au débat d'idées sous toutes ses formes.

b) En second lieu, si l'on utilise la notion de « *culture politique* », non dans son sens commun, mais au sens où l'entendent, par exemple, Almond et Powell (*supra,* p. 146), il faut alors noter qu'avec le développement, les composantes cognitives tendent à l'emporter sur les composantes affectives ou même évaluatives. La culture politique se « sécularise » de plus en plus : les attitudes politiques doivent de moins en moins à l'irrationnel ou à l'idéologie pure, pour se fonder sur orientations rationnelles, analytiques et empiriques. Et ce niveau de « *sécularisation culturelle* » constitue, précisément, l'un des deux critères retenus par Almond et Powell pour classer les divers systèmes politiques.

En outre, les progrès des moyens d'éducation et d'information rendent plus efficace la « *socialisation politique* », c'est-à-dire le processus par lequel une même culture politique est diffusée dans l'ensemble de la société. Le développement des communications facilite l'uniformisation des attitudes politiques et la résorption des « *sous-cultures politiques* », qui pourraient subsister ici et là et risquer de fragmenter le consensus national.

§ 2. — LES EXCEPTIONS

Pour importants qu'ils soient, tous ces constats et arguments supportent, dans *les faits,* plusieurs exceptions ou limites. A cet égard, l'expérience soviétique est particulièrement éclairante, car elle permet de reconsidérer concrètement la thèse du déterminisme économique des phénomènes politiques. Enfin, l'histoire contemporaine met en évidence l'importance des facteurs proprement politiques.

A. — Les exemples contraires

Dans les faits, la thèse liant polyarchie et développement socio-économique souffre, en effet, une double série d'exceptions.

1° Les institutions démocratiques dans les sociétés non développées. — C'est le cas, d'abord, de la « démocratie de petites unités », de la « *micro-démocratie* » : démocratie antique grecque ou romaine; républiques urbaines de la fin du Moyen Age dans l'Europe du Nord, les Flandres et l'Italie; cités berbères d'Afrique du Nord (pratiquant le gouvernement par une assemblée, la « djemaa »); palabres africains, etc.

Il s'agit, généralement, d'exemples non contemporains, mais historiques. Et fonctionnant à une échelle géographique très réduite (la tribu ou la cité). En outre, dans les cités hellénistiques et dans la république romaine, cette démocratie ne concernait que les citoyens. Ceux-ci n'étaient qu'une minorité par rapport aux esclaves et aux métèques, exclus des droits civiques. L'Athènes de Périclès ne comptait que 40 000 citoyens pour 400 000 habitants. Cette démocratie était, en réalité, une démocratie de privilégiés, c'est-à-dire une oligarchie. Elle pouvait négliger le problème de la production économique, abandonnée aux métèques et aux esclaves.

Au demeurant, dans la typologie économique de W. W. Rostow, ces sociétés se trouvent encore au stade de la « *société traditionnelle* ». C'est-à-dire à un stade qui ignore encore le problème du développement économique. Les institutions politiques de la société traditionnelle échappent donc à la pression, à la détermination des faits économiques. L'économie étant stable, « immobile », l'autonomie du politique joue : les institutions de la société traditionnelle peuvent donc revêtir les formes les plus diverses. Mais quand le développement économique et l'extension géographique viendront concerner ces sociétés, à l'époque de l'expansionnisme athénien ou romain, la démocratie s'effondrera. Le passage de la République romaine à l'Empire traduit exemplairement cette crise du développement.

Cependant, il existe un cas de déviance plus contemporain, par rapport à la thèse qui tient la polyarchie pour le fruit du développement socio-économique. Comme le note Dahl, au début du XIXe siècle, quand la polyarchie prend racine aux *Etats-Unis,* ce pays était extrêmement « sous-développé » au regard des indices couramment utilisés pour mesurer la modernisation socio-économique. On estime qu'en 1800 le P.N.B. par tête y était de 231 $ (en prix de 1965), c'est-à-dire inférieur à celui du Guatémala (281 $) ou du Nicaragua (298 $) dans les années 1960. La population des Etats-Unis était très concentrée dans le secteur agricole. L'urbanisation était très réduite : 6 % seulement des Américains vivaient dans des villes de 2 500 habitants ou plus. Et, naturellement, beaucoup des autres indices utilisés pour définir le niveau socio-économique étaient aussi « défavorables ». Néanmoins, en dépit de cet environnement réputé peu propice, la polyarchie s'acclimata aux Etats-Unis. De même, aujourd'hui, malgré un contexte jugé peu favorable — le P.N.B. par tête était seulement de 10 $ en 1965 —, l'Inde est aussi une polyarchie.

2° **Les institutions autoritaires dans les sociétés développées.** — A l'opposé, l'on peut trouver, dans des sociétés développées, des institutions autoritaires ou dictatoriales, qu'il s'agisse de dictatures « sociologiques » ou « techniques », selon la distinction proposée par M. Duverger dans *De la dictature* (1961).

La dictature « *sociologique* » est de nature structurelle. Engendrée par la situation de la société, elle correspond à une crise des structures et des croyances. Selon qu'elle vise à maintenir l'ordre ancien ou à promouvoir un ordre nouveau, cette dictature sociologique sera conservatrice ou révolutionnaire. En revanche, la dictature « *technique* » est de nature conjoncturelle. Elle n'est portée par aucun mouvement du corps social. Elle ne correspond à aucun besoin ni à aucun désir d'une partie notable de la population. Elle naît simplement de la volonté de puissance, de l'ambition d'un groupe d'aventuriers, qui fait tomber le pouvoir sous sa coupe. Dépourvue de substrat sociologique, elle est parasitaire, au sens biologique du terme.

a) *Les dictatures sociologiques.* — Le cas le plus évident est celui de l'Allemagne de 1933, société à haut niveau de développement socio-économique, où s'établit la dictature hitlérienne. Dictature « *sociologique* », qui correspond à une crise des structures et des croyances. La société allemande connaît, alors, un profond bouleversement : crise morale consécutive à la défaite de 1918, crise économique, liée à la grande dépression de 1929; crise sociale, avec l'appauvrissement des classes moyennes et l'accroissement du chômage, etc.

Dans cette société à forte concentration industrielle et au prolétariat ouvrier nombreux, le nazisme naît d'une réaction désespérée des classes moyennes pour tenter de contrecarrer l'évolution socio-économique. Condamnés par cette évolution, les petits exploitants, les petits commerçants, les artisans, les petits entrepreneurs, refusent d'être réduits à une situation de salariés. Avec la bénédiction du « grand capital », ils poussent au pouvoir une dictature qui conservera le système de production existant. Le nazisme sort de cette conjonction entre le « fascisme des classes moyennes » (S. M. Lipset) et le soutien des grands industriels de la Rhur. Dictature « *conservatrice* », mise en place pour maintenir un ordre économique menacé par l'évolution, l'hitlérisme tend à empêcher une société industrialisée de glisser vers le socialisme. Pour cette besogne — empêcher l'avènement du socialisme — un pouvoir dictatorial inspire beaucoup plus confiance que la République de Weimar. Il y a là un exemple de volontarisme politique, de résistance au déterminisme économique.

b) *Les dictatures techniques.* — Par ailleurs, des institutions dictatoriales peuvent se rencontrer dans des sociétés développées, sans qu'il s'agisse de dictature « sociologique ». C'est l'hypothèse de la dictature « *technique* », qui naît beaucoup moins d'une crise sociale que de l'ambition, de la volonté de puissance animant un clan, qui dispose des moyens techniques propres à la capture du pouvoir. Car il existe presque une véritable « technique » en la matière (cf. C. Malaparte, *Technique du coup d'Etat,* 1931), qui peut être exposée systématiquement (E. Luttwak, *Le coup d'Etat, manuel pratique,* tr. 1969).

Les divers putschs — et spécialement les putschs militaires — qui éclatent dans certaines sociétés relativement développées d'Amérique latine, par exemple, n'ont pas toujours une signification sociologique clairement perceptible. Parfois ils semblent plutôt résulter — sous un camouflage politique — de l'ambition de quelques aventuriers, fascinés par le pouvoir pour le pouvoir.

Paradoxalement, *la dictature « technique » peut même s'établir aisément dans une société hautement développée.* Car une société de ce type reposant sur des relations économiques et techniques complexes, il suffit de la frapper dans ses centres vitaux (communications, transports, radiotélévision, etc.), pour la paralyser et la maîtriser. La complexité croît, en effet, avec le niveau de développement, et la vulnérabilité croît avec la complexité. Par exemple, en France, de 1958 à 1962, un putsch militaire était pleinement crédible.

Mais, dans une société industrielle avancée, si une dictature « technique » peut *s'établir* assez aisément, elle éprouve de grandes difficultés à *se maintenir*. Car une économie développée et diversifiée s'accommode mal d'une gestion autoritaire. En outre, vu le niveau culturel et organisationnel, la dictature rencontrerait rapidement des contre-forces : partis politiques, syndicats, universités, etc.

Cependant, ces aberrances — même accidentelles, même exceptionnelles — dans les faits obligent à reconsidérer la thèse du déterminisme économique des phénomènes politiques. A travers l'étude plus détaillée d'une expérience exemplaire à cet égard : celle de la société soviétique.

B. — L'expérience soviétique et le déterminisme économique

Dans ses phases successives, l'expérience soviétique confirme-t-elle ou infirme-telle la thèse qui insiste sur la coïncidence du développement économique et de la libéralisation politique ?

1° La recherche du développement et la dictature stalinienne. — On sait comment Staline établit sa dictature en U.R.S.S. (*supra*, p. 81). En concentrant entre ses mains tous les pouvoirs, dans l'Etat comme dans le Parti (dont il néglige les instances collectives). En organisant en sa faveur un véritable « culte de la personnalité ». En s'appuyant sur l'appareil du Parti, sur la bureaucratie d'Etat et sur la police.

Appuyé sur ce formidable appareil bureaucratique, répressif et centralisateur, Staline s'emploie à construire et à fortifier une économie socialiste. C'est, dès 1928, la mise en route des *plans quinquennaux*, qui donnent la priorité absolue à l'équipement et à l'industrie lourde sur la production des biens de consommation. Plans exécutés avec fidélité puisque toutes les *entreprises industrielles* — sauf les entreprises familiales ou artisanales, qui ne permettent pas l'exploitation de l'homme par l'homme — sont devenues la propriété de la collectivité. C'est aussi la *collectivisation agricole,* réalisée sous la forme étatique des sovkhozes, ou, beaucoup plus souvent, sous la forme simplement coopérative des kolkhozes.

L'analyse de W. W. Rostow. — Dans l'analyse de W. W. Rostow, cette dictature ne correspond pas à la phase économique du « démarrage » *(take off)*, déjà amorcée sous le tsarisme vers 1890. Staline est l'artisan, non du « démarrage », mais d'une « *marche vers la maturité* », de type spécifique.

Aux Etats-Unis, la marche vers la maturité a commencé après la guerre de Sécession, dans une atmosphère de liberté, de paix et d'ouverture sur l'extérieur : d'où une répartition équilibrée des investissements entre l'industrie lourde et l'industrie légère, les biens de consommation et les services. En U.R.S.S., en revanche, la « marche vers la maturité » économique s'est produite pendant les trente années qui ont suivi 1928, dans une économie véritablement organisée en circuit fermé, dans un pays en guerre ou se préparant à la guerre. Elle a donc pris une physionomie sensiblement différente : concentration des investissements dans l'industrie lourde et les industries mécaniques, constitution du potentiel militaire, restrictions imposées à la consommation des masses, retard dans l'agriculture et la construction de logements, etc.

Or quel est le système politique, susceptible d'opérer « l'affectation de crédits extraordinairement élevés à l'investissement et aux dépenses militaires » ? De prélever implacablement une part très considérable du revenu national pour effectuer des investissements dans l'industrie lourde ? D'imposer de graves restrictions à la consommation ? Sinon un système dont les dirigeants n'aient pas à redouter d'être destitués par une population dont ils auront méconnu les aspirations : c'est-à-dire une *dictature,* appuyée sur un immense appareil centralisateur, bureaucratique et répressif.

D'une certaine manière, *la dictature stalinienne apparaît donc comme le produit d'une situation socio-économique.* Comme la conséquence politique d'une tension pour s'arracher complètement au sous-développement socio-économique. Comme une technique politique de croissance accélérée, pour réaliser une marche forcée vers la maturité. Rostow écrit, en ce sens (*Les étapes de la croissance économique,* tr. 1963, p. 195-196) :

« Le communisme n'est certes pas la seule forme d'organisation étatique efficace qui puisse consolider les conditions préalables pendant la phase de transition d'une société traditionnelle, déclencher le démarrage et mener une société à la maturité technologique. Mais il peut être l'un des moyens d'accomplir cette tâche difficile... C'est, en effet, une forme particulièrement inhumaine d'organisation politique, capable de lancer et de soutenir la croissance dans les sociétés où, pendant la phase des conditions préalables, il ne s'est pas créé une classe moyenne commerçante, nombreuse et entreprenante... C'est une sorte de *maladie* qui peut atteindre une société en période de transition... »

Ce qui ne revient nullement à dire que le stalinisme était « *nécessaire* » à l'industrialisation et à la modernisation de l'U.R.S.S. En effet, pour Rostow comme pour G. Warren Nutter (« Soviet Economic Developments : Some Observations in Soviet Industrial Growth », *The American Economic Review,* mai 1957) ou Cyril Black (« Soviet Society : A comparative View », dans *Prospects for Soviet Society,* p. 42-43), les résultats soviétiques ne sont pas exceptionnels. Ils auraient sans doute pu être obtenus selon des procédés moins rigoureux. Selon Cyril Black, « d'autres sociétés ont obtenu des résultats analogues à des prix largement inférieurs ».

Mais cette controverse sur les résultats, sur les voies et moyens de la croissance, n'enlève rien à la conviction, qui a pu dominer à l'ère stalinienne, que l'autoritarisme correspondait aux conditions économiques du moment.

2° **La maturité et l'après-stalinisme.** — Maintenant que ce passage du « démarrage » à la « maturité » économique est achevé, l'U.R.S.S. semble se trouver à un carrefour. Carrefour économique et, par voie de conséquence, carrefour politique, si l'on accepte la thèse du déterminisme économique des faits politiques.

• *Carrefour économique :* alternative que Rostow définit ainsi : *créer une société de consommation ou choisir une politique de puissance.* Pour Rostow, qui écrit en 1958, l'U.R.S.S. semble retenir la seconde option. Ses dirigeants visent à « étendre considérablement la puissance soviétique sur la scène mondiale, et pour ce faire ils essaient de ralentir le taux d'expansion de la consommation » (p. 130). « Pour qui cherche à formuler cette impression en termes d' « étapes de croissance », la Russie est une nation qui cherche à transformer sa maturité en une situation de prédominance mondiale, *en retardant et en freinant son évolution vers la consommation de masse* » (p. 161).

En vérité, aujourd'hui, cette volonté est beaucoup moins claire que ne le prétendait Rostow. En matière économique, ce qui prévaut, c'est un souci d'équilibre entre politique de puissance et politique de mieux être. Souci d'équilibre — sinon incapacité à choisir — qui fait éluder les choix fondamentaux, et qui transparaît nettement dans les discours de MM. Brejnev et Kossyguine devant le XXIVe Congrès du P.C.U.S. (mars-avril 1971).

Dans son discours du 30 mars 1971, M. Brejnev assure qu'un effort prioritaire sera consenti en faveur de la consommation, sans que soit modifiée la politique constante de développement accéléré des moyens de production et de l'industrie lourde.

De même, dans son rapport du 6 avril 1971, M. Kossyguine s'efforce de tenir la balance égale. Insistant sur l'attention particulière que porte le IXe Plan quinquennal (1971-1975) à la production des biens de consommation et à l'agriculture. Mais s'empressant d'ajouter : « L'industrie lourde a été et reste la base de la puissance de l'U.R.S.S. ». Soulignant les résultats positifs de la réforme économique, décidée en octobre 1965 et fondée sur les critères de la rentabilité et du « profit d'entreprise ». Mais rappelant aussitôt « le rôle primordial de la planification centralisée d'Etat ».

• Cette difficulté à choisir s'explique : une option économique tranchée produirait nécessairement des conséquences politiques. Car ce carrefour économique est aussi un *carrefour politique.* Le choix d'une politique économique de *puissance* implique le maintien d'un système autoritaire et bureaucratique. A l'opposé, le choix d'une politique économique développant la *consommation* s'accommoderait mieux d'une gestion politique plus libérale.

En résumé, au stade de « maturité » économique atteint par l'U.R.S.S., deux solutions politiques sont envisageables. Ou bien, la *libéralisation,* l' « occidentalisation » de la vie politique, dont on note quelques éléments, va s'accentuer. Ou bien, au contraire, le système, loin de se libéraliser, conservera ou retrouvera l'*autoritarisme* stalinien. L'U.R.S.S. serait à la croisée des chemins entre l'hédonisme et l'héroïsme économiques et, par conséquent, entre la « libéralisation » et le conservatisme stalinien.

En vérité, le système soviétique d'aujourd'hui présente à la fois des éléments d'innovation et des éléments de blocage (*supra*, p. 83).

a) LES ÉLÉMENTS D'INNOVATION. — Certains éléments d'innovation vont dans le sens d'une « *occidentalisation* » de la vie publique. C'est d'ailleurs le vœu de certains intellectuels dissidents. Ainsi Roy Medvedev, dans son livre *De la démocratie socialiste* (tr. 1972), préconise « une authentique démocratie socialiste », combinant le socialisme et les institutions démocratiques, et notamment les institutions de la « démocratie bourgeoise ».

En effet, dans une société socialiste développée, qui a supprimé les inégalités socio-économiques, les institutions créées par la démocratie bourgeoise peuvent cesser d'être « formelles » et devenir « réelles ». Il faut donc respecter strictement les droits de l'homme, développer « la liberté de la parole et la liberté de la presse », consacrer « le droit à l'information », « les droits de réunion, de manifestation et d'association ». On pourrait même admettre « le droit à l'opposition » et envisager « la possibilité du bi- ou du pluripartisme dans une société socialiste développée ».

Comme Thiers jadis, mais dans un autre contexte, Roy Medvedev réclame ces « libertés nécessaires ». Nécessaires au développement et au progrès de l'U.R.S.S. Il écrit ainsi :

« Il fut un temps où certaines limitations raisonnables de la démocratie socialiste — et à plus forte raison de la démocratie tout court — étaient nécessaires. Il fut un temps où il était nécessaire d'accepter de sérieuses *limitations de la démocratie*, même à l'intérieur du Parti. Mais ces temps appartiennent à un passé révolu. Aujourd'hui, l'insuffisance de la démocratie socialiste affaiblit, au lieu de les renforcer, notre société et notre Etat, amoindrit la portée du socialisme, ralentit l'édification culturelle et économique de notre pays et des autres pays socialistes. Le progrès scientifique et technique exige de l'homme le développement maximal de toutes ses facultés spirituelles. Mais on ne peut atteindre ce développement que dans un *climat de liberté et de démocratie* » (*op. cit.*, p. 59-60).

Pour Andrei Sakharov, l' « occidentalisation », la libéralisation du système soviétique sont non seulement souhaitables, mais probables. C'est la thèse de la « *convergence* ». Les pays de l'Est et ceux de l'Ouest convergeraient vers un modèle commun. Par un double mouvement : de libération à l'Est, de socialisation à l'Ouest (progrès de la planification globale, prise en compte des besoins sociaux, avènement de nouvelles valeurs, remplaçant les anciennes valeurs individualistes de l'économie de profit, etc.).

Sakharov prédit, pour les dernières années de ce siècle, une *évolution en quatre phases* : 1° démocratisation des pays de l'Est, qui se débarrasseront de l'héritage stalinien et de la dictature du parti unique; 2° transformation des pays capitalistes, qui réaliseront d'importantes réformes internes;

3° effort russo-américain pour régler les problèmes du Tiers-Monde et promouvoir le désarmement; 4° la quatrième phase verra tous les autres problèmes mondiaux envisagés sous l'angle d'une large coopération internationale (5).

Cette thèse de la convergence a été aussi soutenue par plusieurs auteurs occidentaux, surtout à l'époque du « dégel » khrouchtchevien (6).

On note donc une évolution sensible des analyses de la science politique occidentale relatives à l'U.R.S.S. A la mode intellectuelle précédente, procédant par opposition manichéenne (totalitarisme-démocratie; socialisme-libéralisme économique) a succédé une nouvelle mode. Celle-ci défend la thèse de la *convergence* de l'Est et de l'Ouest vers un modèle commun, imposé par les exigences mêmes de la société industrielle.

Dans *Political Power : U.S.A./U.S.S.R.* (New York, 1964), Z. Brzezinski et Samuel Huntington s'efforcent de dépasser ces deux modes successives, pour souligner, à partir de la similitude de certains problèmes et données, la nature profondément différente des réponses et de leur style. En critiquant spécialement la théorie selon laquelle l'évolution du système soviétique le conduirait vers les formes d'une démocratie libérale traditionnelle (*op. cit.*, livre I, dernier chapitre).

b) Les éléments de blocage. — En effet, à côté d'éléments d'innovation, le système soviétique comporte aussi des éléments de blocage (*supra*, p. 83). Ils tiennent spécialement à l'existence d'une « nouvelle classe » ou d'une « nouvelle couche ». Cette *élite bureaucratique* continue de monopoliser le pouvoir, à l'écart des masses. Portée au conformisme et au conservatisme, elle entrave l'évolution de la société soviétique. Elle résiste aux changements, aux réformes politiques, qui menaceraient sa position et ses privilèges.

La société soviétique se transforme profondément. Pourtant, le système politique semble peu adapté à la mutation de son « environnement ». Il mord difficilement sur les mutations du réel. Il convertit mal les « exigences » nouvelles du système social. Le décalage est visible entre l'infrastructure socio-économique et la direction politique, qui ne veut ou ne peut procéder aux renouvellements nécessaires, entravée par la structure même du pouvoir. En bref, la société soviétique paraît être aujourd'hui *une « société bloquée » par son système politique.*

(5) A. Sakharov, Manifeste publié dans le *New York Times* du 22 juillet 1968. D'A. Sakharov, on peut lire aussi : *La liberté intellectuelle en U.R.S.S. et la coexistence,* tr. 1969, et *Sakharov parle,* tr. 1974. — Voir aussi la « *Lettre des trois savants* » ou « *Programme en quinze points* », adressée par Sakharov, Tourtchine et Roy Medvedev à MM. Brejnev et Kossyguine, pour réclamer une démocratisation et une libéralisation du régime (traduction française dans *Le Monde* des 11 et 12 avril 1970).

(6) Voir, par exemple, R. Aron, *Dix-huit leçons sur la société industrielle,* 1962 et M. Duverger, *Introduction à la politique,* 1964, p. 365-380.

Dans le même sens, Roy Medvedev écrit : « Par le pouvoir dont elle dispose, par son niveau de vie et les privilèges dont elle jouit, la couche supérieure des responsables des appareils de l'Etat, du Parti, de l'économie et de l'armée est encore très éloignée du peuple... Certains engrenages de la machine bureaucratique *tournent à vide*, tandis que se produisent dans les profondeurs de la société des *changements* que les dirigeants ne connaissent guère et dont ils ne tiennent pas compte. Ainsi, la bureaucratie et l'esprit bureaucratique sont encore le *frein* principal au développement socialiste et communiste de notre société. » (*op. cit.*, p. 335).

Sous-développement et sur-pouvoir. — Pour Medvedev et Sakharov, un maintien des contraintes ne sied guère à la société soviétique d'aujourd'hui. Il conviendrait plutôt de passer du socialisme autoritaire au socialisme libéral. A l'image de la synthèse tentée en 1968 par la Tchécoslovaquie entre libéralisation politique et socialisation des moyens de production. Car la gestion autoritaire et bureaucratique est un *anachronisme*, une fois le système parvenu à un certain stade de développement économique et d'unification sociale.

La dictature est la « maladie infantile » du développement. Le pouvoir autoritaire est la marque du sous-développement économique et du dissensus social. Une société développée n'a que faire d'un appareil coercitif sur-développé. C'est le marxisme-léninisme lui-même qui l'enseigne, en soulignant le caractère transitoire, provisoire de la dictature du prolétariat.

En revanche, l'autoritarisme ne revêt pas ce même anachronisme dans les pays socialistes sous-développés (Chine, Albanie, etc.), dont le niveau de développement économique est très inférieur à celui de l'U.R.S.S. D'une certaine façon, les différences idéologiques entre le socialisme chinois ou albanais et le socialisme soviétique reflètent les différences de développement socio-économique entre les pays qui les pratiquent.

L'U.R.S.S. et les démocraties populaires d'Europe de l'Est possèdent — et possédaient dès le départ, c'est-à-dire dès 1917 ou dès 1945 — un niveau technico-économique bien supérieur à celui d'autres pays socialistes (Chine, Vietnam, Cuba, etc.). Il s'agit, pour ces derniers, de sociétés agraires, où l'industrie n'était encore qu'embryonnaire au moment de l'installation du socialisme, où le niveau culturel moyen restait faible.

Dans la meilleure hypothèse, les Etats du Tiers-Monde en sont à franchir l'étape qui mène du « démarrage » à la « maturité » : étape que l'U.R.S.S. a réalisée sous la dictature stalinienne. Dans la pire hypothèse, ils n'en sont qu'à l'étape du « démarrage », voire à l'étape de la réunion des « conditions préalables au démarrage ».

Il faut encore citer Rostow, qui écrit en 1958 : « L'expansion actuellement constatée en Asie, au Moyen-Orient, en Afrique et en Amérique latine rappelle les étapes des *conditions préalables* et du *démarrage* par lesquelles sont passées d'autres sociétés à la fin du XVIIIe et au XIXe siècle, et au début du XXe » (*op. cit.*, p. 168).

Dès lors on comprend mieux l'attachement des Chinois et des Albanais au stalinisme, puisqu'ils sont confrontés aux problèmes économiques mêmes que l'U.R.S.S. a résolus à l'ère stalinienne. Le stalinisme apparaît comme la technique pour arracher autoritairement un pays au sous-développement.

En réalité, la querelle politique sino-soviétique proviendrait de la *dissemblance des situations socio-économiques.* Le « révisionnisme » soviétique correspondant à la « maturité » économique; le « néo-stalinisme » chinois correspondant à l'étape qui mène du « démarrage » à la « maturité ». Cela vérifierait la thèse qui lie développement socio-économique et libéralisation politique.

Mais — comme le montre précisément l'actuel décalage entre la société et le système politique soviétiques (6 *bis*) — cette thèse comporte de sérieuses limites. D'ailleurs, toute l'histoire du xxe siècle démontre l'importance des facteurs proprement politiques.

C. — L'importance contemporaine des facteurs politiques

Le fait politique est-il le produit d'une situation socio-économique, comme le pensent les déterministes, notamment marxistes ? Ou bien bénéficie-t-il d'une relative autonomie ? D'une certaine manière, en montrant *comment un volontarisme politique peut surmonter le déterminisme économique,* l'histoire contemporaine des pays socialistes infirme l'analyse de Marx.

L'histoire soviétique. — Et, d'abord, l'histoire soviétique. En 1917, *Lénine* ne respecte pas le schéma de Marx selon lequel la révolution socialiste devait advenir dans les pays les plus développés économiquement, à forte concentration de capital et dotés d'un prolétariat ouvrier nombreux. *Octobre 1917 est un défi à l'orthodoxie marxiste :* par la volonté de Lénine et de ses compagnons, la révolution éclate dans un pays attardé, qui ne connaît vraiment ni le capitalisme dans l'ordre économique, ni la démocratie parlementaire dans l'ordre politique.

Historiquement et selon les normes marxistes, la Russie agraire, semi-féodale et autocratique de 1917 n'était pas « mûre » pour le socialisme. Le socialisme devait apparaître dans des pays beaucoup plus avancés économiquement et politiquement (Allemagne, Angleterre, etc.). Par rapport au déterminisme marxiste, « le rideau de fer » constituera donc une formidale inversion historique. Selon la logique

(6 *bis*) Sur le système politique, le XXVe Congrès (1976) et la pesante domination de M. Brejnev, voir *supra*, p. 83.

du développement économique, c'est l'Occident qui devrait être dans le camp socialiste, et l'U.R.S.S. dans le camp du capitalisme libéral.

Comment Lénine surmonte-t-il cette fatalité économique ? En recherchant *le pouvoir politique*. En pratiquant un coup de force politique, « technique », sans s'arrêter au contexte socio-économique défavorable. Cette démarche évoque plus le blanquisme que le marxisme. Elle constitue une injure au déterminisme économique.

De plus, une fois au pouvoir, Lénine décide de faire sauter à la Russie l'étape du capitalisme et de la démocratie bourgeoise, en passant directement à la construction du socialisme et à la dictature du prolétariat.

L'expérience chinoise. — A son tour, et davantage encore, le communisme chinois apparaît comme un volontarisme surmontant le conditionnement socio-économique. De la prise du pouvoir en 1949 au « grand bond en avant » et à la « révolution culturelle » (*supra*, p. 88), dont Denis de Rougemont dit justement : « C'est du marxisme renversé: c'est une révolution qui part des superstructures. » (*L'Express*, 12 avril 1971.)

Ici encore, il s'agit de précipiter l'évolution, de brûler les étapes, de forcer l'histoire. En vérité — et contrairement à l'orthodoxie marxiste —, le léninisme, le stalinisme, le maoïsme témoignent pour l'importance, voire pour la *primauté des facteurs politiques*.

Léo Hamon (*Acteurs et données de l'histoire*, t. I, 1970, p. 84-85) a souligné ces « usages intensifs, presque forcenés du pouvoir afin de changer l'histoire » et la « victoire de ces volontarismes ». Pour en déduire « l'immense *latitude d'action* offerte aux hommes et la fécondité du *pouvoir politique* dans l'usage de cette action ».

Le Tiers-Monde. — Aujourd'hui, ce volontarisme politique visant à dominer le déterminisme socio-économique se retrouve dans beaucoup de pays du Tiers-Monde, que leurs *dirigeants politiques* entreprennent d'arracher au sous-développement. Dans le développement européen du XIXe siècle, l'Etat étant plutôt spectateur qu'acteur. Ici, au contraire, tout commence à partir des Etats, à partir des gouvernements constitués par des élites « modernisantes ». Celles-ci, nettement en avance par rapport à la société traditionnelle, se donnent pour objectif de faire progresser le pays tout entier. Le rôle de cette couche sociale motrice, tendue vers la modernisation, illustre l'importance décisive du facteur politique.

Comme le souligne Jean-Yves Calvez (*Aspects politiques et sociaux des pays en voie de développement,* 1971, p. 240-241) : « C'est par leur *couche politique,* un appareil, mais aussi un groupe d'hommes en avance sur l'ensemble social, que les sociétés — et les économies — des pays en voie de développement sont, vaille que vaille, mises en mouvement... En d'autres termes, le *facteur politique* a généralement été le facteur le plus dynamique de l'histoire récente de ces pays, y compris le facteur le plus dynamique de leur évolution économique. »

Ce constat vaut notamment pour l'Afrique depuis son indépendance et pour certains gouvernements « développeurs » d'Amérique latine depuis une vingtaine d'années. Il marque toute l'impulsion que des cadres politiques peuvent donner à la modernisation socio-économique.

La résistance des superstructures politiques à l'évolution de l'infrastructure socio-économique. — Les cas précédents montrent des dirigeants politiques anticipant, lançant, entraînant l'évolution socio-économique. Ils attestent, ainsi, le poids des facteurs politiques. Mais la démonstration symétrique serait tout aussi convaincante. Elle décrirait des superstructures politiques *résistant* avec succès à la mutation de l'infrastructure socio-économique.

Aujourd'hui, on l'a dit, l'U.R.S.S. a achevé d'atteindre sa « maturité » économique. La logique de l'évolution économique semblerait devoir la conduire vers une société de haut développement, sinon « de consommation », et vers ses corollaires politiques (libéralisation, accès au pluralisme, etc.). Mais cette évolution, ce mouvement de la société, semblent *freinés ou retardés par les dirigeants politiques.* A quoi s'ajoutent le poids des traditions historiques, du passé stalinien, la pesanteur des structures politiques établies, etc., pour constituer autant d'obstacles à une évolution vers une société « pluralisée ». Malgré les pressions d'un environnement social en profonde mutation, le système politique *persiste* dans des structures archaïques héritées de l'ère stalinienne. Dans le passé, le système politique anticipait sur l'évolution de la société, désormais, il retarde par rapport à elle.

L'élan d'hier et le blocage d'aujourd'hui, le volontarisme politique de 1917 et l'aboulie politique de 1977 constituent l'avers et le revers d'une même médaille. Tous deux démontrent identiquement la capacité de *résistance* du politique au conditionnement socio-économique.

§ 3. — DÉPENDANCE OU AUTONOMIE DU POLITIQUE ?

Dépendance ou autonomie du politique ? — Alors, le politique est-il dépendant ou autonome ? Cette question-clé de la science politique continue de diviser les auteurs.

Pour Marx, l'histoire n'est pas dominée par la lutte des dirigeants politiques, mais par la lutte des classes, liée elle-même au mode de production. Bref, l'infrastructure détermine le politique. A partir de là, le marxisme ordinaire verse dans l'*économisme*. Il insiste sur la détermination rigoureuse du politique par l'économique, sur l'étroit conditionnement des phénomènes politiques par les données économiques.

Cependant, certains auteurs marxistes — comme Gramsci ou Althusser (*supra*, p. 92) — reconnaissent à la superstructure une part d'autonomie par rapport à l'infrastructure. Avec eux s'affirme l'idée de l'autonomie relative du système politique.

Aujourd'hui, beaucoup d'auteurs occidentaux non marxistes (Dahl, Russett, Lipset, etc.), influencés par l'observation des systèmes en développement, admettent, à leur tour, qu'il existe un conditionnement du politique par l'économique, par le développement socio-économique (*supra*, p. 184). Ils établissent une relation entre structure politique et niveau de développement économique.

Ce faisant, ils s'opposent à d'autres politistes non marxistes, qui préfèrent *expliquer le politique par le politique*, qui préfèrent expliquer l'histoire par la lutte des dirigeants et des groupes politiques. Souvent en réaction contre la théorie marxiste. Ces auteurs croient à l'indépendance des phénomènes politiques, voire à la détermination de l'économie par les instances politiques. Versant dans le *politisme*, ils croient à l'autonomie absolue du politique.

Les Anciens. — Au fond, on retrouve là une tradition très lointaine. Car les Anciens insistaient déjà sur l'autonomie du politique. Ils faisaient ressortir la mutabilité des systèmes politiques. La *théorie des cycles*, chère aux philosophes grecs et reprise plus tard par Ibn Khaldoun (1322-1406), en constitue une illustration privilégiée.

Chaque régime politique se dégraderait inévitablement, se transformerait inéluctablement en un autre régime. Cette corruption ne procéderait pas d'une cause externe (économique, démographique, etc.). Elle résulterait plutôt d'un mouvement spécifique, interne aux phénomènes politiques. L'univers politique constituerait une réalité propre, gouvernée par ses propres lois.

Rappelant cette analyse, Raymond Aron note, en conclusion de ses *Dix-huit leçons sur la société industrielle* (p. 374-375) : « Enfin, il n'est pas démontré que les phénomènes politiques soient déterminés univoquement par les phases de la croissance économique; la richesse ne suffit pas à répandre la démocratie politique. Il est possible, comme le croyaient les Anciens, qu'il y ait *un rythme propre des phénomènes politiques,* que les despotismes finissent par s'user et les démocraties par se corrompre. L'oscillation des régimes politiques d'une forme à une autre, au lieu d'être provoquée par les mouvements économiques, pourrait être une variable relativement *indépendante.* »

Déjà Platon décrit l'inévitable processus de dégénérescence que devra subir même la parfaite aristocratie qu'il propose. Celle-ci se transformera en « timocratie » (ou gouvernement de l'honneur), puis successivement en oligarchie, en démocratie, et enfin en tyrannie.

Aristote. — A son tour, Aristote fait progresser la théorie du changement politique. Sa typologie des régimes politiques se fonde sur deux critères. Un critère *quantitatif* : quel est le nombre de ceux qui détiennent le pouvoir. Un critère *qualitatif* : quel usage en font-ils ? agissent-ils dans l'intérêt de tous ou dans leur intérêt propre ?

Schématiquement, sa classification peut se trouver résumée par le tableau suivant :

Nombre de gouvernants	Exercice du pouvoir par les gouvernants	
	Dans l'intérêt de tous	Dans leur intérêt propre
Un seul	Royauté (monarchie).	Tyrannie.
Petit nombre	Aristocratie.	Oligarchie.
Grand nombre	Politie (république).	Démocratie.

Pour traditionnelle qu'elle soit, cette typologie aristotélicienne appelle bien des réserves. Car elle se fonde partiellement sur des préférences personnelles et des jugements de valeur, qui vont jusqu'à contredire l'étymologie même, nuisant ainsi à sa clarté et à sa cohérence.

Les types purs. — Dans les types purs — où le pouvoir est exercé dans l'intérêt de tous — la classification distingue, selon le nombre des gouvernants :

— la *monarchie* (de *monos,* seul, et *archê,* commandement), encore appelée royauté, où un seul gouverne;

— l'*aristocratie* (*aristoi :* les meilleurs, *kratos :* pouvoir, autorité), où gouverne le petit nombre des meilleurs;

— la république, ou *politie* (terme neutre en lui-même, qui équivaut à Etat ou à constitution), où gouverne le grand nombre.

On remarquera l'incertitude des critères tantôt quantitatifs, tantôt qualitatifs. Alors qu'en se fondant sur le nombre, on devrait distinguer monarchie (*monos,* un seul), oligarchie (*oligos,* peu nombreux), démocratie (*demos,* peuple), ces deux dernières formes sont remplacées par aristocratie et politie, qui sont des catégories qualitatives. Oligarchie et démocratie, notions simplement quantitatives, deviennent péjoratives, par un souci de symétrie qui ne sert pas la clarté.

En vérité, ces dénominations insolites procèdent d'attitudes politiques personnelles. Les préférences d'Aristote, comme plus tard celles de Polybe et de nombreux auteurs à leur suite, vont à un régime modéré combinant les avantages de l'oligarchie et de la démocratie. En réalité, le régime idéal qu'Aristote appelle confusément politie (*politeia*) — puisqu'il se situe dans le cadre de la *polis,* de la cité — est un *régime mixte :* sorte d'oligarchie tempérée de démocratie. Régime « centriste », reposant essentiellement sur la classe moyenne, parangon de toutes les vertus civiques, il constitue un substitut discret de la véritable démocratie.

Cette tentative de « camouflage » est, néanmoins, intéressante. Elle montre qu'Aristote ne sépare pas le régime constitutionnel de son infrastructure sociologique. N'importe quel régime ne saurait convenir à n'importe quelle société. Il faut, au contraire, tenir compte des circonstances particulières à telle ou telle cité : climat, population, économie, répartition des classes sociales, etc. C'est tout le *relativisme* d'Aristote. Un régime ne s'explique ou ne vaut que par son substrat sociologique. S'il est inadapté à ce substrat, il s'altère, se dégrade, et un autre régime apparaît.

Cependant, comme les autres auteurs grecs, Aristote croit aussi à une certaine *autonomie* du politique, qui ne serait pas *déterminé* principalement par l'évolution du contexte sociologique. Les Anciens croient volontiers, en effet, à un rythme propre des phénomènes politiques. Au lieu d'être produit par des mouvements socio-économiques, le balancement des régimes politiques d'une forme à une autre serait une variable relativement indépendante.

Les formes déviées. — Car l'Antiquité a une vision évolutive, et pessimiste, des régimes politiques. Tout régime tend à se corrompre, à se dégrader en une forme impure, pervertie. Platon, puis Aristote, Polybe plus tard, élaborent chacun une *théorie cyclique des régimes politiques,* se succèdant les uns aux autres par enchaînement nécessaire et logique. « Tout s'écoule. » Ou, si l'on préfère, « tout passe, tout lasse, tout casse ». Aristote va même jusqu'à discerner, dans le devenir historique, une vingtaine de formes de gouvernement, s'enchaînant les unes aux autres en un tableau d'une extrême complication (7).

Pour la simplicité de l'exposé, on se bornera à rappeler les principales formes déviées ou corrompues : chacune constitue l'altération d'une forme pure, *les gouvernants exerçant le pouvoir dans leur intérêt propre et non au bénéfice de tous.* Pour l'essentiel, ce sont, selon les dénominations d'Aristote :

— la *tyrannie,* altération de la monarchie : comme le monarque, le tyran *(turannos)* commande seul; mais le premier règne avec le consentement et pour le bien de tous, tandis que le second gouverne de façon arbitraire et à son profit, en usurpant un pouvoir qu'il ne tient pas du consentement des sujets;

— l'*oligarchie,* altération de l'aristocratie, gouvernement du petit nombre dans son intérêt, qui connaît diverses variantes : *ploutocratie* (*ploutos :* richesse), où le pouvoir appartient aux riches, *timocratie* (*timê :* honneur), où il appartient à ceux qui détiennent places et honneurs, etc.;

— la *démocratie,* parfois appelée *démagogie,* altération de la politie, gouvernement despotique du grand nombre : le règne des lois est aboli; les appétits incontrôlés de la masse remplacent les dispositions générales et impersonnelles par des décisions particulières, frappant certaines personnes ou catégories, spécialement les riches; une multitude d'intérêts particuliers supplante l'intérêt général, le bien commun.

L'analyse de Polybe. — Polybe (205-125 av. J.-C.) retiendra une classification à peu près analogue dans son *Histoire universelle.* Notable grec, amené à Rome comme otage en 168 et devenu le familier de Scipion, Polybe, s'inspire de *La République* de Platon et de la *Politique* d'Aristote. Il expose, à son tour, une *théorie cyclique* de la succession des régimes politiques.

(7) Voir *Politique d'Aristote,* traduction et présentation de Marcel Prélot, 1950.

La *monarchie,* où le pouvoir d'un souverain juste se fonde sur la libre adhésion, dégénère en *tyrannie* dès que le roi cède à ses passions; la tyrannie est détruite par la révolte des meilleurs, fondant une *aristocratie* qui, par l'intempérance des générations suivantes, tournera en *oligarchie;* oligarchie qu'emportera la révolte du peuple, donnant naissance à une *démocratie,* éprise d'égalité et de liberté; mais bientôt celle-ci dégénère en *démagogie,* sous l'influence de ceux qui corrompent le peuple en s'adressant à ses appétits particuliers; d'où luttes partisanes, conflits, massacres : c'est l'inéluctable chaos, d'où sortira de nouveau la monarchie et ainsi perpétuellement (VI, 3-9).

L'on retrouve trois types *purs* — monarchie, aristocratie, démocratie — et trois types *corrompus* — tyrannie, oligarchie, démagogie —, et l'idée d'une inévitable altération des régimes politiques se succédant de façon cyclique. Chacun contient en lui-même le germe de sa dégénérescence.

Le problème de la tyrannie. — Une des formes déviées, la tyrannie, doit spécialement retenir l'attention. Deux vagues de tyrannie déferlent, en effet, sur les rivages méditerranéens.

Cette pandémie de la dictature frappe, d'abord, plusieurs *cités hellénistiques aux VIIe-VIe siècles avant J.-C.*, à une période de profonds bouleversements socio-économiques. Ces cités passent de la structure traditionnelle, à base agricole et aristocratique, à une structure nouvelle, commerçante et artisanale.

Primitivement, ces cités constituaient des communautés rurales, vivant en économie fermée. Le pouvoir y était oligarchique, aristocratique : il appartenait aux chefs de « *genos* » propriétaires de la terre, source essentielle de richesse et de puissance dans cette économie agraire. Mais, précisément, aux VIIe-VIe siècles, ces structures socio-économiques se transforment. Développement de la colonisation, de la navigation, du négoce et de l'artisanat. Passage de l'économie fermée à une économie d'échange. Apparition de nouvelles classes sociales : une classe moyenne, formée d'artisans et de commerçants; une plèbe, constituée par leurs ouvriers ou employés.

Or cette classe moyenne, cette « bourgeoisie », qui détient désormais le pouvoir économique, n'a pas accès au pouvoir politique. Celui-ci continue d'être monopolisé par l'oligarchie traditionnelle, par l'aristocratie foncière, dont la place dans la production économique ne cesse de décroître. De même, la classe populaire, la plèbe, souhaite aussi se faire entendre au plan politique, pour essayer d'améliorer sa condition misérable.

Cette situation se retrouve dans *la République romaine du Ier siècle avant J.-C.* Même bouleversement des structures économiques et sociales. A quoi s'ajoute un bouleversement dimensionnel : de conquête en conquête, la petite communauté primitive, aux dimensions d'un canton suisse, s'est agrandie aux dimensions d'un vaste empire.

Dans les deux cas, la « *tyrannie* » naît de ce décalage entre des structures socio-économiques nouvelles et des structures politiques archaïques. Une cité nouvelle est en train de naître, à la recherche d'institutions adaptées. Dans ce contexte de mutation profonde surgissent les dictatures que Maurice Duverger qualifie de « sociologiques » par opposition aux dictatures « techniques »; celles-ci étant de nature conjoncturelle, celles-là de nature structurelle (8).

Engendrée par la situation de la société, la dictature *sociologique* correspond à une crise des structures et des croyances. Elle naît du décalage entre l'évolution de la société et l'immobilisme de ses institutions, soit pour promouvoir un ordre nouveau, soit pour maintenir l'ordre ancien. Au premier cas, la dictature sociologique est révolutionnaire; au second, elle est conservatrice, voire réactionnaire.

Dictature *révolutionnaire* : appuyé sur les classes nouvelles, le dictateur prolonge la mutation sociale par une mutation politique. Il incarne ou prépare le pouvoir politique des nouvelles classes. Dictature *réactionnaire* : pour maintenir les structures existantes, voire pour restaurer les structures anciennes, les classes privilégiées, traditionnelles, archaïques, s'en remettent à un dictateur. Elles tentent ainsi de conserver leurs privilèges et de contrecarrer une évolution sociale qui les relègue dans les coulisses de l'histoire.

A Rome, Sylla, soutenu par les classes traditionnelles, incarne assez bien la dictature réactionnaire. A l'opposé, portés par les « chevaliers » et la plèbe, Marius, puis César, incarnent presque la dictature révolutionnaire. Comme les « tyrans » hellénistiques des VIIe-VIe siècles, accélérant la désagrégation d'institutions archaïques, ils vont dans le sens de l'histoire.

Progressive ou régressive, la dictature sociologique s'oppose à la dictature *technique*. Cette dernière n'est portée par aucun mouvement du corps social, ne correspond à aucun besoin ni aucun désir d'une partie notable de la population. Dépourvue de substrat sociologique, elle est parasitaire, au sens biologique du terme. Elle naît simplement de la volonté de puissance, de l'ambition d'un groupe d'aventuriers, qui fait tomber le pouvoir sous sa coupe. Le plus fréquemment, la dictature technique revêt la forme d'une dictature prétorienne, fondée par un coup d'Etat militaire : un peu à la manière dont, au IIIe siècle ap. J.-C., les légions faisaient et défaisaient les empereurs romains.

Ce contraste des dictatures sociologiques et des dictatures techniques peut nourrir le débat sur la dépendance ou l'indépendance du phénomène politique. La dictature *sociologique* illustre la détermination, la secondarité des faits politiques. Le phénomène politique dérive, émerge du contexte social. Il en est quasiment le produit. La dernière réplique d'*Arturo Ui* de Bertold Brecht, « parabole dramatique » sur « la résistible ascension » d'Adolf Hitler, dictateur réactionnaire, dans l'Allemagne capitaliste, illustre

(8) M. DUVERGER, *De la dictature,* 1961 : cf. *supra,* p. 196. Lire aussi B. MOORE, *Social Origins of Democracy and Dictatorship,* Boston, 1966.

pleinement ce propos : « Le ventre est encore fécond, d'où a surgi la chose immonde. » A l'opposé, la dictature *technique* incarne l'autonomie, l'indépendance du phénomène politique : hors de toute pression ou mutation du corps social, les institutions politiques se modifient. Débat traditionnel et souvent repris, spécialement entre marxistes et « machiavéliens » (*infra*, p. 215).

Vico. — On vient de le voir : les Anciens croient à la mutabilité des systèmes politiques. Au XVIIIe siècle, dans ses *Principes d'une science nouvelle relative à la nature commune des nations*, publiés pour la première fois en 1725, le Napolitain Jean-Baptiste Vico (1668-1744) retrouve ce sens de l'histoire. Pour lui, l'évolution de l'humanité n'a pas la forme d'une ligne droite, mais d'une série de cercles, en spirale; l'histoire n'est donc jamais achevée. Ainsi, après être arrivées à la démocratie, « toutes les nations vont se reposer dans la monarchie », d'où elles passent à l'aristocratie, puis de nouveau à la démocratie. Telle est la loi des *ricorsi*, c'est-à-dire des retours.

Montesquieu. — Dans *L'Esprit des lois* (1748), Montesquieu (1689-1755) reprend quasiment la thèse des Anciens sur *la corruption des régimes politiques*. En approfondissant la psychologie sociale sous-jacente aux structures politiques. Chacun des trois principaux régimes — la république, la monarchie, le despotisme — repose sur un « *principe* » fondamental qui le sous-tend, qui le meut, qui lui sert de ressort : la vertu (ou le civisme) pour la république démocratique, l'honneur (ou plutôt le goût des honneurs) pour la monarchie, la crainte pour le despotisme.

Quand ce « principe » se corrompt, le régime ne tarde pas à se corrompre lui aussi et à péricliter.

Cette thèse rappelle les analyses des Anciens sur l'évolution cyclique des formes politiques. Elle illustre l'autonomie du politique. En revanche, plusieurs autres chapitres de *L'Esprit des lois* soulignent le relativisme des formes politiques par rapport au contexte socio-économique. Au demeurant, cette contradiction interne entre l'autonomie et la relativité du politique se trouvait déjà chez Aristote.

Les Machiavéliens. — Une école plus récente soutient aussi la thèse de l'autonomie du politique. James Burnham — dans son essai *Les Machiavéliens, défenseurs de la liberté* (tr. 1949) — lui donne comme père spirituel lointain Nicolas Machiavel. Car *Le Prince* est à la fois le premier traité de science politique et le premier manuel d'art politique. A l'usage des grands « fauves » de la Renaissance italienne. Ceux-ci, comme César Borgia, incarnent exemplairement, par leur « *virtù* », leur force de caractère, leur énergie, la puissance du volontarisme politique.

Ces « machiavéliens » de Burnham sont tous marqués par la culture italienne. Il s'agit en effet, selon l'expression de Marcel Prélot (9), de « deux Italiens, un Allemand italianisé et un Français italianisant » : c'est-à-dire Vilfredo Pareto, Gaetano Mosca, Roberto Michels et Georges Sorel, auteur des *Réflexions sur la violence* (1908).

Point commun : une vision toujours « réaliste », souvent pessimiste, parfois cynique de l'action politique. Dans toute société, l'inégalité est la règle : la démocratie n'est qu'illusion ou mystification, car elle est impossible. *Partout et toujours, le pouvoir est exercé par une minorité restreinte qui s'impose aux masses.* L'école machiavélienne tient pour fondamentale et inéluctable cette distinction entre le petit nombre des puissants et la masse. Ces « *élitistes* » réduisent l'histoire des sociétés à la lutte des élites pour le pouvoir. Mais l'approche est tantôt psychologique, tantôt organisationnelle.

Pareto. — L'approche psychologique est celle de Vilfredo Pareto (1848-1923), économiste, sociologue, puis sénateur d'Italie. Celui-ci publie en 1901, dans la *Rivista italiana di sociologica,* un texte devenu classique — récemment édité en anglais sous le titre *The Rise and Fall of the Elites. An Application of Theoritical Sociology* (intr. par Hans L. Zetteberg, Towota, N.J., 1968). Et son *Traité de sociologie générale* paraît à Paris en traduction française en 1917-1919 (rééd. en 1968, avec une préface de Raymond Aron, Librairie Droz, Genève) (10).

Pareto discerne, sous les « *dérivations* » que représentent les affirmations, doctrines et théories dans l'ordre politique, social ou religieux, et qui sont essentiellement variables, des constantes psychologiques qu'il nomme des « *résidus* ». Ces « résidus » sont, d'après lui, les véritables mobiles de l'histoire. Ils se ramènent à des « instincts », à des sentiments non logiques, irrationnels. Ils constituent le fonds éternel, immuable, qui se dissimule sous l'apparence arbitraire des « dérivations ».

Ce fervent partisan du libéralisme économique, cet adversaire du socialisme (cf. son livre sur *Les systèmes socialistes*) récuse la concep-

(9) M. Prelot, *Histoire des idées politiques,* 3e éd., 1966, p. 211.

(10) Il existe également une traduction anglaise du *Trattato di Sociologia Generale* sous le titre *The Mind and Society,* New York, 1935.

tion marxiste de la lutte des classes. A la place, il propose une théorie de la « *circulation des élites* », qui explique l'histoire comme « le remplacement continuel d'une élite par une autre ». Toute société comporte cette distinction fondamentale entre la masse et l'élite, qui est toujours une minorité restreinte. Et le caractère d'une société est, avant tout, le caractère de son élite.

L'élite. — Pareto définit l'élite par ses *qualités éminentes,* par sa supériorité naturelle, psychologique. Ce qui la caractérise, c'est l'indice élevé des capacités individuelles de ses membres. L'élite se compose de tous ceux qui manifestent des qualités exceptionnelles ou qui font preuve d'aptitudes éminentes dans leur sphère d'activité. Bref, font partie de l'élite ceux qui, par leur travail ou par leurs dons naturels, connaissent un succès supérieur à la moyenne des autres hommes.

« La notion principale du terme d'élite est celle de *supériorité*... En un sens large, j'entends par élite d'une société les gens qui ont à un degré remarquable des qualités d'intelligence, de caractère, d'adresse, de capacité de tout genre » (*Traité de sociologie générale,* rééd., Droz, 1968, p. 1295).

Cette élite se divise en deux. « Ceux qui, directement ou indirectement, jouent un rôle notable dans le gouvernement » constituent « l'élite gouvernementale ». Le reste forme « l'élite non gouvernementale ».

La circulation des élites. — L'appartenance à l'élite n'est pas nécessairement héréditaire : les enfants n'ont pas tous les qualités éminentes de leurs parents. Il se produit donc sans cesse un remplacement des élites anciennes par de nouvelles, qui proviennent des couches inférieures de la société.

Pareto explique le changement social par cette « *circulation des élites* », par cette « circulation des individus entre deux groupes, l'élite et le reste de la population ». Il écrit :

« Ce phénomène des nouvelles élites, qui, par un mouvement incessant de circulation, surgissent des couches inférieures de la société, montent dans les couches supérieures, s'y épanouissent et, ensuite, tombent en décadence, sont anéanties, disparaissent, est un des principaux de l'histoire, et il est indispensable d'en tenir compte pour comprendre les grands mouvements sociaux. »

La ruse et la force. — Pour Pareto, il s'agit d'un mouvement cyclique perpétuel, qui a pour ressort la lutte permanente que se livrent la ruse et la force.

Imaginons une élite qui s'impose par la ruse et qui s'assimile les éléments les plus rusés de la population. Ce faisant, elle laisse en dehors d'elle les individus aptes à employer la violence. A terme, avec cette sélection, on a, d'un côté, une élite de la ruse, devenue inapte à employer la force, et, de l'autre, des individus doués de la force, mais qui ignorent l'art de s'en servir. Si ces derniers viennent à trouver des chefs qui possèdent cet art — parmi les dissidents de l'élite en place —, ils remporteront la victoire et s'installeront au pouvoir. Et le cycle reprendra.

Ainsi, les élites se succèdent. Et l'histoire est « un cimetière d'aristocraties ». D'ailleurs, ce bouleversement permanent n'est pas nuisible, mais utile à la collectivité.

L'utilité de la circulation des élites. — Cette incessante circulation des élites contribue à maintenir l'équilibre du système social, dans la mesure où elle assure la mobilité ascendante des meilleurs. Elle concourt en même temps au changement social, car la circulation des élites entraîne la circulation des idées.

L'élite n'est ni entièrement ouverte, ni entièrement fermée. Certes, le groupe dirigeant cherche à se maintenir au pouvoir, utilisant la ruse ou la force. Mais, exposé à la pression des masses, il doit se renouveler sans cesse par un apport venu des couches inférieures.

Une circulation des élites relativement libre, dans le sens ascendant et descendant, est nécessaire à l'hygiène sociale. Sinon, quand l'élite se ferme, la société est menacée de révolution de l'intérieur ou de destruction par l'extérieur. Le blocage de la circulation des élites se résolvant par la révolution, c'est en France 1789.

Ainsi, la circulation des élites peut s'accompagner de troubles et de violence. Mais ceux-ci sont, finalement, utiles.

« Celui qui juge superficiellement peut être tenté de n'arrêter son esprit qu'aux massacres et aux pillages qui accompagnent le bouleversement, sans se demander si ce ne sont pas là les manifestations, déplorables sans doute, de forces sociales et de sentiments qui sont, au contraire, très utiles... Les massacres et les pillages sont le signe extérieur par lequel se manifeste la substitution de gens forts et énergiques à des gens faibles et vils » (*Traité*, p. 1402).

Cet éloge de la force, « principal devoir des gouvernants », annonce presque le fascisme. Même si Pareto accueille sans enthousiasme l'arrivée de Mussolini au pouvoir. Frappé par le déclin de la bourgeoisie à son époque, Pareto note : « Toute l'élite qui n'est pas prête à livrer bataille pour défendre ses positions est en pleine décadence; il ne lui reste qu'à laisser la place à une autre élite, ayant les qualités viriles qui lui manquent. »

Mosca. — De psychologique, l'approche devient organisationnelle avec Gaetano Mosca (1858-1941), professeur, député, sénateur du Royaume d'Italie. Dans ses *Elementi di scienza politica,* dont la première édition paraît en 1896, Mosca impose l'idée de « classe dirigeante » (11). Toute société repose sur la distinction des dirigeants et des dirigés. Le pouvoir ne peut être exercé ni par un seul individu ni par l'ensemble des citoyens. Il ne peut l'être que par une minorité organisée : la « *classe dirigeante* », la « *classe politique* » (« *classe politica* »). Le fait est universel :

« Dans toutes les sociétés — depuis les moins développées et civilisées jusqu'aux plus avancées et puissantes — apparaissent deux classes de gens — *une classe qui gouverne et une classe qui est gouvernée.* La première, toujours la moins nombreuse, assume toutes les fonctions politiques, monopolise le pouvoir et jouit des avantages qu'il entraîne, tandis que la seconde, la plus nombreuse, est dirigée et contrôlée par la première, d'une manière tantôt plus ou moins légale, tantôt plus ou moins arbitraire et violente » (12).

La classe dirigeante. — Cette minorité de personnes qui détient le pouvoir est assimilable à une véritable classe sociale : la classe dirigeante ou dominante. Ce qui fait sa force et lui permet de se maintenir au pouvoir, c'est son *organisation,* sa structuration. Il existe, en effet, différents liens qui unissent les membres d'une élite dominante : liens de parenté, de culture, d'intérêts, etc. Ces liens assurent à l'élite une unité de pensée et une cohésion de groupe caractéristiques d'une classe.

« La domination sur la majorité inorganisée d'une *minorité organisée,* obéissant à une impulsion unique, est inévitable... Cent hommes agissant

(11) Les *Elementi di scienza politica* (1re éd., 1896) ont été traduits en anglais sous le titre *The Ruling Class,* New York, 1939.
(12) *Ibid.*, p. 50.

de concert et uniformément triompheront de mille hommes qui ne sont pas d'accord. Il est plus facile de s'entendre et d'agir de concert quand on est cent que lorsque l'on est mille. Il s'ensuit que, plus la communauté politique est grande, plus la minorité gouvernante sera petite par rapport à elle, et plus il sera difficile à la majorité d'organiser sa résistance à la minorité. »

Cette théorie de la classe dirigeante vaut pour tout régime. Quel que soit son mode d'organisation politique et sociale, tout Etat est piloté par une classe dirigeante. Et celle-ci se justifie par une « *formule politique* », qui légitimise, rationalise ou dissimule sa domination : doctrine du droit divin, dogme de la souveraineté nationale, etc. Cette idéologie vise à expliquer et à justifier le leadership, à l'investir d'une légitimité.

Cette classe dirigeante se compose de deux couches : un groupe très restreint de « chefs supérieurs » — sorte de super-élite dans l'élite — et un groupe bien plus nombreux de « chefs secondaires ».

L'accès à la classe dirigeante. — La classe dirigeante peut être soit ouverte (« démocratique »), soit fermée (« aristocratique »). Cette distinction, quant à l'accès à la classe dirigeante, est indépendante de la distinction opposant systèmes libéraux et systèmes autocratiques (où l'autorité vient d'en haut). Selon Mosca, il existe donc des régimes libéraux aristocratiques et des autocraties démocratiques (l'Eglise catholique, par exemple).

Mosca distingue aussi les *sociétés immobiles*, où la circulation des élites est inexistante ou malaisée, et les *sociétés mobiles*, où elle s'opère normalement. Selon lui, les sociétés démocratiques modernes sont très mobiles. Elles se caractérisent par un mouvement considérable entre les diverses catégories sociales.

« Les rangs des classes dirigeantes sont restés ouverts. Les barrières qui empêchaient les individus des classes inférieures d'y accéder ont été supprimées ou tout au moins abaissées, et la transformation de l'Etat absolutiste en l'Etat représentatif moderne a permis à presque toutes les forces politiques, à presque toutes les valeurs sociales, de participer à la direction politique de la société » (*Elementi di scienza politica*, t. II, p. 211).

Au total, Mosca prétend construire une explication complète de l'histoire à partir d'une analyse des élites dirigeantes. Pour lui, l'histoire est essentiellement animée par les idées et les intérêts de l'élite au pouvoir.

Michels. — Contrairement à Mosca, qui refuse, au Sénat, le 19 décembre 1925, d'approuver les lois fascistes sur les prérogatives du chef du gouvernement, Roberto Michels (1876-1936) deviendra un hiérarque du fascisme. En effet, ce socialiste allemand, professeur à Bâle, puis à Florence, s'est lié d'amitié avec Mussolini. Dès 1911, Michels avait publié un ouvrage capital : *Zur Soziologie des Parteienwesens un der modern Demokratie,* dont la traduction française paraît en 1914 : *Les partis politiques, Essai sur les tendances oligarchiques des démocraties* (rééd., 1971).

Les masses ne peuvent agir, diriger, gouverner d'elles-mêmes. Ce gouvernement direct des masses se heurte à une « impossibilité mécanique et technique ». « L'idéal pratique de la démocratie consiste dans le *self-government* des masses. » Mais la réalité, c'est toujours « la formation d'un état-major oligarchique ». Les masses sont nécessairement gouvernées par une minorité qui s'impose à elles jusqu'à l'intérieur des organisations réputées « démocratiques », comme les partis socialistes et les syndicats ouvriers.

Michels rattache, en effet, l'étude des gouvernements et des partis à une théorie générale des *organisations :* « La démocratie ne se conçoit pas sans une organisation. » Et toute organisation requérant une spécialisation des tâches et presque une « professionnalisation », un clivage de plus en plus net apparaît entre la masse et les dirigeants. D'où la « loi d'airain de l'oligarchie ».

La « loi d'airain de l'oligarchie ». — Michels écrit : « *Qui dit organisation, dit tendance à l'oligarchie.* Dans chaque organisation, qu'il s'agisse d'un parti, d'une union de métiers, etc., le penchant aristocratique se manifeste d'une façon très prononcée. Le mécanisme de l'organisation, en même temps qu'il donne à celle-ci une structure solide, provoque dans la masse organisée de graves changements. Il intervertit complètement les positions respectives des chefs et de la masse. L'organisation a pour effet de diviser tout parti ou syndicat professionnel en une minorité dirigeante et une majorité dirigée » (13).

Ainsi se forme « une direction professionnelle », qui s'impose à la base. Dans toutes les organisations, les dirigeants tendent à s'opposer aux adhérents, à former un cercle intérieur plus ou moins fermé et à se perpétuer au pouvoir.

(13) R. MICHELS, *Les partis politiques,* 1914, p. 17.

Etudiant surtout le parti social-démocrate et les syndicats allemands, Michels souligne combien la souveraineté des masses y est illusoire : « Quand un conflit se produit entre les dirigeants et les masses, les premiers sont toujours victorieux s'ils restent unis. » Cette situation oligarchique repose non seulement sur la tendance des chefs à se perpétuer et à renforcer leur autorité, mais aussi, et peut-être surtout, sur l'inertie des masses, promptes à s'en remettre à une minorité de spécialistes, de « professionnels » de l'action publique.

Burnham. — En 1940, James Burnham, en transit entre le trotskysme et la « droite radicale » (il dirige aujourd'hui la *National Review*), publie aux Etats-Unis *The Managerial Revolution,* qui sera traduit en 1947 sous le titre imparfait de *L'ère des organisateurs.*

La bourgeoisie capitaliste du siècle dernier a été remplacée par les « organisateurs », par les « *managers* ». Le pouvoir est aux mains d'une oligarchie de « directeurs » assurant la gestion. Dans les sociétés techniques et complexes d'aujourd'hui, seule cette élite directoriale possède les compétences nécessaires pour diriger et coordonner la production et l'activité nationales. Le pouvoir appartient de plus en plus à ces « managers », qui savent organiser et gérer aussi bien un trust qu'un service public, un parti, un syndicat. Ces technocrates contrôlent désormais l'économie.

Précision essentielle : *ces managers ne sont généralement pas des capitalistes.* La plupart du temps, ils ne sont ni les propriétaires, ni les principaux actionnaires, ni les financiers réunissant le capital. Leur puissance ne se fonde pas sur la propriété des moyens de production, mais sur le savoir, sur la compétence technique. Précision complémentaire : ces managers perçoivent souvent une rémunération élevée. Mais ce qu'ils recherchent c'est moins le profit que le pouvoir. Ce n'est pas l'esprit de lucre, mais la volonté de puissance qui les mène. En ce sens, leur motivation est plus politique qu'économique.

Conclusion : le capitalisme est appelé à disparaître, mais le socialisme est incapable de lui succéder. Car *capitalisme et socialisme évoluent de la même façon :* dans tous les pays, quel que soit leur régime politique et social, se développent ce pouvoir technocratique des « *organisateurs* », cette « révolution directoriale ». Le statut privé ou public des entreprises ne crée aucune différence à cet égard.

Les « directeurs » américains et russes se ressemblent étrangement. L'appropriation privée ou collective des moyens de production ne fait rien à l'affaire. Par-delà la diversité des structures de la propriété, apparaît un seul et même « régime directorial ». L'oligarchie des managers, la caste des technocrates est au pouvoir. A l'Ouest comme à l'Est. En régime capitalisme comme en régime socialiste.

La prospective de J. Burnham et l'U.R.S.S. d'aujourd'hui. — Trente-sept ans après, on ne saurait dire que la prophétie de J. Burnham se trouve réalisée en U.R.S.S. Des études plus mesurées (cf. J. Azrael, *Managerial Power and Soviet Politics*, Cambridge, Mass., 1966) et le XXVe Congrès du P.C.U.S. en 1976 l'ont montré : le pouvoir proprement politique des « managers » reste, en fait, assez limité. Contrairement à certaines analyses occidentales un peu rapides.

Cependant, deux forces semblent se mesurer. D'un côté, les « apparatchiki », les membres de l'appareil du parti. De l'autre, les « *gestionnaires* », qui, venus du monde de la production, sont beaucoup plus sensibles aux réalités et aux impératifs économiques. C'est sous l'influence de ces « technocrates » qu'est intervenue la réforme économique de 1965. Redécouvrant les notions de « profit d'entreprise » et de dialogue économique, elle réinjecte dans l'économie socialiste quelques éléments empruntés à l'arsenal capitaliste.

Au moment où, symétriquement, dans les sociétés occidentales, le néo-capitalisme découvre la vertu de la rationalisation macro-économique par la planification (souple, il est vrai) et d'autres techniques en vigueur dans les pays socialistes.

Cette identité de préoccupation chez les « managers », de part et d'autre de l'ancien « rideau de fer », illustre un peu le pronostic de J. Burnham. Elle atteste les limites d'une typologie fondée principalement sur le critère du régime de propriété des entreprises.

On évoquera plus loin (*infra*, p. 660) d'autres thèses élitistes (Mills, Meynaud, Domhoff) plus récentes. Elles correspondent aussi à une autre inspiration politique que celle animant les « machiavéliens ».

Raymond Aron : le primat du politique. — Au total, les théoriciens « machiavéliens » privilégient, non les facteurs économiques, mais les facteurs politiques. Pour eux, le phénomène premier c'est le pouvoir, et non la propriété. Contrairement à la thèse marxiste, pour qui la classe dominante se compose nécessairement des propriétaires des moyens de production. Non sans ironie, Raymond Aron (*La lutte des classes*, 1964, p. 194-195) écrit à ce sujet :

« La théorie machiavélienne rappelle opportunément que le pouvoir politique est exercé, partout et toujours, par une minorité et que *le pouvoir poli-*

tique compte autant que la puissance économique. Les marxistes détestent cette théorie, parce que celle-ci s'applique mal aux sociétés occidentales, mais admirablement bien à la société soviétique.

« Les théoriciens machiavéliques ne nient pas que ceux qui détiennent le pouvoir en profitent pour s'assurer des avantages économiques, mais *le pouvoir leur paraît le phénomène premier.* Or, la révolution qui entre le mieux dans le schéma machiavélien et le plus mal dans le schéma marxiste est *la révolution soviétique.* Celle-ci est typiquement *prise du pouvoir par une minorité,* qui n'était ni détentrice des moyens de production, ni représentative de la masse de la population, ni l'expression de la classe socialement dominante, mais qui, organisée en parti, s'est emparée de l'Etat. »

Autrement dit, octobre 1917 et la suite confirment la thèse machiavélienne de *l'autonomie du politique* par rapport à l'infrastructure économique. Le fait politique n'apparaît pas déterminé, mais autonome.

Société industrielle et organisation politique. — Aujourd'hui, « les sociétés soviétiques et capitalistes ne sont que deux espèces d'un même genre, la société industrielle progressive » (14). Dans les deux cas, on constate un même fait dominant : le *développement* des forces productives. Les deux économies se ressemblent. Ce qui les distingue, c'est l'organisation politique.

« Les sociétés industrielles modernes, qui comportent maintes caractéristiques communes (répartition de la main-d'œuvre, croissance des ressources collectives, etc.), se différencient avant tout par *l'organisation des pouvoirs publics,* cette organisation entraînant à sa suite plusieurs traits du système économique et des relations entre les groupes » (R. Aron, *Démocratie et totalitarisme,* 1965, p. 32).

En ce sens, on peut parler de « primat du politique » : « J'ai mis en lumière une primauté des phénomènes politiques par rapport aux phénomènes économiques » (*ibid.*, p. 27).

Cependant, ce « primat du politique » ne doit pas faire croire à un déterminisme, inverse de celui de Marx. Les sociétés ne sont pas déterminées unilatéralement par l'économie. Mais elles ne sont pas davantage uniquement déterminées par le politique, par l'organisation des pouvoirs publics.

« Toute théorie de la détermination unilatérale de l'ensemble social par une partie de la réalité collective est fausse » (*Ibid.*, p. 31).

(14) R. Aron, *Dix-huit leçons sur la société industrielle,* 1962.

§ 4. — BILAN : POLITIQUE ET DÉVELOPPEMENT

Cette réserve est importante et nécessaire. Elle invite à une conclusion nuancée. En guise de bilan à ces analyses sur les racines socio-économiques de la politique, sur le degré de conditionnement du système politique par son « environnement ». Deux précautions sont à prendre pour éviter des jugements par trop sommaires sur les rapports qui relient la politique et le développement.

A. — CONTRE L'HYPOTHÈSE D'UNE HISTOIRE UNILINÉAIRE

Longtemps a prévalu une *théorie monolinéaire de l'évolution de l'humanité :* il existerait une *voie unique du développement,* que toutes les sociétés empruntent avec un certain décalage les unes par rapport aux autres. L'avenir des nouveaux Etats reproduira l'évolution des sociétés développées. Ils évolueront en parcourant, à leur tour, avec retard, les mêmes étapes.

Dans *L'art de la conjoncture,* Bertrand de Jouvenel dénomme cette conception « théorie du chemin de fer ». Sur le grand rail de l'Humanité, les nations sont des trains qui se succèdent dans les mêmes gares, avec plus ou moins de retard sur l'horaire.

Cette analyse monolinéariste, stade suprême de l'ethnocentrisme, est démentie par les faits. L'univers contemporain présente, au contraire, une extraordinaire variété d'évolutions. De l'Amérique latine à l'Asie et à l'Afrique, la réalité c'est la diversité, la pluralité des destins collectifs (15).

Pluralité qui s'explique notamment par ce que Léo Hamon appelle « le triomphe, dans chaque société, de *la causalité extérieure* ». Pendant longtemps, ce sont les facteurs intérieurs à une société qui ont commandé son évolution : les réalités extérieures n'exerçaient qu'une influence très limitée. Désormais, avec l'intensification des communications internationales, il en

(15) Pour une critique de la théorie unilinéaire de l'évolution : G. ALMOND, « Political Systems and Political Change », in *The American Behavioral Scientist,* vol. VI, n° 10, juin 1963.

va tout autrement. « Il n'est pas aujourd'hui une société qui ne voit en permanence ses réactions, ses conditions de vie, ses problèmes transformés par l'action extérieure. » Sous l'influence de techniques ou d'idées nées en dehors de ses frontières.

Cette « hétéro-détermination », cette pression des facteurs exogènes sont surtout perceptibles dans le Tiers-Monde. Où ce choc de la causalité extérieure produit une conséquence essentielle : *la rupture des synchronismes anciens*. « A cause de lui, des phénomènes qui, liés selon certains synchronismes, avaient été contemporains les uns des autres dans notre histoire, apparaissent ailleurs à des moments différents. » (L. Hamon, *Acteurs et données de l'histoire*, t. I, 1970, p. 60 et s.).

Ainsi, dans les sociétés occidentales, la révolution industrielle, la démocratie politique, le progrès de l'instruction publique et le mouvement socialiste se sont succédé. Mais, aujourd'hui, dans le Tiers-Monde, le socialisme précède et l'industrialisation et la démocratisation politique, cependant que la scolarisation est encore très en retard.

Pour marquer cette rupture des synchronismes anciens, bouleversés par l'influence prépondérante de la causalité extérieure, Léo Hamon parle de « *société dyschrones* » : les synchronismes propres à l'histoire occidentale ne se retrouvent pas. Cette prise de conscience est nécessaire pour éviter les simplifications de l'ethnocentrisme et du monolinéarisme.

B. — Contre le monisme explicatif

En second lieu, et complémentairement, il faut se garder d'un monisme explicatif sommaire, qui prétendrait expliquer tout phénomère politique par le facteur économique. La plupart des politistes en sont conscients. Comme James S. Coleman, précisant dans la conclusion de *The Politics of the Developing Areas* (Princeton, 1960, p. 544) : « La modernisation *économique* constitue seulement une dimension de l'ensemble des déterminants façonnant les institutions et le comportement politiques. »

Même les théoriciens marxistes ne prétendent plus aujourd'hui que le système de production économique soit le seul facteur modelant le système politique. Le manuel soviétique, publié en 1961, sur *Les principes du marxisme-léninisme* contient par exemple ces lignes : « D'autres facteurs exercent une influence sur la forme de l'Etat : traditions nationales, filiation dans le développement des institutions politiques, niveau de conscience politique du peuple, relations avec les Etats étrangers (notamment dangers d'agression), etc. »

Une certaine tendance — encore timide — paraît donc se dessiner, parmi les marxistes, à mieux souligner les facteurs autres qu'économiques dans la différenciation des formes d'Etat.

Ce qui est, d'ailleurs, conforme à l'analyse de Marx et d'Engels sur *l'interaction* des superstructures et de l'infrastructure. S'il est vrai que les superstructures politiques sont la conséquence de l'infrastructure économique, il reste que ces superstructures ne sont pas passives. Elles peuvent, à leur tour, agir, réagir sur l'infrastructure. C'est une peu ce que les scientifiques appellent *la rétroaction de l'effet sur la cause.*

Chez Marx, le rapport de l'infrastructure à la superstructure n'est pas un rapport simple et univoque. Si l'infrastructure est, en dernière analyse, déterminante, du moins la superstructure *réagit-elle* sur elle. Les sociétés sont des organismes complexes dont les divers éléments agissent les uns sur les autres. Surtout, les théoriciens marxistes du XXe siècle — et spécialement Gramsci (*supra,* p. 92) — cherchent à préciser le degré d'autonomie de la superstructure par rapport à l'infrastructure. Ces progrès invitent à ne pas remplacer le monisme explicatif marxiste (système de production) par un autre (niveau de développement).

Cependant, s'il n'est pas un facteur exclusif, le niveau de développement reste le facteur dominant, qui modèle, généralement, une société politique. Mais ce concept de niveau de développement doit être élargi *au-delà de sa signification strictement économique.* Comme les économistes eux-mêmes l'ont bien compris à la suite de François Perroux. S'il est l'essentiel, *le développement économique n'est pas tout le développement.* Un système développé se définit par toutes sortes d'éléments : économiques, mais aussi extra-économiques (sociaux, culturels, etc.).

Dans cette perspective plus vaste, on peut soutenir sans conteste que le niveau de développement, s'il ne *détermine* pas inéluctablement l'aspect politique d'une société, le *conditionne* pour une bonne part. Le niveau de développement délimite la marge, le cadre dans lequel pourra se mouvoir l'originalité, la spécificité du phénomène politique. Il impose le canevas sur lequel pourra broder l'art politique. En un mot, il pose les bornes de l'autonomie du politique.

Le phénomène politique pleinement autonome ne se conçoit pas. Il existe simplement des *degrés dans l'intensité du conditionnement* ou de la « latitude d'action ». Illustrant l'analyse qui décrit l'art politique comme l'art de tirer parti des circonstances. Qui définit la politique comme « l'art du possible ».

SECTION II

LE DÉVELOPPEMENT POLITIQUE

Naguère, l'analyse portait surtout sur le *développement socio-économique et ses effets politiques.* Pour s'interroger sur les fondements socio-économiques de la polyarchie, sur la façon dont le développement socio-économique conditionnait l'accès à la démocratie libérale de type occidental.

Depuis une quinzaine d'années, une approche plus originale met l'accent sur le « *développement politique* », sur l'aspect proprement politique du développement. La recherche ne porte plus seulement sur *l'environnement* socio-économique du système politique. Elle se focalise, avec plus de précision, sur ce système politique *lui-même.* Pour décrire sa transformation progressive. De même qu'un système économique se modifie, se modernise, de même un système politique évolue, se transforme, se perfectionne.

Par-delà le processus de développement socio-économique et l'englobant, il existerait un processus complexe de « *développement politique* ». Articulant de nombreux éléments, ce processus marquerait le *passage d'un système politique traditionnel à un système politique moderne.* Dans cette vision dynamique, le développement n'est plus seulement économique, mais aussi *politique.* L'étude de la modernisation politique complète et vient englober l'étude des effets politiques de la modernisation socio-économique.

D'externe, l'approche devient interne, pour considérer enfin le système politique moins dans son environnement qu'en lui-même.

Cette nouvelle *approche* « développementaliste » renouvelle la sociologie politique. Elle inspire des *typologies* originales fondées sur le concept de « développement politique ».

§ 1. — L'APPROCHE DÉVELOPPEMENTALISTE

La multiplication croissante des recherches a permis de préciser et d'affiner le concept de « développement politique ».

A. — Le progrès des travaux consacrés au développement politique

Ce sont, bien sûr, *la décolonisation et l'explosion nationale* vécues par les sociétés traditionnelles dans le second après-guerre, qui provoquent l'essor et le renouvellement des études de « politique comparée ». Dont témoigne, dès 1955, l'ouvrage de Roy Macridis, *The Study of Comparative Government* (New York). Les politistes se trouvent alors confrontés à un « défi ». Car, face à ces nouveaux problèmes, les instruments de la science politique traditionnelle ne sont guère utilisables.

L'impulsion provient, surtout, de la création, au sein du *Social Science Research Council,* d'un *Committee ou Comparative Politics,* présidé de 1954 à 1963 par Gabriel Almond, puis par Lucian Pye, et qu'animent James S. Coleman, Roy Macridis, Guy Pauker, puis aussi Leonard Binder, Herbert Hyman, Joseph LaPalombara, Sidney Verba et Myron Weiner.

En juin 1959, se tient une conférence sur la « modernisation politique » et le Comité formule son premier programme de développement politique. A cette conférence, Edward Shils présente un important rapport, bientôt publié sous le titre *Political Development in the New States* (The Hague, 1960). En 1960 paraît *The Politics of the Developing Areas,* publié sous la direction de Gabriel Almond et James Coleman, qui comporte notamment des contributions de Lucian Pye et Dankwart Rustow (Princeton, 1960).

Ainsi s'élaborent les concepts qui permettront d'encadrer les enquêtes monographiques publiées, dans le début des années 1960, par divers chercheurs. Comme David E. Apter (*The Gold Coast, Princeton,* 1956; *The Political Kingdom in Uganda : A Study in Bureaucratic Nationalism,* Princeton, 1961; *Ghana in Transition,* New York, 1963), Leonard Binder (*Iran : Political Development in a Changing Society,* Berkeley, 1962) ou Lucian Pye lui-même (*Politics, Personality and Nation Building : Burma's Search for Identity,* New Haven, 1962).

De 1961 à 1963, le « Committee on Comparative Politics » organise *cinq conférences* sur les principales composantes du développement politique : « Communication and Political Development » (septembre 1961); « Bureaucracy and Political Development » (décembre 1961); « Education and Political Development » (juin 1962); « Political Development in Turkey and Japan » (septembre 1962); et « Political Parties and Political Development » (septembre 1963).

Et, de 1963 à 1966, cinq volumes correspondant aux thèmes de ces conférences seront publiés dans la collection *Studies in Political Development* (Princeton University Press), éditée sous l'égide du Comité :

— Lucian Pye, ed., *Communication and Political Development,* 1963;
— Robert Ward, Dankwart Rustow, ed., *Political Modernization in Japan and Turkey,* 1964;
— Joseph LaPalombara, *Bureaucracy and Political Development,* 1963;
— James S. Coleman, *Education and Political Development,* 1965;
— Myron Weiner, Joseph LaPalombara, ed., *Political Parties and Political Development,* 1966.

Dans cette même série paraît également, sous la direction de Lucian Pye et Sidney Verba, *Political Culture and Political Development* (Princeton, 1965). Qui poursuit la recherche sur la culture et la socialisation politiques, déjà entreprise dans le livre de Gabriel Almond et Sidney Verba, *The Civic Culture, Political Attitudes and Democracy in Five Nations* (Princeton, 1963).

Pour sa part, Gabriel Almond donne encore une étude capitale avec G. Bingham Powell : *Comparative Politics, A Developmental Approach* (Boston, 1966) (cf. *supra,* p. 139). Puis il rassemble, sous le titre *Political Development, Essays in Heuristic Theory* (Boston, 1970), une sélection de ses textes et articles publiés depuis une quinzaine d'années, qui montre bien la « sophistication » croissante, le perfectionnement constant des cadres d'analyse retenus pour l'étude du développement politique.

C'est qu'en effet les années 1965-1970 se sont révélées particulièrement fertiles pour l'approche « développementaliste ». Avec des études comme celles de David E. Apter (*The Politics of Modernization,* 1re éd., Chicago, 1965), Lucian Pye (*Aspects of Political Development : An Analytic Study,* Boston, 1966), S. N. Eisenstadt (*Modernization : Protest and Change,* Englewood Cliffs, 1966), Claude E. Welch (*Political Modernization,* Belmont, 1967), Samuel P. Huntington (*Political Order in Changing Societies,* New Haven, 1968), etc.

Tous ces travaux révèlent une remarquable convergence des chercheurs. Qu'il s'agisse des critères de modernisation politique suggérés par LaPalombara (1963), des 8 propriétés d'un système politique moderne dégagées par Ward et Rustow (1964), du « syndrome du développement » formulé d'abord par Coleman (1965) et repris par d'autres dont Pye (1966), des 3 caractéristiques majeures de la modernisation politique retenues par Welch (1967), des critères énumérés par Apter (1965) et Eisenstadt (1966), des 4 mesures de l'institutionnalisation effective discernées par Huntington (1968), etc. Sous la diversité des termes — « modernisation politique », « développement politique », « changement politique », etc. — il y a là un ensemble de tendances convergentes, qui prouvent la fécondité de l'approche « développementaliste ».

B. — Le concept de développement politique

Ainsi la sociologie politique passe de la statique à la dynamique, pour analyser enfin les processus de transformation des systèmes politiques. De même qu'on parlait de « développement » ou de « modernisation » économiques, on parle désormais de « *développement* » ou de « *modernisation* » *politiques,* pour désigner le processus qui marque le passage d'un système politique traditionnel à un système politique moderne. De même qu'il existe des économies en voie de développement, il existe des *systèmes politiques en voie de modernisation* (modernizing systems).

Quels sont, précisément, les paramètres qui permettent d'évaluer le « degré de modernité politique » (degree of political modernity) ? Quelles sont les composantes majeures d'un « système politique moderne » (modern political system) (16) ? A quoi se mesure le « développement politique » ?

Malgré des nuances sensibles d'auteur à auteur, cette définition des *critères de la modernité politique* est, en gros, concordante. On peut retenir, par exemple, l'analyse que Lucian W. Pye donne du concept de développement politique dès 1965 (« The Concept of Political Development », *Annals of the American Academy of Political and Social Science,* vol. 358, mars 1965, p. 1-13) (17), en discernant trois aspects principaux : la différenciation structurelle, la « capacité » du système, et la tendance à l'égalité.

1° La différenciation structurelle. — Dès 1960, dans la préface de *The Politics of the Developing Areas,* Gabriel Almond fait ressortir cette dimension du développement politique. En fondant sa démonstration sur trois points.

D'abord, *l'universalité de la structure politique.* Tous les systèmes, même les plus simples, possèdent une structure politique. Ils peuvent donc être comparés selon le degré et la forme de leur spécialisation structurelle.

Ensuite, *l'universalité des fonctions politiques.* Dans tous les systèmes, les mêmes fonctions — indispensables à la vie sociale — se

(16) Selon des expressions employées dès 1960 par James S. Coleman, dans la conclusion de *The Politics of the Developing Areas.*

(17) Cette analyse formera le chapitre IV du livre de L. W. Pye, *Aspects of Political Development,* Boston, 1966, p. 31-48.

trouvent nécessairement remplies; même si elles le sont avec une fréquence variable et par des types de structures différents.

Enfin, *la multifonctionnalité de la structure politique.* Les différences entre systèmes politiques occidentaux et non occidentaux ont été généralement exagérées. En vérité, depuis 70 ou 60 ans, les études de science politique ont démontré le « multifonctionnalisme » des institutions politiques modernes : les tribunaux ne se bornent pas à juger, ils légifèrent aussi, avec le pouvoir normatif de la jurisprudence; par ses règlements, l'administration est une des sources les plus importantes de la « législation », etc. Il est impossible d'avoir des structures politiques en relation les unes avec les autres dans un processus commun sans aboutir à cette multifonctionnalité. Cependant, dans les systèmes politiques modernes, chaque structure est, pour l'essentiel, spécialisée dans l'accomplissement d'une fonction.

Ce qui est propre à ces systèmes politiques modernes, c'est en effet un degré relativement élevé de *différenciation structurelle.* C'est-à-dire l'existence d'assemblées législatives, d'organes exécutifs ou administratifs, d'institutions judiciaires, de partis politiques, de groupes d'intérêts, d'organes d'information, etc. : chaque structure tendant à remplir principalement telle fonction. En revanche, les systèmes primitifs ou traditionnels se caractérisent par un manque de différenciation (lack of differentiation) : les fonctions politiques n'y sont pas accomplies par des structures différenciées et spécialisées; beaucoup se trouvent confondues et exercées par les mêmes organes.

La différence est donc de degré, et non de nature. Elle réside dans *le degré de différenciation des fonctions et de spécialisation des structures.*

A cet égard, Almond utilise une analogie biologique. Une amibe et un vertébré se ressemblent dans la mesure où ils remplissent les mêmes *fonctions* fondamentales. Mais ils diffèrent par les *structures* qui assument ces fonctions. De même, les systèmes politiques simples et les systèmes politiques complexes partagent des fonctions communes mais diffèrent dans leurs caractéristiques structurelles, ces derniers devenant de plus en plus différenciés et interdépendants (18).

Reprenant cette analyse, Lucian Pye souligne ce contraste. Dans un système politique non développé, *des structures peu nombreuses exercent des fonctions peu différenciées :* un petit nombre d'individus ou de groupes sociaux remplissent les fonctions essentielles du sys-

(18) G. A. ALMOND, « A Developmental Approach to Political Systems », *World Politics*, XVII, janvier 1965, p. 183-214.

tème. Au contraire, un système politique développé pratique une sorte de division du travail; il voit ses structures croître en nombre et se différencier. Mais chaque structure n'est pas isolée, elle s'intègre à un ensemble coordonné. Cet équilibre entre coordination et ce qu'Almond et Powell appellent, après Dahl (*Modern Political Analysis*, 1re éd., 1963), « autonomie des sous-systèmes », prévient le risque de voir une structure mobiliser des ressources à son seul profit.

Ainsi, les développementalistes retrouvent les réflexions de Max Weber sur l'apparition progressive d'un appareil politique spécialisé, sur la spécialisation structurale. Ce qui importe, c'est donc le degré de différenciation et de spécialisation des rôles politiques. Un système politique efficace requiert une forte *différenciation structurelle.* Il doit se doter d'une administration moderne, de partis politiques, d'organisations syndicales, de moyens de communication, etc. Pour répondre aux demandes nouvelles, qui lui sont adressées par son environnement externe ou interne. Pour satisfaire les besoins économiques et sociaux nouveaux (demandes de bien-être, de sécurité, d'éducation, etc.).

2° **La « capacité » du système.** — Pye écrit : « Le développement politique implique une *capacité* accrue du système politique à conduire les affaires publiques, à régler les conflits, à satisfaire les demandes populaires » (19).

En détaillant davantage. Almond et Powell dénombrent quatre « capacités » *(capabilities)* du système politique : extractive, régulative, distributive et « responsive » (*supra*, p. 142). Pour sa part, Pye discerne surtout trois types de capacités : innovation, mobilisation, survie.

a) *La capacité d'innovation.* — La capacité d'innovation, c'est la capacité d'adaptation à des problèmes nouveaux. C'est la capacité de répondre par des méthodes flexibles à des impulsions nouvelles, à des situations imprévues.

Cette capacité est particulièrement nécessaire aux systèmes politiques du Tiers-Monde. Car l'intensification des communications internationales rompt leur isolement et éveille la population à des aspirations nouvelles.

C'est ce que certains sociologues appellent la « révolution des aspi-

(19) L. Pye, S. Verba, *Political Culture and Political Development*, Princeton, 1965, p. 13.

rations » : aspirations nouvelles à la santé, à l'éducation, au bien-être, à la participation (surtout de la part des nouvelles élites), etc.

b) *La capacité de mobilisation.* — Autre aspect essentiel : la capacité de mobilisation. C'est-à-dire la capacité de mobiliser les ressources (humaines et matérielles) pour réaliser l'entreprise collective. Le système efficace est celui qui maximise ses ressources. Cette mobilisation suppose :

— la conversion des aspirations confuses des masses en programmes et en politiques;
— la diffusion du projet collectif;
— l'extraction des « ressources » (humaines, économiques, etc.) nécessaires (20);
— la coordination des comportements et des activités (21);
— le dosage de la contrainte, c'est-à-dire le maintien et l'établissement d'un certain ordre public.

Cette mobilisation requiert, en effet, une véritable autorité politique, des institutions publiques stables, un certain « niveau » légal et administratif. Samuel P. Huntington insiste sur cette dernière condition : *la création et l'institutionnalisation d'un nouvel ordre politique.* Il note ainsi : « Une révolution réussie associe la mobilisation politique rapide et l'institutionnalisation politique rapide. Toutes les révolutions ne produisent pas un nouvel ordre politique. On peut mesurer combien une révolution est révolutionnaire à la rapidité et à l'étendue de la participation politique qu'elle crée. Le succès d'une révolution se mesure au *degré d'autorité et de stabilité des institutions* auxquelles elle donne naissance » (*Political Order in Changing Societies,* New Haven, 1968, p. 226).

Dans un important article (« Political Development and Political Decay », *World Politics,* vol. XVII, n° 3, avril 1965, p. 386-430), Samuel P. Huntington avait déjà défini le développement politique comme « *l'institutionnalisation d'organisations et de procédures politiques* ». Ce développement se caractérise par « la force des organisations et des procédures politiques », par la « stabilité » (absence ou faible nombre de coups d'Etat, etc.).

Ainsi, Huntington assimile le développement politique à *l'institutionnalisation.* Il cesse de le confondre avec d'autres variables (indus-

(20) et (21) Dans *Comparative Politics* (1966), Almond et Powell parleront, à cet égard, des capacités « extractive » et « régulative ».

trialisation, modernisation culturelle, etc.). Son concept « libère le développement politique de la modernisation socio-économique ». Il permet de noter que certains pays, comme l'Inde, qui sont très sous-développés au plan socio-économique, sont cependant hautement développés au plan politique.

c) *La capacité de survie.* — Enfin, un système politique développé est capable d'assurer sa survie. En diffusant des attitudes favorables à son maintien par des structures, spécialisées ou non, de socialisation politique (école, université, église, armée, parti politique). En recrutant à la vie publique ceux qui désirent y être associés ou ceux qui, s'ils n'y étaient pas associés, risqueraient de mettre en péril la stabilité politique du système et de former une contre-élite révolutionnaire.

En revanche, les systèmes politiques en voie de développement rencontrent souvent des difficultés pour se maintenir ou pour réaliser des changements ordonnés.

3° **La tendance à l'égalité.** — Selon L. W. Pye, la troisième dimension du développement politique est donnée par la tendance à l'égalité. Elle se mesure, elle-même, à trois traits.

— D'abord, la *participation populaire* aux activités politiques. On passe, selon les termes d'Almond et Powell, d'une « culture de sujétion » à une « culture de participation ». Il se produit un éveil politique des sujets qui deviennent des citoyens actifs, « impliqués » dans l'action politique. Soit de façon « démocratique » (élargissement de suffrage). Soit sous la forme d'une mobilisation autoritaire.

— Ensuite, le *caractère universel des lois,* qui deviennent générales, impersonnelles, applicables à tous sans distinctions ni privilèges.

— Enfin, le *recrutement aux postes publics,* qui s'effectue, non plus par voie héréditaire ou au sein d'une classe ou d'une caste, mais selon le mérite : c'est-à-dire en tenant surtout compte des compétences, des aptitudes, de la formation.

Ces trois variables du développement politique ne connaissent pas nécessairement une progression *simultanée.* Au contraire, l'expérience historique révèle souvent des tensions entre ces trois sortes d'exigences. Ainsi, la tendance à l'égalité peut diminuer la « capacité » du système politique. Si bien que, dans les systèmes en voie de modernisation, la nécessité d'assurer le développement économique et l'intégration nationale conduit fréquemment à limiter la représentation et l'expression des intérêts, pour concentrer l'autorité auprès d'un parti unique ou d'un chef charismatique.

La mesurabilité du développement politique. — Un autre problème concerne la *mesurabilité du développement politique.* Peut-on mesurer le développement politique comme on mesure le développement économique (d'après le revenu par habitant, notamment) ? L'entreprise comporte encore plus de difficultés que pour le choix d'un indice de développement économique : quantification de données qualitatives (cohésion nationale, capacité d'innovation, etc.), imprécision de l'appareil statistique, nécessité d'opérer des pondérations, etc. Quelques essais ont, cependant, été tentés, spécialement par Bruce M. Russett (*supra,* p. 187), en combinant six indices socio-économiques et trois indices politiques (taux de participation électorale, pourcentage des effectifs militaires par rapport à la population totale, montant des dépenses publiques).

Cette expérience, comme d'autres, montre combien les critères retenus reflètent le modèle choisi : c'est-à-dire la démocratie occidentale tenue — consciemment ou non — pour le prototype même du développement politique. L'approche quantitative comme l'approche qualitative peuvent se voir adresser le même grief d'ethnocentrisme : *la modernisation politique est souvent assimilée à l'occidentalisation* posée comme terme naturel de toute évolution politique. Il reste que cette approche « développementaliste » a renouvelé l'analyse en inspirant des typologies originales, fondées sur ce concept de « développement politique ».

§ 2. — LES TYPOLOGIES DÉVELOPPEMENTALISTES

Pour nombreuses et diverses qu'elles soient, les typologies fondées sur le développement politique comportent beaucoup de traits communs. Deux d'entre elles ont exercé une grande influence et reflètent particulièrement ces tendances concordantes qui animent les divers chercheurs.

A. — La typologie d'Edward Shils

En juin 1959, le Committee on Comparative Politics organise une conférence sur la « modernisation politique ». Edward Shils y présente un important rapport, publié dès 1960 sous le titre *Political Development in the New States* (22), qui propose une classification des systèmes politiques en cinq types principaux.

1° **Les démocraties politiques** *(political democracies)* pratiquent la différenciation des fonctions et la spécialisation des structures. Diverses structures existent (organes législatifs, exécutifs, judiciaires, partis politiques, groupes d'intérêts, organes d'information), dont chacune tend à assumer principalement une fonction déterminée. Dans les régions « non occidentales », le Japon, la Turquie, Israël et le Chili d'alors constituent des exemples de « démocraties politiques ».

2° **Les démocraties tutélaires** *(tutelary democracies)* se réclament des normes et des formes structurelles de la démocratie. De plus, les élites se donnent pour objectif la démocratisation du jeu politique. En réalité, cependant, ces systèmes concentrent l'autorité dans l'exécutif et l'administration : le législatif est relativement sans pouvoir, et l'indépendance du judiciaire n'est pas pleinement réalisée. Selon Shils, l'incarnation la plus exacte de ce modèle était le Ghana de Nkrumah.

3° Dans **les oligarchies en voie de modernisation** *(modernizing oligarchies),* les constitutions démocratiques sont suspendues ou inexistantes. Des cliques bureaucratiques et (ou) militaires concentrent le pouvoir. Les buts de ces élites peuvent inclure ou non la démocratisation. Mais, dans l'immédiat, il n'existe pas de système de partis compétitif, et les groupes d'intérêts, dans la mesure où ils existent, voient leur activité limitée. Ces oligarchies en voie de modernisation *recherchent principalement le développement économique,* en s'efforçant d'éliminer les vestiges de la tradition et d'accroître l'efficacité, la rationalité. La Turquie sous Ataturk, le Pakistan naguère fournissent des exemples de ce type.

(22) E. Shils, *Political Development in the New States, Comparative Studies in the Society and History,* vol. 2, juillet 1960; The Hague, 1962, et rééd. 1965.

4° **Les oligarchies totalitaires** *(totalitarian oligarchies)* — cas de la Corée du Nord ou du Vietnam du Nord, selon Shils — diffèrent des oligarchies en voie de modernisation par trois traits : le degré de pénétration de la société par la politique, le degré de concentration du pouvoir dans l'élite dirigeante, le rythme de la mobilisation sociale. Pour Shils, il existe deux sortes de totalitarisme : le type « bolchevique » et le type incarné par l'Italie fasciste ou l'Allemagne nazie.

5° **Les oligarchies traditionnelles** *(traditional oligarchies)* sont généralement de forme monarchique et dynastique et reposent plus sur la coutume que sur une constitution. L'élite dirigeante se recrute sur la base de la parenté ou du « status »; elle vise, avant tout, à se maintenir au pouvoir, et n'accorde qu'une attention limitée aux mécanismes d'adaptation ou de changement. Exemples, en 1960 : le Yémen, le Népal, l'Arabie séoudite. Cependant, il est difficile d'éluder toute modernisation : pour mieux persister, l'oligarchie traditionnelle consent, parfois, quelques concessions. Elle tend ainsi à se rapprocher de l'oligarchie en voie de modernisation, et incarne un type intermédiaire que Shils appelle « *traditionalistic oligarchy* ».

Selon lui, dans les régions « non occidentales », les systèmes politiques sont, précisément, le plus souvent des « oligarchies en voie de modernisation » ou « traditionnalistes » (« *traditionalistic* ») et des démocraties tutélaires.

L'opérationnalisation de la typologie d'Edward Shils. — Cette classification a été souvent utilisée par différents chercheurs, dans leurs investigations particulières. Elle se trouve, par exemple, appliquée à quatre pays d'Asie dans l'ouvrage publié par B. B. Burch et A. B. Cole, *Asian Political Systems, Readings on China, Japan, India, Pakistan* (Princeton, 1968). Qui définit la Chine comme une « totalitarian oligarchy », l'Inde et le Pakistan comme des « modernizing oligarchies », et le Japon comme un « maturing democracy ».

Par ailleurs, dès 1963, dans un article intitulé « *Political Systems and Political Change* », paru dans *The American Behavioral Scientist* (juin 1963), Gabriel Almond avait proposé d'affiner encore la typologie de Shils, en retenant sept types principaux de systèmes politiques :

— les *systèmes traditionnels* (traditional systems) : catégorie comportant une infinie variété, depuis la tribu primitive jusqu'à un système aussi complexe que l'empire ottoman. Point commun : le manque de spécialisation structurelle;

— les *systèmes autoritaires en voie de modernisation (modernizing autho-*

ritarian systems) : où l'autorité se trouve concentrée et où l'accent est mis sur l'intégration et la mobilisation (Ghana, Egypte, Pakistan);

— les *démocraties tutélaires (tutelary democracies) :* où, grâce à un parti dominant, l'intégration et la liberté se trouvent heureusement combinées (Inde, Mexique);

— les *démocraties « immobilistes » (immobilist democracies) :* vieilles nations, plus intégrées et plus avancées, où l'histoire semble s'être arrêtée;

— les *systèmes autoritaires conservateurs (conservative authoritarian systems),* qui visent à la conservation autoritaire de l'ordre social existant (Espagne, Portugal d'alors);

— les *systèmes totalitaires (totalitarian systems),* de type communiste ou fasciste, qui imposent leur vision globale et tendent à absorber ou à contrôler la totalité des activités sociales;

— les *démocraties stables (stables democracies) :* type qui s'incarne en Grande-Bretagne, dans les Etats les plus anciennement indépendants du Commonwealth, aux Etats-Unis, en Scandinavie, en Suisse, aux Pays-Bas, etc.

Mais Gabriel Almond allait faire œuvre originale, en proposant, à son tour, une typologie d'une très grande complexité.

B. — La typologie de Gabriel Almond et G. Bingham Powell

Dès 1960, dans la préface de *The Politics of the Developing Areas,* Gabriel Almond avait souligné l'importance constante du processus de développement ou de modernisation politiques, en faisant ressortir « le caractère culturellement mixte des systèmes politiques » (the culturally mixed character of political systems).

Au plan culturel, tous les systèmes politiques sont des systèmes « *mixtes* », « dualistes », qui juxtaposent des éléments de modernité et des éléments de tradition. Il n'existe pas de systèmes complètement modernes ou de systèmes entièrement primitifs, mais seulement des systèmes qui *diffèrent par la prédominance relative des éléments modernes ou des éléments traditionnels.* Tous — les systèmes occidentaux développés, comme les systèmes non occidentaux moins développés — sont des systèmes transitoires (transitional), exposés au changement culturel.

C'était déjà marquer l'universalité du processus de développement politique, qui concerne toutes les sociétés. Cette même perspective inspire la typologie originale proposée par G. Almond dans le livre qu'il publie avec G. Bingham Powell en 1966, *Comparative Politics, A Development Approach.*

Les variables du développement politique. — Pour classer les systèmes politiques selon des « niveaux de développement » (levels of development), Almond et Powell retiennent trois *variables* corrélatives : la différenciation des rôles, l'autonomie des sous-systèmes et la sécularisation.

Ces « trois variables du développement » (three developmental variables) pouvant, d'ailleurs, se résumer en un *diptyque structure-culture,* puisque les deux auteurs définissent synthétiquement la « différenciation structurelle » comme « le développement de nouveaux rôles et sous-systèmes » (p. 307). La classification retenue distingue donc les systèmes politiques selon leur *degré de différenciation structurelle et de sécularisation culturelle.*

Pour Almond et Powell, le développement politique se définit comme « la différenciation et la spécialisation croissantes des structures politiques et la sécularisation croissante de la culture politique » (p. 105).

La différenciation structurelle. — Analysant une « structure » comme un assemblage de « rôles », Almond et Powell définissent la « *différenciation structurelle* » comme « le processus par lequel les rôles changent et deviennent plus spécialisés ou autonomes, ou par lequel de nouveaux types de rôles sont établis ou de nouvelles structures et sous-systèmes apparaissent ou sont créés » (p. 22).

La spécialisation structurelle *combine donc la différenciation des rôles* et ce que Dahl (*Modern Political Analysis,* 1re éd., 1963) appelle *l' « autonomie des sous-systèmes »* (subsystem autonomy) : c'est-à-dire l'existence d'éléments composants (partis, groupes d'intérêts, etc.) relativement indépendants et différenciés les uns des autres.

La sécularisation culturelle. — A cette « différenciation structurelle », dont Pye souligne aussi l'importance (*supra,* p. 231), Almond et Powell ajoutent une seconde dimension essentielle au développement politique : la « *sécularisation culturelle* » (cultural secularization). Définie comme « le processus par lequel les individus deviennent de plus en plus rationnels, analytiques et empiriques dans leur action politique » (*supra,* p. 146).

La culture politique se modifie : dans la formation des attitudes politiques, les composantes cognitives l'emportent sur les composantes évaluatives et surtout affectives. La raison prévaut sur la passion. Le débat politique se fonde moins sur des emportements irrationnels ou idéologiques. Il porte davantage sur des faits concrets, sur des informations précises.

Ce processus de sécularisation de la culture politique confère donc à la vie politique un style nouveau, perceptible à deux traits principaux.

D'une part, le caractère moins « diffus » et plus « *spécifique* » du débat : au lieu de se cantonner dans de vagues généralités, il porte désormais sur des objectifs précis et sur les voies et moyens à utiliser pour les atteindre.

D'autre part, le caractère plus « *pragmatique* » et « empirique » de ce même débat, qui préfère l'accommodation et le compromis aux discussions de principe et à la rigidité idéologique. Le style est plus à la négociation pragmatique *(pragmatic-bargaining style)* — comme aux Etats-Unis ou en Grande-Bretagne — qu'à la confrontation rigide des idées et valeurs *(absolute-value oriented style)* — comme en Italie ou en France.

La culture politique doit devenir de plus en plus sécularisée pour que des structures nouvelles et différenciées puissent fonctionner efficacement. Cependant, certains éléments de culture traditionnelle, non sécularisée, peuvent aider, au moins temporairement, au développement du système politique. En Grande-Bretagne puis au Japon, par exemple, certaines attitudes de déférence, d'obéissance et de loyauté envers les supérieurs semblent avoir facilité le processus de transition (23).

Une autre entrave au développement politique peut résider dans l'existence de *sous-cultures politiques* (political subcultures) : un ensemble d'attitudes politiques originales, différant des attitudes dominantes, se trouvant localisé dans tel ou tel groupe particulier. Pour Almond et Powell, la France est l'exemple classique de fragmentation de la culture politique en nombreuses sous-cultures. Mais le problème est aussi crucial pour beaucoup de pays en voie de développement : comme l'Inde avec ses différences de religion, de langue, de caste, de classe, etc., qui engendrent des attitudes politiques dissemblables formant des ensembles hétérogènes.

Les types de systèmes politiques. — Dans cette perspective, Almond et Powell suggèrent une classification des systèmes politiques en trois

(23) Cf. H. Brochier, *Le miracle économique japonais*, 2e éd., 1970 : la réussite du capitalisme japonais a reposé partiellement sur l'utilisation d'archaïsmes culturels.

groupes, selon leur degré de différenciation structurelle et de sécularisation culturelle. Ils distinguent, en conséquence, les systèmes primitifs, traditionnels et modernes.

— Les *systèmes primitifs* (primitive systems) possèdent des *structures politiques intermittentes* (intermittent political structures). Ils connaissent, mais sans stabilité ni continuité, un minimum de différenciation structurelle, qui s'accompagne d'une culture à la fois diffuse et close, fermée sur elle-même, « paroissiale » (parochial). Les membres du système politique prêtent peu d'attention à l'ensemble national. Ils sont surtout orientés vers un sous-système politique plus limité (village, clan, ethnie).

— Les *systèmes traditionnels* (traditional systems) possèdent des *structures politiques gouvernementales différenciées* (differentiated governmental-political structures) et se caractérisent, au plan des attitudes politiques, par la diffusion de ce qu'Almond et Powell appellent une « culture de sujétion » (subject culture). Les individus sont conscients de l'existence du système politique. Mais celui-ci leur reste extérieur. Ils attendent de lui des services, ils redoutent de lui des exactions. Mais ils ne penssent pas pouvoir participer à son action.

— Les *systèmes modernes* (modern systems), enfin, marquent encore un nouveau progrès, au double plan structurel et culturel. D'une part, ils possèdent non seulement des structures gouvernementales différenciées (organes législatifs, exécutifs judiciaires), mais encore des *infrastructures politiques différenciées* (différentiated political infrastructures) : partis politiques, groupes d'intérêts et moyens de communication de masses. D'autre part, avec ces infrastructures, s'est développée, non plus une « culture de sujétion », mais une « culture de participation ». Les membres du système étaient des sujets; ils deviennent des participants. Autrefois, ils se bornaient à subir les « outputs »; aujourd'hui, ils sont engagés, impliqués dans les structures et processus d' « input », dans l'articulation des demandes et la prise des décisions. Les citoyens ont conscience de leurs moyens d'action sur le système politique, de leur capacité à l'infléchir par diverses techniques (droit de vote, manifestations, pétitions, etc.).

A l'intérieur des trois grandes catégories ainsi définies, Almond et Powell distinguent encore des *sous-catégories*, toujours selon le degré de différenciation des rôles, d'autonomie des sous-systèmes et de sécularisation culturelle. Comme le montre le tableau de la page 243

CLASSIFICATION OF POLITICAL SYSTEMS ACCORDING TO DEGREE OF STRUCTURAL DIFFERENTIATION AND CULTURAL SECULARIZATION

I. Primitive systems :

Intermittent political structures

A. Primitive Bands *(Bergdama)*.

B. Segmentary Systems *(Nuer)*.

C. Pyramidal Systems *(Ashanti)*.

II. Traditional systems :

Differentiated governmental-political structures

A. Patrimonial Systems *(Ouagadougou)*.

B. Centralized Bureaucratic *(Inca, Tudor England, Ethiopia)*.

C. Feudal Political Systems *(Twelfth-century France)*.

III. Modern systems :

Differentiated political infrastructures

A. Secularized City-States :
Limited Differentiation *(Athens)*.

B. Mobilized Modern Systems :
High Differenciation and Secularization.

1. Democratic Systems :
Subsystem Autonomy and Participant Culture.
   a) High Subsystem Autonomy *(Britain)*.
   b) Limited Subsystem Autonomy *(Fourth Republic France)*.
   c) Low Subsystem Autonomy *(Mexico)*.

2. Authoritarian Systems :
Subsystem Control and Subject-Participant Culture.
   a) *Radical Totalitarian (U.S.S.R.)*.
   b) Conservative Totalitarian *(Nazi Germany)*.
   c) Conservative Authoritarian *(Spain)*.
   d) Modernizing Authoritarian *(Brazil)*.

C. Premobilized Modern Systems :
Limited Differentiation and Secularization.

1. Premobilized Authoritarian *(Ghana)*.
2. Premobilized Democratic *(Nigeria prior to January 1966)*.

(d'après G. A. Almond et G. B. Powell, *Comparative Politics, A Developmental Approach,* Boston, Little, Brown and Co., 1966, p. 217).

Les sous-catégories de systèmes politiques. — La compréhension de ce tableau et de ses sous-catégories nécessite quelques explications complémentaires, que fournissent Almond et Powell.

• Les **systèmes primitifs, à structures politiques intermittentes,** comme ceux des Esquimaux, des Bédouins du désert ou des tribus Bergdama de l'Afrique du Sud-Ouest, se caractérisent par le degré le plus faible de sécularisation culturelle et de différenciation des rôles. Le chef pouvant cumuler les rôles de dirigeant politique, religieux et économique. Selon les cas, il peut s'agir de tribus primitives, de sociétés segmentaires ou de systèmes pyramidaux.

• Les **systèmes traditionnels, à structures gouvernementales différenciées,** se subdivisent en :

— *systèmes patrimoniaux :* il existe des élites politiques et des fonctions relativement spécialisées. Mais la totalité ou la plupart de ces fonctions incombent à la famille royale (ex. : l'Egypte des pharaons, le royaume de Ouagadougou).

— *systèmes bureaucratiques centralisés :* selon S. N. Eisenstadt (*The Political Systems of Empires,* New York, 1962), trois traits les caractérisent : le développement de buts politiques autonomes; le développement de rôles et d'organes politiques et administratifs spécialisés; des tentatives, plus ou moins efficaces, pour organiser la société en unité centralisée (ex. : l'empire inca, l'Angleterre des Tudors, l'Ethiopie).

— *systèmes politiques féodaux* (ex. : la France du XIIe siècle).

• Les **systèmes modernes, à infrastructures politiques différenciées,** se subdivisent en :

A. CITÉS-ETATS SÉCULARISÉS, à différenciation limitée (Athènes).

B. SYSTÈMES MODERNES MOBILISÉS, possédant un niveau élevé de différenciation et de sécularisation, et se subdivisant, à leur tour, en :

1° *Systèmes démocratiques,* fondés sur une « culture de participation » et sur ce que Dahl appelle l' « autonomie des sous-systèmes ». Cette autonomie est susceptible de connaître différents degrés :

a) Forte autonomie des sous-systèmes : les partis, les groupes d'intérêts et les moyens de communication sont relativement différenciés les uns des autres; la culture politique est homogène (Grande-Bretagne, Etats-Unis).

b) Autonomie limitée des sous-systèmes : les partis, les groupes d'intérêts, les moyens de communication tendent à être dépendants les uns des autres ; l'existence de sous-cultures fragmente la culture politique (France des IIIe et IVe Républiques, Italie d'après 1945, République fédérale allemande).

c) Faible autonomie des sous-systèmes : système à parti dominant ou hégémonique (ex. : du P.R.I. au Mexique).

2° *Systèmes autoritaires,* fondés sur le contrôle des sous-systèmes et une culture mixte de « sujétion-participation ». Selon le degré d'autoritarisme ou de totalitarisme, on peut sous-distinguer les systèmes :

a) Totalitaires radicaux (U.R.S.S.).

b) Totalitaires conservateurs (Allemagne nazie) : la modernisation étant déjà réalisée, à la différence du cas précédent.

c) Autoritaires conservateurs (Espagne) : le régime se donne pour objectif, non la mobilisation ou la modernisation, mais la conservation de l'ordre social existant.

d) Autoritaires en voie de modernisation (Brésil).

C. SYSTÈMES MODERNES PRÉ-MOBILISÉS, caractérisés par une différenciation et une sécularisation limitées. Les systèmes précédents concernaient des pays socialement et économiquement développés. Ici, en revanche, l'armature de la modernité *politique* (partis, groupes d'intérêts, mass media) est venue s'appliquer sur des sociétés hautement traditionnelles. Le résultat réside, selon le cas, dans des systèmes :

1° *Prémobilisés autoritaires* (Ghana de Nkrumah).

2° *Prémobilisés démocratiques* (Nigeria d'avant janvier 1966).

De la théorie à la pratique. — Au total, la théorisation a donc fait des progrès très considérables, pour analyser la transformation tant du système politique *lui-même* que de son *environnement.* L'étude du développement *politique* et l'étude des effets politiques du développement *socio-économique* se sont constamment affinées et diversifiées. Parfois à l'excès.

Quelques lacunes persistent cependant. Il est, certes, parfaitement normal que l'observation ne s'attarde plus sur les sociétés « développées » : depuis des décennies l'attention des constitutionnalistes et des politistes s'est focalisée sur ce point. Ici tout est dit, et l'on vient trop tard.

Mais, en revanche, il conviendra de se demander si, au-delà de la société « développée », n'apparaît pas une réalité nouvelle — la société « *sur-développée* » — pleinement justiciable, elle, d'une description originale. L'histoire ne s'est pas arrêtée : le système politique américain ou anglais des années 1950-1960 ne saurait constituer le terme du développement politique. L'évolution se poursuit, à l'écart des schémas portés à l'ethnocentrisme ou à la « célébration nationale ».

Il importe donc, passant à l'*expérimentation* de ces schémas, à leur application à la réalité concrète, de tenir les « deux bouts de la chaîne ». Pour examiner pratiquement et les systèmes sous-développés et les systèmes sur-développés.

BIBLIOGRAPHIE

Pour une bibliographie exhaustive : A. A. SPITZ, ed., *Developmental Change. An Annotated Bibliography.* Lexington, 1969 (bibliographie annotée, recensant 2 500 écrits portant sur les aspects sociologiques, économiques et politiques du développement).

LE DÉVELOPPEMENT SOCIO-ÉCONOMIQUE ET SES EFFETS POLITIQUES :

— *Pour des données quantitatives et des indices socio-économiques, et parfois politiques, du développement :*

B. M. RUSSETT, ed., *World Handbook of Political and Social Indicators,* New Haven, 1964, 2e éd., 1972; B. M. RUSSETT, *Trends in World Politics,* New York, 1965; R. L. MERRITT, S. ROKKAN, ed., *Comparing Nations. The Use of Quantitative Data in Cross-National Research,* New Haven, 1966; I. ADELMAN, C. T. MORRIS, *Society, Politics and Economic Development. A Quantitative Approach,* Baltimore, 1967; C. W. TAYLOR, ed., *Aggregate Data Analysis. Political and Social Indicators in Cross-National Research,* Paris, Mouton, 1968, ainsi que C. W. TAYLOR et al., *World Handbook of Political and Social Indications,* New Haven, 2e éd., 1972. Tous ces ouvrages recensent et proposent des indices pour l'analyse comparative et l'étude des corrélations entre système politique et développement socio-économique.

— *Pour la thèse du conditionnement socio-économique de la polyarchie :*

R. A. DAHL, *L'analyse politique contemporaine,* tr. 1973; S. M. LIPSET, « *Some Social Requisites of Democracy : Economic Development and Political Legitimacy* », APSR, vol. LIII, mars 1959, p. 69-105; S. M. LIPSET, *L'homme et la politique,* tr. 1963 (le chapitre intitulé « Développement économique et démocratie »); E. E. HAGEN, *Development of the Emerging Countries,* 1962; A. S. BANKS, R. B. TEXTOR, *A Cross-Polity Survey,* Cambridge, Mass., 1963; D. E. NEUBAUER « *Some Conditions of Democrocy* », APSR, vol. LXI, déc. 1967, p. 1002-1009; I. K. FEIERABEND, R. L. FEIERABAND, B. A. NESVOLD, « *Social Change and Political Violence : Cross-National Patterns* », dans H. D. GRAHAM, T. R. GURR, *The History of Violence in America,* New York, 1969; R. E. DOWSE, *Modernization in Ghana and in the U.S.S.R. : A Comparative Study,* Londres, 1969 (présentation, assez sommaire, des analogies entre l'U.R.S.S. de Staline et le Ghana de Nkrumah : parti unique, priorité au développement économique, etc.).

— *Sur l'expérience soviétique :*

Outre les ouvrages cités *supra,* p. 96 : G. VEDEL, *Les démocraties soviétique et populaires,* Les Cours de droit, 1963-1964; M. TATU, *Le pouvoir en U.R.S.S.,* 1967; M. LESAGE, *Les régimes politiques de l'U.R.S.S. et de l'Europe de l'Est,* 1971; R. G. SCHWARTZENBERG, *Politique comparée* (cours polycopié de l'I.E.P. de Paris, Les Cours de droit, 1972-1973, spécialement p. 589-720).

Voir aussi J. G. COLLIGNON, « De l'isolationnisme au comparatisme. Méthodes et approches, anglo-saxonnes, pour l'analyse du système politique soviétique », *R.F.S.P.,* 1976, p. 445-482 (recensement et commentaire des travaux anglo-saxons de soviétologie).

Ainsi que : J. ARMSTRONG, *Ideology, Politics and Governement in the Soviet Union,* New York, 1962; F. BARGHOORN, *Politics in the U.S.S.R.,* Boston, 1966 (intéressante application au système politique soviétique d'une approche fonctionnaliste inspirée d'Almond) ; Z. BRZEZINSKI, *Ideology and Power in Soviet Politics,* New York, 1962 ; Z. BRZEZINSKI, S. P. HUNTINGTON, *Political Power U.S.A./U.S.S.R.,* New York, 1965; Z. BRZEZINSKI, *La révolution technétronique,* tr. 1971 (IIIe partie, p. 157-236) (une analyse très fine et très bien informée des sociétés politiques de l'Europe de l'Est) ; H. CHAMBRE, *L'Union soviétique,* 1966; J. FAINSOD, *How Russia is Ruled,* Cambridge, Mass., 1965; J. HAZARD, *The Soviet System of Government,* 4e éd., Chicago, 1968 (un ouvrage déjà classique, avec en annexes la constitution soviétique et les statuts du P.C.U.S.) ; H. MARCUSE, *Le marxisme soviétique,* tr. 1963 (un réquisitoire essentiel contre la déviation stalinienne); L. SHAPIRO, *The Government and Politics of the Soviet Union,* 2e éd., Londres, 1967.

• Sur Staline : spécialement J.-J. MARIE, *Staline,* 1967; J. ELLENSTEIN, *Histoire du phénomène stalinien,* 1975; et la bibliographie analysée par L. MARCOU dans son article « Staline vu par l'Occident », *R.F.S.P.,* 1972, p. 887. Sur N. S. Khrouchtchev : C. PINEAU, *Khrouchtchev,* 1965; M. FRANKLAND, *Krushchev,* Harmondsworth, 1966; E. CRANKSHAW, *Khrouchtchev,* tr. 1967. — Sur le processus d'accès au pouvoir suprême en U.R.S.S. : M. RUSH, *Political Succession in the U.S.S.R.,* New York, 1965, et R. MYRON, *Political Succession in the U.S.S.R.,* 2e éd., New York, 1968 (deux analyses du mécanisme de succession, à l'occasion des remplacements de Lénine, Staline et N. S. Khrouchtchev) ; ainsi que P. FAILLANT DE VILLEMAREST, *La marche au pouvoir en U.R.S.S. De Lénine à Brejnev, 1917-1969,* 1970.

• Sur l'évolution du système économique : H. CHAMBRE, *Union soviétique et développement économique,* 1967 (l'étude des méthodes du développement économique de l'U.R.S.S. avec un appareil théorique élaboré par F. Perroux); M. GARMANIKOV, *Economic Reforms in Eastern Europe,* Detroit, 1968; J. H. KAUTSKY, *Communism and the Politics of Development,* New York, 1968; MARIE LAVIGNE, *Les économies socialistes soviétique et européennes,* 1970. Plus anciens, mais toujours utiles : W. W. ROSTOW, *Les étapes de la croissance économique,* tr. 1963; G. W. NUTTER, *Soviet Economic Developments : Some Observations in Soviet Industrial Growth, The American Economic Review,* mai 1957.

• Sur l'évolution de la société : sur la « bureaucratie » : M. FAINSOD, « Bureaucracy and Modernization : The Russian and Soviet Case », in LAPALOMBARA, ed., *Bureaucracy and Political Development,* Princeton,

1963; sur la « technocratie » : J. Azrael, *Managerial Power and Soviet Politics,* Cambridge, Mass., 1966 (contrairement à certaines analyses occidentales un peu rapides, l'auteur montre que le pouvoir proprement politique des « managers » reste, en fait, assez limité). Sur la société en général : P. Sorlin, *La société soviétique, 1917-1967,* 2e éd., 1967; le document anonyme, intitulé *Un observateur à Moscou,* tr. 1970; C. Black, ed., *The Transformation of Russian Society. Aspects of Social Change since 1861,* Cambridge, Mass., 1967; A. Inkeles, *Social Change in Soviet Russia,* Cambridge, Mass., 1968; et R. Conquest, *Russia after Krushchev,* New York, 1965; D. Dirscherl, ed., *The New Russia : Communism in Evolution*, Dayton, 1968 (un bilan des quinze années qui séparent la publication de l'ouvrage de la mort de Staline : qu'est-ce qui a changé en U.R.S.S. depuis Staline ?); D. Lane, *Politics and Society in the U.S.S.R.,* London, 1970.

• Sur les « intellectuels dissidents » : N. et P. Forgues, *L'affaire Siniavski-Daniel,* 1967; J.-J. Marie, C. Head, *L'affaire Guinzbourg-Galanskov,* 1969; A. Amalrik, *L'U.R.S.S. survivra-t-elle en 1984 ?,* tr. 1970; J. Medvedev, *Grandeur et chute de Lyssenko,* tr. 1971; et le n° 7-8 (juill.-août 1971) d'*Esprit* consacré à la « contestation » en U.R.S.S.; A. Soljenitsyne, *L'Archipel du Goulag,* tr. 1974, *Lénine à Zurich,* tr. 1975 et *Discours américains,* 1975 (pour une politique occidentale de morale et de fermeté envers l'U.R.S.S.); A. Sakharov, *Sakharov parle,* tr. 1974, et *Mon pays et le monde,* tr. 1975; Samizdat, *Une opposition socialiste en U.R.S.S. aujourd'hui,* Maspéro, 1976. — Sur les intellectuels en général : L. G. Churchward, *The Soviet Intelligentsia. An Essay on the Social Structures and Ruling of Soviet Intellectuals during the 1960's*, London, 1972. — Sur la situation des trois millions de citoyens de confession israélite : E. Wiesel, *Les juifs du silence,* 1966; G. Israël, *Les juifs en U.R.S.S.,* 1971.

• Sur l'U.R.S.S. et ses voisins : F. Fetjö, *Histoire des démocraties populaires,* 2 vol., 1969; H. Salisbury, *Chine-U.R.S.S., La guerre inévitable,* tr. 1970 (les causes socio-économiques et culturelles du conflit sino-soviétique); F. Fetjo, *Chine-U.R.S.S. : de l'alliance au conflit, 1950-1972,* 1973.

— *Sur l'autonomie du politique :*

Lire, pour une synthèse succincte : J. Burnham, *Les Machiavéliens, défenseurs de la liberté,* tr. 1949. — De V. Pareto, lire : le *Traité de sociologie générale,* tr. 1917-1919, rééd. Genève, 1968 (la traduction anglaise existe sous le titre *The Mind and Society,* New York, 1935); *La transformation de la démocratie,* tr. Genève, 1970 (première édition française du treizième volume des œuvres complètes de Pareto, paru à Milan en 1921, le douzième étant le *Traité de sociologie générale*); *The Rise and Fall of the Elites. An Application of Theoritical Sociology,* Totowa, N.J., 1968 (intr. par H. L. Zetterberg et trad. d'un texte devenu classique, publié en 1901 dans la *Rivista italiana di sociologica*). Voir aussi : *Mythes et idéologies,* Genève, Droz, 1966.

De G. Mosca, lire les *Elementi di scienza politica,* 1re éd., 1896, rééd. Turin, 1923 (dont il existe une traduction anglaise sous le titre *The Ruling Class,* New York, 1939). — Sur Mosca, on peut lire : F. Vecchini, *La pensée politique de Gaetano Mosca,* 1968; J. H. Meisel, *The Myth of the Ruling Class, Gaetano Mosca and the « Elite »*, Ann Arbor, 1958. — De R. Michels : *Les partis politiques, Essai sur les tendances oligarchiques des démocraties,* tr. 1914, rééd. 1971. — De G. Sorel : *Réflexions sur la violence*, 1908, rééd. 1972. — De J. Burnham : *L'ère des organisateurs*, tr. 1947.

De Raymond Aron, lire : *Dix-huit leçons sur la société industrielle*, 1962; *La lutte des classes*, 1964, et *Démocratie et totalitarisme*, 1965.

Voir aussi l'analyse de L. Hamon, *Acteurs et données de l'histoire*, 2 vol., 1970-1971.

Sur les théoriciens marxistes du xxe siècle et sur le degré d'autonomie de la superstructure par rapport à l'infrastructure, voir *supra*, p. 98.

Le développement politique

Parmi les ouvrages fondamentaux : G. A. Almond, J. S. Coleman, ed., *The Politics of the Developing Areas*, Princeton, 1960; G. A. Almond, G. B. Powell, *Comparative Politics. A Developmental Approach*, Boston, 1966 (absolument capital); G. A. Almond, *Political Development. Essays in Heuristics Theory*, Boston, 1970 (sélection de textes publiés par l'auteur depuis 15 ans); L. W. Pye, « *The Concept of Political Development* », Annals of the American Academy of Political and Social Sciences, mars 1965; L. W. Pye, *Aspects of Political Development. An Analytic Study*, Boston, 1966 (réunion d'une dizaine d'écrits de l'auteurs sur ce thème); E. Shils, *Political Development in the New States*, The Hague, 2e éd., 1965; D. E. Apter, *The Politics of Modernization*, Chicago, 5e ed., 1969; *Some Conceptual Approaches to the Study of Modernization*, Englewood Cliffs, 1968, et *Political Change : Collected Essays*, London, 1973; S. N. Eisenstadt, *Modernization : Protest and Change*, Englewood Cliffs, 1966 (études des résistances de tous ordres susceptibles d'entraver la modernisation sociale et politique); C. E. Welch, ed., *Political Modernization*, Belmont, 1967; S. P. Huntington, *Political Order in Changing Societies*, New Haven, 1968 (étude des voies et moyens pour promouvoir l'ordre politique dans les pays en voie de développement, et théorie des mutations et changements des systèmes politiques); A. F. K. Organski, *The Stages of Political Development*, New York, 1965; C. H. Dodd, *Political Development*, New York, 1973. A signaler de W. F. Ilchman, N. T. Uphoff, *The Political Economy of Change*, Berkeley, 1969 (tentative originale pour transposer en science politique les concepts de l'économie politique : ressources politiques, productivité politique, optimum politique, marché politique, etc.). Enfin : W. W. Rostow, *Les étapes du développement politique*, tr. 1975.

Les composantes du développement politique :

— Sur la culture politique : G. A. Almond, S. Verba, *The Civic Culture, Political Attitudes and Democracy in Five Nations*, Princeton, 1963; L. Pye, S. Verba, ed., *Political Culture and Political Development*, Princeton, 1965 (dix monographies sur la culture politique, préfacées et postfacées par les deux co-éditeurs); W. A. Rosenbaum, *Political Culture*, New York, 1975; B. M. Richardson, *The Political Culture of Japan*, Berkeley, 1974.

— Sur l'éducation : J. S. Coleman, ed., *Education and Political Development*, Princeton, 1965; L. G. Cowan, J. O'Connel, D. G. Scanlon, ed., *Education and Nation-Building in Africa*, New York, 1965.

— Sur la communication : L. W. Pye, ed., *Communication and Political Development*, Princeton, 1963; W. Schramm, *Mass Media and National*

Development, Stanford, 1964; R. R. Fagen, *Politics and Communication,* Boston, 1966; D. Lerner, W. Schramm, ed., *Communication and Change in the Developing Countries,* Honolulu, 1967 (réunion des travaux d'une dizaine d'experts sur l'interdépendance des facteurs communication et modernisation).

— Sur l'intégration : K. W. Deutsch et al., *The Integration of Political Communities,* Philadelphie, 1964 (la nature et les variables de l'intégration politique, du niveau local aux niveaux national et international) ; C. Ake, *A Theory of Political Integration,* Homewood, 1967.

— Sur la modernisation sociale en général : Marion Levy, *Modernization and the Structures of Societies,* Princeton, 1966; C. E. Black, *The Dynamics of Modernization. A Study in Comparative History,* New York, 1966; J. L. Finkle, R. W. Gable, ed., *Political Development and Social Change,* New York, 1966 (sélection d'une cinquantaine d'articles de revues). Sur la mobilité sociale en particulier : J. Davies, *Social Mobility and Political Change,* Londres, 1970.

— Sur la « mobilisation » politique : J. P. Nettl, *Political Mobilization. A Sociological Analysis of Methods and Concepts,* Londres, 1967 (étude de type parsonien des facteurs susceptibles de fonder l'autorité de l'Etat dans les sociétés en voie de développement).

La bibliographie relative aux partis politiques face à la modernisation se trouve *infra,* p. 576.

Les études relatives à tel ou tel contexte national ou régional sont citées *infra,* p. 329.

A signaler « éditée » par A. Gallaher, *Perspectives in Developmental Change,* Lexington, 1968 (une étude pluridisciplinaire, qui souligne à la fois la complexité et l'unité du phénomène de développement) ; E. Gannage, *Institutions et développement,* 1966 (le dépassement, par un économiste, de la conception strictement économique du développement) ; et R. Holt, J. Turner, *The Political Bases of Economic Development,* Princeton, 1966 (pour l'inversion de la perspective traditionnelle).

CHAPITRE II

SOUS-DÉVELOPPEMENT ET SUR-POUVOIR

Le « sous-développement ». — On a longtemps parlé de nations « *sous-développées* », pour qualifier les pays sous-industrialisés et démunis de ressources, pour les opposer aux nations « *développées* », à fort potentiel technique et économique.

Ce concept de sous-développement est, à la fois, contestable et opératoire. Contestable, parce que désignant une infériorité, une insuffisance, un retard, il paraît s'accompagner, chez certains, d'une connotation péjorative. Opératoire, dans la mesure où il indique bien l'interrogation fondamentale : en quoi, comment, pourquoi certains pays diffèrent-ils du modèle de développement économique, social, politique fourni par les pays « avancés » ? Cette problématique reste légitime, tant qu'elle s'abstient d'une valorisation, tant qu'elle n'assimile pas différence et infériorité.

Dans cette perspective, le « sous-développement » désigne un retard *par rapport* aux pays « avancés », et nullement une infériorité *en soi*. Loin d'être absolue, l'appréciation est relative. Il s'agit simplement de comparer deux types de sociétés. Le problème de savoir si l'un est supérieur à l'autre, ne relève pas de la science politique, mais de l'axiologie. La réponse ne peut procéder que de préférences subjectives.

Les systèmes en développement. — Cela dit, depuis une ou deux décennies, les nations dites « sous-développées » s'efforcent de combler leur retard. Elles s'emploient à réaliser leur développement technique et économique. Là aussi, la croissance devient l'objectif fondamental.

Dès lors, il paraît plus exact de parler de « *sociétés en voie de développement* », ou, pour être plus bref, de « *sociétés en développement* ».

En outre, ces sociétés sont encadrées par des systèmes politiques, qui tentent de se perfectionner, en se diversifiant, en spécialisant leurs structures. Au plan politique, on peut donc parler de « *systèmes en développement* ».

Cependant, par commodité verbale, on peut continuer de parler de « sous-développement » ou de « moindre développement », pour désigner le retard, économique et politique, qui est encore celui de ces sociétés *par rapport* aux sociétés « avancées ».

Mesure du sous-développement. — Statistiquement, on prend souvent la mesure du sous-développement, en considérant la production annuelle ou le revenu annuel par habitant. Ainsi, en 1975, la moitié des 3,9 milliards d'individus habitant la planète avaient un revenu par tête inférieur à 200 dollars.

Longtemps, sur la base de ces critères, on a distingué trois grandes zones économiques :

— le Premier-Monde, qui rassemble environ 25 nations occidentales industrialisées et 750 millions d'habitants : il englobe les Etats-Unis, le Canada, la plupart des pays d'Europe de l'ouest, le Japon, etc.;

— le Second-Monde, qui rassemble les pays communistes et 1,3 milliard d'habitants;

— enfin, le Tiers-Monde, qui réunit une centaine de nations en voie de développement et environ 2 milliards d'habitants.

Si on laisse de côté les pays communistes, cela donne schématiquement une division entre les nations riches et développées de l'hémisphère nord et les nations pauvres et sous-développées de l'hémisphère sud. Ce schéma a précisément inspiré la Conférence de coopération économique internationale (C.C.E.I.), souvent baptisée « Conférence nord-sud » et qui s'est tenue à Paris (1975-1977) (*supra*, p. 182).

Les années 1970. — En vérité, que devient le Tiers-Monde dans le dernier quart du XXᵉ siècle ? Deux sortes de faits sont venus modifier la situation antérieure.

D'abord, dès le milieu des années 60, le « décollage » d'un certain nombre de pays : Mexique, Brésil, Hong-Kong, Singapour, Corée du Sud, etc., qui exportent des biens manufacturés.

Ensuite, le renchérissement des matières premières et de l'énergie à partir de 1970, mais surtout depuis 1972 et plus encore après les événements pétroliers de l'automne 1973.

Le boom des matières premières. — La détérioration constante des termes de l'échange paraissait une fatalité (*infra*, p. 282). Pour acheter la même quantité de produits industriels, le Tiers-Monde devait, d'année en année, vendre une quantité croissante de produits de base.

Désormais, cette tendance se renverse, au moins pour l'énergie et certaines matières premières « stratégiques », vitales pour l'économie industrielle des pays développés : bauxite, étain, phosphates (dont le prix a quadruplé en six mois, en 1973), etc. Quatre pays (Chili, Pérou, Zambie, Zaïre) contrôlent 80 % du cuivre exportable dans le monde; deux (Bolivie et Malaisie) produisent 70 % de l'étain; quatre autres (Jamaïque, Surinam, Guinée et Guyane) totalisent 95 % des exportations de bauxite. D'où la tendance à s'organiser en cartels.

Le cas le plus évident est celui du pétrole. Les pays exportateurs de pétrole ont réussi à se concerter, dans l'O.P.E.P. (Organisation des pays exportateurs de pétrole) ou dans l'O.P.E.A.P. (Organisation des pays arabes exportateurs de pétrole), pour imposer leurs prix aux pays importateurs.

Pour éviter l'épuisement de ces ressources naturelles si profitables, ils s'orientent, depuis l'automne 1973, vers une raréfaction (ou une stabilisation) de leur production et vers un renchérissement des prix.

Cette flambée des cours de l'énergie et de certaines matières premières modifie la physionomie du Tiers-Monde.

Nations rentières et nations prolétaires. — Désormais, il existe au moins deux groupes de nations au sein du Tiers-Monde (qui rassemble lui-même plus de 100 nations et environ 2 milliards d'habitants) : les nations « rentières » et les nations « prolétaires ».

Les premières profitent de la « *rente pétrolière* » ou de matières premières rares. Cette « rente de situation » est particulièrement visible quand il s'agit, non d'Etat peuplés (Algérie, Irak), mais d'Etats à faible population (Libye, Arabie Séoudite, Koweit, Emirats du Golfe persique), qui bénéficient de cette providence géologique.

Prenons le groupe des pays arabes à haute production pétrolière que constituent l'Arabie Séoudite, Koweit, les Emirats et la Libye. En 1969, le total des revenus pétroliers de ce groupe était de 3,5 milliards de dollars, soit 320 dollars par tête. En 1974, il atteint 50,5 milliards, soit 4 000 dollars par tête. C'est dire que le revenu total par tête est supérieur, dès 1974, à 4 000 dollars, donc du même ordre de grandeur que le revenu moyen par tête dans la Communauté Economique Européenne. Pour certains de ces pays arabes, le chiffre est très supérieur (plus de 8 000 dollars à Koweit, plus de 36 000 dollars à Abu Dhabi). Les nations occidentales les plus riches commencent à être rattrapées — voire dépassées — par un groupe de nations pétrolières en ce qui concerne le revenu par tête.

Désormais, les rapports de dépendance changent de sens entre l'Occident et certaines nations « rentières » du Tiers-Monde. Qui fixent unilatéralement les termes de l'échange. Qui mettent en grave déséquilibre les balances des paiements occidentales. Qui sont sollicitées d'investir dans les économies occidentales (d'où la prise de contrôle d'entreprises, etc.). Qui, enfin, risquent de mettre en péril le système monétaire international, si les « pétrodollars », si la masse des capitaux flottants qu'elles détiennent, passent trop brusquement d'une devise à l'autre.

Il serait excessif de parler de « colonialisme à rebours ». Mais il y a là un changement majeur, dont l'observateur doit tenir compte.

Quant aux autres nations du Tiers-Monde, elles demeurent souvent des « *nations prolétaires* ». Et leur paupérisation s'accentue. En effet, les nations prolétaires non pourvues de vastes réserves pétrolières ont peu de chances de tirer des autres matières premières, à beaucoup près, les mêmes possibilités d'enrichissement. Mais elles ont la certitude de subir un réel *appauvrissement* en tant que consommatrices de produits pétroliers. De plus, ces nations doivent souvent importer aussi des produits alimentaires et agricoles (blé, etc.), dont le prix est en forte augmentation.

Tiers-Monde et Quart-Monde. — Les importations de pétrole du Tiers-Monde lui coûtaient 2,3 milliards de dollars en 1970. En 1974, elles lui revenaient à 5 milliards de dollars (compte tenu d'un certain accroissement quantitatif). Elles devraient atteindre 20 à 25 milliards de dollars en 1980, soit, en dix ans, un alourdissement d'une vingtaine de milliards. Cela veut dire que chaque année, et du seul fait des besoins de pétrole, le Tiers-Monde aura un surcroît de charges égal à deux fois le montant annuel total de l'aide publique qu'il reçoit actuellement.

Pauvres parmi les pauvres, les pays du Tiers-Monde sont donc particulièrement touchés par la nouvelle politique des pays producteurs de pétrole. Comme ils ont besoin d'énergie à bon marché pour faire décoller leur économie, ils voient leurs chances de s'arracher à la misère, déjà minces, se détériorer encore.

Il devient donc inexact de parler d'un seul Tiers-Monde. Ce qui se produit, c'est peut-être *la division économique du Tiers-Monde.* A côté du Premier-Monde (capitaliste et industrialisé), du Second-Monde (communiste et industrialisé), *le Tiers-Monde comporte désormais deux groupes de nations,* qui sont dans des situations économiques dissemblables.

On trouve, d'une part, un groupe de nations sous-développées, sous-industrialisées, mais exportatrices de ressources naturelles : pétrole (Iran, Venezuela, Nigeria, pays arabes), cuivre (Zaïre et Zambie), phosphates (Maroc), caoutchouc (Malaisie). A ce groupe, on peut adjoindre les nations en développement, qui exportent des biens manufacturés (Corée du Sud, Singapour, Brésil, Mexique, etc.).

On trouve, d'autre part, un groupe de nations pauvres ou indigentes (Inde, Pakistan, Bangla-Desh, Tchad, Ethiopie, Mali, Haïti, etc.) et qui composent ce qu'on appelle parfois, le « *Quart-Monde* ». Ce Quart-Monde rassemble des pays à forte croissance démographique, qui possèdent peu de ressources naturelles et une base industrielle sous-développée. Ces pays connaissent parfois la famine et souvent la misère. Selon M. Mac Namara, président de la Banque mondiale, il y a environ 950 millions de personnes, dans le Quart-Monde qui subsistent avec un revenu annuel inférieur à 75 dollars par an.

L'écart entre Tiers-Monde et Quart-Monde est devenu manifeste. Aujourd'hui, l'Arabie séoudite dispose d'un revenu annuel par habitant de plus de 5 000 dollars, tandis qu'en Inde il s'élève à moins de 200 dollars.

Les trois Tiers-Monde. — Pour sa part, Pierre Moussa, auteur en 1959 du livre *Les nations prolétaires,* souligne aujourd'hui la division du Tiers-Monde en trois catégories (1).

D'abord « *les nations opulentes* », qui, grâce au pétrole, ont accédé à un niveau de revenu par tête extrêmement élevé : Emirats du Golfe persique, Koweit, Arabie Séoudite, Libye et Venezuela. Cet ensemble

(1) P. MOUSSA, *Le Tiers-Monde en miettes,* conférence devant la Chambre de commerce et d'industrie française de Bruxelles, le 28 mai 1974.

représente une population faible : environ 25 millions d'individus, soit à peine 1 % du Tiers-Monde, qui compte 2,8 milliards d'hommes (si l'on y inclut la Chine).

Viennent ensuite « *les nations émergentes* » : celles qui sont en train de sortir de la pauvreté et du sous-développement. Qu'il s'agisse de petites nations (Hong-Kong, Singapour, Liban, Gabon, Panama, etc.) ou de nations de plus forte dimension territoriale (Iran, Algérie, Irak, Malaisie, Côte-d'Ivoire, Brésil, Mexique, Colombie, etc.). A ces « nations émergentes », vont bientôt se joindre le Nigeria et la Chine, qui disposent d'autouts importants. Ce qui fera un total de 1 400 millions d'hommes (dont plus de 800 pour la Chine), soit la moitié de l'ancien Tiers-Monde.

Restent enfin « *les nations demeurées prolétaires* », c'est-à-dire l'ensemble des pays qui ont à la fois un revenu par tête faible (inférieur en général à 300, et parfois de l'ordre de 100 dollars ou moins), de faibles espérances de croissance rapide dans l'état actuel de leur population, de leurs matières premières et de leur conscience nationale. Ces pays représentent ensemble 1 400 millions d'individus, c'est-à-dire l'autre moitié de l'ancien Tiers-Monde.

Le Tiers-Monde n'est donc plus *un*. Il se diversifie.

Sémiologie du sous-développement. — On vient de le dire : la seule référence au revenu annuel par habitant ne saurait suffire. Le sous-développement résulte de l'imbrication de nombreuses composantes. Il apparaît comme un faisceau d'indices économiques, mais aussi sociaux, culturels, politiques, etc. Un diagnostic du sous-développement — spécialement dans les « nations demeurées prolétaires » —, une analyse « sémiologique », révèlent de multiples « signes » interdépendants.

Ainsi, Yves Lacoste (*Les pays sous-développés*, 2e éd., 1962) énumère quinze caractères constitutifs du sous-développement :

— l'insuffisance alimentaire;
— la prédominance de l'agriculture, dans des structures archaïques et avec des rendements relativement faibles;
— la faiblesse du revenu national moyen et des niveaux de vie;
— une industrialisation réduite;
— une situation de dépendance économique par rapport aux pays développés;
— l'hypertrophie du secteur commercial;
— des structures sociales arriérées;

— la faiblesse numérique des classes moyennes;
— l'insuffisance de l'intégration nationale;
— l'importance du sous-emploi;
— la faiblesse du niveau d'instruction;
— la forte natalité;
— un état sanitaire défectueux, bien qu'en voie d'amélioration;
— la prise de conscience de ces phénomènes constitutifs du sous-développement.

Cette énumération fait ressortir l'étroite *imbrication* des caractères d'ordre économique, social et politique. Comme l'implique, d'ailleurs, l'analyse systémique : tout système politique est immergé dans un ensemble social, baigne dans un « environnement » avec lequel il entretient de multiples échanges. Conformément à la problématique évoquée dans le précédent chapitre, il convient de recenser les diverses causes ou aspect du sous-développement *socio-économique,* pour mieux comprendre la nature du sous-développement *politique.*

SECTION I

CAUSES ET ASPECTS DU SOUS-DÉVELOPPEMENT SOUS-ÉCONOMIQUE

Diverses interprétations ont été avancées pour tenter d'expliquer les principaux aspects du sous-développement socio-économique.

§ 1. — CAUSES DU SOUS-DÉVELOPPEMENT SOCIO-ÉCONOMIQUE

Etiologie du sous-développement. — Passant de la sémiologie à l'étiologie, l'analyse retient quelques causes majeures du sous-développement :

— le facteur *démographique* (une population excédentaire par rapport aux ressources; un taux élevé de natalité contrastant avec un taux de mortalité désormais réduit);
— le facteur *géographique* (sols, ressources minérales, climats);
— le facteur *technologique* (retard des techniques de production);
— le facteur *économique* (limitation des disponibilités en capital, sous-industrialisation liée à la colonisation);

— le facteur *culturel* (traditions, croyances, religions, etc.) ;
— le facteur *social* (persistance de structures sociales archaïques; absence d'une « classe d'entrepreneurs », d'une « bourgeoisie », etc.).

Toutes ces causes, et bien d'autres encore, ne peuvent être analysées en détail dans le cadre limité de ce précis. Mais il faut s'arrêter à quelques-unes d'entre elles, souvent avancées par l'explication sociologique. En prenant soin de rappeler la pluralité et la diversité des facteurs, qui agissent conjointement, solidairement. Donc en soulignant la *surdétermination* et en évitant les errements de sociologie du XIXe siècle, acharnée à soutenir telle ou telle *théorie du facteur déterminant* (démographique pour les uns, géographiques pour les autres, technologique pour les troisièmes, etc.).

L'influence causale des techniques de production a déjà été évoquée à l'occasion de l'analyse du marxisme (*supra*, p. 63). On s'attachera donc seulement ci-dessous aux facteurs démographique, géographique et ethnique, susceptibles, selon certaines théories, de modeler la société, l'économie et la politique.

A. — Le facteur démographique

Les théories de la pression démographique. — On trouve déjà l'idée chez les Anciens (Platon, Aristote). L'accroissement excessif de la population provoquait de profondes difficultés économiques (pénurie, disettes, famines, etc.) et, par voie de conséquence, de graves troubles sociaux et politiques (crises, révolutions, guerres) : chacun luttant belliqueusement pour s'assurer le nécessaire vital.

Montaigne (chap. XXIII des *Essais*) voyait déjà dans la guerre la « saignée de la république », qui épure le corps social de ces excédents démographiques. Il annonçait presque les thèses de *polémologie* (science de la guerre), soutenues aujourd'hui par Gaston Bouthoul : en assurant une ponction démographique (à la manière des grandes épidémies d'autrefois), les guerres servent de soupape de sûreté à une pression démographique trop forte. Assurant une fonction de régulation, jouant comme un « infanticide différé », elles procurent une « relaxation démographique ». « Laissez faire Vénus et vous aurez Mars », notait Alain.

De Malthus au malthusianisme. — Mieux que tout autre, Thomas-Robert Malthus (1766-1836) a exprimé cette vision pessimiste, dans son *Essai sur le principe de la population* (1798). Pasteur chargé d'une paroisse, Malthus est frappé par la misère régnant dans l'Angleterre de la première révolution industrielle. Prenant le contre-pied des idées reçues (cf. Jean Bodin: « Il n'est de richesse que d'hommes »), Malthus souligne fortement *les dangers de la surpopulation* pour l'ordre social. Du décalage qui augmente sans cesse entre la population et les subsistances ne peuvent sortir que misère et troubles sociaux.

Malthus résume sa pensée dans sa célèbre « loi de la population ». Laissée à elle-même, la population tend naturellement à s'accroître en proportion *géométrique* (1, 2, 4, 8, 16 ...), tandis que les subsistances tendent naturellement à s'accroître en proportion *arithmétique* (1, 2, 3, 4, 5 ...). Cet écart, qui s'élargit constamment, voue l'humanité à la misère (pénurie, famine) et aux troubles sociaux et politiques (crises, révolutions, guerres) qui accompagnent toujours celle-ci.

Le seul moyen d'éviter cette catastrophe réside dans la *limitation des naissances* par le « moral restraint » (réserve, contrainte morale); c'est-à-dire par le célibat ou le mariage tardif des pauvres, qui n'auraient pas de quoi assurer la subsistance de leur progéniture. Bref, en sa double qualité de pasteur et d'économiste, Malthus prêche la continence aux classes pauvres, pour que les classes aisées puissent jouir de leurs biens dans la paix publique.

On comprend, dès lors, la signification des termes « *malthusianisme* », « malthusien », etc., qui désignent la restriction volontaire de toute activité « productrice » (au sens large du terme), et la connotation péjorative qui les colore généralement.

Longtemps la thèse de Malthus a été considérée comme fallacieuse, voire scandaleuse. En effet, l'accroissement de la population tout au long du XIXe siècle n'a nullement eu les effets apocalyptiques annoncés par l'austère pasteur, qui semble avoir sous-estimé les possibilités d'accroissement des subsistances. De 1800 à 1950, la population de l'Europe passe de 190 à 546 millions, celle de l'Amérique du Nord de 15 à 210 millions (2).

Paradoxalement, les dangers de la sous-population (cf. la défaite française de 1940) paraissent alors plus évidents que ceux de la surpopulation. Entre ces deux excès opposés, prévaut alors la notion de

(2) A. Sauvy, *La population*, 10e éd., 1970, p. 59.
(3) *Ibid.*, p. 105 et s.

« *peuplement optimal* » (3), pour atteindre le niveau d'existence ou de puissance le plus élevé possible, compte tenu des ressources actuelles ou virtuelles.

L'actualité de Malthus. — Mais aujourd'hui, au dernier quart du xxe siècle, l'accélération prodigieuse du rythme d'accroissement démographique donne un regain d'actualité au malthusianisme. La population mondiale était de 1,6 milliard en 1914 (d'après Knibbs), de 2,2 milliards en 1930-1932, de 3,1 milliards en 1961. En 1974, elle était de 3,9 milliards.

Le service de la population des Nations-Unies (bulletin d'avril 1971) estime qu'elle dépassera les 5 milliards d'ici à 1985, pour compter près de 6,5 milliards en l'an 2000. Il escompte aussi qu'il y aura plus d'un milliard de Chinois d'ici à 1990, et plus d'un milliard d'Indiens d'ici à l'an 2000.

Car, cette explosion démographique concerne surtout les pays du Tiers-Monde. Autrefois, ces populations combinaient une haute fécondité et une haute mortalité. Cet équilibre millénaire est aujourd'hui rompu. *Le taux de natalité se maintient à son niveau traditionnellement élevé,* l'usage des procédés contraceptifs étant encore limité.

Mais, grâce aux progrès de la médecine et de l'hygiène, *le taux de mortalité décroît très sensiblement.* D'où un *décalage* entre cette explosion démographique et la pauvreté des ressources (spécialement nutritionnelles). Avec cet écart et cette *malnutrition,* la théorie de la pression démographique retrouve donc une illustration tragique aujourd'hui dans le Tiers-Monde.

Le regain des thèses malthusiennes. — D'où, au moins en Occident, le regain des thèses malthusiennes, favorables à une stricte *régulation des naissances.* Pour prévenir les dangers que comporte cette surpopulation du globe.

Robert Mac Namara. — C'est le sens du rapport présenté à Copenhague, en septembre 1970, par M. Robert Mac Namara, président de la Banque mondiale.

« Plus d'un milliard de naissances doivent être prévenues dans les pays en voie de développement, si l'on veut, par exemple, ramener le *taux de natalité* de ces pays de 40 à 20 pour 1 000 d'ici l'an 2000.»

Mais : « Même si l'on parvient à ramener à deux le nombre d'enfants par famille, la population continuera d'augmenter pendant 65 à 70 ans et la stabilisation se fera à un niveau beaucoup plus élevé. Par exemple, si les pays industrialisés atteignaient le point de renouvellement des couples d'ici à l'an 2000 et les pays en voie de développement d'ici à l'an 2050 (ce qui est peu probable), la population mondiale, qui est actuellement de 3,5 milliards, ne se stabilisera pas avant l'an 2120 et comptera alors 15 milliards d'habitants. »

Jacques Monod. — Au congrès national du Mouvement français pour le planning familial (octobre 1970), le Pr Jacques Monod, prix Nobel de médecine, procède à une même analyse et souligne l'urgence d'une régulation des naissances :

« L'explosion démographique constitue une *menace,* non seulement pour les nations qui en sont aujourd'hui les victimes, mais pour le monde entier qui ne pourra manquer un jour ou l'autre d'en subir les contrecoups. Je n'hésite pas à dire qu'il s'agit là d'une *menace qui pèse sur l'espèce dans son entier, sur la culture et sur la civilisation.* Il y a aujourd'hui plus de 3 milliards d'hommes à la surface de la terre. L'extrapolation des courbes démographiques fait prévoir à l'heure actuelle un doublement de la population de la terre tous les 30 à 35 ans environ. Donc 6 milliards d'habitants en l'an 2000, 12 milliards en 2030. Qui peut douter qu'*un tel accroissement entraînera des secousses si profondes que la civilisation telle que nous la connaissons pourrait y périr ?* »

Sicco Mansholt. — En février 1972, M. Sicco Mansholt, alors vice-président de la Commission des Communautés européennes, adresse au président de cette Commission, M. Malfatti, une lettre, inspirée par le rapport du M.I.T. (*infra,* p. 389). Pour attirer l'attention sur plusieurs périls, dont le *péril démographique.*

Les pays en voie de développement, mais aussi l'Occident, doivent *contrôler la natalité.* « Si rien n'est entrepris, la population mondiale va pratiquement doubler en trente ans, pour passer de 3,5 milliards à 7 milliards d'habitants en l'an 2000 » (4).

Il faut donc s'employer à « *stabiliser la démographie mondiale* ». « Il nous incombe d'indiquer les éléments économiques qui peuvent contribuer à *promouvoir la limitation des naissances.* A cet égard, on peut penser à la politique fiscale et à la suppression des aides sociales aux familles nombreuses. »

La baisse de la natalité en Europe occidentale. — En vérité, en Europe occidentale la cause est entendue. Alors que la population mondiale augmente de près de 2 % par an, *l'Europe occidentale est entrée dans une phase de ralentissement démographique.* Le comportement actuel des

(4) En vérité, au 1er janvier 1974, la terre comptait *3,9 milliards* d'habitants. Et l'hypothèse la plus souvent retenue est celle de 6,5 milliards en l'an 2000.

couples (meilleure maîtrise de la fécondité, etc.) conduit à moyen terme à une stabilisation de la population de la plupart des pays européens.

On constate cette baisse de la fécondité en R.F.A., où en 1974 et 1975 le nombre des décès a été plus important que celui des naissances, comme en Grande-Bretagne ou au Danemark, où la chute de la natalité est spectaculaire. En France, le taux de natalité (14 pour 1 000) reste plus élevé que dans la plupart des pays d'Europe occidentale développés, à l'exception de l'Italie (15,7) et de la Norvège (15). Néanmoins, un certain ralentissement de la natalité, une certaine « *dénatalité* », joints à une stabilisation de la mortalité à un niveau très bas (10,6 décès pour 1 000 habitants) entraîne un lent vieillissement de la population (4 *bis*).

La conférence mondiale de la population (1974). — A Bucarest, en août 1974, à l'initiative de l'O.N.U., se réunit la Conférence mondiale de la population. C'est l'occasion d'une opposition entre pays riches (moins peuplés) et pays pauvres (surpeuplés). Pour contenir l'explosion démographique (spécialement dans le Tiers-Monde), les premiers recommandent de *développer le contrôle des naissances* (planning familial, contraception, etc.). D'ailleurs, plusieurs pays du Tiers-Monde sont déjà engagés dans cette voie. Comme l'Inde de Mme Gandhi, qui pratiquait une régulation des naissances très énergique (stérilisation volontaire, etc.).

Mais de nombreux Etats du Tiers-Monde et des Etats socialistes (dont la Chine) s'élèvent contre ce *malthusianisme*, préconisé par les pays riches, et réussissent à imposer leur point de vue. Selon eux, le problème de la population doit trouver sa solution, non dans le contrôle des naissances, mais dans un partage plus équitable des ressources, dans une *redistribution de la richesse mondiale*, accaparée par quelques nations privilégiées. L'Amérique du Nord, avec 6,2 % de la population mondiale, concentre 34,4 % du P.N.B. mondial; l'Europe occidentale, avec 9,1 % de la population, 25,6 % de ce P.N.B. En revanche, l'Asie (moins le Japon et la partie asiatique de l'U.R.S.S.) rassemble 53,8 % de la population mondiale, mais ne participe que pour 9,35 % au P.N.B. mondial (Sources O.N.U. : *Newsweek* du 2 septembre 1974). Bref, c'est l'éternel débat entre riches et pauvres, entre malthusiens et anti-malthusiens (5).

Les dangers politiques de la surpopulation. — En aggravant leurs difficultés économiques et sociales, la surpopulation des pays sous-développés risque de produire deux types d'antagonismes politiques.

— Au plan *interne*, à court terme ou dès aujourd'hui, de graves tensions. Tensions encore accrues par l'effort de *développement* indus-

(4 *bis*) Voir *Le Monde* du 7 avril 1976.

(5) Voir le numéro spécial de *Newsweek* (2 septembre 1974), *The People Problem*, et *Le Monde* du 31 août 1974.

triel, qui soustrait des travailleurs à la production des biens de consommation courante pour les affecter à la construction d'équipements collectifs (routes, barrages, etc.) ou dans l'industrie lourde. *Pendant cette période de « décollage », la pénurie en biens de consommation risque de s'aggraver encore.* Dès lors, pour surmonter le mécontentement populaire, et imposer autoritairement l'effort de développement et d'équipement, les régimes dictatoriaux sont fréquents. Souvent, la *dictature* apparaît comme la maladie infantile du développement.

— Au plan *international,* à long terme, un conflit éventuel entre nations « nanties » et nations « prolétaires », un peu comme dans la Rome antique entre praticiens et plébéiens. Comme le note Zbigniew Brzezinski (6), dans un monde unifié par l'essor des communications et de l'enseignement de masse, le sous-développement devient d'autant plus intolérable. Devenus les « ghettos de la cité globale », les pays du Tiers-Monde prennent désormais une *conscience* aiguë de leur retard. En effet, au XIXe siècle en Europe, l'alphabétisation, l'enseignement de masse ont suivi — et non pas précédé — la révolution industrielle. Ici, au contraire, la révolution intellectuelle devance les transformations matérielles. « Les conditions objectives se modifient lentement, mais le milieu subjectif change vite. » La « conscientisation » des masses précède la mutation de la réalité matérielle.

« Aujourd'hui, dans le Tiers-Monde, une révolution subjective se produit, qui précède le changement du milieu réel et crée ainsi un état de trouble, de malaise, de colère, d'angoisse et d'indignation » (7). Sentiment de frustration particulièrement vif dans les jeunes générations, que l'état de la répartition par âges rend les plus nombreuses.

Répartition par âges et attitudes politiques. — Alfred Sauvy (*La population,* 10e éd., 1970, p. 59-62) classe les pays en trois groupes suivant la proportion de vieillards (plus de 65 ans) que comporte leur population.

D'abord, le groupe des populations âgées, où la proportion de vieux dépasse 10 %, et qui est bien localisé en Europe du nord-ouest et du centre (ce groupe comprend notamment la France, avec 12,3 % de plus de 65 ans en 1968). Ensuite, un second groupe, géogra-

(6) Z. Brzezinski, *La révolution technétronique,* tr. 1971, sp. p. 59-79, le chapitre intitulé « Les ghettos mondiaux ».
(7) *Ibid.,* p. 64-65.

phiquement disparate (Etats-Unis, Grèce, Espagne, U.R.S.S., etc.), où cette proportion varie entre 5 et 10 %. Enfin, un troisième groupe, le plus nombreux, qui comprend la plupart des pays en voie de développement, où il y a moins de 5 vieux pour 100 personnes. Ce dernier groupe englobe les pays dans lesquels la restriction des naissances n'est guère pratiquée ou ne l'est que depuis peu.

Ces différences dans la répartition par âges ont-elles des effets sur les attitudes politiques ? On avance souvent que l'âge développe le goût de la sécurité et des valeurs établies, incline à la conservation de l'ordre existant. En revanche, la jeunesse donnerait le goût du changement et du risque, porterait aux passions politiques, voire aux explosions révolutionnaires. Ainsi, la distribution des votes en fonction de l'âge montre que la jeunesse vote plus volontiers à gauche. L'âge serait dextrogyre.

Ainsi, un sondage de l'IFOP (*France-Soir* du 9 mai 1974), réalisé avant le second tour des présidentielles de 1974, donne la répartition suivante des intentions de vote par catégories d'âge :

	21-34 ans	35-49 ans	50-64 ans	65 ans et plus
Giscard d'Estaing	44	47	56	63
Mitterrand	56	53	44	37

Cette analyse des attitudes individuelles peut-elle être transposée à la psychologie collective d'une nation ? Divers constats permettent de le penser. Une nation jeune est plus encline aux changements radicaux et aux révolutions qu'une nation vieillie, qui y répugne généralement.

L'histoire (décadence de la Grèce, puis de Rome, Espagne ou Venise des XVIe et XVIIe siècles, etc.) comme le passé récent (la France de l'entre-deux-guerres) montrent les effets du vieillissement de la population : affaiblissement de l'esprit d'entreprise, goût excessif de la sécurité, propension à l'immobilisme, attardement à de vieilles idées et à de vieilles techniques, etc. Toutes ces tendances conservatrices tendent à prévaloir avec l'élévation de la moyenne d'âge d'une population.

A l'opposé, le rajeunissement d'une population se traduit par une vitalité, un dynamisme, qui porte aux mutations profondes, voire aux révolutions. Or, aujourd'hui, dans la plupart des pays en voie de développement, la structure par âges se trouve bouleversée. Le nombre de jeunes connaît un extraordinaire accroissement proportionnel. La proportion de vieux y est très faible, et celle des jeunes très élevée.

Dès aujourd'hui, les moins de 20 ans arrivent à constituer plus de la moitié de la population dans les pays en voie de développement.

D'où, bien sûr, des problèmes d'éducation et d'emploi. Et aussi, de la base au sommet, de la famille à l'Etat, une crise de l'autorité : les systèmes traditionnels reposaient, en effet, sur l'autorité des anciens, devenus à la fois trop vieux (accroissement de la longévité et de la sénilité) et trop rares par rapport aux jeunes. Coupées des valeurs du passé, livrées à l'anomie, portées à l'impatience juvénile, ces nations jeunes sont particulièrement exposées aux emportements d'une vie politique agitée. Ainsi, dans le Tiers-Monde, la répartition par âges accentue encore les tensions engendrées par la surpopulation.

B. — Le facteur géographique

Il existerait non seulement une démographie, mais aussi une *géographie du sous-développement.* Sur un planisphère, le monde sous-développé coïncide à peu près avec les régions équatoriales, tropicales ou subtropicales. Le sous-développement s'étend jusqu'aux régions méditerranéennes d'Afrique du Nord et d'Europe, qui sont, précisément, les franges du monde subtropical aride. A l'inverse, *le développement correspond aux zones tempérées.*

Ainsi la vie sociale subirait l'influence de l'environnement géographique. L'idée est fort ancienne. On la trouve déjà chez Hippocrate (*Traité des airs, des eaux et des lieux*), Platon (chap. V des *Lois*) et Aristote (*Politique,* liv. IV, chap. V).

La théorie des climats chez Bodin et Montesquieu. — En 1576, Jean Bodin (livre V de *La République,* chap. I) formule, à son tour, une théorie des climats, pour expliquer les attitudes et comportements politiques :

« Les peuples des régions moyennes ont plus de force que ceux du Midi et moins de ruses, et plus d'esprit que ceux du Septentrion et moins de force, et sont plus propres à commander et à gouverner les Républiques... Tout ainsi que les grandes armées et puissances sont venues du Septentrion; ainsi les sciences occultes, la philosophie, la mathématique et autres sciences contemplatives sont venues du peuple méridional; et les sciences politiques, les lois, la jurisprudence, la grâce de bien dire et de bien discourir, ont pris leur commencement et origine dans les régions mitoyennes; et tous les grands Empires y ont été établis : comme l'Empire des Assyriens, Mèdes, Persans, Parthes, Grecs, Romains, Celtes. »

Bientôt, avec beaucoup d'imagination, Montesquieu soutient une théorie analogue, au livre XVII de l'*Esprit des lois* (1748). Les fibres du corps humain subiraient vivement l'influence du climat. « La grande chaleur énerve la force et le courage des hommes », tandis qu' « il y a dans les climats froids une certaine force de corps et d'esprit qui rend les hommes capables des actions longues, pénibles, grandes et hardies ».

Conclusion : « Il ne faut donc pas être très étonné que la lâcheté des peuples des climats *chauds* les ait presque toujours rendus esclaves, et que le courage des peuples des climats *froids* les ait maintenus libres. » Bref, le climat froid procure l'indépendance, le climat chaud conduit à la servitude. Quid alors du climat *tempéré?* Comme l'Angevin Bodin, le Girondin Montesquieu lui trouve toutes les vertus : il façonne des comportements humains modérés, très propres à des régimes politiques de liberté.

Sans verser dans ces excès simplificateurs, au XIXe siècle, Michelet dans son *Histoire de France,* et Taine dans sa *Philosophie de l'art,* insisteront aussi sur l'influence du milieu. Systématisant ces observations éparses, certains placeront les facteurs géographiques à la base du développement des sociétés. La nature du sol, le climat, la végétation conditionneraient la vie sociale. C'est la thèse du *déterminisme géographique,* que vont développer diverses écoles.

Le Play et l'école de la Science sociale. — Il convient de mentionner d'abord Le Play (1806-1882) et surtout l'école dissidente de la Science sociale. Le « *lieu* » tient la première place dans la Nomenclature de l'école.

Le Play lui-même avait déjà célébré l'organisation sociale des passeurs nomades des plateaux de la Haute Asie. Façonnés par « les migrations et les travaux commandés par l'épuisement périodique des herbes et des eaux », cette organisation repose sur une famille patriarcale, communautaire et hiérarchique. A l'inverse, le fjord norvégien, facteur d'isolement, engendre l'individualisme et la famille particulariste qu'on retrouve dans les sociétés anglo-saxonnes. L'exemple du fjord sera exploité par de nombreux membres de l'école (de Tourville, P. Bureau, P. Descamps). Mais, par la suite, l'école s'éloignera de ce déterminisme sommaire.

De Ratzel à la géopolitique. — C'est surtout le géographe allemand Frédéric Ratzel (1844-1904) qui donne à la sociogéographie des bases quelque peu scientifiques. Mais pour aboutir à un déterminisme étroit, voire à un fatalisme géographique. Ecrivant ainsi : « L'apparente liberté de l'homme semble comme anéantie... Toute la vie de l'Etat a ses racines dans la terre. Il règle les destinées des peuples avec une aveugle brutalité. »

Dans le sol, il y a trois éléments : la situation *(die Lage)* du pays; l'espace *(der Raum)*, et la frontière *(die Grenze)*. Les grands peuples sont ceux qui ont le sens de l'espace *(Raumsinn)*. En conséquence, la frontière est extensible ou rétractile selon le dynamisme vital du peuple concerné.

Emile Durkheim a justement critiqué le caractère schématique de ces théories. Car, à côté d'éléments scientifiques solides, l'œuvre de Ratzel contient nombre « de généralisations hâtives, de notions a priori », relevées aussi par Albert Demangeon. Surtout, elle se ressent de son « engagement ». Son ouvrage sur *La mer comme source de la grandeur des peuples* (1900) reflète les ambitions de l'Allemagne, jalouse de la puissance maritime britannique. Ses considérations sur les peuples sans espace et sans débouchés coïncident avec les visées impérialistes de Guillaume II.

Après 1914, les géographes allemands qui fondent la « *géopolitique* » (reprenant un mot créé par le suédois Kjellen) accentuent encore ces tendances. Spécialement Karl von Haushofer, qui dirige l'*Institut für Geopolitik* de l'Université de Munich, et développe, sur la base des idées de Ratzel, une théorie de « *l'espace vital* », chère à Hitler. Tout peuple doté du sens de l'espace se doit de conquérir, aux dépens des peuples moins doués, l'espace qui lui est nécessaire pour s'épanouir pleinement. Dès 1933, l'Institut était devenu une officine de propagande, dissimulant sous des démonstrations pseudo-scientifiques la volonté allemande d'expansion.

L'environnementalisme américain. — Les théories de Ratzel ont eu aussi du retentissement aux Etats-Unis, où divers auteurs ont tendu à expliquer toute la vie sociale par l'action du milieu naturel *(natural environment)*. Comme Ellen Churchill Semple (1863-1932) dans *Influences of Geographic Environment* (1911). Comme, surtout, Ellsworth Huntington.

Frappé par la misère des civilisations de l'Asie centrale et sud-occidentale, qui furent brillantes dans l'Antiquité, Huntington explique ce déclin par des variations de climat. Autrefois plus humides, ces régions ont été la proie d'un dessèchement progressif. Or la sécheresse serait défavorable aux grandes constructions politiques, à l'inverse des climats tempérés et humides, où l'hiver et les intempéries retrempent les énergies humaines (*The Pulse of Asia,* 1907). De même, les pérégrinations du peuple hébreu, retracées par la Bible, s'expliqueraient par les alternances à moyen terme de sécheresse et d'humidité (*Palestine and its Transformation,* 1911).

Sur cette lancée, E. Huntington extrapole et échaffaude une théorie du dessèchement général de la terre. Ce dessèchement progressif emprunterait une direction est-nord-ouest. Ce qui explique le déplacement successif des grands foyers de civilisation : d'Egypte en Grèce, de la Grèce à Rome, de Rome à la France, de la France en Angleterre, de l'Angleterre aux Etats-Unis. Belle théorie, surtout pour un géographe américain, mais en contradiction avec le réel : l'archéologie ayant apporté la preuve de la stabilité des climats à travers plusieurs millénaires.

Enfin, dans *Civilization and Climate* (1915), Ellsworth Huntington dresse deux cartes, l'une de la santé et de l'énergie humaines en relation avec le climat, l'autre de la distribution de la civilisation. Pour conclure à une remarquable corrélation entre climat tempéré et grandes civilisations. En 1942, un professeur de « médecine expérimentale », Clarence A. Mills, reprendra la même argumentation dans un ouvrage péremptoirement intitulé *Climate Makes the Man* (New York).

K. Wittfogel et le despotisme oriental. — Plus tard, et avec plus de nuances, Karl A. Wittfogel (*Oriental Despotism. A Comparative Study of Total Power,* New Haven, 1957) expliquera le despotisme oriental par le système d'*irrigation.* Dans certaines régions (Asie, Egypte, Pérou), l'agriculture requiert une irrigation organisée sur une large échelle et, par conséquent, un pouvoir central apte à mobiliser la population pour les travaux nécessaires et à répartir l'eau autoritairement. Ces « *sociétés hydrauliques* » sont donc dirigées par un pouvoir fort, appuyé sur une bureaucratie oppressive. L'explication est systématique, mais elle a, cependant, le mérite de marquer le lien entre techniques agricoles et structures socio-politiques — surtout dans dans les sociétés du passé à prédominance agraire.

H. Mackinder et la théorie du heartland. — Il faut aussi rappeler la théorie exposée par le géographe H. Mackinder (alors commissaire britannique pour l'Ukraine) dans *Democratic Ideals and Reality*

(Londres, 1919). H. Mackinder considère l'Europe, l'Asie et l'Afrique comme un seul bloc, qu'il appelle « l'île du monde ». Dans ce bloc continental, existe une zone stratégiquement capitale, d'où l'ensemble peut être dominé, zone qu'il dénomme le *heartland* (cœur du monde) et qu'il situe sur le territoire russe : « Qui tient l'Europe orientale commande au heartland; qui tient le heartland, commande à l'île du monde; qui tient l'île du monde commande au monde. »

Infirmée par l'évolution postérieure (les Etats-Unis ne font pas partie de « l'île du monde »), cette théorie devait cependant alimenter les débats politiques de l'entre-deux-guerres, pour motiver ou repousser des revendications territoriales sur l'Europe de l'Est.

La « Géographie humaine » française. — En France, tout en corrigeant les excès simplificateurs de Ratzel, Jean Brunhes (1869-1930) et l'école de « Géographie humaine » soulignent l'influence de certains facteurs géographiques (l'espace, la distance, la différence de niveau, etc.) sur les destins collectifs.

Mais c'est surtout Paul Vidal de La Blache (1845-1918) qui a affranchi la géographie française d'un déterminisme trop étroit, en insistant sur l'existence de « causes de tout ordre ». Les conditions géographiques n'exercent pas une influence mécanique et irrésistible. Tel sol, tel climat ne rendent pas inéluctable tel type de société ou de régime politique. Ils se bornent à rendre plus facile tel type, plus difficile tel autre. Et c'est tout, car reste la liberté humaine, qui opère son choix dans l'éventail des possibilités. Le *possibilisme* remplace le déterminisme. Selon la formule bien connue de Vidal de La Blache : « A tous les degrés, la nature offre des possibilités; entre elles, l'homme choisit. La géographie fournit le canevas, l'homme y brode son dessin. »

A. Toynbee et la théorie du « défi ». — Peut-on encore dépasser ce « possibilisme », pour envisager un déterminisme à rebours, comme le grand historien anglais Arnold J. Toynbee avec sa théorie du « défi » *(challenge)* ? Pour ce dernier, « *la facilité est nuisible à la civilisation* ». Toutes les grandes constructions se sont édifiées dans un cadre difficile, précisément par réaction volontariste à ces handicaps naturels.

La présence d'obstacles à surmonter, de « défis » à relever, aiguise les facultés créatrices. L'art politique naît de lutte, vit de contrainte et meurt de facilité. « Le stimulant de la civilisation croît en proportion de l'hostilité du milieu. » Les grandes civilisations suivent leur pente, en montant.

Cette théorie contient une part de vérité. L'histoire montre plusieurs constructions brillantes édifiées dans des conditions géographiques difficiles : civilisations du Proche-Orient, Hellade, Mayas, Aztèques d'Amérique centrale, Incas du Pérou, civilisations du Bénin en Afrique, etc. Aujourd'hui même, la naissance et la survie de l'Etat d'Israël dans un milieu géographique et politique hostile illustre aussi la théorie du « *challenge* ». Mais il est évidemment impossible d'appliquer systématiquement cette théorie paradoxale à toutes les hypothèses concrètes.

L'influence décroissante du milieu. — Cependant, l'analyse de Toynbee se trouve renforcée, aujourd'hui, par deux éléments. En premier lieu, *le déplacement des activités du secteur primaire vers les secteurs secondaire et tertiaire diminue le poids de la géographie.* Les sociétés paysannes, les civilisations du « végétal » étaient évidemment beaucoup plus tributaires du milieu que les sociétés industrielles ou post-industrielles.

En second lieu, la contrainte des facteurs purement physiques décroît avec le développement des sciences et des techniques. Le progrès de l'hygiène et de la médecine permet l'éradication des épidémies. La climatisation pallie l'obstacle du climat et de la chaleur. Les moyens de communication modernes diminuent ou abolissent les distances, etc. Bref, *l'influence de la géographie diminue au fur et à mesure du progrès technique;* l'effet des différences géographiques naturelles s'atténue.

Mais ces influences négatives du milieu, si elles s'atténuent, n'en ont pas moins joué un rôle de frein pendant des siècles. D'où un retard séculaire pour les pays ayant pâti originairement de conditions géographiques favorables. Et cet *écart* est très difficile à combler, parce qu'il va en s'accroissant avec les progrès de la technologie. En effet, ces progrès étant cumulatifs, les pays déjà développés progressent beaucoup plus rapidement que les pays sous-développés. Non seulement le « gap » initial persiste, mais encore il va en s'élargissant.

Les faits contre le déterminisme géographique. — Néanmoins, le présent comme le passé attestent les limites du déterminisme géographique ou climatique. Aujourd'hui, hors de la zone tropicale de vastes régions demeurent encore peu développées : Europe méridionale, Afrique du Nord, Chine du Nord. Et, dans le passé, des civilisations brillantes sont nées en zone tropicale : Mayas, Aztèques, Incas, civilisations du Bénin en Afrique. Toutes les civilisations du Proche-Orient, dont vient l'occidentale, sont apparues dans des zones peu propices. En l'an 800, le « barbare », c'est Charlemagne, empereur d'Occident, et le « civilisé », c'est Haroun-Al-Rachid, calife de Bagdad.

Autant de faits qui contredisent la thèse du déterminisme géographique, dont les excès simplificateurs sont condamnés par les spécialistes contemporains, comme Albert Demangeon, Maximilien Sorre, André Cholley ou Roger Dion.

C. — Le facteur ethnique

Une autre thèse déterministe a été encore avancée : la thèse, ou plutôt, les thèses racistes. Mais elle est encore beaucoup plus contestable, puisqu'elle ne repose sur aucune base scientifique sérieuse.

1° Le racisme. — Le concept de race. — Le dictionnaire Robert définit la race comme un « groupe ethnique qui se différencie des autres par un ensemble de caractères physiques héréditaires représentant des variations au sein de l'espèce ». La race se définit biologiquement par la prédominance statistique, chez les individus qui la composent, de certains facteurs génétiques (couleur de la peau, groupes sanguins, texture des cheveux, etc.), encore qu'on ne s'accorde guère sur ces caractères biologiques distinctifs.

On admet ainsi l'existence de cinq grandes races, individualisées par la fréquence relative de quelques gènes : la race européenne ou caucasienne; la race africaine ou négroïde; la race amérindienne; la race asiatique ou mongoloïde; la race australoïde. Ces cinq races — que certains biologistes divisent ensuite en sous-races — seraient des variétés stables, à particularités physiques héréditaires.

Le déterminisme racial. — Sur cette définition biologique — déjà imprécise —, certains ont voulu échaffauder des théories racistes, expliquant le développement dissemblable des civilisations par l'inégalité des races humaines. Les différentes races auraient des *aptitudes* intellectuelles et sociales inégales. Certaines, plus que d'autres, seraient capables d'édifier des constructions politiques et des civilisations brillantes.

Ces auteurs de race européenne placent évidemment la race blanche en tête, et affirment l'infériorité des races de couleur, inaptes, selon eux, à bâtir des sociétés modernes d'un niveau élevé. Il y aurait, en somme, coïncidence entre développement et race blanche, et, réciproquement, entre sous-développement et races de couleur. Le développement des pays de race blanche étant souvent expliqué par les qualités intrinsèques de cette population énergique, industrieuse, entreprenante, habile, etc. Le retard des autres nations étant imputé à toutes sortes de carences, qui seraient le propre des autres races.

Le caractère non scientifique des théories racistes. — Ces théories racistes sont fausses scientifiquement. Il n'y a pas, biologiquement, de races inférieures et de races supérieures. Nul n'a jamais pu établir scientifiquement que des différences d'aptitudes intellectuelles ou de capacités sociales et politiques découlent des différences génétiques. C'est la conclusion catégorique des travaux menés depuis 1945 sous l'égide de l'U.N.E.S.C.O. par les plus éminents spécialistes de la génétique, de l'ethnologie ou de l'anthropologie.

Comme le note K. Goldstein (*Human Nature*, Harvard U.P., 1951, p. 197-198), « les variétés sociales et culturelles qui ont été attribuées à des facteurs innés, immuables, sont, en fait, déterminées par le milieu social et culturel ». Il n'existe nulle incapacité raciale déterminante, mais seulement des différences et des spécialisations culturelles.

Cette réflexion sur *le couple nature-culture* a récemment conduit Claude Lévi-Strauss à s'interroger sur le concept de race et son histoire, « qui est celle des déboires essuyés par cette recherche ». Car « nous savons ce qu'est une culture, mais nous ne savons pas ce qu'est une race » :

« Pendant tout le XIXe siècle et la première moitié du XXe, *on s'est posé la question de savoir si la race influençait la culture*, et de quelle façon. Après avoir reconnu que le problème ainsi posé était insoluble, nous nous apercevons maintenant que *les choses se passent dans l'autre sens :* ce sont les formes de culture qu'adoptent ici ou là les hommes, leurs façons de vivre telles qu'elles ont prévalu dans le passé ou prévalent encore dans le présent, qui déterminent, dans une très large mesure, le rythme de leur évolution biologique et son orientation. Loin qu'il faille se demander si la culture est ou non fonction de la race, nous découvrons que la race — ou ce que l'on entend généralement par ce terme — est une fonction parmi d'autres de la culture... Chaque culture sélectionne des aptitudes génétiques qui, par rétro-action, influent sur la culture qui avait d'abord contribué à leur renforcement » (8).

Loin d'être déterminée par la nature, la culture l'emporte sur celle-ci et la modèle. Les pratiques familiales et les usages sociaux commandent les échanges génétiques.

Au demeurant, *l'expérience historique* la plus élémentaire infirme le déterminisme racial. Certaines civilisations jaunes, amérindiennes et noires furent supérieures aux civilisations blanches de leur époque. Au moment où l'Europe stagne encore dans le Moyen Age, des civilisations brillantes existent au Proche-Orient, en Chine, en Amérique (Aztèques, Incas). De même, aujourd'hui, une bonne moitié au moins du continent sud-américain est de race blanche et peut néanmoins passer pour sous-développée. A l'inverse, le Japon figure dans le groupe de tête des nations avancées.

Le *sous-développement économique* qui concerne plusieurs pays du Tiers-Monde ne résulte en rien de différences raciales. Il procède, simplement, on l'a dit, de l'inégalité des conditions géographiques de base, plus ou moins propices initialement à l'industrialisation. Par ailleurs, ce sous-développement économique ne saurait être assimilé à un sous-développement culturel. Beaucoup de ces pays sont riches d'une culture très ancienne. Culture différente de la culture des sociétés industrielles, mais nullement inférieure à elle. Au nom de quoi la culture « mégatechnique » des sociétés « avancées » serait-elle déclarée supérieure ? A cet égard, la critique que subit actuellement le modèle culturel de la « société de consommation » (*infra*, p. 368 et s.) incite à apprécier davantage l'originalité culturelle des sociétés du Tiers-Monde.

En outre, le métissage ou le mélange des populations, hantise des racistes, est le fait de la plupart des pays européens. Souvent avec profit. Dans un discours radiodiffusé le 11 novembre 1939, Jean Giraudoux déclarait :

« La France c'est pas *une* dans sa terre, dans sa race. Ce pays, hautement majeur, est fait de minorités. La nation française est la démonstration la plus éclatante de ce principe que, sur un sol, des races très éloignées, amenées au hasard des invasions les plus diverses, installées au cours d'époques coupées de siècles, forment un ensemble plus qualifié qu'une

(8) C. Lévi-Strauss, « *Race et culture* », conférence inaugurale du cycle organisé par l'U.N.E.S.C.O., du 22 au 26 mars 1971, sur le thème : « La question raciale et la pensée moderne » (*Le Monde* du 25 mars 1971).

race unique pour trouver dans leur intégrité et leur humanité les devises et les vertus de l'Etat civilisé. A leur souche, il y a autant d'intervalle entre un Auvergnat et un Basque, un Limousin et un Breton qu'entre un Espagnol et un Slave, un Ostrogoth et un Gallois, mais à la floraison du greffage, toutes les notions du cœur et de l'esprit, tous les réflexes de l'homme ou du citoyen sont chez nous identiquement les mêmes. »

Cependant ces théories racistes, pour scientifiquement erronées qu'elles soient, s'expliquent. Dépourvues de toute valeur scientifique, elles constituent, en réalité, un *camouflage.* Elles servent de prétexte, d'*alibi* à une domination politique ou à une exploitation économique.

Histoire du racisme. — L'histoire des théories racistes suffirait déjà à le démontrer. Cette histoire connaît, en effet, deux grands moments.

Le racisme naît et se développe en même temps que les *conquêtes coloniales.* Il justifie les procédés des Conquistadores. Bientôt, aux Etats-Unis, la thèse de l'infériorité des Noirs sert à légitimer l'esclavage des Africains, déportés outre-Atlantique.

Second moment : le racisme se développe de nouveau au XIXe siècle, avec *la seconde vague de conquêtes coloniales.* Aujourd'hui, il est le plus fort dans les pays multi-raciaux, où une minorité blanche, qui exerce le pouvoir, craint de voir sa domination renversée par une majorité de couleur. L'apartheid en Afrique du Sud correspond à cette situation.

Sociologie du racisme. — Autrement dit, le racisme a une signification *sociologique. Il sert à justifier une oppression ou une exploitation.* La situation d'esclave, de travailleur forcé ou de sous-prolétaire — scandaleuse dans le cadre du principe d'égalité de tous les hommes — devient admissible si les individus ainsi traités ne sont pas des hommes comme les autres, s'ils sont des « sous-hommes », des « frères inférieurs ».

Le racisme peut donc se définir comme la « valorisation, généralisée et définitive, de différences réelles ou imaginaires, au profit de l'accusateur et au détriment de sa victime, afin de justifier ses privilèges ou son agression » (9).

De même, le racisme peut servir de *diversion politique* à la classe

(9) P. H. MAUCORPS, A. MEMMI, J.-F. HELD, *Les Français devant le racisme,* 1965.

dirigeante, pour détourner le mécontentement populaire provoqué par ses échecs contre un groupe déterminé, désigné comme bouc émissaire.

Psychologie du racisme. — De surcroît, le racisme possède aussi des racines psychologiques. La psychanalyse l'explique, ainsi, par la peur de l'autre, de l'étranger, du « différent », chez ceux dont la personnalité n'est pas affirmée et qui conservent un sentiment d'incertitude sur leur propre identité, sur leur « moi ». Pour ces derniers, le conformisme constitue le seul remède à leur insécurité. Et la différence des cultures et des modes de vie représente une véritable source d'angoisse.

L'enquête dirigée par Theodore Adorno sur « *la personnalité autoritaire* » (*The Authoritarian Personality,* New York, 1950) est riche en enseignements à cet égard. Avec une grande rigueur méthodologique (questionnaires, échelles d'attitudes, tests projectifs, interviews en profondeur, etc.), les attitudes politiques se trouvent replacées dans le contexte de la personnalité totale, celle-ci étant elle-même liée à la culture.

La personnalité autoritaire participe d'un système intégré de croyances, d'attitudes et de comportements. Elle est ethnocentriste, c'est-à-dire très fortement centrée sur son propre groupe et hostile aux autres, considérés comme une menace pour sa sécurité. Procédant d'une incertitude sur soi-même, d'un doute sur sa propre identité, elle se raccroche aux cadres sociaux établis comme à un rempart contre ce sentiment d'insécurité. D'où le goût des préjugés et des stéréotypes, et l'adhésion aux valeurs « sécurisantes » : sens de la hiérarchie, culte du chef, fidélité au groupe. Et l'agressivité contre ceux désignés comme réfractaires à la culture établie.

La conséquence politique de ce type de structure psychologique est l'adhésion aux partis conservateurs, en période normale, et aux mouvements fascistes, en temps de crise. Ayant étudié les dossiers de sept cents dirigeants nazis, Saül Friedländer (*L'antisémitisme nazi. Histoire d'une psychose collective,* 1971), a bien marqué les rapports entre racisme et psychopathologie collective :

« Ma thèse est qu'il y a relation étroite entre antisémitisme forcené et *instabilité psychologique.* On se demande alors pourquoi la « personnalité autoritaire », classique en Allemagne, n'a pas joué à d'autres périodes : c'est parce qu'il faut une crise sociale grave, engendrant une profonde anxiété, pour que les préjugés se fixent sur un objet défini. En d'autres termes, on ne comprend pas la crise si l'on néglige un de ses trois facteurs fondamentaux : *le substrat culturel, le malaise social et la déviation psychologique.* La culture offre les objets sur lesquels les projections peuvent se faire; le social exacerbe les tensions et crée le décor sans lequel le psychologique n'arriverait pas à la surface » (10).

Entre 1933 et 1945, dans l'Europe progressivement dominée par l'Allemagne nazie, une délirante mythologie raciste allait provoquer le plus grand massacre de l'histoire : l'extermination de six millions d'Israélites. A partir de thèses scientifiquement nulles et de sentiments diffus, qui tournent à la *psychose collective :* « La pathologie intervient lorsqu'un groupe organise son comportement par rapport à un *phantasme* qui n'a aucun rapport avec la réalité telle que peuvent l'observer, au même moment, des témoins extérieurs » (11).

Le mythe de la race aryenne. — Au XVIIIe, puis au XIXe siècle, quelques linguistes (Jones, Thomas Young, F. Max Müller) lancent une hypothèse de recherche : les diverses langues indo-européennes présentent des affinités et semblent dériver d'un tronc commun, d'une langue-mère, que F. Max Müller appelle « *aryenne* », par commodité, du nom d'un peuple très ancien de l'Inde et disparu des siècles avant notre ère : les Aryens.

F. Max Müller prend bien soin de souligner que cette définition *linguistique* n'a aucun substrat ethnologique : « Selon moi, l'ethnologue qui parle de « race aryenne », de « sang aryen », d' « yeux et de cheveux aryens » se rend coupable d'une faute grave. »

N'importe, le branle était donné. Et certains auteurs se précipitent sur cette simple hypothèse de travail *linguistique* pour la transformer en théorie *ethnologique.* Chacun prétend voir dans tel ou tel peuple européen contemporain les successeurs directs des Aryens, petite peuplade de l'Inde, décomposée dans la nuit des temps.

a) Le premier à populariser ce mythe de la race aryenne est le comte *Arthur de Gobineau* (1816-1882), dans son *Essai sur l'inégalité des races humaines* (1853-1855). Selon lui, il y a biologiquement des races supérieures et des races inférieures; et leur métissage est la faute suprême.

Race supérieure : la race blanche. Dominée par la branche aryenne.

(10) Saül Friedländer, interview au *Monde* du 16 avril 1971.
(11) S. Friedländer, *ibid.*

Elle-même dominée par le rameau germain, qui l'emporte sur les rameaux celte et slave, trop métissés. Mais — conclusion pessimiste — même ce rameau germain pratique le mélange des sangs, si bien que les Allemands de 1855 sont « bien peu germaniques ».

b) Second nom à citer : *G. Vacher de Lapouge,* qui professe, à l'Université de Montpellier, de 1886 à 1891, des cours libres de science politique : *L'anthropologie et la science politique; Les sélections sociales; Le sémite, son rôle social;* et *L'aryen et son rôle social* (qui sera publié en 1899). Se posant en fondateur de l' « anthropologie sociale », Vacher de Lapouge distingue, selon la forme du crâne, le grand *dolichocéphale* blond de la race des Maîtres et le petit *brachycéphale* brun de la race des Esclaves (12).

Contrairement aux brachycéphales (France, Autriche, Turquie), les dolichocéphales ou Aryens (Angleterre, Hollande, Allemagne du Nord, Scandinavie) sont « faits pour être maîtres ». Leur supériorité sociale est acceptée par les autres comme un phénomène naturel. Solution préconisée en conséquence et inspirée par le darwinisme social : pratiquer le sélectionnisme biologique, pour « multiplier les types admis comme les plus beaux et les meilleurs ».

c) Dernier auteur à mentionner : l'Anglais *Houston Stewart Chamberlain* (1855-1927), fils d'amiral, ami, puis gendre de Wagner, auteur des *Fondements du XXe siècle* (1899). Admirateur éperdu des « Germains » (il se fait naturaliser Allemand en 1916, en pleine guerre), inspirateur de Guillaume II, puis de Hitler (qui lui rendra visite en 1923 et suivra son enterrement en 1927), H. S. Chamberlain assimile les « Aryens » aux « *Germains* » et s'applique à démontrer que tous les grands génies de l'humanité étaient de sang teuton. Pour lui, le Christ même était Teuton : « Quiconque a prétendu que Jésus était un Juif, ou bien s'est montré stupide ou bien a menti ... Jésus n'était pas Juif ». Tout en déclarant, cependant, l'antisémitisme « stupide et révoltant ». Et, comme Vacher de Lapouge, H. S. Chamberlain insiste sur le rôle que peut jouer *l'Etat* pour l'épanouissement biologique de la race des seigneurs.

2° **L'antisémitisme. — Du mythe de la race aryenne au mtyhe de la race juive.** — Ici, avec Gobineau, Vacher de Lapouge et Chamberlain,

(12) *Dolichocéphale :* du grec *dolikos,* long, et *kephalé,* tête; *brachycéphale :* de *brakhus,* court, et *kephalé,* tête.

on est vraiment en pleine mythologie (13). La « race » aryenne est une race purement mythique. On ne la retrouve que dans les livres. Nul n'a jamais rencontré un Aryen dans la rue, ni trouvé un squelette d'Aryen dans des fouilles. Et pour cause. D'une part, il n'a jamais existé de « race » aryenne, d' « ethnie » aryenne, mais seulement une population caractérisée seulement par sa spécificité *linguistique*. D'autre part, cette peuplade très ancienne de l'Inde s'est perdue dans la nuit des temps, des siècles avant notre ère.

Là où le phantasme atteint son comble, c'est dans *Mein Kampf*, quand Adolf Hitler — Autrichien brachycéphale dans la typologie de Vacher de Lapouge — « récupère », reprend à son compte ce mythe de la « race » aryenne. Pour fonder l'Etat nazi en instrument du « *Volk* », unité raciale reposant sur la communauté de sang.

L'évidence s'imposait d'elle-même : il était impossible de prétendre que les Allemands étaient tous des « Aryens » dans la définition raciste : dolichocéphales, grands, aux cheveux clairs, aux yeux bleus. Cette définition était cruelle pour les chefs nazis (Hitler, Goebbels, Roehm, etc.), qui ne présentaient guère ces caractères. Finalement, la parade consista à *définir l'Aryen comme le non-juif* et à *concevoir une « race juive », antithèse de la « race » aryenne*. Un *transfert* s'opérait : de religieux, l'antisémitisme devenait racial.

Il existe une réalité *religieuse* et *culturelle* juive. Mais il n'existe évidemment pas de « race » juive. Aucun biologiste sérieux ne parlera de « race » juive. Des études scientifiques approfondies l'ont démontré : les caractères génétiques sont beaucoup plus proches entre juifs et non-juifs d'une même nation qu'entre juifs de deux nations différentes. La dispersion, la « Diaspora » du peuple juif à partir du Ier siècle explique évidemment ce phénomène.

Il suffit d'ailleurs de visiter Israël pour voir, qu'à l'évidence, il n'existe pas de « race » juive, mais qu'on se trouve plutôt devant un « melting-pot ». Parler de « race » juive est aussi peu sérieux que de parler de « race » américaine aux Etats-Unis d'Amérique. Ce qui existe, ce n'est pas une « race » juive, mais une religion, une culture juives.

L'antisémitisme religieux. — C'est tellement évident que jusqu'aux XIXe-XXe siècles, il n'existe pas d'antisémitisme racial, mais seulement

(13) Alfred Rosenberg, théoricien nazi, considérera d'ailleurs l'idée de la race et de sa vocation comme un « mythe » au sens sorélien du terme, dans son livre *Le Mythe du XXe siècle*.

un antisémitisme *religieux*. L'antisémitisme se développe, semble-t-il, au Moyen Age, comme un phénomène religieux, avec l'accusation de « peuple déicide », responsable de la mort du Christ. L'historien, Jules Isaac, dans *L'Enseignement du mépris*, a montré comment l'enseignement de l'Eglise a accrédité cette thèse fallacieuse. Thèse souvent amplifiée et développée par les souverains temporels, à qui elle fournissait un *prétexte* commode pour justifier des mesures de spoliation.

A Rome, il faut attendre Constantin (306-337) et les empereurs chrétiens pour voir les citoyens juifs assujettis à des législations exceptionnelles. En France, sous la dynastie mérovingienne, la situation des sujets juifs ne présente généralement pas de difficultés. Cette situation se dégrade passagèrement au début de l'ère carolingienne, où l'archevêque Agobard de Lyon professe un antisémitisme tactique et participe à la révolte des fils aînés de Louis le Débonnaire contre leur père et sa seconde épouse Judith de Bavière, de religion juive (mère du futur Charles le Chauve, premier roi de France). La seconde vague de difficultés se situe de la fin du XIIe au début du XIVe siècle, sous Philippe-Auguste, Saint-Louis, Philippe le Bel et Philippe V, qui multiplient les mesures d'expulsion et de confiscation.

L'antisémitisme prétexte à des spoliations économiques. — Là l'antisémitisme apparaît clairement comme un alibi. En effet, la propriété foncière était interdite aux Juifs, et l'agriculture leur était, en conséquence, inaccessible. La plupart devaient donc résider dans les villes où quelques-uns allaient exercer le métier de banquier, à une époque où l'Eglise interdisait à ses fidèles le prêt à intérêts. Dès lors, il devenait tentant pour les souverains temporels de saisir leurs biens, en motivant ces mesures par des griefs religieux. L'antisémitisme qui avait servi à justifier les saisies des rois et des princes chrétiens du Moyen Age, servira encore, au XIXe siècle, à justifier les pogroms et les pillages de Russie ou de Pologne.

L'antisémitisme, comme diversion politique. — Mais, à l'époque, l'antisémitisme devient plutôt un dérivatif politique, pour servir de contre-feu à la montée du socialisme dans les masses populaires. Soucieuse d'entraver la lutte des classes et de faire oublier l'exploitation capitaliste, *la classe dominante* s'efforce de détourner vers les citoyens israélites le ressentiment et les revendications populaires. Cette manœuvre de diversion devait réussir en partie, face à un prolétariat encore peu instruit et facile à abuser. On connaît le mot de Bebel, repris par Lénine, sur « l'antisémitisme, socialisme des imbéciles ». Dans d'autres pays, ce sont *les gouvernants* eux-mêmes qui tentent de désigner à la population un bouc émissaire, en rendant les citoyens juifs responsables de leurs échecs : technique souvent utilisée par les tsars, à la manière des empereurs romains persécutant les premiers chrétiens à qui ils imputaient les revers du règne.

Le nazisme : de l'antisémitisme religieux à l'antisémitisme racial. — Dès lors, pour une opération politique de cette envergure, il pouvait paraître nécessaire d'asseoir l'antisémitisme sur une base plus solide que le fondement religieux. C'est l'opération que réalise le national-socialisme allemand en tentant de donner un fondement racial à l'antisémitisme.

Dans *Mein Kampf* d'Hitler, le mythe de la « race » aryenne appelle, comme son contraire, le mythe de la « race » juive. Il existerait une race juive, qui déterminerait biologiquement un caractère juif. L'Allemagne doit l'éliminer pour préserver la race aryenne, race supérieure, qui incarne l'ordre et l'organisation.

La classe capitaliste allemande accepta, sans réticences, cette idéologie raciste, comme *contre-feu* au socialisme, comme diversion habile : les malheurs de l'Allemagne résultant non des erreurs de ses dirigeants, mais étant imputés à ce commode *bouc émissaire*. En abusant ainsi le prolétariat allemand, en troquant la lutte des classes contre la lutte des « races » (c'est-à-dire une réalité contre un mythe), les classes dirigeantes allemandes prenaient une formidable assurance contre la révolution socialiste.

L'Allemagne allait se couvrir de camps d'extermination et commettre le plus grand crime de l'histoire de l'humanité (six millions de morts) au nom d'un mythe racial relevant du fantasme.

D'une part, il est évidemment impossible de parler de « *race* » juive, près de 2 000 ans après la dispersion du petit peuple hébreu. Après la répression du dernier soulèvement national par l'empereur Hadrien (135 apr. J.-C.), les survivants se dispersèrent à travers le monde romain et l'Orient. Ils partagèrent la vie des populations locales, dont certaines, d'ailleurs, comme les Khazars d'Europe centrale au Moyen Age, se convertirent au judaïsme. C'est dire que les Israélites d'aujourd'hui n'ont que de lointains rapports avec l'antique peuple hébreu. S'il subsiste une religion et une culture juives, il serait, en revanche, absurde de parler de « race » juive.

D'autre part, le mythe du « *caractère* » juif, complaisamment développé dans l'*Action Française,* puis dans *Mein Kampf,* apparaît aussi peu convaincant. Cette image ne coïncide pas avec la construction — dans des conditions particulièrement difficiles — de l'Etat d'Israël, pays des communautés agricoles (kibboutzim) et de la « guerre des six jours ». Qu'un chef d'Etat, non insensible autrefois à l'influence maurrassienne, en soit venu à parler de « peuple d'élite, sûr de lui et dominateur », démontre par l'absurde l'extrême instabilité de ce prétendu caractère national.

Jean-Paul Sartre (*Réflexions sur la question juive,* 1946) l'avait déjà souligné : ce qui maintient l'identité juive, ce n'est nullement une race ou un caractère particulier, mais l'antisémitisme lui-même. Qu'il verse dans la critique ouverte ou dans l'éloge ambigu, c'est l'antisémite qui crée le juif. En l'obligeant à se définir par rapport à une image spécifique mythique.

Cette démonstration a valeur exemplaire. Car elle ruine, en même temps et à l'avance, toutes les thèses qui prétendraient dorénavant expliquer le retard de telle ou telle nation par des arguments d'ordre ethnique. La thèse du déterminisme racial ne résiste pas à l'expérience. Erreur contre la science et crime contre l'humanité, le racisme ne peut être aujourd'hui qu'une doctrine définitivement déconsidérée.

§ 2. — ASPECTS DU SOUS-DÉVELOPPEMENT SOCIO-ÉCONOMIQUE

Plutôt que d'examiner d'autres théories du facteur déterminant, — aussi aventureuses —, plutôt que de continuer à rechercher les *causes* de ce qu'il est convenu d'appeler « sous-développement », mieux vaut observer ses principaux *aspects.* Car si le sous-développement s'explique mal, il se constate aisément. Tant il confère des traits originaux à l'économie, à la société et à la nation.

A. — L'ÉCONOMIE

Le « décollage ». — Dans son analyse déjà citée (*supra,* p. 183), W. W. Rostow distingue cinq « *étapes de la croissance économique* » : « la société traditionnelle, les conditions préalables du décollage, le décollage, le progrès vers la maturité, et l'ère de la consommation de masse ». Sur cette échelle de la croissance, les Etats-Unis ont atteint la cinquième étape « la consommation de masse », et commencent à la dépasser, alors que l'Europe de l'Ouest et le Japon commencent à y accéder; l'U.R.S.S., qui a accédé à la « maturité », hésite entre la « consommation de masse » et une politique de puissance.

L'écart est grand avec les pays sous-développés. Eux n'en sont qu'à la seconde ou troisième étape de la croissance économique : « L'expansion actuellement constatée en Asie, au Moyen Orient, en Afrique et en Amérique latine, rappelle les étapes des conditions préalables et du décollage par lesquelles sont passées d'autres sociétés à la fin du XVIIIe et au XIXe, et au début du XXe siècle » (14).

Les séquelles de la colonisation. — De plus, la colonisation a laissé des séquelles, qui rendent malaisée une industrialisation complète ou diversifiée. Au lieu de favoriser l'implantation d'activités *industrielles,* elle a privilégié les activités de prélèvement. De manière à faire de la colonie un débouché pour les produits manufacturés de la métropole et un réservoir de matières premières.

Or les industries extractives ne sont pas « *industrialisantes* » (selon l'expression de G. de Bernis), elles ne diffusent pas la richesse en amont ou en aval. Il ne faut pas confondre, en effet, croissance sectorielle et développement, et F. Perroux a bien montré que le « multiplicateur » n'existe pas dans les économies désarticulées. Il faut donc que, peu à peu, les pays sous-développés valorisent sur place les produits de base et créent leurs propres industries de transformation, qui conduiront elles-mêmes, progressivement, à l'indispensable diversification de leurs productions.

Car, actuellement, le Tiers-Monde reste surtout producteur de matières premières et subit la *détérioration des termes de l'échange :* pour acheter la même quantité de produits industriels, il lui faut vendre une quantité croissante de produits de base. La réalité, c'est, en effet, la fluctuation des cours des matières premières, pratiquement dictés par les pays acheteurs. A l'exception du pétrole et de quelques matières premières absolument indispensables aux nations avancées, dont les cours connaissent une véritable flambée (*supra,* p. 253).

Cette sous-industrialisation et cette fluctuation des cours des matières premières expliquent que les *disponibilités en capital* restent très limitées. Et ce malgré l'aide au développement consentie par les

(14) W. W. ROSTOW, *Les étapes de la croissance économique,* tr. 1963, p. 168.

nations avancées (15). Car le poids des charges des emprunts devient si lourd que l'aide au développement tend presque à se dévorer elle-même.

Dès lors, quels paraissent être, aujourd'hui, les voies et moyens les plus rapides, les plus efficaces de la croissance économique ?

La voie capitaliste. — La voie capitaliste a permis aux pays d'Europe occidentale, d'Amérique du Nord, à l'Australie, à la Nouvelle-Zélande, etc., de réaliser une croissance économique remarquable. De même, de 1890 à 1914, c'est la solution capitaliste qui a « initié » le décollage en Russie. C'est donc une technique éprouvée, dont les résultats positifs sont aisément constatables.

Le seul problème — c'est une lapalissade — c'est qu'*il n'y a pas de capitalisme sans capitaux,* et que ces pays en voie de développement n'ont pas de capitaux nationaux suffisants pour financer leur propre industrialisation. Or, les mouvements de capitaux n'obéissent pas à des impulsions sentimentales ou philanthropiques, mais à des motivations rationnelles fondées sur la loi du profit. Adam Smith, David Ricardo et John Stuart Mill l'ont démontré d'abondance.

Autrement dit, l'investissement capitaliste étant mû par la recherche du profit, il tend naturellement à s'implanter dans les secteurs de profit maximum. Or, l'industrialisation accélérée des pays sous-développés exige en priorité des investissements non rentables pour créer les équipements collectifs de base. Les « investissements techniques » (c'est-à-dire ceux qui sont directement destinés à créer ou à améliorer des entreprises industrielles) ne peuvent être efficaces sans « investissements généraux » (transports, services publics de base). De plus — et c'est un cercle vicieux — dans les secteurs rentables (pétrole,

(15) Cette aide au développement n'est pas ce qu'elle pourrait et devrait être. En septembre 1973, M. Mac Namara, président de la Banque mondiale, a déploré, une fois encore, « *la grave insuffisance de l'aide au développement,* qui, non seulement est bien inférieure aux besoins du Tiers-Monde et aux possibilités des pays riches, mais n'arrive qu'à la moitié de l'objectif, pourtant bien modeste, que les pays riches s'étaient donné eux-mêmes en 1968 » (*Le Monde* du 25 septembre 1973). En octobre 1973, M. Martin, président du C.A.D. (Comité d'aide au développement constitué par les pays membres de l'O.C.D.E.), constate de même « *l'insuffisance de l'effort en faveur de la coopération au développement* ». En 1972, l'aide publique au développement n'a progressé que d'environ 1 % en termes réels; exprimée en pourcentage du P.N.B., elle a même diminué, tombant de 0,35 % en 1971 à 0,34 % en 1972. » (*Le Monde* du 20 octobre 1973). De même, l'aide de la C.E.E. aux pays en voie de développement a diminué en 1972 par rapport à 1971 (*Le Monde* du 9 octobre 1973).

cuivre, etc.), les investissements sont menacés de nationalisation et donc « dissuadés ».

Dès lors, les capitaux étrangers s'investissent surtout dans des secteurs où la rentabilité est assez immédiate et assez forte pour compenser les difficultés et les risques, tenant à l'instabilité politique et sociale, à l'insuffisance de l'équipement de base et des communications, à l'absence de cadres et de main-d'œuvre qualifiée, etc...

Certains Etats, comme le Brésil, l'Iran ou la Côte-d'Ivoire, jouent le jeu du développement capitaliste. D'autres, chez qui des capitaux étrangers sont investis de longue date, en viennent à des mesures de nationalisation. Comme l'a fait le Pérou en nationalisant, en octobre 1968, les pétroles de l'I.P.C. Si ces nationalisations dépassent le seuil tolérable pour les possédants (de l'intérieur et de l'extérieur), un coup d'Etat donne parfois un coup de barre à droite (Amérique centrale, Brésil, Chili), la dictature servant de « police d'assurance » aux investisseurs. Enfin, d'autres Etats choisissent de rompre carrément avec la voie capitaliste et optent pour le socialisme.

Le socialisme, comme technique de croissance accélérée. — Par rapport aux analyses de Marx, le socialisme connaît ici — comme naguère en Europe de l'Est — un destin insolite. Pour Marx, le socialisme était un « transcapitalisme », un « au-delà du capitalisme », naissant à la fois du triomphe, des contradictions et de la catastrophe du *capitalisme finissant*. Ici, il devient une technique de marche forcée vers la croissance pour les nations demeurées au stade pré-industriel et *pré-capitaliste*. Au lieu de marquer l'épanouissement des sociétés industrielles, il devient une recette de croissance accélérée, pour essayer de rejoindre l'avant-garde des sociétés industrielles.

Il s'agit, en effet, *d'assurer le « décollage »*, c'est-à-dire d'implanter les équipements collectifs de base et l'infrastructure industrielle. Faute de capitaux étrangers, il faut, pour réaliser cet effort d'investissement, *opérer des prélèvements très lourds sur le revenu national*, et donc sur les revenus de chacun, pourtant déjà extrêmement faibles.

Ce recours à l'épargne forcée et à l' « investissement humain » rappelle les problèmes de la Russie de Staline en 1928 ou de la Chine de Mao en 1949. On estime que, de la mise en route des plans quinquennaux en 1928 jusqu'à la mort de Staline en 1953, l'U.R.S.S. a consacré au moins 25 % de son produit national brut aux investissements. Au moment du « grand bond en avant », la Chine était arrivée, semble-t-il, à des taux de prélèvement avoisinant le tiers du produit national brut.

Une telle *ponction* se traduit par d'évidentes privations individuelles.

En outre, pour assurer le bon emploi de ce prélèvement et harmoniser le développement, il faut une politique macro-économique imposée avec autorité. Dans le style impératif, coercitif et centralisé de la *planification* soviétique.

Il faudra donc un régime politique qui puisse imposer de très lourds sacrifices à la population, mobiliser les énergies, discipliner et contrôler la production, etc. En faisant taire les revendications ou les mécontentements.

D'où le succès d'un *socialisme « vulgaire »*, copie plus ou moins laxiste du modèle stalinien. « Vulgaire », parce qu'il ne retient du socialisme que les traits grossiers privilégiés par le stalinisme : c'est-à-dire la dictature du parti unique, la planification centralisée et autoritaire, la gestion bureaucratique, etc. Laxiste, parce que le substrat socio-économique ne permet pas une imitation fidèle du modèle fourni par l'U.R.S.S. et les démocraties populaires.

Les socialismes du Tiers-Monde. — En effet, si la référence socialiste est fréquente dans le Tiers-Monde, *il s'agit rarement du socialisme marxiste orthodoxe.* Conçu pour les pays industrialisés, celui-ci serait d'une application malaisée aux sociétés non développées. Comment nationaliser des moyens de production industrielle, là où ils n'existent guère ? Comment collectiviser les campagnes, là où la propriété privée proprement dite n'est guère connue ?

Au lieu du socialisme classique, il s'agira d'un socialisme original, qui se veut mieux adapté aux sociétés non industrielles, ou plutôt d'une série de socialismes à qualificatif (africain, arabe, etc.), dont chacun affirme sa spécificité.

Ainsi, dans ses diverses incarnations (Sénégal de Senghor, Tanzanie de Nyerere, Kenya de Kenyatta, etc.), le *socialisme africain* cherche à s'articuler sur les structures communautaires traditionnelles. Il se veut souvent plus coopératif qu'étatiste.

Le *socialisme arabe* revêt, lui aussi, une grande variété de formes : Parti socialiste démocratique d'Ahmed Reda Guedira, familier du roi Hassan II, au Maroc; socialisme du Néo-Destour en Tunisie; socialisme algérien; Union socialiste arabe en Egypte; Parti socialiste arabe de la résurrection (ou Baath) en Syrie et en Irak. Toutes les nuances de la gamme se trouvent représentées, depuis un socialisme de pure façade jusqu'à un socialisme d'obédience apparemment très marxiste. Cependant, comme le note J.-Y. Calvez :

« Même dans les cas des socialismes plus stricts, on a affaire à une réalité complexe où le nationalisme, ou plutôt l'arabisme, occupe une place très considérable, sinon première. Le nationalisme arabe n'est jamais absent; très souvent il est l'élément le plus fort de la combinaison. Manifestement, deux forces ou deux aspirations se mêlent, sans se fondre parfaitement : le socialisme et l'arabisme unitaire; toujours l'arabisme l'emporte » (16).

C'est le cas en Libye. Entre le capitalisme et le communisme, le colonel Khadafi propose une « *troisième voie* », fondée sur l'Islam. Il explique : « Le socialisme arabe que nous avons adopté se situe à mi-chemin entre le capitalisme exploiteur et le communisme totalitaire; il prend ses sources dans les préceptes de l'Islam. Il n'est pas importé de l'étranger et permet à tous, riches et pauvres ensemble, d'édifier une société d'abondance et de justice » (17). Il ajoute : « Nous infirmons l'explication marxiste de l'histoire parce que nous connaissons l'histoire et nous savons qu'elle est fondée sur les nationalismes et les religions » (18).

Bref, la lutte des nationalismes et des religions ferait le mouvement de l'histoire. En réalité, pour un socialiste orthodoxe, le nationalisme et la religion sont des superstructures, produites par l'infrastructure économique. Ils ont souvent servi de masques à l'exploitation. Ils ont souvent détourné l'attention des problèmes intérieurs et de la lutte des classes, occultée par la lutte contre un ennemi extérieur commun.

Ainsi, les expériences du « socialisme arabe » (Egypte, Algérie, Irak, etc.) veulent *ignorer la lutte des classes*. Elles visent à établir le contrôle de l'Etat sur les secteurs économiques principaux. Elles entendent préserver la spécificité culturelle et la tradition islamique. Ce nationalisme culturel peut jouer un rôle positif, en affirmant l'identité nationale face à l'extérieur. Mais il peut aussi avoir un effet conservateur, en préservant certaines formes de domination interne.

L'expérience la plus ancienne est celle de l'Egypte. Elle indique que cette voie risque de ne pas dépasser la formule du *capitalisme d'Etat*. L'ancienne aristocratie dirigeante a été remplacée par une nouvelle bourgeoisie d'Etat de type bureaucratique, venue des classes moyennes et se développant sur la base de la propriété publique.

(16) *Aspects politiques et sociaux des pays en voie de développement*, 1971, p. 294-296.
(17) Entretien au *Monde* du 6 mai 1971.
(18) Colloque organisé à Paris (*Le Monde* du 27 septembre 1973).

L'attrait du socialisme. — Ainsi, dans certains pays d'Afrique, d'Asie ou du Proche-Orient, la référence au socialisme peut être discutable, voire abusive. Parfois, le *prestige du socialisme* sert d'alibi, de prétexte à une dictature, qui n'a de socialiste que le nom. Ces hypothèses de « camouflage » sont inévitables. Car l'idéologie socialiste, par sa générosité, peut être un « mythe » moteur (au sens sorélien) autrement plus puissant que le capitalisme, fondé sur la recherche de la rentabilité, sur la « maximisation » du profit. De plus, le capitalisme était le régime économique des anciennes puissances coloniales. Il partage donc leur discrédit. A la lutte pour l'indépendance politique, succède donc le combat pour l'émancipation économique, sous la bannière du socialisme.

B. — La société

Tous ces traits économiques spécifiques modèlent une structure sociale d'un type original.

La structure dualiste de la société. — Le développement naissant n'a pas simplifié les clivages sociaux; il les a, au contraire, diversifiés. Le plus souvent, la société a une structure *dualiste*. Elle juxtapose deux secteurs (et, en conséquence, deux pyramides sociales) : un *secteur traditionnel* — à dominante rurale et agricole, où subsistent des modes de vie, des rapports sociaux et une culture archaïques — et un *secteur moderne* — à dominante urbaine et industrielle ou commerciale, ouvert aux innovations technologiques et aux modes de vie du monde développé.

Dans ces deux secteurs — et surtout dans le secteur traditionnel —, les *inégalités sociales* sont très marquées. Souvent, la richesse est concentrée aux mains d'une *minorité privilégiée,* qui est généralement une minorité de grands propriétaires fonciers. Souvent, il existe une *extrême inégalité dans la distribution des revenus entre les classes sociales.* En septembre 1973, à la conférence de Nairobi, M. Mac Namara notait : « Dans les quarante pays en voie de développement sur lesquels on dispose de données, les 20 % les plus riches de la population reçoivent 55 % du revenu national, tandis que les 20 % les plus pauvres n'en reçoivent que 5 %. Il y a là une inégalité criante. »

La double stratification sociale, le *dualisme,* commence à être le lot de beaucoup d'Etats du Tiers-Monde, où coexistent un secteur traditionnel en régression et un secteur moderne en progrès. Cependant ce processus est plus lent en Afrique, où la masse de la population demeure paysanne, et où la bourgeoisie est plus « politicienne » qu'industrielle.

En vérité, à la différence de l'Amérique latine, où agissent quelques industriels d'envergure, l'Afrique — et aussi l'Asie — se caractérise par la rareté des entrepreneurs. Et, donc, par la nécessité pour la classe politique de prendre en charge le développement économique. A la différence de ce qui s'est passé en Occident au XIXe siècle, où l'Etat se gardait d'intervenir, ici, l'Etat, « avant-garde modernisante de la société » (Calvez) est partout entrepreneur et planificateur.

L'exiguïté de la classe dirigeante. — Vecteur de la modernisation, cette élite dirigeante émane de la méritocratie ou, plus souvent encore, de l'oligarchie traditionnelle. Seule, en effet, l'aristocratie foncière pouvait envoyer ses enfants à l'école ou dans les universités des puissances coloniales. La plupart des Etats qui ont accédé à l'indépendance sont donc *pauvres en cadres politico-administratifs*. Or, les régimes de type occidental nécessitent, pour bien fonctionner, un personnel politique et même administratif nombreux. L'éventualité de l'alternance au pouvoir implique, en effet, une pluralité d'équipes.

De plus, non seulement l'exiguïté des élites dirigeantes est la règle dans le Tiers-Monde, mais encore ces élites sont hostiles à un contrôle exercé par le peuple. Pour deux raisons.

D'abord, ces élites pensent, de bonne foi, avoir une vocation naturelle à exercer le commandement. Seules à détenir des connaissances générales ou techniques face à une population peu cultivée, seules à disposer des « *lumières* », elles s'estiment naturellement désignées par leurs compétences pour exercer la direction du pays.

Ensuite, outre cette motivation paternaliste, ces élites répugnent à un contrôle qui pourrait être sanctionné par la perte du pouvoir. Détenir le pouvoir signifie, en effet, bénéficier d'*avantages* matériels et de prestige considérables, surtout par rapport au niveau de vie moyen de la population. En revanche, quitter le pouvoir signifie généralement retomber dans le néant. D'où l'âpreté du personnel politique en place qui cherche à se maintenir au pouvoir par tous les moyens et, en conséquence, le caractère révolutionnaire et brutal que prennent souvent les changements d'équipe.

Cette situation évoque un peu l'analyse de Seymour Martin Lipset qui, dans *L'Homme et la politique* (tr. 1963) explique la permanence des dirigeants syndicaux dans les démocraties occidentales par deux causes analogues. D'une part, le faible nombre de travailleurs assez cultivés et formés politiquement pour exercer ces fonctions de responsabilité. D'autre part, l'âpreté avec laquelle ces dirigeants cherchent à se maintenir pour conserver les avantages liés à la fonction (vie plus agréable, voiture de fonction, etc.) qui tranchent sur les difficultés de la condition ouvrière.

L'apparition de nouvelles classes. — Cependant, en marge des masses rurales demeurées sous l'emprise de l'aristocratie traditionnelle, des classes nouvelles commencent à apparaître. L'industrialisation fait naître un prolétariat ouvrier, concentré dans les villes. Une bourgeoisie industrielle ou commerçante se constitue. Et des classes moyennes d'un type particulier apparaissent, qui sont surtout le fruit de la bureaucratie.

Aujourd'hui en Afrique, comme en Amérique latine à la période antérieure, ce sont surtout les activités administratives (au sens large) qui fournissent l'embryon d'une classe moyenne. « Aux fonctionnaires s'adjoignent les cadres moyens des maisons de commerce et des entreprises industrielles et une partie des professions libérales » (19). Couche moyenne, qui se dessine au-dessous de la classe dirigeante, et dont le rôle politique pourra devenir important. Comme le note Y. Lacoste : « C'est en grande partie dans ces catégories sociales intermédiaires que se développe le plus visiblement la revendication d'une politique plus juste et moins corrompue et d'un effort d'amélioration économique et social » (20).

Ce prolétariat naissant et cette couche moyenne, qui s'ébauchent en marge des masses rurales, pourront échapper à l'emprise de l'oligarchie établie et créer des équilibres politiques nouveaux. Mais, dans l'immédiat, ils ne suffisent pas à combler le fossé qui existe entre la masse « traditionnelle » et la sous-société « moderne », formée par l'élite occidentalisée.

L'inadaptation du substrat social à la démocratie occidentale. — C'est précisément l'existence de ce fossé, de cette structure sociale particulière, qui rend malaisée l'acclimatation de la démocratie libérale.

En vérité, la démocratie occidentale constitue un régime politique « *sophistiqué* », « raffiné ». Les traditions parlementaires du libéra-

(19) Y. Lacoste, *Géographie des pays en voie de développement*, 1965, p. 82.
(20) Y. Lacoste, *ibid.*, p. 82.

lisme (respect de l'opposition, liberté de discussion, sens du compromis) constituent la transposition des règles de courtoisie en vigueur sur le plan mondain. Elles reposent sur l'observation d'un certain nombre de rites destinés à faciliter la vie en commun (dissociation entre les rapports personnels et les combats politiques à la tribune, respect d'un certain *cursus honorum*, modération dans la critique, etc.).

Il est admis par tous que les luttes politiques se déroulent selon certaines règles qui ne peuvent pas être remises en cause : élections libres, loi de la majorité, respect de l'opposition, etc. Le jeu politique ressemble un peu, par sa « finesse », à la stratégie amoureuse chez Marivaux ou Choderlos de Laclos.

Gouverner consiste moins à effectuer des choix politiques tranchés qu'à chercher une *conciliation* entre des intérêts opposés. Le principe du régime consiste, par *approximations successives*, à dégager une ligne politique cohérente.

Cette élimination de l'aspect passionnel des problèmes, cet *art du compromis*, cette *propension à la nuance et à la prudence* supposent une classe politique non conflictuelle, rompue à ces exercices subtils. Et, surtout, une population d'un assez haut niveau culturel pour les saisir.

Or la masse de la population reste souvent illettrée. L'alphabétisation progresse, mais le taux d'analphabétisme reste encore élevé. Cette situation ne prédispose guère à la culture politique sécularisée dont ne peut se passer une démocratie libérale. Dans la formation des attitudes politiques, la place essentielle revient encore aux composantes affectives. D'autant qu'aux yeux de l'élite « occidentalisée », l'appel à la passion ou à l'irrationnel semble plus efficace pour cimenter une nation à la recherche de son identité collective.

C. — La nation

Avec la décolonisation, ces sociétés viennent d'accéder à l'indépendance et, par conséquent, à l'histoire. Passant ainsi des « sociétés froides » (qui se tiennent en marge de l'histoire) aux « sociétés chaudes », des sociétés immobiles aux sociétés historicisées (21). Or, ce *saut dans l'histoire* se produit dans des conditions difficiles pour ces pays qui sont en quête et d'une *identité collective* et d'une *unité nationale*.

(21) C. Lévi-Strauss, *La pensée sauvage*, 1962, p. 309-310.

La quête d'une identité collective. — Au sortir d'une colonisation qui a imposé des valeurs culturelles étrangères, la population décolonisée se met en quête de sa propre identité collective, de sa spécificité culturelle. D'où un « *nativisme* », que Ralph Linton (*Nativistic Movement,* p. 230) définit comme la tentative des membres d'une société pour « réactualiser ou perpétuer certains aspects déterminés de leur culture ». Ou que W. E. Mülhmann (*Messianismes révolutionnaires du Tiers-Monde,* tr. 1968) caractérise comme un « processus d'action collective, porté par le désir de restaurer une conscience de groupe, compromise par l'irruption d'une culture étrangère supérieure — ceci grâce à l'évidence massive d'un apport culturel propre ».

Après son indépendance politique, le Tiers-Monde revendique son indépendance économique et son *indépendance culturelle.* Ainsi, la résolution politique adoptée par la quatrième Conférence des pays non alignés (septembre 1973) précise : « Il s'agit pour les peuples du Tiers-Monde de *sauvegarder leur personnalité propre,* de récupérer et d'enrichir leur patrimoine culturel, de promouvoir dans tous les domaines leur authenticité, gravement aliénée par les colonialistes. »

Ces pays entendent préserver leur identité et leur personnalité, en se dégageant des hégémonies culturelles. Pour le président Senghor, « le non-alignement devrait permettre à chaque ethnie, *à chaque nation, de penser par elle-même et pour elle-même au lieu de suivre la culture des anciens colonisateurs* » (*Le Monde* du 11 septembre 1973).

Ce *nationalisme culturel,* ce rejet de la culture étrangère risque, bien sûr, de s'étendre aussi à la culture politique étrangère, et spécialement à la « démocratie occidentale », qui constitue le modèle offert par les anciennes puissances de tutelle. D'autant que ce processus d'affirmation sociale prend place dans des sociétés disloquées par la colonisation, qui en sont au stade de la fondation de l'Etat et de la nation.

La quête de l'unité nationale. — Les frontières politiques héritées de la colonisation ne correspondent parfois à aucune solidarité réelle, quand elles ne juxtaposent pas des antagonismes. De nombreux *particularismes* rendent malaisée une vie politique commune, fondée sur le sentiment d'un destin commun et l' « agrégation des intérêts ». Souvent, l'Etat précède la nation dans ces sociétés « plurales » *(pluralistic)* (22). Qui doivent s'efforcer de construire l'unité nationale, en surmontant plusieurs facteurs d'hétérogénéité, de diversité.

(22) J. S. Coleman, *The Politics of the Developing Areas,* Princeton, 1960.

Diversité ethnique, très sensible en Afrique où le polyethnisme noir caractérise presque tous les pays du continent, et où le patriotisme tribal peut donner lieu à de graves affrontements. Comme ce fut le cas entre Ibos et Hausas au Nigeria : le 30 mars 1966, la région Est, peuplée surtout par les Ibos, proclame son indépendance sous le nom de Biafra; cette sécession provoque une sanglante guerre civile, qui ne s'achèvera qu'en janvier 1970. En Amérique latine aussi, plusieurs pays connaissent une forte hétérogénéité : populations indienne, blanche, noire, métisse.

Diversité religieuse, qui a déterminé la division du subcontinent indien en 1947 — Inde (hindouiste), Pakistan (musulman), Ceylan (bouddhiste) —, encore qu'au sein même de l'Inde persistent de fortes minorités bouddhistes et surtout musulmanes (55 millions de musulmans en 1970). En Afrique, s'observe un clivage entre noirs animistes ou chrétiens et musulmans en Mauritanie, au Nigeria, au Tchad, au Cameroun et surtout au Soudan, où la lutte entre soudanais musulmans du Nord et tribus noires animistes ou chrétiennes du Sud revêt une forme violente.

Diversité linguistique, génératrice parfois de troubles violents comme en Inde, où la volonté d'imposer l'hindi comme langue de l'Union provoque de vives résistances, et où persistent quatorze langues constitutionnelles ayant un caractère officiel dans un ou plusieurs des dix-huit Etats. Au total, les Indiens se servent de 1 652 dialectes. En 1970, les groupes linguistiques principaux étaient (23) :

Hindi	210 millions.	Goudjerati	24 millions.
Télougou	45 »	Kannada	21 »
Bengali	40 »	Malayalam	20 »
Marathe	40 »	Oriya	19 »
Tamoul	36 »	Pendjabi	13 »
Ourdou	28 »		

Diversité régionale : une rivalité fréquente oppose les habitants de la côte, qui ont profité davantage de la situation coloniale, et ceux de l'intérieur, qui n'ont pas été aussi favorisés ou qui, héritiers de cultures plus brillantes, n'ont pas voulu se laisser corrompre. L'inégalité dans l'implantation des richesses naturelles peut également provoquer des conflits, voire des sécessions, comme ce fut le cas au Zaïre avec la sécession katangaise. Enfin, le Pakistan représentait le

(23) *Le Monde* du 27 février 1971.

cas unique d'un Etat formé de deux territoires distants de près de 2 000 km : d'où, en 1971, au Pakistan oriental, la survenance de la sécession bengali, cruellement réprimée par le Pakistan occidental. Mais le Pakistan oriental devient bientôt l'Etat indépendant du Bangla Desh.

De même, dans les Etats d'Afrique noire, le pouvoir central n'a pas un impact total sur la société. Le « *secteur central* » se trouve confronté à d'autres institutions, à d'autres valeurs, bref à tout un « *secteur périphérique* ».

Diversité sociale, enfin (cf. *supra,* p. 287), avec un dualisme social, qui juxtapose le secteur « moderne » de la population, urbanisé et « occidentalisé » et le secteur « traditionnel », demeuré rural et fidèle à la culture ancienne. Tandis que le développement sécrète de nouvelles classes (embryon de prolétariat, couche moyenne), qui viennent diversifier encore la pyramide sociale. Les clivages sociaux nouveaux viennent se superposer aux clivages du passé, sans les supprimer.

Cette multiplicité de « sous-cultures » rend difficile la construction de l'unité nationale. Elle suscite souvent, par compensation, une réaction nationaliste. A la lutte pour l'indépendance politique, succède la hantise de l'impérialisme économique, l'obsession d'un complot des puissances étrangères pour s'assurer une domination « néo-coloniale ». Dressé contre l'extérieur, ce *nationalisme* militant sert utilement de ciment à ces sociétés « plurales ». Il joue comme un facteur d'intégration nationale. Non sans paradoxe, le nationalisme forge la nation; l'effet précède la cause.

SECTION II

TRAITS DU SOUS-DÉVELOPPEMENT POLITIQUE

Dans cet environnement difficile, tous ces pays sont confrontés à un processus de « *développement politique* » (*supra,* p. 228), marquant le passage d'un système politique traditionnel à un système politique moderne. Et, précisément parce qu'il s'agit d'un *processus,* d'une dynamique, l'accès à la modernité politique ne saurait être immédiat. Ce qui explique l'écart entre la vie politique réelle et les modèles institutionnels primitivement inspirés des régimes occidentaux.

§ 1. — LA DÉNATURATION DES MODÈLES INSTITUTIONNELS OCCIDENTAUX

Les modèles institutionnels empruntés aux régimes occidentaux ont été souvent altérés. Parfois même ces greffons occidentaux ont été véritablement rejetés. Car ces pays se trouvent confrontés à des problèmes propres, qui requièrent des solutions institutionnelles originales.

Les problèmes propres aux systèmes politiques en voie de modernisation. — Dans « *Democracy and the New Nations* » (in *Stanford To-Day*, automne 1964, série 1, n° 10), Gabriel Almond notait :

« Les hommes d'Etat d'Occident ont eu tout le temps pour :

1° d'abord, former une nation;

2° créer, ensuite, une autorité gouvernementale et des habitudes d'obéissance à la loi;

3° puis, transformer les sujets en citoyens, avec le développement du suffrage, des partis politiques, des groupes d'intérêts et des moyens de communication;

4° enfin, satisfaire les demandes de bien-être *(welfare)*.

« Les hommes d'Etat des nations nouvelles sont soumis à tous ces problèmes tout de suite. Ils affrontent des révolutions *simultanées* et *cumulatives*. Ils ont à faire des choix que les hommes d'Etat occidentaux n'ont jamais été appelés à opérer.

« Par exemple, Julius Nyerere, en Tanzanie, affronte une révolution *nationale,* une révolution de l'*autorité,* une révolution de la *participation* et une révolution du *bien-être,* le tout en même temps. Il va sans dire qu'il ne peut pas avancer dans les quatre directions tout de suite. De même, il est clair qu'il n'est même pas libre de choisir l'ordre qu'il préfère. Bon gré, mal gré, il doit donner la priorité à la création de la nation et d'une autorité gouvernementale efficace, avant de donner satisfaction aux demandes de participation et de bien-être. Cela signifie que, quelles que soient les normes ou les formes constitutionnelles, les systèmes politiques des nouvelles nations auront nécessairement de fortes tendances centralisées et autoritaires. Mais cela n'équivaut pas à dire que nous devons renoncer à la *perspective* de la démocratie dans les nouvelles nations. »

Reprenant cette analyse dans *Comparative Politics* (Boston, 1966, p. 35), Almond et Powell soulignent les quatre problèmes fondamentaux que doit résoudre un système politique en voie de modernisation :

1° Construction d'un *Etat* (avec différenciation fonctionnelle et spécialisation structurelle);

2° Construction d'une *nation* (développement d'un sentiment d'identité de groupe et d'allégeance à ce groupe, correspondant géographiquement à l'Etat) ;

3° *Participation* (implication des citoyens dans les processus décisionnels) ;

4° *Distribution* (des biens, des services et de tous autres avantages pour répondre aux exigences de bien-être).

Pour sa part, C. E. Black (*The Dynamics of Modernization. A Study in Comparative History*, New York, 1966) a tenté de dresser un tableau général du processus de modernisation des sociétés. En distinguant trois étapes de la modernisation : l'établissement d'un leadership politique, le démarrage économique et l'intégration nationale. Selon la façon dont ces étapes se succèdent dans le temps, C. E. Black distingue divers types de modernisation, et classe les pays du monde en fonction de ces types.

Cette classification s'avère assez contestable, car elle suppose une latitude de choix, dont les nouvelles nations ne disposent guère. A juste titre, et en s'inspirant de la « théorie de l'action » de T. Parsons, David E. Apter bâtit sa construction théorique autour du concept de « *choix* ». Pour lui, la modernisation d'une société est « l'augmentation du nombre de choix possibles » au sein de cette société » (*The Politics of Modernization*, 5e éd., Chicago, 1969). Comme l'a souligné G. Almond, c'est précisément le caractère *simultané* et *cumulatif* des problèmes fondamentaux, qui est le propre des nouvelles nations.

Cette originalité explique la dénaturation ou le rejet des règles constitutionnelles inspirées par les modèles occidentaux. Beaucoup d'Etats du Tiers-Monde ont connu une forte *instabilité constitutionnelle* qui résulte, pour l'essentiel, de l'inadaptation des règles constitutionnelles à l'environnement socio-économique. Plus précisément, il faut distinguer deux cycles constitutionnels successifs : le premier correspond à l'adoption de régimes *parlementaires;* le second tire la conséquence de l'échec du premier et correspond à l'établissement de régimes *présidentiels*.

A. — Le cycle parlementaire

Les Etats d'Asie du sud-est et d'Afrique qui accèdent à l'indépendance dans les années qui suivent la seconde guerre mondiale commencent par adopter des institutions de type parlementaire.

Par imitation des modèles constitutionnels fournis par les anciennes puissances coloniales (Angleterre, France de la IVe République, Pays-Bas). Imitation d'autant plus naturelle que les élites locales avaient été formées dans les Universités — et spécialement dans les Facultés de Droit — de la puissance coloniale. En outre, les Constitutions de l'indépendance ont été souvent rédigées par des juristes occidentaux appelés en consultation.

Mais l'adoption du modèle parlementaire occidental méconnaissait des *disparités* profondes entre l'infrastructure économique, sociale et culturelle de ces nouveaux Etats et l'infrastructure des Etats européens (24).

La réussite du régime parlementaire en Inde. — Dès lors le régime parlementaire ne s'est acclimaté avec succès que dans de rares pays. Comme la République indienne, qui dispose d'atouts positifs :

— une classe de fonctionnaires, formée par la Grande-Bretagne, compétente et assez nombreuse pour administrer le pays;

— l'ascendant personnel et le talent « pédagogique » du Pandit Nehru, qui a été, pendant quinze ans, un premier ministre efficace et persuasif. Après la parenthèse Shastri (1964-1966), la fille de Nehru, Mme Indira Gandhi devient à son tour premier ministre en 1966. Mais, faisant déclarer l'état d'urgence en juin 1975 et versant dans le pouvoir personnel, elle perd les élections de mars 1977 et donc le pouvoir;

— enfin — et surtout — l'existence d'un parti dominant, le Parti du Congrès.

En 1951, M. Duverger invente le concept de « *parti dominant* » pour désigner, dans un système pluripartisan, un parti qui présente les deux caractères suivants : 1° surclasser nettement ses rivaux aux élections sur l'ensemble d'une période; 2° s'identifier à l'ensemble de la nation : ses doctrines, ses idées, son style coïncidant avec ceux de la période.

La situation est donc intermédiaire entre le pluripartisme et le parti unique. Il existe dans le pays plusieurs partis, qui s'affrontent aux élections : celles-ci sont compétitives. Mais, parmi ces partis, l'un d'eux est beaucoup plus puissant que tous les autres : à lui seul, il dépasse la majorité absolue des sièges parlementaires, et cette très large majorité ne paraît pas devoir lui échapper avant longtemps. En conséquence, le gouvernement, formé par l'équipe dirigeante de ce parti dominant, est assuré de sa *stabilité*. Mais il doit néanmoins affronter les critiques de l'opposition, qui maintient un dialogue et un contrôle. L'esprit du système est donc différent de celui du parti unique, même si les effets sont souvent analogues.

(24) Cf. Alan Burns, ed., *Parliament as an Export*, Londres, 1966 (onze spécialistes des institutions politiques traitent du problème de l'« exportation » du système parlementaire anglais dans certains pays du Commonwealth).

En 1969, la politique progressiste de Mme Gandhi provoque la scission du Parti du Congrès, en deux mouvements rivaux, l'Ancien Congrès (qui regroupe les adversaires du premier ministre) et le Nouveau Congrès (qui regroupe ses partisans). Dès lors, ce dernier ne disposait plus, à lui seul, de la majorité absolue au Lok Sabha (Chambre du peuple). D'où la dissolution pratiquée en décembre 1970, à la demande de Mme Gandhi, et les élections générales de mars 1971, qui donnent au Nouveau Congrès la majorité des deux tiers à la Chambre basse, et marquent la déroute de la « grande alliance », formée par l'Ancien Congrès, le Jan Sangh (parti nationaliste hindouiste) et le Swatantra (droite réformiste).

Effaçant les revers subis aux élections de 1967, retrouvant sa popularité des années 1950 et 1960, le Congrès gouvernemental dispose dans la nouvelle législature d'une majorité massive, et redevient le parti dominant de naguère (*infra,* p. 578). Conclusion tirée par Mme Gandhi de la consultation électorale : « La démocratie est forte en Inde » (25).

En revanche, en mars 1977, pâtissant de l'impopularité de Mme Gandhi, qui s'était arrogé des pouvoirs quasi dictatoriaux, son parti subit une lourde défaite aux élections législatives. Cette fois aussi, la démocratie aura donc été la plus forte en Inde.

L'échec du régime parlementaire dans la plupart des pays en voie de développement. — En revanche, dans de nombreux autres pays du Tiers-Monde, les institutions parlementaires n'ont pu s'acclimater. Et leur échec s'est souvent traduit par l'avènement de dictatures civiles ou militaires : Syrie, Egypte, Soudan, Pakistan, Irak, Algérie, Zaïre, Indonésie, Dahomey, Empire Centrafricain, Nigeria, Ghana, Sierra-Leone, Togo, etc.

Cependant, exceptionnellement, certaines dictatures militaires s'effacent d'elles-mêmes devant un régime moins autoritaire, comme au Dahomey en mai 1970. Cependant, en 1972, l'armée reprend le pouvoir. Le cas le plus spectaculaire reste celui du Ghana. Appuyé sur un parti unique (Convention People's Party) et sur une célébration charismatique proche de la semi-déification, Kwamé Nkrumah soumettait le Ghana à une direction autoritaire. Au début de 1968, les militaires le chassent du pouvoir et procèdent, en 1969, à la « normalisation » du régime : une nouvelle constitution de type parlementaire est promulguée le 22 août 1969, et des élections disputées se déroulent le 29 août. Mais, le 13 janvier 1972, les militaires confisquent de nouveau le pouvoir.

(25) *Le Monde* du 13 mars 1971.

B. — Le cycle présidentialiste

En effet, au bout de quelques années, les Constitutions inspirées du parlementarisme occidental ont été ou bien mises en sommeil par des dictatures, ou bien remplacées par des Constitutions de type présidentiel — ou plutôt présidentialiste, car le véritable régime présidentiel comporte un contrôle très efficace du Parlement sur l'Exécutif — souvent inspirées du modèle fourni par la Ve République. Cette contagion « présidentialiste » a beaucoup plus largement atteint *les Etats francophones* — qui ont imité, en l'exagérant encore, la mutation française — que les Etats anglophones d'*Afrique noire,* dont certains ont conservé le modèle parlementaire britannique.

Par ailleurs, en vertu d'une tradition plus que séculaire, les Etats d'*Amérique latine* pratiquent un régime présidentialiste, copie déséquilibrée au détriment du Parlement du régime présidentiel des Etats-Unis.

C'est dire que, parmi les pays en voie de développement, le présidentialisme l'emporte aujourd'hui très largement sur le parlementarisme.

Les désillusions du parlementarisme. — Cette vogue du présidentialisme procède directement des déceptions causées par l'expérimentation momentanée du régime parlementaire. Ces déceptions sont, pour l'essentiel, de trois ordres.

— En premier lieu, le régime parlementaire semble *subtil* (distinction du chef de l'Etat et du chef du gouvernement) et *fragile* (vulnérabilité aux crises ministérielles). En revanche, quelle que soit la structure des partis, le régime présidentiel assure à l'exécutif stabilité et autorité. Il apparaît donc plus simple, plus robuste, plus efficace.

— En second lieu, le régime parlementaire *valorise l'opposition.* Il suppose une opposition cohérente, prête à prendre la relève de la majorité au pouvoir. Il tend à mettre sur le même plan le gouvernement et l'opposition. Ce qui est parfaitement concevable dans les pays d'Occident, à fort consensus et à unité nationale ancienne. Ce qui l'est moins dans de nouveaux Etats où l'unité nationale est souvent imparfaite, et où il faut surmonter les divisions au lieu de les institutionnaliser.

— Enfin, un régime parlementaire *s'adapte mal à un encadrement autoritaire du développement économique.* Or, à la phase du « décollage », la mobilisation des énergies, la planification des comportements économiques, requièrent un exécutif puissant.

C'est pourquoi le modèle présidentiel ou « présidentialiste » est largement adopté. Mais, derrière l'unité de la façade constitutionnelle, les réalités politiques sont diverses. Ou bien le modèle constitutionnel est respecté, et l'on se borne au présidentialisme (cas des Etats latino-américains). Ou bien le modèle constitutionnel s'applique à une réalité différente (parti unique, rééligibilité illimitée du président, etc.), et l'on verse du présidentialisme dans la dictature.

L'Amérique latine. — A quelques exceptions près, l'Amérique latine s'inspire traditionnellement du modèle présidentiel. La théorie constitutionnelle latino-américaine repose généralement sur la séparation et l'égalité des pouvoirs. Mais, en fait, l'équilibre n'est pas réellement assuré, et l'exécutif parvient à s'assurer une véritable prépondérance. Cette hégémonie présidentielle s'est souvent instaurée dans un contexte pluripartisan : l'âpreté des luttes partisanes et parlementaires appelant un renforcement du pouvoir présidentiel, pour préserver l'unité nationale.

Mais, sauf exceptions, le *pluripartisme* subsiste : l'instauration de ce « régime de prépondérance présidentielle » (26) n'a pas tendu au système de parti unique. Et la clause de non-rééligibilité immédiate empêche le « continuisme »; elle garantit le caractère temporaire du mandat présidentiel.

L'Afrique. — En revanche, en Afrique — et spécialement en Afrique francophone — *le parlementarisme et le pluripartisme ont été souvent rejetés ensemble.* Pour adopter, fréquemment dans le cadre d'un système de parti unique, une forme accentuée de présidentialisme.

La constitution de Côte-d'Ivoire du 3 novembre 1960 en a fourni le modèle : exécutif monocéphale (le président de la République est en même temps chef de l'Etat et chef du gouvernement), indéfiniment rééligible, élu au suffrage universel le même jour et pour la même durée que l'Assemblée, irresponsable devant celle-ci dans l'intervalle

(26) J. Lambert, *Amérique latine. Structures sociales et institutions politiques,* 1963.

de ces consultations électorales, habilité à recourir au référendum ou à des pouvoirs exceptionnels (dans des conditions analogues à celles prévues aux articles 11 et 16 de la constitution française de 1958), etc.

Le Dahomey, le Niger et la Haute-Volta adoptent des institutions semblables en novembre 1960; puis le Congo-Brazzaville (2 mars 1961), la Mauritanie (20 mai 1961), etc. L'évolution en ce sens se poursuit jusqu'en 1963 environ.

Cependant, ce présidentialisme renforcé n'a pas toujours empêché la survenance de coups d'Etat. Mais, sauf au Ghana et au Niger, ces coups d'Etat n'ont pas atteint les dirigeants les plus prestigieux. Leur ascendant personnel a conservé un contenu aux régimes présidentialistes. C'est le cas des présidents Senghor, Houphouet-Boigny, Sékou Touré ou Ahidjo.

Comme le note J.-Y. Calvez : « Ceci souligne une circonstance importante touchant le présidentialisme africain : il requiert des personnalités marquantes capables d'occuper le vaste espace laissé à l'exécutif. En d'autres termes, le présidentialisme n'est pas synonyme de régime fort et stable : le régime n'est fort et stable que par la *personnalité* qui se trouve à la barre. » Il y a là « un pouvoir qui tient encore très largement aux qualités du détenteur, un pouvoir encore peu institutionnalisé malgré les apparences constitutionnelles » (27).

§ 2. — LA VIE POLITIQUE RÉELLE

En effet, pour connaître le système politique réel, il faut, par-delà les règles constitutionnelles, intégrer *trois variables extra-constitutionnelles,* qui permettent de prendre une mesure plus exacte du « développement politique ». Ces trois variables essentielles (*supra*, p. 231) sont : l'autonomie des sous-systèmes, la sécularisation culturelle et la différenciation structurelle.

L'autonomie des sous-systèmes (partis, groupes d'intérêts, etc.) demeure restreinte, comme le montre la fréquence du *système de parti unique,* imposant son contrôle aux autres groupes et structures. La sécularisation culturelle reste réduite, comme l'atteste la permanence de la *personnalisation du pouvoir.* Enfin, la différenciation structurelle est souvent imparfaite, comme le prouvent plusieurs *dictatures,* pratiquant la confusion des diverses fonctions.

(27) *Aspects politiques et sociaux des pays en voie de développement,* 1971, p. 80.

A. — LE SYSTÈME DE PARTI UNIQUE

En dehors de l'Amérique latine, rares sont les pays en voie de développement qui pratiquent le véritable pluripartisme. Parfois, ils pratiquent le système de parti *dominant :* Inde, Birmanie, Philippines, Singapour, Gambie, Kenya, Libéria, Tanzanie, République malgache, Somalie, Togo, etc. Souvent, le système de parti *unique :* République arabe unie, Syrie, Algérie, Burundi, Congo-Brazzaville, Côte-d'Ivoire, Dahomey, Gabon, Guinée, Haute-Volta, Mali, Niger, Mauritanie, Empire Centrafricain, Malawi, Ruanda, Tchad, etc.

L'exemple de l'Afrique noire : du multipartisme au parti unique. — C'est en Afrique noire que se saisit le plus nettement le processus qui conduit du *multipartisme* au parti unique (28). Au moment de l'accession à l'indépendance, la plupart des Etats africains (anglophones ou francophones) ont une vie politique animée par plusieurs partis : 3 partis au Congo-Brazzaville, en Guinée, en Mauritanie, 4 au Sénégal, 5 au Cameroun et au Dahomey, 9 au Nigeria, 18 au Congo-Léopoldville.

Puis, peu d'années après l'indépendance, les critiques adressées au multipartisme se firent plus nombreuses. On contesta aussi les constitutions primitivement adoptées, et ce fut le second cycle constitutionnel, marqué par l'abandon du régime parlementaire au bénéfice du présidentialisme. Il y eut souvent coïncidence entre les deux phénomènes : parlementarisme et multipartisme étant déclarés solidairement responsables des difficultés politiques et économiques du pays.

Dès l'indépendance, quelques Etats (Mali, Gabon, Ghana) connaissaient déjà le *bipartisme.* D'autres (Congo-Brazzaville, Mauritanie, Togo) marchèrent bientôt sur leurs traces. Souvent sous l'influence d'un courant doctrinal, inspiré par l'exemple anglo-américain, qui faisait du bipartisme la condition nécessaire pour concilier l'efficacité gouvernementale et le maintien des libertés publiques.

Mais, dès son apparition, ce bipartisme présentait des traits originaux. Le plus souvent, il était très *inégalitaire* : le parti gouvernemental dominait de toute sa puissance le parti d'opposition. Ainsi, par exemple, l'Union démocratique voltaïque avait 64 sièges à l'Assemblée, alors que l'opposition (P.R.L.) n'en avait que 11 : le Parti populaire nigérien contrôlait 49 sièges, contre 5 seulement à l'opposition Sawaba. Parfois même, l'opposition n'avait aucune représentation parlementaire (Mali, Mauritanie).

Ce bipartisme inégalitaire ne pouvait être que fragile. Un parti fortement majoritaire monopolisait pratiquement les sièges parlementaires et les postes

(28) Cf. D.-G. LAVROFF, *Les partis politiques en Afrique noire,* 1970.

gouvernementaux. Il considérait le bipartisme comme une gêne, comme une entrave à son action, et non comme un élément de fonctionnement normal du système politique. Ceci explique la brièveté de l'expérience bipartisane en Afrique francophone.

	Début du bipartisme	*Fin du bipartisme*
Congo	1959, juin.	1960, avril.
Haute-Volta	1959, mars.	1960, janvier.
Mali	1958, septembre.	1959, mars.
Mauritanie	1958, septembre.	1959, octobre.
Centrafrique	1960, septembre.	1962, novembre.
Tchad	1960, janvier.	1961, mars.
Togo	1961, avril.	1962, janvier.

Même en Afrique anglophone, le bipartisme inspiré par le modèle britannique se détériora rapidement, tant en Afrique occidentale (Ghana, Nigeria) qu'en Afrique orientale (Kenya, Tanganyika, Ouganda).

Finalement, le bipartisme disparut. Au nom aussi de la spécificité africaine : « L'idée que la démocratie n'est effective que lorsqu'il existe deux partis, l'un au gouvernement, l'autre dans l'opposition, est un mythe anglo-américain » (29). L'Afrique souhaitait trouver sa propre voie.

Souvent, avant l'établissement du parti unique, se situe une avant-dernière étape : celle du « *parti unifié* ». Les partis d'opposition se trouvent éliminés par coalition ou par absorption (30). Naguère indépendants, les différents partis décident de s'unifier sous l'égide du plus puissant. Les luttes qui les opposaient autrefois deviennent de simples conflits de tendances à l'intérieur d'une même et unique formation. Les conflits passent du plan externe au plan interne. Ils se trouvent « intériorisés » au sein d'un cadre unifié, qui assure la cohabitation des divers groupes et tendances.

Cette formule du parti unifié fut présentée comme le moyen de rétablir l'unité nationale, tout en évitant le parti unique, tenu pour totalitaire. Finalement, cependant, la distinction est mince entre parti unifié et *parti unique*. L'intention et l'origine diffèrent sans doute, mais la réalité finale est la même. En définitive, le parti unique marque donc l'aboutissement d'une évolution qui part du multipartisme au moment de l'indépendance, passe par le bipartisme inégalitaire, pour en arriver au parti unifié, dernière étape avant le parti unique.

Les raisons de l'évolution vers le parti unique. — Pour justifier l'établissement de ce système de parti unique, trois arguments principaux se trouvent invoqués (31).

(29) W. A. Lewis, *La chose publique en Afrique occidentale,* tr. 1966.

(30) Pour l'étude de ce phénomène dans le contexte ouest-africain : W. A. Lewis, *op. cit.*

(31) Cf., surtout, J. S. Coleman, C. G. Rosberg, ed., *Political Parties and National Integration in Tropical Africa,* Berkeley, 1964; A. R. Zolberg,

a) Le parti unique apparaît comme un instrument d'*intégration nationale,* comme le creuset de l'unité. Dans ces nations encore peu intégrées, les formations d'opposition risquent de refléter les diversités tribales ou régionales. Faute d'une véritable allégeance nationale, le pluripartisme risque de dégénérer en séparatisme.

En revanche, le parti unique permet de concilier l'unité nécessaire et la diversité réelle. En intégrant une multitude de groupes ethniques, politiques et économiques. En fournissant un cadre à l'expression des divers intérêts et tendances, sans péril pour l'unité nationale. Ce cadre unique contient ou tempère l'expression des facteurs de diversité dans ces sociétés « plurales ». Le parti unique est le creuset où doivent se fondre les particularismes.

b) Le parti unique apparaît, encore, comme un instrument de *modernisation* économique et sociale, qui mobilise les énergies. Encadrées par lui, les masses acceptent mieux la discipline nécessaire au succès d'une politique de développement planifiée.

En janvier 1963, au congrès du Parti progressiste tchadien, M. Tombalbaye déclarait ainsi : « Le développement continu exige l'adhésion de tous à un objectif adopté en commun, ainsi que le rassemblement de toutes les énergies : le parti unique jouera, en tant que mobilisateur, un rôle principal en ce domaine. »

Au total, capable d' « agréger » les divers intérêts, d'assurer la socialisation politique et le recrutement du personnel dirigeant, de concourir à la « communication politique » (en l'absence de bons moyens de communication de masse), le parti unique est « l'organisation nationale la plus visible, immédiatement disponible, pour l'accomplissement de beaucoup, sinon du plus grand nombre des tâches qu'on a devant soi » (32).

c) Enfin, l'unicité partisane refléterait l'*homogénéité sociale.* Dans l'analyse marxiste, les partis politiques sont l'expression des classes sociales et de leurs intérêts. Si donc il n'existe qu'une seule classe sociale, il ne peut exister qu'un seul parti. Or, plusieurs dirigeants qui se réclament du socialisme (Modibo Keita, Léopold Senghor, Sékou Touré) nient l'existence de classes — ou, au moins, d'antagonismes de classes — en Afrique noire. La lutte des classes — et donc des partis

Creating Political Order. The Party-States of West Africa, Chicago, 1966. S. P. HUNTINGTON, C. H. MOORE, *Authoritarian Politics in Modern Society. The Dynamics of Established One-Party Systems,* New York, 1970.

(32) J. S. COLEMAN, C. G. ROSBERG, *op. cit.*, p. 657.

— ne pourrait se concevoir dans cette population homogène, composée des « 3 P » (paysans, pasteurs, pêcheurs).

Cependant, au Sénégal, une révision constitutionnelle et une nouvelle loi sur les partis instituent, en 1976, un *régime tripartite*. Outre le parti gouvernemental de M. Senghor, l'Union Progressiste Sénégalaise, qui se proclame « socialiste et démocratique », deux seuls autres partis sont autorisés se réclamant de deux seuls autres courants : l'un « libéral et démocratique », l'autre « marxiste-léniniste ».

Le rôle instrumental du parti unique. — Cela dit, le parti unique en Afrique diffère sensiblement du modèle léniniste (*infra,* p. 504). Au lieu d'être une élite restreinte, il vise à rassembler et à encadrer la plus large partie de la population. Au lieu d'être la réalité initiale et principale, il apparaît comme un élément second et annexe.

Le présidentialisme précède le parti unique, qui n'apparaît que comme son adjuvant. Instrument plutôt que moteur, le parti unique sert de rouage subordonné au pouvoir présidentiel. Pour mieux imposer son autorité dans tout le pays, le président a besoin d'un parti à son service. Ce parti consolidera d'autant mieux le leadership présidentiel qu'il sera unique, sans rival. Dans le schéma léniniste, le parti unique, géré collégialement, était le véritable centre du pouvoir. Ici, il devient plutôt un *instrument* dont dispose le pouvoir présidentiel.

Rares sont les pays africains qui font exception : la Guinée, où, en théorie, le Parti démocratique de Guinée joue un rôle réel par rapport à M. Sékou Touré; et surtout le Mali, où, jusqu'à la chute de Modibo Keita, la prééminence de l'Union soudanaise R.D.A. paraissait effective. Dans les deux cas, il s'agit de pays pratiquement nés avec le parti unique et avec une constitution de type démocratie populaire, alors qu'ailleurs le parti unique s'est constitué ultérieurement pour renforcer le pouvoir présidentiel.

Le pouvoir au sein du parti unique. — Si les partis africains se réclament souvent du « centralisme démocratique » (cf. *infra,* p. 506), le centralisme l'emporte nettement sur la démocratie. Car, la pratique révèle un décalage important entre les règles statutaires et la réalité.

Comme le note D.-G. Lavroff : « La démocratie interne supposerait que les dirigeants soient élus par la base et que la politique du parti soit définie sous le contrôle des adhérents. Certes, les dirigeants sont élus, mais ces élections sont peu significatives, car les candidatures sont présentées par les organes directeurs et l'opération ne fait intervenir qu'un petit nombre de personnes contrôlant les divers échelons de la hiérarchie. La grande masse des adhérents reste totalement étrangère à la vie du parti. Il y a donc une tendance à la *cristallisation du personnel dirigeant qui devient oligarchique.* Le fait qu'aucun dirigeant de niveau élevé n'ait été renversé par un vote de la base est la preuve de cette interprétation. Tous les changements sont le résultat d'une décision prise au sommet par un petit nombre de personnes » (*op. cit.*, p. 68-69).

Au total, le pouvoir au sein du parti est soit de type *oligarchique* (s'il y a concurrence entre plusieurs dirigeants ou direction collégiale effective : cas du Parti démocratique de Guinée et de l'Union soudanaise R.D.A. naguère), soit de type *monarchique* (si un chef prestigieux concentre toute l'autorité réelle). L'autorité de M. Nkrumah sur le Convention's People Party était telle que le comité central se bornait à entériner les décisions prises par le secrétaire général. Au sein du Parti démocratique de Côte-d'Ivoire, le président Houphouet-Boigny exerce aussi un fort ascendant personnel (33).

Ainsi, en Afrique comme dans le reste du Tiers-Monde, beaucoup de partis se trouvent dominés par une personnalité dont l'autorité est incontestée. Généralement parce qu'il s'agit du « chef historique » qui a dirigé la lutte pour l'indépendance et qui incarne à la fois la nation, l'Etat et le parti. Ce « *chef historique* » se défie souvent des personnalités trop fortes, qui pourraient devenir autant de rivaux. Les purges périodiques, sanctions de complots réels ou imaginaires, sont autant de moyens qui permettent la consolidation d'un pouvoir ainsi personnalisé.

B. — LA PERSONNALISATION DU POUVOIR

Donner une définition unique de la « *personnalisation* » est malaisé. Le phénomène, s'il se saisit intuitivement, reste rebelle à la conceptualisation. Les incertitudes de la terminologie en font foi. Personnalisation, personnification, pouvoir personnel, individualisation du pouvoir, incarnation, vedettisation, popularisation, etc. : telles furent les diverses expressions employées à un colloque organisé sur ce thème (34). L'abondance des dénominations traduit la pluralité des

(33) Cf. S. MADANI SY, *Recherches sur l'exercice du pouvoir en Afrique noire : Côte-d'Ivoire, Guinée, Mali* (1965), A. R. ZOLBERG, *One-Party Government in the Ivory Coast*, 2e éd., 1969.

(34) Les travaux de ce colloque, tenu à Dijon les 10 et 11 mars 1962, à l'initiative de L. HAMON, ont été publiés aux P.U.F. en 1964, sous le titre *La personnalisation du pouvoir.* — Pour une étude de la personnalisation de l'action politique sous la Ve République, on peut consulter R.-G. SCHWARTZENBERG, *La campagne présidentielle de 1965*, P.U.F., 1967, p. 11-84.

aspects du phénomène. Car la personnalisation connaît des implications diverses et des intensités variables (35).

Pouvoir personnel et personnalisation du pouvoir. — Il importe surtout de distinguer personnalisation du pouvoir et pouvoir personnel. Même si l'on passe facilement de l'une à l'autre, même si les deux phénomènes existent souvent simultanément.

— Le *pouvoir personnel* désigne une réalité institutionnelle : une seule personne contrôle ou concentre tous les pouvoirs, tous les attributs de la souveraineté. Elle maîtrise la totalité des rouages de l'appareil d'Etat : ce que Bertrand de Jouvenel appelle « la chambre des machines ». C'est le problème, bien connu, de la confusion des pouvoirs. C'est la tyrannie antique, c'est la monarchie absolue de l'Ancien Régime français, c'est la dictature contemporaine. En décembre 1976, le maréchal-président à vie de la République Centrafricaine se proclame même empereur sous le nom de Bokassa Ier.

— La *personnalisation du pouvoir* est d'une autre nature. *Elle concerne non le domaine institutionnel, mais la psychologie sociale.* Un personnage symbolise, incarne la nation, l'Etat, le parti, etc. Il s'identifie au groupe qui se reconnaît en lui.

La personnalisation du pouvoir peut exister sans qu'il y ait pouvoir personnel (W. Churchill, F. Roosevelt, J. Kennedy). A l'inverse, il peut y avoir pouvoir personnel sans personnalisation (cas du président Boumediène pendant quelques années). Mais, souvent, les deux phénomènes existent cumulativement (Staline, Mao Tsé-toung), l'un produisant l'autre. Soit que le « chef historique » en vienne à concentrer tous les pouvoirs. Soit que celui qui (par exemple, par un coup d'Etat) s'est emparé de l'appareil d'Etat en vienne, à la longue, à incarner le groupe national aux yeux de celui-ci. Le cas du président Bourguiba correspond au premier schéma; celui du président Boumediène, au second. Au total, le cumul du pouvoir personnel et de la personnalisation est donc une réalité fréquente dans le Tiers-Monde.

Les trois types d'autorité selon Max Weber. — Durkheim se trompait donc en pensant que le pouvoir deviendrait de moins en moins personnel et de plus en plus institutionnel. Dans le monde d'aujour-

(35) Sur la personnalisation du pouvoir dans l'ensemble des systèmes politiques : R.-G. Schwartzenberg, *L'Etat spectacle. Essai sur et contre le « star system » en politique*, Flammarion, 1977.

d'hui, la personnalisation du pouvoir est beaucoup plus fréquente qu'au siècle dernier. Max Weber voyait plus juste, en discernant trois fondements de la légitimité. Et donc trois types idéaux d'autorité qui se combinent presque toujours au sein d'un même système politique.

— L'autorité *traditionnelle* repose sur la coutume, sur la force de l'habitude. Elle s'enracine dans un passé ancestral. C'est l'autorité qu'exerçaient autrefois le patriarche ou le seigneur terrien. Elle caractérise la féodalité et les monarchies d'hier (Ancien Régime) ou d'aujourd'hui (Arabie séoudite, par exemple).

— L'autorité *charismatique* (du grec *charisma,* qui signifie grâce) repose sur la croyance dans la grâce personnelle, dans les qualités exceptionnelles d'un individu; le chef est obéi à cause de son prestige, de son ascendant, de son rayonnement personnel; il force l'admiration et l'adhésion.

« Elle se caractérise par le dévouement tout personnel des sujets à la cause d'un homme et par leur confiance en sa seule personne en tant qu'elle se singularise par des qualités prodigieuses, par l'héroïsme ou par d'autres qualités exemplaires qui en font le chef. C'est là le pouvoir charismatique que le prophète exerçait, ou — dans le domaine politique — le chef de guerre élu, le souverain plébiscité, le grand démagogue ou le chef d'un parti politique » (36).

— L'autorité *légale-rationnelle,* incarnée par la bureaucratie, est celle des Etats modernes. Elle repose sur un ensemble de règles de droit logiquement assemblées et faisant l'objet d'un consensus. Chaque titulaire d'autorité tire sa compétence des règles constitutionnelles et légales. Ce qui caractérise ce type d'autorité, c'est l'autonomie des fonctions par rapport aux personnes et la rationalisation des procédures.

C'est « l'autorité qui s'impose en vertu de la « légalité », en vertu de la croyance en la validité d'un statut légal et d'une « compétence » positive fondée sur des règles établies rationnellement, en d'autres termes l'autorité fondée sur l'obéissance qui s'acquitte des obligations conformes au statut établi. C'est là le pouvoir tel que l'exerce le « serviteur de l'Etat » moderne » (37).

(36) M. Weber, *Le savant et le politique,* tr. 1959, éd. 10/18, p. 102.
(37) M. Weber, *Le savant et le politique,* p. 102.

La notion de pouvoir charismatique. — La notion de charisme, que Max Weber emprunte à Rudolf Sohm (38) et aux historiens des religions, s'avère particulièrement opératoire pour l'analyse du pouvoir dans les systèmes politiques en voie de modernisation du Tiers-Monde. Dans ces sociétés à faible niveau de « sécularisation culturelle » (cf. *supra,* p. 146), les attitudes politiques procèdent encore largement de composantes affectives. Elles fournissent un terrain propice au charisme, que Max Weber définit comme une « qualité extraordinaire », un « don de grâce », un « charme », qui situe celui qui en est doté « à part des hommes ordinaires », et lui vaut d'être traité « comme un leader » (39).

Le dévouement populaire s'adresse uniquement à la personne, aux qualités personnelles du chef charismatique. A ces « conducteurs d'hommes », on obéit « non pas en vertu d'une coutume ou d'une loi, mais parce qu'on a foi en eux » (40).

Pour Max Weber, ce charisme est, par essence, un phénomène passager, transitoire, qui prépare soit un pouvoir traditionnel, soit un pouvoir institutionnel. L'alternative est, en effet, la suivante. Ou bien le charisme crée une nouvelle *tradition* : cas de Bonaparte, qui fonde une dynastie et une tradition, dont se réclamera Napoléon III. Ou bien le charisme se « *rationalise* », crée des règles impersonnelles, des procédures institutionnalisant la dévolution et l'exercice du pouvoir : cas de Charles de Gaulle faisant adopter la réforme de l'élection présidentielle au suffrage universel, c'est-à-dire la procédure légale « rationnelle », impersonnelle, de désignation de son successeur.

Les causes du pouvoir charismatique dans le Tiers-Monde. — L'autorité charismatique n'est pas sans exemples dans le monde développé (Staline, Tito, de Gaulle). Mais ce « leadership héroïque » (Arthur Schlesinger) est surtout fréquent dans le Tiers-Monde. En Asie, avec Gandhi naguère, Sukarno hier, Mao jusqu'en 1976 et Kim Il Sung aujourd'hui. En Amérique latine, avec Fidel Castro, « lider maximo ». En Afrique, avec Nkrumah hier ou Bourguiba, aujourd'hui. Sans oublier le maréchal-président à vie Idi Amin Dada et l'empereur Bokassa Ier. Cette fréquence s'explique par plusieurs facteurs.

(38) R. Sohm, *Kirchenrecht,* vol. I, p. 26-28, Munich, 1923.
(39) M. Weber, *The Theory of Social and Economic Organization,* tr. Glencoe, 1957, p. 358.
(40) M. Weber, *Le savant et le politique,* p. 103.

a) *L'anomie et l'appel aux « montreurs de conduite ».* — La colonisation, puis la décolonisation, ont bouleversé les structures, les relations et la culture du groupe. Cette crise de déculturation, ce traumatisme social, se trouvent encore aggravés par l'exode rural et par une urbanisation désordonnée, « sauvage », qui installe dans les villes des populations « marginales » (41). D'où un relâchement presque total des valeurs, des coutumes et des liens sociaux traditionnels. Ces normes de conduite anciennes dépérissent, sans être remplacées d'emblée par un système cohérent. Cette « société improvisée sans structures » (G. Balandier), sans préceptes de comportement, se trouve en situation anomique.

Créé par Durkheim, ce concept d' « *anomie* » (de *a,* sans, et *nomos,* loi) désigne l'état dans lequel les normes sont inexistantes ou contradictoires, de sorte que l'individu ne sait comment orienter sa conduite. Cette crise des croyances et des mœurs prédispose à l'accueil du leadership charismatique.

Bertrand de Jouvenel (*Du pouvoir,* Genève, 1945, p. 541-557) écrit en ce sens : « Les phénomènes de disharmonie sociale et morale favorisent la floraison du pouvoir absolu : incohérence sociale, conduites an-harmoniques, inconduites, phénomènes de dépaysement et de dérèglement... Des hommes déracinés arrivant dans la condition nouvelle n'y trouvent pas d'images de comportements qui gouvernent leur nouveau personnage. » D'où l'émergence de « *montreurs de conduite* », qui formuleront de nouvelles règles de comportement et rétabliront la cohérence sociale.

b) *La quête et l'incarnation d'une identité collective.* — Sous l'angle de la psychanalyse, Erik Erikson (42) suggère que les masses peuvent être « affamées de charisme » surtout dans certaines conditions : la peur (cas de « l'an mil »), l'anxiété, qu'éprouvent ceux qui sont en état d' « *identity vacuum* »; la dislocation existentielle. Le chef charismatique a un rôle fonctionnel : il offre au groupe sauvegarde, identité ou rituel.

(41) Cf. J. S. Coleman : « Il existe dans beaucoup de centres urbains, particulièrement dans les capitales, des éléments prédisposés à l'activité anomique. » (*The Politics of the Developing Areas,* 1960, p. 537). *Contra,* cependant : J. M. Nelson, *Migrants, Urban Poverty and Instability in Developing Nations,* Cambridge, Mass., 1969 : les couches inférieures de la population ouvrière urbaine paraîtraient d'une grande passivité politique, et, contrairement à l'analyse souvent répandue, le processus accéléré d'urbanisation ne provoquerait pas, par lui-même, de déséquilibre politique.

(42) E. Erikson, colloque de Tuxedo sur le pouvoir charismatique (octobre 1967); « The Leader as a Child », *The American Scholar,* automne 1966.

Après l'aliénation culturelle de la colonisation, le peuple décolonisé se met en quête de sa propre *identité.* W. E. Mühlmann (43) a analysé ce « *nativisme* », ce rejet de la culture étrangère pour réactiver une culture spécifique. C'est dans ce « mouvement » — notion capitale chez Mühlmann — que la masse en vient à s'identifier à un chef prestigieux.

Jean Lacouture (*Quatre hommes et leurs peuples,* 1969, p. 53) note : « Ce plus grand dénominateur commun est à la fois une preuve d'existence individuelle et collective, et une certitude d'identité culturelle et d'unité politique... Le leader est à la fois le lieu géométrique et l'étalon-mètre du groupe; en lui s'accomplit une aspiration à l'identité du citoyen et à l'identification des citoyens. » Ce « héros-fondateur » incarne et exprime le groupe national. « Personnage cellulaire », « homme-témoin-drapeau », il témoigne pour l'identité nationale et représente la collectivité inquiète face à l'étranger.

c) *Charisme et socialisation politique.* — D'une certaine manière, l'acculturation politique de ces peuples adolescents n'est pas sans analogies avec le modèle de socialisation politique des enfants, discerné notamment par David Easton et Jack Dennis (44).

L'apprentissage du système politique se fait par la médiation de figures clefs, visibles et aisément identifiables. Dans le système américain, ce rôle incombe au président. Premier élément appréhendé, il est le maillon à partir duquel l'enfant va progressivement édifier tout son système, en y incorporant de plus en plus d'éléments et en apprenant à discerner les fonctions de chacun.

Dans ce processus de socialisation, Easton et Dennis distinguent quatre temps : 1° *politisation :* c'est-à-dire sensibilisation diffuse à la politique; 2° *personnalisation :* quelques figures d'autorité servent de point de contact entre l'enfant et le système; 3° *idéalisation* de l'auto-

(43) W. E. Mülhmann, *Messianismes révolutionnaires du Tiers-Monde,* tr. 1968.

(44) D. Easton, J. Dennis, *Children in the Political System,* New York, 1969; et aussi F. Greenstein, *Children and Politics,* New Haven, 2e éd., 1969; R. Hess, J. Torney, *The Development of Political Attitudes in Children,* Chicago, 1967. — Pour la contestation du caractère universel de ce modèle et de son adéquation à la culture politique française : C. Roig, F. Billon-Grand, *La socialisation politique des enfants,* 1968; A. Percheron, « La conception de l'autorité chez les enfants », *RFSP,* 1971, p. 103-128, et *L'univers politique des enfants,* 1976. — Sur la socialisation politique en général : E. S. Greenberg, éd., *Political Socialization,* New York 1970; et le colloque organisé le 26 juin 1971 par l'Association française de Science politique. Cf. *supra,* p. 154.

rité politique : l'enfant perçoit celle-ci comme idéalement bienveillante (ou malveillante), apprend à l'aimer (ou à la haïr); 4° *institutionnalisation :* l'enfant passe d'une vision personnalisée à une conception institutionnelle, impersonnelle, du système politique.

Au fond, à l'échelle d'une jeune nation tout entière, le chef charismatique est aussi cette figure clef, ce médiateur, qui cristallise sur sa personne les premiers sentiments politiques. Puis viendra l' « institutionnalisation », quand se sera achevé cet apprentissage de la politique.

Les risques du pouvoir charismatique. — Cependant, l'autorité charismatique comporte plusieurs risques.

a) *Le paternalisme pédagogique et l'aliénation des masses.* — Pédagogue suprême, le « leader-précepteur » procède à l'enfantement de l'Etat-Nation. D'où un type particulier de relations entre le chef et la masse. Pour reprendre la formulation de Lasswell, il n'y a pas échange, mais « allocation ». Il n'y a pas information — qui suppose un double mouvement — mais projection. La lumière vient d'en haut.

« Vers le peuple-enfant se penche le précepteur bénévole, qui lui « explique » la politique faite en son nom. Ecole de citoyens ou école d'exécutants ? » Ce magistère didactique risque fort de « dissiper les énergies dans une inépuisable scolarité adolescente ». « Un peuple qui ne se sent concerné qu'en tant qu'auditeur, disciple ou témoin, ne peut se transformer » (45).

Comme toute pédagogie paternaliste, qui maintient l'enseigné dans l'enfance, cette pédagogie n'est guère apte à émanciper une société aliénée par le traditionalisme et la colonisation, à transformer une « culture de sujétion » en « culture de participation » (cf. *supra*, p. 147).

« La délégation faite au grand homme se mue en acceptation. L'échange, en hiérarchie. Et le peuple n'est plus convié qu'à admirer et à obéir. L'anesthésie le guette. L'irresponsabilité est son lot permanent, et bientôt le ressaisit la conscience d'une insidieuse aliénation » (46).

Autrement dit, il apparaît difficile de passer de ce pouvoir charismatique à un pouvoir national, fondé sur l'institutionnalisation de

(45) J. Lacouture, *Quatre hommes et leurs peuples*, 1969.
(46) J. Lacouture, *op. cit.*, p. 257.

l'autorité, la participation de la base, la prise de conscience de leurs responsabilités par les citoyens.

b) *L'ivresse du pouvoir.* — Jouant des réactions émotionnelles des masses, pratiquant la participation par la « fête », développant les « fonctions ludiques de l'Etat » (47), le chef charismatique risque de se laisser gagner par une sorte d' « hallucination », d' « ivresse ». Gouvernement de la tribune et du micro, culte de la personnalité, ferveur de la masse. Objet d'une adulation collective, coupé de la réalité et de la relativité, le chef charismatique s'enferme dans son soliloque. « Le rhéteur n'entend plus que son propre chant » (48). Il tombe, à la limite, dans les excès qui ont perdu Nkrumah. Le leader ghanéen, qui se faisait appeler « Osagyefo » (Rédempteur ou Messie) ou « Kotamanko » (l'Infaillible), était l'objet d'une consécration pseudo-religieuse. Aujourd'hui, le maréchal Idi Amin Dada, président à vie de l'Ouganda, recourt à son tour aux déclarations de visionnaire, inspirées par la révélation divine.

c) *L'inefficacité du pouvoir.* — Absorbé par ses fonctions de représentation, d'incarnation collective (discours, meetings, visites à l'étranger, participation à des congrès internationaux), le leader se décharge sur son entourage de l'exercice effectif du pouvoir.

Amalgame de tendances, d'ambitions et de chapelles, cette « cour » se trouve souvent paralysée par les rivalités de clans. D'où la déformation ou le blocage des décisions du leader. Aussi complexe dans sa composition qu'un parlement, cet entourage s'avère singulièrement moins efficace.

Car un parlement (ce lieu où l'on « parle » pouvant être le parlement, soit de l'Etat, soit du parti : congrès ou comité central) pourrait débattre publiquement les solutions, contrôler l'exécution de la politique arrêtée, attirer l'attention sur certaines difficultés. Mais précisément, le leader, versant de la personnalisation dans le pouvoir personnel, s'est souvent privé de toute instance de débat ou de contrôle, qui pourrait signaler ses erreurs. Dès lors, l'inefficacité est, paradoxalement, la rançon de l'autoritarisme.

(47) G. Bouthoul, *Sociologie de la politique,* 2e éd., 1967, p. 28-29.
(48) J. Lacouture, *op. cit.,* p. 75.

C. — L'Autoritarisme

Systèmes traditionnels et systèmes modernes : le critère de la différenciation structurelle. — Ces deux réalités — unicité partisane et personnalisation du pouvoir — permettent de prendre la mesure d'un troisième phénomène : l'autoritarisme. Car, au faible niveau d'autonomie des sous-systèmes et de sécularisation culturelle, correspond encore une troisième variable du non-développement politique : le faible degré — voire l'absence ou le caractère purement apparent — de la *différenciation structurelle* (cf. *supra,* p. 231).

Les sociétés « *modernes* » se caractérisent par la diversification des rôles et la spécialisation des structures : chaque structure (organes législatifs, administratifs, judiciaires) ou infrastructure (partis, groupes d'intérêts, organes de communication) tend à se spécialiser, à assumer principalement une fonction nettement déterminée. Au contraire, dans les sociétés *traditionnelles,* cette division du travail n'existe guère. Un bon nombre de rôles se trouvent confondus et assumés par les mêmes organes; *des structures peu nombreuses exercent des fonctions peu différenciées.* La multifonctionnalité de la structure politique est ici à son maximum.

Etudiant les systèmes politiques traditionnels d'Afrique noire, Jean Ziegler note : « Le pouvoir africain n'admet guère sa subdivision en pouvoir religieux, pouvoir symbolique, pouvoir économique, pouvoir spirituel : le pouvoir africain est » (*Le pouvoir africain,* 1971).

D'une certaine manière, les régimes autoritaires du Tiers-Monde marquent la *nationalisation* de cette non-différenciation fonctionnelle, qui se trouve transposée du plan local ou tribal au plan national. Déjà la tradition porte les dirigeants à la confusion des pouvoirs.

Autoritarisme et développement. — En outre, l'idée prévaut qu'un système autoritaire est plus apte, au moins à titre provisoire ou transitoire, à « initier » la modernisation. Au plan socio-économique comme au plan politique.

Peu développés économiquement, ces pays neufs luttent encore pour conquérir une identité et préserver leur unité nationale, en surmontant toutes sortes de retards, de diversités et de conflits ouverts ou potentiels. Selon Dahl, cet environnement les rend « encore inaptes à s'offrir le luxe de la polyarchie ». Il incite leurs élites à s'appuyer « encore fortement sur la coercition, pour conserver intactes la nation et ses institutions » (49).

Brzezinski note, de même : « Dans ce contexte, on imagine mal comment des institutions démocratiques (en grande mesure copiées sur celles de l'Occident, mais qui ne répondent qu'aux besoins des pays occidentaux les plus stables et les plus riches) pourront résister ou s'instituer. La conséquence la plus probable de cette situation sera l'existence de troubles sporadiques dans chaque pays et une tendance aux *régimes de dictature.* Ceux-ci se fonderont sur des doctrines unificatrices, centrées sur le pays lui-même et socialement radicales, avec l'espoir que la combinaison de la xénophobie et du charisme apportera le minimum de stabilité nécessaire pour imposer, d'en haut, une modernisation économique et sociale » (*La révolution technétronique,* tr. 1971, p. 78).

Au demeurant, cette concentration du leadership national permettrait d'éveiller, de « socialiser », de « *mobiliser* » les masses populaires, et donc d'accroître leur *participation* aux activités politiques. En assurant ce « décollage » de la participation — qui s'incarnera ensuite et progressivement dans des institutions appropriées —, le leadership charismatique serait, paradoxalement, la matrice du développement politique.

Autoritarisme et totalitarisme. — Selon que cette gestion monocratique concerne le seul Etat ou toute la société, selon que la confusion des rôles s'arrête aux fonctions d'output ou s'étend aux fonctions d'input, il s'agit d'autoritarisme ou de totalitarisme. Ce dernier système marque une prise en charge totale du citoyen. Toute frontière se trouve abolie entre le politique et le social : Napoléon Ier régnait sur un Etat, Hitler sur une société tout entière.

C. J. Friedrich et Z. Brzezinski définissent le *totalitarisme* par la réunion de six critères : l'idéologie imposée, le parti unique, la terreur exercée par la police secrète, le monopole des communications, le monopole des armes, et la centralisation de l'économie (*Totalitarian Dictatorship and Autocracy,* Cambridge, Mass., 1re éd., 1956, 2e éd., 1965).

De la dictature. — Depuis 1945, le totalitarisme constitue une forme moins répandue que le simple autoritarisme, que l'on peut tenir pour synonyme de « dictature ».

(49) R. A. Dahl, *Modern Political Analysis,* 2e éd., 1970, p. 65-66.

Sous la République romaine, en période de crise grave, un « *dictateur* » était investi par les consuls, sur la décision du Sénat, de tous les pouvoirs de l'Etat. Pendant une durée qui ne pouvait excéder six mois, ce dictateur concentrait entre ses mains tous les pouvoirs, pour sauvegarder l'intérêt public dans cette conjoncture troublée. Cincinnatus, Camille, Fabius Cunctator, Sylla, César exercèrent cette magistrature extraordinaire.

Par extension, le terme de « dictature » désigne aujourd'hui un pouvoir absolu quelconque : un homme (ou une équipe) *concentre tous les pouvoirs*. Cette situation n'est plus temporaire, mais d'une durée indéterminée. Et elle résulte plus souvent d'un coup d'Etat que d'une investiture constitutionnelle. Grossièrement, on peut donc appeler « dictature » tout régime *autoritaire* non fondé sur l'hérédité.

La multiplication des dictatures dans le Tiers-Monde. — Ainsi, dans les sociétés en voie de modernisation, le pouvoir s'unifie et se concentre. Comme s'il existait une relation entre *sous-développement et sur-pouvoir*. Dans le Tiers-Monde, les dictatures se multiplient : en Asie, au Proche-Orient (Egypte, Soudan, Libye, Syrie, Irak), en Afrique — où beaucoup d'Etats vivent sous un système de parti unique, souvent réduit à un rôle « instrumental » (*supra*, p. 304) — et en Amérique latine. Dans cette dernière région, en effet, la tradition présidentialiste dégénère fréquemment en dictature.

En s'en tenant à l'*Amérique du Sud*, on peut citer comme régimes autoritaires : l'*Equateur* (le président Ibarra, régulièrement élu en 1968, s'est proclamé dictateur avec l'appui des militaires; en février 1972, il est renversé par le général Lara, qui sera lui-même renversé par une junte militaire en janvier 1976), le *Pérou* (en 1968, le général Velasco Alvarado renverse le président Belaunde; en 1975, il est à son tour renversé par le général Morales Bermudez), la *Bolivie* (depuis le renversement du président Paz Estenssoro en octobre 1964, se sont succédé les généraux Barrientos, Ovando Candia et Torrès, puis, enfin, en août 1971, le colonel Banzer), le *Paraguay* (le général Stroessner est au pouvoir depuis 1954), le *Brésil* (depuis le renversement en 1964 du président Goulart par l'armée, les militaires se succèdent au pouvoir : maréchal Castelo Branco, maréchal Costa e Silva, général Garrastazu Medici; en janvier 1973, le général Geisel est élu président de la République par un collège restreint), l'*Uruguay* (en juin 1973, le président Bordaberry, appuyé sur une junte militaire, prend tous les pouvoirs; mais, en juin 1976, il est à son tour chassé par l'armée).

Cependant, certains Etats latino-américains conservent une tradition démocratique. C'était le cas du *Chili* jusqu'en septembre 1973. En septembre 1970, le socialiste Salvador Allende remporte l'élection présidentielle, à la tête d'une coalition d'Unité populaire. Trois ans plus tard, il est renversé par le putsch du général Pinochet. L'armée prend le pouvoir et établit sa dictature sur le Chili.

En revanche, l'*Argentine* semblait connaître un sort inverse. Les militaires s'effaçaient devant les civils, En 1966. l'armée avait déposé le président Illia et ses chefs s'étaient succédé à la direction du pays (généraux Ongania, Levingston et Lanusse). Mais en mars 1973 est organisée une élection présidentielle, qui donne la victoire à M. Campora, candidat du Front justiciable (péroniste). Bientôt, celui-ci démissionne pour permettre, en septembre 1973, l'élection de Juan Peron, qui revient ainsi au pouvoir après dix-huit ans d'exil. Pour une courte durée, puisqu'il meurt en juillet 1974. Elue vice-présidente en septembre 1973, sa veuve Isabel devient donc chef de l'Etat en juillet 1974. Mais, en mars 1976, l'armée renverse la présidente et établit sa dictature.

La multiplication des coups d'Etat dans le Tiers-Monde. — Ainsi, les coups d'Etat se multiplient dans le Tiers-Monde. En *Amérique latine,* on compte dix-neuf coups d'Etat réussis en treize ans, de 1963 à 1976 : République Dominicaine (1963), Honduras (1963), Brésil (1964), Bolivie (1964), Argentine (1966), Panama (1968), Pérou (1968), Bolivie (1969), Brésil (1969), Bolivie (1970), Bolivie (1971), Equateur (1972), Honduras (1972), Uruguay (1973), Chili (1973), Pérou (1975), Equateur (1976), Argentine (1976), Uruguay (1976).

En *Afrique noire,* on compte 28 coups d'Etat réussis en treize ans, de 1963 à 1976 : Togo (1963), Dahomey (1963), Gabon (1964), Congo-Kinshasa (1965), Dahomey (1965), République Centrafricaine (1966), Haute-Volta (1966), Nigeria (1966), Ghana (1966), Nigeria (1966), Burundi (1966), Togo (1967), Sierra-Leone (1967), Dahomey (1967), Sierra-Leone (1968), Congo-Brazzaville (1968), Mali (1968), Somalie (1969), Dahomey (1969), Ouganda (1971), Ghana (1972), Madagascar (1972), Dahomey (1972), Ruanda (1973), Niger (1974), Ethiopie (1974), Madagascar (1975), Burundi (1976).

Dictatures révolutionnaires et dictatures réactionnaires. — Avec M. Duverger (*supra,* p. 198), on peut distinguer les dictatures « *techniques* » (qui ne correspondent à aucune mutation du corps social, et se plaquent parasitairement sur lui) et les dictatures « *sociologiques* » (engendrées par une crise des structures sociales). Les dictatures du Tiers-Monde sont parfois « techniques » (cas de la République dominicaine sous Trujillo ou de Haïti sous Duvalier, véritables tyrannies familiales, imposant leurs ambitions particulières). Mais, le plus souvent, elles sont « sociologiques ».

Ces dictatures sociologiques peuvent être, soit « *révolutionnaires* » (si elles visent à promouvoir un ordre social nouveau en s'appuyant sur les classes défavorisées), soit « *réactionnaires* », ou simplement conservatrices (si elles visent à maintenir l'ordre social établi en s'appuyant sur les classes privilégiées).

La distinction n'est évidemment pas toujours aisée. Si les régimes se proclament volontiers « révolutionnaires » ou « progressistes » (la dictature hitlérienne ne se disait-elle pas « nationale-socialiste » ?), aucun d'eux ne s'avoue jamais « conservateur » ou « réactionnaire ». De plus, un classement manichéiste serait parfois arbitraire, car certains régimes additionnent curieusement des aspects « progressistes » et des aspects « conservateurs ».

Dictatures civiles et dictatures militaires. — Un second type de distinction dissocie les dictatures civiles et les dictatures militaires. Les dictatures *civiles* sont, généralement, des dictatures à parti unique : elles se dissimulent souvent derrière la façade constitutionnelle d'un régime démocratique (parlement, élections, etc.); mais ce régime est vidé de sens par l'existence d'un parti unique, dont les dirigeants concentrent nécessairement tous les pouvoirs. En revanche, les dictatures *militaires* affectent rarement le respect des formes constitutionnelles : les constitutions sont mises en sommeil ou deviennent des cadres vides, les parlements sont mis en vacance ou supprimés, les partis sont « neutralisés », les élections n'ont plus lieu, etc.

Les dictatures militaires sont fréquentes dans le Tiers-Monde : spécialement au Proche-Orient, en Amérique latine et en Afrique. L'Afrique noire compte actuellement 16 Etats placés sous un régime militaire : Bénin (ex-Dahomey), Burundi, Empire Centrafricain, Congo, Ethiopie, Ghana, Haute-Volta, Madagascar, Mali, Niger, Nigeria, Ouganda, Ruanda, Somalie, Togo, Zaïre. Parfois, cette intervention de l'armée garde le sens « *caudilliste* » d'hier, en Amérique latine, quand chaque chef militaire pouvait se hisser au pouvoir. Les ambitions et les rivalités personnelles conservent un rôle. Voire les conflits au sein de la hiérarchie militaire : les généraux ou colonels, auteurs des premiers coups d'Etat, sont renversés par des capitaines, qui eux-mêmes sont remplacés par des sous-officiers (les coups d'Etat en chaîne du Sierra Leone et du Dahomey illustrent ce processus).

Mais souvent l'armée intervient par défaut. Non par volonté d'établir le pouvoir militaire comme tel, mais pour pallier les carences des civils, qui ne parviennent plus à gouverner ou à faire participer la population au processus politique (50).

Les dictatures militaires : le cas de l'Afrique noire. — Ainsi l'armée intervient dans la vie politique de nombreux Etats d'Afrique noire. Pour arrêter un processus de dislocation nationale. Ou pour pallier l'inefficacité ou la détérioration du système politique.

Souvent, l'armée se présente comme le garant de l'*unité nationale* et de l'intégrité de l'Etat. Elle déclare intervenir pour défendre l'ordre public et l'intégrité nationale, menacée par les divisions tribales ou régionales. Aux yeux de la population, l'armée apparaît comme le symbole même de l'unité nationale. Elle est spontanément assimilée à l'idée de nation.

Mais l'armée est aussi un instrument de *modernisation politique.* Dans une société en transition, dans un système politique en développement, l'armée est le seul corps résolument moderne. Conçue sur le modèle des armées des pays industriels, elle apparaît comme une structure hiérarchisée et rationnellement organisée, comme un instrument efficace de modernisation. A la différence des intellectuels, trop peu nombreux et qui constituent surtout une force de contestation. A la différence des partis, encore trop vulnérables aux pressions du milieu traditionnel.

Alors, l'armée déclare intervenir pour pallier l'incapacité des dirigeants civils à résoudre les problèmes économiques et sociaux. Avec, pour impératif, l'efficacité. Avec pour objectif d'introduire, dans un système traditionnel, des structures et des comportements « modernes », identiques à ceux des pays développés. Les officiers appartiennent aux élites modernistes; ils partagent avec elles l'idéologie du développement.

En juillet 1973, l'armée prend le pouvoir au Rwanda. Dans un communiqué, le général Habya Limina Juvenal explique : « Le gouvernement, qui ne faisait plus rien, est démis... La garde nationale ne pouvait pas tolérer que le pays soit découpé en morceaux. Elle ne peut pas cautionner les haines et les factions. Elle refuse les délimitations régionales préconisées par les ennemis de l'unité nationale » (*Le Monde* du 6 juillet 1973).

En avril 1974, au Niger, l'armée renverse le président Hamani Diori. Pour justifier son action, le lieutenant-colonel Seyni Kountie dénonce « l'égoïsme et le manque de conscience de l'ancien régime », à qui il reproche « quinze années d'indifférence à l'égard du peuple » (*Le Monde* du 17 avril 1974).

(50) Cf. J. M. Lee, *African Armies and Civil Order*, Londres, 1969.

L'ambivalence des dictatures militaires. — Sincères ou non, fondées ou non, ces déclarations d'intention assez vagues peuvent émaner aussi bien de militaires conservateurs que de militaires progressistes. Car il existe une ambivalence du « *prétorianisme* ». On le voyait bien naguère en Europe même. En confrontant le « modèle » grec et le « modèle » portugais.

Depuis le coup d'Etat du 21 avril 1967, l'armée impose son contrôle sur la *Grèce,* avec le colonel-président Papadopoulos, renversé à son tour par le général Ghizikis en novembre 1973. C'est le type même du régime autoritaire de droite. Jusqu'en juillet 1974, où la crise de Chypre provoque un retour à la normale (*infra,* p. 587). A l'inverse, au *Portugal,* le 25 avril 1974, une junte militaire, dirigée par le général Spinola, s'empare du pouvoir et rétablit les « droits civils et démocratiques ». Un premier gouvernement se forme, qui comprend des ministres socialistes et communistes.

Cette ambivalence se retrouve, plus fréquemment encore, dans le Tiers-Monde. Là aussi, l'armée peut peser soit à droite, soit à gauche. A cet égard, sa composition sociologique peut jouer un rôle déterminant.

Si les officiers viennent surtout de la bourgeoisie et de l'aristocratie foncière, ils se transforment volontiers en bouclier de l'oligarchie et de l'ordre social établi. Dans le présent, et plus encore dans le passé, l'Amérique latine présente plusieurs situations de ce type. En revanche, si l'armée devient un instrument de promotion sociale pour la paysannerie et les couches inférieures des classes moyennes, elle peut donner son appui à des solutions « modernisantes » ou « progressistes ».

Les régimes militaires conservateurs en Amérique latine. — Souvent, les armées latino-américaines apparaissent étroitement liées aux groupes sociaux dominants et soucieuses de préserver le statu quo. Ainsi, de 1962 à 1968, neuf coups d'Etat militaires éliminent des gouvernements jugés trop faibles vis-à-vis des mouvements populaires ou du « communisme », ou accusés de projeter des réformes « subversives ».

Ainsi, l'armée renverse les présidents Frondizi (Argentine, 1962), Prado (Pérou, 1962), Fuentes (Guatemala, 1963), Arosemena Monroy (Equateur, 1963), Bosch (République Dominicaine, 1963), Villeda Morales (Honduras, 1963), Goulart (Brésil, 1964), Paz Estenssoro (Bolivie, 1964), Illia (Argentine, 1966).

Les coups d'Etat militaires intervenus au Brésil (avril 1964) et en Argentine (juin 1966) ont eu pour effet de figer l'ordre existant et de limiter la participation populaire au pouvoir. Ces « révolutions nationales », autoritaires en politique et libérales en matière économique, ont ouvert largement les portes aux intérêts étrangers et se sont faites les champions de la croisade anticommuniste continentale. D'ailleurs, ces régimes militaires identifient volontiers la lutte contre la subversion et le refus du changement social.

Le régime brésilien repose sur le capitalisme et favorise les investissements étrangers, tout en s'opposant par la répression aux revendications des masses populaires, ouvrières ou paysannes, exclues du pouvoir. Ce « *modèle » brésilien* connaît un taux d'expansion record, mais il accentue les inégalités sociales et la dépendance du pays envers l'extérieur.

En janvier 1973, le général Geisel est élu président de la République par un collège restreint. Ce qui marque un retour très partiel et très formel à des mécanismes électoraux. En Argentine, les chefs militaires s'effacent un moment. Deux élections présidentielles au suffrage universel ont lieu successivement en mars, puis en septembre 1973. Elles marquent la victoire du « justicialisme » et le retour au pouvoir de Juan Péron, à qui succède sa veuve Isabel en juillet 1974. Mais l'armée renverse celle-ci en mars 1976.

Au Chili, un régime militaire de droite s'installe au contraire, en septembre 1973. Une junte militaire, dirigée par le général Pinochet, renverse le président socialiste Salvador Allende. Elle offre l'exemple même d'une dictature militaire réactionnaire.

Les régimes militaires progressistes en Amérique latine. — Cependant, même en Amérique latine, on trouve quelques exemples de dictatures militaires progressistes, voire « révolutionnaires ». Trois pays retiennent l'attention : le Pérou, Panama et la Bolivie (du moins jusqu'en août 1971).

Ces régimes se proclament « *révolutionnaires* », « *nationalistes* » et entendent se situer idéologiquement à gauche. Dans la pratique, ces dictatures militaires s'efforcent de contrôler la pénétration économique étrangère et de récupérer leurs richesses naturelles. Ils entreprennent certaines réformes de structures de nature à accélérer l'évolution sociale. Enfin, ils conduisent une politique internationale plus ouverte, moins alignée sur les Etats-Unis.

Le 3 octobre 1968, au *Pérou,* l'armée renverse le président Belaunde. Pour le président de la junte, le général Velasco Alvarado, il s'agit d'assurer le développement du pays, « en brisant le pouvoir d'une oligarchie égoïste et coloniale, en récupérant la souveraineté face aux pressions étrangères » (*Estrategia,* Buenos-Aires, juillet-août 1969, p. 78). L'objectif est double : moderniser la société péruvienne, diminuer la dépendance extérieure du pays. Le nouveau régime, d'ailleurs soutenu par le parti communiste péruvien, nationalise l'International Petrolum Company, réalise une importante réforme agraire pour lutter contre l'excessive concentration de la propriété foncière promulgue une loi de « propriété sociale » visant à l'autogestion. Mais, en 1975, le général Morales Bermudez remplace le général Velasco Alvarado avec des orientations plus modérées.

Le 8 octobre 1968, au *Panama,* un coup d'Etat militaire renverse le président Arias. Le nouveau régime adopte une attitude intransigeante face aux Etats-Unis et s'emploie à établir la souveraineté panaméenne sur la zone du canal. De plus, il réalise des réformes (début de réforme agraire, extension des droits syndicaux, etc.), pour réduire les tensions sociales.

Le 26 septembre 1969, l'armée reprend le pouvoir en *Bolivie.* Avec le général Ovando, puis avec le général Torres. Le nouveau régime se veut « *révolutionnaire, nationaliste et de gauche* ». Avec pour premier objectif la conquête de l'indépendance économique, par la reprise progressive des gisements miniers concédés à des firmes étrangères dans des conditions peu satisfaisantes pour l'intérêt national. Appuyé sur les partis de gauche et sur les organisations ouvrières et étudiantes, le général Torres admet la réunion d'une « Assemblée populaire », se situant en marge des formes de la démocratie classique élective. Mais, en août 1971, il est renversé par le contre-coup d'Etat de droite du colonel Banzer.

Les régimes militaires « libéraux » en Afrique noire. — On retrouve cette même *ambivalence* des dictatures militaires en Afrique noire. Celles-ci peuvent être soit conservatrices, voire réactionnaires, soit progressistes, voire révolutionnaires.

Ainsi, l'armée peut servir les intérêts de la bourgeoisie nationale. Elle peut jouer le rôle d'une couche suppléante d'une bourgeoisie peu efficace ou divisée en fractions rivales (Sierra Leone, Dahomey, Togo, Nigeria, Zaïre). Elle peut aussi servir de fer de lance à une bourgeoisie solidement constituée mais privée du pouvoir, en renversant des régimes qui se voulaient progressistes et anti-impérialistes. On passe alors d'un régime civil « progressiste » à un régime militaire « libéral », partisan du libéralisme économique.

Au *Ghana,* un coup d'Etat militaire renverse le président Nkrumah en 1966. Il se traduit par de nombreuses dénationalisations et par le retour à un système libéral. En 1969, les militaires s'effacent et les élections marquent la remise en selle politique de la bourgeoisie. Cependant, devant l'incapacité du pouvoir civil et la menace de mouvements populaires, l'armée reprend le pouvoir en janvier 1972, comme couche suppléante d'une bourgeoisie peu efficace.

En *Ouganda,* en juillet 1971, le général Amin — devenu depuis maréchal et président à vie — renverse le président Obote, qui avait réalisé des réformes progressistes (nationalisations partielles, renforcement du secteur public et coopératif, lutte contre l'emprise du capital étranger, etc.).

Dans ces deux cas, ces régimes militaires servent d'instruments à certaines *classes sociales.* Comme le notent Tatiana Yannopoulos et Denis Martin : « La personnalisation du pouvoir et le régime du parti unique, l'éviction de bourgeoisies solidement implantées de la direction des affaires publiques, à laquelle s'ajoutait l'étatisation de l'économie, et la restriction des libertés formelles, ont cimenté définitivement dans l'opposition l'alliance des couches possédantes, des élites traditionnelles (tout spécialement ashanti au Ghana et baganda en Ouganda), et d'une partie de l'intelligentsia, et les ont acculées pour assurer leur survie et leur développement en tant que classe, à donner leur appui à un renversement du pouvoir par la force » (« Régimes militaires et classes sociales en Afrique noire », *RFSP,* 1972, p. 868-869).

Les régimes militaires progressistes en Afrique noire. — Cela dit, d'autres liens peuvent unir l'armée à d'autres couches ou classes sociales. D'où des mutations inverses. Des militaires renversent un régime civil « libéral » et installent un régime prétorien à vocation « progressiste ».

En 1968, en République populaire du *Congo,* l'armée évince le président Massemba Debat, pour confirmer l'orientation socialiste du régime, esquissée depuis le renversement de Fulbert Youlou en 1963. Le régime militaire du commandant Marien Ngouabi nationalise les sociétés pétrolières et se réclame du « socialisme scientifique ».

En 1969, les militaires s'assurent le pouvoir en *Somalie,* qu'ils engagent également dans la voie du « socialisme révolutionnaire » avec le général Syad Barre.

En mai 1969, au *Soudan,* le général Nemeiri entreprend des réformes (nationalisations, etc.) et se réclame d'une ligne socialiste. Mais l'armée se retourne bientôt contre ses alliés les plus progressistes et spécialement contre le parti communiste soudanais. A partir de juillet 1971, une répression sanglante s'abat sur les forces de gauche. Les réformes élaborées au moment de la « révolution » de mai 1969 se vident peu à peu de leur substance, et le panarabisme musulman succède au socialisme comme idéologie dominante.

En septembre 1974, l'armée d'*Ethiopie* remplace l'empereur Haïlé Sélassié et opte pour un socialisme particulièrement autoritaire.

En vérité, dans un cas comme dans l'autre, qu'il s'agisse de régimes « libéraux » ou de régimes « progressistes », il faut distinguer les mots et les choses, les déclarations d'intentions et les réalisations concrètes. Les idéologies prônées et les programmes élaborés au moment de la prise du pouvoir doivent être confrontés aux politiques réellement mises en œuvre. D'ailleurs, la marge de manœuvre reste souvent faible. Surtout par rapport aux puissances étrangères, par rapport au système de relations internationales.

La paysannerie et l'armée en Afrique noire. — Cela dit, en Afrique noire, l'alliance paraît souvent possible entre l'armée et la paysannerie. Cette alliance peut servir la justice et le progrès. Mais, parfois aussi, elle peut servir d'instrument de propagande, pour remplacer un régime civil « progressiste » par un régime militaire « libéral ». Les coups d'Etat militaires du Ghana en 1966 et du Mali en 1968 correspondent peut être à cette hypothèse.

D.-G. Lavroff écrit : « C'est le plus souvent contre la politique menée par les gouvernants civils issus de l'intelligentsia que les militaires sont intervenus. Ils leur reprochaient d'avoir établi un système d'*exploitation des masses paysannes,* et donc de division nationale, trop marquée par des options idéologiques totalement étrangères aux ruraux. La chute du gouvernement de Modibo Keita ou de celui du docteur Nkrumah est l'illustration de cette situation. Les militaires se sont immédiatement présentés comme les *défenseurs des paysans* contre quelques profiteurs, hommes politiques et fonctionnaires, qui camouflaient leur incapacité et leur égoïsme par de grandes déclarations socialistes et révolutionnaires. Il est notable que les premiers actes des régimes militaires aient été de diminuer les rémunérations des fonctionnaires et les avantages des hommes politiques. Les gouvernants militaires ont adopté un genre de vie austère, qui satisfait les paysans trop longtemps choqués par les habitudes luxueuses des gouvernants civils » (« Régimes militaires et développement politique en Afrique noire », *RFSP*, 1972, p. 990-991).

L'issue des dictatures militaires. — Quel peut être l'avenir des dictatures militaires ? Deux solutions se présentent : ou bien le régime militaire se pérennise, ou bien il finit par rendre le pouvoir aux civils.

— Première hypothèse : *le pouvoir militaire se pérennise.* En se transformant ou non. Car cette situation comporte elle-même une alternative. Ou bien les militaires continuent de condamner le phénomène partisan et essaient de gouverner l'Etat sans parti politique. Dès lors, ils fixent durablement leur pays dans le « prétorianisme ». Ou bien, ils s'efforcent de créer des partis comme instruments de mobilisation politique et de légitimation (Congo-Brazzaville, Dahomey, Haute-

Volta, Zaïre). Mais ils risquent alors de se transformer en leaders partisans, bientôt menacés à leur tour par une intervention des militaires restés au sein de l'armée.

Il est donc malaisé pour un régime militaire de développer des institutions politiques (organisation constitutionnelle, parti) et d'établir une stabilité politique, bref de s' « institutionnaliser », de se « civiliser ».

— La seconde hypothèse est celle où *les militaires finissent par rendre le pouvoir aux civils.* L'Afrique noire fournit quelques exemples (Ghana, 1969; Dahomey, 1970). Mais cette remise du pouvoir aux civils est souvent éphémère : en janvier 1972, l'armée reprend la direction du Ghana; en octobre 1972, les militaires du lieutenant-colonel Kerekou ressaisissent le pouvoir au Dahomey, devenu depuis le Bénin. Par ailleurs, les militaires conservent le pouvoir sur une longue période dans tous les Etats africains où il n'existe pas de bourgeoisie solidement constituée, capable d'assurer la stabilité politique et économique du pays. C'est le cas, notamment, au Burundi, au Zaïre, au Togo et dans l'Empire Centrafricain.

En Amérique latine aussi, les régimes militaires sont souvent durables, même si, en leur sein, les diverses fractions du commandement militaire s'affrontent et se succèdent. Le pouvoir revient rarement aux civils (cas de l'Argentine de 1973 à 1976).

Le problème de la dictature révolutionnaire. — Qu'elle soit de type civil ou militaire — d'ailleurs, la distinction est parfois malaisée quand le chef militaire se « civilise » (en promulguant une nouvelle constitution, en prenant la tête d'un nouveau parti unique, etc.), la dictature révolutionnaire pose un problème particulier. Ici, l'autoritarisme et la coercition sont employés pour promouvoir une société nouvelle.

L'analogie est nette avec les tyrannies de l'Antiquité, avec la théorie jacobine de la Terreur révolutionnaire et, enfin, avec la théorie marxiste-léniniste de la dictature du prolétariat. La dictature révolutionnaire a donc des vertus et des caractères spécifiques que ne possèdent pas les dictatures conservatrices.

D'abord, un caractère *provisoire,* au moins en théorie. La dictature constitue un régime non définitif, mais transitoire, pour imposer le socialisme par la contrainte, en retournant l'appareil étatique de coercition contre les anciennes classes dominantes.

Ensuite, un caractère *majoritaire.* La coercition est employée au nom de la majorité du peuple contre une minorité de privilégiés : c'est le sens même du concept de dictature du prolétariat.

Enfin, un caractère *pédagogique.* Il s'agit d'éduquer les masses, pour leur permettre, demain, d'exercer pleinement leur liberté. Une fois dépouillé le vieil homme, une fois détruites les séquelles de l'ancien régime, la liberté s'épanouira.

En dernier lieu, un caractère *désaliénant :* dans les Etats socialistes, la dictature révolutionnaire a réellement mis fin à l'exploitation capitaliste.

Cela dit, plusieurs dictatures du Tiers-Monde qui s'affirment « révolutionnaires » ne présentent pas, ou guère, ces caractères spécifiques. Parfois l'étiquette « révolutionnaire » ou « socialiste » ne correspond pas à la réalité. Elle sert d'alibi prestigieux, à une dictature purement « technique », satisfaisant l'ambition, la volonté de puissance de quelques-uns. Ou bien, elle camoufle une simple politique d'industrialisation, favorable à la bourgeoisie nationale.

La pesanteur sociologique de la dictature. — Mais, excepté ces cas de « camouflage », et donc en postulant la sincérité des dictateurs révolutionnaires, le caractère dictatorial s'avère beaucoup plus lourd et persistant en pratique qu'en théorie. On s'en est déjà aperçu pour les Etats socialistes d'Europe de l'Est (*supra,* p. 205). La constatation vaut, a fortiori, pour les Etats « socialistes » du Tiers-Monde, beaucoup moins avancés dans leur développement. On y retrouve les mêmes phénomènes (concentration des pouvoirs, unicité partisane, interdiction de l'opposition et de la critique, restrictions aux libertés individuelles, importance de l'appareil répressif, etc.).

C'est qu'en effet *la structure même de tout régime dictatorial rend difficile l'évolution ultérieure vers la liberté,* prévue par le marxisme avec la phase supérieure du communisme et l'extinction de l'Etat. Elle risque, au contraire, de conduire, à tout moment, vers des excès de type stalinien.

En effet, l'analyse classique des libéraux (Locke, Montesquieu) sur les dangers inhérents à toute forme d'autorité exprime une vérité profonde. Montesquieu écrivait (*Esprit des Lois,* XI, IV) : « Tout homme qui a du pouvoir est porté à en abuser; il va jusqu'à ce qu'il trouve des limites. » On pourrait ajouter : « *Tout groupe qui a du pouvoir est porté à le conserver.* »

Un chef suprême concentre les pouvoirs et peut commettre erreurs et excès, faute de tout contrôle. D'autant qu'autour de lui se forme une *caste* de dirigeants qui cherchent à maintenir leur autorité, bloquant toute évolution vers la libéralisation. Le pouvoir constitue pour ces nouveaux privilégiés une source de bienfaits dont ils ne se consentent pas à être privés. De cette manière, une « nouvelle classe » entrave la libéralisation du régime soviétique et préfère une solution néo-stalinienne, qui préserve sa puissance.

L'absence durable de liberté. — Autrement dit, *toute dictature sécrète rapidement une classe sociologique de soutien,* un appareil bureaucratique, *qui a intérêt à son maintien.* Cette « pesanteur sociologique » explique la permanence de fait des dictatures, qui, au lieu de se libéraliser, de s'épanouir en démocraties, se dégradent en bureaucraties.

Selon Jean Lacouture, nous sortons aujourd'hui de l'âge d'or de la personnalisation qui correspondit à la décennie 1955-1965. 1955, c'est la Conférence de Bandoeng, d'où Nasser revient héros populaire. 1965, c'est l'échec de la deuxième Conférence afro-asiatique d'Alger, qu'avait immédiatement précédée l'élimination de Ben Bella, et que suivirent de près les évictions de Sukarno et de Nkrumah.

Mais ce « *crépuscule de la personnalisation* » ne marque pas l'avènement d'un pouvoir institutionnel fondé sur la participation de la base et le ressaisissement de leur propre destin par les citoyens. Il débouche plutôt sur la *bureaucratie.* « Voici venu, semble-t-il, *le temps des bureaucraties,* civiles ou militaires. Ce qui se passe, ce qui se prépare du Caire à Accra, de Djakarta à Tunis, va apparemment dans ce sens. *Le héros ne tend pas à s'accomplir en démocratie. Il appelle ce correctif, ou plutôt ce négatif : le bureaucrate* » (*op. cit.*, p. 271-272).

L'absence d'efficacité. — Cette privation durable — et non plus précaire — de la liberté, n'est pas le seul inconvénient. Il s'y ajoute l'inefficacité de toute dictature durable, fût-elle révolutionnaire. En effet, à partir d'un minimum de développement socio-économique, un régime accumule fatalement les erreurs et les fautes de gestion s'il n'accepte pas d'être *éclairé* par une critique libre et créatrice.

Une société qui ne possède pas de canaux permettant de mesurer ses contradictions, d'en informer les gouvernants, d'en débattre librement, s'achemine sûrement *vers le blocage et la sclérose.* L'absence d'instances de contrôle et de structures de dialogue entre gouvernants et gouvernés se traduit nécessairement par une *gestion médiocre et inefficace,* faute d'informations sincères sur les vrais problèmes et besoins, faute d'une réflexion novatrice et originale, soustraite au conformisme.

Autrement dit, la privation de la liberté ne se traduit pas par une efficacité gouvernementale accrue : c'est le contraire qui se produit. Tôt ou tard, la liberté devient la condition même de l'efficacité.

BIBLIOGRAPHIE

Causes du sous-développement socio-économique.

— *Sur le facteur démographique :*

M. Halbwachs, *Morphologie sociale,* 1938; A. Landry, *La révolution démographique,* 1943; P. Fromont, *Démographie économique,* 1947; R. Pressat, *L'analyse démographique,* 3e éd., 1973; M. Reinhard, A. Armengaud, J. Dupaquier, *Histoire générale de la population mondiale,* 4e éd., 1971 (précieux instrument de travail et d'information); J.-M. Poursin, *La population mondiale,* 1976; R. Dumont, B. Rosier, *Nous allons à la famine,* 1966 (les auteurs mettent en relation l'explosion démographique du Tiers-Monde et les perspectives de croissance de la production agricole, pour conclure à la généralisation de la famine vers 1975-1980); et surtout les principaux ouvrages d'A. Sauvy : *Théorie générale de la population,* t. 1, 1963, t. 2, 1966; *Malthus et les deux Marx,* 2e éd., 1966; *La prévention des naissances,* 3e éd., 1967; et *La population,* 10e éd., 1970 (bref résumé particulièrement utile); A. Armengaud, éd., *Les Français et Malthus,* 1975 (le débat sur Malthus et les néomalthusiens). Consulter aussi G. Bouthoul, *La surpopulation,* 1964 et *Traité de polémologie. Sociologie des guerres,* 1970; M. G. Schimm et al., *Population Control : the Imminent World Crisis,* New York, 1961 (exposé néo-malthusien). Sur le rapport du M.I.T. et la renaissance du malthusianisme : *infra,* p. 459.

— *Sur le facteur géographique :*

F. Ratzel, *Politische Geographie,* 1897, et « Le sol, la société et l'Etat » dans *L'Année sociologique,* 1898-1899 (avec une recension critique de Durkheim); J. Ancel, *Géopolitique,* 1936; E. C. Semple, *American History and its Geographical Conditions,* Boston, 1903; et *Influences of Geographical Environment,* New York, 1911; E. Huntington, *The Pulse of Asia,* 1907; *Palestine and its Transformation,* 1911; et *Civilization and Climate,* 1915; K. A. Wittfogel, *Oriental Despotism. A Comparative Study of Total Power,* New Haven, 1957; H. Mackinder, *Democratic Ideals and Reality,* Londres, 1919.

La thèse d'A. Toynbee sur le « défi » se trouve dans *Study of History,* 9 vol. en cours de publication depuis 1933 : les six premiers tomes ont été abrégés par D.-C. Sommerwell, en un volume traduit sous le titre A.-J. Toynbee, *L'histoire : un essai d'interprétation,* 1951.

Pour les conceptions de l'école française de « géographie humaine » : J. Brunhes, *La géographie humaine,* 1910, 3e éd., 1925, 3 vol.; J. Brunhes, C. Vallaux, *La géographie de l'histoire,* 1921; P. Vidal de la Blache, *Principes de géographie humaine,* 1922; L. Febvre, *La terre et l'homme,* 1922; A. Demangeon, *Problèmes de géographie humaine,* 1942; M. Sorre, *Les fondements : I. biologiques; II. techniques de la géographie humaine,* 1943-1948; M. Sorre, *Rencontres de la géographie et de la sociologie,* 1957; M. Derruau, *Précis de géographie humaine,* 1961.

Consulter aussi J. Gottmann, *La politique des Etats et leur géographie,* 1952 (seule la politique extérieure est envisagée); H. et M. Sprout, *The Ecological Perspective on Human Affairs,* Princeton, 1965; P. Buckholts, *Political Geography,* New York, 1966; H. J. de Blis, *Systematic Political Geography,* New York, 1967 (commentaire de textes illustrant la problématique actuelle de la géographie politique); R. Kasperson, J. Minghi, ed., *The Structure of Political Geography,* Chicago, 1969 (sélection de textes, accompagnés d'études introductives et de bibliographies détaillées, donnant un très bon aperçu d'ensemble de la géographie politique).

Sur les relations entre géographie et sous-développement, lire tout particulièrement deux ouvrages essentiels : J. de Castro, *Géopolitique de la faim,* rééd. 1962; et Y. Lacoste, *Géographie des pays en voie de développement,* 1965.

Pour une réfutation du déterminisme géographique : P. Sorokin, *Les théories sociologiques contemporaines,* 1938 (chap. 3 : « L'école géographique »); P. Lavigne, *Climats et sociétés,* 1966 (vigoureux et très utile).

Sur le problème particulier de la géographie électorale : A. Siegfried, Tableau politique de la France de l'Ouest, 1913; et *Géographie électorale de l'Ardèche sous la IIIe République,* 1949; F. Goguel, *Initiation aux recherches de géographie électorale,* 1947; et *Modernisation économique et comportement politique,* 1967; A. Brimo, *Méthode de la géo-sociologie électorale,* 1968.

— Sur le facteur ethnique :

Consulter les ouvrages publiés par l'U.N.E.S.C.O. : *La question raciale devant la science moderne,* 5 vol., 1951; *La question raciale et la pensée moderne,* 4 vol., 1955; et surtout *Le racisme devant la science,* 1960 (recueil d'articles dus à des biologistes, des anthropologues et des sociologues).

Voir aussi : A. Burns, *Le préjugé de race et de couleur,* 1949; M. F. Montagu, *Man's Most Dangerous Myth : The Fallacy of Race,* New York, 1942; R. Benedict, *Race, Science and Politics,* 2e éd., New York, 1945; F. Hellmann et al., *Handbook on Racial Relations,* Oxford, 1949; K. Goldstein, *Human Nature,* Harvard, 1951; M. Banton, *Race Relations,* Londres 1967 (utile résumé des conclusions des spécialistes); T. F. Gossett, *Race, The History of an Idea in America,* Dallas, 1963 (histoire et évolution des théories raciales aux Etats-Unis); Margaret Mead, James Baldwin, *A Rap on Race,* New York, 1971 (dialogue sur le racisme entre une anthropologue blanche et un écrivain noir). Sur le problème des minorités ethniques aux Etats-Unis voir la bibliographie donnée *infra,* p. 451-452.

Sur les aspects proprement biologiques du problème racial : L. C. Dunn, T. Dobztansky, *Heredity, Race and Society,* New York, 1946; W. C. Boyd, *Genetics and the Races of Men,* Boston, 1950.

Comme exemple de démonstration partiale et prétendument scientifique (fondée surtout sur la psychométrie et l'utilisation des tests d'intelligence) : N. Weyl, S. Possony, *The Geography of Intellect,* Chicago, 1963 (qui s'efforce d'établir la supériorité intellectuelle des peuples adaptés aux climats froids et tempérés).

A lire : P. H. Maucorps, A. Memmi, J. F. Held, *Les Français et le racisme,* 1965 (résultat d'une enquête lancée par le Mouvement contre le racisme, l'antisémitisme et pour la paix, commentée par des psychologues, des sociologues et des statisticiens).

Sur l'antisémitisme : W. Maser, *Mein Kampf d'Adolf Hitler,* tr. 1968 (la première exégèse scientifique); R. Cecil, *The Myth of the Master Race : Alfred Rosenberg and Nazi Ideology,* London, 1972; S. Friedlander, *L'antisémitisme nazi. Histoire d'une psychose collective,* 1971; J. Isaac, *L'enseignement du mépris* (par le grand historien, les responsabilités de l'Eglise catholique dans la diffusion de l'antisémitisme); et *Genèse de l'antisémitisme* (essai historique); L. Poliakov, *Histoire de l'antisémitisme,* 3 vol., 1961; et *Le mythe aryen. Essai sur les sources du racisme et des nationalismes,* 1971; J.-P. Sartre, *Réflexions sur la question juive,* 1946; C. H. Stember et al., *Jews in the Mind of America,* 1966 (étude de la situation psychologique des Juifs dans la société américaine; conclusion : l'antisémitisme y disparaît); T. Maulnier, G. Prouteau, *L'honneur d'être Juif,* 1971; A. Guichard, *Les Juifs,* 1971; J. Eisenberg, *Une histoire du peuple juif,* 1974; J.-P. Faye, *Migrations du récit du peuple juif,* 1974 (sur le discours antisémite); P. Lendvai, *Anti-Semitism without Jews, Communist Eastern Europe,* Garden City, N. Y., 1971 (sur l'usage de l'antisionisme et de l'antisémitisme dans les pays socialistes d'Europe de l'Est).

Aspects du sous-développement socio-économique.

Pour une vision d'ensemble : J.-Y. Calvez, *Aspects politiques et sociaux des pays en voie de développement,* 1971; H. Isnard, *Géographie de la décolonisation,* 1971.

— Sur l'économie :

P. Moussa, *Les nations prolétaires,* 2e éd., 1961 et *Le Tiers-Monde en miettes* (conférence devant la Chambre de commerce et d'industrie française de Bruxelles, le 28 mai 1974); R. Gendarme, *La pauvreté des nations,* 1963; C. E. Black, *The Dynamics of Modernization,* New York, 1966; W. W. Rostow, *Les étapes de la croissance économique,* tr. 1963; W. A. Lewis, *La théorie de la croissance économique,* tr. 1963.

— Sur l'adoption de la voie socialiste par les pays en voie de développement : J. H. Kautsky, *Communism and the Politics of Development,* New York, 1968; F. Fanon, *Les damnés de la terre,* 1962; G. A. Nasser, *La philosophie de la révolution,* Le Caire, 1954; A. Abdel-Malek, *Egypte, société militaire,* 1962; et *La pensée politique arabe contemporaine,* 1970; H. Riad,

L'Egypte nassérienne, 1964 (thèse : il s'agit d'une bureaucratie bourgeoise, d'un capitalisme d'Etat, non d'un authentique régime socialiste) ; R. DUMONT, *Cuba : socialisme et développement,* 1965, et *Cuba est-il socialiste ?,* 1970 (sur la militarisation de l'économie cubaine) ; B. ONUOHA, *The elements of African Socialism,* Londres, 1965 (la voie africaine, dans une perspective humaniste) ; R. DUMONT, M. MAZOYER, *Développement et socialisme,* 1969 (vision d'ensemble *des* socialismes du Tiers-Monde) ; C. FURTADO, *Politique économique de l'Amérique latine,* tr. 1970 ; J. P. BIONDI, *Le Tiers-socialisme. Essai sur le socialisme et le « Tiers-Monde »,* 1976 (par un socialiste français).

— Pour un exemple original de réussite capitaliste : H. BROCHIER, *Le miracle économique japonais,* 2e éd., 1970.

— Sur l'aide au développement : F. LUCHAIRE, *L'aide aux pays sous-développés,* 1970 (bref et très utile) ; T. MENDE, *De l'aide à la recolonisation. Les leçons d'un échec,* 1972.

— Sur la société :

M. LEVY, *Modernization and the Structures of Societies,* Princeton, 1966 (analyse fondamentale de la modernisation sociale, étudiée méthodiquement par secteurs) ; J. L. FINKLE, R. W. GABLE, éd., *Political Development and Social Change,* New York, 1966 (sélection d'une cinquantaine d'articles) ; S. N. EISENSTADT, *Modernization : Protest and Change,* Englewood Cliffs, 1966 (sur les résistances de tous ordres susceptibles d'entraver la modernisation sociale et politique) ; J. DAVIES, *Social Mobility and Political Change,* Londres, 1970 (utile ouvrage de référence sur les concepts de mobilité sociale et de changement politique) ; J. M. NELSON, *Migrants, Urban Poverty and Instability in Developing Nations,* Cambridge, Mass., 1969 (les effets politiques d'une urbanisation accélérée). — Pour un point de vue historique : E. N. et P. R. ANDERSON, *Political Institutions and the Social Change in Continental Europe in the 19th Century,* Berkeley, 1967.

Parmi les nombreuses études régionales : J. LAMBERT, *Amérique latine. Structures sociales et institutions politiques,* 2e éd., 1968 (manuel rigoureux et précis) ; F. BOURRICAUD, *Pouvoir et société dans le Pérou contemporain,* 1967 ; H. CARRÈRE D'ENCAUSSE, *L'U.R.S.S. et la Chine devant les révolutions dans les sociétés pré-industrielles,* 1970 ; D. PEPY, *Les Etats africains et leurs problèmes,* 1964-1965 (cours polyc. Amicale élèves I.E.P.) ; M. HALPERN, *The Politics of Social Change in the Middle East and North Africa,* Princeton, 1963 ; G. BALANDIER, *Sociologie actuelle de l'Afrique noire,* 1963 ; et *Anthropologie politique,* 1967.

— Sur la nation :

Sur la recherche de l'intégration nationale et de l'identité culturelle : L. PYE, *Politics, Personality and Nation-Building : Burma's Search for Identity,* New Haven, 1962 ; K. W. DEUTSCH et al., *The Integration of Political Communities,* Philadelphie, 1964 ; C. AKE, *A Theory of Political Integration,* Homewood, 1967 (l'intégration réussirait d'autant mieux que le système politique est autoritaire et paternaliste, fondé sur une tendance à l'identité et au consensus) ; W. H. LEWIS, ed., *French-Speaking Africa. The Search for Identity,* New York, 1965 (réunion des principales communications présentées à un congrès international sur l'Afrique francophone, tenu à Washington); J. S. COLEMAN, C. G. ROSBERG, ed., *Political Parties and National Integration in Tropical Africa,* Berkeley, 1964 (important ouvrage collectif sur le rôle des partis dans l'intégration nationale).

— Sur les nationalismes : H. B. SHARABI, *Nationalism and Revolution in the Arab World,* Princeton, 1966; I. L. HOROWITZ, J. DE CASTRO, J. GERASSI, ed., *Latin American Radicalism. A Documentary Report on Left and Nationalist Movements,* Londres, 1969 (recueil d'articles sur les mouvements révolutionnaires et nationalistes en Amérique latine); L. L. SNYDER, *The New Nationalism,* Ithaca, 1968 (sur les nouveaux nationalismes).

Sur la spécificité culturelle : C. LEVI-STRAUSS, *La pensée sauvage,* 1962; W. E. MÜLHMANN, *Messianismes révolutionnaires du Tiers-Monde,* tr. 1968.

Traits du sous-développement politique.

Outre la bibliographie donnée *supra* (p. 249) sur la notion de développement politique, on consultera :

— *Sur la dénaturation des modèles institutionnels occidentaux :*

A. HAURIOU, *Droit constitutionnel et institutions politiques,* 5e éd. 1972 (p. 574-608); H. DESCHAMPS, *Les institutions politiques de l'Afrique noire,* 3e éd., 1970; L. HAMON, *Les nouvelles constitutions africaines,* Notes et études documentaires, n. 3175, 26 mars 1965; A. MABILEAU, J. MEYRIAT, *Décolonisation et régimes politiques en Afrique noire,* 1967; J. LAMBERT, *Amérique latine. Structures sociales et institutions politiques,* 2e éd., 1968; M. FLORY, R. MANTRAN, *Les régimes politiques des pays arabes,* 1968; A. BURNS, ed., *Parliament as an Export,* Londres, 1966 (sur l'exportation du parlementarisme dans certains pays du Commonwealth).

— *Sur le système de partis :*

J. LAPALOMBARA, M. WEINER, ed., *Political Parties and Political Development,* Princeton, 1966; J. S. COLEMAN, C. G. ROSBERG, ed., *Political Parties and National Integration in Tropical Africa,* Berkeley, 1964; R. S. MORGENTHAU, *Political Parties in French-Speaking West Africa,* Oxford, 1964 (étude très documentée portant sur le Sénégal, la Côte-d'Ivoire, le Mali et la Guinée); A. R. ZOLBERG, *Creating Political Order. The Party-States of West Africa,* Chicago, 1966 (le parti unique analysé comme facteur d'ordre et d'intégration dans 5 pays : Côte-d'Ivoire, Mali, Sénégal, Guinée, Ghana) ; A. R. ZOLBERG, *One-Party Government in the Ivory Coast,* 2e éd., 1969 (le rôle du P.D.C.I. dans l'effort d'intégration nationale et de développement économique); F. G. SNYDER, *One-Party Government in Mali,* New Haven, 1965; D. E. ASHFORD, *The Elusiveness of Power. The African Single Party State,* Ithaca, 1965 (brève étude sur la signification et le rôle du parti unique en Afrique); PH. DECRAENE, *Tableau des partis politiques de l'Afrique au sud du Sahara,* 1963; W. A. LEWIS, *La chose publique en Afrique occidentale,* tr. 1966 (le système de parti unique dans le contexte ouest-africain, où il résulte souvent de l'élimination des partis d'opposition, par coalition ou absorption) ; A. MAHIOU, *L'avènement du parti unique en Afrique noire,* 1969 ; D.-G. LAVROFF, *Les partis politiques en Afrique noire,* 1970 (un résumé très utile) ; R. S. JORDAN, *Government and Power in West Africa,* Londres, 1969 (le développement politique dans les Etats anglophones d'Afrique occidentale) ; S. MADANI SY, *Recherches sur l'exercice du pouvoir politique en Afrique noire : Côte-d'Ivoire, Guinée, Mali,* 1965 ; B. TRAORÉ, M. LO, J.-L. ALIBERT, *Forces politiques en Afrique noire,* 1966 ; C. H. MOORE, *Tunisia since Independance. The Dynamics of One-Party Government,* Berkeley, 1965 (le fonctionnement du Néo-Destour).

A ces études relatives surtout à l'Afrique, ajouter : M. WEINER, *Party Building in a New Nation. The Indian National Congress,* Chicago, 1967 ; M. WEINER, ed., *State Politics in India,* Princeton, 1968 (étude systématique de la vie politique dans huit Etats indiens, qui décèle l'institutionnalisation croissante des processus politiques : accroissement du rôle des partis et des syndicats, déclins des pouvoirs charismatiques au profit d'une classe grandissante de politiciens professionnels) ; B. B. BURCH, A. B. COLE, *Asian Political Systems, Readings on China, Japan, India, Pakistan,* Princeton, 1968 (application de la typologie d'E. Shils à quatre pays retenus pour la diversité de leurs systèmes politiques) ; F. LANGDON, *Politics in Japan,* Boston, 1967 (le système politique japonais analysé selon l'approche fonctionnaliste d'Almond et Coleman).

— *Sur la personnalisation du pouvoir :*

R.-G. SCHWARTZENBERG, *L'Etat spectacle,* 1977 ; L. HAMON, A. MABILEAU et al., *La personnalisation du pouvoir,* 1964 (les travaux d'un colloque tenu en 1962) ; M. WEBER, *Le savant et le politique,* tr. 1959 (où se trouve définie la notion de pouvoir charismatique) ; M. WEBER, *The Theory of Social and Economic Organization,* tr. Glencoë, 1957 ; *Economie et Société,* tr. 1971 ; F. BOURRICAUD, *Esquisse d'une théorie de l'autorité,* 2e éd., 1970 ; J. LACOUTURE, *Quatre hommes et leurs peuples. Sur-pouvoir et sous-développement,* 1969 (primitivement soutenue sous le titre *La personnification du pouvoir dans les nouveaux Etats,* une excellente thèse sur la personnalisation et le charisme, observés à travers quatre figures-clés : Nasser, Bourguiba, Sihanouk et Nkrumah) ; K. NKRUMAH, *Ghana,* 1960 et *Le consciencisme,* 1964 (deux exemples de célébration charismatique) ; E. H. ERIKSON, « The leader as a Child », *The American Scholar,* automne 1966 (psychanalyse du leader charismatique) ; E. SHILS, « The Concentration and the Dispersion of Charisma », *World Politics,* oct. 1958 ; R. C. TUCKER, « The Theory of Charismatic Leadership », *Daedalus,* été 1968 ; et les travaux du séminaire de Berlin sur le leadership héroïque (1960) et du séminaire de Tuxedo sur le pouvoir charismatique (oct. 1967) ; W. E. MULHMANN, *Messianismes révolutionnaires du Tiers-Monde,* tr. 1968 ; H. L. MATTHEWS, *Fidel Castro,* tr. 1970 ; P. LUX-WURM, *Le péronisme,* 1965 (deux types distincts de leadership en Amérique latine) ; L. MERCIER VEGA, *Autopsie de Péron. Le bilan du péronisme,* 1974 ; J. LACOUTURE, *Nasser,* 1971 ; J. MURRAY-BROWN, *Kenyatta,* London, 1972. Voir le film de Barbet Schroeder, *Général Idi Amin Dada,* 1974 (un portrait du dictateur ougandais).

— *Sur l'autoritarisme :*

— Sur le concept de dictature : M. DUVERGER, *De la dictature,* 1961; B. MOORE, *Socials Origins of Democracy and Dictatorship,* Boston, 1966; A. COBRAN, *Dictatorship : its History and Theory,* New York, 1939; G. W. F. HALLGARTEN, *Why Dictators ? The Causes and Forms of Tyrannical Rule from 600 B.C.,* New York, 1954; C. J. FRIEDRICH, Z. BRZEZINSKI, *Totalitarian Dictatorship and Autocracy,* Cambridge, Mass., 2e éd., 1965; C. J. FRIEDRICH et al., *Totalitarianism,* Cambridge, Mass., 1954; H. ARENDT, *Le système totalitaire,* tr. 1972; pour une explication « psychologiste », l'enquête essentielle de T. W. ADORNO et al., *The Authoritarian Personality,* New York, 1950. Voir aussi J. F. BAYART, « *L'analyse des situations autoritaires* », *RFSP,* 1976, p. 483-520 (une bibliographie de synthèse).

— Sur les dictatures européennes : A. et F. DEMICHEL, *Les dictatures européennes,* 1973 (Portugal et Grèce d'avant 1974, Espagne); D. GUÉRIN, *Fascisme et grand capital,* 2e éd., 1945 (sur l'Italie et l'Allemagne); R. DE FELICE, *Mussolini,* Turin, 1967 (une monumentale biographie, en italien); W. L. SHIRER, *Le IIIe Reich, des origines à sa chute,* tr. 1962; J. GEORGEL, *Le franquisme. Histoire et bilan (1936-1969),* 1970; E. NOLTE, *Les mouvements fascistes : L'Europe de 1919 à 1945,* tr. 1969; C. MALAPARTE, *Technique du coup d'Etat,* 1931; N. POULANTZAS, *La crise des dictatures : Portugal, Grèce, Espagne,* 1975. Et les ouvrages cités *infra,* p. 590-591.

— Sur les dictatures dans le Tiers-Monde : d'abord l'ouvrage essentiel de S. P. HUNTINGTON, *Political Order in Changing Societies,* New Haven, 4e éd., 1970 (qui dépasse ce problème, mais constitue une étude des voies et moyens pour promouvoir l' « ordre politique » dans les sociétés en développement, et présente une très intéressante théorie des mutations et des changements des systèmes politiques). — Sur la dialectique dictature-révolution : A. DECOUFLE, *Sociologie des révolutions,* 1968; J. BAECHLER, *Les phénomènes révolutionnaires,* 1970. — Sur les « recettes » du coup de force : l'ouvrage spirituel d'E. LUTTWAK, *Le coup d'Etat. Manuel pratique,* tr. 1969. — Pour un exemple de dictature « technique » : A. ESPAILLAT, *Les dessous d'une dictature : Trujillo,* tr. 1966 (un témoignage sur le « jefe » dominicain). — Sur les guérillas : L. MERCIER-VEGA, *Techniques du contre-Etat. Les guérillas en Amérique du Sud,* 1968.

— Sur les dictatures militaires : L. HAMON, éd., *Le rôle extra-militaire de l'armée dans le Tiers-Monde,* 1966 (les travaux d'un colloque tenu à Dijon); J. J. JOHNSON, ed., *The Role of the Military in Underdeveloped Countries,* Princeton, 1962; H. BIENEN, ed., *The Military and Modernization,* Chicago, 1971; S. P. HUNTINGTON, ed., *Changing Patterns of Military Politics,* New York, 1962; K. LANG, « Military Sociology. A Trend Report and Bibliography », *Current Sociology, La sociologie contemporaine,* 13, 1965; M. JANOWITZ, *The Military in the Political Development of New Nations,* Chicago, 1964.

Sur ce problème en Amérique latine : E. LIEUWEN, *Arms and Politics in Latin America,* 2e éd., 1961 et *General versus Presidents. Neo-Militarism in Latin America,* Londres, 1964; J. NUN, *A Latin American Phenomenon, The Middle-Class Military Coup* (in J. PETRAS, M. ZEITLIN, *Reform or Revolution in Latin America, A Reader,* New York, 1968); et les ouvrages cités par A. ROUQUIÉ dans son article « Le rôle politique des forces armées en

Amérique latine. Etat des travaux », paru à la *RFSP* d'août 1969, p. 862-885; voir aussi A. Rouquié, « Révolutions militaires et indépendance nationale en Amérique latine (1968-1971) », *RFSP*, 1971, p. 1045-1069.

En Afrique : W. Gutteridge, *The Military in African Politics,* Londres, 1969 (origines et formes des interventions militaires dans la vie politique africaine); J. M. Lee, *African Armies and Civil Order,* Londres, 1969 (le recours aux militaires s'expliquerait par les faiblesses et les contradictions internes des appareils politico-administratifs); R. First, *The Barrel of a Gun,* Londres, 1970; C. E. Welch, ed., *Soldier and State in Africa. A Comparative Analysis of Military Intervention and Political Change,* Evanston, 1970 (Dahomey, Haute-Volta, Congo, Ghana, Algérie : un recueil d'essais plus descriptif que comparatif); T. Yannopoulos, D. Martin, « Régimes militaires et classes sociales en Afrique noire », *R.F.S.P.*, 1972, p. 847-882; D.-G. Lavroff, « Régimes militaires et développement politique en Afrique noire », *R.F.S.P.*, 1972, p. 973-991.

Au Moyen-Orient : B. Vernier, *Armée et politique au Moyen-Orient,* 1966; S. N. Fisher, ed., *The Military in the Middle East,* Colombus, 1963.

Etudes régionales ou nationales.

Enfin, sur les divers problèmes abordés dans ce chapitre, on pourra consulter, pour une recherche plus approfondie concernant telle région ou telle nation :

— *Sur l'Afrique :*

J. Ganiage, H. Deschamps, O. Guitard, *L'Afrique au XXe siècle,* 1966 (utile instrument de travail sur l'Afrique depuis et après la colonisation); J. Hatch, *A History of Post-War Africa,* Londres, 1965 (une histoire de la décolonisation); D. T. Niane, J. Suret-Canale, *Histoire de l'Afrique occidentale,* 1961; E. Maquet, I. B. Kake, J. Suret-Canale, *Histoire de l'Afrique centrale,* 1971; J. Buchman, *L'Afrique noire indépendante,* 1962; P. Diagne, *Pouvoir politique traditionnel en Afrique occidentale. Essais sur les institutions politiques pré-coloniales,* 1967; J. Ziegler, *Le pouvoir africain,* 1971 (les systèmes politiques traditionnels); N. R. Bennett, ed., *Leadership in Eastern Africa. Six Political Biographies,* Boston, 1968 (biographies de six chefs africains de la fin du xixe siècle, ayant résisté aux entreprises des puissances coloniales); C. P. Potholm, *Four African Political Systems,* Englewood Cliff, 1970 (l'Afrique du Sud, la Tanzanie, la Somalie et la Côte-d'Ivoire à travers des cadres d'analyse empruntés notamment à Almond). A consulter : deux importantes monographies de D. E. Apter, *The Political Kingdom in Uganda : A study in Bureaucratic Nationalism,* Princeton, 1961 et *Ghana in Transition,* New York, 1963.

— *Sur l'Amérique latine :*

A. T. Edelmann, *Latin American Government and Politics. The Dynamics of a Revolutionary Society,* Homewood, 1965; H. Kantor, *Patterns of Politics and Political Systems in Latin America,* Chicago, 1969; E. J. William, F.

J. WRIGHT, *Latin American Politics. A developmental Approach*, Palo Alto (Calif.), 1975; M. NIEDERGANG, *Les 20 Amériques latines*, 2e éd., 1969 (une histoire surtout événementielle, pays par pays); L. MERCIER-VEGA, *Mécanismes du pouvoir en Amérique latine*, 1968; A. P. LENTIN, *La lutte tricontinentale*, 1966; A. JOXE, *Le Chili sans Allende*, 1974; G. BEARN, *La décade péroniste*, 1975; F. GÈZE, A. LABROUSSE, *Argentine. Révolution et contre-révolutions*, 1975.

— *Sur l'Asie et le Moyen-Orient :*

R. L. PARK, *India's Political Systems*, Englewood Cliffs, 1967; L. W. PYE, *Southeast Asia's Political Systems*, Englewood, Cliffs, 1967; L. BINDER, *Iran : Political Development : An Analytic Study*, Boston, 1966; R. WARD, D. RUSTOW, ed., *Political Modernization in Japan and Turkey*, Princeton, 1964; M. HALPERN, *The Politics of Social Change in the Middle East and North Africa*, Princeton, 1963; H. B. SHARABI, *Nationalism and Revolution in the Arab World*, Princeton, 1966 (utile sur l'évolution du monde arabe); M. FLORY, R. MANTRAN, Les régimes politiques des pays arabes, 1968.

CHAPITRE III

SUR-DÉVELOPPEMENT ET SOUS-POUVOIRS

Tandis que les pays en voie de développement entrent à peine dans l'ère industrielle, les nations avancées commencent déjà à en sortir. Dès lors, pour ces dernières aussi, le modèle démocratique classique, correspondant à l'âge industriel, commence à s'avérer inadapté. En effet, la révolution technologique, le « choc du futur » exercent désormais une très forte pression sur les relations sociales. Ce sont précisément cette *pression* du sur-développement sur la société et, en contrepartie, la *réaction* de la société au sur-développement qu'il faut analyser, pour comprendre la politique dans les civilisations post-industrielles.

SECTION I

LA PRESSION DU SUR-DÉVELOPPEMENT SUR LA SOCIÉTÉ

§ 1. — LA SOCIÉTÉ POST-INDUSTRIELLE

Il serait absurde de définir le sur-développement par la surabondance des biens économiques. Pas plus que la pauvreté, l'abondance n'est un vice. Le problème est ailleurs. Il réside dans l'essor autonome de la technique et de l'économie, dans une croissance technico-économique qui suit sa logique propre, sans se trouver maîtrisée par une volonté externe qui la plie aux aspirations collectives, qui la fasse servir à la satisfaction des véritables besoins. La société ne conserve plus la maîtrise de son propre développement.

Cette société n'est plus la *société industrielle* d'hier, où l'industrie dominait l'économie et tout le système. Elle évolue vers un type, nouveau que l'on peut qualifier de différentes manières.

La société de consommation. — Dès 1958, W. W. Rostow (*Les étapes de la croissance économique,* tr. 1963) discerne, on le sait (*supra,* p. 183) cinq étapes de la croissance économique. Et décrit la cinquième étape comme « l'ère de la consommation de masse » :

« Nous en venons maintenant à l'ère de la consommation de masse, où la production de biens de consommation durables (1) et les services deviennent progressivement les principaux secteurs de l'économie. C'est la période dont les Etats-Unis commencent à sortir, dont l'Europe occidentale et le Japon commencent à goûter les bienfaits incontestables, et à laquelle la société soviétique aspire, non sans remords » (p. 23).

Cette « *société de consommation* » se caractérise par une forte élévation du niveau de vie. Elle satisfait non seulement les besoins primaires (nourriture, vêtements, logement, santé), mais aussi les besoins secondaires (confort, loisirs, culture) de ses membres. C'est la « *société d'abondance* » décrite par J. K. Galbraith (*The Affluent Society,* tr. 1961 : *L'ère de l'opulence*). C'est la « *société industrielle avancée* », dont H. Marcuse s'est fait le critique (*L'homme unidimensionnel. Essai sur l'idéologie de la société industrielle avancée,* tr. 1968) (cf. *infra,* p. 371-379).

La société post-industrielle selon Daniel Bell. — Daniel Bell (*Vers la société post-industrielle,* tr. 1976) préfère parler de « *société post-industrielle* ». Il en définit ainsi les « cinq dimensions » : 1° Développement d'une économie de services; 2° Prédominance de la classe des spécialistes et des techniciens; 3° Importance du savoir théorique, comme source d'innovation et d'élaboration politique dans la société; 4° Possibilité d'une croissance technologique autonome; 5° Création d'une nouvelle « technologie intellectuelle ».

Trois traits de la société post-industrielle. — Trois traits, surtout, sont à relever. D'abord, la *prédominance du secteur tertiaire.* La majorité

(1) C'est-à-dire automobiles, réfrigérateurs, machines à laver, récepteurs de télévision, etc.

des activités économiques se déplacent des secteurs primaire (agriculture) et secondaire (industrie) vers le secteur tertiaire (services : transports, banques, assurances, commerces, professions libérales, etc.). Ce secteur tertiaire croît très rapidement et tend à employer la majorité de la population active.

Dès 1971, il rassemblait 60,4 % de la population active aux Etats-Unis, 49,4 % en Grande-Bretagne et 48,7 % aux Pays-Bas. En 1975, il rassemblait 47 % des actifs en France. Avec les progrès de la technologie et de l'automation, le travailleur typique de la société post-industrielle est moins l'ouvrier, le travailleur manuel, le « col bleu », que le technicien, l'ingénieur, l'administrateur, le « col blanc ».

Second trait important : la naissance d'une « *civilisation des loisirs* », avec la diminution des heures de travail et l'abaissement de l'âge de la retraite.

A noter, enfin, l'expansion sans précédent du système d'*enseignement* (prolongation des études, éducation permanente, formation continue, etc.).

La société technétronique. — Une analyse similaire est celle de Zbigniew Brzezinski dans *Between Two Ages,* 1970 (tr. *La révolution technétronique,* 1971) (2).

Les pays les plus avancés sont *en transit entre deux âges :* l'âge industriel, dont ils commencent à sortir, et l'âge technétronique, auquel ils commencent à accéder. Car la technologie et l'électronique (d'où, par contraction, le néologisme de « *technétronique* ») bouleversent les modes de penser, de vivre et de produire. Elles enfantent une société post-industrielle, aussi différente de la société industrielle que celle-ci le fut elle-même de la société agraire.

Z. Brzezinski, après D. Bell, en marque les traits dominants. Montée des classes moyennes. Croissance du secteur tertiaire des services. Gigantisme de l'univers universitaire, qui s'étend dans le temps (avec un « recyclage » continu des connaissances pour prévenir la désuétude des qualifications techniques) et dans l'espace (aux Etats-Unis la fréquentation de l'enseignement supérieur est déjà de 43 %). Expansion massive du nombre des ingénieurs, chercheurs, savants, etc. Promotion d'une nouvelle classe de technologues, tendant à supplanter l'ancienne caste dirigeante : désormais le pouvoir repose moins sur la fortune que sur le savoir théorique, moteur de l'innovation.

(2) Pour une analyse critique de cet ouvrage : R. G. SCHWARTZENBERG, « Une Sainte-Alliance des nantis », *Le Nouvel Observateur,* 16 août 1971.

Avant-garde et « laboratoire social du monde entier », l'Amérique est la première à déboucher dans cette ère technétronique. Non sans convulsions. Car cette troisième « révolution » — après celle de l'indépendance (1776), puis celle de l'industrialisation (1870) — provoque le chevauchement de « *trois Amériques* ». L'Amérique préindustrielle qui meurt — moissonneurs, travailleurs migrants, mineurs anachroniques des Appalaches. L'Amérique industrielle qui survit — usines traditionnelles, aciéries de Detroit ou de Pittsburgh. L'Amérique technétronique qui naît — conglomérats scientifiques et universitaires, industrie spatiale et autres industries de pointe. Economiquement, la première Amérique est moribonde. Reste donc un dualisme insolite, juxtaposant une économie industrielle en déclin (menacée par la concurrence étrangère, vulnérable aux mouvements cycliques, employant la main-d'œuvre la plus pauvre et la moins qualifiée) et une économie technétronique en expansion (attirant les travailleurs les mieux formés et les mieux rétribués).

Sur cette Amérique gigogne, le « choc du futur » (pour reprendre l'expression d'Alvin Toffler, *Le choc du futur,* tr. 1971) suscite un malaise qui déborde le cadre institutionnel. Prise de vertige, l'Amérique vacille entre deux pôles : la floraison des subcultures — plusieurs « sous-Amériques politiques » tentant de coexister — ou, en réaction contre cette fragmentation du consensus national, l'abandon à un sur-contrôle technocratique.

Malaise dans la civilisation post-industrielle. — Placée en tête du développement économique, l'Amérique subit la première cette pression de la révolution technologique. Mais l'Europe occidentale n'échappe pas à ce malaise. Dans beaucoup de pays européens économiquement avancés (Allemagne fédérale, France, Italie, Angleterre, Pays-Bas, etc.) (3), *l'année 1968* a été marquée par une contestation de masse de la « société de consommation ». Aujourd'hui, cette contestation paraît refluer aux Etats-Unis, mais elle semble se développer, au moins de manière latente, en Europe occidentale.

Cependant, avec la crise économique et le chomâge qui se développent surtout depuis 1973, ce mouvement de contestation — « pro-

(3) Cette identité de situation économique transparaît, au plan de la concertation monétaire, dans l'existence du « Groupe des Dix », qui réunit les nations les plus riches du monde. C'est-à-dire les Etats-Unis, la Suède, la Suisse, le Japon et six pays de la Communauté économique européenne (France, Grande-Bretagne, Allemagne fédérale, Italie, Belgique, Pays-Bas).

duit » par la société d'abondance — *semble marquer une pause,* sans doute passagère, liée à l'arrêt ou à la réduction de l'expansion et du développement. D'où le retour à plus de « répression » et la régression, ici et là, vers le racisme, le « jeunisme » (ou racisme anti-jeunes), l'antiféminisme, etc.

Néanmoins, cette remise en cause est trop fondamentale pour disparaître. En vérité, elle vise et le modèle culturel et le modèle politique de la société post-industrielle. Car la croissance technico-économique semble conférer à la société des traits politiques nouveaux, étrangers au modèle classique de la démocratie libérale.

§ 2. — LA POLITIQUE DANS LA SOCIÉTÉ POST-INDUSTRIELLE

Paradoxalement, l'aliénation croît avec l'abondance, la démocratie décline avec l'expansion. Au lieu de libérer l'individu, la croissance technico-économique l'asservit à une sur-administration et dégrade les mécanismes traditionnels de la démocratie libérale.

A. — LA SUR-ADMINISTRATION

Cette sur-administration profite d'une certaine dépolitisation et se fonde sur l'essor complémentaire de la « bureaucratie » et de la « technocratie ».

1° **Dépolitisation et « désidéologisation ».** — A l'ère post-industrielle, la politique se banalise, résorbée dans des ajustements empiriques et ponctuels. L'administration des choses remplace le gouvernement des hommes. Les doctrines se fanent, les utopies sont moribondes. Restent quelques arabesques autour d'une courbe de croissance.

Telle est la thèse soutenue par plusieurs auteurs (4). Ce dépérissement de l'idée serait le lot commun des sociétés industrielles avancées. L'idéologie serait presque la maladie infantile du développement. Le sur-développement provoquerait naturellement un déclin des luttes idéologiques et politiques.

(4) Cf. spécialement, D. BELL, *The End of Ideology,* Glencoe, 1960; J. K. GALBRAITH, *L'ère de l'opulence,* tr. 1961; S. M. LIPSET, *L'homme et la politique,* tr. 1963; R. ARON, *La lutte des classes,* 1964.

Autrefois, en effet, la rareté des biens disponibles engendrait des affrontements sociaux, qui servaient de racines aux batailles doctrinales. Aujourd'hui, l'expansion économique gomme les disparités sociales, efface les antagonismes de classes. La marche à l'abondance sape les bases des oppositions idéologiques d'hier. Chacun se réclame peu ou prou du socialisme; personne ne récuse totalement le jeu du marché. Désormais, il s'agit moins de choisir entre deux termes d'une alternative que de combiner, en une certaine proportion, deux modalités complémentaires.

De conflictuelle, la société devient consensuelle. Chacun s'accorde sur les fins : le développement du bien-être pour tous. Seules subsistent de menues divergences sur les moyens les plus efficaces pour gérer la société telle qu'elle est. A l'ère de l'opulence, les problèmes ne sont plus politiques, mais techniques. D'où le déclin des parlements et des partis, et la montée des « technostructures », loin des « vieilles querelles », tenues pour désuètes.

Cette thèse comporte une part d'inexactitude et une part de propagande, même si elle est fondée à certains égards.

Une part d'inexactitude. — Une part d'inexactitude, comme l'a marqué un colloque de l'Association française de science politique, tenu en 1960 et dont les travaux ont été publiés sous la direction de Georges Vedel, sous le titre *La dépolitisation, mythe ou réalité ?* (1962). La désaffection pour la politique, que certains croient déceler, n'est qu'une *désaffection pour certaines formes de la politique,* qui ne se sont guère adaptées à l'évolution sociale.

Cette analyse vaut particulièrement pour les années 60, où l'on constate le déplacement de la politique vers d'autres sites (clubs, universités, syndicats, régions, etc.), extérieurs aux lieux politiques traditionnels (assemblées, partis, etc.) (cf. *infra,* p. 363 : la politique ailleurs).

Une part de propagande. — En outre, la thèse du déclin des idéologies contient aussi une part de propagande. D'une certaine manière, cette non-idéologie, c'est l'idéologie même. Souvent, pour ces avocats de l'empirisme apolitique, la fin des idéologies signifie, unilatéralement, la fin du socialisme. Privilégier les revendications quantitatives et ponctuelles, dissiper l'espoir de mutations radicales, n'est-ce pas une plaidoirie silencieuse pour le maintien — ou le simple aménagement — du système établi ? Consciemment ou non, cette thèse qui insiste sur les vertus de l'apaisement idéologique est un avatar de l'idéologie conservatrice.

En fait, sous le langage aride des statistiques, des courbes et des taux, la politique demeure. Existe-t-il un programme neutre d'imposition ou de redressement financier ? Même si la marge de manœuvre est étroite, toute répartition des bénéfices ou des sacrifices procède d'options inévitables et fondamentales.

Une part de vérité. — Cela dit, la densité idéologique de la compétition politique paraît souvent de moins en moins forte. Non seulement à cause de l'attitude des *partis conservateurs,* qui ont toujours su occulter leurs objectifs fondamentaux. Mais encore à cause de la stratégie des *partis socialistes,* voire *communistes.*

En acceptant le jeu électoral et parlementaire, les partis sociaux-démocrates inclinent à adopter une stratégie majoritaire, visant à recueillir les suffrages de la majorité du corps électoral. Il est évident, surtout dans un schéma bipolaire ou bipartisan où la victoire dépend des électeurs flottants du centre, qu'une telle stratégie incite à se départir d'une intransigeance doctrinale, peu attractive. D'où la « *déradicalisation* », voire l'*embourgeoisement* de plusieurs partis sociaux-démocrates, qui édulcorent leur programme dans les années 1960. D'où aussi, en réaction, le dépassement, sur leur gauche, par d'autres forces plus radicales et plus révolutionnaires (comme l'A.P.O. en R.F.A., le mouvement de mai 1968 en France, etc.), très portées aux affrontements idéologiques. D'où aussi le nouvel équilibre recherché par les partis socialistes (en France, en Grande-Bretagne, etc.) dans les années 1970 (*infra,* p. 520-537).

2° **Le phénomène bureaucratique.** — La société industrielle avancée « s'oriente vers une administration totale » (Marcuse). Cette sur-administration s'appuie sur de vastes organisations « bureaucratiques », publiques (armées, administrations, etc.) ou privées (grandes firmes, syndicats et partis de masses). Ces organisations encadrent et planifient l'activité économique, sociale, politique et administrative. Elles ont besoin, pour fonctionner efficacement, que leurs éléments de base — c'est-à-dire les individus — soient *standardisés* comme les éléments d'une machine. Ecrasé par la machine sociale, l'individu éprouve le sentiment d'une dépendance accrue et se résigne aux servitudes de la société technologique. Ainsi apparaît un type humain que William H. Whyte a appelé « *l'homme de l'organisation* »

(*L'homme de l'organisation,* tr. 1959) : déshumanisé, standardisé, plié à tous les conformismes nécessaires au fonctionnement des appareils bureaucratiques. Dans cette « société de masse » (cf. W. Kornhauser, *The Politics of Mass Society,* Glencoe, 1959), l'individu devient le simple rouage d'une immense machine.

La déshumanisation de l'autorité. — Cette *mécanisation des organisations sociales* — déjà prophétisée, avec quelques excès, par Aldous Huxley dans *Le meilleur des mondes* et George Orwell dans *1984* — se traduit par une transformation de l'autorité politique. Elle aussi se déshumanise. Le pouvoir devient impersonnel, anonyme, abstrait. Les structures locales, et intermédiaires dépérissent. Les rapports d'autorité personnels disparaissent. L'autorité se dépersonnalise au profit d'une vaste organisation, anonyme. Les citoyens obéissent à une machine à l'intérieur de la machine : la bureaucratie.

En France, ce type de relations trouve, de surcroît, un fondement dans la culture politique et la tradition administrative. Comme l'a montré Michel Crozier, dans *Le phénomène bureaucratique* (1963), puis dans *La société bloquée* (1970), il existe un « modèle bureaucratique français », à base de centralisation et stratification. Caractérisé par ces faibles capacités de participation et de communication, ce système administratif a influencé, à la longue, les attitudes collectives et presque formé un « modèle français » de société. Ce modèle repose sur deux traits essentiels : le goût pour des autorités lointaines et diffuses, et la recherche de règles impersonnelles assurant l'indépendance de tous en protégeant chacun de l'arbitraire de ces mêmes autorités (cf. *supra,* p. 172).

Cette conception des relations sociales est même perceptible chez les enfants français, comme l'a souligné Annick Percheron (« La conception de l'autorité chez les enfants français », *R.F.S.P.*, 1971, p. 103-128), à partir de réponses fournies par des enfants des classes de sixième, cinquième et quatrième au cours d'une enquête menée en janvier-février 1969. La personnalisation et l'idéalisation sont inhérentes au processus de socialisation politique des enfants américains. En revanche, la conception des enfants français est celle d'une autorité forte mais lointaine et abstraite, à l'égard de laquelle se marquent une distanciation et un certain détachement affectif (*supra,* p. 151).

Résurgence du charisme dans les sociétés technologiques. — D'une certaine manière, ce modèle correspond, dans la typologie de Max

Weber (*supra*, p. 306), au type idéal de l'autorité légale rationnelle. Celle-ci est incarnée par la bureaucratie, qui se caractérise par une spécialisation professionnelle et un maximum d'efficacité technique.

Cependant, les excès de la bureaucratisation produisent parfois un *phénomène de compensation : la personnalisation du pouvoir.* Dans une société où la technique assiège l'homme, où règne une bureaucratie abstraite, dans cet univers proche du *Château* de Kafka, il peut advenir une poussée des éléments irrationnels, une « dé-sécularisation ». Un élan vers un personnage prestigieux, considéré comme le père, le grand frère, le protecteur, auquel on attribue une sorte de grâce magique (4 *bis*).

C'est dire qu'au sein même des sociétés industrielles avancées, peut se produire une *résurgence du pouvoir charismatique.* Conçu comme un correctif ou une compensation aux excès du pouvoir bureaucratique.

Autrefois, dans les groupes primaires, les dirigeants étaient en contact personnel avec la population. Celle-ci entretenait avec eux des rapports humains, directs. Aujourd'hui, de moins en moins intégré dans une communauté (village, famille, etc.), l'individu cherche à retrouver des liens personnels que la vie moderne distend ou supprime. D'où ce transfert, d'où cette recherche de rapports affectifs — même illusoires et artificiels — avec le chef de l'Etat ou du gouvernement.

Grâce aux mass media, qui reproduisent partout la voix et l'image du chef charismatique, le citoyen a enfin l'illusion d'un contact humain direct, qui franchit les barrières de la bureaucratie. Comme le note Z. Brzezinski, l'ère technétronique favorise « les personnalités disposant d'un attrait et d'une sorte de pouvoir magnétique, et qui utilisent efficacement les dernières techniques de communication pour manipuler les émotions et diriger les intelligences » (*op. cit.*, p. 33). A certains égards, le principat gaulliste a réalisé cette adjonction d'une personnalité charismatique à une structure technobureaucratique. Cet exemple montre bien la difficulté de dire si le chef charismatique est le guide ou l'otage de la technobureaucratie, qui travaille dans son ombre tutélaire.

3° **Technocratie et technostructure.** — A l'ère technétronique, le savoir deviendrait, plus que jamais, la clé du pouvoir. L'essor de la science et de la technique placerait naturellement le pouvoir dans les mains

(4 *bis*) Voir R.-G. Schwartzenberg, *L'Etat spectacle. Essai sur et contre le « star system » en politique*, Flammarion, 1977.

des savants et des techniciens. L'idée est classique : déjà Auguste Comte, puis Ernest Renan (dans *L'Avenir de la science*) avaient imaginé une société régie par les savants. Aujourd'hui le choc de la technologie met la question à l'ordre du jour.

Dès 1933, dans la grande dépression qui frappe l'Amérique, Howard Scott *(Introduction to Technocracy)* préconise l'emploi des sciences physiques pour la solution des problèmes sociaux. Et T. Swann Harding (« The Place of Science in Democratic Government », *American Sociological Review,* déc. 1947, p. 621-627) revendique pour les scientifiques et les techniciens une part déterminante dans la formulation de la politique; les décisions devraient désormais être prises sur la base de faits scientifiquement établis et interprétés par des spécialistes.

A l'ère de l'interventionnisme, les problèmes et les techniques de gouvernement deviennent singulièrement complexes, et dépassent les compétences de simples généralistes. En théorie, on pourrait employer de simples techniques d' « *aide à la décision* » (recours au calcul économique, utilisation des ordinateurs : comme dans le P.P.B.S. américain — *Planning Programming Budgeting System* — ou la R.C.B. française — Rationalisation des choix budgétaires). L' « analyste » systématise toutes les données, élabore des modèles pour mesurer les conséquences probables de chaque option envisageable, éclaire la décision à prendre, sans pour autant se substituer au « décideur » politique (5).

Mais cette simple préparation rationnelle des décisions, sans empiéter sur la responsabilité propre des politiques, requiert beaucoup de modestie et de modération de la part des « technologues » de tous genres, des « nouveaux mandarins » (cf. N. Chomsky, *supra,* p. 37) qui gravitent autour du pouvoir.

En vérité, la classe politique ne se sent pas assistée, secondée, mais dessaisie de la puissance réelle. Elle parle volontiers de « *technocratie* », pour désigner le poids des experts, des hauts fonctionnaires, des techniciens. Le technocrate peut se définir comme le technicien qui utilise ses compétences techniques pour acquérir et exercer un pouvoir politique. Dans la bouche des hommes politiques, le mot a un sens péjoratif. Il désigne un détournement de pouvoir, une confiscation du pouvoir politique par des techniciens qui s'appuient sur leurs connaissances pour excéder leur compétence.

(5) Sur les nouvelles techniques d' « *aide à la décision* » : P. D'IRIBARNE, *La Science et le Prince. Un nouvel âge pour la démocratie,* 1971; L. SFEZ, *L'Administration prospective,* 1971.

Ce dessaisissement du politique au profit du technicien, au nom de la rationalité et de l' « efficience », est lourd d'inconvénients. D'abord, les « technocrates » ont une vue plus étroite et moins humaine des problèmes que les élus, demeurés au contact direct de leurs électeurs. Ensuite, le technocrate ne tire sa compétence d'aucune désignation par les citoyens; ce qui accroît d'autant le sentiment d'aliénation de ceux-ci. Enfin, la technobureaucratie qui se développe à l'Est comme à l'Ouest (cf. M. Paillet, *Marx contre Marx. La société technobureaucratique,* 1971) risque, guidée par sa propre rationalité, de s'avérer singulièrement oppressive. Peter M. Blau (*Bureaucracy in Modern Society,* New York, 1956) avait déjà légitimement opposé bureaucratie et démocratie. La bureaucratie a pour seul critère d'appréciation des actions individuelles la recherche de l' « efficience » : elle s'accommode donc mal de l'esprit d'opposition, du « *freedom of dissent* », propres à la gestion démocratique.

Il convient, cependant, de ne pas céder au mythe d'une puissance occulte manœuvrant les leviers du pouvoir politique. La véritable technocratie, c'est à l'intérieur même de l'entreprise qu'il faut la chercher. Comme le soulignait James Burnham dès 1941, en analysant l'avènement des « managers » (*supra,* p. 222).

La technostructure selon J. K. Galbraith. — Dans son livre *Le Nouvel Etat industriel. Essai sur le système économique américain* (tr. 1968, rééd., 1974), l'économiste J. K. Galbraith préfère parler, en ce sens, de « technostructure ». Il développe une démonstration, qui peut se résumer en deux propositions essentielles : le capitaliste n'est plus souverain dans l'entreprise; le consommateur n'est plus souverain sur le marché. D'où l'anachronisme de l'analyse classique du libéralisme économique.

Le système économique se trouve dominé par quelque deux mille grandes firmes. Celles-ci sont dirigées collégialement par un appareil complexe, « comprenant des ingénieurs, des savants, des directeurs d'usine, des directeurs des ventes, des spécialistes de marketing, des chefs de publicité, des comptables, des juristes, démarcheurs des ministères », que Galbraith dénomme « *technostructure* » (6).

— Comme l'annonçait déjà Burnham, il y a divorce entre la pro-

(6) Les citations sont extraites de la conférence donnée à Paris, le 2 février 1971, par J. K. Galbraith, et reproduite dans *Le Nouvel Observateur* du 8 février 1971.

priété du capital et la direction effective de l'entreprise. Le pouvoir réel passe du *propriétaire* ou de l'actionnaire à la technostructure. Cet ensemble de cadres supérieurs et techniques est seul en mesure d'obtenir et d'analyser l'information nécessaire. Il devient de plus en plus difficile à une personne extérieure à la technostructure — et donc sous-informée — de praticiper réellement au processus de décision. Ainsi, dans les grandes entreprises, le pouvoir de la technostructure est absolu. Les représentants de l'assemblée des actionnaires au conseil d'administration ont peut-être l'illusion du pouvoir. En fait, ils n'en ont que l'apparence. Ils se réunissent cérémonieusement pour ratifier les décisions de la technostructure.

Et celle-ci s'étant assurée le pouvoir, elle l'utilise à ses propres fins. Certes, elle assurera un minimum de profits pour satisfaire les actionnaires et préserver son indépendance. Mais, à partir de là, sa stratégie vise moins à augmenter les profits (qui vont aux actionnaires) qu'à assurer la croissance de l'entreprise. Le développement de la firme accroît, en effet, les traitements et les responsabilités de la technostructure.

— Dès lors, pour assurer cette croissance de l'entreprise, la technostructure ne va plus se borner, comme dans le passé, à répondre passivement aux sollicitations du marché, à subir la souveraineté du *consommateur*. Autrefois, le consommateur régnait sur le marché en exprimant ses préférences pour tel produit ou service. Il était l'arbitre ultime des besoins : le système économique ne pouvait produire des biens qui ne correspondaient pas à ses besoins. La demande gouvernait l'offre.

Aujourd'hui, la technostructure a inversé ce processus libéral : c'est ce que Galbraith appelle « *la filière inversée* ». Elle met le consommateur en condition d'accepter ses produits et ses prix. La demande est manipulée par la publicité, qui modèle le comportement du consommateur. La production donne de plus en plus « l'impression d'être conçue non pas en réponse à un besoin du public, mais malgré son opposition ». « L'économie moderne en vient finalement à satisfaire des besoins dont beaucoup ont dû d'abord être créés. »

La société moderne est « *irrationnelle* ». « Un système économique rationnel est un système raisonnablement adapté aux besoins. » Or, actuellement, certains biens sont produits en surabondance; d'autres produits sont superflus (cosmétiques, gadgets, etc.) ou même carrément nocifs. Alors que des besoins élémentaires (comme le logement ou les transports urbains) demeurent insatisfaits. Le système économique répand le superflu et rationne le nécessaire. Il impose sa loi et sa propre rationalité — ou plutôt son irrationalité — au public.

Cette emprise est rendue possible par deux réalités. D'abord, l'accord implicite existant entre les technostructures des diverses grandes compagnies qui se partagent le même marché et veillent à éviter une concurrence nuisible pour tous. Ensuite, la « symbiose interbureaucratique » entre les technostructures et certaines branches de l'administration, qui leur accordent leur soutien (7). Comme c'est le cas aux Etats-Unis entre les technostructures des sociétés aéronautiques ou des industries d'armement et l'administration militaire du Pentagone.

« D'où le contraste souvent signalé entre la prodigalité avec laquelle le gouvernement accorde son soutien à la technologie, à la recherche et au développement industriels, aux transports supersoniques, aux routes et aux aéroports, à l'enseignement technique et, d'autre part, la difficulté qu'il a à s'occuper des services sociaux et même à satisfaire des besoins aussi élémentaires que l'hygiène, la voirie, la santé, l'instruction générale, les musées et les autres choses du même genre. Cela tient à la nature même du système. Dans un cas, on sert les intérêts de la technostructure, dans l'autre non. »

En résumé, en monopolisant l'information et la compétence au sein de l'entreprise, la technostructure monopolise le pouvoir économique. Pouvoir qu'elle utilise à ses propres fins, en dictant son comportement et ses besoins au consommateur, avec la complicité de certaines bureaucraties administratives. Ainsi, pour assurer sa puissance et sa croissance, la technostructure impose ses buts à la société tout entière.

La technostructure selon E. Faure. — Il n'est pas difficile de transposer cette analyse à la gestion de l'Etat. Depuis longtemps, des hauts fonctionnaires ou des experts, groupés autour de l'exécutif, participent, du fait de leur compétence, aux processus décisionnels. Pour certains problèmes hautement techniques (planification économique, préparation des choix budgétaires, etc.), ils paraissent seuls capables de procéder à certaines analyses, de systématiser les données et d'apprécier les informations et, par conséquent, de prendre certaines décisions. Ils ont ainsi une influence politique évidente.

(7) Sur le phénomène oligarchique : *infra*, p. 660.

Dans *L'Expansion* de septembre 1969 (n° 22), puis dans *L'âme du combat* (1970), Edgar Faure, empruntant le terme à J. K. Galbraith, a tenté de décrire cette « technostructure » politico-administrative sous la Ve République.

Selon lui, les sociétés industrielles avancées se caractérisent par *le dépérissement des problèmes globaux :* c'est donc la pondération, plutôt que l'imagination, qui est la qualité requise des dirigeants. « On demande aux gouvernants les qualités des administrateurs, la compétence, l'intégrité, la minutie. On loue l'absence des erreurs plutôt que le foisonnement des initiatives. »

Mais, à l'inverse, ces sociétés se caractérisent par *l'irruption des problèmes techniques,* d'où l'avènement des experts et des hauts fonctionnaires : « Quand les experts sont appelés à exercer le pouvoir de décision, on les appelle des technocrates. » Au total, on aboutit donc à un état mixte, hybride.

« Quand les gouvernants ont tendance à se comporter en technocrates, les technocrates ont tendance à se comporter en gouvernants, et il devient difficile de les distinguer les uns des autres, d'autant qu'ils sont le plus souvent issus de la même origine, tributaires de la même formation. La Ve République a grandement favorisé la circulation entre ces états... *Il devient difficile de discriminer parmi les responsables « au sommet » les gouvernants et les technocrates...* Une structure gouvernementale composée de technocrates politisés et d'hommes politiques dotés d'une solide formation technique devient aisément, selon le terme que M. Galbraith applique aux grandes entreprises, une *technostructure.* »

Avec les mêmes risques d'oligarchie et de confiscation du pouvoir de décision. « Cette technostructure, comme les autres, tend à se perpétuer elle-même, à assimiler le public des électeurs à la société conformiste des actionnaires. La technostructure compte, pour éviter les crises, sur ses justes performances, sur l'inquiétude qu'éprouve l'opinion à rompre une gestion dont elle ne peut contester les mérites » (*L'âme du combat,* p. 54-56).

« Cette technostructure ne doit pas être saisie principalement au niveau des ministres, ni, inversement, en deçà des directions ministérielles. Son originalité se fixe sur *un anneau intermédiaire* : celui d'une double équipe de collaborateurs spécialisés à l'Hôtel Matignon et à l'Elysée, directement en prise avec leurs correspondants dans le cabinet des différents ministres » (*L'Expansion,* n° 22).

C'est cette technostructure qui définit les objectifs, délimite les options et prépare les décisions. Les *ministres* sont plus ou moins réduits au rôle de consultants sans pouvoir de décision autonome, puis d'interprètes ou d'avocats des décisions prises. A plus forte raison, les *parlementaires,* qui, faute de moyens d'information et d'analyse, ne peuvent exercer qu'un contrôle très imparfait sur les mesures complexes qui leur sont ainsi proposées.

Information et pouvoir. — Progressivement, la technostructure apparaît comme le véritable « *décideur* ». Dans l'entreprise comme dans l'Etat. Car, dans les deux cas, le savoir est source de pouvoir, l'*information* est un facteur de puissance. D'où cette analyse :

« Le risque, c'est, alors, *la monopolisation de l'information par l'appareil technobureaucratique.* A tous les niveaux. Dans les cabinets, dans les administrations centrales, dans les préfectures. Placée en position stratégique, cette « technocratie » peut, si elle le veut, couper les autres circuits de communication, bloquer ou filtrer l'information. Pour ne plus transmettre que des « messages » rassurants, qui attestent ses performances et confortent son emprise.

« Ce phénomène, Galbraith l'a déjà analysé dans *l'entreprise.* De plus en plus, les grandes firmes se trouvent dirigées par un ensemble de cadres supérieurs et techniques. Par une « technostructure », seule en mesure de réunir l'information nécessaire. Ce monopole de l'information transfère la réalité du pouvoir. Désormais, l'assemblée générale et le conseil d'administration sont dans l'incapacité de contrôler les données qui leur sont transmises. Il leur reste l'illusion du pouvoir, et des réunions cérémonieuses pour ratifier solennellement les décisions de la technostructure.

« Un risque analogue menace *l'Etat.* Avec la formation d'une technostructure politico-administrative, composée de techniciens, de hauts fonctionnaires et de membres de cabinets. Là aussi, cet appareil est en position privilégiée pour *capter et canaliser l'information.* Pour la retransmettre telle quelle ou « traitée » conformément à sa stratégie. Dès lors, alimentée par cette *information unilatérale,* coupé d'autres sources, le conseil des ministres exercerait un pouvoir aussi théorique qu'un conseil d'administration conditionné par ses « managers ». A la limite, même le président de la République ressemblerait à un P.D.G. symbolique, cantonné dans une fonction d'apparat et d'apparence » (R.-G. Schwartzenberg, *Le charme discret de la démocratie, Le Monde* du 30 septembre 1972).

L'interpénétration des technostructures. — En outre, en France aussi, la technostructure économique et la technostructure politico-administrative s'interpénètrent de plus en plus. Ainsi se dessine, pour reprendre une image de C. Wright Mills (*infra,* p. 660), une nouveau « *triangle du pouvoir* » (*infra,* p. 351), *conjoignant le pouvoir politique, la haute administration et les milieux d'affaires.* On le décrivait ainsi, sous le titre « *Le triangle du pouvoir* », dans *L'Express* du 14 février 1972 :

« Naguère, la ligne droite était le plus sûr chemin vers le pouvoir. A pas comptés, on gravissait les degrés de la hiérarchie politique : conseiller municipal, maire, conseiller général, parlementaire, ministre. Sans escapades hors de ce sentier unique.

« Désormais, le mouvement n'est pas rectiligne, mais circulaire. On progresse en spirale. En passant et en repassant par trois hiérarchies distinctes : la politique, l'administration, les affaires.

« De plus en plus, ces trois univers se croisent, se recoupent, se pénètrent. Avec, à leur tête, des dirigeants interchangeables. Ainsi s'imbriquent les institutions et les intérêts. Ainsi se forme un *triangle du pouvoir*, où sont prises les décisions capitales. Loin des urnes et des hémicycles. »

Le triangle du pouvoir. — « Premier côté de ce triangle : *l'administration*, qui mène à tout à condition d'en sortir. Quitte à y revenir plus tard à un rang supérieur. Car l'avancement s'obtient en extérieur, dans les cabinets ministériels, véritables accélérateurs de carrières. L'entourage des ministres se compose en grande part de membres des grands corps (Inspection des Finances, Conseil d'Etat, Cour des comptes). Qui, de ce tremplin extérieur, regagneront l'administration, pour y occuper, cette fois, des postes de commandement. Résultat : la plupart des directions de ministères sont aux mains d'anciens membres des cabinets. Et la haute administration se confond avec les gouvernants en place.

« Cette confusion devient plus évidente quand tel ou tel grand commis entre carrément *en politique*. En se portant candidat dans une circonscription sûre, acquise à la majorité et léguée avec sollicitude par le député sortant. Ou même en devenant directement ministre, sans affronter les désagréments et les aléas du suffrage universel.

« Car, à ses débuts, la Ve République rompt avec les usages. Elle recrute peu de ministres parmi les parlementaires, mis sur la touche, rejetés sur les bas-côtés du pouvoir. En revanche, la voie royale s'ouvre aux ministres « techniciens ». L'exécutif se compose d'outsiders, pris hors de la classe politique traditionnelle, venus du secteur privé ou de la fonction publique. Voire des deux à la fois. Comme M. Pompidou, membre du cabinet du général de Gaulle (1944), puis du Conseil d'Etat (1946), puis banquier (1954), puis directeur de cabinet (1958), puis directeur de banque (1959) et, enfin, premier ministre (1962).

« Le *secteur privé* forme, en effet, le dernier côté du triangle. Plusieurs hauts fonctionnaires quittent le service public pour prendre d'importantes responsabilités dans les affaires. En évitant, autant que possible, de diriger demain l'entreprise contrôlée hier. Ce « pantouflage » existe aussi au niveau supérieur. Avec d'anciens ministres, qui, entre deux portefeuilles, s'en vont servir de caution bourgeoise dans quelque conseil d'administration. Où ils retrouvent certains parlementaires, cumulant leur mandat avec des activités privées. Souvent pour le meilleur. Parfois pour le pire. »

Une élite polyvalente. — « Aux trois côtés du triangle, chacun va et vient, passe et repasse. Fluidité des états, inconsistance des frontières, rotation des dirigeants. Une élite polyvalente se constitue. A mesure que le pouvoir politique, la haute administration et les milieux d'affaires vivent de plus en plus en *symbiose*. En nouant, ça et là, quelques liaisons dangereuses pour la démocratie.

« Un passé commun, des amitiés maintenues créent une familiarité qui ne prédispose pas au rigorisme. Cette compréhension mutuelle rend inutiles des pressions ou des connivences. Car la probité des nouveaux notables n'est pas en cause. Plus simplement, l'intérêt général est — de bonne foi — identifié à la sauvegarde de certains intérêts privés... Au lieu de maîtriser l'économie, de lui imposer son plan, le pouvoir politique se met à sa remorque, sinon à son service » (R.-G. Schwartzenberg, *Le triangle du pouvoir, L'Express* du 14 février 1972).

La « technodémocratie ». — Récemment (*Janus, les deux faces de l'Occident*, mai 1972, p. 135 et s.), Maurice Duverger a proposé d'appeler « *technodémocratie* » cette nouvelle phase du système occidental, qui lui paraît succéder, depuis 1945, à la démocratie libérale. La démocratie libérale reposait sur une économie et une société politique de petites unités, concurrentes et autonomes. La technodémocratie, en revanche, se fonde sur de « *vastes organisations, complexes, hiérarchiques, rationalisées* », sur « la prédominance de grands ensembles organisés où les décisions sont généralement prises dans le cadre d'un groupe structuré, lui-même relié à d'autres groupes » (*op. cit.*, p. 139).

Dans cette technodémocratie, l'oligarchie économique se transforme. « Elle ne réunit plus seulement les propriétaires des instruments de production et leur fidéicommis. Elle englobe avec eux un groupe social plus large comprenant les techniciens, les administrateurs, les organisateurs, les cadres. » Et *cette « nouvelle oligarchie » économique dépend beaucoup plus de l'Etat* que l'ancienne. Le capitalisme libéral souhaitait un Etat aussi effacé que possible. Au contraire, à l'ère de la production de masse, le néo-capitalisme exige *un Etat fort et actif*. Pour coordonner et planifier la croissance, assurer la régulation d'ensemble de l'économie, moduler la consommation, développer les infrastructures et les services publics non rentables, voire subventionner les entreprises en péril, etc.

L'osmose des technostructures. — D'où l'interpénétration de la technostructure économique et de la technostructure politique, interpénétration naturellement croissante dans un système « où l'Etat exerce une influence importante sur la production, les échanges et la consommation, à travers la planification, la régulation monétaire, le contrôle des prix et des salaires, l'incitation aux investissements, l'aide aux entreprises, la sécurité sociale, etc. » (*op. cit.*, p. 191).

Comme d'autres, M. Duverger souligne cette « symbiose inter-bureaucratique », dont parlait Galbraith. Ainsi se développent les contacts et se nouent les liens entre la technostructure publique et la technostructure privée, qui se concertent, arrêtent des décisions en commun et échangent leurs dirigeants. Ainsi se structure et s'unifie une nouvelle oligarchie.

L'orga-démocratie en déséquilibre. — Face à ce *bloc oligarchique*, qui gagne en cohérence et en puissance, quels sont les moyens d'action des masses populaires ? Le XIXe siècle avait été celui de la *démocratie atomisée*, qui ne connaissait pas d'organisations intermédiaires faisant écran entre l'Etat et le citoyen. Dès la fin du XIXe siècle, à cette démocratie atomisée, dispersée, succède ce qu'on pourrait appeler *l'orga-démocratie, la démocratie d'organisations* (R.-G. Schwartzenberg, *Politique comparée*, 1972-1973, p. 565). De vastes organisations (entreprises, administrations, syndicats, partis de masses) se constituent et se développent, qui encadrent l'activité économique, sociale et politique.

Jusqu'alors, cette orga-démocratie semblait en équilibre. Elle voyait se développer de pair les organisations « *oligarchiques* » (firmes géantes, cartels, etc.) et les organisations « *populaires* » (partis de masses, syndicats, etc.), qui se faisaient mutuellement contrepoids. Les organisations « populaires » se développaient en riposte et au même rythme que les organisations « oligarchiques ». En utilisant d'ailleurs les institutions de la démocratie libérale (parlement, opposition, etc.) pour s'opposer publiquement à l'autre camp. Or, aujourd'hui, cette parité paraît rompue.

Désormais, les organisations « oligarchiques » progressent et se perfectionnent, tandis que les organisations « populaires » se dévitalisent. Ces organisations populaires et les institutions démocratiques classiques paraissent se bloquer ou s'atrophier; elles parviennent de moins en moins à faire équilibre aux forces contraires. Le pouvoir politique, phagocyté par le pouvoir économique, décline et lui fait de moins en moins contrepoids.

Ainsi, face au bloc oligarchique, qui s'étend et se concentre, les mécanismes politiques classiques de contrepoids de la démocratie libérale paraissent décliner. C'est ce déclin qu'il faut maintenant analyser.

B. — Le déclin des mécanismes politiques classiques

Il faut examiner ces dysfonctions, cette « dévitalisation » des institutions politiques traditionnelles, qui s'avèrent de moins en moins efficaces, face à la « nouvelle oligarchie ». Ce *déclin progressif des structures de contrepoids* concerne ainsi les partis, les parlements et les oppositions.

1° **Le déclin des partis.** — Ce déclin concerne surtout les « *partis de masses* ». Ces partis centralisés, disciplinés, réunissant de nombreux adhérents, sont nés avec l'industrialisation et le développement de la classe ouvrière, au tournant de ce siècle. Dans les années 1960, plusieurs politistes jugent leur mutation inéluctable.

Pour Léon Epstein (*infra,* p. 511), ces partis de masses ne correspondent plus aux conditions socio-économiques du moment. En effet, leur base sociale — c'est-à-dire la classe ouvrière — se restreint quantitativement, par rapport à d'autres catégories de la population active. En outre, elle se modifie qualitativement, en modérant ses attitudes politiques, voire en s'embourgeoisant. Conséquence : s'ils ne veulent pas continuer de décliner, les partis de masses doivent consentir à évoluer. Pour s'accorder à l'évolution de leur environnement socio-économique (8).

L'apparition des « catch-all parties ». — Otto Kirchheimer croit de même à l'inévitable mutation du fait partisan dans les sociétés industrielles avancées (9).

A ce stade du développement, l'expansion économique efface les antagonismes de classes. L'abondance sape les fondements socio-économiques des affrontements idéologiques et des luttes politiques d'hier. Le consensus se fortifie sans cesse. De plus, l'irruption des mass media favorise la personnalisation du pouvoir. D'où une dépolitisation et une « désidéologisation », qui ne peuvent être sans effets sur la nature des partis.

(8) L. Epstein, *Political Parties in Western Democracies,* Londres, 1967.

(9) O. Kirchheimer, « The Transformation of the Western European Party Systems », in J. LaPalombara, M. Weiner, *Political Parties and Political Development,* Princeton, 1966.

Alors, les partis se modifient : déclin de l'idéologie, déclin du rôle des adhérents, déclin du recrutement sur une base de classe, accroissement du rôle des groupes d'intérêts comme « réservoirs » d'électeurs, car ils sont constamment en contact avec les divers électorats potentiels. Désormais, le parti se trouve dominé, non plus par les adhérents et leurs élus, mais par des élites venues de l'extérieur, qui ne se sont pas faites dans le parti, par le parti.

Ainsi apparaissent des organisations à structure souple, sans idéologie, tournées davantage vers l'électeur que vers le militant, se réclamant moins d'une doctrine que du pragmatisme, pour satisfaire des besoins précis et concrets. Des organisations extroverties, récusant toute idéologie trop précise pour mieux capter les électorats les plus divers. Otto Kirchheimer les dénomme « *catch-all parties* », partis « attrape-tout » :

« Le parti de masses, produit d'une époque aux oppositions de classes plus dures et aux structures religieuses plus tranchées, est en train de se transformer en *parti « attrape-tout »*. Abandonnant toute ambition d'encadrement intellectuel et moral des masses, il s'intéresse plus pleinement à la vie électorale, dans l'espoir d'échanger une action en profondeur contre un public plus vaste et des succès électoraux plus tangibles. Cette ambition politique plus limitée et ce *souci des contingences électorales* sont très éloignés des vastes ambitions d'autrefois; de telles ambitions, aujourd'hui, sont considérées comme gênantes, car elles éloignent certaines catégories d'une clientèle potentielle à la mesure de la nation » (Otto Kirchheimer, « The Transformation of Western European Party Systems », in J. LaPalombara, M. Weiner, ed., *Political Parties and Political Development*, Princeton, 1966).

En 1966, Kirchheimer considère l'U.N.R. (actuel R.P.R.), parti inter-classes et inter-idéologies, misant sur une structure souple et une doctrine vague pour attirer des électorats divers, comme le type même du « catch-all party ». Reprenant cette analyse, Jean Charlot (*Le phénomène gaulliste,* 1970) préfère parler de « *parti d'électeurs* », pour désigner ce nouveau modèle partisan, qui entre mal dans la typologie binaire de M. Duverger, partis de cadres-partis de masses (*infra,* p. 515).

Un jeu politique plus terne. — Les « *catch-all parties* » se développent aussi bien à droite (U.N.R. en France) qu'au centre (Démocratie chrétienne en Italie ou en R.F.A.) ou à gauche (S.P.D. en Allemagne fédérale). Le résultat, c'est un jeu politique plus terne, *moins* *coloré,* avec ces formations qui évitent de mettre l'accent sur des doctrines ou des programmes trop précis. La conséquence, c'est aussi un jeu politique *moins contrasté,* surtout dans les systèmes bipartisans : les deux grands partis, s'efforçant l'un et l'autre d'attirer les mêmes électeurs — ceux du centre, seuls susceptibles de déplacer leurs suffrages —, prennent des attitudes et des résolutions identiques; ils en viennent à se ressembler étrangement.

Cette uniformisation dans la grisaille, cette « banalisation » de l'activité partisane ne peut être sans effet sur l'activité parlementaire.

2° **Le déclin des parlements.** — Dès l'entre-deux-guerres, la crise du parlementarisme est un thème souvent abordé. Mais, aujourd'hui, la civilisation technicienne semble accentuer encore ce déclin. C'est d'ailleurs le sentiment des députés français. Réalisant auprès d'eux une enquête par questionnaire en 1969-1970, Colette Ysmal, Roland Cayrol et Jean-Luc Parodi (*Le député français,* 1973) notent un sentiment d'insatisfaction générale à l'égard du rôle du Parlement. 59,8 % des députés interrogés jugent que le rôle du Parlement n'est pas assez important aujourd'hui. 90 % estiment que ce déclin s'opère au profit des « technocrates » : chacun des groupes de l'Assemblée fournit au minimum 85 % de réponses positives à la question : « Les affaires du pays sont de plus en plus souvent réglées par les technocrates. »

Quelles sont les *causes* et les *manifestations* de ce déclin des parlements, ressenti dans l'ensemble du système occidental ?

Les causes du déclin des parlements. — Les causes sont évidemment multiples. Parmi les principales, on peut indiquer :

— *la montée des « technostructures ».* L'ère « technétronique » accroît la complexité et la technicité des problèmes. Le traitement de certaines questions, la prise de certaines décisions requièrent un haut niveau de compétence, d'information et souvent de spécialisation. D'où la montée des « technostructures » économique et politico-administrative (*supra,* p. 346). Groupés autour de l'exécutif, les hauts fonctionnaires, les experts, les « technocrates » de tous genres, constituent cette « technostructure » politico-administrative. Faute de moyens d'information et d'analyse, les parlementaires n'exercent plus qu'un contrôle très imparfait sur les mesures complexes qui leur sont ainsi proposées.

— *les mass media et la personnalisation du pouvoir.* Les mass media (et surtout la radio-télévision) permettent de développer la personnalisation du pouvoir. Or ils favorisent davantage l'exécutif (dont un individu — président ou premier ministre — incarne l'action) que le Parlement.

Car il est plus facile de populariser l'action d'*un* chef de l'exécutif que celle de 490 députés. Dès lors, par l'intermédiaire de son chef, l'exécutif suscitera des réactions populaires (d'adhésion ou d'opposition), tandis que le Parlement se heurtera souvent à l'indifférence du public.

— *l'évolution des partis politiques.* On l'a dit, la « banalisation » de l'activité partisane ne peut être sans conséquence sur l'activité parlementaire. Dès lors que la compétition des partis politiques est moins contrastée, le débat parlementaire perd son relief et entre dans la grisaille. Les partis « attrape-tout » ne fournissent guère de « tribuns » parlementaires.

D'ailleurs, cela serait peu utile. Car ces partis sont souvent des partis « *rigides* », imposant une discipline de vote à leurs élus. Dès lors, les débats des assemblées ne servent plus à convaincre, puisque les votes sont décidés à l'avance ou au-dehors. D'où le caractère factice des débats parlementaires, qui n'influent pratiquement plus sur le résultat du vote;

— *le parlementarisme majoritaire.* Cette rigidité constitue une des dimensions de ce qu'il est convenu d'appeler le « parlementarisme majoritaire ». Le gouvernement est assuré d'une majorité cohérente et stable au Parlement : non seulement, il ne risque plus d'être renversé, mais encore, grâce à la discipline de la majorité parlementaire, il est sûr de faire accepter ses projets et sa politique. Désormais, des partis rigides *régularisent* le jeu parlementaire, en encadrant les élus. Ce n'est plus le temps des brillantes individualités, des « ténors », des assemblées disponibles au vote imprévisible;

— *le parlementarisme « rationalisé ».* Plusieurs constitutions (R.F.A., France) ont été conçues en prévision d'un Parlement sans majorité. Alors, pour « rationaliser » le jeu parlementaire, pour réduire les incidents et les aléas, elles bardent l'exécutif et ses partisans d'armes juridiques contre les escarmouches parlementaires.

Aujourd'hui, le fait majoritaire rend souvent anachronique et superflue cette panoplie défensive. Elle continue, néanmoins, d'être utilisée (cas de la Ve République). Bizarrement, on vient à *cumuler* le parlementarisme majoritaire et le parlementarisme rationalisé, alors que le second était conçu pour *pallier* l'inexistence du second. D'où l'écrasement du Parlement sous le cumul de deux contraintes : la première, politique (le fait majoritaire), la seconde, juridique (le droit parlementaire) ;

— *les instances et circuits concurrents.* Enfin, à mesure que les parlements déclinent, d'autres instances ou circuits se développent, qui exercent des fonctions concurrentes. Nouveaux circuits de *représentation* : associations, syndicats, sondages d'opinion. Foyers parallèles de *délibération* : conférences de presse des dirigeants politiques, débats radiotélévisés, congrès de syndicats, colloques organisés par les clubs, etc.

Reste évidemment à savoir si le développement de ces circuits concurrents est une cause ou un effet du déclin des parlements. De ce déclin, il faut maintenant, passant de l'étiologie à la sémiologie, recenser les signes, les symptômes.

Les symptômes du déclin des parlements. — Ici, l'analyse fonctionnaliste est évidemment la plus opératoire. Pour déceler les *fonctions* dont l'exercice tend à échapper aux parlements.

— *La fonction d'investiture et de désaveu des gouvernants.* Désormais, l'investiture et le désaveu des gouvernants reviennent directement à l'électorat. Soit en droit : avec l'élection présidentielle au suffrage universel (Etats-Unis, France). Soit en fait : avec l'accès au poste de premier ministre du chef du parti victorieux aux élections législatives (Grande-Bretagne, R.F.A.). Seuls les parlementarismes non majoritaires, portés à l'instabilité gouvernementale, conservent l'exercice de cette fonction au Parlement (cas de l'Italie, où les groupes parlementaires continuent de faire et de défaire les gouvernements).

— *La fonction d'orientation de la politique nationale.* Autrefois considéré comme le dépositaire exclusif de la souveraineté nationale ou populaire, le Parlement orientait et dirigeait la politique du pays. A lui l'orientation du destin collectif. Aujourd'hui, ce régime de souveraineté parlementaire décline. Les orientations fondamentales sont arrêtées, soit par le corps électoral, soit par les gouvernants qu'il a investis.

Entre deux élections, le centre décisionnel de l'Etat n'est plus le Parlement, mais l'exécutif. La constitution française de 1958 traduit cette mutation, en disposant à son article 20 : « Le gouvernement détermine et conduit la politique de la Nation. »

— *La fonction de représentation.* La fonction de représentation n'est plus le monopole du parlement. D'abord, dans les régimes présidentiels, le président, élu par la nation, peut prétendre représenter celle-ci au même titre que le parlement. Ensuite, dans tous les régimes, le parlement subit la concurrence d'*autres circuits de représentation* (associations, syndicats, etc.). Et la négociation du gouvernement avec les groupes socio-professionnels « représentatifs » supplante parfois le dialogue avec les parlementaires. Ce dialogue avec les élus se double d'une « concertation » avec les partenaires sociaux.

A cela s'ajoute l'usage fréquent — et parfois abusif — des *sondages d'opinion* pour connaître « l'état d'esprit » du pays. A la limite, tel échantillon « *représentatif* » de 1 200 ou 1 800 personnes, sélectionné par tel institut de sondages, « exprime » l'opinion publique aux lieu et place des représentants de la nation.

— *La fonction de législation.* L'*initiative* de la loi échappe de plus en plus au Parlement : la grande majorité des lois adoptées résultent d'initiatives gouvernementales. D'autre part, l'*élaboration* de la loi — c'est-à-dire son examen et son adoption — s'effectue trop souvent dans des conditions imparfaites, les élus manquant soit de temps, soit de moyens d'information pour apprécier les textes qui leur sont soumis par le gouvernement.

— *La fonction de contrôle.* Logiquement, cette fonction devrait devenir la fonction capitale. Puisque le Parlement n'investit plus les gouvernants, puisqu'il ne détermine plus la politique nationale, puisqu'il n'est plus la seule instance de représentation, puisqu'il entérine plus qu'il ne légifère, il devrait se « reconvertir » et promouvoir une activité trop peu exercée jusque là : la fonction de contrôle. Par tous les moyens disponibles (questions, enquêtes, etc.).

Les Communes et le Bundestag se sont largement engagés dans cette voie. En revanche, l'Assemblée Nationale française se montre moins efficace. Seulement — c'est l'évidence — l'opposition a beaucoup plus intérêt que la majorité à exercer cette fonction de contrôle. Le peut-elle ? C'est tout le problème du « statut » de l'opposition (10).

3° **Le déclin de l'opposition.** — Il y a comme un *dilemme de l'opposition* dans les systèmes occidentaux. Ou bien l'opposition, pour mieux remporter la victoire aux prochaines élections, *renonce à trop se singulariser,* renonce à des positions trop spécifiques; et alors elle se distingue bien peu de la majorité au pouvoir. Ou bien, au contraire, l'opposition *cultive avec intransigeance son particularisme;* et alors, effarouchant toute une partie de l'électorat, elle risque de demeurer éternellement dans la minorité, dans le non-pouvoir.

Bref, ou l'opposition sacrifie la pureté à l'efficacité, mais alors en quoi demeure-t-elle une « opposition » véritable ? Ou elle sacrifie l'efficacité à la pureté, mais alors comment accédera-t-elle au pouvoir ?

L'opposition fonctionnelle. — Au fond, il existe deux « modèles » d'opposition. On pourrait appeler opposition « *fonctionnelle* », celle qui *contribue activement au fonctionnement du système politique,* sur fond de consensus. Deux partis (ou deux coalitions) alternent au pouvoir, selon une sorte de « pulsation » du corps politique. Ils font alterner la marche et la pause ou, dans le langage de la France du XIXe siècle, le « mouvement » et la « résistance ».

C'est le modèle anglais de *l'opposition-institution.* Le parti vaincu aux élections va, en toutes choses, constituer le contrepoint du gouvernement, de manière institutionnalisée. Le leader de l'opposition occupe la fonction officielle, spécialement appointée, de « *chef de l'opposition de Sa Majesté* ». Le « *Shadow Cabinet* » regroupe les

(10) L'idée d'un « *statut de l'opposition* » est avancée dans R.-G. SCHWARTZENBERG, « Les impasses de la Ve *bis* », *Projet* de sept-oct. 1970; « Une institution bloquée », *Le Monde* du 23 décembre 1970; « Réformer l'Assemblée », *L'Express* du 26 mars 1973; et « Changer la vie publique », *Le Monde* du 23 mai 1974. Voir aussi les garanties fondamentales de la minorité proposées par R.-G. SCHWARTZENBERG dans « L'Opposition de 1978 », *Le Monde* du 4 juin 1977.

dirigeants de l'opposition, qui se tiennent prêts à relever les ministres en place. Ils ont pour mission, dans le domaine de leur compétence, de faire connaître les contre-propositions préconisées par ce contre-gouvernement.

L'opposition a donc deux fonctions principales. Dans l'immédiat, elle *contrôle* et surveille la gestion gouvernementale, elle éclaire l'opinion et le gouvernement sur les erreurs commises, elle stimule et aiguillonne ce dernier par ses critiques et ses contre-propositions, etc. Pour l'avenir, elle *propose* à l'électorat une solution de rechange, une « alternative » à la majorité actuelle, pour conduire une autre politique avec une autre équipe gouvernementale.

Une « alternative » peu contrastée. — Cela dit, cette « alternative » sera nécessairement peu contrastée. De quoi s'agit-il, en effet, pour l'opposition ? De conquérir la majorité. Cela ne peut se réaliser qu'en détachant de l'autre camp une partie des électeurs qui ont voté pour lui aux dernières élections. Par hypothèse, on ne peut proposer à ces électeurs marginaux, qui « font » la majorité, la perspective d'un changement radical. Pour les attirer dans l'autre camp, il faut leur proposer un programme assez novateur pour être attractif, mais assez modéré aussi pour ne pas exercer d'effet répulsif.

D'où *l'abandon, ou l'occultation, des particularismes idéologiques ou des intransigeances doctrinales* au profit de propositions plus limitées et plus pragmatiques. C'est toute la stratégie du Labour Party en 1964, en 1966 et en 1970 (mais non en 1974). C'est toute l'attitude du S.P.D. allemand depuis 1959, sacrifiant la rigidité doctrinale à l'efficacité électorale.

Résultat : *l'opposition perd sa spécificité, son originalité*. Elle se distingue de moins en moins de la majorité sortante, afin de mieux lui ravir une partie de son électorat. A la limite, les deux adversaires se confondent dans un même gouvernement, comme à l'époque de la « Grande Coalition » C.D.U.-S.P.D. (1966-1969) en Allemagne fédérale.

L'opposition « perpétuelle ». — A l'opposé, la minorité peut demeurer fidèle, avec rigorisme, voire avec intolérance, à ses thèses. Mais alors cette intransigeance exercera un effet répulsif sur une partie de l'électorat, qu'il faut pourtant absolument détacher de l'autre camp, afin de lui ravir la majorité.

C'est, en gros, la situation française, au moins jusqu'aux présidentielles de mai 1974. L'opposition de gauche, demeurée fidèle à des positions parfois archaïques, ne parvient pas à élargir suffisamment sa *superficie électorale* et demeure dans le nōn-pouvoir. Le résultat, c'est *un pouvoir sans alternance. Le balancier est bloqué.* Depuis les élections de 1962 qui ont donné la majorité absolue des sièges à l'Assemblée Nationale à l'U.N.R. et à ses alliés. Victoire confirmée par le résultat de 1967, par le raz-de-marée de 1968 et par le maigre succès de 1973.

En revanche, le renouvellement programmatique des trois partis de gauche avec leurs propres programmes, comme le programme commun de gouvernement signé en 1972, les 49,3 % de suffrages obtenus par M. Mitterrand au deuxième tour des présidentielles de 1974, les succès obtenus par la gauche aux cantonales de 1976 et aux municipales de 1977 rendent probable l'exercice de l'alternance aux législatives de 1978.

La fin de l'opposition dans les sociétés post-industrielles ? — Alors, la tentation est grande de soutenir que tout ce qui est réel est rationnel. Si le pouvoir est sans alternance, c'est que l'alternance est devenue inutile. D'où la réponse négative donnée par M. Edgar Faure à la question « Avons-nous besoin d'une opposition ? » (11), « La maxime selon laquelle l'opposition serait indispensable au fonctionnement d'une démocratie » ne serait qu'un « lieu commun ». Il n'est plus nécessaire qu'une démocratie comporte une opposition. Au moins pour deux raisons.

D'abord, les clivages partisans du passé procédaient d' « *antagonismes de classes* » : « or ces antagonismes ont beaucoup évolué depuis que nous sommes entrés dans l'ère de l'expansion économique ». Ensuite, l'opposition n'est plus nécessaire « pour réveiller, *stimuler*, orienter l'action gouvernementale » : « des hommes et des groupes inclus dans la majorité, s'ils sont doués de l'esprit réformateur, peuvent exercer une action au moins aussi stimulante et surtout plus utile que s'ils se tenaient à l'extérieur ».

Cette analyse omet un élément : l'opposition, quand elle dépérit au plan partisan et parlementaire, s'efforce de trouver des *pouvoirs de compensation sur d'autres sites politiques.* Les *groupes de pression*, notamment, relaient les partis politiques. Ainsi en Suède, jusqu'en 1976, la véritable opposition n'était pas dans les partis bourgeois,

(11) E. Faure, « Avons-nous besoin d'une opposition ? », *France-Soir* des 27-28 septembre 1970. Voir aussi le n° 1 de la revue *Pouvoirs* (1977) consacrée à l'alternance.

mais dans la puissance des milieux d'affaires qui obligeait le parti dominant socialiste à compter avec eux. Dans les années 60, la France s'orientait vers une situation analogue, mais inversée : la pression des syndicats ouvriers contrebalançant la domination politique exercée par la majorité gaulliste. En d'autres termes, quand le jeu politique se trouve monopolisé par un seul courant, des transferts s'opèrent vers des forces de substitution, une repolitisation se produit ailleurs, en marge des mécanismes traditionnels.

L'opposition extra-parlementaire. — Ce transfert de la politique sur d'autres terrains trouvent son expression la plus marquante dans l'apparition d'une « *opposition extra-parlementaire* ». On peut citer deux exemples récents, l'un en France, l'autre en R.F.A.

Les événements de *mai 1968* (*infra,* p. 465) illustrent, d'une certaine manière, les risques du système à parti dominant. Ce système de pouvoir sans partage possède nécessairement une représentativité limitée et, partant, une légitimité fragile.

En effet, des années durant, le parti dominant rejette vers le non-pouvoir la moitié ou plus de l'électorat. Et sa massive suprématie rend peu crédible une revanche électorale de l'opposition. Alors, *faute d'alternative constitutionnelle crédible,* se développe une opposition extra-parlementaire. Ralliée par tous les contestants qui ne croient plus ou qui n'espèrent pas en une solution électorale de rechange.

Confondant le parti dominant avec le régime, l'opposition ne vise plus seulement un changement de majorité — jugé impossible —, mais un changement de régime. Elle lutte non plus *dans* le régime, mais *contre* lui.

L'A.P.O. en R.F.A. — C'est également en 1968 que l'*A.P.O. (Ausserparlamentarische Opposition)* atteint son maximum d'amplitude en R.F.A. Là aussi, le mouvement, parti d'une contestation universitaire, atteint le système politique et la société dans son ensemble.

De ce mouvement, la S.D.S. *(Sozialistische Deutsche Studentenbund)* constitue l'élément principal. Cette Fédération socialiste des étudiants allemands avait été créée en 1946, avec l'aide du S.P.D. Mais les rapports entre les deux organisations se détériorent à partir de 1958-1959, à l'époque où le S.P.D. transforme son programme (congrès de Bad-Godesberg, novembre 1959), pour mieux accéder au pouvoir. Déçue par cet « embourgeoisement », la S.D.S. s'écarte de plus en plus du S.P.D. Et, en novembre 1961, le S.P.D. déclare incompatible la double appartenance au S.P.D. et à la S.D.S.

De 1960 à 1966, la S.D.S. se replie sur elle-même. Tout se précipite en 1966. Quand la C.D.U. et le S.P.D. forment en commun un cabinet de « *grande coalition* ». La S.D.S. condamne l' « opportunisme » du S.P.D. Désormais, mis à part le petit groupe F.D.P., il n'y a plus d'opposition parlementaire. Et l'opposition extra-parlementaire prend son essor.

Les manifestations, les « *sit in* », les « *teach in* », se multiplient, sur plusieurs thèmes : la crise universitaire, la guerre au Vietnam, etc. Deux moments essentiels. D'abord, le 2 juin 1967, lors des manifestations contre la visite du shah d'Iran à Berlin, l'étudiant Bruno Ohnesorg est abattu par la police. Ensuite, le 11 mars 1968, un militant d'extrême-droite commet un attentat contre le président de la S.D.S., M. Rudi Dutschke. Cet attentat provoque, en riposte, des manifestations d'une très grande ampleur, durement réprimées par la police.

Pour sa part, l'ancien chancelier Ehrard *impute le développement de l'A.P.O. à la quasi-disparition de l'opposition parlementaire* (réduite au seul F.D.P.) entre 1966 et 1969 : « La « grande coalition » n'a pas été salutaire pour les vraies consciences démocratiques. La population doit connaître le détail des grands problèmes du pays, qui doivent être traités ouvertement au Parlement, et non derrière son dos, par des tractations entre les appareils des partis. Dans la « grande coalition », *il n'y a pratiquement plus d'opposition, sinon l'opposition extra-légale,* extra-parlementaire qui se manifeste dans la rue, et c'est horrible, ou des polémiques de presse. Je suis un démocrate peut-être vieux jeu pour certains, mais j'aime que le Parlement fasse son travail, ait des débats animés » (Interview dans Michel Salomon, *Faut-il avoir peur de l'Allemagne ?*, 1969, p. 121).

Mais cette apparition, dans plusieurs systèmes occidentaux, d'une opposition extra-parlementaire constitue la forme la plus visible d'un phénomène plus général : le transfert de la politique sur de nouveaux terrains.

C. — La politique ailleurs

Les nouveaux lieux politiques. — Le thème de la « *dépolitisation* », si à la mode dans les années 1960, comporte une large part d'inexactitude (cf. *supra*, p. 341). La désaffection pour la politique, que certains croient déceler, n'est qu'une *désaffection pour certaines formes de la politique,* qui ne sont guère adaptées à l'évolution sociale.

En France, par exemple, dans les années récentes, la plupart des questions nouvelles, placées aujourd'hui au cœur du débat public, ont été posées en dehors des instances politiques « conventionnelles » (parlement, partis, etc.). On peut citer, par exemple : l'avortement, la condition des O.S., le sort des travailleurs immigrés, le service militaire, le régime pénitentiaire, l'insuffisance des transports en commun, la protection de la nature et de l'environnement, la « qualité de la vie », etc. Autant de thèmes de discussion, aujourd'hui quasi officiels, autant de questions surgies à l'écart des institutions politiques traditionnelles. Et même à l'écart des partis de gauche qui n'avaient pas encore accompli leur renouvellement programmatique.

Il faut constater cette *multipolarité de l'action politique.* Les assemblées et les partis n'ont plus le *monopole* de l'action politique, ni surtout de l'imagination politique. A côté d'eux — et souvent à leur place — agissent d'autres instances, en utilisant d'autres voies et moyens. Pour, souvent, soulever les vraies questions, poser les vrais problèmes.

« A mesure que les lieux politiques traditionnels (assemblées, partis, luttes électorales) sont désertés, des transferts s'opèrent vers des forces de substitution, relevant les fonctions politiques tombées en déshérence. Les clubs, qui élaborent des programmes au lieu et place des partis. L'Université, qui, plus que le Parlement, exerce la fonction d'imagination et devient le foyer d'une contre-culture. Les régions, où s'affirment des solidarités vécues. Les syndicats, qui tentent de pallier les déficiences des partis, etc. Le paysage politique se remodèle. Tandis que le vieil appareil institutionnel fonctionne un peu en circuit fermé, une repolitisation se produit ailleurs : sur d'autres terrains, en marge des mécanismes traditionnels de délibération et de représentation » (R.-G. Schwartzenberg, *La politique ailleurs, Le Monde* du 17 juin 1971).

Au total, on voit donc se développer de *nouvelles formes de contestation* (l'Université, les marginaux, les gauchistes, les écologistes, etc.), de *nouveaux circuits de représentation* (associations, syndicats, sondages d'opinion) et des *foyers parallèles de délibération* et de discussion (conférences de presse des dirigeants politiques, débats à la radio-télévision, colloques organisés par les clubs, etc.).

Ce que l'on constate, c'est le déplacement de la politique vers d'autres sites. Il faut repérer ces « lieux » où s'élaborent de nouvelles réflexions politiques, où s'instaurent de nouvelles pratiques. Il faut préciser cette *nouvelle topographie politique.* Au fond, trois tendances se conjoignent pour modeler un nouveau paysage politique.

1° La démocratie supplétive. — Le premier phénomène, c'est la suppléance du Parlement et des partis par des mécanismes de substitution. Il est très visible en France. Le dépérissement des institutions représentatives, la décadence du contrôle parlementaire provoquent le recours à des formes nouvelles de controverse. Pour suppléer la défaillance des instances traditionnelles. Refoulée au Parlement, la contestation déferle ailleurs, par d'autres canaux. Cela pourrait s'appeler *la démocratie supplétive.*

Le phénomène est surtout sensible sous la IVe législature (1968-1973). Ecrasée par la massive suprématie du parti dominant, l'Assemblée Nationale cède à une certaine torpeur. Dès lors, le débat public se transporte ailleurs.

Cela se vérifie particulièrement avec la polémique qui surgit en février 1972 et qui vise la situation fiscale de M. Chaban-Delmas, alors premier ministre.

« Autrefois, la polémique fiscale aurait sans doute suivi un tout autre cours. Elle aurait eu pour théâtre principal le Palais-Bourbon. Selon un scénario habituel, découpé en trois séquences.

« L'opposition aurait déposé une interpellation ou une motion de censure. Le gouvernement aurait fait une déclaration détaillée pour répondre aux questions et aux objections. A l'issue de ce large débat, un vote serait intervenu pour exprimer la confiance ou la défiance des élus. »

Aujourd'hui, la « torpeur parlementaire suscite nécessairement des mécanismes de substitution. Ainsi la controverse fiscale vient d'employer trois palliatifs successifs pour remplacer les trois phases du jeu parlementaire. Au *trinôme représentatif* (interpellation - déclaration - vote) succède un *trinôme supplétif* (presse - télévision - sondages).

« Premier temps : sur la foi de documents qu'ils révèlent aux publics, des *journaux* entament une campagne contre le premier ministre et la politique fiscale du gouvernement. En suppléant l'opposition dans sa fonction d'accusateur.

« Second temps : après de longues hésitations, le ministre des finances, puis le premier ministre se résignent à une explication publique. Non pas au Parlement, mais à la *télévision*.

« Dernier temps : le vote de confiance ou de défiance des élus est remplacé par des *sondages* pour indiquer si la cote de M. Chaban-Delmas remonte ou non. L'opinion est faite juge à la place de l'Assemblée. Ainsi la démocratie supplétive remplace la démocratie représentative » (R.-G. Schwartzenberg, *La démocratie supplétive, Le Monde* du 24 février 1972).

Mais la « nouvelle politique » ne se borne pas à ces palliatifs ponctuels ou conjoncturels. Le phénomène est plus profond. Le transfert de la politique vers d'autres sites ne vise pas seulement le remplacement d'institutions défaillantes.

En fait, *la politique semble se rediffuser, se redistribuer à la fois vers le bas et vers le haut.* Vers le bas : vers les régions, les associations locales et de quartier, les groupes écologistes, les syndicats professionnels, etc. C'est *la micro-politique.* La politique au détail remplace la politique en gros; les revendications sectorielles supplantent les préoccupations globales. Vers le haut : avec toute la « contestation » globale, qui est plus « culturelle » que politique, qui ne vise pas seulement une équipe ou un régime politiques, mais toute une « culture », toute une civilisation, tout un mode de vie. C'est *la méta-politique.*

2° **La micro-politique.** — Il s'agit d'agir problème par problème, secteur par secteur, sans globaliser les revendications. C'est, généralement, l'attitude des syndicats. Ce peut être aussi le réflexe des instances régionales ou des associations municipales, surtout préoccupées de problèmes locaux. C'est toujours l'attitude des groupes de pression (*infra,* p. 600). Mais, précisément, ce qui apparaît aujourd'hui, ce sont des groupes de pression d'un type original.

Le « citoyennisme ». — Ce qui est nouveau, c'est l'apparition de groupes de pression civiques, de lobbies de citoyens, de *lobbies d'intérêt public.* Ils agissent selon les méthodes des groupes de pression traditionnels, mais, pour la défense, non d'intérêts particuliers, mais de l'intérêt général. Ce phénomène est surtout visible aux Etats-Unis, à l'initiative d'hommes comme Ralph Nader ou John Gardner (*infra,* p. 625). Mais on peut lui trouver des équivalents en France. D'où cette analyse :

« *Consumerism :* le mot est américain, la réalité devient française. Pour désigner l'action des consommateurs contre les abus et les truquages. Peu à peu, des organisations de défense se forment, qui obligent les producteurs à vendre des produits plus sûrs ou plus sains. A l'exemple de Ralph Nader en lutte contre la General Motors ou les trusts alimentaires.

« Mais, déjà, certains, vont au-delà. En prolongeant le consumerism par ce qu'on pourrait appeler le « *citoyennisme* ». En complétant la pression des consommateurs par *l'action des citoyens.*

« Car, tout comme la société de consommation, la société politique a ses carences, ses nuisances et presque sa publicité mensongère, avec l'autosatisfaction de l'information officielle. Là aussi, c'est l'impéritie ou l'incurie face à des besoins essentiels : la santé, le logement, les transports. Là aussi, on propose des « produits » d'une qualité douteuse. Des lois vétustes (la loi de 1920 sur l'avortement), défectueuses (la législation sur les sursis militaires) ou trompeuses (la réformette des régions).

« Alors, comment obtenir une gestion plus efficace ? *Comment obliger le pouvoir à mieux gouverner ?* Ce serait le rôle des parlementaires, s'ils n'étaient absorbés par la monoculture électorale de leurs circonscriptions particulières. Ce serait la fonction des partis, s'ils n'étaient figés dans l'inconditionnalité ou crispés sur des idéologies paralysantes. Résultat : l'Etat reste seul face aux intérêts privés, face aux lobbies de l'immobilier, de l'automobile ou de l'armement. »

Les lobbies d'intérêt public. — « D'où un sursaut des citoyens, pour se faire entendre eux aussi. En créant des *groupes de pression civiques.* En luttant avec les mêmes méthodes que les intérêts privés. Mais, cette fois, au grand jour et *pour la défense du bien public.* Pour la solution des problèmes d'intérêt général : la recherche médicale, la sauvegarde de l'environnement, la lutte contre la pollution, la sécurité routière, etc.

« Cette pression civique commence à peser sur des pouvoirs publics indolents ou inefficaces. A mesure que s'organisent ces *lobbies de citoyens :* sociétés pour la protection de la nature, comités contre la loi Debré, groupements pour la défense des travailleurs immigrés, associations pour la liberté de l'avortement.

« Le cas de l'avortement montre, précisément, la diversité des *moyens* utilisables : plaidoiries devant les tribunaux, manifestations de rue, réunions d'information, manifestes de femmes et de médecins, sondages d'opinion, conférences de presse. La règle est d'employer tous les supports, tous les media, pour faire les relations publiques du public. Pour forcer le gouvernement et le Parlement à agir...

« Au fond, ce que disent ces lobbies de citoyens est simple, donc capital : ces élus sont vos élus, ces ministres sont vos ministres. Ils sont là par vous et pour vous. A vous, donc, de les stimuler, de les forcer à plus de vigueur et de rigueur au service du public. Quitte à leur rappeler que la politique est une chose trop sérieuse pour la laisser à des politiciens » (R.-G. Schwartzenberg, *Le citoyennisme, L'Express* du 4 juin 1973).

Structures et « fluctures ». — Ces groupements agissent donc pour un objectif d'intérêt général, mais ponctuel : la liberté de l'avortement et de la contraception (Planning familial, M.L.A.C., Choisir, etc.), la protection d'un site (comités d'action du Larzac, etc.), l'abrogation d'une loi (comités de lutte contre la loi Debré sur les sursis militaires, etc.).

Une fois leur objectif atteint, ils pourraient donc se dissoudre, leurs militants se remobilisant pour d'autres luttes, etc. Autrement dit, pour ce type d'action ponctuelle, il faudrait, non des structures, rigides, durables, mais des « *fluctures* ». En entendant par là des formes d'organisation *fluides et provisoires*, capables d'une activité intense, mais limitée à un objectif précis et donc limitée dans le temps. Il ne s'agit pas de « geler » l'activité de militants, mais au contraire de leur restituer leur disponibilité, une fois le but atteint. Bref, il s'agit d'utiliser des commandos mobiles, mouvants, ponctuels, et non de lourds appareils de combat polyvalents.

3° **La métapolitique.** — Reste la métapolitique, qui inspire souvent ces groupes. La « contestation » est plus sociale ou culturelle que politique. Elle ne vise pas seulement une équipe ou un régime politiques, mais toute une « *culture* », tout un mode de vie.

Il s'agit de contester les valeurs morales et les normes sociales plutôt que de modifier la représentation politique. La lutte ne s'insère pas dans le champ électoral et parlementaire. Elle refuse ou néglige le « jeu politique ». L'offensive vise *plus haut* et plus loin: la morale, les mœurs, les conformismes et les disciplines sociales.

Ainsi, contre les valeurs et les mœurs établies, une vague de contestation culturelle, métapolitique, secoue les civilisations post-industrielles. Car la *pression* du sur-développement sur la société commence à provoquer une *réaction* profonde de celle-ci. C'est ce choc en retour qu'il faut analyser en profondeur.

SECTION II

LA RÉACTION DE LA SOCIÉTÉ AU SUR-DÉVELOPPEMENT

Cette réaction prend la forme insolite d'*une contestation surgie, non de la pauvreté, mais de l'abondance.* L'emballement de l'économie, la pression de la technologie, le « choc du futur » sur la société industrielle avancée, provoquent un « *grand refus* » (H. Marcuse). C'est-à-dire une contestation globale, culturelle, qui ne vise plus seulement une politique, mais toute une civilisation. Cette contestation métapolitique déborde donc les institutions et les mécanismes traditionnels. Pour se développer de manière originale au plan de la théorie comme à celui de la pratique. Car une véritable *théorie* critique de la société industrielle avancée s'est élaborée, qui inspire, dans les *faits,* de nombreuses expériences de rupture avec la culture dominante.

§ 1. — LA CRITIQUE DE LA CULTURE ÉTABLIE

Le sur-développement sécrète, en effet, une « *culture* », un type de civilisation, un mode de vie particulier, dont la description critique s'articule autour de quelques thèmes majeurs — répression, intégration, aliénation. Et se constitue presque en corps de doctrine avec les écrits fondamentaux de Freud, Reich et Marcuse, auxquels s'ajoute l'apport récent d'autres auteurs.

A. — Sigmund Freud

De Sigmund Freud (1856-1939), père de la psychanalyse, il faut essentiellement citer un essai publié en 1929 et intitulé *Das Unbehagen in der Kultur (Malaise dans la civilisation)*.

La répression. — Freud y souligne *l'essence répressive de toute civilisation.* Le principe de réalité l'emporte sur le principe de plaisir; la « culture » sur la liberté. La civilisation exige la limitation de la liberté, l'acquisition de l'ordre, le renoncement aux pulsions. Donc, *la société est nécessairement sans bonheur :* Freud définissant le bonheur, en termes d'économie libidinale, comme la satisfaction d'une tension violente des pulsions.

La civilisation sécrète le malheur. En effet, pour assurer la survie et le développement de l'espèce, pour obtenir l'ordre social, elle *réprime les pulsions instinctuelles.* La civilisation doit soustraire à la sexualité une grande partie de son énergie, pour la diriger vers des buts communs utiles à tous. La religion est un moyen parmi d'autres pour exercer cette inéluctable contrainte. Dans *L'Avenir d'une illusion* (1927), Freud, comme Marx et Nietzsche, voit dans la religion une utopie répressive et mystificatrice.

Cependant, ce renoncement aux pulsions *(Triebverzicht),* ce renoncement culturel *(Triebversagung)* produit des déséquilibres psychiques. Le névrosé est celui qui ne peut supporter le degré de renoncement exigé par la société au nom de son idéal culturel : « La *répression* sexuelle est la cause principale des névroses contemporaines. »

La sublimation. — Mais Freud avait progressivement atténué sa dénonciation de la répression sexuelle, du terrorisme anti-sexuel que la société (religion, famille, économie, etc.) fait subir à l'individu. En effet, si elle est responsable de déséquilibres psychiques, la répression des pulsions est aussi un facteur de progrès indispensable au développement de la civilisation.

C'est tout le phénomène de la « *sublimation* ». Sublimées, c'est-à-dire détournées de leur but sexuel primitif, les pulsions réfrénées seraient orientées vers des buts « socialement supérieurs » (créations artistiques, ambitions professionnelles, etc.), vers des fins socialement utiles.

B. — Wilhelm Reich

A la convergence de Marx et de Freud. — Wilhelm Reich naît en Autriche en 1897 et meurt tragiquement au pénitencier de Lewisburg (Etats-Unis) en 1957. Docteur en médecine, psychanalyste (il fait partie, dès 1920, de la Société psychanalytique de Vienne que dirige Freud), membre du parti communiste autrichien, puis allemand, il est le premier à tenter un rapprochement entre Marx et Freud. A unir la critique marxiste de l'aliénation économique et la critique freudienne de la répression instinctuelle.

Finalement, Wilhelm Reich sera exclu du parti communiste allemand, fidèle aux consignes staliniennes (1933), comme de l'Association internationale de psychanalyse (1934). Il émigre et s'installe aux Etats-Unis en 1939. Reich aura posé, avec une étonnante lucidité, les problèmes essentiels aujourd'hui débattus par Herbert Marcuse, Erich Fromm, Norman Brown et David Riesman. Dans ses ouvrages principaux : *La Fonction de l'orgasme* (Die Funktion des Orgasmus, publié à Vienne en 1927, tr. 1952); *Matérialisme dialectique et psychanalyse* (Dialiktischer materialismus und psychoanalyse, 1929); *La Révolution sexuelle* (tr. 1969).

Contre le principe de sublimation. — W. Reich s'inspire de Freud, avec qui il a rompu, mais en le *radicalisant*. Reich ne s'accommode pas de la répression sexuelle et conteste le principe de sublimation. Il refuse ce pessimisme, cet embourgeoisement de la doctrine psychanalytique, ce révisionnisme freudien, qui aboutit à l'adaptation au statu quo. Récusant « cette position de résignation », il reprend à son compte et prolonge les données les plus révolutionnaires du raisonnement psychanalytique.

Pour lui, la misère sexuelle du prolétariat subsistera et toute guérison des névroses sera impossible tant que les pulsions sexuelles n'auront pas trouvé une issue normale, c'est-à-dire sexuelle. Et ce n'est certes pas la sublimation qui pourra en tenir lieu.

Contre la société répressive. — Pour éliminer les névroses il faut *agir sur les causes et non sur les effets.* Les névroses sont le résultat d'un système social qui restreint et réprime la sexualité, en utilisant diverses institutions répressives (le mariage, la famille autoritaire, l'Eglise, etc.). « Seul un renversement radical des institutions et des idéologies sociales, renversement qui dépend de l'issue des luttes politiques de notre siècle, créera les bases d'une prophylaxie générale des névroses » (W. Reich, *L'Irruption de la morale sexuelle,* tr. 1973). Autrement dit, seule une *transformation radicale de la société* peut mettre fin à la misère psychologique des masses. Seule une *révolution sociale* peut détruire la société répressive et rendre l'individu à une vie plus humaine et plus libre. Dans une société renouvelée, la répression n'est pas inéluctable, et le *bonheur* peut devenir une valeur culturelle. En confrontant Marx et Freud, W. Reich est le premier à politiser le droit au bonheur.

C. — Herbert Marcuse

L'itinéraire : de Marx à Freud. — Herbert Marcuse naît à Berlin en 1898. Il achève ses études à Fribourg-en-Brisgau, où il prépare et soutient sa thèse de doctorat (*L'ontologie de Hegel et la théorie de l'historicité,* tr. 1973) sous la direction de Martin Heidegger. Comme Freud et Reich, il est contraint à l'exil par le nazisme. Marcuse poursuit ses recherches en Suisse, à Paris, et, enfin, aux Etats-Unis où il s'établit à partir de 1934. Il enseigne alors à Columbia, à Harvard, à l'Université Brandeis de Boston (où il enseigne la philosophie et la politique, de 1954 à 1965), puis à l'Université californienne de San Diego (où il enseigne la science politique).

Avant la seconde guerre mondiale, la pensée de Marcuse apparaît dominée par les écrits de Hegel et de Marx : aux côtés de Georges Lukàcs (*Histoire et conscience de classe,* Berlin, 1923, tr. 1960) et de Karl Korsch (*Marxisme et philosophie,* 1923, tr. 1964), il est alors considéré comme l'un des grands représentants du « marxisme allemand ». Mais, avec l'installation définitive aux Etats-Unis, c'est l'influence de Freud qui devient prédominante. Poursuivant dans la voie ouverte par W. Reich, Marcuse confronte marxisme et freudisme. Sa pensée se développe en quatre étapes successives, qui correspondent à ses quatre œuvres majeures : *Eros et civilisation* (1955), *L'Homme unidimensionnel* (1964), *Vers la libération* (1969) et *Contre-révolution et révolte* (1972).

1° *Eros et civilisation* (1955).

Répression et surrépression. — Cet ouvrage *Eros and Civilization. A philosophical Inquiry into Freud* (Boston, 1955, tr. 1963) constitue la critique la plus radicale de la société industrielle avancée. Il marque l'aboutissement d'une triple rencontre : celle de Marx, celle de Freud et celle de la culture américaine.

Marcuse part de l'essai de Freud, *Malaise dans la civilisation,* rappelle le concept de « *répression* » et y ajoute même le concept de « *surrépression* ». Freud définissait la « répression » fondamentale comme la modification des instincts, nécessaires à la survie de l'homme dans la civilisation. La répression désignait donc les restrictions rendues nécessaires par la « lutte primordiale pour l'existence ». La « *surrépression* », selon Marcuse, désigne les restrictions inutiles imposées par la domination sociale, par la lutte effrénée pour la domination du monde.

Contre le pessimisme de Freud. — Marcuse remet en question le pessimisme de Freud. Pour Freud, en effet : « La libre satisfaction des besoins instinctuels de l'homme est incompatible avec la société civilisée... Le sacrifice systématique de la libido, son détournement rigoureusement imposé par des activités et des manifestations socialement utiles *est* la civilisation » (*Eros et civilisation,* p. 15).

Freud conçoit le bonheur comme n'appartenant pas à la culture : « *Selon Freud, l'histoire de l'homme est l'histoire de sa répression.* La culture n'impose pas seulement des contraintes à son existence sociale, mais aussi à son existence biologique... Laissés libres de poursuivre leurs objectifs naturels, les instincts fondamentaux de l'homme seraient incompatibles avec toute association... Les instincts doivent donc être *détournés* de leurs objectifs, inhibés quant à leurs buts. La civilisation commence quand l'objectif primaire (la satisfaction intégrale des besoins) est abandonné... la notion selon laquelle une civilisation non répressive est impossible est la pierre angulaire de la théorie freudienne » (*Eros et civilisation,* p. 23 et 28).

C'est du moins la lecture partielle et partiale qu'en donnent, selon Marcuse, les néo-freudiens (*infra,* p. 379). Or cette lecture est devenue anachronique.

La possibilité d'une société non répressive. — Aujourd'hui, une civilisation non répressive — ou moins répressive — devient possible. En effet, la répression dérive des facteurs économiques, s'explique par la pénurie des biens de consommation. Or *les possibilités économiques et technologiques se sont très considérablement développées.* La société industrielle avancée possède les ressources, les moyens nécessaires pour abolir « l'esclavage », diminuer largement le temps de travail, donner à ses membres le temps de vivre sans réprimer leurs instincts. *Dans une société d'abondance, la répression devient moins nécessaire, sinon superflue.* Le conflit s'estompe entre les instincts de l'individu et les impératifs de la société.

A cet égard, il faut signaler l'utopie prémonitoire de *Charles Fourier* (1772-1837), dont la psychologie sociale se fonde sur l'analyse des passions et des impulsions — notamment sexuelles — : le bonheur ne peut naître que d'institutions sociales nouvelles, qui cessent de comprimer et de violenter la nature humaine. Et rappeler aussi le pamphlet publié en 1880 par le socialiste français *Paul Lafargue,* sous le titre *Le droit à la paresse* (rééd., 1970). Se révoltant contre une vie consacrée tout entière au labeur, Lafargue refuse de définir l'homme par son seul travail. Revendiquer « le droit à la paresse », c'est revendiquer le droit au bonheur et à la liberté. Tout le livre est un appel vibrant au temps futur, où le socialisme abolira un tel asservissement, grâce à la juste répartition du labeur entre tous et grâce à l'*essor de la technique.*

Pour une culture accordée à la structure instinctuelle de l'homme. — Ce qui était alors une utopie pourrait devenir, maintenant, une réalité dans les sociétés industrielles avancées. Aujourd'hui, les forces matérielles, capables de réaliser une telle transformation, sont présentes. Les immenses *progrès de l'économie et de la technologie,* la mutation des conditions de la production permettraient de réduire considérablement le temps de travail, de libérer progressivement l'homme, d'atténuer l'antagonisme entre principe de plaisir et principe de réalité.

La civilisation n'a plus besoin de détourner une part considérable de l'énergie instinctuelle pour subsister. Désormais, les progrès économiques et techniques sont tels qu'une diminution du temps de travail — et une libération de l'énergie instinctuelle dérivée vers ce travail — deviennent concevables. La technologie moderne permet de concevoir une culture davantage accordée à la structure instinctuelle de l'homme.

L'imagination contre l'idéologie de la société industrielle avancée. — Mais encore faudrait-il que cette technologie soit orientée vers d'autres fins qu'à l'heure actuelle. Là se situe l'obstacle majeur. La mystique du rendement, l'organisation du gaspillage, la surrépression bloquent une telle réorientation. Cette transformation n'interviendra qu'*à condition de détruire l'idéologie de la société industrielle.* Seule l'imagination peut briser cette idéologie anachronique et abolir les structures répressives qu'elle sous-tend. Mais *l'imagination peut-elle prendre le pouvoir,* quand la société et l'homme sont devenus « unidimensionnels » ?

2° *L'Homme unidimensionnel* (1964).

C'est tout le thème de *One-Dimensional Man. Studies in the Ideology of Advanced Industrial Society* (Boston, 1964), publié en français — avec succès — en avril 1968, sous le titre *L'homme unidimensionnel. Essai sur l'idéologie de la société industrielle avancée.*

La société industrielle avancée. — Cette société, Marcuse la décrit comme le stade suprême de l'aliénation, de l'intégration et du conformisme, dans des termes implacables, qui rappellent un peu David Riesman et sa description de *La foule solitaire* (*The Lonely Crowd,* 1re éd., New Haven, 1950, tr. 1964). Ou W. H. Whyte, quand il dépeint l'asservissement de *L'homme de l'organisation* (1956, tr. 1959). Ou encore Vance Packard requérant contre les excès de la publicité dans *La persuasion clandestine* (tr. 1958) et contre la mystique de la consommation dans *Les obsédés du standing, Une société sans défense* ou *L'art du gaspillage.*

Massification, standardisation, robotisation, bureaucratisation, suradministration : tels sont les traits répressifs de la société industrielle avancée. Au demeurant, Marcuse ne limite pas sa critique à la société américaine. Dans *Le marxisme soviétique* (New York, 1958, tr. 1963), il avait déjà dénoncé l'identité de structures sociales répressives par-delà le clivage capitalisme-socialisme. De part et d'autre, la société technologique impose sa propre rationalité et engendre la même aliénation (*supra*, p. 179).

L'aliénation. — Dominée par le principe de rendement, orientée vers le gain et la concurrence dans un processus d'expansion constante, la société industrielle avancée repose fondamentalement sur un idéal absurde : *produire* toujours davantage et, en conséquence, *consommer* toujours davantage. Au lieu d'employer le progrès technologique à diminuer le temps de travail, elle enferme l'homme dans le cycle production-consommation. Alors qu'elle brime et réprime les besoins instinctuels, naturels, elle s'emploie à créer des *besoins artificiels* (par la mode, la publicité, etc.).

C'est la naissance d'une nouvelle aliénation particulièrement insidieuse. L'aliénation peut recevoir diverses significations. Cependant, la sémantique du terme est éclairante. Le terme allemand est : *Entfremdung*, qui veut dire littéralement : le fait d'être ou de devenir autre ou étranger. La traduction de l'allemand Entfremdung par le français aliénation se rattache au sens initial du latin *alienus*, « autre », « étranger ». L'aliéné cesse de « s'appartenir ». L'aliénation constitue une abolition, ou du moins une limitation durable, de la personnalité authentique. Par ce phénomène appauvrissant et frustratoire, l'homme devient *étranger à lui-même, à sa véritable nature.*

L'aliénation sécrétée par la société industrielle avancée est particulièrement insidieuse, parce qu'elle devient inconsciente. Car l'intégration est si parfaite qu'elle supprime la conscience de cette aliénation, de cette répression.

L'intégration. — C'est la fin de « *la conscience malheureuse* », dont parlèrent Hegel dans sa *Phénoménologie de l'esprit*, puis Feuerbach et Marx. Cette « conscience malheureuse », qui appréhendait et surmontait successivement toutes ses aliénations, donnant ainsi son mouvement à l'Histoire.

Cette ère est révolue. La société industrielle avancée est une société *unidimensionnelle*. Dans cette « société close » et moniste, *la dimension de la contestation n'existe plus.* « L'enfermement de l'univers politique » est patent. Toutes les formes d'opposition ou de critique semblent réconciliées ou disparues, annexées, *intégrées*, « *récupérées* » par l'idéologie unique de la société. Martelée par les mass media, cette « *culture établie* » n'est plus contestée.

La désublimation répressive. — Société unidimensionnelle, parce que *la traditionnelle coupure entre la réalité sociale et l'idéal (le domaine sublimé) s'efface.* La dimension supérieure d'un idéal social différent n'existe plus, tant l'intégration culturelle et politique est puissante. La société industrielle avancée *a intégré le domaine sublimé à sa culture répressive.* Cette abolition du domaine sublimé, cette disparition d'un idéal distinct de la réalité, c'est ce que Marcuse appelle la « *désublimation répressive* ». Elle prive l'individu de tout idéal supérieur, au nom duquel il pourrait contester.

L'intégration du prolétariat. — *Le prolétariat lui-même,* que Marx tenait pour la classe révolutionnaire, *est intégré au système, à la « culture établie ».* Il agit dans le système, et non contre le système. Il semble avoir perdu toute force de contestation radicale. Ses revendications ne sont plus *qualitatives,* mais *quantitatives.* Il s'efforce d'améliorer son niveau de vie, par la légalité, sans jamais songer à détruire un système qui l'aliène. Intégré à la société, le prolétariat cesse de jouer un rôle révolutionnaire.

3° *Vers la libération* (1969).

Où trouver, alors, des forces révolutionnaires encore capables d'imagination et de révolte contre la société répressive ? C'est le thème de l'essai paru en 1969 et intitulé *Vers la libération* (*An Essay on Liberation,* Boston, 1969, trad. 1969).

Les marginaux de la société de consommation. — Seuls *ceux qui vivent en marge de cette société et de sa culture,* ceux qui ne sont pas englués dans son conformisme idéologique, peuvent encore avoir un idéal authentiquement révolutionnaire. C'est le cas, par exemple, des *Noirs* des ghettos américains, du *prolétariat externe* du Tiers-Monde, des *étudiants* américains ou européens. Par leur position socio-économique, ceux-ci se tiennent encore ou passagèrement *en marge* de la société de consommation (12).

Rassemblant ceux que la société de consommation n'intègre pas, cette force révolutionnaire composite jouera le rôle de *catalyseur* externe par rapport à la classe ouvrière. Aujourd'hui, cette classe

(12) Cf. H. Marcuse, *La fin de l'utopie,* tr. 1968, qui contient une analyse très intéressante du mouvement étudiant aux Etats-Unis.

ouvrière est une classe révolutionnaire « en soi », mais non « pour soi », objectivement mais non subjectivement. Pour la prise de conscience de son aliénation et pour sa radicalisation, la classe ouvrière dépend de ces « catalyseurs » extérieurs à elle.

Le rejet des voies démocratiques et l'appel à la révolution. — Mais cette catalyse ne se produira pas si les minorités radicales se bornent à jouer le jeu de *la persuasion démocratique.* L' « introjection » est trop parfaite : l'immense majorité des citoyens est beaucoup trop intégrée à la société de consommation pour que la voie démocratique soit efficace. « Dans une telle situation, travailler conformément aux règles et aux modes de la légalité démocratique revient à capituler devant la structure de pouvoir existante. » La rupture est inconcevable hors d'une révolution. « La réalisation de la démocratie passe par l'abolition de la pseudo-démocratie existante » (p. 91-92).

L'Ethique et la révolution. — Il faut signaler, à cet égard, dans le recueil d'essais de Marcuse qui composent le volume *Culture et société* (tr. 1971) un essai consacré à *L'Ethique et la révolution.* Quand une société condamne les individus à la misère et à l'exploitation, quand un système trahit ses promesses et ses possibilités, quand ce qui devrait assurer la liberté et le bonheur de l'homme se change en instrument d'oppression et de domination, alors, la révolution est une tâche éthique.

4° *Contre-révolution et révolte* (1972).

Cette révolution sera plus culturelle que politique. Elle procédera, avant tout, d'une « nouvelle sensibilité ». C'est la thèse de Marcuse dans son dernier livre, *Contre-révolution et révolte* (tr. en 1973 de *Counterrevolution and revolt,* 1972).

Le capitalisme menacé institutionnalise partout la contre-révolution (renforcement des contrôles, censure directe ou indirecte, techniques de conditionnement, oppression de l'opposition radicale, etc.). Dans ce contexte, les révolutions de style léniniste appartiennent au passé. Il y a peu à attendre des partis communistes, devenus réformistes, et du prolétariat, qui s'est intégré à la société industrielle avancée.

Reste la partie la plus éclairée de la population (écrivains, artistes, etc.). Restent *les intellectuels* de la Nouvelle Gauche pour imaginer les formes sociales de l'avenir, en développant une « véritable contre-conscience, capable d'enfoncer le fétichisme de la société de consommation ». Des possibilités de subversion se trouvent chez ces marginaux, dans la sphère de l'inconscient et de l'esthétique, dans la « révolution culturelle ». Marcuse reconnaît l'importance de ces nouveaux secteurs de lutte : la culture, l'art, la poésie, la vie de tous les jours.

Nouvelle sensibilité et nouvelles valeurs. — Ce qui est essentiel, c'est l'apparition d'une « *nouvelle sensibilité* ». Cette « nouvelle façon de sentir », radicalement non conformiste, sera le moteur du changement social. Déjà, dans les *Manuscrits de 1844,* Marx insistait sur le potentiel subversif de la sensibilité. Il appelait à « l'émancipation totale de tous les sens et de toutes les qualités humaines ».

Que signifie cette « *émancipation des sens* » ? « Les gens apprendront à nouveau — s'ils l'ont jamais su — à percevoir, à sentir, à toucher les choses, qu'il s'agisse de simples objets ou des êtres. Ces modes de perception entièrement nouveaux seraient orientés vers une transformation du monde qui permettrait aux hommes de vivre en développant leurs facultés de jouissance, de créativité et d'amour. » Cette révolution concerne surtout la sphère esthético-érotique. Elle est « liée à la transformation progressive du corps : celui-ci doit devenir un instrument de plaisir au lieu d'être l'instrument du travail aliéné. Cette transformation du corps conduira à une nouvelle expérience de la vie » (H. Marcuse, Interview dans *Le Monde* du 10 mai 1974).

Cette nouvelle sensibilité est porteuse de *nouvelles valeurs.* Il faut refuser les valeurs du capitalisme (productivisme, fétichisme des marchandises, esprit de concurrence, agressivité, etc.). Il faut leur opposer une « contre-conduite », des « contre-valeurs » (sensibilité, sensualité, calme, paix, tendresse, beauté, etc.). Pour imposer « une qualité nouvelle de la vie ».

Art et révolution. — Dans cette voie, l'art remplit une fonction décisive. En effet, « l'univers esthétique prend le contre-pied de la réalité ». L'art vient porter la contradiction à la réalité présente. L'œuvre d'art est une insurrection contre le réel. Elle évoque un autre ordre que refoule l'ordre existant : un monde de beauté, de paix, d'harmonie (12 *bis*).

(12 *bis*) Voir aussi T. Adorno, *La Théorie esthétique,* tr. 1974.

L'artiste est un schismatique. Il se désolidarise méthodiquement de la société aliénée, pour créer un univers différent. Il fait advenir l'irréel, il fait affleurer l'imprésent. L'artiste porte témoignage contre la réalité présente, en faisant entrevoir un autre univers, idéal. Un univers parallèle. On connaît le mot de Cézanne : « L'art est une harmonie parallèle à la nature. »

Marcuse souligne ce « potentiel politique des arts », leur puissance de négation, de subversion. La beauté devient une valeur révolutionnaire :

« Curieux phénomène que la beauté, qualité présente dans une chanson de Bob Dylan aussi bien que dans un opéra de Verdi, dans une toile d'Ingres comme dans une toile de Picasso, dans une phrase de Flaubert comme dans une phrase de Joyce, dans un geste de la duchesse de Guermantes ainsi que dans celui d'une fille hippie ! Ce qui est commun à tout cela, c'est, à l'opposé de la désérotisation plastique, l'expression de *la beauté en tant que négation du monde des marchandises et du rendement*, en tant que négation des attitudes, des apparences et des gestes qu'il réclame » (H. Marcuse, *Contre-révolution et révolte*, tr. 1973, p. 151-152).

D. — Les épigones du freudisme

Dans la descendance de Freud, il faut encore mentionner deux auteurs, auxquels Marcuse s'est également opposé pour des raisons dissemblables : Erich Fromm et Norman Brown.

Erich Fromm. — Dans les principaux ouvrages de Fromm — *The Sane Society* (Ire éd. 1956, tr. fr. : *Société saine, société aliénée*), *Socialist Humanism* (New York, 1966), *The Revolution of Hope* (tr. 1970 : *Espoir et révolution. Vers l'humanisation de la technique*) — la synthèse de Marx et de Freud aboutit à un *réformisme* sans grande vigueur.

Fromm propose de construire un « humanisme communautaire socialiste », une « société saine », où l'homme retrouverait son véritable moi, où maladies mentales et aliénations disparaîtraient. Pour lui, la société actuelle peut encore être aménagée et rendue « saine », au contraire de Marcuse, qui se place en dehors du système et réclame des bouleversements radicaux.

Son dernier ouvrage, *Espoir et révolution*, est particulièrement sévère pour Marcuse et tient son œuvre pour « une rêverie naïve et cérébrale, irrationnelle, irréaliste, dénuée de tout amour pour la vie ».

Certes, Fromm brandit, lui aussi, le spectre d'« une société complètement mécanisée, soumise à la production maximale et à la consommation, et dirigée par des ordinateurs ». Il brosse un tableau noir de cette société

« technétronique », transformant l'homme en machine, privée de sentiment et de pensée, au lieu de la conduire vers plus de liberté et de bonheur.

Mais Fromm garde *espoir* dans la possibilité pour l'homme de contrôler le système social. Et les solutions constructives qu'il propose pour maîtriser la technologie déchaînée ne diffèrent guère de celles préconisées par un politiste modéré comme Brzezinski (*La révolution technétronique,* tr. 1971, spécialement le chapitre intitulé « L'avenir de l'Amérique », où l'auteur suggère « un pluralisme de participation » et « un humanisme rationnel »).

Que propose, en effet, Fromm, pour mettre fin au malaise et adapter l'individu aux conditions qui lui sont faites par la société « technétronique » ? Une « *planification humaniste* », sous-tendue par de nouvelles valeurs, orientée, non plus vers le maximum de rendement économique, mais vers le maximum de bien-être humain. Le démantèlement d'une « bureaucratie aliénante » et la *participation* de l'individu aux affaires publiques et privées, par la constitution de petits groupes *(face-to-face groups).* La multiplication de ces petits groupes, de dix à vingt personnes, leur liaison dans une souple association commune, marqueraient la véritable révolution culturelle, transformant peu à peu l'individu aliéné d'aujourd'hui en participant actif.

Cette vision modérée d'un grand psychologue, qui est aussi un des grands « hérétiques » post-freudiens, procède d'une *minoration des facteurs biologiques* et instinctuels et de l'introduction, en revanche, de notions spirituelles et moralistes. Avec les néo-freudiens (cf. E. Fromm, *Sigmund Freud's Mission,* New York, 1959), Fromm refuse tout déterminisme biologique. Il conteste le rôle prédominant de la libido, pour développer, au contraire, une approche sociologique de la psychanalyse. Cette optique réformiste l'oppose à W. Reich, à Marcuse et aussi à Norman Brown.

Norman Brown. — Si Norman Brown se trouve, lui aussi, récusé par Marcuse, c'est, en effet, pour une tout autre « déviation ». Dans ses ouvrages principaux (*Eros et Thanatos,* tr. 1960; *Le Corps d'amour,* 1967), Norman Brown diverge de l'analyse marcusienne. Pour Marcuse corrigeant Freud, l'aliénation de l'homme n'est pas le fait de sa condition, mais de la société. Freud aurait pris à tort une situation sociologique pour un fait biologique non modifiable. Or, la répression n'est pas d'ordre biologique, mais d'ordre *historique.* Elle peut donc cesser avec la fin de la pénurie économique et l'accès à l'abondance.

Pour Brown, en revanche, le débat se situe au niveau de l'ontologie. Qu'est-ce qui « réprime » l'homme et le désexualise ? D'après Brown interprétant Freud, c'est la conscience qu'a l'homme de la mort et le fait qu'il la refuse, attitude qui remonte au plus lointain de notre évolution. *La répression n'est pas un phénomène historique : elle est liée à la nature humaine même.* Le germe de la répression est donc la conscience et le refus de la mort. « Les animaux acceptent que la mort fassent partie de la vie; l'homme, lui, bâtit agressivement des cultures immortelles et fait l'Histoire pour combattre la mort. »

L'énergie que l'homme met à « faire l'Histoire » procède de la *tension névrotique entre les instincts de vie et les instincts de mort, entre Eros et Thanatos* s'employant à se détruire l'un l'autre. Quand cette énergie est utilisée d'une manière socialement acceptable, il y a « sublimation », c'est-à-dire cette désexualisation du comportement que Freud jugeait nécessaire pour la survie de la civilisation. Mais, sous-tendant toutes les formes de sublimation comme toutes les névroses reconnues, persiste toujours ce même antagonisme des instincts qui pèse sur l'homme.

A ce stade, Brown révise les vues de Freud. La lutte entre Eros et Thanatos n'est pas une opposition figée, dualiste, mais un conflit de nature dialectique, dynamique, procédant d'un équilibre primordial qui peut être redécouvert, comme l'expriment les grands mythes de rédemption et de résurrection, de Nouvelle Jérusalem ou de Nirvana. Il faut retrouver l'unité organique qui a précédé l'avènement de la répression, cesser d'opposer la vie à la mort. La seule manière d'abolir la répression, c'est d'accomplir l'intégration des instincts. *Cette conception visionnaire et mystique de la libération débouche sur une non-politique :* « La prochaine génération a besoin qu'on lui dise que *le combat réel n'est pas le combat politique,* mais qu'il en consiste à *en finir avec la politique.* De la politique à la poésie... La poésie, l'art, l'imagination, l'esprit créateur sont la vie elle-même, le véritable pouvoir révolutionnaire capable de changer le monde. »

Cette exaltation de l'expérience visionnaire, ce « mysticisme du corps » (*Love's Body,* tr. 1967 : *Le Corps d'amour*) qui se veut à la fois séculier et transcendant, ont provoqué une dure réplique de Marcuse, avec *Love Mystified : A Critique of Norman O. Brown* (1968). Suivre la voie de Brown, dit Marcuse, c'est « effacer la différence décisive qui existe entre le réel et l'artificiel »; c'est « mystifier les possibilités de libération », fuir « le combat réel, le combat politique » :

« Les racines de la répression sont et restent des racines réelles; en conséquence, leur déracinement reste une tâche réelle et rationnelle. Ce qui doit être aboli, ce n'est pas le principe de réalité, mais des choses concrètes comme les affaires, l'exploitation, la pauvreté. » Mais, aujourd'hui, le Marcuse de *Contre-révolution et révolte* serait-il aussi sévère pour certaines thèses de Norman Brown ?

E. — Le radicalisme culturel aujourd'hui

Plusieurs universitaires américains ont récemment publié des livres, qui peuvent servir de plate-forme doctrinale moyenne au radicalisme culturel aujourd'hui. La convergence de leurs thèmes attestent « la formation d'une *contre-culture* » (selon l'expression de Theodore Roszak), antithèse de la culture dominante.

Paul Goodman. — Récemment décédé, Paul Goodman faisait figure de pionnier de la Nouvelle Gauche américaine (13). Avec Noam Chomsky (*supra*, p. 37), c'était l'un des piliers de la *New York Review of Books*. Dès 1956, Goodman avait publié *Growing Up Absurd, Problems of Youth in the Organized System* (tr. 1971 : *Direction absurde*), pour dénoncer l'absurdité du système et la difficulté de devenir adulte dans ces conditions (c'est le double sens du titre anglais).

Caractérisé par la surorganisation, la culture dominante détruit la nature humaine, avec ce qu'elle comporte de créativité, d'imagination, pour réduire l'homme à n'être qu'une abstraction dans un réseau de relations intangibles. Dès lors, le passage à l'état adulte est comme « une *acculturation*, comme l'abandon d'une culture pour une autre, à la manière d'une tribu indienne qui s'approprie la culture des Blancs ». Il implique l'acceptation des valeurs imposées par la culture dominante, la « normalisation » de l'individu selon des lois qu'il n'a pas choisies.

En rupture avec cette culture établie, Goodman préconise des solutions utopiques (par exemple, la coexistence de deux modes de vie parallèles : ceux qui se contenteront d'un minimum vital ne travailleront qu'un jour sur sept; les autres toute la semaine), mais qui entendent tenir compte des possibilités de la technologie moderne, mise au service d'un homme nouveau.

Goodman insiste aussi sur la nécessité d'instaurer un esprit communautaire authentique. Il se rattache, par ce « *communautarisme* », à une tradition anarcho-utopiste qui remonte à Robert Owen et à Kropotkine. On mesure aujourd'hui l'influence exercée par cette « exploration de l'utopie », par cette « sociologie visionnaire » de Paul Goodman (selon les termes de Th. Roszak), en constatant le retranchement de la jeunesse dans de nombreuses communautés, expérimentant de nouvelles relations sociales.

Theodore Roszak. — Professeur au California State College, Theodore Roszak publie, en 1968, *The Making of A Counter Culture* (New York, 2e éd., 1969; tr., 1970; *Vers une contre-culture*), qui constitue un recensement, une défense et une illustration des nouvelles tentatives culturelles, sous toutes leurs formes. Et un réquisitoire implacable contre la « technocratie ».

(13) Voir Bernard VINCENT, *Paul Goodman et la reconquête du présent*, 1976.

La jeune génération rejette le discours idéologique, la rhétorique traditionnelle, « la politique de papa » : « la politique à l'ancienne mode » a vécu. « Le combat majeur de notre époque est celui qu'il faut livrer à un ennemi beaucoup plus redoutable parce que beaucoup moins évident : la technocratie... Par *technocratie,* j'entends le système social où une société industrielle atteint le sommet de son intégration organisationnelle » (p. 17-19). Contre ce « phénomène para ou super-politique », la contestation devient, elle aussi, métapolitique, *culturelle.* Objectif : inventer et expérimenter de nouveaux *modes de vie,* concrétiser une « contre-culture », pour subvertir, par la force de l'exemple, la culture établie de la société technocratique :

« Il faudra tenter des *expériences,* dans l'éducation, dans la vie communautaire, pour chercher non pas la coexistence avec la technocratie..., mais pour chercher à subvertir et à séduire par la force de la pureté, de la générosité et d'un bonheur visible... L'objectif est d'obtenir qu'un nombre croissant de nos compatriotes cessent de se conformer aux exigences déclarées de la *technocratie*; qu'ils refusent de se contenter de quelques heures après le travail pour épanouir les possibilités de leur personnalité; qu'ils deviennent comme sourds et aveugles aux séductions d'une carrière, de la prospérité, de la manie de la consommation, du pouvoir politique, du progrès technologique; qu'ils puissent enfin ne trouver qu'un triste sourire pour la basse comédie de ces prétendues valeurs et passer leur chemin » (*op. cit.*, p. 295).

Contre la science. — De Roszak, il faut aussi citer *Où finit le désert ?* (tr. 1973), violent réquisitoire contre la science et ses excès. Pour étudier le monde, la science se fonde uniquement sur la vision simple, le réductionnisme des faits extérieurs et des états psychologiques. Pour elle, seul existe l'homme quantifiable. Elle « progresse grâce à la technique et accumule des données objectives en rejetant l'expérience personnelle et qualitative ».

Au cours des siècles, la science en est ainsi venue à créer un monde de plus en plus artificiel, soumis aux mathématiques, coupé de l'environnement naturel. Notre *société urbano-industrielle* est toujours plus assujettie aux technocrates enfermés dans leurs spécialités; et le profane, faute de disposer du langage approprié, se voit exclu. Les dangers de cet état de choses sont visibles : péril thermonucléaire, dégradation de l'environnement, autoritarisme croissant, etc. Il existe aussi une alliance objective entre la science (appliquée) et le pouvoir (répressif).

Selon Roszak, le *romantisme* est « la première antitoxine importante engendrée dans le corps de notre société pour lutter contre la contagion infectieuse de la vision simple ». Aussi la jeunesse dissidente l'a-t-elle adoptée en se tournant vers « la drogue et le rêve, l'enfance et la bohême, l'occulte et le magique ». Ainsi, le monde de l'imagination, du sacré et du mystère offre un contrepoids aux méfaits de la technocratie.

Pour sortir du « *désert* » urbano-industriel, pour rejeter l'industrialisme urbain comme mode dominant, Roszak suggère trois voies : 1° la désurbanisation : de petites agglomérations rurales bien développées permettraient à chacun de choisir le mode de vie qui lui convient; 2° une « économie de permanence », qui, à l'opposé de l'économie de l'opulence, amènerait un nouvel équilibre; 3° un système social fondé sur la notion de « tribu ».

Lewis Mumford. — De même, dans *Le Mythe de la machine* (tr. 1974), Lewis Mumford dénonce l'idéologie scientiste et industrialiste, la technologie totalitaire d'aujourd'hui, la domination d'une minorité, fondée sur les machines et les organisations dépersonnalisées.

Mumford détrône l'*homo faber,* l' « homme fabricant ». Il dénonce la surestimation des « outils » et de la compétence technique. La maîtrise de l'environnement, la prise de possession de la nature ont constitué un objectif pernicieux. De là vient la « Mégamachine ». De là vient le « nouveau système mécanique » : un complexe d'institutions et d'appareils bureaucratiques, d'entreprises collectives et d'organisations économiques, de moyens militaires et répressifs.

Aujourd'hui, ce système, sorte de « *Pentagone de la puissance* », comporte cinq composantes : la « puissance », liée à l'emploi de l'énergie et plus précisément de l'énergie nucléaire qui donne à l'Etat une arme de dissuasion « pharaonique »; le « pouvoir politique », appuyé sur cette force, sur les moyens de contrôle électroniques et les grandes organisations; la « productivité » entretenue pour la sauvegarde du « profit »; et la « publicité » ou la propagande, par laquelle la minorité privilégiée obtient autorité et crédibilité. La finalité du système est la fuite dans la puissance, à l'abri des proclamations de progrès et de croissance.

Alors, que faire ? Il faut repasser de l'ordre mécanique à l'ordre organique. Il faut subordonner les valeurs mécaniques ou instrumentales aux *valeurs organiques.* Il faut sortir de l'ordre mécanique et retrouver une vision du monde fondée sur les enseignements de la *biologie* et non sur l'exemple des machines. Il faut croire en l'homme, en celui qui instaure des solidarités organiques plus que des rapports de puissance, en celui qui crée des symboles plus que des outils. La production symbolique répond « à un besoin plus impératif que celui de la maîtrise de l'environnement ».

Les équilibres naturels importent plus que la maîtrise technique, les facteurs de diversité plus que les forces d'uniformisation, l'intuition créatrice plus que la précision des ingénieurs. L'homme importe plus que la machine, la vie plus que la puissance.

Contre la culture technologique. — Dénonçant « le succès destructif de l'abondance technologique », Mumford en appelle, lui aussi, à une nouvelle culture.

« L'accroissement sans limite de la population, la surexploitation des inventions mégatechniques, les gaspillages désordonnés de la consommation forcée, et, en conséquence, la détérioration du milieu de vie ont enfin commencé à provoquer la réaction nécessaire. »

Ce qu'il faut aujourd'hui, c'est inventer « des modes de travail, d'éducation et de récréation profondément différents de ceux offerts par la mégamachine... Rien de moins *qu'une profonde réorientation de notre tant vanté « mode de vie »* technologique n'empêchera cette planète de devenir un désert sans vie. »

Par ailleurs, le sociologue américain a détaillé son réquisitoire sur un point plus particulier — la critique des villes modernes « à l'américaine » — dans un livre traduit en 1970 sous le titre *Le déclin des villes.* Dénonciation des gratte-ciel uniformes « aussi démodés que les fonctions bureaucratiques auxquelles ils rendent hommage », des banlieues — ces « anti-cités » —, d'une architecture sans âme, qui fait de l'homme « le baby-sitter de la machine ». Plaidoyer pour restaurer un urbanisme à visage humain, qui saurait accueillir « la variété et la complexité » (13 *bis*).

William Braden. — Pour sa part, William Braden, dans *The Age of Aquarius* (Chicago, 1970), revendique, contre l'uniformité de la culture technologique, la *diversité* et l'harmonie des sous-cultures particulières :

(13 *bis*) En France, la même analyse, mais plus politisée, se retrouve dans deux ouvrages d'Henri Lefebvre : *Le droit à la ville* et *La révolution urbaine.* Même critique de l'aliénation urbaine de la société post-industrielle. Et réquisitoire contre l'urbanisme régnant des technocrates, « superstructure » du « capitalisme d'organisation » : « L'urbanisme, objectif en apparence, est un urbanisme de classe. »

« Nous assistons maintenant en Amérique à une réaffirmation des particularités ethniques, et au total cette évolution est probablement saine... Le problème n'est pas d'assimiler ces enclaves ou ces *sous-cultures* dans la superculture technologique en train de naître et qui n'est d'ailleurs pas une véritable culture, mais plutôt une non-culture mécanique et inhumaine. Le problème est de les intégrer à une culture américaine viable. Elles l'enrichiront par leur *diversité* même. Car *nous avons besoin d'harmonie et non d'homogénéité.* La jeunesse elle-même constitue maintenant l'une de ces sous-cultures... Peut-être le résultat sera-t-il bon. Peut-être un jour aurons-nous une technologie sans « technologisme ». Mais peut-être le résultat sera-t-il mauvais. L'harmonie est possible. La grande mêlée aussi. »

Charles A. Reich. — Dernier ouvrage à citer, qui fut un best-seller au succès éclatant : celui de Charles A. Reich, professeur de droit à Yale. Son titre : *Le regain américain* (tr. en 1971 de *The Greening of America,* New York, 1970).

Trois « *consciences* » successives ont dominé l'Amérique : « Conscience I » — l'Amérique individualiste et provinciale ancienne manière, celle des pionniers —, « Conscience II » — l'Amérique hyperorganisée des grands trusts et de la technologie —, et « Conscience III » — la nouvelle morale et la nouvelle sensibilité qui affleurent au cœur des sociétés industrielles modernes.

Conscience II, c'est le culte de l'organisation : l'homme devient une simple unité de production et de consommation, un rouage de « *l'Etat-entreprise* ». Réduit à un rôle, à une fonction, il mène une vie de robot, aliéné, asservi à un monde mécanique.

« Le produit du système que nous avons décrit est « l'homme nouveau » de l'ère technologique, l'homme capable de manœuvrer des machines et de travailler dans les organisations. C'est un homme qui se laisse dominer par la technique, par la propagande, par l'éducation, par la publicité et par l'Etat, à seule fin d'être le mieux ajusté possible à son rôle » (p. 162).

Résultat : des rapports inauthentiques, artificiels, superficiels entre les individus. Un monde de contraintes, de stéréotypes et de besoins artificiels, qui réprime la spontanéité, la créativité, la vie intérieure, le contact avec la nature, la sensualité, la sexualité, etc.

Conscience III. — Mais vient la libération avec Conscience III. L'individu cesse d'accepter automatiquement les impératifs et les contraintes de la société. Il entend être lui-même, affirmer sa subjectivité, récupérer son identité, sans se faire violence ni se contraindre.

Il ne croit plus à la compétition; il considère le monde comme une communauté, non comme une jungle. Il rejette les rapports d'autorité et de subordination. Il entend maîtriser la technologie et la mettre à son service.

Jusqu'ici, Conscience III se développe surtout parmi les jeunes. La nouvelle génération cherche « de nouvelles manières d'être ensemble ». Souvent dans de petites communautés, fondées sur des valeurs partagées.

« La logique de la rébellion de la nouvelle génération doit être comprise à la lumière du développement de l'Etat comme grande société anonyme et de la manière dont cet Etat domine, exploite et finalement détruit à la fois la nature et l'homme. Les Américains ont perdu le contrôle des mécanismes de leur société et seules *de nouvelles valeurs et une nouvelle culture* peuvent leur en rendre le contrôle. Au cœur de tout se trouve ce qu'il faut bien appeler un changement de conscience. C'est-à-dire *une nouvelle manière de vivre* — presque un homme nouveau. »

§ 2. — LA CRITIQUE DE L'ÉCONOMIE ÉTABLIE

Au début des années 1970, cette critique de la *culture* établie se double d'une critique de l'*économie* établie, qui la sous-tend, qui lui sert de fondement.

La croissance sauvage. — On connaît les ressorts du modèle économique dominant : esprit de compétition, recherche du profit, désir de consommer davantage, etc. L'objectif principal, c'est la multiplication des biens matériels. L'ambition, c'est d'atteindre un *taux de croissance* capable de permettre l'élévation annuelle du *niveau de vie,* sans guère se soucier de la « qualité de la vie ».

Le système économique est orienté vers la recherche d'une croissance maximale, vers *la maximisation du P.N.B.*

Cependant, cette croissance trop rapide et mal orientée, cette industrialisation forcenée, cet emballement technologique, bref cette fuite en avant, comportent des dangers. D'une part, *l'aliénation de l'homme* : celui-ci devient l'esclave d'une technologie effrénée, d'une croissance « sauvage », qui multiplie les besoins, qui accroît les désirs et non le bonheur. Le bonheur ne croît pas avec la consommation.

D'autre part, il existe un second risque : *l'épuisement et la dégradation des ressources naturelles.* Car l'expansion à tout prix est destructrice de biens et de valeurs irremplaçables.

La prise de conscience. — Bref, la croissance commence à apparaître comme un phénomène non contrôlé. Comme une manifestation de désordre, un déchaînement de forces non seulement créatrices, mais aussi destructrices.

D'où la critique de certains économistes eux-mêmes, transformés en « *objecteurs de croissance* ». Pour dénoncer les excès et les méfaits d'une croissance trop rapide, d'un développement technologique et économique effréné.

Cette prise de conscience s'affirme en plusieurs étapes.

La croissance zéro. — Aux Etats-Unis, dès la fin des années 1960, tout un courant de pensée prône le « *zero growth* », la croissance zéro. Après deux décennies d'idolâtrie de l'expansion, les « *zegists* » proposent un objectif opposé : stopper la croissance, atteindre l'état stationnaire, le degré zéro de croissance.

Pour ces négateurs du développement, seul *l'arrêt de la croissance* permettra de préserver cette planète d'une irrémédiable pollution. L'Etat doit donc changer radicalement de politique. Au lieu de pousser la machine économique comme il le fait, il doit la ralentir afin de ramener le taux de croissance à zéro.

P.N.B. et B.N.B. — D'ailleurs, plusieurs économistes le concèdent : le P.N.B. et sa croissance ne veulent plus dire grand chose. Ils ne tiennent pas compte d'éléments de plus en plus importants, comme la raréfaction des matières premières ou la pollution de l'environnement. Ainsi, l'essence consommée dans les embouteillages figure dans le P.N.B.

L'on a donc tort d'assimiler l'élévation du niveau de vie à celle du P.N.B. Il faut substituer au P.N.B. l' « Utilité Nationale Brute » ou le « *Bonheur National Brut* », le B.N.B., dont parle le Pr Tinbergen.

Le Club de Rome et le rapport du M.I.T. — En 1968, M. Aurelio Peccei, qui est un des dirigeants de la Fiat, et plusieurs grands entrepreneurs européens lancent le *Club de Rome.* Ce Club, dont l'effectif est limité à cent membres maximum, groupe des responsables (industriels, économistes, fonctionnaires, savants, etc.) disposant d'une grande somme d'informations, pour réfléchir en commun sur les problèmes de notre temps.

Le Club de Rome commande aux experts du System Dynamics Group du M.I.T. (Massachusetts Institute of Technology) une étude sur les « *limites de la croissance* ». Terminée en juillet 1971, cette étude souligne les conséquences et les limites de l'expansion pour l'expansion, de la croissance sauvage. En 1972, ce *rapport du M.I.T.* est traduit sous le titre *Halte à la croissance.*

Ce rapport — dont, plus tard, les auteurs corrigeront quelque peu les chiffres et les conclusions — provoque de vives réactions dans le monde par son approche néo-malthusienne (14).

Le rapport met en lumière — d'une manière volontiers dramatique — *l'évolution démographique* dans le monde, la montée de la population; *la pénurie de nourriture; la pollution; l'épuisement des ressources naturelles;* et *l'effondrement de la production industrielle,* privée d'énergie et de matières premières. La grande crise devrait commencer vers 1985-1990 et culminer vers l'an 2020, si nous laissons les choses suivre leur cours actuel.

En octobre 1973, au moment où la crise de l'énergie devient une réalité tangible, le Club de Rome, réuni à Tokyo, examine 25 projets de recherche sur les problèmes globaux. D'où *Le Rapport de Tokyo sur l'homme et la croissance* (1974).

La lettre Mansholt. — Ebranlé par la lecture du premier rapport du M.I.T., M. Sicco Mansholt, qui n'était alors que vice-président de la Commission des Communautés européennes (il allait en devenir président quelques semaines plus tard) adresse, le 9 février 1972, une lettre à M. Malfatti (alors président de la Commission de Bruxelles). Ce document — publié sous le titre *La lettre Mansholt* (1972) — exprime un certain nombre de craintes sur l'avenir du monde et présente des réflexions « fondées sur les conclusions du rapport ». Car une « mission » incombe à l'Europe en ce domaine.

Le temps du monde fini commence. Car une triple alerte se déclenche : l'alerte démographique (surpopulation), l'alerte écologique (pollution), l'alerte énergétique (épuisement des ressources).

« Tout le monde évoquait la possibilité d'un désastre. Mais, pour la première fois, avec le rapport du M.I.T., on en a des preuves : les limites

(14) Cf. C. Freeman, *L'Anti-Malthus. Une critique de Halte à la croissance,* tr. 1974, et la réponse du Club de Rome à ces critiques, sous le titre *Quelles limites ? Le Club de Rome répond...,* tr. 1974.

précises de notre politique de croissance « sauvage » sont dessinées, fixées, datées. Nous savons, dès à présent, quand s'épuisera l'énergie disponible, quand s'arrêtera la production agricole, quand nous commencerons à manquer de matières premières, quand la pollution atteindra son seuil véritablement critique. »

Conclusion : « La plupart de nos prétendus « progrès » techniques nous enfoncent dans le désastre » (15). Si l'expansion continue selon les courbes d'aujourd'hui, le monde va à la catastrophe.

Les suggestions de S. Mansholt. — En conséquence, S. Mansholt préconise une réorientation totale de l'appareil de production, un changement radical de politique économique. « C'est l'ensemble de notre système qu'il faut revoir, sa philosophie qu'il faut radicalement changer. » Concrètement, il propose :

— une nouvelle *politique démographique,* pour empêcher la surpopulation : développement de la contraception, libéralisation de l'avortement, autorisation de la stérilisation volontaire, suppression des aides sociales aux familles nombreuses;

— « une *forte réduction de la consommation de biens matériels* par habitant, compensée par l'extension des biens incorporels (prévoyance sociale, épanouissement intellectuel, organisation des loisirs et des activités récréatives, etc.) ». Il s'agit de supprimer tout gaspillage, la consommation de gadgets, d'articles ou de vêtements inutiles, etc.;

— « *la promotion de la durabilité des biens* de consommation » ou d'équipement, pour réaliser d'importantes économies de matières de base. Le système de production devrait être moins obsolescent, fabriquer, par exemple, des automobiles plus durables, etc.;

— enfin, « *une planification fortement centralisée* » : en socialiste qui se défie des mécanismes du marché, S. Mansholt propose d' « organiser la répartition des matières premières et des biens d'équipement ».

En 1974, S. Mansholt reprend ses analyses dans un livre symboliquement intitulé *La crise.*

Les critiques adressées aux experts du M.I.T. et à M. Mansholt. — Le diagnostic apocalyptique des spécialistes du M.I.T. et de M. Mansholt a été critiqué par d'autres experts. Ainsi, M. Raymond Barre invite à « se méfier de certaines extrapolations sommaires » et trouve au Rapport « un caractère excessif et systématiquement pessimiste ».

(15) S. MANSHOLT au débat organisé par le Club de « l'Obs », *Le Nouvel Observateur* du 19 juin 1972.

M. Barre, alors vice-président de la Commission de Bruxelles, écrit : « Il serait mal venu, étant donné la pauvreté relative de nos sociétés, de vouloir substituer des priorités nouvelles (préservation du milieu et des ressources naturelles) aux priorités anciennes (plein emploi et accroissement des revenus), de plaider par exemple pour une diminution de la croissance économique en Europe. Ce qu'il faut rechercher, c'est *un équilibre entre ces priorités anciennes et nouvelles,* dont il faut bien constater qu'elles sont partiellement concurrentes. L'objectif n'est pas de freiner l'expansion, mais de l'adapter aux nouvelles aspirations que la société de consommation et ses succès ont suscitées. » (*Le Monde* du 15 juin 1972).

La crise de l'énergie. — Cela dit, à l'automne 1973, la crise de l'énergie devient une réalité tangible. Les pays exportateurs de *pétrole* décident de restreindre les quantités livrées et d'augmenter les prix. Cette menace de pénurie et cette escalade des prix du pétrole créent une situation nouvelle pour l'Occident. Dans le même temps se poursuit le boom de certaines *matières premières,* amorcé dès 1970 et surtout depuis 1972.

Désormais, il n'est plus possible d'agir comme si les ressources naturelles étaient un donné certain, inépuisable, qu'on pourrait impunément mettre en coupe réglée ou même à sac. L'ivresse industrialiste et la civilisation du gaspillage sont menacées par cette *raréfaction à terme des quantités disponibles d'énergie et de certaines matières premières.* Du coup, est restaurée dans les esprits la notion de ressource naturelle, limitée, précieuse, dont il convient d'aménager prudemment la consommation. Voici reparaître le concept physiocratique de nature, le sentiment que la nature est un bien positif, fondamental, d'où vient la richesse, et qu'il faut respecter et ménager.

Pour économiser ses ressources, l'Occident sera amené à consommer moins frénétiquement. Ce qui était impensable — malgré les exhortations du Club de Rome et de M. Mansholt, malgré les mises en garde des hippies, des écologistes et des *zegists* — devient plausible. La nécessité impose une *croissance moins gaspilleuse,* un « modèle » de production moins artificiel. La force des choses oblige à réfléchir sérieusement à d'autres styles de croissance.

Ainsi, M. Giscard d'Estaing, alors ministre de l'économie et des finances, juge nécessaire un « redéploiement de la croissance », puisque « voici venu, pour certaines matières de base et pour l'énergie, *le temps de la rareté et de la cherté* ». Il faut modérer certaines consommations individuelles, « remodeler » l'économie en donnant la priorité aux activités qui épargnent les matières premières et l'énergie. Il faut imaginer « *une autre forme de croissance*, moins gaspilleuse, qui sache mieux épargner, mieux utiliser et mieux valoriser certains biens essentiels » (*Le Monde* du 20 décembre 1973).

Devenu président de la République, M. Giscard d'Estaing déclare de même, le 25 septembre 1974 : « Qu'on ne s'y trompe pas, nous sommes entrés dans une autre époque de la croissance économique : le temps de la croissance sauvage, fondée sur le gaspillage des ressources bon marché est terminé. A certains égards, la nouvelle époque corrigera les excès de la précédente, l'exaltation démesurée de la consommation, les secousses brutales apportées aux conditions de vie, l'urbanisation désordonnée. Il va falloir définir et conduire *une nouvelle croissance modérée dans le plein emploi* » (15 *bis*).

Solutions et remèdes. — Beaucoup de suggestions sont donc formulées, ici et là, pour tenter de civiliser la croissance. On peut les grouper autour des thèmes suivants.

— *Transformer la notion de croissance* économique en un concept de développement global, multidimensionnel. La notion de développement ne peut avoir un sens uniquement économistique. « Il faut réduire notre croissance économique, notre croissance purement matérielle, pour y substituer la notion d'une autre croissance : celle de la culture, du bonheur, du bien-être » (16).

A cet égard, il faut citer un sondage réalisé en 1975 par l'Institut gouvernemental alimentaire en Norvège qui possède l'un des niveaux de vie les plus élevés du monde : 76 % de Norvégiens ne sont pas satisfaits; ils jugent précisément que le niveau de vie dans leur pays est « trop élevé ». La grande majorité des personnes interrogées préféreraient « une vie simple et calme, avec juste les objets nécessaires ». Elles souhaiteraient que « les revenus et le carriérisme soient limités ».

— *Réviser les valeurs :* il y a beaucoup de valeurs à réviser, comme le goût excessif de la mobilité et de la vitesse, comme l'esprit de compétition et de performance. Pour remodeler la société dans un sens plus humain, plus fraternel, moins tendu.

— *Satisfaire les vrais besoins :* il faut remplacer une expansion fondée sur la production toujours accrue de biens matériels par une croissance tournée vers la satisfaction de *besoins immatériels :* santé, culture, loisirs, amélioration des relations de l'homme avec son environnement physique et social.

(15 *bis*) Voir *Une nouvelle croissance pour la France,* texte et déclaration de V. GISCARD D'ESTAING (mai 1974-mai 1977), Service d'information et de diffusion, 1977, p. 16.

(16) S. MANSHOLT, interview au *Nouvel Observateur* du 12 juin 1972.

— *Préserver l'environnement :* il s'agit d'éviter la détérioration générale du cadre de vie (lutte contre le bruit, contre la pollution de l'air et de l'eau, contre la prolifération d'énormes agglomérations; défense des espaces verts, des sites urbains et ruraux). Philippe Saint-Marc (*Socialisation de la nature,* 7e éd., 1975) l'a fait remarquer : il faut démythifier la croissance, car il est des domaines où celle-ci nous paupérise, en nous faisant sacrifier des biens gratuits (pureté de l'air et de l'eau, calme, etc.).

— *Préserver l'eau, le sol, les ressources naturelles, les sources d'énergie et les matières premières,* qui feront un jour défaut.

— *Fabriquer des biens* de consommation ou d'équipement *moins nombreux* (suppression des gadgets inutiles), *plus durables et moins polluants,* pour freiner, précisément, le gaspillage de l'énergie et des matières premières.

— *Favoriser les services publics* au détriment des activités individuelles : favoriser, par exemple, les transports collectifs au détriment des voitures particulières.

— Promouvoir une nouvelle technologie, qualifiée de *soft technology* : développer des techniques d'un type nouveau qui puissent utiliser des matières premières aisément disponibles localement, qui n'altèrent pas sans retour possible l'environnement, qui utilisent intensivement le travail humain et satisfassent ceux qui les mettent en œuvre, qui se prêtent au contrôle de ceux dont elles sont l'instrument.

— *Développer des formes d'énergie non polluantes* (solaire, marémotrice, éolienne, géothermique).

Le rapport Gruson. — En ce sens, en juillet 1974, M. Claude Gruson, ancien directeur de l'I.N.S.E.E., remet au ministre de la Qualité de la vie un rapport intitulé : « *La lutte contre le gaspillage : une nouvelle politique économique, une nouvelle politique de l'environnement.* » Ce rapport émane d'une quinzaine de personnalités et de hauts fonctionnaires, réunis pour réfléchir sur le thème : « La crise et l'environnement. »

Cette réflexion se traduit par un catalogue de 95 propositions. Toutes tendent à promouvoir une nouvelle politique réellement « *économique* », aussi bien pour l'énergie et les ressources naturelles que pour l'environnement. Ces recommandations, par leur multiplicité et leur convergence, remettent en cause le *mode de vie* des Français. Parmi celles-ci : promouvoir l'utilisation collective des autos, machines à laver et résidences secondaires; « encadrer » la publicité pour réduire les consommations inutiles et nocives;

imposer sur tous les produits une étiquette indiquant leur effet sur l'environnement, etc. Conclusion de M. Gruson : « Tout notre système économique va s'écrouler si nous ne devenons pas économes et raisonnables » (17).

Pause de la critique ? — Cela dit, les analyses du Club de Rome ont été souvent remises en cause. Y compris dans leur rigueur et leur exactitude scientifique.

De plus, la crise même de l'économie internationale — avec son cortège de ralentissement ou d'arrêt de l'expansion, de développement du chômage, etc. — crée un climat psychologique défavorable à la contestation de l'économie établie.

Cette période de difficultés économiques incite évidemment à privilégier les priorités anciennes (préservation de l'emploi et du niveau de vie) si menacées — en se souciant moins des priorités nouvelles. Dans une période de ralentissement ou d'arrêt du développement — et donc d'essor du chômage —, ceux qui plaident pour une diminution ou un arrêt de la croissance risquent d'être moins entendus.

§ 3. — LA NOUVELLE CULTURE

Sous-cultures et sous-pouvoirs. — Ainsi, malgré certaines « pauses », tout un courant critique se développe, visant le modèle culturel et le modèle économique qui lui sert de base. Toute cette critique de la société industrielle avancée inspire déjà, *dans les faits,* de nombreuses expériences de rupture avec le mode de vie ainsi récusé.

Le processus d'intégration de la société sur-développée semble bloqué. Sous l'effet de diverses *rétro-tendances* — qui marquent le retour à certaines attitudes du passé : retour de l'utopie, retour au malthusianisme, arrêt du progrès, etc. — la société sur-développée semble se fragmenter en plusieurs sous-sociétés ou sous-cultures. Ces *sous-cultures* rompent avec la culture dominante et s'organisent en autant de *sous-pouvoirs* (communautés, minorités nationales, etc.). La société paraît se décomposer en une pluralité de sous-pouvoirs, dont chacun administre une sous-culture particulière.

Sur-développement et sous-pouvoirs. — En vérité, la société sur-développée apparaît de plus en plus comme une société d'hypertrophie et d'uniformité.

(17) *Le Monde* du 6 juillet 1974.

Hypertrophie, d'abord. Car, pour fonctionner, cette société se dote d'organisations de plus en plus gigantesques et massives : trusts, conglomérats et complexes industriels; appareils et effectifs militaires démesurément gonflés; vastes organisations bureaucratiques; administrations omniprésentes, etc.

Or, pour fonctionner, ces organisations géantes ont besoin que leurs éléments de base — c'est-à-dire les individus — soient standardisés comme les éléments d'une machine. D'où l'*uniformité* croissante.

Dans cette « société de masse » (Kornhauser), l'individu devient le simple rouage d'une immense machine. Il cesse d'être un homme responsable. Pour devenir un numéro pour ordinateur, un pion, un objet. Déshumanisé, standardisé, plié à tous les conformismes nécessaires au fonctionnement des appareils bureaucratiques. Bref, cette mécanisation des organisations sociales exige des individus transformés en éléments, en pièces uniformes et interchangeables. Contraint, programmé, calibré, l'homme devient aliéné, étranger à lui-même, à sa véritable nature.

Cependant, depuis une dizaine d'années, cette *société d'hypertrophie et d'uniformité* provoque, de plus en plus, un « grand refus ».

Un phénomène de *compensation* paraît se produire. En réaction contre la pression du sur-développement, contre l'hyperorganisation et l'uniformisation (politique, économique, culturelle) de la société post-industrielle, *les sous-sociétés se multiplient.* Le « pouvoir » semble se fractionner, se disséminer. Comme s'il existait une relation paradoxale entre *sur-développement et sous-pouvoirs.*

Naguère, ce mouvement concernait surtout les Etats-Unis (voir la première édition de ce manuel, 1971, p. 282-314), à l'époque de la floraison des sous-pouvoirs (Black Power, Red Power, Student Power, Flower Power, etc.). Aujourd'hui, il gagne les autres sociétés occidentales. C'est là qu'il faut désormais l'analyser.

Tout se passe comme si des *contre-valeurs,* portées par des *contre-forces,* s'incarnaient dans des *contre-formes.* Pour donner naissance à une *contre-culture* ou, plutôt, à une nouvelle culture.

A. — Les contre-valeurs

Femmes, lycéens, étudiants, O.S., travailleurs immigrés, minorités nationales : on peut trouver ces mouvements diffus ou confus. Pourtant, à travers eux, ce qui s'accomplit est plus profond. C'est, à la base même, une prise de conscience. Et presque un soulèvement contre un système devenu irrationnel. Où l'abondance accroît la dépendance, au lieu de la réduire. Contre un système, qui impose des conditions de vie et de travail décevantes, qui gaspille ses chances. Au lieu d'employer ses ressources à rendre l'économie et la société plus humaines.

Contre le système. — Au demeurant, cette vague de fond, qui soulève la base, rejoint des appréhensions déjà formulées. Par la conférence de l'O.N.U. sur l'environnement (Stockholm, juin 1972), par le Club de Rome, par les experts du M.I.T., avec leur rapport sur les « limites de la croissance ». Sur les dangers d'une expansion anarchique, pour le bonheur aujourd'hui, pour la survie demain.

A l'époque, la fuite en avant se poursuit. La machine économique continue de s'emballer. Avec pour objectif — déraisonnable — l'augmentation continue de la production, l'expansion à tout prix. Et ce prix est très lourd. C'est l'épuisement des ressources naturelles. C'est la dégradation du cadre de vie. Avec la pollution de l'air et de l'eau, le bruit, le dépeuplement des campagnes, le désordre des villes. C'est aussi « le travail en miettes ». Avec ses cadences et ses tâches, monotones, répétitives.

Alors, se développent le sentiment de l'absurde et la révolte contre un système qui trahit ses promesses et ses possibilités. Les progrès de la technologie, l'essor de l'économie pourraient servir à créer une société plus heureuse, qui donne à chacun le goût et le temps de vivre. Au lieu de cela, au lieu d'être un moyen au service de l'homme, la croissance devient une fin en soi. C'est elle qui transforme l'individu en pur instrument, en simple unité, vouée à la production accélérée et à la consommation forcée. Ainsi va le meilleur des mondes industriels.

Les valeurs du passé. — Au fond, cette irrationalité trouve son fondement principal dans *la persistance d'un système de valeurs anachronique*. Certes, la morale n'est pas une simple superstructure. Mais, néanmoins, chaque étape de la croissance économique tend à façonner son éthique particulière.

Au long du XIXe siècle, au cours du XXe, dans un système qui s'employait à supprimer la pénurie, à réduire la pauvreté, il était normal qu'on proposât certaines *valeurs*. Celles, précisément, du libéralisme économique. C'est-à-dire l'effort, l'épargne, la tension, l'esprit de concurrence et de compétition, voire l'agressivité. D'où la mystique du rendement et le « fétichisme des marchandises ». De Laffitte à Taylor — ou même à Stakhanov — ces impératifs restaient logiquement les mêmes. Ils étaient ceux d'une *société en voie de développement,* en cours d'industrialisation. Ils étaient ceux d'une économie tendue dans l'effort, bandant ses muscles, mobilisant toute son énergie. Pour « décoller », pour s'arracher à la pénurie ou à la misère.

L'anomie. — Aujourd'hui, à la fin du XXe siècle, cet ensemble d'efforts et de contraintes a enfanté une autre société. Même s'il subsiste de nombreux secteurs de pauvreté et d'injustice (18), même si la crise de l'énergie et la crise actuelle de l'économie imposent certaines réserves (*supra,* p. 394), la « *société d'abondance* » remplace la société de pénurie. Aussi, très normalement, les principes de celle-ci semblent dépassés. L'époque n'est plus au Père Grandet ou à Germinal. Là aussi, il s'agit d'épouser son siècle, d'*adopter la morale de son temps.* Au lieu de conserver une culture, *des valeurs de pauvres.*

Alors, insensiblement, la société se détache des anciennes règles, qui ont eu leur nécessité, mais qui ont fait leur temps. D'où une crise de conscience. Même pour la classe dirigeante, qui ne croit plus en elle-même, en ses propres valeurs, et qui n'a plus d'autres idéaux à proposer ou à défendre. Alors, faute de préceptes de comportement adaptés, c'est *l'anomie :* l'état, décrit par Durkheim, où les normes étant inexistantes ou contradictoires, l'individu ne sait plus comment orienter sa conduite.

Les contre-valeurs. — Cette crise des croyances et des mœurs n'est peut-être que passagère. En effet, à mesure que dépérissent les valeurs du passé, d'autres affleurent, qui les contredisent et qui les remplacent. Comme la paix, la beauté, le calme, la spontanéité, la fraternité (19). Ce qui se cherche, ce qui se dessine, c'est une autre sensibilité, donc une autre morale. Et peut-être une nouvelle manière d'être, fondée sur des *contre-valeurs,* déjà vécues par deux « classes » biosociales : les jeunes et les femmes. A qui s'ajoutent d'autres contre-forces : minorités nationales et régionales, communautés, déviants, etc.

(18) Cf. M. HARRINGTON, *L'Autre Amérique, la pauvreté aux Etats-Unis,* tr. 1967, et R. LENOIR, *Les Exclus,* 1974.

(19) Cf. R.-G. SCHWARTZENBERG, *Les contre-valeurs, Le Monde* des 6-7 mai 1973.

B. — Les contre-forces

1° *Les jeunes.*

Le « bipartisme biologique ». — Cette contestation, surgie non de la pauvreté mais de l'abondance, émerge de toute une « classe » biosociale : la jeunesse. L'antagonisme des générations a pris des dimensions internationales. Dans la plupart des pays avancés, c'est la jeune génération qui incarne la seule opposition effective ou radicale. Cette dichotomie des générations, ce *bipartisme biologique,* transparaissent dans le slogan naguère lancé par le Free Speech Movement de Berkeley : « Ne faites jamais confiance aux plus de 30 ans. »

Même analyse chez Jerry Rubin, leader des Yippies : « Les jeunes vivent dans un univers de supermarchés, de télé-couleur, de guerre de guérilla, de communication de masse, de psychédélisme, de rock et d'hommes marchant sur la Lune. Pour nous, rien n'est impossible. Nous pouvons tout faire. Ce fossé entre les générations est le plus large de toute l'histoire humaine. La génération d'avant 1950 n'a rien à enseigner à celle d'après 1950. C'est pourquoi le système scolaire se casse la gueule » (*Do it.*, tr. 1971, p. 90-91).

Margaret Mead : « Le fossé des générations ». — Dans un style plus académique, la célèbre ethnologue américaine Margaret Mead exprime un point de vue analogue dans son livre *Le fossé des générations* (tr. 1971). Selon elle, nous entrons dans *le troisième âge de l'histoire culturelle de l'humanité.* Trois grandes périodes peuvent, en effet, être distinguées dans les processus d'apprentissage culturel et de transmission des connaissances.

La première — qu'elle appelle « *post-figurative* » — est celle des sociétés stables de type traditionnel, où le corps des connaissances, qui varie très peu, est transmis à chaque nouvelle génération par les générations précédentes. La seconde — dite « *cofigurative* » — est celle des sociétés modernes, marquées par l'évolution rapide des sciences et des techniques : les connaissances se transmettent autant par les pairs, les camarades, que par les parents. Et déjà se dessine la troisième période — dite « *préfigurative* » — où le divorce entre les générations deviendra tel qu'elles ne parviendront plus à communiquer entre elles : car seules les générations les plus jeunes seront à même de comprendre le monde dans lequel elles vivent.

En effet, estime M. Mead, l'évolution sociale et culturelle prend un rythme tel que l'expérience acquise par l'âge, non seulement ne peut plus servir à la compréhension du monde, mais même rend celle-ci impossible. Seuls les jeunes ont les informations nécessaires. « Il n'existe plus d'aînés qui en sachent davantage que les jeunes sur ce que ceux-ci sont en train de vivre... Le développement de cultures préfiguratives dépendra de l'existence d'un dialogue continu dans lequel les jeunes, libres d'agir de leur propre initiative, pourront conduire leurs aînés sur la voie de l'inconnu. » Aux enfants, désormais, d'éduquer leurs parents.

Les jeunes et les mutations. — Les jeunes sont directement au contact des mutations qui s'opèrent dans la société. Ils ont les informations et les intuitions nécessaires. Ils saisissent plus vite que leurs aînés les changements qui s'accomplissent. Ils apprivoisent mieux le « choc du futur ». Il faut donc maintenir un dialogue permanent avec la jeunesse. Avec cette force vive, qui incarne l'avenir. Par définition.

Dans les années 60, qui est allé au fond des choses, qui a posé les questions vraiment fondamentales, au lieu et place des dirigeants politiques ? Qui, sinon la jeunesse d'ici et d'ailleurs ? Combien aura-t-il fallu de manifestations, de *sit in,* de grèves sur les campus, avant que l'O.N.U. se soucie de l'environnement, avant que M. Mansholt ne découvre la croissance zéro, avant que nos gouvernants s'interrogent sur les finalités de l'expansion !

« Merveilleux experts, qui s'éveillent dix ans après les étudiants et se mettent à l'école de leurs écoliers. Merveilleux technocrates, hier aveugles, qui découvrent — avec quel retard ! — la pollution, l'épuisement des ressources naturelles, le désordre des villes, le déséquilibre entre consommations privées et équipements collectifs. En récupérant au vol, avec gaucherie, quelques thèmes « contestataires », comme le droit au bonheur ou la qualité de la vie.

« Alors, qui voyait juste, qui pensait creux ? Où sont la maturité, la clairvoyance ? Du côté des notables, murés dans leurs programmes, artificiels, superficiels ? Ou du côté des jeunes, qui *posent les vrais problèmes,* sans conformisme, sans complaisance ? » (R.-G. Schwartzenberg, *Pour le suffrage universel, L'Express* du 26 juin 1972).

La vertu d'insolence. — La jeune génération possède la vertu d'*insolence,* au sens étymologique du terme : c'est-à-dire le refus des routines, l'insoumission à la nature des choses. Elle peut avoir une vision neuve, parce qu'elle n'est pas prise dans le réseau des contraintes, des structures qui commandent la vie en société.

Situation éphémère, mais essentielle. Seul ce détachement, cette « *distanciation* », permet de voir au-delà et incite aux remises en cause, à l'usage des valeurs d'irrespect.

La génération de l'abondance. — Ce non-conformisme tient aussi à une autre cause. Nés avec l'*abondance* des années 1950, *les jeunes n'ont plus les réflexes, les « apprentissages »* — au sens biologique — productivistes et compétitifs *d'une économie de rareté.* Moins soumis au poids des traditions et des routines, ils sont plus conscients de l'absurdité de notre mode de vie. Ils cherchent donc à s'affranchir des fausses valeurs et des vaines contraintes.

D'où la rébellion des jeunes O.S. contre un travail parcellaire et répétitif, qui fait de l'homme l'appendice de la machine. D'où leurs conduites de refus ou d'évasion, de l'absentéisme aux grèves sauvages. D'où la révolte des étudiants contre une Université qui reproduit des schémas culturels anachroniques. D'où le sursaut des lycéens contre la jonction des structures de conditionnement, de l'école à la caserne. Tous réclament un desserrement des contraintes et le réapprentissage du bonheur dans une société moins répressive, qui ne sacrifierait plus les instincts naturels et les besoins véritables.

Le déferlement de la jeunesse. — Non décimée ou rompue par une guerre mondiale, la jeunesse déferle et pèse de tout son poids sur la société. Avec ses caractères coutumiers : imagination, impulsivité, générosité, romantisme. Dans les années récentes, ce déferlement frappe par son caractère universel (cf. George Paloczi-Horvath, *Le soulèvement mondial de la jeunesse,* tr. 1971). Il comporte trois courants principaux.

Les beatniks. — Dans les années 1950, la contestation s'amorce avec des bandes d'adolescents en révolte, à la limite de la délinquance (Teddy Boys, Blousons noirs, etc.). Mais elle s'affirme surtout avec les *beatniks.* Le refus de se laisser intégrer, le refus de la société industrielle et de ses valeurs éclate avec le rugissement (*Howl,* 1956) d'Allen Ginsberg et dans les œuvres de Gregory Corso, Lawrence Ferlinghetti, Bob Kaufmann, William Burroughs et, surtout, Jack Kerouac (1922-1969).

En 1957, Kerouac publie *Sur la route* (tr. 1960), qui symbolise pleinement cet anticonformisme, cette volonté de *rupture* et de vagabondage. Comme le font aussi ses autres livres : *The Dharma Bums* (1956, tr. 1963, *Les clochards célestes*) — véritable anthologie des mots de passe zénistes —, *Desolation Angels* (1965, tr. 1968 : *Les Anges vagabonds*), *Satori à Paris* (1967, tr. 1971 : satori, qui signifie extase en japonais, désigne l'illumination zéniste), *Le vagabond solitaire* (tr. 1969), etc.

Toute cette « littérature de l'instant » marque la désacralisation des valeurs américaines du travail, de l'efficacité et de la réussite, remplacées par le détachement, l'amitié et l'imagination.

Ainsi naît la *Beat Generation*. L'origine de l'expression est incertaine. « *Beat* » désigne un battement; « to beat time », par exemple, signifie battre la mesure. Mais « to beat » signifie aussi battre, repousser, refouler. D'où diverses locutions familières : « That beats me » (ça me dépasse), ou « I'm beat » (j'en ai marre). Une devise imagée du mouvement était : « Don't bug me, man, I'm beat » (Foutez-moi la paix, j'en ai marre). Un journaliste ajouta au mot « beat » le suffixe péjoratif « nik ». Il donna ainsi naissance aux « *beatniks* », satisfaisant involontairement le goût du mouvement pour l'auto-dérision.

Les hippies et les yippies. — La seconde vague est celle des *hippies*. Le mot *hippy* est d'origine incertaine. On le rattache parfois à l'argot américain *to be hip* (être dans le coup, initié) ou à *hip* (hanche)... Le mouvement hippy prend son essor à San Francisco en 1966 et y établit son quartier général à Haight-Ashbury. Avant de se disperser dans des « *communes* » à partir de l'été 1968.

Les hippies refusent les valeurs établies de la culture puritaine (éthique du travail, esprit de concurrence et de compétition, individualisme, morale sexuelle répressive, etc.). Comme leurs prédécesseurs beatniks, mais avec une volonté fondamentale de *non-violence,* ils luttent pour instaurer la paix, la douceur et la fraternité dans les rapports sociaux. Attitude symbolisée par des slogans comme « Flower Power » ou « Make love not war ».

Le mouvement entend créer un *nouvel art de vivre,* en libérant l'individu des tabous sociaux et moraux, en donnant libre cours à la spontanéité, à la créativité, à l'affirmation par chacun de sa vraie personnalité, loin des préjugés et des conformismes. Au lieu des rapports artificiels, tendus et contraignants de naguère, il s'agit de vivre libre, en communion avec autrui, avec la nature, avec l'infini (19 *bis*).

A côté des hippies, les *yippies* du *Youth International Party,* synthèse du hippisme et du gauchisme, animé par Jerry Rubin (*Do it !,* tr. 1971) et Abbie Hoffmann (*Revolution for the Hell of it,* New York, 1968; *Woodstock Nation,* New York, 1969).

Pratiquant volontiers la dérision, les yippies se proclament « marxistes » suivant « la tradition révolutionnaire de Groucho, Chico, Harpo et Karl ». Au « gauchisme officiel », à la « gauche des idéologues », dont « les actes sont à mille lieues de leur idéologie » et qui sont « révolutionnaires à mi-temps », Jerry Rubin déclare : « Plaquez tout ! La révolution, ce n'est pas une opinion, ce n'est pas l'appartenance à une organisation, ce n'est pas une préférence électorale — c'est ce qu'on fait tous les jours, c'est la *vie* » (*Do it !,* p. 114-116).

Le yippy, « croisement hybride de gauchiste et de hippy » (*ib.*, p. 82) incarne le mieux cette hésitation de plusieurs mouvements de jeunes entre la subversion pacifique et la révolte violente.

Le mouvement étudiant. — Pour sa part, le mouvement étudiant, le *Student Power,* pratique une violence limitée et souvent verbale. La contestation gagne, en effet, l'Université, accusée de diffuser la culture dominante et de servir l'économie établie, en formant et en conditionnant ses cadres.

Les premiers troubles universitaires éclatent en 1964, à Berkeley, en Californie. A partir de 1967, le mouvement gagne Stanford, Harvard, Princeton, puis Columbia en 1968. Il atteint son maximum d'intensité en 1969-1970. Plusieurs universités sont le théâtre de manifestations diverses (grèves, occupations des bâtiments, etc.) et d'affrontements sévères — et parfois meurtriers (quatre morts à l'Université de Kent, Ohio, le 4 mai 1970) — avec la police. Affrontements qu'illustrent des films comme *The Strawberry Statement* de Stuart Rosenberg ou *Campus* de Richard Rush.

(19 *bis*) L'antithèse du mouvement hippy, c'est aujourd'hui le mouvement *punk,* qui apparaît vers 1977. Goût pour la civilisation urbaine du bruit, de la vitesse et du béton. Goût pour la violence. Port d'insignes nazis — autodérision ou conviction ? Nihilisme, etc.

D'où l'essor de plusieurs organisations d'étudiants ou de jeunes, qui viennent animer la New Left : le F.S.M. (*Free Speech Movement*, Mouvement pour la liberté d'expression, fondé en 1964 à Berkeley); le Y.S.A. (*Young Socialists Alliance*); les *New Rebels;* et surtout le S.D.S. (*Students for a Democratic Society*), qui fut pendant dix ans la principale organisation gauchiste des Etats-Unis. Avant son éclatement, au congrès de 1969, en trois tendances principales.

Avec le début des années 1970, et surtout avec la fin de la guerre du Vietnam, le mouvement étudiant est en très net reflux. Aujourd'hui, il est presque moribond aux Etats-Unis.

L'analyse de Lipset. — Au demeurant, parmi les sept millions d'étudiants américains, la contestation concernait beaucoup plus les universités les plus cotées, fréquentées par les enfants des classes supérieures, que l'immense majorité des « *colleges* », moins brillants et moins coûteux, où s'inscrivent les fils de la classe moyenne et des ouvriers. Telle est, en tout cas, l'analyse de S. M. Lipset, dans *Students in Revolt*, co-édité avec P. G. Altbach (Boston, 1969).

Lipset discerne deux séries de causes au malaise étudiant. Les unes tiennent au milieu lui-même : situation familiale, genre d'études poursuivies, âge, concentration dans les campus. L'autre série concerne l'absence ou la défaillance des structures de communication avec les institutions politiques des « adultes ». Si de telles structures existaient, si la politisation des étudiants avait pu trouver une issue institutionnelle, on aurait évité les manifestations dysfonctionnelles d'une opposition extra-institutionnelle.

A certains égards, la réforme du Parti démocrate et l'action en son sein de milliers de jeunes pour soutenir la candidature de M. Mac Govern en 1972 (*infra*, p. 451) valident l'analyse de Lipset.

Cependant, si l'opposition étudiante a longtemps négligé les formations et les idéologies traditionnelles, c'est parce qu'elle vise le modèle culturel tout entier, et cela, logiquement, d'une manière extra voire anti-institutionnelle. Comme le notent G. R. et J. H. Weaver dans *The University and Revolution* (Englewood Cliffs, 1969). Et la déception causée par l'expérience Mac Govern écarte, de nouveau, les jeunes à l'écart des structures traditionnelles.

La contestation étudiante ne se limite pas aux Etats-Unis. A la même époque — et surtout en 1968 — elle gagne le Mexique, le Japon, l'Europe de l'Ouest (Grande-Bretagne, Allemagne de l'Ouest — *supra*, p. 362 — l'Italie, les Pays-Bas, la France — *infra*, p. 465, l'analyse des événements de mai 1968) et l'Europe de l'Est (Belgrade, Prague, Varsovie).

Le mouvement lycéen. — Dans les années 1970, le mouvement gagne les *lycées*. C'est le cas en 1970-1971 aux Etats-Unis avec l'action des Weathermen (*infra*, p. 434), lançant des raids contre les lycées, afin, disent-ils, d' « ouvrir les prisons ».

Cette *effervescence lycéenne* est visible en France aussi. Dès février 1971, avec les manifestations provoquées par l'affaire Guiot. En mars-avril 1973, un vaste mouvement de grèves et de manifestations rassemble les lycéens contre la « loi Debré » sur les sursis militaires. En mars 1974, nouvelles manifestations, moins nombreuses, contre la « réforme Fontanet », contre le projet de réforme de l'enseignement secondaire.

Le mouvement est animé par des comités élus par l'ensemble des élèves dans chaque lycée ou collège. Il est coordonné par trois *organisations* principales : l'Union nationale des comités d'action lycéens (UNCAL, à majorité communiste), les Cercles « Rouge » (animés par les trotskistes de l'ex-Ligue communiste) et la Jeunesse étudiante chrétienne (JEC, d'inspiration gauchiste, assez proche du P.S.U.).

Ces manifestations sont aussi l'expression d'un malaise (le « *ras-le-bol* »), d'une inadaptation et d'une crise de l'enseignement secondaire, qui, en 1973, rassemble cinq millions d'enseignés. Critique du lycée — univers de l'ennui, de la contrainte, voire de la répression (sanctions, exclusions) — et d'un enseignement parfois monotone, anachronique, artificiel, qui masque la réalité de la vie. Volonté de ne pas se faire intégrer, volonté de faire bloc face au monde des adultes, en partageant d'autres valeurs.

De plus, en elles-mêmes, ces grèves et manifestations rompent déjà la monotonie de la vie scolaire. Comme les arrêts de travail, l'absentéisme ou les grèves sauvages des jeunes O.S. rompent la monotonie de la vie professionnelle. Par elles-mêmes, elles constituent déjà une opération de « défoulement » et d'évasion, presque une « fête ».

La culture juvénile. — Ce qui soude la jeune génération, des beatniks aux hippies, des étudiants aux lycéens, c'est le refus d'une civilisation, d'une culture, tenue pour une faillite. C'est, face au monde des adultes, la recherche d'une nouvelle culture, fondée sur d'autres valeurs (19 *ter*).

(19 *ter*) A noter cependant, en réaction, un certain racisme anti-jeunes, qui se développe de manière latente contre les jeunes et leur « différence » à mesure que se développe la crise économique, alors que, pourtant, la moitié des chômeurs ont moins de 25 ans. Contre ce racisme anti-jeunes, voir R.-G. SCHWARTZENBERG, « Le Jeunisme », *Le Monde* du 23 octobre 1975.

Il existe, d'ores et déjà, une culture de la jeunesse, une *culture juvénile.* Cette culture dissidente et « alternative » peut *contribuer à former une nouvelle culture, avec d'autres cultures dissidentes :* culture féminine, cultures nationales, cultures de minorités, etc. Car, en dehors même de la lutte des classes, *le champ social est animé d'autres luttes* : lutte des générations, lutte des sexes, lutte des « ethnies », etc. C'est cette *multiplication des luttes,* génératrice d'une nouvelle culture, qu'il faut continuer d'analyser.

2° *Les femmes.*

Le mouvement pour la libération des femmes s'affirme d'abord aux Etats-Unis, avant de gagner d'autres pays comme la France, où on peut l'analyser aujourd'hui.

La libération des femmes. — Les Etats-Unis. — Le *Women's Liberation Movement* tient les femmes pour un groupe social opprimé, dans une société, restée secrètement patriarcale, qui continue de soumettre la femme à l'homme. D'où la dénonciation du « *mâlisme* » (ou du *machismo*) et du « *sexisme* », ce racisme de l'homme envers la femme. La lutte des sexes complète la lutte des classes.

Betty Friedan : « La femme mystifiée ». — La première théoricienne du nouveau féminisme est Betty Friedan, qui, dès 1963, publie *La Femme mystifiée* (tr. 1964), triste tableau de la vie des Américaines. Et réquisitoire contre l'aliénation de la femme, dans une société qui lui refuse toute *identité* propre, qui l'oblige à « étouffer sa propre personnalité » et qui la contraint à « l'existence par procuration ». En la faisant exister seulement par rapport au mari, aux enfants, au foyer.

C'est cela que dénonce Betty Friedan. La femme confinée au foyer, cantonnée dans un rôle d'épouse-mère-ménagère et considérée comme un simple objet de désir et de plaisir. La femme victime du « chauvinisme masculin » et du « colonialisme sexuel ». La femme maintenue dans des emplois ou des salaires inférieurs : d'après le *Time* du 31 août 1970, aux Etats-Unis les femmes constituent seulement 9 % des professions libérales, et le salaire moyen des travailleuses atteint seulement 58,2 % de celui des travailleurs. La « femme mystifiée » par une *culture faite par et pour des hommes, qui nie son identité propre.*

Dans cette *culture de suprématie masculine*, les femmes constituent une classe « colonisée », une classe opprimée, qui ne se définit que par rapport à son oppresseur : l'homme.

Kate Millett : « La Politique du mâle ». — Il existe des manifestes plus récents de la contestation féministe. Comme *La femme eunuque* (tr. 1971) de Germaine Greer. Comme la thèse de Kate Millett, *Sexual Politics* (1970, tr. 1971 : *La Politique du mâle*). Le livre de K. Millett, c'est d'abord une déclaration de guerre au *mâlisme* et à ses chefs de file littéraires, chez qui la femme n'existe que par rapport à une référence unique, l'homme : prostituée chez Henry Miller, colonisée chez D.-H. Lawrence, assassinée chez Norman Mailer. C'est aussi un réquisitoire contre Freud, qui fonde toute la personnalité profonde de la femme sur ce qu'il appelle « l'envie du pénis ». Pour lui, la femme éprouve un complexe de castration, et aspire à un état biologiquement impossible : être homme. Pour Kate Millett, au contraire, la condition féminine n'est pas un fait de nature, mais de culture :

« Le milieu culturel influe sur le développement psychique de l'enfant. Tant que nous continuerons à traiter chaque sexe différemment sur le plan de l'éducation au sens le plus général du terme, c'est-à-dire de manière non égalitaire, il ne sera pas possible de savoir si ce qui distingue les filles des garçons dans le domaine du comportement est d'ordre *biologique* ou d'origine *culturelle*... Je ne prétends pas qu'il n'y ait pas de différences de comportement entre les hommes et les femmes : elles sont évidentes. Ce que je dis, c'est que *la société fait tout ce qui est en son pouvoir pour développer ces différences*. C'est ainsi que se perpétue le système du patriarcat qui veut nous faire croire qu'il s'agit là d'un ordre naturel des choses... Aujourd'hui, personne ne peut prouver que les petites filles à leur naissance ont une *nature* innée qui prédétermine tous les rôles qu'elles auront à jouer dans la société » (Interview à *Elle*; mai 1971). Comme Simone de Beauvoir, K. Millett dirait volontiers : « On ne naît pas femme, on le devient. »

En vérité, ce sont la société, la culture de suprématie masculine qui maintiennent délibérément la femme dans une condition subordonnée. En imposant une véritable « *politique du sexe* ». Est politique, en effet, tout ce qui implique un rapport de domination, que ce soit entre classes, races, pays ou sexes :

« Le sexe est une catégorie politique... Les relations entre homme et femme procèdent du même principe que l'exploitation capitaliste, le colonialisme, le racisme. Il y a là une situation *politique.* La moitié de la population du globe tient dans un état de *subordination* plus ou moins visible l'autre moitié. A l'homme tout ce qui est création, réalisation, accomplissement de soi. A la femme le service domestique et sexuel, les tâches subalternes, l'éducation des enfants » *(La politique du mâle).*

Si cette classe opprimée ne se révolte pas contre cette distribution inégalitaire des rôles et des fonctions, contre cette domination, c'est que la conscience de classe est ici particulièrement difficile à former. Depuis leur plus petite enfance, les femmes sont élevées dans une culture patriarcale : éduquées et traitées en subordonnées, elles acquièrent une mentalité de subordonnées. D'autre part, « la collusion entre la population féminine et le système est beaucoup plus forte que pour n'importe quel autre groupe social opprimé ». C'est surtout cette « collaboration » qui fonde la stabilité et l'inégalité des rôles socio-sexuels.

Les organisations et les revendications féministes. — Cette réflexion théorique débouche sur une action concrète. Dès 1966, Betty Friedan fonde la *National Organization for Women.* Dont les initiales ont valeur de symbole : *N.O.W.* (maintenant, tout de suite). Objectif : mettre fin, dès maintenant, à l'aliénation qui marque la condition féminine (19 *quater*).

Désormais, les *groupes* féministes vont se multiplier, en adoptant souvent des sigles humoristiques ou évocateurs. Les unes seront *réformistes :* F.E.W. (Federally Employed Womens : les femmes employées par l'administration fédérale), W.E.A.D. (Women's Equality Action League), O.W.L. (Older Women's Liberation), etc. D'autres *gauchistes,* à partir de 1968 : The Feminists, The Radical Feminists, Redstockings, Bread and Roses, Black Women's Liberation, Lesbian Liberation Front, The Radical Lesbians, etc.

Les *revendications* concrètes communes à ces différents groupes sont, au moins, au nombre de quatre : égalité des salaires, arrêt de la discrimination dans l'emploi et l'éducation, avortement gratuit (la liberté de l'avortement étant déjà acquise dans plusieurs Etats) et multiplication des garderies d'enfants gratuites. Cette dernière revendication rend un son tout à fait nouveau : l'enfant cesse d'être une idole et commence, parfois, à être considéré comme une entrave pour l'épanouissement de la personnalité féminine; entrave dont on souhaite pouvoir se débarrasser provisoirement auprès de crèches.

(19 *quater*) En 1975, la N.O.W comptait 60 000 membres.

Ces divers groupes ont organisé des manifestations de masse, dont la première a eu lieu le 26 août 1970. Pour l'aboutissement de leurs revendications, ils utilisent parfois des *méthodes* originales (grève des achats) ou particulières : les Feminists et les Radical Feminists n'hésitent pas à recommander, si nécessaire, la grève de tout commerce sexuel avec les hommes. C'est Lysistrata revisitée. Sans atteindre la rigueur extrême de Valérie Solanas et de sa Society for Cutting Up Men.

Actuellement, aux Etats-Unis, le mouvement féministe traverse une certaine crise : échec de la « grève » des femmes décidée par la N.O.W. pour le 29 octobre 1975; difficultés pour faire ratifier le projet de 27e amendement à la Constitution, voté par le Congrès en mars 1972 *(Equal Rights Amendment)*; apparition d'une « contre-révolution » antiféministe, appelée familièrement la « révolte des éviers », qui organise des contre-manifestations, comme des femmes de Newport décidant de célébrer le *Male Appreciation Day* (le jour de remerciement du mâle), le 29 octobre 1975, etc. (20).

La France. — En France, la réflexion sur la condition féminine est déjà présente dès le XIXe siècle, avec George Sand et Flora Tristan. Plus récemment, *Le Deuxième Sexe* (1949) de Simone de Beauvoir constituait un apport essentiel. Dans les années 1970 paraissent d'autres ouvrages, comme *La cause des femmes* (1973) de Gisèle Halimi (20 *bis*). Divers mouvements spécialisés dans la lutte pour la *liberté de l'avortement et de la contraception* développent leur action. Comme le M.F.P.F. (Mouvement français pour le planning familial, organisation la plus ancienne, forte de 40 000 adhérents et qui s'est récemment radicalisée), le mouvement Choisir, le M.L.A.C. (Mouvement pour la liberté de l'avortement et de la contraception), etc. En outre, luttant à leur côté, diverses organisations pour la libération des femmes se forment.

(20) Comme manifeste antiféministe, voir Ariana STASSINOPOULOS, *La Femme femme*, tr. 1975.

(20 *bis*) Il faudrait aussi citer : N. BENOIT, E. MORIN, B. PAILLARD, *La femme majeure*, 1973; E. SULLEROT, *La femme dans le monde moderne*, 1971; PARTISANS, *Libération des femmes, année zéro* (juillet-octobre 1970); E. PERASSO, *Ne pleure pas, hurle !*, 1973; C. ALZON, *La femme potiche et la femme bonniche, Pouvoir bourgeois et pouvoir mâle*, 1973; F. D'EAUBONNE, *Le féminisme : histoire et actualité*, 1972; C. CALLET, C. DU GRANRUT, *Place aux femmes*, 1973, et le numéro d'*Après-demain* de janvier 1972 sur « La condition de la Française ».

Le M.L.F. — Né dans le courant de mai 1968 et d'inspiration gauchiste, le M.L.F. *(Mouvement de libération des femmes)* croit plus à la spontanéité qu'à l'action structurée. Le Mouvement, qui n'a ni structure ni hiérarchie, se divise aujourd'hui en diverses tendances : les « Féministes », les « Féministes radicales », « Psyc. et Pol. » (Psychanalyse et Politique). S'inspirant du marxisme (Marx, Engels, Mao) comme de la psychanalyse (Freud, Reich, Marcuse, Lacan), le M.L.F. milite pour la libération économique et politique comme pour la libération sexuelle et existentielle de la femme.

Le Mouvement, qui dispose d'un journal épisodique *(Le Torchon brûle)* entend provoquer une prise de conscience. A cet effet, il organise diverses actions et manifestations volontairement provocantes, dont certaines ont l'aspect d'une « fête » :

— installation de « crèches sauvages » à Censier, Nanterre et aux Beaux-Arts (1969) ;

— dépôt à l'Arc de triomphe de deux couronnes barrées de rubans sur lesquels on lisait : « A la femme du soldat inconnu, toujours plus inconnue que lui » et « Un homme sur deux est une femme » (26 août 1970) ;

— manifestation devant la prison de femmes de la Roquette (novembre 1970) ;

— perturbation du meeting organisé par l'association Laissez les vivre, hostile à l'avortement (5 mars 1971) ;

— « manifeste des 343 » (publication dans *Le Nouvel Observateur* du 5 avril 1971 de 343 signatures de femmes déclarant avoir recouru à l'avortement) ;

— « journées de dénonciation des crimes contre les femmes » (Mutualité, 13 et 14 mai 1972) ;

— manifestation aux Champs-Elysées contre la fête des mères (mai 1972) ;

— perturbation à l'Assemblée Nationale du débat sur la loi relative à l'information sexuelle (décembre 1972) ;

— organisation de « La Foire des femmes » (Cartoucherie de Vincennes, 15 juin 1973) ;

— appel à la « Grr...rêve des femmes » pour les 8 et 9 juin 1974, lancé par le groupe des « Féministes révolutionnaires » du M.L.F. : « grève du travail salarié, du travail scolaire et universitaire, du travail domestique, des soins aux enfants, des achats, du service sexuel et de la prostitution » (*Le Monde* du 22 février 1974 et du 12 juin 1974).

Les autres organisations féministes. — A citer aussi : la *Ligue du droit des femmes*, présidée par Simone de Beauvoir. La Ligue entend « dénoncer sous toutes ses formes la discrimination de sexe ». Elle réclame une « loi antisexiste », analogue à la loi antiraciste du 1er juillet 1972 (21) et obtient gain de cause avec la loi du 11 juillet 1975.

Par ailleurs, le mouvement *Evolution,* créé en 1971, devient le Front féministe en 1973, puis le *Parti féministe unifié* en 1974. A l'exemple, sans doute, du Parti féministe unifié belge, qui a obtenu de réels succès électoraux. Objectif : lutter contre la discrimination politique dont les femmes sont les victimes (53 % du corps électoral et seulement 9 femmes sur 490 députés en 1977, soit moins de 2 % de l'Assemblée Nationale). Ambition : prendre le pouvoir à tous les niveaux, depuis la maison — en abattant le patriarcat — jusqu'aux sphères de la vie politique, des municipales aux présidentielles.

A mentionner encore : les « *Etats généraux de la femme* », organisés à Versailles en novembre 1970 par le journal *Elle.*

A citer enfin tous les mouvements féminins de promotion (mouvements confessionnels, mouvements para-politiques dans la mouvance d'un parti, mouvements pour la promotion professionnelle des femmes), souvent anciens et souvent plus modérés, plus réformistes que les mouvements de *libération* des femmes (22). Ces mouvements privilégient généralement l'action sur des points particuliers et concrets : problèmes de la famille, autorité parentale, *travail féminin,* etc.

En 1974, les femmes sont près de 8 millions à travailler, soit près de 38 % de la population active. Mais elles constituent trop souvent une main-d'œuvre sous-qualifiée, sous-rémunérée, victime là aussi de discriminations (23).

Les femmes et les contre-valeurs. — Au total, les femmes jouent un rôle capital dans *l'émergence d'une autre culture, d'autres valeurs.* Jusqu'ici, en effet, la femme a été moins engagée que l'homme dans l'activité économique, dans le processus de la production. Elle a été moins employée par la société industrielle. Aussi n'a-t-elle pas subi au même degré l'altération, la mutilation de l'univers industriel. De ce

(21) Marie-Louise Fabre, « Pour une loi antisexiste », *Le Monde* du 13 juin 1974.

(22) Pour l'étude de ces mouvements de promotion et des mouvements de libération, voir le mémoire de G. Sarbib, *Le féminisme en France,* Université de Paris II, dact., 1973.

(23) Sur le travail féminin, voir : E. Sullerot, *Les Françaises au travail,* 1973; C. Callet, C. Du Granrut, *Place aux femmes,* 1973.

fait, plus que l'homme, elle reste proche de sa nature véritable, de sa sensibilité. Et c'est elle qui incarne les « *contre-valeurs* » : la tendresse, la grâce, la compassion, la non-violence. A elle donc de civiliser notre civilisation.

L'analyse de Marcuse. — C'est aussi l'analyse de Marcuse dans quatre pages essentielles de *Contre-révolution et révolte* (tr. 1973, p. 100-104) :

« C'est la femme qui *incarne,* au sens littéral, la promesse de paix, de joie, la fin de la violence, la tendresse, la réceptivité, la sensualité. » Pourquoi ? Parce que le « dessèchement a été moins complet dans le cas des femmes. On les a employées à moindre échelle que les hommes dans le processus matériel de la production. » Ce qui a permis à la femme « d'être moins brutalisée par le principe du rendement, de rester plus proche de sa sensibilité, c'est-à-dire plus humaine que l'homme ».

Il faut donc se garder de confondre égalité de l'homme et de la femme et *identité.* La libération de la femme ne doit pas « étouffer la « nature » féminine ». « Il y aurait alors régression dans l'égalité de l'homme et de la femme, l'égalité ne constituerait qu'une nouvelle forme d'acceptation, par la femme, du principe mâle. » La libération de la femme doit, au contraire, préserver les *valeurs féminines* — valeurs supérieures — et les diffuser dans l'ensemble de la société.

« L'image de la femme est celle de l'Eros, des instincts de vie qui s'opposent aux instincts de mort et de destruction... Les valeurs de la jouissance de la vie apparaissent comme typiquement féminines et non masculines. » Elles contrastent avec « l'agressivité et la brutalité masculines ».

Dès lors, « l'émancipation de la femme apparaît comme une force décisive dans la construction du socialisme et d'*une vie qualitativement différente* ». En entendant par là : « La négation radicale du style de vie fondé sur le principe de rendement, l'abolition des valeurs répressives, le développement de nouveaux besoins, d'une nouvelle sensibilité que le pouvoir mâle a jusqu'alors atrophiés. » (Interview de H. Marcuse, dans *Le Monde* du 10 mai 1974).

L'interchangeabilité des rôles. — L'objectif, c'est un nouveau style de vie pour tous. C'est l'épanouissement de chacun. C'est donc une redistribution des rôles et des responsabilités entre les hommes et les femmes. Spécialement au sein du couple. L'objectif, c'est l'interchangeabilité des rôles. Comme en Suède.

Un Suédois, qui bénéficie du congé de parenté, pour garder son jeune enfant au foyer, n'est pas déshonoré. Et Mme Karin Soder, ministre suédois des affaires étrangères, est aussi énergique que n'importe quel « homme à poigne ».

L'homme ne peut être seulement vie professionnelle et tension vers l'extérieur. La femme ne peut être seulement femme d'intérieur et vie du foyer.

Chacun ou chacune ne peut être seulement 50 % de ses virtualités, de ses potentialités. Il faut en finir avec cette « hémiplégie » de la condition humaine. Que chacun, que chacune puisse *épanouir l'ensemble de ses virtualités.* Sur l'ensemble de la gamme.

3° *Les minorités nationales.*

Aux côtés des femmes et des jeunes, d'autres contre-forces peuvent encore incarner la contestation de la culture établie et contribuer à l'émergence d'une nouvelle culture. Ce sont, notamment, les minorités nationales et régionales.

Le droit à la différence. — Avec ces minorités, réapparaissent ou se développent des « *cultures ethniques* » ou des cultures locales. Ces minorités nationales ou régionales revendiquent le droit à la spécificité, à la dissimilitude. A la recherche de l'intégration succède la culture des particularismes. Pour édifier une société pluraliste, qui admettrait *la diversité,* l'hétérogénéité des sous-cultures. Ainsi, *la contre-culture, c'est souvent la culture des différences.*

Que font les Noirs ou les Indiens aux Etats-Unis ? Que font les Basques, les Occitans, les Bretons en France ? Sinon revendiquer *le droit à la différence ?* Ainsi, après une longue période d'uniformisation, émerge, comme une des grandes données du comportement social, le besoin de la « *différence* » (24). En banalisant tout, en imposant un modèle unique, la société provoque une réaction. Dès lors, spontanément, comme un besoin vital, surgit la fête contestatrice (type mai 1968), par laquelle l'homme « standardisé » cherche à affirmer symboliquement son droit à la différence et à la personnalité.

La résurgence et l'enrichissement des cultures nationales et locales marquent une réaction face à une société industrielle et urbaine, qui risque, en uniformisant les modes de vie, d'écraser les cultures et finalement l'épanouissement personnel.

(24) Cf. G. Balandier, *Sens et puissance,* 1971.

Les Etats-Unis. — *La population noire.* — Ce contre-courant a, d'abord, été très visible aux Etats-Unis. Le thème du « *melting pot* », du creuset, dans lequel se fondent toutes les nations est en déclin. Contre les *W.A.S.P.* *(White Anglo-Saxons Protestants)* se dressent les diverses minorités ethniques. Et d'abord la population noire, qui, selon le recensement de 1970, compte 23 des 204 millions d'habitants des Etats-Unis. Désormais, elle paraît hésiter entre la recherche de l'intégration et la revendication de sa spécificité.

Le point tournant, à cet égard, semble marqué par l'assassinat, en 1968, de Martin Luther King, qui militait pour un idéal d'intégration et de non-violence. Désormais, le succès semble aller à d'autres mouvements : Black Muslims, Black Power, Black Panthers (*infra*, p. 433). Mouvements qui, eux, revendiquent l'autonomie et la spécificité de la population noire, qui refusent l'intégration à la société blanche, à son système culturel et politique. D'où des slogans symboliques, comme : « Black is beautiful ». Ou l'identification réciproque des Noirs comme « Soul brothers ». La revendication de la *dissimilitude,* de la négritude, remplace la recherche de l'intégration. C'est la volonté d'un *retour aux valeurs africaines,* pour reconstituer une culture spécifique.

Elevé dans une culture qui le nie, le Noir doit redécouvrir ses racines. Telle est, par exemple, l'analyse de LeRoi Jones dans *Le peuple des blues* (New York, 1963, tr. 1968) : la culture afro-américaine est spécifique et ne saurait être confondue avec celle de l'Occident. Même point de vue dans son recueil d'essais *Home* (New York, 1966, tr. 1971) : renoncer à sa culture d'origine pour adopter celle des Blancs constitue une démission coupable. LeRoi Jones développe sa satire des *M.A.W.P. (Mad American White People),* version améliorée des *W.A.S.P.* Il faut construire une conscience noire, qui retrouve ses valeurs d'origine. Et pour libérer les Noirs, il faut faire exploser l'Amérique blanche : « Le rôle de l'artiste noir en Amérique, c'est de participer à la destruction de l'Amérique telle qu'il la connaît. » Même si, aujourd'hui, les organisations radicales noires sont en net reflux, ce mouvement a profondément marqué la population afro-américaine.

La population indienne. — La population indienne compte 700 000 membres, dont 500 000 vivent dans des réserves, réparties sur 25 Etats. Ils constituent, et de loin, la minorité la plus défavorisée (taux de chômage de près de 40 %, scolarisation insuffisante, etc.).

Cette minorité possède ses organisations militantes : The National Congress for American Indians (fondé en 1944), The National Indian Youth Council (1961), The United Sioux Tribes (1961), The All-Pueblo Council (1963). Et ses porte-parole : Harold Cardinal (*The Unjust Society,* Hurtig, Alberta, Canada, 1969), Vine Deloria (*Custer Died for Your Sins,* New York, 1970), N. Scott Momaday, le romancier de *The House of Dawn,* ou encore Dee Brown, l'essayiste de *Enterre mon cœur à Wounded Knee,* tr. 1973, qui est la première histoire de l'Ouest américain écrite par un Indien.

Déjà des succès sont obtenus par certaines tribus qui revendiquent la propriété de terres ancestrales : en décembre 1970, le Sénat américain a décidé la restitution des terres de leurs anciens sanctuaires aux Indiens Taos du Nouveau-Mexique. 1970 voit se multiplier les prises de parole dans les réserves, les ghettos et les campus. 1971 voit se multiplier les procès contre le gouvernement fédéral, afin de récupérer des terres, des droits de chasse et de pêche. Et, en 1973, c'est le long soulèvement des Indiens de Wounded Knee.

La notion de « *pouvoir indien* » s'affirme, qui rejette le paternalisme politique ou culturel. La culture indienne ignore la volonté de puissance et nie la propriété privée. Elle marque l'antithèse de la société unidimensionnelle et de l'ordre bureaucratique. Franklin n'admettait-il pas que le modèle institutionnel américain, fondé au départ sur un pouvoir central faible et la puissance des Etats, s'inspirait du modèle iroquois ? Le refus d'abandonner sa culture d'origine et la renaissance du *modèle culturel indien* s'affirment.

Décimé, spolié, parqué dans des réserves, le Peau-Rouge réapparaît. L'Amérique reprend la route de l'Ouest. Leslie Fielder explique ainsi *Le retour du Peau-Rouge* (*The Return of the Vanishing America,* 1968, tr. 1971). La colonisation consista à tuer l'Indien et le bison. Comme la civilisation consiste à *refouler la libido et les instincts naturels.* Ce génocide symbolisait une répression psychanalytique. Mais, aujourd'hui, le progrès des techniques et l'abondance économique nous libèrent de certaines contraintes morales et sociales. D'où ce « retour du Peau-Rouge » dans la conscience américaine, d'où cet attrait exercé par la conception indienne de la propriété, du pouvoir et des relations entre personnes. Les beatniks sont les premiers à vivre à l'indienne : cheveux longs, tuniques et mocassins. Vivre à l'indienne, c'est refuser l' « american way of life », le mode de vie imposé par la société technologique.

Cette nostalgie de la vie tribale inspire même de nouveaux westerns, où des Blancs deviennent des Indiens. Comme *Un homme nommé cheval* ou *Little Big Man* d'Arthur Penn. Ce n'est pas un hasard si le Peau-Rouge fait retour, au moment où la société mégatechnique cherche enfin à sauver ce qui reste du monde naturel où elle est née.

L. Fielder écrit : « Lorsque le beatnik se métamorphose en hippy, l'homme de l'Ouest cesse totalement d'être Blanc et retourne à l'Indien, troquant ses bottes pour des mocassins, s'entourant le front d'un bandeau et le cou d'un collier pour signifier clairement qu'il a tourné le dos non seulement à la vieille Europe, mais à tout l'Ouest européanisé pour retrouver l'Amérique archaïque et aboriginelle. »

Les autres minorités. — Il existe 5 millions d'Américains d'origine mexicaine — souvent appelés « *Chicanos* » —, dont les trois quarts sont installés en Californie et au Texas, et dont le principal handicap est la barrière de la langue. En Californie, depuis que le leader syndical Cesar Chavez les a lancés dans des grèves et des boycottages, ces travailleurs mexicains s'imposent à l'attention. Il existe aussi 1 500 000 *Porto-Ricains,* qui vivent presque tous à New York. Sur la côte ouest, surtout, se trouvent aussi des minorités chinoises et japonaises.

D'autre part, les Américains d'origine européenne, mais non anglo-saxonne, commencent aussi à s'organiser, pour faire valoir un *Ethnic Power.* Dans 58 centres urbains de l'Est et du Middle West, quelque 40 millions d'Américains affichent désormais leurs origines polonaise, hongroise, italienne, etc. A l'exemple de la minorité noire, ces minorités blanches ont aujourd'hui tendance à rejeter l'assimilation à la culture anglo-saxonne et à refuser de se fondre dans le creuset américain. Tout un mouvement porte ces « *ethnics* » à *assumer leur propre culture,* à *affirmer leur identité,* à se pencher sur leur passé et à en tirer fierté.

C'est dire — comme le souligne Edgar Litt, dans *Beyond Pluralism, Ethnic Politics in America* (Glenview, Ill., 1970) — que l'appartenance ethnique continue de sous-tendre beaucoup de choix politiques et qu'elle prend aujourd'hui de nouvelles dimensions culturelles et psychologiques longtemps négligées. Conclusion d'E. Litt : les relations entre groupes ethniques constituent à présent le principal problème politique aux Etats-Unis; elles appellent la création de nouvelles institutions et une révision des valeurs mêmes de la société américaine.

L'Europe. — On trouve des phénomènes analogues en Europe. Avec des résurgences « nationales » au Royaume-Uni (Ecosse, Pays de Galles et bien sûr Irlande du Nord), en Espagne (Pays Basque avec les militants de l'E.T.A., Catalogne), etc. En U.R.S.S. aussi, où nombre de nationalités non russes conservent une conscience très vive de leur patrimoine culturel, de leur langue et de leur histoire : contre la russification, les nationalismes locaux commencent à se manifester plus vigoureusement.

En France même, on retrouve ce problème des *minorités nationales* et des « *cultures ethniques* » ou locales. Ce qui invite à distinguer les concepts de peuple, de nation et d'Etat.

Un *peuple* est un ensemble d'hommes, qui peuvent ne pas habiter le même territoire, mais qui sont unis par leur origine, leur religion ou par un lien quelconque. Une *nation* est l'ensemble des êtres humains vivant dans un même territoire et ayant une communauté d'origine, d'histoire, de mœurs et, souvent, de langue. L'*Etat* est la nation organisée ou un groupe de nations organisées et soumises à un gouvernement et à des lois communes (25).

La France des minorités. — Il existe donc des minorités nationales en France, qui entendent désormais affirmer leur identité et qui, parfois, revendiquent leur autonomie. Cette France des minorités com-

(25) Ces trois définitions sont extraites du grand *Larousse* encyclopédique.

prend l'Occitanie, la Catalogne, le Pays Basque, la Corse, la Bretagne, etc.

Face à la culture dominante, on assiste à un renouveau des cultures nationales et régionales. Ces minorités entendent s'affirmer contre le pouvoir central et sa culture, qui nient leur *identité,* leur personnalité, leur spécificité. Contre cette acculturation, elles entendent restaurer des comportements culturels propres.

Souvent, ces mouvements conjuguent l'émancipation nationale et l'anticapitalisme. En associant renaissance culturelle et lutte des classes. Dans « le combat anticolonialiste de l'intérieur », dans la lutte contre le « colonialisme intérieur ». Ainsi, Robert Laffont dénonce « la structure centralisatrice de l'Etat français, lui-même outil entre les mains d'un capitalisme dont les forces principales sont au nord de la France » (26).

Défenseur lui aussi de l'identité occitane, Michel Le Bris écrit : « La révolution en France sera multinationale ou ne sera pas » (27). La conscience grandissante d'appartenir à un même peuple, à un même pays opprimé, vient renforcer puissamment la lutte contre le capitalisme. Contre l'exploitation : la crise viticole, le désert industriel, l'exploitation touristique, etc.

Ainsi s'affirme la volonté de vivre *(« Volem viure »)* de la culture et du pays occitan. Il en va de même pour la Bretagne. Comme le note Jean-Pierre Le Dantec, le mouvement culturel et politique du peuple breton prépare un « changement de cap » des luttes (28).

Cette montée des consciences régionales-nationalitaires se traduit par une *centrifugation des conflits sociaux,* par la *démultiplication spatiale des luttes sociales.*

Le 30 janvier 1974, le Conseil des ministres décrète la dissolution de quatre organisations de minorités nationales, dont le F.P.C.L. (Front paysan corse de libération), le F.L.B. (Front de libération de la Bretagne) et Enbata (mouvement basque). Par application de la loi du 10 janvier 1936 sur les associations et groupements de fait « qui auraient pour but de porter atteinte à l'intégrité du territoire national ».

Le 27 août 1975, c'est la dissolution de l'A.R.C. (Association pour la renaissance de la Corse) du Dr Edmond Siméoni, après les affrontements d'Aléria et de Bastia.

(26) R. LAFFONT, *Clefs pour l'Occitanie,* 1971, p. 125.
(27) M. LE BRIS, *Occitanie : Volem Viure !,* 1974.
(28) J.-P. LE DANTEC, *Bretagne : re-naissance d'un peuple,* 1974.

A Aleria, le 21 août, un commando autonomiste en armes s'empare de la cave viticole d'un rapatrié et s'y enferme avec des otages. L'assaut est donné par les forces de l'ordre. Bilan de la fusillade : deux gendarmes tués et deux autres blessés. Puis, du 27 au 28 août, c'est la nuit d'émeute de Bastia, qui fait un mort et seize blessés parmi les C.R.S.

On doit condamner ces manifestations violentes. Mais on aurait tort de nier ce qu'elles tentent d'exprimer : il existe une identité corse, avec sa tradition, sa culture, sa langue et l'objectif est de faire reconnaître cette personnalité corse par une société et un Etat hyper-centralisateurs, qui pratiquent une sorte de jacobinisme administratif et culturel et tentent d'imposer le même modèle culturel d'un bout à l'autre du territoire national.

L'avenir des minorités nationales. — Les minorités nationales refusent le rouleau compresseur de l'uniformité, qui banalise tout, qui impose un modèle unique de mode de vie et de culture. En réaction à cette société d'hypertrophie et d'uniformité, qui uniformise les individus, qui standardise les comportements, elles affirment leur *droit à la différence,* donc à la personnalité.

La solution peut être cherchée dans deux directions.

Soit la mise en place d'un véritable « *pouvoir régional* ». Pour tous, partout. Et ce n'est pas la pâle réformette du 5 juillet 1972 qui peut en tenir lieu. A cet égard, allant même jusqu'au fédéralisme, la R.F.A. a renoué avec la tradition de la diversité allemande. Le système des Laender, dotés de très larges prérogatives, fonctionne Outre-Rhin à la satisfaction générale dans un pays où l' « identité nationale » bavaroise, pour ne prendre que cet exemple, repose sur une singularité puissante.

L'autre solution, pour certaines régions à forte spécificité (comme la Corse), serait d'imaginer un *statut dérogatoire au droit commun des régions.* D'ailleurs, on en trouve déjà des exemples à l'étranger.

Après la guerre, l'Italie a inscrit dans l'article 5 de sa Constitution : « La République une et indivisible reconnaît et favorise les autonomies locales. » Au-delà du détroit de Bonifacio, les Corses ont le spectacle d'une Sardaigne, « région à statut spécial », qui dispose d'un Parlement et d'un Gouvernement depuis 1948. Dans cette Sardaigne, dotée d'un statut spécial, les autonomistes recueillent moins de 6 % des voix.

Au Royaume-Uni, les antiques Parlements écossais et gallois retrouvent vie avec les lois de « dévolution ». Afin de désamorcer une agitation inquiétante.

Ancrée, comme l'Espagne, dans les grands souvenirs de la conquête de l'unité, la France n'a pas fait l'effort d'imagination consenti par d'autres voisins. Le jacobinisme maintient un centralisme excessif, qui suscite des résistances et parfois des tragédies.

En vérité, comme le disait Renan, une nation est « un plébiscite permanent ». Ce qui la cimente, c'est la volonté de vivre ensemble. Dans le respect de la personnalité et de la diversité de ses composantes. Ce ne sont pas des mesures d'autorité et de centralisation excessives, qui finissent par provoquer une revendication violente du droit à la différence et par mettre en péril l'unité nationale. En créant l'irréparable, l'irréconciliable.

4° *Les autres minorités.*

Les minorités sexuelles. — Parmi les minorités, il faut aussi citer les minorités sexuelles, qui revendiquent, elles aussi, un droit à la différence, d'un type particulier. C'est le cas des *homosexuels*. En 1967, en Grande-Bretagne, une loi abroge certaines dispositions qui faisaient de l'homosexualité un délit, même entre adultes consentants. Aux Etats-Unis, divers groupes d'homosexuels masculins et féminins (Lesbian Liberation Front, Radical Lesbians) forment le *Gay Liberation Front* (Front de libération des homosexuels). L'innovation réside ici dans le caractère public et massif des manifestations de ces tenants du *Gay Power* : à New York, en juin 1970, une manifestation de ce type a regroupé 10 à 15 000 personnes. A Paris, des membres du F.H.A.R. (Front homosexuel d'action révolutionnaire) ont participé au défilé « gauchiste » du 1er mai 1971. En novembre 1973, la Revue *Arcadie* organise trois jours de débat à Paris sur les problèmes de l'homosexualité. Enfin, il existe, au sein du M.L.F., une tendance qui soutient le lesbianisme.

Type, très particulier, de subculture et type, très affirmé, de revendication d'une spécificité. Qui pose, plus généralement, le problème des « *minorités sexuelles* » et de leurs droits. Problème déjà très débattu dans les pays scandinaves et spécialement au Danemark, engagé dans une expérience multivalente d'émancipation sexuelle.

Les déviants. — Reste, enfin, à poser le problème des « déviants ». La *variance* est le choix dont bénéficient les membres d'une société entre des modèles autorisés; la *déviance* est le recours à des modèles qui se situent à la marge de ce qui est permis ou en dehors de ce qui est permis. Recourant à des modèles qui ne sont pas acceptés par la société globale, la déviance est donc une source de changement social.

Le problème de la déviance est surtout examiné sous l'angle de la « folie » et de la « normalité ». Comme le fait *l'antipsychiatrie,* avec ses précurseurs britanniques — Ronald D. Laing (*La politique de l'expérience,* tr. 1969), David Cooper (*Psychiatrie et antipsychiatrie,* tr. 1971) — ou italiens — Franco Basaglia (*L'Institution en négation. Rapport sur l'hôpital psychiatrique de Gorizia,* tr. 1970). Qui est « normal », qui est « fou » ? La folie ne serait-elle pas une catégorie culturelle et politique ?

Réduite à l'essentiel, la doctrine antipsychiatrique est simple : l'enfant naît bon et riche de potentialités multiples. En quinze ans, la société, la famille, l'école (29) en font un être appauvri et mutilé. Si la pression culturelle a été trop contraignante et trop précoce, certains ont une réaction de défense. Ils s'évadent dans l'imagination et le fantastique. La schizophrénie n'est qu'une tentative délirante pour retrouver le bien originel.

Au service de la société et de ses valeurs, la psychiatrie traditionnelle qualifie d' « anormaux » et enferme dans des asiles ces évadés qui avaient échappé au mensonge. Pour conserver son équilibre, la société exclut le « fou » déclaré malade mental. Dans son *Histoire de la folie,* Michel Foucault avait déjà critiqué l'univers asilaire, et montré comme la raison constitue son règne par l'exclusion de ce qui n'est pas elle. L'antipsychiatrie fait du psychotique la victime et le prisonnier d'une société intolérante, le détenteur d'une vérité bafouée ailleurs.

La psychiatrie institutionnelle occupe une position stratégique dans le système idéologique de notre société. Faire la révolution psychiatrique, c'est mettre en question la famille, l'école, l'organisation hiérarchique du travail et des rapports sociaux. Et, parmi les structures sociales, c'est, d'abord, remettre en question les structures psychiatriques. En remplaçant l'univers asilaire par de petites *communautés* thérapeutiques, en remplaçant le « renfermement » par des « *zones libérées* ». Ainsi, une fois encore, la critique de la culture établie débouche sur la constitution de microsociétés.

(29) Sur ce thème particulier : Jules Celma, *Journal d'un éducastreur,* 1971.

C. — LES CONTRE-FORMES

Ces contre-valeurs, portées par ces contre-forces, s'incarnent dans des *contre-formes*.

Une culture sans discours. — Il s'agit bien davantage d'une *culture* nouvelle que d'une *idéologie* nouvelle. Plutôt que d'aller aux *idées* révolutionnaires, il s'agit de faire passer la révolution dans sa propre vie. La pratique sociale remplace le discours.

Cette mutation des messages tient peut-être à une mutation des *media* (30). A l'âge de l'imprimerie, la communication graphique avait imposé la démarche linéaire et raisonnante de la pensée écrite. En revanche, submergée par l'assaut multisensoriel et simultané des media électroniques, la nouvelle génération acquiert un mode de perception global et a-logique. De plus, les diverses idéologies du passé ont connu tant d'insuccès ou d'infidélités dans leur application concrète qu'elles ont perdu leur crédibilité. D'où la défiance envers le discours abstrait et spéculatif; d'où la perte d'influence des philosophes et des écrivains engagés.

« Cet exil des philosophes a un sens précis : au lieu d'une idéologie nouvelle, la jeunesse propose une nouvelle culture. Au lieu d'avancer des idées, elle commence par *changer de vie. La contre-culture n'est pas un discours. L'important n'est plus ce qui se dit, mais ce qui se vit.* De doctrinale, la contestation devient existentielle. Elle quitte le royaume des idées pour expérimenter très concrètement de nouveaux modes de travail, d'éducation et de récréation, pour découvrir empiriquement de nouvelles manières d'être » (R.-G. Schwartzenberg, *La République, une fête ?*, *Le Monde* du 15 juillet 1971).

La fête. — Cette révolution culturelle entend *changer la vie.* Les tabous, les modes et les réactions se transforment de fond en comble à toute vitesse. L'évolution des mœurs est en train de modifier radicalement la nature, la forme et le ton des rapports humains. La liberté des mœurs et des comportements tend à se généraliser. Elle culmine dans la fête.

(30) Sur la théorie « le message, c'est le medium » : Marshall MAC LUHAN, *La Galaxie Gutenberg*, tr. 1967; *Pour comprendre les media*, tr. 1968; *Message et Massage*, tr. 1969; et *Guerre et paix dans le village planétaire*, tr. 1970.

Durkheim considérait la fête comme une transgression institutionnalisée des normes sociales, transgression destinée à leur maintien et à leur renforcement. En revanche, pour Jean Duvignaud (*Fêtes et civilisations,* 1973), dans la fête les normes sont moins « mises entre parenthèses » que dépassées, abolies. La fête est abandon de la société.

Elle donne accès à un monde radicalement différent du monde social, celui de l'imaginaire. La fête est invention, exploration du virtuel, du possible non réalisé. La société s'y dégage d'elle-même, s'y rêve, y explore ses virtualités. Ainsi, les festivals pop, l'explosion de mai 1968 peuvent-ils apparaître comme les premiers signes d'un renouveau de la fête.

Le « voyage ». — Autre forme d'évasion : le voyage. Sur la route, dans la lignée de Kerouac. Ou le « voyage » intérieur, en liaison avec le mysticisme, qui réapparaît sous toutes ses formes : recherche de la communion avec l'Etre à travers la vie extatique, le satori ou l'anéantissement nirvanien, succès de l'hindouisme et du bouddhisme zen, fascination des Indes, du Népal et de Katmandou, influence des gourous, etc.

Th. Roszak (*op. cit.*, p. 169) voit ainsi dans la contre-culture « un abandon résolu de la longue tradition d'intellectualisme sceptique et laïque qui a été depuis trois siècles le principal véhicule de toute entreprise scientifique en Occident ». De même Edgar Morin (*Journal de Californie,* 1970) écrit : « C'est le second siècle de l'Empire romain; les nouvelles religions de salut se multiplient. Mais cette fois, c'est le grand Pan qui renaît. Qu'est-ce qui meurt ? Peut-être l'occidentalité, dans ce qu'elle signifie : activisme, dynamisme historique, technique, rationalité et rationalisme. »

Dans cette aspiration à la religiosité, c'est le *bouddhisme zen* qui exerce le plus d'attrait. Dès le début des années cinquante, Gary Snyder, le poète de la côte Ouest, l'avait révélé à Ginsberg et Kerouac (cf. Kerouac, *The Dharma Bums,* 1956). Bientôt, avec D.-T. Suzuki, Alan Watts, qui enseignait à l'école des Etudes asiatiques de San Francisco, allait devenir le plus grand vulgarisateur du zen aux Etats-Unis (31). La beat generation adopta — et adapta — le zen : importance du silence, goût des paradoxes et du non-sens, esprit de contradiction, morale du « tout est permis », rapidement transposée sur le plan sexuel, extatisme.

(31) D'ALAN WATTS, mort en 1974, lire notamment : *Joyeuse cosmogonie; Amour et connaissance* (tr. 1971) ; *Nature à réflexion* (tr. 1973) ; et *Le livre de la sagesse* (tr. 1974).

Cet extatisme est parfois atteint, sous l'influence de *la drogue*, vecteur du « *voyage* » immobile. Alors professeur de psychologie à Harvard, Timothy Leary réalise cette conjonction du mysticisme et de la « libération neurologique ». Dès le début des années 1960, il conseille *la recherche psychédélique* (psyche : âme, esprit; delight : ravissement) *sous influence narcotique.* Se donnant lui-même pour le « grand prêtre » du psychédélisme (*High Priest,* 1968, et *The Politics of Ecstacy,* 1968), Leary se donne cet objectif : débarrasser, par l'hallucination psychédélique, la jeunesse américaine de l'éthique travail-devoir. La faire revenir à la nature et aux plaisirs instinctuels, à la négation de tout ce qui est imposé par des institutions inhibitrices. Renvoyé de Harvard en 1963, deux fois inculpé d'infraction à la loi sur les narcotiques, Leary sera condamné et emprisonné.

Le « voyage » aura été chanté par Bob Dylan *(Mister Tambourine Man),* Savoy Brown *(The Needle and the Spoon),* les Beatles *(Lucy in the Sky with Diamonds)* et les Moody Blues (qui rendent hommage à T. Leary dans *Legend of a Mind*).

Dans *Vers la libération* (p. 54), Marcuse écrit : « La révolution devra être aussi une *révolution dans la perception...* La libération est liée à la décomposition de la perception ordinaire et vulgaire. Dans le « *voyage* » s'effectue une semblable décomposition du moi tel qu'il est façonné par la société établie. » Mais, note Marcuse, cette décomposition des stéréotypes culturels introjectés est « artificielle et de courte durée ». Et, surtout, cette fuite dans les paradis artificiels constitue un « refus volontaire de s'engager » et donc de « changer le système établi ».

Il faudrait ajouter que dans l'escalade des drogues — de la marijuana au haschich et au L.S.D. — on cesse vite d'être « high » pour devenir « stoned » (« défoncé », assommé). Avec les ravages physiologiques qui en résultent (cf. le film de Jerry Schatzberg, *Panique à Needle Park*, 1971).

La mode. — La culture dissidente de la jeunesse s'incarne aussi, plus couramment, dans la mode vestimentaire. Dès les années 1960, les adolescentes lancent un défi à la haute couture, à la mode établie, à la mode « institutionnelle ». Elles créent leur style, imposent leur mode : une contre-mode, une anti-mode. Une mode de la rue, faite de spontanéité, de « décontraction », et de naturel. Dans un monde gris et terne, standardisé, cette anti-mode incarne la liberté, la diversité et la couleur.

C'est la mode « sauvage ». Les jeunes créent leur propre mode, loin des « institutions » de la mode, et finissent par l'imposer à l'ensemble de la société.

Plus que jamais, *la mode est un mode d'expression*, un langage, un manifeste. Pour la libération (la minijupe de Mary Quant, naguère). Pour la dérision (le kitsch). Pour la contestation du présent et la nostalgie d'un autre temps, d'un autre mode de vie (la mode rétro il y a peu), etc.

Art et contestation. — On connaît le point de vue de Marcuse (*supra*, p. 378) : l'art porte la contradiction à la réalité présente. Il prend le contre-pied du réel. Il possède une puissance de subversion, de contestation.

De fait, sous ses diverses formes, l'art sert souvent de vecteur à la contre-culture. En utilisant divers *media de la contestation*, divers « anti-media », propres à véhiculer et à populariser la contre-culture.

La pop' music. — Dans cette contestation, la musique tient une place essentielle. Comme l'a noté un bon observateur : « L'introduction d'une nouvelle forme de musique peut mettre tout l'Etat en péril. Si la musique change, nos institutions les plus importantes changeront aussi » (Platon). Le vecteur privilégié, c'est surtout la *pop' music (popular music)*, qui donne lieu à des réunions de masses: aux Etats-Unis (festival de Woodstock, août 1969), en Grande-Bretagne (Wight, septembre 1969), en France (Biot, août 1970). Syncrétisme musical dans lequel se distinguent deux courants.

— *Folksong et protest song*. Le premier courant — on parle souvent de « country and western » — subordonne généralement la musique au texte. La mélodie, simple et vraie, reste fonction du texte. C'est le *folksong* avec Woody Guthrie, Pete Seeger et Lonnie Donegan. Qui débouche bientôt sur le *protest song* avec Joan Baez, Leonard Cohen (qui s'impose d'abord, en publiant deux romans best-sellers : *Beautiful Losers* et *The Favorite Game*) et surtout Bob Dylan première manière.

En 1963, avec son album *Free Wheeling*, Dylan dénonce les « marchands de canon » *(Masters of War)*, évoque l'affaire Meredith et l'intégration au système universitaire des étudiants noirs *(Oxford Town)*, revendique sa liberté *(I Shall Be Free)*, traite du problème du couple moderne *(Dont' Think Twice)* et annonce un nouveau souffle de l'esprit *(Blowin' in the Wind)*. En 1964, ce sont d'autres protest songs : *The Times, They Are Changing* (critique sévère des institutions et des politiciens traditionnels), *The Ballad of Hollis Brown* (qui chante l'Amérique pauvre) et *Hattie Carol* (contre la ségrégation raciale). Gravés sur des millions de disques, diffusés sur toutes les chaînes de radio officielles ou « parallèles », les couplets de « Master Bob » trouvent en quelques mois une immense audience.

Ensuite, dans ce courant où dominent le texte et l'approche politique, on peut classer John Sebastian, Simon et Garfunkel, le Jefferson Airplane (un groupe d'anciens étudiants ayant milité dans le mouvement des droits civiques), Crosby, Stills, Nash et Young (malgré certaines réminiscences orientales). Et surtout les protest songs contre la guerre du Vietnam de Country Joe Mac Donald *(Fixin, To Die Rag)* et de Tom Paxton *(Talking Vietnam Pot Blues,* et *Jimmy Newmann),* qui fait figure de chroniqueur politique de son temps.

— *Le courant psychédélique.* L'évolution personnelle de Bob Dylan marque bien l'existence de deux courants. Ses premières ballades comportaient un « message » : appel à la justice sociale, protestation contre la guerre, l'exploitation, etc. Puis ces chansons deviennent surréalisantes et psychédéliques (32). Il rejoint ainsi une autre tendance, qui privilégie la musique par rapport au texte. Le son se raffine, la technique d'enregistrement prend une place prépondérante au contact de l'électronique. Le texte, même s'il a une signification (et souvent politique), est plus un objet musical que l'essentiel du propos.

Ce courant orchestral — dérivé du blues, mâtiné de musique classique ou contemporaine et de free jazz — est représenté principalement par le Chicago Transit Authority et le Blood, Sweat and Tears.

Mais ce courant culmine naturellement dans le *psychédélisme,* ce « délire », cette fête audiovisuelle, très « sophistiquée », dont les Pink Floyd sont aujourd'hui les maîtres (33). Genre incarné naguère par les Beatles, à l'époque de la découverte de l'Orient, de Ravi Shankar et des hallucinogènes, dans leur album de 1967, *Sergeant Peppers Lonely Hearts Club Band* — et spécialement dans deux de ses titres : « *A Day in the Life* » et « *Lucy in the Sky with Diamonds* ». Aujourd'hui, après la dislocation du groupe, George Harrison reste fidèle à ce style (« *My Sweet Lord* », 1970), mais John Lennon rejoint plutôt les rangs du protest song *(« Working Class Hero », « Power to the People »).*

Chanson et contestation en France. — Ce courant psychédélique est peu ou mal représenté en France. En revanche, le « protest song » fait sa percée. Avec la chanson « engagée » : Léo Ferré (chantant

(32) Aujourd'hui, Dylan paraît revenu à sa première manière. Un de ses albums de 1974, *Before the Flood,* reprend d'ailleurs des titres provenant des diverses périodes du chanteur comme *Like a Rolling Stone* ou *Blowin' in the Wind.* La même année, l'album *Blood on the Tracks* ramène aussi à un cycle interrompu depuis sept ans avec *John Wesley Harding.* En janvier-février 1974, puis fin 1975, Dylan reprend ses tournées sous l'égide de la *Rollin Thunder Review* à la tête d'une troupe de chanteurs et de musiciens. De nouveau les voix de Joan Baez et de Bob Dylan se mêlent pour chanter *The Times They Are Changin.*

(33) Le groupe a composé, entre autres, la musique des films *More, Zabriskie Point* et *La Vallée.*

souvent les thèmes de l'anarchisme ou ceux de mai 68), François Béranger (chroniqueur de son temps, lui aussi), Maxime Le Forestier (*Parachutiste, Comme un arbre dans la ville,* etc.), Catherine Ribeiro, Jacques Higelin, Brigitte Fontaine, Michel Fugain (*Le Chiffon rouge* et *Capitaine, capitaine* dans l'album de 1977 : *Un Jour de fête dans un Havre de paix*). Avec la chanson occitane ou bretonne : Allan Stivell, etc.

Le free jazz. — Il existe certes plusieurs artistes — James Brown *(I Am Black and Proud),* Edwin Starr *(War)* — ou groupes noirs — Temptations *(Ball of Confusion),* Chambers Brothers *(The Time Has Come Today)* — de pop music. Cependant, plutôt que la pop music, registre de la contestation blanche, c'est le free jazz qui apparaît comme la musique de la révolte noire.

A la différence du jazz, inventé et joué par les Noirs, mais « colonisé » par les Blancs, le free jazz se veut un *acte de résistance culturelle :* la réappropriation par les Noirs américains d'une musique qui originellement fut leur et qui a été annexée et dévitalisée par la culture dominante. Le free jazz (Ornette Coleman, Sun Ra, Albert Ayler, Archie Shepp, Don Cherry) est la manifestation de pointe de la culture afro-américaine. Pour Stokely Carmichael : « La musique d'Archie Shepp, c'est la grande beauté noire du pouvoir noir » (cité par Ph. Charles et J.-L. Comolli, *Free Jazz, Black-Power,* 1971).

De la littérature au « cut up ». — Autre vecteur de la contre-culture : la littérature. Avec les survivants de l'époque beatnik, comme Allen Ginsberg ou William Burroughs (*Le festin nu; Révolution électronique* et *Les Garçons sauvages,* tr. 1973).

Burroughs entend faire éclater l'écriture officielle. Il remet en question la conception aristotélicienne d'une logique linéaire, récuse l'abstraction croissante d'une langue officielle devenue un instrument de manipulation et de contrôle des individus.

Dès 1960, dans un article de la revue *Evergreen,* il préconise le « *cut up* ». C'est-à-dire la coupure, le montage. Il s'agit de « découper » les mots, les phrases et les pages, pour les mélanger, de façon *à rompre les associations stéréotypées* qui assurent le monopole d'une pensée monolithique. Il s'agit de briser les chaînes d'association imposées par les mass media, de disloquer le langage et de *saper la logique établie.* En sortant des bribes de phrases de leur contexte pour leur imposer des rapports inattendus : « Manipulez quelques lignes, écrit Burroughs, et hier, à 26 milles au nord de Saïgon, le président Johnson a fait irruption dans un appartement de luxe où il a tenu trois filles en respect, à la pointe de son revolver » (*Los Angeles Free Press,* Second Section, 26 juin 1970).

Dans *La Révolution électronique* (tr. 1973), Burroughs préconise une *extension du « cut up »* : les ciseaux ne servent plus à couper seulement des mots écrits, mais des mots parlés. Que le magnétophone et la vidéo répandent de fausses nouvelles pour discréditer l'adversaire. Qu'ils mélangent les actualités, les pièces télévisées, la publicité et qu'ils transmettent « la ligne de rumeurs transformées ».

« Les media peuvent être également utilisés par chacun d'entre nous. Supposez que l'on « mixe » un discours de Nixon avec des bruits désagréables d'animaux par exemple, et qu'on diffuse ces enregistrements dans la rue. Sans même s'en rendre compte, les passants absorberont ces associations, comme ils absorbent les associations publicitaires, et petit à petit ils seront touchés par le virus anti-Nixon. Il faut briser les lignes d'association officielles. » (W. Burroughs, interview au *Monde* du 18 janvier 1974).

La méthode rappelle le vocabulaire spécifique, volontairement provoquant (pig, motherfucker, etc.) des Panthères noires (cf. Ian Young, *Les Panthères noires et la langue du ghetto, Esprit,* oct. 1970, p. 549), et l'analyse de Marcuse dans *Vers la libération* (p. 52), défendant — sur un ton très doctoral — la liberté du langage :

« Les « *obscénités* » dont pullulent les discours des radicaux, qu'ils soient blancs ou noirs, doivent être rapportées à la *subversion méthodique de l'univers linguistique établi...* L'utilisation méthodique des « obscénités » dans le langage politique des radicaux sert à donner un nom nouveau aux hommes et aux choses, en leur retirant le nom hypocrite et mensonger qu'ils portent orgueilleusement dans et pour le système. Lorsque cette redésignation fait appel à la sphère sexuelle, elle participe à la grande entreprise de désublimation de la culture... »

La presse parallèle. — Les Etats-Unis voient se développer une presse parallèle. Ces journaux clandestins (*The Los Angeles Free Press, The Berkeley Barb, Rat, The Old Mole,* etc.) se sont comptés par centaines (trois cents environ). Ils recueillent la plupart de leurs informations auprès d'une agence de presse « clandestine », *Liberation News Service,* créée en 1968. La presse parallèle dénonce la guerre du Vietnam, les injustices raciales, la pollution, etc. Comme les radios parallèles, elle souffre aujourd'hui du reflux de la contestation.

La fonction de la presse parallèle est de « contrer les informations publiées par la presse officielle », et de « mettre en valeur les nouvelles qui sont étouffées ou négligées par la presse officielle » (Burroughs).

Cette presse est apparue aux Etats-Unis il y a déjà une quinzaine d'années sur les campus pour donner la parole à ceux qui ne pouvaient pas s'exprimer librement, entièrement, dans les journaux de l'*establishment,* et qui avaient quelque chose à dire à leurs parents, à la société, à leur génération.

En France. — *Free press, presse parallèle, underground press, alternative press :* autant d'appellations pour une même réalité. En tout cas, sur la lancée des événements de mai 1968, cette presse a franchi l'océan et pris pied en France. Aujourd'hui, on peut y évaluer à deux ou trois cents le nombre des journaux « parallèles ». Souvent ronéotypés, plus rarement imprimés.

A côté de deux succès commerciaux *(Actuel* et *Charlie-Hebdo),* on peut citer : *Vroutsch, Zinc, Le Parapluie, L'Echo des savanes* (bandes dessinées), *Le Torchon brûle, menstruel* (sic) du M.L.F., *Le Fléau social* (journal du F.H.A.R.). Et d'autres titres de moindre audience ou plus éphémères : *Vanille Free Press, Le Citron hallucinogène, Le Tamanoir, Apiniou, La Cigarette verte,* etc.

Tous ces journaux expriment la culture parallèle, la culture marginale, où se fondent la pop' music, l'écologie, le fantastique, la libération sexuelle, la drogue, la « route », la vie en « communauté », etc.

Le nouveau théâtre. — A citer la rénovation de l'art dramatique tentée par le *Living Theatre* de Julian Beck et Judith Malina, dans des spectacles comme *Paradise Now.* A citer aussi les *happenings,* anticipations vécues de la liberté revendiquée. Et, enfin, la tentative de « théâtre de rue » du *Bread and Puppet Theatre :* théâtre « radical », « spectacles révolutionnaires » : des acteurs au lieu d'orateurs; l'art dramatique bouleverse l'art de manifester.

En France, il faut mentionner le *Grand Magic Circus* de Jérôme Savary, avec des pièces comme *De Moïse à Mao* ou *Good Bye, Mr Freud.* Et aussi le théâtre de revendication nationale, comme la pièce *Mort et insurrection de M. Occitania.*

Le cinéma underground. — Autre vecteur : l'art cinématographique. D'abord avec le cinéma *underground* (souterrain), spécialement celui de Kenneth Anger. Ou celui d'Andy Warhol et Paul Morrissey, dans leurs films *Heat, Flesh* et *Trash.*

Certains des films de contestation atteignent le grand succès public : comme *Easy Rider* de Dennis Hopper. D'autres sont réalisés par des metteurs en scène confirmés, voire « établis » : comme *Zabriskie Point* de Michelangelo Antonioni ou *L'arrangement* d'Elia Kazan. A noter aussi l'emploi du dessin animé, dans des films « contestataires », comme *Fritz the Cat* ou *Flipper City* de Ralph Bakshi, adaptant la bande dessinée de Robert Crumb.

En France, Jean-Luc Godard aura fait œuvre de précurseur, avec des films comme *Une femme mariée* (1964), *Alphaville* (1965), *Deux ou trois choses que je sais d'elle* (1966), *La Chinoise* (1967) et *Week-end* (1967). Aujourd'hui le cinéma européen continue sur cette voie. Pour réclamer la rupture nécessaire (*L'An 01* de Gébé), pour célébrer les luttes nationales et écologiques (*Gardarem lo Larzac* de Philippe Haudiquet), pour dénoncer la société « répressive » (*Charles mort ou vif* d'Alain Tanner; *Family Life* de Keith Loath), pour peindre la libération des mœurs (*Dernier Tango à Paris,* de Bernardo Bertolucci; *La Grande Bouffe* de Marco Ferreri; *Les Valseuses* de Bertrand Blier; *Sweet Movie* de Dusan Makavejev), etc.

D. — La contre-culture

Contre-valeurs, contre-forces, contre-formes : tout cela concourt à former une *contre-culture,* qui prend le contre-pied de la culture dominante, du mode de vie établi. Ainsi, *les cultures dissidentes, en se conjuguant, forment une nouvelle culture.* Dont on peut répertorier les traits et les thèmes majeurs.

Le refus de la « société de consommation » et de la civilisation technologique. — D'abord, le refus d'une société aliénante, qui enferme l'individu dans le cycle production-consommation, qui suscite des besoins artificiels tout en réprimant ses besoins naturels. Le refus de ce système productiviste et compétitif, c'est le trait commun de tous les « *drop out* », de tous ceux qui « laissent tomber », en « décrochant », en se retirant des rouages de la machine sociale, de tous les « *marginaux* », qui se placent délibérément « en marge » de la société telle qu'elle est.

Le refus des conformismes, des conditionnements et des contraintes. — L'objectif, c'est de créer un nouvel art de vivre en libérant l'individu des tabous moraux et sociaux, en donnant libre cours à l'affirmation par chacun de sa vraie personnalité, loin des préjugés et des conformismes. En laissant s'épanouir la spontanéité et la créativité.

Ce refus des contraintes et des conditionnements marque les jeunes O.S., en rébellion contre un travail parcellaire et répétitif, qui fait de l'homme l'appendice de la machine. D'où leurs conduites de refus et d'évasion (absentéisme, grèves sauvages, etc.). Il marque les étudiants en révolte contre une Université, accusée d'être une machine servant à assurer la « reproduction ». Il marque les lycéens, protestant contre la jonction des structures de conditionnement, de l'école à la caserne.

La société permissive. — Il s'agit de remplacer la société « répressive », ses interdits et ses tabous, par une société « permissive », par une « société de tolérance ». Déjà, la législation officielle porte des marques de cette évolution.

De 1964 à 1970, sous un gouvernement travailliste, le Parlement anglais a voté plusieurs lois libérales (facilitant le divorce, l'avortement, etc.). Ces lois forment l'ossature de ce que M. Roy Jenkins a appelé « *la société civilisée* » : « Des individus différents souhaitent prendre des décisions différentes concernant leur comportement individuel; à condition de ne pas restreindre la liberté d'autrui, ils doivent pouvoir le faire dans un cadre de compréhension et de tolérance. »

De même, l'Allemagne fédérale considère qu'un Etat démocratique moderne doit se limiter, en matière de sexualité, à protéger l'ordre social des troubles et des atteintes graves, et ne doit pas imposer l'observance d'un code moral. Il ne peut exister de morale d'Etat. D'où, en 1968, l'abrogation de la répression de l'adultère et de l'homosexualité entre adultes. D'où, en 1973, la liberté de la production et de la diffusion des documents pornographiques. Comme au Danemark.

Une société pluraliste. — L'objectif, c'est une société pluraliste, n'imposant pas un modèle unique de culture, de comportement, mais admettant le « *droit à la différence* », le droit à la variance, voire à la déviance, la diversité des conduites et des pratiques.

Diversité des identités nationales et régionales; diversité des cultures, des comportements et des modes de vie. Dans une société qui admette l'hétérogénéité des sous-cultures.

La libération sexuelle. — Diversité des comportements sexuels, aussi, et libération sexuelle, dans la voie ouverte par Wilhelm Reich (*supra*, p. 370). Ainsi, les communautés (*infra*, p. 440) abolissent les structures relationnelles et familiales de la société puritaine. Pour pratiquer une complète liberté sexuelle, donnant lieu aux expériences les plus diverses, dont la sexualité de groupe.

Aujourd'hui, cette émancipation sexuelle a été largement « récupérée » par le système : introduction de l'information sexuelle à l'école en France et ailleurs; institution d'un Conseil supérieur de l'information sexuelle (1974); réunion d'un Congrès international de sexologie médicale (Paris, juillet 1974), etc. (33 *bis*).

Le néo-rousseauisme. — Par ailleurs, cette nouvelle culture se fonde sur un néo-rousseauisme. Retour à la nature, nostalgie de l'Indien et du « bon sauvage », quête de la vie libre et épanouie du corps, du repos de l'âme, de la communion avec la nature.

Objectif : restituer l'homme à sa véritable nature, l'arracher aux contraintes antinaturelles de la vie urbaine et technique. Contre-courant, rétro-tendance par rapport à la société industrielle avancée. Révolution de la nature, du sentiment et de la pédagogie dont le prophète est bien l'auteur du *Discours sur les sciences et les arts*, de l'*Héloïse* et de l'*Emile* (34).

Le mouvement écologique. — Conséquence logique de ce retour à la nature : le mouvement écologique (l'*écologie* étant l'étude de l'être vivant dans son milieu). Dès la fin des années 60, aux Etats-Unis, ce mouvement, constitué en « eco-groups » (formés d'étudiants et de jeunes) lutte contre la pollution et la dégradation de l'environnement par la société technologique. Il milite pour la protection du milieu naturel contre une urbanisation galopante. C'est le *Green Power* et la révolution verte.

Dans *Vers la libération* (1969, p. 43-44, 118-120), Marcuse réclame « une culture accordée aux sens », « un univers esthétique et non plus répressif », « un univers où les rapports humains ne seraient plus médiatisés par les relations marchandes ». Il écrit encore :

« Une action qui partirait de revendications innocentes, comme celle d'une meilleure réglementation des zones de stationnement, ou celle d'un minimum de protection contre le bruit et la poussière, pour exiger finalement l'interdiction de toute circulation automobile dans les secteurs urbains, la décom-

(33 *bis*) Cf. D. Wolton, *Le nouvel ordre sexuel*, 1974, qui dénonce le nouvel *encadrement* scientifico-social (médecins, psychologues, etc.) impose à la sexualité l'extension du *contrôle social* à un domaine de comportement jusque-là privé.

(34) Sur J.-J. Rousseau, prophète de la contre-culture, voir : R.-G. Schwartzenberg, *Jean-Jacques superstar*, dans *L'Express* du 3 janvier 1972.

mercialisation de la nature, la reconstruction totale des villes, le contrôle du taux de natalité — une telle action deviendrait de plus en plus subversive pour les institutions et la moralité du capitalisme. L'aspect quantitatif de ces réformes pourrait se résoudre en la qualité d'un changement radical. » Directement orienté contre « l'environnement et l'écologie sur lesquels repose le marché de profit ».

Marcuse précise encore : « Le mouvement écologique s'attaque au « *living space* » du capitalisme, à l'extension du domaine du profit, du gaspillage productif... La logique écologique est la négation pure et simple de la logique capitaliste... En dernière analyse, la lutte pour une extension du monde de la beauté, de la non-violence, du calme, est une lutte politique » (*Ecologie et révolution,* Débat dans *Le Nouvel Observateur* du 19 juin 1972).

En France, dès 1968, les citadins représentent 70 % de la population totale; en 1985, 83 % de cette population sera urbanisée. Dans un cadre de vie dégradé. Aux élections présidentielles de 1974, le Pr René Dumont a été le porte-parole des thèses écologiques. En juin 1974, les associations et comités qui l'avaient soutenu pendant sa campagne réunissent des « assises » et constituent officiellement le « Mouvement écologique ».

En 1977, les écologistes obtiennent quelques résultats importants au premier tour des élections municipales, notamment à Paris avec les listes de Paris-Ecologie, animées par Brice Lalonde.

En vérité, l'Etat a une fonction esthétique à assumer. Il n'a pas seulement à garantir la sécurité, la justice, le bien-être. Il lui faut aussi garantir *la beauté,* l'harmonie du cadre de vie. Il suffit de penser aux grandes villes du passé : Athènes, Florence, Venise, Pétersbourg. Périclès, Laurent de Médicis, Louis XIV, Pierre le Grand : tous les grands hommes d'Etat ont été bâtisseurs, urbanistes. Tous l'ont compris : la beauté est aussi affaire de gouvernement, l'esthétique est une responsabilité publique. Or, aujourd'hui, face aux industriels et aux promoteurs, l'Etat moderne ne sait plus défendre une perspective, imposer une architecture, préserver un site.

La qualité de la vie. — Le but, c'est le bien-être, mais un bien-être qui ne se définit pas par une consommation toujours accrue au prix d'un travail toujours plus intense. Le but, c'est une qualité de vie nouvelle, fondée, non plus sur l'accumulation de biens matériels, mais sur l'établissement de relations humaines plus fraternelles, plus authentiques. Non plus sur la tension, l'agressivité, la concurrence, mais sur des rapports sociaux qui cessent d'être tendus, artificiels.

Les valeurs féminines. — A cet égard, les valeurs « féminines » (tendresse, compassion, non-violence, grâce, sensualité, etc.) contrastent avec l'agressivité et la brutalité « masculines ». L'émancipation de la femme peut donc apporter une vie qualitativement différente à l'ensemble de la société (*supra,* p. 410). Le changement culturel de notre temps passe par les femmes.

La désinstitutionnalisation. — Dernier trait, enfin : la défiance envers les institutions, la recherche de relations non aliénées, non médiatisées par des organisations, par des institutions. D'où le développement des « communes » (*infra,* p. 440), ces anti-institutions, où se vit la nouvelle culture.

Le problème de l'aboutissement politique. — Reste à savoir, précisément, si cette contre-culture pourra déboucher sur une contre-politique. A la manière dont la contre-culture rousseauiste avait débouché sur la contre-politique du *Contrat social,* cette révolution culturelle peut-elle se prolonger en révolution politique ?

§ 4. — LA NOUVELLE POLITIQUE

En vérité, face à la nouvelle culture, trois voies différentes semblent s'ouvrir : la révolte violente, la subversion pacifique et la « récupération ».

De la révolution. — Dans l'imagerie traditionnelle, la révolution s'entend du changement violent dans le gouvernement d'un Etat. C'est un peu prendre un *moyen* pour un but. La révolution devrait plutôt se définir par son effet : la transformation radicale de l'ordre existant. Les voies et moyens de ce bouleversement pouvant être divers (violents ou non violents). C'est aussi restreindre au domaine *politique,* aux superstructures politiques, un phénomène qui peut concerner la société tout entière.

En vérité, la « révolution » semble se diviser en deux branches. Un premier courant, qui se mue en *révolte politique,* se réclame d'idéologies classiques et pratique à l'occasion la violence. Un second courant, qui constitue une *dissidence sociale,* peu porté à l'idéologie politique, mais qui modifie en profondeur le style de vie et les relations humaines.

Ce clivage est très perceptible dans une controverse qui a opposé, à Alger, deux exilés : E. Cleaver, leader des Panthères noires, et T. Leary (*Actuel*, mars 1971). Pour *Cleaver :* « Si la révolution culturelle fut utile, cette époque est révolue. Il est aujourd'hui temps que les gens réévaluent la stratégie contre le système et se préparent à un assaut frontal. » Pour *Leary :* « Il faut maîtriser intérieurement son esprit avant de passer au combat politique. Historiquement, les révolutions se sont toujours limitées à leurs dimensions extérieures : pour cette raison, elles n'ont fait que remplacer une dictature par une autre..., remplacer un groupe armé par un autre, qui devient aussi répressif que le précédent. En somme, un échange de gardiens de prison : la politique est une lutte pour savoir qui contrôlera les clefs de la prison... Pour briser ce cycle, la libération intérieure doit précéder la libération extérieure. »

Il importe donc de distinguer la révolte *violente* et la subversion *pacifique*. C'est-à-dire l'attaque *frontale* et le grignotage *latéral*. C'est-à-dire encore la rébellion organisée et la subversion spontanée.

A. — La révolte violente

La *violence* (attentats, attaques, guérilla urbaine) n'est nullement le fait permanent, mais c'est, éventuellement, la vocation aléatoire. Par ailleurs, la densité en *théories politiques* (inspirées généralement du marxisme-léninisme) y est beaucoup plus forte que dans le second courant. Enfin les groupes de ce premier courant sont dotés d'une *organisation* cohérente.

Les organisations radicales aux Etats-Unis. — Parmi les organisations radicales américaines, on trouve notamment des organisations de minorités ethniques. Car il existe aujourd'hui un *nationalisme culturel,* une revendication d'autonomie, formulée par les minorités ethniques (*supra*, p. 413).

Les organisations radicales noires. — Ainsi, dans les années 60, une partie de la population noire refuse de s'intégrer au système culturel et politique blanc. L'affirmation de l'*identité,* de la dissimilitude, remplace la recherche de l'intégration. Et, dans les méthodes d'action, la *violence* — parfois armée — tend à supplanter la non-violence.

Parmi les organisations radicales noires, on trouve successivement les *Black Muslims* d'Elija Muhammad et Malcolm X (assassiné en 1965), le *Black Power* de Stokely Carmichael et Rap Brown, puis les *Black Panthers* de Bobby Seale, Huey Newton et Eldridge Cleaver.

Créé en 1966, se réclamant d'abord du marxisme-léninisme, le *Black*

Panthers Party possède une *organisation* très structurée, avec un « gouvernement », des « ministres » et des « sous-ministres ». Le *Party*, qui se caractérise par sa rhétorique violente et révolutionnaire, encadre, dans un style quasi-militaire, près de 5 000 membres, portant un uniforme particulier (béret, veste de cuir, lunettes noires).

Depuis 1970, le parti est en *très net recul*. Ses effectifs seraient inférieurs à un millier. Plusieurs dirigeants sont en fuite ou en prison; d'autres sont tués au cours d'accrochages très violents avec la police.

Une lutte intestine oppose un moment deux factions : l'une animée par Bobby Seale et Huey Newton; l'autre par Eldridge Cleaver, « ministre de l'information », en exil à Alger, dont plusieurs livres ont été traduits en français : *Un Noir à l'ombre* (1969), *Panthère noire* (1970) et *Sur la révolution américaine* (1970). Ce dernier accuse Newton d'adopter une ligne « révisionniste », « réformiste » et de ne plus insister sur la nécessité d'une action révolutionnaire et illégale.

Les Panthères noires, explique Newton, ont posé leurs fusils, car elles étaient en train de « perdre la faveur de la communauté noire et de la laisser en arrière ». Aujourd'hui, les Panthères noires ont un programme guère révolutionnaire (plein emploi, éducation, logements décents, arrêts des brutalités policières, etc.). Pour faire rendre justice aux Noirs dans le cadre même du système. Fin 1975, cependant, Eldridge Cleaver fait à son tour des déclarations très modérées, très légalistes et regagne les Etats-Unis.

Pour sa part, Stokely Carmichael, qui vit aujourd'hui en Guinée, défend un troisième point de vue : celui du retour en Afrique.

Les organisations radicales des autres minorités ethniques. — A l'imitation des Black Panthers, et souvent avec leur appui, d'autres minorités ethniques se sont organisées d'une manière analogue : *Brown Panthers* (Mexicains de Californie), *Young Lords* (Porto-Ricains de New York), *Yellow Panthers* (Chinois de San Francisco). Le journal des Black Panthers laisse parfois plusieurs pages en espagnol à la disposition de ses « brown brothers » mexicains. Il existe même des *White Panthers*, dont le parti, fondé à Détroit en 1967 par John Sinclair, s'est replié dans la ville universitaire d'Ann Arbor : l'objectif des Panthères blanches est de bâtir un parti centralisé de type marxiste-léniniste, en recrutant parmi les hippies. Tentative qui forme transition entre le radicalisme « ethnique » et le radicalisme blanc.

Les Weathermen. — D'autres organisations radicales blanches sont également proches des Panthères : spécialement les Weathermen, branche issue du S.D.S. et qui a gagné la clandestinité en mars 1970. « Weathermen » signifie évidemment météorologues. Ces radicaux ont emprunté leur nom à la phrase d'une chanson de Bob Dylan : « Pas besoin d'un météorologue

(35) Dans *Subterranean Homesick Blues* : « You don't need a weatherman to know Which way the wind blows. »

pour savoir d'où vient le vent » (35). Délaissant tout travail de propagande auprès d'un prolétariat qu'ils jugent pleinement intégré au système, ils placent leur espoir révolutionnaire dans la jeunesse (étudiante ou ouvrière), dans les minorités ethniques ou dans le « prolétariat externe » du Tiers-Monde. Illustrant un mot d'ordre de Cleaver — « Avant de parler de construction, accomplissons les ruines » —, ils pratiquent le *terrorisme urbain* (attentats à la bombe, sabotages à l'explosif, etc.). Il existe aussi des *Weatherwomen*, dirigées par Bernardhine Dhorn qui, avec son commando, a fait évader Timothy Leary de sa prison de San Obispo en septembre 1970.

Mais, depuis quelques années, les Weathermen paraissent renoncer au terrorisme et à l'action clandestine, pour en revenir au travail d'organisation au sein des différents milieux où ils sont implantés.

Le mouvement étudiant. — Les Weathermen sont issus du mouvement étudiant, qui atteignit son maximum d'ampleur en 1968-1970 : grèves, occupations de bâtiments universitaires, affrontements avec la police (*supra*, p. 403). A son congrès de 1969, la principale organisation étudiante, la S.D.S. *(Students for a Democratic Society)* se scinde en trois tendances principales : le R.Y.M. I *(Revolutionary Youth Movement I)* ou *Weathermen*, le R.Y.M. II *(Revolutionary Youth Movement II)*, qui ne croit pas à l'efficacité du terrorisme et qui se considère comme le dépositaire de l'unité brisée, et la W.S.A. (*Workers-Students Alliance*, section étudiante du *Progressive Labour Party*, dissidence maoïste du P.C. américain).

Aujourd'hui, le mouvement étudiant paraît moribond. Et beaucoup d'étudiants s'orientent vers l'action politique plus classique (*infra*, p. 451).

En déclin aussi le mouvement *yippy* (*supra*, p. 402), synthèse du hippisme et du gauchisme. Le yippy — « hippy avec un fusil », selon la définition de J. Rubin — incarne le mieux cette hésitation de plusieurs mouvements de jeunes ou d'étudiants entre la révolte violente et la subversion pacifique.

L'extrême-gauche révolutionnaire en France. — En France aussi, les organisations gauchistes, nées ou développées dans le courant de mai 1968 (*infra*, p. 465) sont en très net reflux. Deux courants principaux sont à distinguer.

D'une part, le courant *maoïste*, porté à l'ouvriérisme, au populisme et se réclamant de la révolution culturelle chinoise. Ce courant « mao-spontanéiste » s'incarne dans des structures d'organisation décentralisées et libertaires. Comme la Gauche prolétarienne d'Alain Geismar, engagé dans la Nouvelle Résistance populaire. Durement réprimé, ce courant est en net reflux. Il ne dispose plus aujourd'hui d'organisations nationales capables d'une action coordonnée.

Deuxième courant : le *trotskysme*. Avec ses deux branches principales. D'une part, la Ligue communiste, dissoute en juin 1973, puis la Ligue communiste révolutionnaire (créée en avril 1974), d'Alain Krivine. D'autre part, l'A.J.S.-O.C.I. (Alliance des jeunes pour le socialisme-Organisation communiste internationaliste) de Charles Berg.

A citer aussi : l'organisation communiste Révolution, issue en mars 1971 d'une scission de la Ligue communiste et qui dénonce le « réformisme » du P.C.F., et Lutte Ouvrière d'Arlette Laguiller.

Ce second courant est beaucoup mieux organisé, plus structuré et donc plus durable. Mais, pour les organisations gauchistes, le principal danger réside dans la « récupération » de certains de leurs thèmes par les partis de la gauche traditionnelle (*infra*, p. 452).

Quant au mouvement étudiant, il n'a plus sa vigueur des années 1968-1970. L'U.N.E.F., divisée, n'a plus sa force d'entraînement d'alors.

B. — La subversion pacifique

En marge des idéologies et des structures politiques — anciennes ou nouvelles — se développe tout un autre courant, qui entend « changer la vie ». Ce mouvement ne compte pas transformer le monde par une lutte organisée. Il ne croit pas à l'action révolutionnaire classique, à la « révolution politique ». Pour lui, ce qui importe avant tout, ce n'est pas la révolte politique, c'est la subversion sociale, quotidienne, c'est la « révolution culturelle ».

Un nouveau type de révolution. — L'objectif commun, c'est changer la vie. Et changer la vie *d'abord*. Car le facteur premier de la révolution, c'est l'homme. Vérité essentielle que le blanquisme et le marxisme avaient occultée.

Ce n'est pas en saisissant par priorité les leviers de commande politiques ou économiques qu'on modifiera les rapports humains. *Une révolution primordialement politique est aléatoire ou illusoire.* Aléatoire, car ses adversaires s'y opposeraient par la force. Illusoire, car, même victorieuse, cette révolution ne ferait que remplacer une contrainte par une autre. Ce serait « le bonheur dans vingt ans ». Et, dans l'immédiat, un échange de gardiens de prison.

Que faire ? *Inverser le processus traditionnel. Partir, cette fois, de l'individu et du quotidien.* Et ne transformer les structures politiques qu'en dernier ressort. C'est « la révolution par la conscience », suggérée par Charles A. Reich et quelques autres.

Ce qu'il faut, en premier lieu, c'est réformer la manière d'être, en provoquant une prise de conscience. C'est proposer concrètement de nouveaux modes de vie, de travail et de récréation. Pour convertir par la force de l'exemple.

Cette « agit-prop » culturelle serait irrépressible. Comment l' « Etat-entreprise » endiguerait-il cette subversion par le bonheur ? Il ne peut rien contre un changement de conscience. Bientôt, cet appareil politico-économique doit s'adapter à la mutation culturelle. Quand le corps social mue, sa tête politique tombe d'elle-même. Comme une superstructure morte.

L'analyse de Charles A. Reich. — Dans *Le Regain américain* (tr. 1971), Charles A. Reich écrit ainsi : « Une révolution approche. Elle ne sera pas comme les révolutions d'antan. Elle partira de l'individu et de la culture, et ne transformera les structures politiques qu'en dernier ressort. Elle n'aura pas besoin d'avoir recours à la violence pour s'imposer, et la violence ne pourra pas l'arrêter » (p. 13).

Contre « l'Etat-entreprise », omniprésent, insidieux, on ne peut lutter par la force, comme les révolutionnaires traditionnels. La seule voie, c'est *« la révolution par la conscience »*.

« La force de la nouvelle conscience n'est pas dans les manipulations juridiques ou politiques ni les combats de rue. Elle est dans les nouvelles valeurs et le nouveau style de vie.

« Car il existe quand même une voie d'accès à une société nouvelle. La conscience peut changer et détruire l'Etat-entreprise *sans user de violence* et sans abattre aucun groupe de gens en place. En expérimentant avec les moyens d'agir sur la conscience, la nouvelle génération a montré qu'il existe une méthode applicable à la société post-industrielle actuelle : *le changement de conscience.* Ce n'est qu'en transformant nos vies individuelles que nous pourrons reprendre le pouvoir à l'Etat...

« La révolution politique est impossible aux Etats-Unis pour le moment : mais *nous n'avons pas besoin de révolution politique... La révolution doit être culturelle.* Car c'est la culture qui contrôle la mécanique économique et politique, et non l'inverse » (*ibid.*, p. 313-315).

Bref, Charles Reich croit à la phagocytation, inéluctable et non violente, de l'appareil étatique-industriel, qui sera reconverti à des tâches humaines par la seule contamination de l'exemple des porteurs de la « Conscience III ». La conscience est « antérieure » à la structure. Changeons notre comportement et notre perception du monde, le reste viendra tout seul; l'organisation technico-sociale se modifiera en conséquence.

Reich croit à l'automaticité de cette révolution pacifique, gagnant de proche en proche. Par l'influence contagieuse d'une beauté, d'une liberté vécues par de petits groupes rayonnants.

Changer la vie. — Même idéaliste, même excessivement optimiste, cette vision correspond à une réalité vécue dans l'Amérique de la fin des années 60.

Dans *Ni Marx, ni Jésus* (1970, p. 234-235), Jean-François Revel procède à une analyse analogue : « Il s'est déjà constitué aux Etats-Unis une contre-culture, une contre-société..., une galaxie révolutionnaire... Par leur *coalescence,* comme par la masse des Américains qu'ils rassemblent, des transformations qu'ils ont déjà accomplies en profondeur dans les sensibilités, les conduites, les habitudes, les pensées et les actes, je dis que ces mobiles ont déjà déterminé la réalisation de ce que j'appellerai une première tranche révolutionnaire. Alors que d'ordinaire il se produit une révolution politique au sommet sans que la révolution dans la société suive et la rende par conséquent durable, ici *la révolution dans la société s'est largement produite, et la question qui se pose est celle de l'aboutissement politique* possible du réservoir d'énergie que constitue cette contre-société de masse. »

Edgar Morin note de même : « Ce mouvement, fondé sur une révolution apparemment existentielle — se révolutionner soi-même d'abord, instituer des petites communautés parfois isolées — pose en fait un problème qui apparaît dès le début du XIXe siècle, mais qui s'est trouvé chassé et refoulé par la conscience politique du révolutionnarisme socialiste. *Changer la vie, la société et le monde ne consiste pas seulement à changer l'Etat ou les rapports de propriété et les structures juridiques...* Quelque chose d'autre doit imbiber le tissu de l'existence quotidienne » (*Projet,* juin 1971, p. 724).

La subversion par le bonheur. — Il faut rappeler l'analyse, déjà citée (*supra,* p. 383) de Th. Roszak : « Il faudra tenter des expériences, dans l'éducation, dans la vie communautaire, pour chercher, non pas la coexistence avec la technocratie..., mais pour chercher à *subvertir* et à séduire par la force de la pureté, de la générosité et d'un bonheur visible... L'objectif est d'obtenir qu'un nombre croissant de nos compatriotes cessent de se conformer aux exigences déclarées de la technocratie. »

C'est la voie spontanéiste, non-organisationnelle. Celle de la subversion pacifique et du grignotage latéral. Qui cherche non à contraindre, mais à *convaincre.* Qui se détourne d'un « activisme sauvage ». Et cherche à entraîner par la force de l'exemple, en expérimentant, d'ores et déjà, de nouveaux modes de vie et de relations sociales dans les interstices de la société industrielle avancée. En établissant, dans cette société, des « poches » de contre-culture.

Les *hippies* ont le mieux symbolisé cette attitude : constitution de « communes », pratiquant de nouveaux modes de vie; mystique de l'innocence naturelle; refus de la violence et de la contrainte; volonté de convaincre par la vertu de l'exemple. A la limite, il s'agit presque d'un refus de l'action politique : le domaine politique, du pouvoir étant conçu comme celui de la violence. C'est tout le sens du slogan hippy : « *Flower power* ».

L'apparition d'une contre-société. — Avec les hippies et avec d'autres, apparaît presque une « *contre-société* », qu'a très bien analysée Edgar Morin, dans son *Journal de Californie* (1970), en voyant se développer :

« *Un tissu contre-social* de type nouveau, quasi exterritorial, doué d'une quasi-souveraineté interne, à Greenwich Village, Haight-Ashbury, Sausalito, Taos, les communes... La contre-culture a ses *embryons de structure sociale* (réseaux de solidarité et cellules communales) ; elle a sa *base de classe* avec la jeunesse et une fraction de l'intelligentzia; elle commence à avoir sa *base économique,* qui est le secteur néo-artisanal et néo-archaïque, que développe par feed-back le cours même de la civilisation moderne. »

Ce monde parallèle commence donc à posséder une base économique et une base sociale. E. Morin poursuit :

« La nouvelle culture (tribale, hippie, communale) trouve naturellement sa *base économique* dans les *secteurs néo-culturels, néo-artisanaux et néo-archaïques* que développe, par contre-effet nécessaire, le nouveau cours même de la civilisation industrielle. Déjà ceux qui savent préserver la nouvelle culture sont ceux qui, communautairement ou individuellement, se font troubadours, musiciens, photographes, *colporteurs, artisans, joailliers, tapissiers,* torréfacteurs, fermiers, etc. »

Edgar Morin voit « la *base sociale* de la révolution » dans « ces *marginaux* qui trouveraient leur support économique hors des secteurs de la rationalisation et de la série industrielle. Ainsi la contre-société ne serait plus parasitaire, elle échapperait à l'auto-désintégration. Son économie serait à la fois *antagoniste et complémentaire* avec l'économie bourgeoise, comme celle-ci le fut pendant quelques siècles avec l'économie féodale. »

La multiplication des sous-cultures et des sous-pouvoirs. — Ainsi se multiplient les sous-cultures, sous-tendant des sous-pouvoirs, potentiels (Black Power, Red Power, Ethnic Power) ou métaphoriques (Flower Power, Green Power). Ainsi s'affirment des *micro-sociétés,* restaurant des formes primitives ou traditionnelles de pouvoir : nostalgie de la « mère Afrique » et du tribalisme africain, nostalgie de la vie tribale à l'indienne, développement de « familles » et de « communes » hippies, intérêt de l'antipsychiatrie pour les « zones libérées » et les « communautés » thérapeutiques, etc.

Il faut souligner ce repli sur de petits groupes fraternels et spontanés. Pour retrouver une vigueur, une saveur, une chaleur humaine, qui ont été perdues dans la société technologique. Ainsi apparaissent de nouvelles formes sociales, reconstituant en quelque sorte la « famille étendue », voire la tribu des sociétés traditionnelles. Et « communes », « colonies », « collectifs », « communautés », « coopératives », « familles », « groupes d'affinités » se multiplient.

Le phénomène communautaire. — Il faut analyser ce phénomène communautaire, cette tentative de recréer, dans de petites *communautés,* des relations non aliénées. Les « communards » essaient de *changer les rapports humains,* de vivre entre eux dans la fraternité et la solidarité.

Ils veulent fuir la solitude, l'ennui, le travail imposé, l'argent, les contraintes sociales. La commune est incompatible avec les formes anciennes que sont le mariage et la famille traditionnelle. Souvent, elle pratique la mise en commun des biens et des ressources, combinée avec un engagement commun dans la même action (professionnelle, philosophique, etc.). La liberté, y compris la liberté sexuelle, est le mot clé. Et le bonheur — immédiat —, est l'objectif.

Le mouvement débute aux Etats-Unis, au milieu des années 60. Entre 1965 et 1970, plus de 2 000 groupes communautaires ont été fondés. Bientôt, le mouvement gagne tout le nord de l'Europe : la Suède, le Danemark, les Pays-Bas, l'Allemagne et l'Angleterre ont aussi leurs communautés. Sauf en Angleterre, les communautés urbaines dominent. On les appelle des « collectifs » ou des « grandes familles ». Au Danemark, en 1972, on en compte plus de 600. Aux Pays-Bas, les Kabbouters, qui prennent la défense du vieil Amsterdam, vivent en communauté dans des immeubles destinés à la démolition. En Allemagne, ce sont les étudiants les plus politisés, anciens militants du S.D.S. pour la plupart, qui forment la majorité des collectifs.

Dans son livre, *La société de maturité* (tr. 1973), Dennis Gabor, prix Nobel de physique 1971, estime qu'une société riche peut être une société pluraliste. Une telle société doit *encourager la diversité et le développement de « communes » non conformistes.*

Le phénomène communautaire en France. — En France, Roger-Pol Droit et Antoine Gallien (*La Chasse au bonheur. Les nouvelles communautés en France,* 1972) estiment le nombre des communautés à 300 au moins, voire à 500. Cinq cents communautés, cela signifie « plus de 5 000 communards l'hiver et 30 ou 40 000 l'été ».

Les communards ont une idée fixe : le bonheur, et tout de suite. Ils ne se fient plus à l'action politique traditionnelle :

« La plupart des jeunes ouvriers communards *ne croient plus aux mouvements politiques « classiques »*. Les syndicats, les meetings, les militants (même gauchistes), ils en ont, comme ils disent, « ras-le-bol ». Le mois de mai 68 leur avait donné envie de quelque chose, son échec les a définitivement déçus. La communauté est, aujourd'hui, leur seul espoir. Etre heureux en communauté, c'est pour eux un acte politique : « Si tout le monde voulait mener une vie saine et heureuse, la société ne tiendrait pas le coup longtemps, elle ne supporterait pas le choc. » Le bonheur, en 1972, un acte révolutionnaire ? » (R.-P. Droit, A. Gallien, *op. cit.*, p. 8).

Les utopistes (Cabet et surtout Fourier, avec ses « phalanstères ») s'accordent mieux avec les communautés que Marx et Lénine. Pour ces raisons, les rapports des communards et des militants révolutionnaires sont souvent ambigus. Pour ces derniers, les communards ne sont souvent que des « petits-bourgeois ». Pour les communards, les gauchistes sont en retard d'une révolution.

Les communautés ont leur journal *C,* créé en octobre 1970, qui joue un rôle d'échange et de coordination dans le mouvement. La rubrique la plus lue s'y intitule R.E.M. *(Réseaux d'entraide marginaux).* Elle comporte des conseils en tous genres (réponses aux questions juridiques, pratiques ou techniques), petites annonces (gratuites), etc. Ainsi, les communautés communiquent entre elles, confrontent informations et expériences. De plus, *Charlie-Hebdo* et *Actuel* (avant sa disparition) donnent régulièrement des nouvelles du mouvement communautaire.

A travers toutes ces petites annonces, ces adresses, ces rencontres, c'est une *société parallèle* qui s'ébauche. Pour accélérer sa constitution, des « collectifs de *C* » se sont créés et des « permanences-carrefours » s'organisent. A l'exemple des *crisis centers* américains.

Ainsi, les communautés donnent à la contre-culture ses premières bases économiques et ses embryons de structure sociale. Ainsi se constitue le tissu culturel, économique et social d'une société « alternative ».

Le discours communautaire. — Désormais, le discours communautaire est omniprésent. On le retrouve sollicité par les croyants, par la psychiatrie, par la criminologie, par la pédagogie.

Des chrétiens se réunissent en « *communautés de base* », qui naissent spontanément et non à l'initiative de l'institution ecclésiale. Leurs membres se choisissent par affinités. Pour vivre et agir en dehors des appareils de l'Eglise (35 *bis*).

Des psychiatres militent « *pour une psychiatrie communautaire* » (36). Pour faire éclater le cadre thérapeutique traditionnel, l'asile commis à la garde des « fous ». Pour traiter le malade et son milieu, et remplacer l'internement par une gamme souple de contacts thérapeutiques offerts au malade : dispensaire, hôpital de jour, hôpital de nuit, etc.

De même, des criminologues proposent de remplacer la prison, lieu clos de la détention, par la *communauté thérapeutique,* telle qu'on essaie de l'introduire dans les nouvelles prisons anglaises, et qui permettrait de ne pas couper le délinquant de l'activité sociale (37).

Enfin, la vogue de la *pédagogie communautaire* est déjà ancienne. Avec des modèles, comme l'école anglaise de Summerhill, fondée en 1921 par le psychanalyste A. S. Neill, exemple d'école anti-autoritaire, où les élèves, vivant pratiquement en communauté, sont libres d'assister ou de ne pas assister aux « cours », de suivre les leçons qui les intéressent, etc. (38).

Spontanés et informels, ces « groupes aux rapports plus fraternels » (B. Schreiner) se dressent contre l'anonymat de la société globale et tentent d'instaurer un nouveau style de vie :

« La grande majorité des communautés essaye d'établir entre leurs membres *un style de rapports nouveaux,* opposé à celui qui prévaut ordinairement dans la société... Il s'agit de « vivre à l'échelle humaine », de retrouver un soutien psychologique dans la joie et l'espérance du groupe et d'y faire naître une profonde chaleur humaine. Une communauté chaude, capable de créer un sentiment de sécurité et de solidarité face à l'imprévu. Une communauté capable aussi de permettre à chacun de s'exprimer librement, de comprendre ensemble ce que l'on vit, de vivre une responsabilité partagée » (B. Schreiner, *op. cit.*, p. 92-93).

(35 *bis*) Voir B. Besret, B. Schreiner, *Les communautés de base,* 1973; P. Warnier, *Le phénomène des communautés de base,* 1973.

(36) J. Hochmann, *Pour une psychiatrie communautaire,* 1971. — Et sur l'antipsychiatrie, voir *supra,* p. 410.

(37) Voir les travaux de la VIIe conférence des directeurs d'instituts de recherches criminologiques, réunie à Strasbourg, les 6 et 7 décembre 1969.

(38) Voir A. S. Neill, *Libres enfants de Summerhill,* tr., 1970, rééd. 1973.

Communautés et sous-pouvoirs. — Pour Bernard Lacroix (« Le discours communautaire », *RFSP,* 1974, p. 526-558), ce discours communautaire est « une production idéologique de la classe dominante ». Car celle-ci n'est pas un bloc monolithique. Elle se compose de diverses fractions.

« Pour pouvoir brandir l'arme communautaire, il faut avoir la « capacité culturelle ». La contestation communautaire n'est donc pas le fait des classes dominées, mais des *fractions dominées de la classe dominante,* spécialement de ses fractions intellectuelle et universitaire.

« Bref, le discours communautaire participe de la sociologie spontanée parce qu'il est discours de la *classe dominante;* il prend un tour revendicatif parce qu'il est discours de *fractions dominées* de la classe dominante. »

Ces fractions occupent une position dominée dans le champ du pouvoir. Le mouvement communautaire serait donc un phénomène de compensation, pour compenser cet éloignement du pouvoir institutionnel. Le discours communautaire serait « *volonté de conquête du pouvoir local* du fait de l'impossibilité structurale de ceux qui le brandissent d'accéder au pouvoir général ». Il viserait « la prise du pouvoir local, au sein des institutions contestées » (Lacroix, *ibid.,* p. 543-545).

La contestation communautaire apparaît donc comme la négation de la légitimité du discours institutionnel. Le thème communautaire et le discours institutionnel s'opposent rigoureusement. En rapport avec les luttes de pouvoir. Contre les professionnels de l'institution et leur prétention au monopole de l'action légitime sur leur terrain, les « communards » s'organisent en *sous-pouvoirs,* en *contre-pouvoirs locaux,* en ce qu'on pourrait appeler des « *anti-institutions* ».

La critique des institutions. — D'une certaine manière, ce courant rejoint donc la critique des institutions, formulée par Ivan Illich dans *Une société sans école* (tr. 1971) et dans *La Convivialité* (1973).

Que dit Illich ? Dans tous les pays développés ou en développement, l'éducation se fait par *l'école.* Celle-ci a une double fonction : transmettre les connaissances et démocratiser la société, en donnant une chance de promotion aux classes défavorisées grâce au savoir et au diplôme. Or, sur ces deux points, estime Illich, l'école a échoué.

Son efficacité pour la transmission des connaissances est réduite. Par son formalisme, elle ôte l'envie d'apprendre plutôt qu'elle ne la développe. « C'est sorti de l'école, ou en dehors, que tout le monde apprend à vivre, apprend à parler, à penser, à aimer, à sentir, à jouer, à jurer, à se débrouiller, à travailler » (*Une société sans école*, p. 57). Enfin, elle ne démocratise pas la société : au fur et à mesure que la scolarité obligatoire s'allonge, il se crée des *cursus* et des diplômes de plus en plus sophistiqués, qui permettent à une minorité de privilégiés, de « capitalistes du savoir », de continuer d'accaparer l'accès au pouvoir politique, économique et social.

Contre l'institution scolaire. — Bien plus, ajoute Illich, *l'école fonctionne comme toutes les institutions « monopolistiques »* : son rôle essentiel est de consacrer l'exclusion de tous ceux qui ne sont pas passés par elle. De même que l'Eglise est devenue la propriété des prêtres, l'école est celle des professeurs qui entendent être les seuls détenteurs légitimes du droit de transmettre le savoir. Bref, au lieu de faciliter l'acquisition de la connaissance, l'école est un écran entre l'individu et cette dernière.

Généralisant son analyse, Illich tient le même raisonnement pour toutes les autres *institutions* sociales : la médecine, les transports, l'information, etc. L'évolution de la société fait de l'individu un assisté pris en charge pour tous ses besoins essentiels par des services à caractère administratif, qui développent sa passivité au lieu de son activité et de sa créativité personnelles.

Comment arrêter cette tendance à la dépersonnalisation dans un collectif anonyme ? Il faut, dit Illich, « *inverser les institutions* ». Il faut utiliser le progrès scientifique et technique afin de donner à chacun davantage d'initiative et la possibilité de se réaliser personnellement; il faut *supprimer l'école* et mettre à la disposition de chacun les ressources techniques ou intellectuelles dont dispose la société, et répondre à la demande d'éducation de chaque individu lorsqu'il la formulera.

Ainsi, ce sont la société et la population, dans leur ensemble, qui deviennent « éducatrices » — et non plus seulement une caste. Il suffit pour cela de mettre en relation, grâce aux techniques modernes de communication, celui qui veut apprendre quelque chose avec celui qui, dans la société, est le mieux placé pour le lui enseigner.

Il faut « déscolariser la société », « il faut *en finir avec l'institution scolaire* », qui a « le pouvoir d'incarcérer les jeunes plusieurs années sur son territoire sacré », et la remplacer par des « réseaux de communication à dessein éducatif ». De même, il faut en finir avec les institutions contraignantes, « *manipulatrices* », « chargées de la manipulation des êtres humains ». Ces institutions deviennent toujours plus lourdes et plus complexes : car « leur méthode de production comporte une définition préalable et la nécessité de convaincre le consommateur qu'il ne peut vivre sans le produit ou le service offert ». Avec, comme conséquences, des budgets toujours plus importants, des systèmes hiérarchiques, un arsenal bureaucratique multiplié par la technologie.

L'institution efficace « se présente plutôt sous la forme d'un réseau destiné à faciliter la communication ou la coopération entre les clients qui en prennent l'initiative » (*ibid.*, p. 97-98). « Tout doit commencer par un *renouvellement du style des institutions* » (*ibid.*, p. III). Pour s'orienter vers un avenir « convivial ».

La convivialité. — La « *convivialité* », c'est « le contraire de la productivité », c'est-à-dire une société au service de l'homme et non de la production; une société où l'homme ne se contente plus de consommer des biens et des services (éducation, santé, logement), mais où il participe activement à son propre accomplissement; où il ne se satisfait plus d'être éduqué, soigné ou logé par les soins d'une organisation bureaucratique, mais où l'aptitude lui est fournie de se former, de se soigner et de construire son propre logement s'il le désire.

Dans *La Convivialité* (1973), Illich ne vise plus une institution particulière (l'école, la santé, les transports), mais l'organisation globale. Il dénonce la servitude née du mode industriel de production, le gigantisme des outils, le culte de la croissance indéfinie. L'homme des pays riches (imité par l'habitant des pays pauvres) va-t-il accepter sans murmure l'existence confortable, contrôlée, artificielle, sans responsabilité et sans surprise que lui offre *l'institution ?* Ou bien va-t-il sortir de son sommeil, *reprendre la parole et le pouvoir de décider,* rouvrir un espace social de rencontres et d'échanges ?

Inverser les institutions. — Ainsi, de la déscolarisation, Illich passe une critique générale des spécialisations et des monopoles abusifs. Il conteste, en tous domaines, la prétention institutionnalisée de régir arbitrairement les hommes. S'il ne réagit pas, l'homme est voué à la « programmation » et à la « manipulation », au « fascisme techno-bureaucratique » :

« De la naissance à la mort, l'humanité serait confinée dans l'école permanente étendue à l'échelle du monde, traitée à vie dans le grand hôpital planétaire et reliée nuit et jour à d'implacables chaînes de communication. Ainsi fonctionnerait le monde de la Grande Organisation » (*op. cit.*, p. 145).

Contre cela, « il faut inverser radicalement les institutions industrielles, reconstruire la société de fond en comble », « en renversant la structure profonde qui règle le rapport de l'homme à l'outil » (*ibid.*, p. 27).

L'*outil* fait de l'homme son esclave. C'est cela qu'il faut inverser : « la structure profonde qui règle le rapport de l'homme à l'outil ». Il faut procéder au « réoutillage de la société ». *Deschooling, Disestablishing, Retooling* sont ainsi les trois étapes proposées par Illich.

Le réoutillage de la société. — Il faut inverser les institutions régnantes et substituer à l'outillage industriel des *outils conviviaux.* Car, en deçà des idéologies et des régimes, *c'est l'outil qui commande,* l'outil qui, par son hypertrophie, entraîne la rupture de l'équilibre naturel, la dépossession des compétences, l'avilissement des libertés et la syncope de la communication.

Lorsque, de *maniable,* l'outil devient *manipulable,* c'est-à-dire susceptible d'être utilisé par un individu ou une caste d'une façon non contrôlée par l'ensemble, alors il manifeste sa nocivité de cinq manières :

— Il *dégrade l'environnement* et crée une pollution;

— Il instaure un *monopole radical,* qui proscrit le libre exercice d'une activité (ainsi, la médecine empêche les gens de se soigner eux-mêmes, ou l'auto, à Los Angeles, les empêche de circuler à pied);

— Il développe une *surprogrammation,* en conditionnant les individus pour un mode de vie défini à leur place par une caste;

— Il aggrave la *polarisation sociale* entre riches et pauvres, entre décideurs et usagers;

— Enfin, il exige l'*obsolescence,* c'est-à-dire l'usure accélérée et le gaspillage.

On ne supprimera pas ces inconvénients en créant des services, nouvelle tutelle, nouvelle dépossession, mais en fixant la fourchette où chaque société établira son optimum propre. Au-dessous, c'est la misère; au-dessus, c'est l'autoproduction de la nuisance plus le déclin des libertés. La société conviviale est une société frugale, fondée sur l'autolimitation. Mais elle régénérera les rapports de l'homme à l'homme et de l'homme à la nature, qu'a atrophiés et pervertis le productivisme.

« Pour être efficient et rencontrer les besoins humains qu'il détermine aussi, un nouveau système de production doit *retrouver la dimension personnelle et communautaire* » (p. 27). Cette « structure conviviale de l'outil », permettra de retrouver les *valeurs* essentielles : « survie, équité, autonomie créatrice » (p. 31).

L'autodécision. — Illich recoupe ainsi un courant, qui vise à promouvoir toutes les formes d'auto-organisation et d'autogestion, de participation aux décisions. Tout un courant qui anime les comités de quartier ou de village, les groupes d'entreprise, etc. Dans cette optique, l'essentiel, c'est ce qu'on pourrait appeler le « *droit à l'autodécision* », ou à l'autodétermination.

L'objectif, c'est l'autodécision, la détermination de son propre destin, la participation au processus de décision. C'est de décider par soi-même et pour soi-même. En réagissant contre l'hétéro-détermination de la société industrielle avancée, qui manipule les individus, qui dicte sa loi. En disputant le pouvoir de décision aux professionnels de la décision, aux experts lointains qui multiplient les diktats.

D'où l'importance du *courant autogestionnaire* au sein des partis et des syndicats socialistes, spécialement en France.

La microdémocratie. — Le problème que posent Illich et d'autres est celui de la maîtrise par l'homme du processus social. Or, au-delà de l'horizon de l'atelier, du village ou du quartier, cette maîtrise est malaisée à assurer.

Une démocratie sociale et économique réelle serait incompatible avec la très grosse industrie comme avec l'existence de *grandes institutions* politiques, techniques ou scientifiques. Comme le montrent les tendances centralisatrices et antidémocratiques qui caractérisent le capitalisme comme le socialisme d'Etat contemporains. En revanche, la démocratie redeviendrait possible si l'on n'utilisait que des « outils » qu'une petite *communauté* serait à même de contrôler. Si l'on s'écartait des grandes institutions et grands appareils productifs, pour se replier sur des communautés de faible dimension.

Le retour à des formes de pouvoir inspirées de la tradition. — Ce « réoutillage » et cette « restructuration » de la société, souhaités par Illich, ce courant autogestionnaire, ce repli sur des « communautés », tout cela constitue une tendance nouvelle au sein de la civilisation post-industrielle.

Poussés à l'extrême, cette « autonomie des sous-systèmes » et cet essor des sous-cultures peuvent marquer la « désintégration » de la société politique actuelle, que ses dimensions géographiques et démographiques vouent à la spécialisation des structures et à la différenciation des fonctions, caractérisant, selon Almond et Powell, les systèmes politiques modernes. Si la vie sociale et politique se rétracte sur une échelle plus réduite, plus humaine, moins anonyme, la spécialisation et la diversification des activités ne deviennent plus aussi nécessaires. Et le retour devient concevable à des *formes politiques inspirées de la tradition.* Paradoxalement, l'avenir des systèmes politiques modernes est peut-être dans un retour à la tradition. Le « développement » économique et politique aboutissant à une redécouverte et à une adaptation du passé pré-industriel et pré-représentatif.

La démocratie sauvage à la recherche d'un modèle. — Cette démarche est encore à peine esquissée. Elle pourrait peut-être s'inspirer d'une *accentuation du fédéralisme* (ou du régionalisme) : l'organisation fédérale coordonnant une pluralité de sous-pouvoirs, dont chacun administrerait une sous-culture particulière. Formule étatique, reposant non plus sur la recherche de l'uniformité, mais sur le respect de l'hétérogénéité sociale. Vision proche du fédéralisme anarchique, proposé par Proudhon, reposant sur des transactions libres entre groupements de dimension médiocre. Proche aussi de la fédération construite de bas en haut, de « l'organisation du milieu social » par les « communautés naturelles », que préconisait Bakounine.

Après tout, ce ressaisissement de leur propre destin par les citoyens porte un nom : la démocratie. Mais il reste à découvrir de nouvelles règles du jeu. Pour accorder cette politique à l'échelle humaine et l'économie de grandes unités. Pour concilier cette démocratie dispersée et l'interdépendance sans cesse accrue par la civilisation technicienne. Pour accorder les interrelations complexes d'une société industrielle avancée et cette spontanéité qui rétracte chacun sur sa communauté. Et éviter ce choc entre société mégatechnique et démocratie sauvage.

Pour ses adversaires, ce sursaut, contre les grandes organisations (politiques, administratives, industrielles, syndicales) serait en contradiction avec les forces productives, lesquelles exigeraient la rationalisation, l'organisation, la planification dans de grandes unités et de vastes espaces. Il pousserait à l'action directe et immédiate dans des cadres restreints sans considération pour l'environnement global, voire en rupture avec lui.

Ainsi caricaturé, ce mouvement fuirait ou nierait le problème essentiel, qui serait celui du développement des forces productives (et donc de la science et de la technologie), qui revêt nécessairement les dimensions de plus en plus vastes, un caractère de plus en plus collectif, de plus en plus *social* (au sens ou Marx entendait ce mot).

Mais peut-on briser une telle évolution, comme le souhaitent Illich et d'autres, sans concevoir et proposer, en même temps, un nouveau système politique compatible avec ce nouveau système économique ? En vérité, il manque encore un modèle politique prolongeant le nouveau modèle culturel. Au fond, il reste aux marginaux à imiter la démarche de Rousseau. Complétant la révolution de la nature *(Discours sur les sciences et les arts)*, du sentiment *(La Nouvelle Héloïse)* et de l'éducation *(L'Emile)* par une révolution politique *(Du contrat social)*. Prolongeant la contre-culture par une contre-politique (39).

Sinon, faute d'un modèle politique original et suffisamment réaliste, la contre-culture risque de donner lieu soit à un rejet, soit à une « récupération ».

C. — « La récupération »

La contestation contestée. — Par certains de ses excès, et notamment par les risques économiques qu'elle comporte — le niveau de vie général résisterait-il longtemps au gonflement de la contre-société ? — la culture dissidente a prêté le flanc aux critiques. Notamment à celle de Z. Brzezinski dans *La révolution technétronique* (tr. 1971). Faute de pouvoir ébranler le prolétariat, la Nouvelle Gauche tente l'union sacrée entre les déclassés de l'ère technétronique et les survivants de l'Amérique pré-industrielle. Utopies régressives, fuite devant le réel, refus du changement, haine de l'ordinateur : autant d'attitudes qui rappellent les révoltes d'antan contre la première machine à tisser. Une classe vraiment révolutionnaire doit maîtriser les techniques contemporaines de l'organisation sociale. Critiquant Marcuse, Roszak et Chomsky, l'auteur conclut péremptoirement :

« Parce qu'elle a été incapable de comprendre la nature et la nouveauté de la transition que connaît aujourd'hui l'Amérique, la Nouvelle Gauche est

(39) Cf. la présentation par R.-G. Schwartzenberg des *Discours* et du *Contrat social* dans la collection *Pour la politique* (Seghers, 1971).

devenue une force essentiellement négative, et en même temps anachronique... En fait, la Nouvelle Gauche a réussi à rassembler, de façon assez lâche, ceux qui ont été dépassés par l'ère technétronique, ceux qui se tiennent à l'écart de celle-ci et ceux qui en ont été exclus, mais elle n'a pas proposé une réponse réaliste aux problèmes que pose cette ère nouvelle... C'est un phénomène de fuite devant la réalité plutôt qu'un mouvement révolutionnaire bien défini » (*op. cit.*, p. 279-280).

Dès lors, il ne faut pas omettre le risque d'une *contre-révolution,* en *réaction* aux excès de certains groupes contestataires. L'historien Arthur Schlesinger Jr., ancien conseiller du président Kennedy, le note : « La Nouvelle Gauche américaine a des rêves révolutionnaires, mais pas de plans révolutionnaires... Incapables de faire leur révolution, ils sont très capables de nous amener une contre-révolution d'extrême-droite » (*Match,* 12 juin 1970). Des dirigeants politiques et même syndicaux condamnent les excès de la contestation. Et beaucoup de candidats aux élections du 3 novembre 1970 ont renchéri sur le thème « *Law and Order* », cher à la « *majorité silencieuse* », invoquée par MM. Nixon et Agnew.

Cependant, une autre hypothèse est aussi concevable, que Z. Brzezinski décrit ainsi, sans indulgence : « Bien qu'étant en elle-même dépourvue de toute idéologie et politiquement inutile, la Nouvelle Gauche pourrait servir elle aussi à *stimuler* le changement social et par là même à accélérer un certain nombre de réformes. Dans ce cas, même si la Nouvelle Gauche venait à disparaître, le rôle qu'elle aura joué dans la troisième révolution américaine aura été positif » (*op. cit.*, p. 282).

La contestation « récupérée ». — Ainsi s'accomplirait ce que Marcuse appelle, péjorativement, la « *récupération* ». La culture établie « récupère », reprend à son compte les éléments de la contre-culture qu'elle considère comme assimilables ou inoffensifs. Elle annexe, intègre des thèmes radicaux, et les commercialise sous forme de livres, de disques, de festivals de musique. Ou de plates-formes politiques.

L'exemple le plus net de cette « tolérance répressive » est fourni par le problème de l'environnement. La lutte pour la protection du milieu naturel a été « annexée » par la grande presse et l'édition (cf. Norman Taylor, *Le jugement dernier,* tr. 1971). Puis *reprise en charge par les autorités officielles :* le président Nixon, le maire de New York d'alors, John Lindsay et, enfin, beaucoup de candidats aux élections de novembre 1970.

Même le thème de « *révolution* » s'est trouvé ainsi dévitalisé, désamorcé : le président Nixon ayant proposé, dans son message sur l'état de l'Union de janvier 1971, une « nouvelle révolution », qui consisterait surtout en une redistribution des pouvoirs, tirant plein parti du fédéralisme traditionnel.

Du bon usage de la « récupération ». — Chez Marcuse, le terme « récupération » a, bien sûr, une nuance péjorative. Il reste, cependant, à se demander si cette « récupération » n'est pas susceptible de produire des effets positifs. C'est, à la limite, *tout le débat réforme-révolution.* La « récupération » n'est autre, après tout, que la reprise en charge des thèmes nouveaux par les organes constitutionnels et politiques existants, sans remise en cause globale de l'ordre établi.

La candidature Mac Govern (1972). — L'exemple le plus efficace de cette « récupération » — et qui montre la solidité des mécanismes de la démocratie américaine —, c'est, en 1972, *la candidature à la présidence du sénateur George Mac Govern,* représentant de l'aile gauche du parti démocrate. La jeunesse, et spécialement les étudiants, participent activement à sa campagne électorale. C'est l'entrée ou la rentrée — peut-être provisoire — des jeunes dans la vie politique, en coïncidence aussi avec l'abaissement de l'âge électoral à 18 ans par le 26e amendement. La contestation paraît virer au réformisme. En tout cas, elle prend la voie d'une action politique plus traditionnelle. En investissant le parti démocrate.

Dès 1969, M. Mac Govern avait présidé une commission de réforme (Commission sur les structures du parti et sur la sélection des délégués), en vue de *démocratiser le parti démocrate,* spécialement en donnant un caractère plus représentatif à sa Convention nationale. Adoptées en 1971, les propositions de cette commission donnent un nouveau visage à la Convention démocrate de 1972.

La Convention démocrate de Chicago de 1968 ne comptait, parmi ses délégués, que 5,5 % de Noirs, 13 % de femmes et 4 % de moins de trente ans. En 1972, à la Convention de Miami, ces pourcentages sont respectivement de 15 %, 36 % et de 23 %. L'irruption massive de ces néophytes (plus de huit délégués sur dix n'ont jamais participé auparavant à une Convention nationale) provoque, en contrepartie, l'éviction de vétérans. *L'appareil perd le contrôle du parti démocrate, pris d'assaut par ses jeunes militants.*

Ainsi, 23 % des délégués à la Convention nationale de Miami ont moins de trente ans : près d'un sur quatre. Car, par dizaines de milliers, les moins de trente ans s'étaient faits les propagandistes bénévoles et infatigables de M. Mac Govern, animant les campagnes pour les élections primaires, faisant irruption dans les *precinct caucuses* et les Conventions d'Etat, bousculant la vieille garde. Contre l'appareil et les notables du parti, ces jeunes imposent à la Convention la désignation de M. Mac Govern comme candidat démocrate à la présidence des Etats-Unis.

Une autre Amérique. — Appuyé sur les jeunes, les étudiants, les minorités, M. Mac Govern présente une *plate-forme,* qui comporte des *réformes radicales :* refonte du système fiscal, augmentation des charges imposées aux grandes entreprises et aux grandes fortunes, revenu minimum annuel garanti, aide de l'Etat aux plus défavorisés, réduction des dépenses militaires, etc. Et ses partisans militent pour « les trois A » : *abortion* (l'avortement libre), *amnesty* (l'amnistie aux insoumis et déserteurs de la guerre du Vietnam), *acid* (la légalisation de certaines drogues).

Cette plate-forme radicale, même nuancée par la suite, aliénera au candidat une partie de l'électorat démocrate traditionnel. A l'élection présidentielle de novembre 1972, M. Nixon obtient 60,7 % des suffrages exprimés, contre 38 % à M. Mac Govern. Et il l'emporte dans 49 Etats, M. Mac Govern ne venant en tête que dans l'Etat du Massachusetts et dans le District de Columbia.

Cependant, il avait incarné et popularisé l'aspiration à « *une autre Amérique* », à d'autres valeurs. Tout en contribuant à réintégrer — provisoirement ou durablement ? — la jeunesse américaine dans le « système » (40). Sa démarche aura démontré l'effectivité positive des mécanismes politiques classiques aux Etats-Unis. Du bon usage de la « récupération » politique.

Il demeure, en tout cas, que les jeunes Américains ont, d'ores et déjà, profondément marqué la vie de leur pays. En expérimentant de nouvelles manières d'être, ils sont à l'origine de ce que James Reston a baptisé la « révolution tranquille ». Après tout, *il est malaisé de dire qui « récupère » qui.* Comme l'a montré en mars 1971 le Congrès américain refusant les crédits pour la mise au point de l'avion supersonique S.S.T., marquant ainsi une pause dans la révolution technétronique, tant critiquée par la Nouvelle Gauche.

De la « récupération » en France. — La situation n'est pas propre aux Etats-Unis. En France, l'explosion de mai 1968 (*infra,* p. 465) a renouvelé la thématique politique. En revivifiant les partis de gauche et leurs programmes.

Ainsi, en 1972, le P.S. adopte un programme de gouvernement, qui s'intitule symboliquement « *Changer la vie* ». Sous ce titre, on retrouve plusieurs thèmes empruntés aux marginaux : « le droit à la ville et à la nature », « la sauvegarde de l'environnement », « une nouvelle orientation de la consommation », « la condition

(40) En 1976, en revanche, la jeunesse américaine ne s'enthousiasme guère pour la candidature aux contours peu précis du démocrate Carter.

de la femme », etc. A son tour, le programme commun de gouvernement, signé avec le P.C. et le M.R.G. en 1972, porte la marque de certaines de ces préoccupations. Même si sa première partie fait une synthèse entre revendications quantitatives, chères au P.C., et revendications qualitatives, chères au P.S. et au M.R.G., en s'intitulant tout à la fois « *Vivre mieux, changer la vie* ». En projetant à la fois d'augmenter le niveau de vie et de transformer le mode de vie.

La « contestation » inspire aussi des dirigeants de la majorité. Comme M. Chaban-Delmas, alors premier ministre, se proposant d'améliorer « *la qualité de la vie* » dans sa déclaration de politique générale du 15 octobre 1970, et créant un ministère de l'Environnement et de la protection de la nature en janvier 1971. Comme le président Edgar Faure, proposant un « *modèle qualitatif de société* ». Comme M. Giscard d'Estaing, élu président de la République en mai 1974, et créant de nouveaux postes ministériels, destinés à prendre en charge de nouveaux problèmes : ministère de la Qualité de la vie, secrétariats d'Etat à l'Environnement, à la Condition féminine, aux Travailleurs immigrés, à la Condition pénitentiaire.

L'influence des marginaux. — En vérité, les principaux sujets évoqués aujourd'hui sont nés en dehors des circuits traditionnels, imposés à l'opinion par les gauchistes ou par les marginaux : l'avortement, la condition féminine, le service militaire, le sort des travailleurs immigrés, le sort des O.S., la condition pénitentiaire, l'écologie, etc. Autant de thèmes hier agités par les « contestataires ». Autant de sujets de discussion, aujourd'hui « officialisés ». Par l'opposition classique, qui relaie en termes plus modérés les turbulences des « protestataires », ou par le gouvernement, qui s'essaie à traiter ces nouvelles « demandes ».

Ainsi, malgré eux, les marginaux se font l'aiguillon, sinon l'auxiliaire du *réformisme*. Ils exercent une fonction d'imagination. Ce n'est, pour ainsi dire, jamais un ministère, un parti, ni même un syndicat, qui font éclore les idées nouvelles : ceux-ci servent seulement d'instruments de transmission, d'amplification.

En vérité, ces « minorités agissantes » font bouger la société beaucoup plus que les organisations et les parlements, et beaucoup plus vite. Elles exercent une fonction d'exploration et d'agitation, de conscientisation et d'éveil. Face à l'engourdissement des institutions. Elles *influencent et inspirent le pouvoir*. Sans le conquérir.

Influencé et stimulé par elles, le système politique s'essaie à « répondre », à convertir ces « *demandes* » nouvelles. Pour réagir par des *outputs* appropriés et maximer les « *soutiens* » disponibles. Comme dans le modèle d'Easton. Il tend à développer sa « *capacitè de réponse* », de riposte, pour répondre aux demandes et aux pressions du milieu. Comme chez Almond. Il absorbe les chocs provenant de son environnement et se corrige, exerçant sa « *capacité d'innovation* », sa capacité de répondre à des impulsions nouvelles, à des situations imprévues. Comme chez Pye.

Qui « récupère » qui ? — Mais, finalement, qui « récupère » qui ? N'est-ce pas plutôt la « contestation » qui transforme le système politique en « *courroie de transmission* », en instrument d'exécution, en « *convertisseur* » de ses « demandes » ?

En Italie, en Allemagne fédérale, des phénomènes comparables se produisent. Dans les pays scandinaves, surtout, lancés dans de nouvelles expériences sociales. Et aussi aux Pays-Bas, où les « farfadets » *(Kabouters)* succèdent aux *provos* et entendent créer quelques « *îlots de société alternative* ».

Cette contestation « tempérée » pose les questions qui sont celles des démocraties modernes : efficacité et validité du système représentatif, possibilité de l'existence de « sociétés marginales », émergence de « contre-valeurs », mise en place d'une législation libérale sur les problèmes sociaux, etc. Elle bouscule les valeurs établies et les normes sociales. Elle s'attaque aux conformismes et aux contraintes sociales. Elle provoque une rupture dans les mœurs. Elle impose au système politique la prise en charge de nouveaux problèmes et la réalisation de réformes. Elle influence et inspire toutes les institutions, toutes les organisations. Ainsi, sans troubles graves, les systèmes sur-développés parviennent à un réexamen des certitudes d'hier. En utilisant l'énergie créatrice des minorités en rébellion.

Sous le masque de la dérision et du phantasme, ces actions « poétiques » ébranlent sûrement les conformismes, influencent les relations sociales et politiques. Toynbee n'assure-t-il pas que le rôle historique d'un général dure dix ans, celui d'un politique quinze ans, celui d'un poète cinquante ans parfois ?

BIBLIOGRAPHIE

I. — *La pression du sur-développement sur la société.*

LA SOCIÉTÉ POST-INDUSTRIELLE

D. BELL, *Vers la société post-industrielle,* 1976; Z. BRZEZINSKI, *La révolution technétronique,* tr. 1971 (capital); A. TOFFLER, *Le choc du futur,* tr. 1971; J. K. GALBRAITH, *L'ère de l'opulence,* tr. 1961 (la première théorie de la « société d'abondance »); *Le nouvel Etat industriel. Essai sur le système économique américain,* tr. 1968, rééd. 1974; et *Economics and the Public Purpose,* 1973 (le passage du célèbre économiste au « socialisme »); J. ELLUL, *La technique ou l'enjeu du siècle,* 1954, et *La société technologique;* A. TOURAINE, *La société post-industrielle,* 1969; D. N. MICHAEL, *Some Speculations on the Social Impact of Technology* (texte miméographié écrit pour le colloque de Columbia sur la technologie et l'évolution sociale), 1966, p. 11; V. C. FERKISS, *Technological Man : The Myth and the Reality,* New York, 1969.

LA POLITIQUE DANS LA SOCIÉTÉ POST-INDUSTRIELLE

— *Sur le concept de « société de masse » :*

W. KORNHAUSER, *The Politics of Mass Society,* Glencoe (Ill.), 1959.

— *Sur la dépolitisation :*

G. VEDEL (et autres), *La dépolitisation, mythe ou réalité ?* 1962; COLLOQUE FRANCE-FORUM, *La démocratie à refaire,* 1963; CLUB JEAN-MOULIN, *L'Etat et le citoyen,* 1961; A. LANCELOT, *La participation des Français à la politique,* 3e éd., 1971; et *L'abstentionnisme électoral en France,* 1968; ainsi que le numéro de la *Revue internationale des sciences sociales* consacré à *La participation des citoyens à la vie politique* (vol. VII, n° 1, 1960, p. 5-112), qui analyse ou cite la plupart des écrits publiés à cette date sur ce sujet.

Des données comparatives figurent dans S. ROKKAN, ed., *Approaches to the Study of Political Participation,* Bergen, 1962, et dans S. M. LIPSET, *L'homme et la politique,* tr. 1963. On consultera aussi : R. LANE, *Political Life,* Glencoe, 1959; L. MILBRATH, *Political Participation,* Chicago, 1965; J. BARBER, *Citizen Politics,* Chicago, 1969; A. H. BIRCH, *Small-Town Politics,* Londres, 1959 (monographie sur une petite ville anglaise).

— *Sur les nouveaux sites politiques :*

R.-G. SCHWARTZENBERG, *La politique ailleurs, Le Monde* du 17 juin 1971; et le numéro de *Projet* consacré à *L'anatomie politique des Français* (n° 56, juin 1971). A titre d'exemple : R. DE CAUMONT, M. TESSIER, *Les groupes d'action municipale,* 1973.

— *Sur la « désidéologisation » :*

R. ARON, *L'opium des intellectuels,* 1955, et *La lutte des classes,* 1964; J. MEYNAUD, *Destin des idéologies,* 1961 (une très bonne vision d'ensemble, accompagnée d'une bibliographie détaillée) ; E. SHILS, « The End of Ideology », *Encounter,* nov. 1955 (p. 52-58) ; D. BELL, *The End of Ideology. On the Exhaustion of Political Ideas,* Glencoe, 1960 (capital) ; R. E. LANE, *Political Ideology. Why the American Common Man Believes What He Does,* New York, 1962; P. SIGMUNF, ed., *The Ideologies of the Developing Nations,* New York, 1963; et les livres de J. K. GALBRAITH et de S. M. LIPSET cités *supra.* Pour un point de vue critique : R.-G. SCHWARTZENBERG, *La République, une fête ? Le Monde* du 15 juillet 1971.

— *Sur la « bureaucratisation » :*

W. H. WHYTE, *L'homme de l'organisation,* tr. 1959; M. CROZIER, *Le phénomène bureaucratique,* 1963, et *La société bloquée,* 1970; M. PAILLET, *Marx contre Marx. La société technobureaucratique,* 1971; P. M. BLAU, *Bureaucracy in Modern Society,* New York, 1956; G. TULLOCK, *The Politics of Bureaucracy,* Washington, 1965 (critique de l'inefficacité et de l'absence de liberté locale provoquées par le système bureaucratique américain) ; et la bibliographie sur « Bureaucracy and Bureaucratisation » dans *Current Sociology,* vol. VII, n° 2, 1958, p. 98-164.

— *Sur la technocratie :*

J. MEYNAUD, *Technocratie et politique,* Lausanne, 1960; R. BOISDE, *Technocratie et démocratie,* 1964; J.-L. COTTIER, *La technocratie, nouveau pouvoir,* 1959; J. BILLY, *Les techniciens et le pouvoir,* 1960; M. DRANCOURT, *Les clés du pouvoir,* 1964; P. BAUCHARD, *Les technocrates et le pouvoir,* 1966 (d'Henri de Man au Club Jean-Moulin, en passant par X-Crise, la synarchie, etc.) ; A. ULLMANN, H. AZEAU, *Synarchie et pouvoir,* 1968 (une thèse peu convaincante) ; B. GOURNAY, « Technocratie et administration », *R.F.S.P.,* déc. 1960, p. 881-890; et, par d'anciens « énarques », deux pamphlets : J. MANDRIN, *L'Enarchie ou les mandarins de la société bourgeoise,* 1967, et J. CHEVERNY, *Le temps des obsèques,* 1970; J. C. THOENIG, *L'Ere des technocrates. Le cas des Ponts et Chaussées,* 1973. Sans oublier le réquisitoire contre les « technologues » présenté par N. CHOMSKY, *L'Amérique et ses nouveaux mandarins,* tr. 1969.

Consulter aussi :

H. SCOTT, *Introduction to Technocracy,* 1933 (le début du « rêve » technocratique) ; T. S. HARDING, « The Place of Science in Democratic Government », *American Sociological Review,* déc. 1947; O.C.D.E., *La science et la politique des gouvernements,* 1963. Et sur les nouvelles techniques d' « aide à la décision » : P. D'IRIBARNE, *La science et le Prince. Un nouvel âge pour la démocratie,* 1971; L. SFEZ, *L'administration prospective,* 1971. Et enfin : W. ARMYTAGE, *The Rise of the Technocrats. A Social History,* Londres, 1965 (un survol de quatre siècles, pour démontrer le poids des groupes scientifiques dans l'histoire sociale).

— *Sur le phénomène technocratique dans l'entreprise :*

J. Burnham, *L'ère des organisateurs,* tr. 1947; J. K. Galbraith, *Le nouvel Etat industriel. Essai sur le système économique américain,* tr. 1968 (essentiel sur la notion de « technostructure »); et *La Science économique et l'intérêt général,* tr. 1974 (pour le socialisme réformiste). Lire aussi : J.-J. Servan-Schreiber, *Le défi américain,* 1967; R. Priouret, *La France et le management,* 1968, et *Les managers européens,* 1970. Pour l'adaptation du concept de technostructure au domaine politique : E. Faure, *L'âme du combat,* 1970 (p. 54-60) et son interview à *L'Expansion* (sept. 1969, n° 22); R.-G. Schwartzenberg, *Le charme discret de la démocratie, Le Monde* du 30 septembre 1972, et *Le triangle du pouvoir, L'Express* du 14 février 1972; M. Duverger, *Janus, les deux faces de l'Occident,* 1972 (sur la « technodémocratie »).

— *Sur le déclin des mécanismes politiques classiques :*

A. Chandernagor, *Un Parlement, pour quoi faire ?* 1967; les rapports multig. présentés à la Table ronde organisée les 6-7 novembre 1970 par l'Association française de science politique sur « *Le rôle des parlements dans les démocraties de type libéral* »; V. Herman et F. Mendel, *Les Parlements dans le monde,* 1977 (recueil de données comparatives); M. Boucher, dir., *Les Parlements aujourd'hui,* La Documentation, Les Cahiers français, n° 174, 1976. R.-G. Schwartzenberg, « *Le Parlement, une institution bloquée* », *Le Monde* du 23 décembre 1970, et « *Les impasses de la V*e bis », *Projet,* sept-oct. 1970; P. Dabezies, « *Le déclin du Parlement* », *Projet,* juin 1971. Voir aussi : M. Duverger, *La monarchie républicaine,* 1974; R. Cayrol, J. L. Parodi, C. Ysmal, *Le député français,* 1973.

— *Sur le déclin des partis classiques :*

O. Kirchheimer, « The Transformation of Western European Party Systems », in J. LaPalombara, M. Weiner, ed., *Political Parties and Political Development,* Princeton, 1966 (essentiel); L. D. Epstein, *Political Parties in Western Democraties,* Londres, 1967; J. H. Fenton, *People and Parties in Politics,* Glenview, 1966; J. Charlot, *Le phénomène gaulliste,* 1970.

— *Sur le problème de l'opposition :*

R. A. Dahl, ed., *Political Oppositions in Western Democracies,* New Haven, 1966 : avec les contributions de R. A. Dahl (Etats-Unis), A. Potter (Grande-Bretagne), O. Kirchheimer (Allemagne), A. Grosser (France), etc.; et R. A. Dahl, *L'avenir de l'opposition dans les démocraties,* tr. 1966 (traduction isolée de sa propre contribution : les modèles et les stratégies d'opposition selon les cadres institutionnels, les traditions culturelles, l'existence de sub-cultures et l'état socio-économique; et étude du cas américain); B. N. Mac Lennan, éd., *Political Opposition and Dissent,* New York, 1973 (l'opposition politique dans dix pays); H. Oberreuter, éd., *Parlementarische Opposition, Ein Internationaler Vergleich,* Hamburg, 1975 (un ouvrage collectif). Et l'article d'E. Faure, « Avons-nous besoin d'une opposition ? », *France-Soir* des 27-28 septembre 1970. Ainsi que le n° 1 de la revue *Pouvoirs,* consacré à « L'alternance », 1977.

II. — *La réaction de la société au sur-développement.*

LA CRITIQUE DE LA CULTURE DOMINANTE

S. FREUD, *Malaise dans la civilisation,* 4e éd., 1973; *L'avenir d'une illusion,* 3e éd., 1973; et *Abrégé de psychanalyse,* 7e éd., 1973; W. REICH, *La fonction de l'orgasme,* tr. 1952; *La révolution sexuelle,* tr. 1969; *L'analyse caractérielle,* tr. 1971; *La psychologie de masse du fascisme,* tr. 1972; *L'irruption de la morale sexuelle,* tr. 1973; H. MARCUSE, *Le marxisme soviétique,* tr. 1963; *Eros et civilisation,* tr. 1963; *L'homme unidimensionnel,* tr. 1968; *La fin de l'utopie,* tr. 1968; *Vers la libération,* tr. 1969; *Culture et société,* tr. 1970; *Pour une théorie critique de la société,* tr. 1971 (trois textes, dont un essai critique sur la « Grande Société »); *Contre-révolution et révolte,* tr. 1973.

— Sur W. Reich : I. OLLENDORF REICH, *Wilhelm Reich,* tr. 1971 (une biographie par sa troisième femme); J.-M. PALMIER, *Wilhelm Reich,* 1969; B. FRAENKEL, *Pour Reich,* 1966; D. GUÉRIN, *Essai sur la révolution sexuelle,* 1969; L. DE MARCHI, *Wilhelm Reich, biographie d'une idée,* tr. 1973; R. DADOUN, *Cent fleurs pour Wilhelm Reich,* 1975. Sur Marcuse : J. M. PALMIER, *Sur Marcuse,* 1968, et *Herbert Marcuse et la nouvelle gauche,* 1973.

— Sur les précurseurs :

D. BELL, « Charles Fourier : Prophet of Eupsychia », *The American Scholar,* hiver 1968-1969. Lire aussi le pamphlet prémontoire de Paul Lafargue, *Le droit à la paresse,* 1880, rééd. 1970. Sur Rousseau, précurseur de la contre-culture : l'édition des *Discours* et *du Contrat social,* présentée par R.-G. SCHWARTZENBERG dans la collection *Pour la politique, Seghers,* 1971.

— Sur les épigones du freudisme :

E. FROMM, *Société saine, société aliénée,* 1re éd., 1956; *Sigmund Freud's Mission,* New York, 1959; *Socialist Humanism,* New York, 1966, et *Espoir et révolution,* tr. 1971. De N. BROWN : *Eros et Thanatos,* tr. 1960, et *Le Corps d'amour,* tr. 1967. Et la réplique d'H. MARCUSE, *Love Mystified : A Critique of Norman O. Brown,* 1968.

Pour d'autres critiques de la « société de consommation » : les ouvrages de V. PACKARD, *La persuasion clandestine* (tr. 1958), *Les obsédés du standing, Une société sans défense* et *L'art du gaspillage.* Sans omettre un classique : D. RIESMAN, *La foule solitaire,* tr. 1964. Et B. DE JOUVENEL, *Arcadie. Essais sur le mieux-vivre,* 1968.

— Sur le radicalisme culturel aujourd'hui :

P. GOODMAN, *Direction absurde,* tr. 1971; B. VINCENT, *Paul Goodman et la reconquête du présent,* 1976; TH. ROSZAK, *Vers une contre-culture,* tr. 1970 (une bonne revue des divers courants pouvant composer une culture « alternative »), et *Où finit le désert ?,* tr. 1973; L. MUMFORD, *Le mythe de la machine,* tr. 1974; W. BRADEN, *The Age of Aquarius,* Chicago, 1970; A. HACKER, *The End of the American Era,* New York, 1970; CH. A. REICH, *Le regain américain,* tr. 1971 (essentiel); T. B. BOTTOMORE, *Critics of Society : Radical Thoughts in North America,* New York, 1968; W. ANDERSON, ed., *The*

Age of Protest, Pacific Palisades (Cal.), 1969 (ensemble d'articles sur les thèmes majeurs de la contestation aux Etats-Unis); M. SEMIDEI, *Les contestataires aux Etats-Unis*, 1973.

LA CRITIQUE DE L'ÉCONOMIE ÉTABLIE

CLUB DE ROME, *Halte à la croissance*, tr. 1972 (le fameux rapport du M.I.T. sur les « limites de la croissance »); C. FREEMAN, *L'anti-Malthus, Une critique de halte à la croissance*, tr. 1974, et la réplique du Club de Rome à ces critiques sous le titre *Quelles limites ? Le club de Rome répond...*, tr. 1974. — Lire aussi, du CLUB DE ROME, *Le rapport de Tokyo sur l'homme et la croissance*, 1974 (les travaux de la conférence de Tokyo d'octobre 1973).

S. MANSHOLT, *La lettre Mansholt*, 1972 (l'épître à Malfatti), et *La crise*, 1974; R. LATTES, *Pour une autre croissance*, 1973; J. ATTALI, M. GUILLAUME, *L'anti-économique*, 2e éd., 1974; J. ATTALI, *La Parole et l'Outil*, 1975; F. DE CLOSETS, *Le bonheur en plus*, 1974; PH. D'IRIBARNE, *La politique du bonheur*, 1973; R. DUMONT, *L'utopie ou la mort*, 1973. — Voir aussi les débats organisés à l'UNESCO sous l'égide du ministère des Finances et publiés sous le titre *Economie et société humaine* (préf. V. GISCARD D'ESTAING), et le compte rendu du rapport Gruson sur « *La lutte contre le gaspillage* », dans *Le Monde* du 6 juillet 1974.

LA NOUVELLE CULTURE. — CONTRE-VALEURS, CONTRE-FORCES, CONTRE-FORMES

H. MARCUSE, *Contre-révolution et révolte*, tr. 1973; TH. ROSZAK, *Vers une contre-culture*, tr. 1970; CH. A. REICH, *Le regain américain*, tr. 1971; J.-F. REVEL, *Ni Marx ni Jésus*, 1970 (sur la « révolution » américaine); M. SEMIDEI, *Les contestataires aux Etats-Unis*, 1973 (un bilan clair et précis). — Voir aussi : R.-G. SCHWARTZENBERG, *Les contre-valeurs*, *Le Monde* des 6-7 mai 1973.

— *Sur le mouvement des jeunes :*

M. MEAD, *Le fossé des générations*, tr. 1971; G. PALOCZI-HORVATH, *Le soulèvement mondial de la jeunesse*, tr. 1971; D. N. MICHAEL, *The Next Generation* et *U.S.A. 1985*. — Voir aussi : R.-G. SCHWARTZENBERG, *La république, une fête ? Le Monde* du 15 juillet 1971; *Une jeunesse en exil*, *Le Monde* du 16 décembre 1971; *Pour rendre le suffrage universel*, *L'Express* du 26 juin 1972; et *Rendre le suffrage universel*, *Le Monde* du 5 avril 1974.

— *Sur la Beat Generation :*

On peut lire, de J. KEROUAC, *Sur la route*, tr. 1960; *Les clochards célestes*, tr. 1963; *Les Anges vagabonds*, tr. 1968 et *Satori à Paris*, tr. 1971.

— *Sur les hippies et les yippies :*

E. MORIN, *Journal de Californie*, 1970 (une attachante analyse du hippisme par un sociologue français); M. LANCELOT, *Je veux regarder Dieu en face*, 1967 (sur le phénomène hippy); J.-P. CARTIER, M. MASLEDNIKOV, *L'univers des hippies*, 1969; Y. CHARRIER, J. ELLUL, *Jeunesse délinquante, des blousons noirs aux hippies*, 1971 (un dossier sur les jeunes « marginaux »); PH.

SLATER, *The Pursuit of Loneliness, American Culture at the Breaking Point*, Boston, 1970. — De deux leaders yippies, on peut lire : J. RUBIN, *Do it !*, tr. 1971 (mis en page par Q. FIORE, le manifeste du Youth International *Party*, très provoquant) et *We Are Everywhere*, New York, 1971 ; A. HOFFMANN, *Revolution for the Hell of It*, New York, 1968 et *Woodstock Nation*, New York, 1969.

— *Sur le mouvement étudiant et lycéen :*

Aux Etats-Unis : A. ADELSON, *S.D.S., A Profile*, New York, 1972; K. KENISTON, *Young Radicals*, New York, 1968; *The Uncommitted, Alienated Youth in American Society*, New York, 1965; et *Youth and Dissent, The Rise of a New Opposition*, New York, 1971; S. M. LIPSET, G. M. SCHAFLANDER, *Passion and Politics : Student Activism in America*, Boston, 1971; S. M. LIPSET, ed., *Students Politics*, New York, 1967 (un ouvrage collectif, comportant quelques bonnes interprétations des crises étudiantes dans les sociétés développées et sous-développées); S. M. LIPSET, P. G. ALTBACH, ed., *Students in Revolt*, Boston, 1969 (une exploration du mouvement étudiant dans le temps et dans l'espace, avec, notamment, une étude d'A. B. FIELDS, « The Revolution Betrayed : The French Student Revolt of May-June 1968 ») ; G. R. WEAVER, J. H. WEAVER, *Tye University and Revolution*, Englewood Cliffs, 1969 (sur l'originalité de l'opposition étudiante et sur son alliance avec le sous-prolétariat) ; L. LABEDZ, « Students and Revolution », *Survey*, Londres, juillet 1968 (sur l'idéologie du mouvement étudiant) ; et H. MARCUSE, *La fin de l'utopie*, tr. 1968 (qui contient une très intéressante analyse du mouvement étudiant aux Etats-Unis) ; M. MILES, *The Radical Probe, The Logic of Student Rebellion*, New York, 1971.

Sur le phénomène dans le monde : F. BOURRICAUD, *Universités à la dérive*, 1971 (France, Etats-Unis, Amérique du Sud).

Sur la France : pour la crise universitaire et le mouvement étudiant, voir la bibliographie donnée *infra*, p. 461. — Sur le mouvement lycéen : G. VINCENT, *Les lycéens, contribution à l'étude du milieu scolaire*, 1971 (les lycéens de la « génération de 1968 »), et *Le peuple lycéen, enquête sur les élèves de l'enseignement secondaire*, 1974.

— *Sur le mouvement féministe :*

Aux Etats-Unis : B. FRIEDAN, *La femme mystifiée*, tr. 1964; G. GREER, *La femme eunuque*, tr. 1971; K. MILLETT, *La politique du mâle*, tr. 1971, et *Flying* (une autobiographie), 1974; N. MAILER, *Prisonnier du sexe*, tr. 1971 (en réponse à K. MILLETT) ; C. BIRD, *Born Female*, New York, 1968; S. FIRESTONE, *La dialectique du sexe*, tr. 1972; C. MASNATA-RUBEL, *La révolte des américaines*, 1972; R. BALLORAIN, *Le nouveau féminisme américain*, 1972; R. MORGAN, ed., *Sisterhood is Powerful : An Anthology of Writings from the Women's Liberation Movement*, New York, 1970; J. I. ROBERTS, ed., *Beyond Intellectual Sexism. A New Woman a New Reality*, New York, 1976. Voir aussi : *Les Mouvements féministes dans le monde*, La Documentation française, 1972.

En France : S. DE BEAUVOIR, *Le deuxième sexe*, 1949; G. HALIMI, *La cause des femmes*, 1973; N. BENOIT, E. MORIN, B. PAILLARD, *La femme majeure*,

1973; P. LAÎNÉ, *La femme et ses images,* 1974; P. H. CHOMBART DE LAUWE, *Images de la femme dans la société,* 1974; E. SULLEROT, *La femme dans le monde moderne,* 1971; PARTISANS, *Libération des femmes, année zéro,* numéro de juillet-oct. 1970; M.L.F., *Le livre de l'oppression des femmes,* 1972; E. PERASSO, *Ne pleure pas, hurle !,* 1973 (le mot d'ordre des Afro-Américaines, repris par les femmes); C. ALZON, *La femme potiche et la femme bonniche, Pouvoir bourgeois et pouvoir mâle,* 1973; F. D'EAUBONNE, *Le féminisme : histoire et actualité,* 1972; J. MAUDUIT, *La révolte des femmes,* 1971 (par l'organisateur des « Etats généraux de la femme »). Le numéro d'APRÈS-DEMAIN de janvier 1972 sur « La condition de la française ». *Vivre au féminin,* Cahiers français, 1975; voir cependant le livre antiféministe d'A. STASSINOPOULOS, *La Femme femme,* tr. 1975 (qui se veut contre le féminisme et pour la féminité).

Sur le travail féminin en France : E. SULLEROT, *Les Françaises au travail,* 1973; C. CALLET, C. DU GRANRUT, *Place aux femmes,* 1973; C. BODARD-SILVER, « Salon, Foyer, Bureau : Women and the Professions in France », *American Journal of Sociology,* janv. 1973, p. 836-851.

Sur la Française et la politique : M. DUVERGER, *La participation des femmes à la vie politique,* UNESCO, 1955; M. DOGAN, J. NARBONNE, *Les Françaises face à la politique,* 1955; M.-T. RENARD, *La participation des femmes à la vie civique,* 1965; G. CHARZAT, *Les Françaises sont-elles des citoyennes ?,* 1972; A. BRIMO, *Les Femmes françaises face au pouvoir politique,* 1975; L. BLANQUART, *Femmes : l'âge politique,* 1974; J. MOSSUZ-LAVAU, M. VINEAU, « Les femmes et la politique », *RFSP,* 1976, p. 929-956.

Voir aussi deux mémoires dact. soutenus à l'Université de Paris II : G. SARBIB, *Le féminisme en France,* 1973 (sur les organisations de promotion ou de libération des femmes); C. SPLINGARD, *Les partis politiques et la condition de la femme depuis 1958,* 1974.

D'un précurseur, lire : F. TRISTAN, *Le Tour de France* (journal inédit 1843-1844), 1973, et *Œuvres et vie mêlées* (commentaires et choix de textes par D. DESANTI), 1973.

Enfin deux points de vue de féministes marxistes: A. KOLLANTAI, « *Marxisme et révolution sexuelle* », textes choisis par J. STORA-SANDOR, Maspero, 1973; S. ROWBOTHAM, *Féminisme et révolution,* tr. 1973 (par une sociologue britannique).

Voir aussi R.-G. SCHWARTZENBERG, *Rapport aux Journées internationales de la femme* (Paris, 1975), édité par le Secrétariat d'Etat à la Condition féminine et « La politique au féminin » dans *Le Monde* du 4 mars 1975.

— *Sur les minorités nationales et regionales :*

- *Sur la population noire, aux Etats-Unis,* la bibliographie est immense. On citera, notamment :

W. G. SMITH, *L'Amérique noire,* 1972; W. H. BURNS, *Où vont les Noirs américains ?,* tr. 1964; M. FABRE, *Les Noirs américains,* 1967 (choix de textes commentés); K. B. CLARCK, *Ghetto noir,* tr. 1965 (la condition des Noirs dans les grandes villes américaines; J. M. YINGER, *A Minority Group in American Society,* New York, 1965; L. BENNETT, *Confrontation : Black and White,* Chicago, 1965 (par un journaliste d'*Ebony*); N. D. GLENN, C. M. BONJEAN, ed., *Black in the United States,* San Francisco, 1969; J. GRANT, *Black Protest,*

New York, 1968 (anthologie de textes sur des mouvements revendicatifs des Noirs depuis les origines jusqu'à nos jours).

Et les textes politiques de M. L. King, *Où allons-nous ? La dernière chance de la démocratie américaine*, tr. 1968; S. Carmichael, C. V. Hamilton, *Le Black Power*, tr. 1968; R. Brown, *Crève, sale nègre*, tr. 1970; F. B. Barbour, ed., *The Black Power Revolt*, Boston, 1968 (écrit par des Noirs pour des Noirs, un appel à la prise de conscience de la spécificité culturelle et politique); E. Cleaver, *Un Noir à l'ombre*, tr. 1969; *Panthère noire*, tr. 1970, et *Sur la révolution américaine*, tr. 1970; C. M. Lightfoot, *Ghetto Rebellion to Black Liberation*, New York, 1968 (une critique de la guérilla urbaine, jugée aventuriste, par un membre « afro-américain » du P. C. américain); et le texte — déjà ancien — de Malcolm X, *Le pouvoir noir*, tr. 1966.

Sans oublier les livres de LeRoi Jones, *Le peuple des blues*, tr. 1968; *Home*, tr. 1971 et *Tales*, Londres, 1969 (16 nouvelles sur la vie quotidienne dans les ghettos de l'Amérique noire).

• *Sur la population indienne :*

L. Fielder, *Le retour du Peau-Rouge*, tr. 1971; T. C. Mac Luhan, *Pieds nus sur la terre sacrée*, tr. 1974; H. Cardinal, *The Unjust Society*, Hurtig, Alberta, Canada, 1969; V. Deloria, *Custer Died For Your Sins*, New York, 1970; D. Brown, *Enterre mon cœur à Wounded Knee*, tr. 1973 (la première histoire de l'Ouest écrite par un Indien); E. Wilson, *Pardon aux Iroquois*, tr. 1976 (la première analyse d'ensemble du nationalisme indien contemporain); et les films *Un homme nommé cheval* d'Elliot Silverstein et *Little Big Man* d'Arthur Penn (1970).

• *Sur la population hispanophone :*

J. Samora, ed., *La Raza : Forgotten Americans*, Notre-Dame (Ind.), 1966 (communauté hispanophone établie dans les Etats de Californie, Nouveau-Mexique, Texas, Arizona et Colorado).

• *Sur l'ensemble du problème des minorités ethniques :*

N. Glazer, D. P. Moynihan, *Beyond the Melting Pot*, Cambridge, Mass., 1963; E. Litt, *Beyond Pluralist, Ethnic Politics in America*, Glenview, 1970; M. Novak, *The Rise of the Unmeltable Ethnics, Politics and Culture in the Seventies*, New York, 1971; R. Ertel, G. Fabre, E. Marienstras, *En marge. Les minorités aux Etats-Unis*, 1970.

— *Sur les minorités nationales en France :*

P. Serant, *La France des minorités*, 1965; R. Laffont, *La révolution régionaliste*, 1967; *Sur la France*, 1968; *Renaissance du Sud*, 1970; *Décoloniser en France*, 1971; et *Clefs pour l'Occitanie*, 1971; M. Le Bris, *Occitanie : Volem viure !*, 1974; J.-P. Le Dantec, *Bretagne : re-naissance d'un peuple*, 1974. — Et le film de P. Haudiquet, « *Gardarem lo Larzac* », 1974. Consulter aussi : Y. Hardy, E. Gabey, *Dossier L, comme Larzac*, 1974, et G. Héraud, *L'Europe des ethnies*, 2e éd., 1974; R. Dulong, *La Question bretonne*, 1975.

— *Sur les minorités sexuelles :*

M. Bon, A. d'Arc, *Rapport sur l'homosexualité de l'homme*, 1975; M. Oraison, *La Question homosexuelle*, 1975.

— *Sur l'antipsychiatrie :*

R. D. LAING, *La politique de l'expérience,* tr. 1969; D. COOPER, *Psychiatrie et antipsychiatrie,* tr. 1971 (deux livres des deux pionniers britanniques); F. BASAGLIA, *L'institution en négation. Rapport sur l'hôpital psychiatrique de Gorizia,* tr. 1970 (une expérience italienne); M. MANNONI, *Le psychiatre, son fou et la psychanalyse,* 1970; J. HOCHMANN, *Pour une psychiatrie communautaires,* 1971, et R. GENTILIS, *Les murs de l'asile,* 1970; E. GOFFMAN, *Asiles,* 1968, ainsi que le numéro spécial de *La Nef* consacré à l'antipsychiatrie (n° 42, janvier 1971). Sans oublier M. FOUCAULT, *Histoire de la folie.* Voir aussi : R. GENTIS, *La psychiatrie doit être faite/défaite par tous,* 1973; C. DELACAMPAGNE, *Les voies du sacré,* 1974, et A. COHEN, *La Déviance,* 1971.

— *Sur les contre-formes :*

Sur la fête : J. DUVIGNAUD, *Fêtes et civilisations,* 1973; et le n° de 1976 de la revue *Autrement, La Fête, cette hantise.* — Sur la mode : R. BARTHES, *Mythologies,* rééd. 1970 et *Systèmes de la mode,* 1967; R. KONIG, *Sociologie de la mode,* 1969.

Sur la pop' music : A. RAISNER, *L'Aventure Pop,* 1973; M. LANCELOT, *Campus,* 1971 (p. 287-303); A. SCADUTO, *Bob Dylan,* tr. 1973; F. DUCRAY et al., *Dylan,* 1975. — On peut lire aussi les textes suivants : J. LENNON, *En flagrant délire,* tr. 1965; B. DYLAN, *Tarentula,* tr. 1970, et *Ecrits et Dessins,* 1975; L. COHEN, *The Favourite Game,* tr. 1971. — Sur la mythologie d'une *pop star,* voir le film de Michael APTAD, *Stardust,* 1977 (avec David Essex).

Sur le jazz et le free jazz : PH. CARLES, J.-L. COMOLI, *Free Jazz, Black Power,* 1971; LEROI JONES, *Musique noire* et *Le peuple du blues,* tr. 1968; L. MALSON, *Histoire du jazz,* 1970 (l'évolution du jazz replacée dans le contexte socio-culturel américain); A. HODEIR, *Les mondes du jazz,* 1970.

Sur le « *cut up* » : W. BURROUGHS, *La Révolution électronique,* tr. 1973; et *Les garçons sauvages,* tr. 1973.

Pour la presse parallèle, voir : *Charlie-Hebdo; Actuel* (avant son « sabordage »); *L'écho des savanes* (bandes dessinées); *Vroutsch, Zinc,* etc. Ainsi que *Le torchon brûle,* « menstruel » du M.L.F. et *Le fléau social,* journal du F.H.A.R. Voir surtout A. BERCOFF, *L'Autre France. L'Underpresse,* 1975.

Sur le nouveau théâtre : F. KOURILSKY, *Le théâtre américain,* Bruxelles, 1967, et *Le Bread and Puppet Theatre,* Lausanne, 1971; P. BINER, *Le Living Theatre,* Lausanne, 1968.

Pour le nouveau cinéma : A. WARHOL, P. MORRISSEY, *Heat; Flesh; Trash* et *L'Amour* (1974); J.-L. GODARD : *Une femme mariée* (1964), *Alphaville* (1965); *Deux ou trois choses que je sais d'elle* (1966); *La Chinoise* (1967); et *Week-end* (1967); GEBE, *L'An 01* (1973); P. HAUDIQUET, *Gardarem lo Larzac* (1974). — Sur la libération des mœurs : B. BERTOLUCCI, *Dernier tango à Paris* (1972); M. FERRERI, *La grande bouffe* (1973); B. BLIER, *Les valseuses* (1974); D. MAKAVEJEV, *Sweet Movie* (1974). Lire : *Viva Superstar Underground,* tr. 1972.

Sur l'écologie : PH. SAINT-MARC, *Socialisation de la nature,* 1971; PH. DREUX, *Précis d'écologie,* 1974; et le débat « Ecologie et révolution » dans *Le Nouvel Observateur* du 19 juin 1972 (avec H. Marcuse, S. Mansholt, E. Morin, etc.); C. HUGLO, R. CENNI, *Une Société de pollution,* 1977; R. DUMONT, *Seule une écologie socialiste,* 1977; P. GRANET, *Changer la ville* (par l'ancien Secrétaire d'Etat); M. BOSQUET, *Ecologie et libertés,* 1977.

Sur la libération sexuelle : outre les ouvrages de W. Reich, cités *supra*, p. 448, voir : P. Simon, *Rapport sur le comportement sexuel des Français*, 1972; R.-P. Droit, A. Gallien, *La réalité sexuelle*, 1974; D. Wolton, *Le nouvel ordre sexuel*, 1974 (contre le nouvel encadrement scientifico-social de la sexualité).

Sur le « voyage » : P. Bensoussan, *Qui sont les drogués ?*, 1973.

Sur les contre-forces et les contre-formes en général : I. Andrieu, *La France marginale*, 1975.

La nouvelle politique

— *Sur la révolte violente :*

E. Cleaver, *Un Noir à l'ombre* (tr. 1969), *Panthère noire* (tr. 1970), et *Sur la révolution américaine* (tr. 1970) (par un leader du Black Panthers Party). Voir aussi : Malcolm X, *Le pouvoir noir* (tr. 1966); R. Brown, *Crève, sale nègre*, tr. 1970; S. Carmichael, C. Hamilton, *Le Black Power*, tr. 1968.

Sur le mouvement étudiant : voir la bibliographie donnée *supra*, p. 460, et *infra*, p. 471.

Sur les yippies : *supra*, p. 459.

Sur l'extrême-gauche révolutionnaire en France : A. Krivine, *La farce électorale*, 1969, et *Questions sur la révolution*, 1973 (pour le courant trotskyste); A. Geismar, *Vers la guerre civile*, 1969 (pour le courant maoïste). Et la bibliographie donnée *infra*, p. 583.

— *Sur la subversion pacifique :*

C. A. Reich, *Le regain américain*, tr. 1971 (la « révolution par la conscience »); T. Roszak, *Vers une contre-culture*, tr. 1970; J.-F. Revel, *Ni Marx ni Jésus*, 1970 (sur la nouvelle « révolution » américaine); E. Morin, *Journal de Californie*, 1970.

Sur le phénomène communautaire : B. Lacroix, *Le phénomène communautaire en France aujourd'hui*, mémoire dact. D.E.S. de science politique, Paris II, 1973, et *« Le discours communautaire »*, *R.F.S.P.*, 1974, p. 526-558; R.-P. Droit, A. Gallien, *La chasse au bonheur, Les nouvelles communautés en France*, 1972; H. Colin, M. Paradelle, *Les jeunes et le mouvement communautaire*, 1974 (une approche socio-psychanalytique); H. Gougaud, *Nous voulons vivre en communauté*, 1971; R. Dinello, P. Meric, *Théorie et pratique de la vie en communauté*, 1972.

Sur les croyants et les « communautés de base » : B. Besret, B. Schreiner, *Les communautés de base*, 1973; P. Warnier, *Le problème des communautés de base*, 1973. — Sur la psychiatrie communautaire : J. Hochmann, *Pour une psychiatrie communautaire*, 1971; et sur l'antipsychiatrie, voir *supra*, p. 452. — Sur la pédagogie communautaire : A. S. Neill, *Libres enfants de Summerhill*, tr. 1970, rééd., 1973; J. R. Schmid, *Le maître camarade et la pédagogie libertaire*, tr. 1973; E. Freinet, *Naissance d'une pédagogie populaire*, 1972; M. Lodi, *L'enfance en liberté*, 1971; R. Skidelsky, *Le mouvement des écoles nouvelles anglaises*, 1972.

D'Ivan Illich, lire : *Une société sans école*, tr. 1971; *La convivialité*, 1973; et *Energie et équité*, 1973 (réflexion sur la crise de l'énergie). — Sur I. Illich, voir deux numéros d'*Esprit* : « *Illich en débat* » (mars 1972) et « *Avancer avec Illich* » (juillet-août 1973). Voir aussi *Frontières* (cahiers du CERES), sept. 1973. Sur l'autogestion : P. ROSANVALLON, *L'Age de l'autogestion,* 1976.

— *Pour une contestation de la contestation :*

Z. BRZEZINSKI, *La révolution technétronique,* tr. 1971 (surtout le chapitre sur « La troisième révolution américaine », p. 241-268) ; d'une manière plus nuancée : A. SCHLESINGER Jr., *La crise de confiance. Les idées, le pouvoir et la violence en Amérique,* tr. 1970, et R. ARON, *La révolution introuvable,* 1968 (sur mai 1968 en France).

La crise française de mai-juin 1968.

Dans tout le monde, 1968 fut l'année de la contestation : troubles universitaires à Berkeley et Columbia (Etats-Unis) ; à Berlin, où, sous l'influence du leader des étudiants socialistes RUDI DUTSCHKE (dont on peut lire les *Ecrits politiques,* tr. 1968), apparaissent les premières banderoles Marx-Mao-Marcuse et la première Université critique ; à Rome ; et aussi dans les pays de l'Est, à Belgrade, Prague et Varsovie où les étudiants se révoltent, au nom même du socialisme, contre une société bureaucratique et répressive.

Mais c'est surtout à Paris, en mai et juin 1968, que la contestation étudiante atteint sa plus forte intensité (sur le fil des événements sociaux et politiques : J. FERNIOT, *Mort d'une révolution,* 1968 ; P. ALEXANDRE, *L'Elysée en péril,* 1969 ; A. DANSETTE, *Mai 1968,* 1971 ; et pour un résumé succinct R.-G. SCHWARTZENBERG, *La Guerre de succession,* 1969, p. 9-18).

Plus de 120 livres ont été publiés sur ces événements de mai-juin 1968. Les interprétations sont donc abondantes et diverses (cf. P. BÉNÉTON, J. TOUCHARD, « Les interprétations de la crise de mai-juin 1968 », *R.F.S.P.* juin 1970, p. 503-544). Pour la commodité, on peut surtout discerner quatre grands types d'interprétations, selon que l'accent se trouve mis sur la crise *universitaire,* sur la crise *culturelle,* sur la crise *sociale* ou, enfin, sur la crise *politique.*

I. LA CRISE UNIVERSITAIRE. — Mai 1968 est une crise qui éclate d'abord et surtout en milieu étudiant. Plusieurs auteurs ont donc mis l'accent sur cette crise de l'Université.

a) *La rigidité des structures universitaires.* — Premier thème, proche du lieu commun et parfois de l'idée reçue, l'archaïsme et la rigidité des structures universitaires, héritées de l' « Université napoléonienne ».

Centralisme, c'est-à-dire uniformité, contrôles inhibants, absence d'autonomie. *Rigidités verticales,* c'est-à-dire cloisonnement entre Facultés et disciplines. *Rigidités horizontales,* c'est-à-dire coupure, au sein d'une même faculté, entre « haut clergé » (professeurs) et « bas-clergé » (maîtres-assistants et assistants).

Deux ans avant, ce procès des structures universitaires avait déjà été instruit au *Colloque de Caen,* en novembre 1966, qui avait abondamment débattu l'autonomie, la suppression des chaires et la création d'universités pluridisciplinaires et diversifiées, qui ne soient pas soumises à un même modèle uniforme. C'est, à l'avance, toute la future doctrine de la loi d'orientation de l'enseignement supérieur du 12 novembre 1968.

b) *Marginalité sociale et anomie des étudiants.* — Second problème plus important, mais non résolu à ce jour : celui de la « marginalité sociale » des étudiants. La *composition* de la population étudiante s'est, en effet, profondément modifiée : 30 000 étudiants en 1900-1901, 135 000 en 1950-1951; 395 000 en 1965-1966; 508 000 en 1967-1968, 587 000 en 1968-1969. Le *nombre* des étudiants a donc quadruplé en quinze ans.

Avec une répartition inégalitaire selon les disciplines : puisque plus du tiers des étudiants, soit près de 200 000, sont inscrits dans les Facultés de Lettres dont les débouchés professionnels sont limités. De surcroît, à l'intérieur de ces Facultés, la sociologie et la psychologie exercent de plus en plus d'attrait, alors qu'elles n'offrent que des débouchés aléatoires.

Aléas particulièrement redoutables pour des étudiants qui n'appartiennent plus à la bourgeoisie. Car la structure sociale de la population étudiante s'est sensiblement modifiée depuis une quinzaine d'années.

Raymond Boudon (*La crise universitaire française : essai de diagnostic sociologique, les Annales,* mai-juin 1969) le souligne : « De façon indéniable entre l'avant-guerre et 1950, et de façon relativement brutale ensuite, on est passé *d'une Université « bourgeoise » à une Université dominée par les classes moyennes.* »

Pour une population étudiante de ce type, *l'insécurité dans les études et dans les débouchés* est particulièrement grave. Or, cette insécurité s'accroît. Raymond Boudon écrit : « Un étudiant qui rentre en Faculté a un peu plus d'une chance sur deux d'en sortir muni d'un diplôme après une scolarité d'une longueur « normale »... Il en résulte qu'une proportion croissante d'étudiants est exposée à une *situation d'anomie :* non seulement l'image qu'ils peuvent avoir de leur condition à la sortie de l'Université est floue, mais les cours et la durée des études sont largement indéterminés. »

Il poursuit : « Risque élevé d'échecs, de piétinement, de régression sociale pour les uns, de difficultés d'accéder à un emploi correspondant à 4 ou 5 années d'enseignement supérieur pour les autres... Le jeu incontrôlé des mécanismes sociaux a ainsi conduit à une *dégradation considérable de la situation étudiante.* »

c) *La condition étudiante.* — Dégradation de la condition étudiante, dont la peinture la plus sombre se trouve dans la brochure *situationniste,* publiée dès novembre 1966, et qui s'intitulait « *De la misère en milieu étudiant considérée sous ses aspects économique, politique, psychologique, sexuel et notamment intellectuel et de quelques moyens pour y remédier* ».

Dégradation et aussi injustice. Puisque, selon l'analyse des sociologues, Pierre Bourdieu et Jean-Claude Passeron, intitulée *Les Héritiers* (Editions de Minuit, 1964), les jeunes gens originaires de milieux aisés ont beaucoup plus de chances de faire des études supérieures et de réussir dans celles-ci que les jeunes gens des classes défavorisées.

Pourquoi ? Parce que l'enseignement supérieur aurait « pour fonction objective de *sanctionner par l'examen l'appartenance à la classe cultivée* ». Les programmes d'enseignement et les méthodes d'examen « favorisent inconsciemment certaines catégories et certains groupes ».

L'égalité des étudiants se heurte non seulement aux *obstacles économiques* (les chances d'accès à l'enseignement supérieur sont très inégales selon la classe sociale d'appartenance), mais aussi à des *obstacles culturels.* En effet, les habitudes et les dispositions culturelles sont surtout héritées du milieu d'origine, par osmose. Or, l'Université ignore délibérément cette « *hérédité culturelle* », ces inégalités initiales devant la culture. Elle se refuse à prendre en considération ces différences d'aptitudes, liées à l'origine sociale.

La recherche de l'égalité réelle consisterait à enseigner à l'Ecole le savoir-faire, les « trucs » culturels des classes favorisées et à fonder la notation sur les progrès réalisés. Au contraire, l'Université pratique l' « *égalité formelle* » : tous les étudiants sont réputés égaux devant l'examen ou le concours, qui transforme le privilège culturel en « mérite ».

On fait peu de cas de l'élève « sérieux » ou « travailleur ». A ce tâcheron, on préfère l'élève doué ou brillant. « *Idéologie charismatique* » qui privilégie les « dons », c'est-à-dire en fait les aptitudes *héritées* du milieu familial et social.

Réquisitoire contre *le mythe de la méritocratie.* L'apparence de la méritocratie dissimule la réalité de l'héritage culturel. Les étudiants sont inégaux devant la culture et l'Université veut l'ignorer. Réquisitoire contre « la transmission des privilèges que le régime traditionnel des examens et des concours ne fait, malgré l'apparence, que reconduire indéfiniment ».

Cette thèse, mettant l'accent sur la transmission héréditaire — et donc inégalitaire — des privilèges culturels, sera reprise et détaillée en 1970 dans un nouveau livre, symboliquement intitulé *La Reproduction.*

d) *L'Université et la culture établie.* — D'une manière plus générale, l'Université semble diffuser la culture établie et former les cadres de la « société de consommation ». D'où la tentative d'inverser le phénomène, de transformer l'Université en *bastion de l'imagination révolutionnaire,* en *foyer d'une contre-culture,* qui sera l'antithèse de la culture établie de la société industrielle avancée. Au lieu de former les cadres dociles de cette société, l'Université formera alors des *réfractaires.* Cette prise de l'Université est d'autant plus tentante que les traditions de tolérance, de libéralisme et l'existence de franchises universitaires la facilitent. La révolution universitaire sera la première étape d'une révolution culturelle (cf. COHN-BENDIT, *Le gauchisme, remède à la maladie sénile du communisme,* 1968, p. 39 et s.).

II. — LA CRISE CULTURELLE. — Avec une sévérité toute tocquevillienne, on peut, comme RAYMOND ARON (*La révolution introuvable,* 1968), parler de « psychodrame », de « tragi-comédie » ou d' « accès de fièvre ». Fête ludique et défoulement collectif : les Français de 1968 ont « joué » la révolution, comme leurs ancêtres de 1848 « jouèrent » la révolution de 1789. Il reste que mai 1968 est, d'abord et essentiellement, une « révolution culturelle », résultat d'un « malaise dans la civilisation » post-industrielle.

EDGAR FAURE, alors ministre de l'Agriculture, déclarait en mai 1968 : « Les événements actuels traduisent une crise qui n'est strictement ni universitaire, ni économique, ni sociale. Il s'agit d'une *crise spirituelle* dont l'origine doit être définie dans les bouleversements que connaît notre époque... Le bouleversement que subit notre société, notamment sous l'effet des progrès technologiques, pose pour chacun *le problème de la signification de la vie,* et pour tous celui *du type de société* » (cité par J.-R. Tournoux, *Le mois de mai du général,* 1969, p. 121).

Le 20 juin 1968, André Malraux expliquait de même : « Les revendications les plus légitimes des étudiants ne nous masquent pas que leur problème est international. Il appartient, lui, à l'histoire... Nous ne sommes pas en face de besoins de réforme, mais en face d'une des crises les plus profondes que la *civilisation* ait connues » (R.T.L., 20 juin 1968).

Pour Jean-Marie Domenach, l'inspiration centrale du mouvement de mai, c'est « *l'attaque d'une société répressive et absurde* ». « Il n'est pas né d'une classe sociale, ni d'un peuple opprimé. Il visait moins un régime qu'une prétendue civilisation. » (« Les retombées », *Le Monde* du 20 décembre 1968). « Ce qui a commencé, c'est *l'invention d'un style de vie...* L'Europe s'arrache à son engourdissement et retrouve sa passion oubliée : *changer la vie* » (*Esprit,* juin-juillet 1968, p. 965-969).

Maurice Clavel, qui reprendra bientôt ses analyses dans *Qui est aliéné ?* (1970), écrivait, dès le 28 mai 1968, dans *Combat :* « Cette révolution est d'abord *spirituelle. L'esprit se venge.* Etudiants, jeunes ouvriers demandent à *changer la vie.* » Insurrection de l'esprit, *révolution de l'être contre civilisation de l'avoir.*

Prise de conscience, qui se traduit, contre le discours académique, par une « prise de parole ». C'est le titre du livre de Michel de Certeau, *La prise de parole* (1968) : « En mai dernier, on a pris la parole comme on a pris la Bastille en 1789. »

Dans leur livre, *La Brèche* (Fayard, 1968), Edgar Morin, Claude Lefort et Jean-Marie Coudray voient dans mai 1968 « une sorte de *1789 socio-juvénile* qui accomplit *l'irruption de la jeunesse* comme force politico-sociale, et de quelque chose de nouveau qu'apporte la jeunesse... L'avant-garde étudiante fait fonction d' « intelligentsia » dirigeante d'une jeunesse qui s'est mise en mouvement dans tous les secteurs. »

Deux ans plus tard, dans son *Journal de Californie* (décembre 1970), sous le sous-titre « *La révolution juvénile* », Edgar Morin écrit :

« La crise de l'adolescence coïncide avec la crise de la société et la crise de l'humanité... D'ici je vois bien nettement maintenant le feu central de mai 1968 : Certeau, et non Touraine, a raison : c'est la *révolution culturelle* et non l'acte de baptême de la nouvelle classe des ingénieurs. (A propos, on peut lire en gras sur la couverture du livre de Mallet : « La nouvelle classe ouvrière, fer de lance de mai 1968 »; un an après, il a complètement oublié que le « fer de lance » était étudiant). »

C'est qu'en effet, au fil des semaines, les thèmes de la contestation étudiante, souvent empruntés à W. Reich et à Marcuse, se trouvent peu à peu supplantés par des thèmes *quantitatifs* et non plus qualitatifs. *La lutte des cultures se résorbe en lutte des classes.* Le phénomène coïncide avec la *reprise en charge du mouvement* — « sauvage », spontané, à l'origine — *par les organisations politiques et syndicales traditionnelles.* L'explosion de Nanterre débouche sur les accords de Grenelle. D'où une troisième série d'interprétations insistant sur l'aspect crise sociale des événements de 1968.

III. — La crise sociale. — Crise sociale, mais d'un type nouveau. Professeur de sociologie à Nanterre, Alain Touraine (*Le mouvement de mai ou le communisme utopique,* Seuil, 1968; *La Société post-industrielle,* Denoël, 1969), voit dans le mouvement de mai la première manifestation de conflits sociaux d'un type nouveau, caractéristiques de la société « programmée » :

« Le mouvement de mai est *une forme nouvelle de la lutte des classes. Le conflit présent n'est pas de nature directement économique;* il ne met pas en jeu l'opposition des détenteurs personnels du profit et des salariés réduits par l'exploitation à un niveau de vie minimum... Les étudiants français, comme ceux de Berlin et de Berkeley, sont entrés en lutte contre des appareils d'intégration, de manipulation et d'agression. Le conflit est donc *social, culturel et politique* plus que spécifiquement économique. La lutte n'a pas été menée contre le capitalisme, mais d'abord contre la technocratie. »

Le mouvement de mai dessine un nouveau type de conflit social, dont les enjeux sont moins les intérêts économiques que le *pouvoir de décision.* Les acteurs n'en sont plus la bourgeoisie et la classe ouvrière, mais de nouvelles catégories socio-professionnelles :

« L'acteur principal du mouvement de mai ne fut pas la classe ouvrière, mais l'ensemble de ceux qu'on pourrait nommer *les professionnels,* qu'ils possèdent effectivement une profession ou qu'ils soient encore en apprentissage : étudiants, journalistes de l'O.R.T.F., techniciens des bureaux d'étude, chercheurs du secteur public ou du secteur privé, enseignants, etc. *La nouvelle lutte des classes oppose le plus directement les techno-bureaucrates aux professionnels.* »

Peut-on vraiment, avec Touraine, parler d'une nouvelle classe sociale — celle des « professionnels » — et, par conséquent, d'une « nouvelle lutte des classes » ? Le propos est peut-être excessif. Il a, cependant, le mérite de souligner un fait nouveau : le ralliement des techniciens, des ingénieurs et des cadres, souligné aussi par Serge Mallet.

Ralliement qui a sans doute inspiré les analyses de Roger Garaudy sur « *le nouveau bloc historique* » (l'expression est empruntée à Gramsci), sur la nouvelle alliance révolutionnaire que forment le prolétariat, d'une part, les ingénieurs, techniciens et cadres, d'autre part (*Peut-on être communiste aujourd'hui ?,* et *Pour un modèle français du socialisme,* 1968).

IV. La crise politique. — Comme les appareils syndicaux, les appareils politiques traditionnels reprennent en charge le mouvement de mai. Au demeurant, pour plusieurs observateurs, la survenance de ce mouvement provient, en partie, d'un mauvais fonctionnement des structures politiques. En ce sens, dans *Le Figaro* du 5 juin 1968, Raymond Aron soulignait *la responsabilité des institutions de la Ve République :* abus de la centralisation, étouffement du parlement, effacement de tous les corps intermédiaires. Dès lors une *crise du régime* était prévisible. Reprenant cette analyse dans *La révolution introuvable* (1968) Raymond Aron remarque : « Le régime gaulliste a poussé jusqu'à l'absurde de la mise en question du régime tout entier par n'importe quel accident ou incident » (p. 97).

Analyse inverse dans la majorité : si crise du régime il y eut, celle-ci ne résulta point d'une génération spontanée, mais d'une entreprise de subversion délibérée. C'est la *thèse du complot,* soutenue par *M. Pompidou* pendant la campagne électorale de juin 1968.

« Au début, *des groupes de subversion professionnels,* des enragés, des exaltés, des anarchistes entraînent sous le couvert de la solidarité des jeunes et des étudiants. Et puis *l'appareil d'un parti totalitaire* est entré en jeu, cherchant à son tour à s'emparer de la rue, arrêtant l'activité économique, paralysant la vie et, pour finir, réclamant ouvertement le pouvoir » (Allocution radiotélévisée du 12 juin 1968, *Le Monde* 14 juin 1968).

Réquisitoire contre les « groupes révolutionnaires » repris par le nouveau ministre de l'Intérieur, M. RAYMOND MARCELLIN, dans son livre publié en 1969, *L'ordre public et les groupes révolutionnaires.*

Thèse bien aléatoire, qui prête aux divers « groupuscules » une cohésion d'action qu'ils furent loin de pratiquer, et qui attribue au parti communiste une attitude qui ne fut pas la sienne : en mai 1968, loin de favoriser « l'entreprise de subversion » des « groupes révolutionnaires », le P.C.F. a « objectivement » contribué à défendre l'ordre institutionnel.

Finalement, après la dissolution décrétée le 30 mai, les élections législatives des 23 et 30 juin voient le triomphe de la majorité sortante. A elle seule, l'U.D.R. dépasse la majorité absolue à l'Assemblée. Après la disgrâce inattendue de M. Pompidou et son remplacement à Matignon par M. Couve de Murville, le général de Gaulle reprend le projet référendaire, abandonné en mai 1968. Et ce seront l'échec du 27 avril 1969 (cf., pour une critique de ce référendum : R.-G. SCHWARTZENBERG, « Révolution dans l'évolution », *Le Monde* du 2 avril 1969), la démission du général de Gaulle et l'élection présidentielle des 1er et 15 juin 1969. Qui voit, au premier tour, l'échec des candidats se réclamant plus ou moins nettement des thèmes contestataires, comme MM. Rocard et Krivine, qui n'obtiennent respectivement que 3,61 % et 1,05 % des suffrages exprimés, et, au second tour, la victoire de M. Pompidou sur M. Poher. (Sur ces élections présidentielles de 1969 : R.-G. SCHWARTZENBERG, *La guerre de succession,* P.U.F., 1969.)

Pluralité des interprétations et pluralité des crises. — Avec un pareil bilan, la contestation révolutionnaire n'annonce pas nécessairement un profond bouleversement des structures. Elle peut, au contraire, en devenir un élément d'équilibre. La masse de la population, classe ouvrière comprise, reste intégrée dans la « société de consommation » et ne souhaite pas réellement s'en évader. Cependant, elle n'est pas vraiment heureuse dans cette univers déshumanisé et technicisé. Quelqu'un doit donc incarner *la protestation de « la conscience malheureuse »* contre cette culture « répressive ». Dans une telle situation, les révoltes des groupes marginaux peuvent, au moins, servir d'*exutoire* à cette insatisfaction, à ce malaise, à condition de ne pas outrepasser certaines bornes, de ne pas menacer effectivement les bases de la société.

L'agitation étudiante et les manifestations extra-parlementaires joueraient ainsi un rôle de *catharsis,* de purgation des passions, comme les saturnales antiques : *ruptures superficielles et provisoires* avec des contraintes sociales, dont elles garantissent finalement le maintien. La contestation serait moins une alternative politique, qu'un épisode ludique. En d'autres termes, par ses excès mêmes, ce dissensus contestataire ne mettrait pas en péril le consensus social. Pronostic difficile, comme tout pronostic sur les effets des « minorités agissantes ».

En tout cas, *un an après mai 1968*, la campagne présidentielle de mai-juin 1969 s'est faite sur des *thèmes politiques d'un extrême classicisme*, au moins pour les candidats arrivés en tête, c'est-à-dire MM. Pompidou, Poher, Duclos et Defferre, qui totalisent 94,04 % des suffrages exprimés. Un an après, mai 1968 semblait bien oublié : lutte *dans* le régime et non *sur* le régime. Le consensus avait résisté; l'intégration avait repris le dessus. Quitte à annexer, à « *récupérer* » après coup quelques thèmes de mai 1968 (cf. *supra*, p. 443).

Le déroulement même des « événements » de mai-juin 1968 rendait cette issue prévisible. Car la *pluralité des interprétations* correspond bien à une *pluralité des crises*. Ou plutôt à la *succession en chaîne* de crises s'engendrant l'une l'autre. La crise *culturelle* provoque une crise *universitaire*. A celle-ci s'ajoute bientôt une crise *sociale* (grèves, occupations d'usines, etc.). Et, finalement, une crise *politique*. Ces deux dernières étant justiciables d'une *thérapeutique traditionnelle*, d'une stratégie fondée sur les mécanismes classiques (syndicats et partis) : accords de Grenelle (pour la crise sociale) et nouvelles élections législatives (pour la crise politique).

L'ensemble est lié. A partir du moment où la crise culturelle s'enlisait dans une crise universitaire, puis se résorbait dans une crise sociale (fondée surtout sur des revendications quantitatives), et enfin dans une crise politique (débouchant sur les élections), le régime était sauf. D'autant qu'au sein du mouvement gauchiste les initiateurs (Mouvement du 22 mars nanterrois) se trouvaient dépassés par des organisations moins « spontanéistes » (Fédération des Etudiants Révolutionnaires, Jeunesse Communiste Révolutionnaire, Union des Jeunesses Communistes Marxistes-Léninistes), luttant moins pour « changer de vie » que pour changer l'Etat. Et dont certains excès ont contribué à provoquer un choc en retour dans l'opinion, puis dans l'électorat. Dès lors, mai 1968, commencé en *lutte des cultures*, continué en *lutte des classes*, finissait en *lutte des partis*. Sur un terrain classique.

— *Sur la crise universitaire :*

EPISTEMON, *Ces idées qui ont ébranlé la France*, 1968 (par un professeur de psychologie sociale à Nanterre); R. BOUDON, « La crise universitaire française : Essai de diagnostic sociologique », *Les Annales*, mai-juin 1969; A. PROST, *L'enseignement en France. 1800-1967*, 1968; P. BOURDIEU, J.-C. PASSERON, *Les héritiers*, 1964, et *La reproduction*, 1970; le texte de la brochure situationniste *De la misère en milieu étudiant* se trouve reproduit dans R. VIENET, *Enragés et situationnistes dans le mouvement des occupations*, 1968 (p. 219-243); A. SCHNAPP, P. VIDAL-NAQUET, *Journal de la Commune étudiante*, 1969; N. BISSERET, *Les inégaux ou la sélection universitaire*, 1974; C. BAUDELOT, R. ESTABLET, *L'école capitaliste en France*, 1971; J.-P. et C. BACHY, *Les étudiants et la politique*, 1973.

— *Sur la réforme universitaire :* les rapports et les conclusions du Colloque de Caen (nov. 1966) publiés dans la *Revue de l'Enseignement supérieur*, 1966, n° 4, et E. FAURE, *Ce que je crois*, 1971 (la genèse de la loi d'orientation).

A titre de transition, l'exposé d'O. GUICHARD, ministre de l'Education nationale à l'Assemblée, le 8 juin 1971 : « La crise de l'éducation est une donnée... S'il est vrai que la fonction de l'éducation a toujours été d'intégrer la jeunesse à l'univers des adultes, il faut reconnaître que notre société est bien en peine de concevoir l'éducation des jeunes, parce qu'elle ne sait pas à quoi les intégrer... Nous vivons dans une sorte de vide idéologique et, au risque de choquer, je dirai que la *révolution culturelle* n'est plus à faire — elle est derrière nous — et notre problème est d'y survivre » (*Le Monde* du 9 juin 1971). — Sur la réforme : C. DEBBASCH, *L'Université désorientée, Autopsie d'une mutation*, 1971.

— *Sur la crise culturelle :*

E. MORIN, C. LEFORT, J.-M. COUDRAY, *La brèche*, 1968; M. DE CERTEAU, *La prise de parole*, 1968; M. CLAVEL, *Qui est aliéné ?* 1970; J. BESANÇON, *Les murs ont la parole*, 1968; R. ARON, *La révolution introuvable*, 1968; A. STEPHANE, *L'univers contestationnaire*, 1969 (ce pseudonyme collectif dissimule deux psychanalystes); G. MENDEL, *La révolte contre le père*, 1968, et *Le conflit de générations*, 1969 (pour une autre interprétation psychanalytique); R. VANEIGEM, *Traité de savoir-vivre à l'usage des jeunes générations*, 1968.

— *Sur la crise sociale :*

A. TOURAINE, *Le mouvement de mai et le communisme utopique*, 1968, et *La société post-industrielle*, 1969; A. BARJONET, *La révolution trahie*, 1968 (par un ancien dirigeant démissionnaire de la C.G.T.); G. SEGUY, *Le mai de la C.G.T.*, 1972; R. GARAUDY, *Peut-on être communiste aujourd'hui ?*, 1968, et *Pour un modèle français du socialisme*, 1968 (par un ancien dirigeant exclu du P.C.F.), W. ROCHET, *L'avenir du P.C.F.*, 1969 (vu par son secrétaire général); Y. GUIN, *La Commune de Nantes*, 1969 (un point de vue « gauchiste » sur une grève « sauvage »); J.-M. LEUWERS, *Un peuple se dresse, Luttes ouvrières, mai 1968*, 1969.

— *Sur la crise politique :*

R. ARON, *La révolution introuvable*, 1968; A. FONTAINE, *La guerre civile froide*, 1969; A. DANSETTE, *Mai 1968*, 1971; WALDECK ROCHET, *Les enseignements de mai-juin 1968* (par le chef du P.C.F.); F. MITTERRAND, *Ma part de vérité*, 1969 (p. 83-116 : l'analyse du président de la F.G.D.S.); P. MENDÈS-FRANCE, *Pour préparer l'avenir*, 1968; J.-J. SERVAN-SCHREIBER, *Le réveil de la France*, 1968, et la thèse du complot subversif, vue par R. MARCELLIN, *L'ordre public et les groupes révolutionnaires*, 1969, et par F. DUPRAT, *Les journées de mai 1968, les dessous d'une révolution*, 1968.

Enfin, pour l'analyse de mai 1968 par ses initiateurs : J. SAUVAGEOT, A. GEISMAR, D. COHN-BENDIT, J.-P. DUTHEUIL, *La Révolte étudiante*, 1968, et COHN-BENDIT, *Le gauchisme, remède à la maladie sénile du communisme*, 1968; D. BENSAÏD, H. WEBER, *Mai 1968, une répétition générale*, 1968 (par deux trotskystes de la J.C.R.); MOUVEMENT DU 22 MARS, *Ce n'est qu'un début, continuons le combat*, 1968.

TROISIÈME PARTIE

ORGANISATIONS POLITIQUES

Les pages précédentes ont tenté de saisir les divers *systèmes politiques* du réel dans leurs traits généraux. Comme des ensembles, des totalités, requérant — d'abord — une observation synthétique. A présent, il s'agit d'examiner les composantes internes de ces systèmes.

Quels sont les *éléments* principaux, dont l'assemblage constitue un système politique ? Quelles sont les *pièces* essentielles, dont se compose un ensemble politique ?

Là encore, le niveau de développement fait varier l' « autonomie des sous-systèmes » et la différenciation des infrastructures » (*supra*, p. 231). Mais partout, quel que soit leur degré d'indépendance et de spécialisation, *les partis politiques* (chap. I) et *les groupes de pression* (chap. II) sont les principales organisations qui animent le jeu politique.

Ce sont ces *organisations politiques* qu'il faut maintenant observer.

CHAPITRE PREMIER

LES PARTIS POLITIQUES

Avant d'analyser les divers types de partis et de système de partis, il convient de préciser l'originalité du phénomène partisan.

SECTION I
LE PHÉNOMÈNE PARTISAN

La *notion* de parti politique se définit plus complètement en examinant l'*origine* et les *fonctions* des partis. Dans cet examen, diverses *approches* peuvent être utiles.

§ 1. — LA NOTION DE PARTI

Il importe de distinguer les partis des autres organisations qui animent le jeu politique. En adoptant une définition fondée sur des éléments précis.

La définition du parti politique selon LaPalombara et Weiner. — Aux premières pages de *Political Parties and Political Development* (Princeton, 1966, p. 5-7), Joseph LaPalombara et Myron Weiner donnent du parti politique moderne une définition, qui se fonde sur la réunion de quatre critères.

Leur définition requiert :

« 1° Une organisation durable, c'est-à-dire une organisation dont l'espérance de vie politique soit supérieure à celle de ses dirigeants en place;

2° Une organisation locale bien établie et apparemment durable, entretenant des rapports réguliers et variés avec l'échelon national;

3° La volonté délibérée des dirigeants nationaux et locaux de l'organisation de prendre et d'exercer le pouvoir, seuls ou avec d'autres, et non pas — simplement — d'influencer le pouvoir;

4° Le souci, enfin, de rechercher un soutien populaire à travers les élections ou de toute autre manière. » (J. LaPalombara, M. Weiner, « The Origin and Development of Political Parties », in J. LaPalombara, M. Weiner, ed., *Political Parties and Political Development*, Princeton, 1966, p. 6, tr. J. et M. Charlot, in J. Charlot, *Les Partis politiques*, 1971, p. 22).

1° Le premier critère — *la continuité de l'organisation* — permet de distinguer les partis et les simples clientèles, factions, cliques ou camarillas, qui, elles, disparaissent avec leurs fondateurs et animateurs. Cependant, un parti peut être fondé par un chef charismatique et parvenir à s' « institutionnaliser », à survivre à son initiateur (cas de U.D.R.-R.P.R. après de Gaulle).

2° Le second critère — une *organisation complète jusqu'au niveau local inclus* — singularise le parti par rapport au simple groupe parlementaire. Ce dernier, en effet, n'existe qu'au niveau national sans posséder un système complet et permanent de relations avec des unités de base situées au niveau local. Ainsi, avant 1901, s'il existe bien un radicalisme parlementaire, il n'existe pas encore de parti radical, faute d'une structuration entre les élus, les comités et les sociétés de pensée se réclamant du radicalisme.

3° Le troisième critère — *la volonté d'exercer le pouvoir* — différencie les partis des groupes de pression. Les partis ont pour objectif direct de s'emparer du pouvoir ou de participer à son exercice : ils cherchent à obtenir des sièges aux élections, à figurer au parlement, à participer au gouvernement, voire à le diriger. Sans oublier les partis révolutionnaires, qui comptent conquérir le pouvoir, en renversant le système en place. En revanche, les groupes de pression ne visent point à conquérir eux-mêmes le pouvoir : ils cherchent simplement à exercer une influence sur les détenteurs du pouvoir, à faire « pression » sur eux : d'où leur nom.

En un mot, les partis recherchent le pouvoir; alors que les groupes de pression cherchent à agir sur le pouvoir, à l'influencer, tout en lui demeurant extérieur.

Il conviendrait, d'ailleurs, d'ajouter un élément supplémentaire à ce critère distinctif. En effet, les partis reposent sur une *solidarité générale*. Ils luttent pour telle ou telle conception de la société globale. En revanche, les groupes de pression se fondent sur des solidarités particulières. Ils agissent moins pour la promotion de telle ou telle conception de l'intérêt général, que pour la défense d'intérêts particuliers : intérêts des travailleurs, du patronat, du monde agricole, etc.

4° Le quatrième et dernier critère — *la recherche d'un soutien populaire,* spécialement par le canal des élections — permet, enfin, d'opposer les partis aux clubs. Même politiques, les clubs ne participent pas aux élections et à la vie parlementaire. Les clubs ne sont pas des partis : ils font pression sur les partis, le gouvernement, l'opinion.

Cependant, cette frontière n'est pas infranchissable : un club peut être tenté par l'action politique directe et se transformer en parti (comme l'a fait la Convention des Institutions Républicaines, fondue depuis juin 1971 dans le Parti socialiste). De même, un groupe de pression peut être tenté de s'allier organiquement à un parti, voire de provoquer la formation d'un parti (cas du Labour Party).

Au total, la définition de LaPalombara et Weiner s'avère donc très opératoire. Un parti politique est une organisation durable, agencée du niveau national au niveau local, visant à conquérir et à exercer le pouvoir, et recherchant, à cette fin, le soutien populaire. Ainsi défini, le parti politique est une réalité relativement récente : il n'apparaît que dans le courant du XIXe siècle — et surtout dans sa seconde moitié —, une fois atteint un certain palier de développement socio-économique et politique.

§ 2. — L'ORIGINE DES PARTIS

L'apparition des partis modernes. — En effet, au sens où l'entendent justement LaPalombara et Weiner, le parti moderne date du siècle dernier.

En Angleterre, il n'apparaît véritablement qu'avec la réforme électorale de 1832 et l'organisation locale, à l'initiative des libéraux, de sociétés pour l'inscription des électeurs (registration societies) sur les listes électorales. Aux Etats-Unis, c'est à l'époque de Jackson, vers 1830, que l'organisation des partis se développe jusqu'à la création de puissantes bases locales appuyées sur de larges couches populaires. En France et dans d'autres pays du continent européen, la transformation des cliques parlementaires et des clubs politiques en organisations de masses et liée à la révolution de 1848. Au Japon, premier pays d'Asie à importer les institutions occidentales, les partis n'apparaissent pas avant la nouvelle ère Meiji de 1867, voire même avant la première guerre mondiale.

La distinction de Maurice Duverger entre partis de création électorale et partis de création extérieure. — Dans son maître-livre *Les partis politiques* (1re éd. 1951, 7e éd. 1969, p. 1-16), M. Duverger propose une distinction majeure quant à *l'origine* des partis modernes.

1° Dans l'ensemble, les partis possèdent une *origine électorale et parlementaire.* Ils naissent et se développent avec la démocratie, c'est-à-dire avec l'extension des prérogatives parlementaires et du suffrage populaire.

Plus s'accroît le rôle des assemblées, plus les élus de même tendance sont tentés de se réunir pour agir de concert : d'où la formation de *groupes parlementaires.* Plus le droit de vote s'étend, plus il devient opportun de canaliser les suffrages : d'où l'apparition de *comités électoraux,* pour patronner des candidats et soutenir leurs campagnes.

Il restait à établir une liaison permanente entre ces deux éléments : en fédérant, à la base, les comités électoraux des élus, qui, au sommet, s'étaient réunis dans les mêmes groupes parlementaires. Ainsi furent créés les premiers partis politiques, par institution d'une coordination permanente et de *liens réguliers entre* ces deux cellules mères, *groupes parlementaires et comités électoraux.*

Historiquement, par conséquent, les partis modernes naissent de la promotion du parlement (qui rend nécessaire la formation de groupes parlementaires, réunissant les élus par affinités politiques) et de l'extension du droit de suffrage (qui provoque l'apparition de comités électoraux, encadrant les nouveaux électeurs). Comme le note Leon D. Epstein : « Il y a toute raison de croire que les partis politiques modernes sont apparus avec l'extension du droit de vote » (*Political Parties in Western Democracies,* Londres, 1967, p. 19). C'est particulièrement net en Grande-Bretagne, où s'affirme un système de partis moderne à mesure que se succèdent les réformes électorales de 1832, 1867 et 1885.

2° Cependant, certains partis ont été engendrés en dehors du mécanisme électoral et parlementaire. Ces partis qui possèdent donc une « *origine extérieure* », ces « partis de création extérieure », sont essentiellement établis par une institution préexistante dont l'activité propre se situe en dehors des élections et du parlement.

Divers sont les groupements et associations, les « organismes extérieurs », qui peuvent provoquer la naissance d'un parti. Parmi eux, il faut citer les *syndicats* (qui se trouvent à l'origine de plusieurs partis socialistes, et spécialement du Labour Party en 1899); les *sociétés de pensée* (la Fabian Society a participé, elle aussi, à la genèse du Labour

Party; diverses sociétés de pensée, se trouvent à l'origine du parti radical en France et de divers partis libéraux en Europe); les *groupements professionnels paysans* (générateurs de plusieurs partis agraires, en Scandinavie, en Europe Centrale, etc.); les Eglises et les *groupements religieux* (aux Pays-Bas, la scission de la tendance conservatrice en trois partis procède de divisions religieuses; en Italie, en Allemagne et en France, les associations religieuses, sinon les autorités ecclésiastiques elles-mêmes, ont contribué à l'essor des partis démocrates-chrétiens en 1945); les *associations d'anciens combattants* (que l'on trouve aux origines du parti fasciste italien et du parti national-socialiste allemand), les *groupements clandestins* ou secrets (en 1945, plusieurs mouvements de Résistance ont tenté de se transformer en partis); et, enfin, les *groupements industriels et financiers* — grandes entreprises, banques, syndicats patronaux, etc. (dont l'intervention semble se trouver à la source de beaucoup de partis de droite).

Malgré la diversité de leur origine, *ces partis de création extérieure présentent,* selon M. Duverger, *un ensemble de traits communs,* qui les distinguent des partis engendrés dans le cycle électoral et parlementaire : caractère plus centralisé, discipline et cohérence plus fortes, prépondérance non des élus mais des dirigeants internes et un peu de détachement, voire de défiance, envers le jeu parlementaire.

Le modèle de Maurice Duverger et les partis du Tiers-Monde. — Kenneth Janda a appliqué ce modèle à 277 partis dans le monde et en comparant la genèse des partis africains (72 partis étudiés) avec celle des partis du reste du monde (205 partis) d'après les catégories de M. Duverger. Ses recherches (K. Janda, *Information Retrieval,* Application to Political Science, Indianapolis, 1962) mettent en évidence deux points.

D'abord la nécessité d'ajouter aux deux catégories de M. Duverger une nouvelle catégorie : celle des partis nés — par fusion ou par scission — d'autres partis ou groupes de partis. Ensuite, *le faible pourcentage de partis africains d'origine parlementaire :* 1 sur 13, contre 1 sur 3 dans le reste du monde.

Autrement dit, le modèle de M. Duverger (construit autour de l'institution parlementaire et distinguant les partis nés en son sein et les partis créés en dehors d'elle, sinon contre elle) s'applique bien aux pays occidentaux, mais *correspond mal aux nouveaux Etats.* Dans les premiers, en effet, l'apparition des partis politiques modernes marque bien une étape nouvelle du processus du développement politique.

Il existait déjà des institutions représentatives et des protopartis (cliques, factions, clubs, etc.). Ensuite, l'extension des prérogatives parlementaires et du droit de suffrage provoque la création de partis modernes.

En revanche, dans beaucoup d'Etats du Tiers-Monde, cette maturation progressive n'intervient pas : les partis naissent en même temps que l'Etat, dans une sorte de vide institutionnel. Comme le notent J. LaPalombara et M. Weiner :

« Il existe bien des régimes coloniaux, qui avaient instauré des assemblées représentatives et, parfois même, un suffrage limité. Mais, même dans ces cas, les mouvements nationalistes ont souvent refusé d'agir à l'intérieur du système parlementaire... De plus l'hostilité de la plupart des régimes coloniaux aux tentatives nationalistes était telle que les mouvements d'émancipation nationale ont dû se réfugier dans la clandestinité... Enfin, il est des cas où les partis de masses apparaissent en l'absence de tout système colonial ou parlementaire » (*op. cit.*, p. 12-13).

Dès lors, faute souvent de cadre parlementaire au sein duquel les partis auraient pu progressivement apparaître, *la plupart des partis d'Afrique et d'Asie sont des partis de création extérieure*. Ici, « le parti politique est à la fois un effet et une condition de la poussée vers la modernisation » (*ib.*, p. 30). Son apparition suppose atteint un certain stade de *développement* économique — « passage de l'économie de subsistance à celle de marché » — et social — « début d'alphabétisation, moyens d'information et de transports, début d'homogénéisation sociale, par l'urbanisation notamment » (*ib.*, p. 21-22). Dans un tel contexte, les *fonctions* des partis seront évidemment plus étendues que celles assurées par les partis d'Europe ou des Etats-Unis au XIXe siècle.

§ 3. — LES FONCTIONS DES PARTIS

L'analyse des fonctions partisanes a précisément évolué à mesure que le champ de la réflexion s'étendait, et dépassait les pays occidentaux pour englober les nouveaux Etats. Dans ceux-là, en effet, les partis, nés du jeu électoral et parlementaire, assument essentiellement l'animation de ce jeu : ils continuent d'exercer des fonctions relativement limitées, bien discernées par l'analyse classique. Dans ceux-ci, en revanche, les partis remplissent des fonctions plus nombreuses et plus diverses : la différenciation des structures et des rôles étant encore restreinte, les partis sont, à la limite, omnifonctionnels.

La prise de conscience de cette réalité se trouve facilitée par l'analyse structuro-fonctionnelle et par l'analyse systémique, qui replacent légitimement les partis dans leur environnement, en les considérant comme les éléments d'un ensemble, d'un système, et non comme les simples pièces du jeu électoral et parlementaire.

L'analyse classique des fonctions partisanes. — En la matière, il existe maintenant en France un texte officiel : l'article 4 de la Constitution de 1958, qui dispose : « Les partis et groupements politiques *concourent à l'expression du suffrage.* Ils se forment et exercent leur activité librement. Ils doivent respecter les principes de la souveraineté nationale et de la démocratie. »

Cette formulation est très restrictive. Définir les partis comme concourant à l'expression du *suffrage,* c'est limiter leur rôle à la cristallisation de la volonté populaire au seul moment des élections. L'article 21 de la Loi Fondamentale de la République fédérale d'Allemagne, qui a partiellement inspiré les constituants de 1958, est plus large : « Les partis concourent à la formation et à l'expression de la *volonté politique.* »

En interprétant littéralement la formulation française, la fonction des partis ne dépasserait pas leur action *électorale.* Base théorique assez bien adaptée, naguère, à l'U.N.R., qui était plutôt un « parti d'électeurs » (*infra,* p. 515), qu'un parti de notables ou de militants. Mais base insuffisante pour une véritable animation du jeu et du débat politiques.

En effet, même selon l'analyse classique, les partis exercent, au moins, trois types de fonctions dans un régime représentatif : la formation de l'opinion, la sélection des candidats et l'encadrement des élus. Comme l'a noté Tocqueville, « les partis sont un mal inhérent aux gouvernements libres ».

A. — Formation de l'opinion

Les partis contribuent à créer ou à maintenir une conscience politique, en assurant l'information et la formation de l'opinion.

Ils assurent un *encadrement thématique,* doctrinal ou idéologique des électeurs et des candidats. Ils éclaircissent et alimentent le débat politique, en explicitant plus clairement les choix. Grâce à eux, l'électeur saura mieux de quelles idées, de quel programme se réclame tel ou tel candidat, et, donc, quelle action il mènera une fois élu.

Dès lors le vote cesse d'être un acte d'allégeance envers tel individu, il devient le choix de telle option politique. Cette *fonction de « programmation »* est essentielle. Elle *donne son vocabulaire au suffrage*. Sans elle, on verse dans les abus de la tradition représentative ou plébiscitaire; l'élection est un acte de foi, l'élu est un homme de confiance, l'électeur est le signataire d'un blanc-seing. Il s'en remet à un représentant qui, une fois élu, agira en toute indépendance, selon ce qu'il jugera être le mieux, en son âme et conscience. En caricaturant, on pourrait dire que, selon la dimension de la circonscription, l'élection est qualifiée de « représentative » ou de « plébiscitaire ».

Au contraire, les partis alimentent le jeu électoral en thèmes précis. Ils « concourent à l'expression du suffrage », en lui donnant son langage. Sans leur action, c'est soit la démission silencieuse de la tradition hyper-représentative, soit le langage sommaire de la huée ou de l'acclamation, c'est-à-dire le langage des plébiscites et des dictatures.

Les partis, eux, présentent des *options* franches, entre lesquelles les électeurs peuvent exercer un véritable choix. Ils rendent possible un choix plus clair au moment des élections.

Ce rôle est essentiel. L. Epstein (*op. cit.*, p. 77 et 261) l'a souligné, en partant de « *fonction programmatique* » et de « *structuration du vote* » : « Structurer le vote est la fonction minimum d'un parti politique dans une démocratie moderne... D'une manière ou d'une autre, les partis fournissent une base pour le choix électoral. »

En langage « fonctionnaliste », David E. Apter décrit ainsi cette activité fondamentale : « Une fonction primaire des partis politiques est de *structurer l'opinion publique* (to organize public opinion), de mesurer ses attitudes et de les transmettre aux responsables gouvernementaux et aux dirigeants, de sorte que gouvernés et gouvernants, l'opinion et le pouvoir, soient raisonnablement proches les uns des autres. Le principe du gouvernement représentatif repose tout entier sur ces rapports » (*The Politics of Modernization*, 5e éd., 1969, p. 181).

B. — Sélection des candidats

La plupart des candidats proposés aux électeurs sont désignés par les partis, qui participent ainsi activement à la fonction de *recrutement politique*. Certes, cette sélection du personnel politique peut donner lieu à certains vices oligarchiques.

Dans les partis de cadres, le système du « *caucus* », c'est-à-dire le choix par des comités de notables, risque d'aboutir à la formation d'une oligarchie cooptée. Depuis la fin du siècle dernier, les Etats-Unis ont réagi contre ce danger, en introduisant le système des élections « *primaires* » (où les candidats sont désignés par les électeurs).

Dans les partis de masses, la désignation des candidats est faite par des *congrès* nationaux ou locaux, auxquels les adhérents du parti participent directement ou indirectement.

Certes le système n'est pas sans inconvénient. Mais il a toujours un avantage majeur, souligné avec justesse par Maurice Duverger (*Les partis politiques*, 1re éd. 1951) :

« Le système permet de *constituer une classe dirigeante issue du peuple*, qui remplace les anciennes... La signification la plus profonde des partis politiques, c'est qu'ils tendent à la *création de nouvelles élites*. Tout gouvernement est *oligarchique* par nature : mais l'origine des oligarques et leur formation peuvent être très différentes. Il faut remplacer la formule « gouvernement du peuple par le peuple » par celle-ci : « *gouvernement du peuple par une élite issue du peuple* ». Un régime sans partis assure la pérennité *des élites dirigeantes issues de la naissance de l'argent* ou de la fonction... Un régime sans partis est nécessairement un régime conservateur... Historiquement, les partis sont nés quand les masses populaires ont commencé à entrer réellement dans la vie politique : ils ont formé le cadre nécessaire qui leur permettait de recruter en eux-mêmes *leurs propres élites*. Les partis restent toujours plus développés à gauche qu'à droite parce qu'ils sont toujours plus nécessaires à la gauche qu'à la droite. »

C. — Encadrement des élus

Enfin, les partis assurent l'encadrement des élus; et ce de deux manières complémentaires.

D'une part, ils maintiennent un contact permanent entre les élus et les électeurs. Les militants servent de relais entre les deux. Dans le sens descendant, ils expliquent aux électeurs l'activité parlementaire de l'élu, défendent ses décisions, font sa propagande. Dans le sens *ascendant,* ils informent l'élu des réactions, des désirs et des besoins des électeurs.

D'autre part, les partis assurent *l'encadrement parlementaire des élus.* L'indépendance et le « splendide isolement » de l'élu appartiennent à une époque révolue. Désormais un « groupe parlementaire » réunit les élus d'un même parti et assure la concertation entre eux. Le problème essentiel est alors celui de *la discipline de vote.* Il fonde la distinction des partis « souples » et des partis « rigides ». Un parti est dit *souple* quand ses élus ne sont pas astreints à voter tous de la même manière : chaque membre du groupe parlementaire vote comme bon lui semble. Au contraire, un parti *rigide* est celui qui impose une discipline de vote à ses membres (au moins dans les scrutins essentiels). La discipline de vote prévaut surtout dans les partis de gauche (communiste, socialiste) : mais certaines formations du centre et de la droite en sont venues à la pratiquer (Parti conservateur britannique, Union démocrate-chrétienne allemande, R.P.R. français, etc.).

La distinction des partis souples et des partis rigides coïncide partiellement avec celle des *partis de cadres* et des *partis de masses.* Mais partiellement seulement : car si tous les partis de masses sont rigides, certains partis de cadres le sont également (par exemple, en Grande-Bretagne, le parti conservateur).

Telles sont les fonctions principales des partis dans l'analyse classique, qui met donc fortement l'accent sur l'aspect électoral et parlementaire de l'activité partisane.

Les fonctions des partis selon Frank J. Sorauf. — D'une certaine manière, l'approche fonctionnelle chez Frank J. Sorauf (1) ne donne pas des résultats sensiblement différents. Mais elle présente le grand avantage de replacer le parti dans son environnement global.

Un parti remplit trois principales *fonctions* « manifestes » : la fonction électorale, la fonction de contrôle et d'orientation des organes politiques, et la fonction de définition et d'expression de « positions » politiques.

Pour Sorauf, la manière dont le parti exerce et combine ces fonc-

(1) Frank J. SORAUF, *Political Parties in the American System,* Boston, 1964; voir aussi sa contribution à l'ouvrage dirigé par W. N. CHAMBERS et W. D. BURNHAM, *The American Party Systems, Stages of Political Development,* New York, 1967.

tions dépend de l'*environnement* dans lequel il opère et auquel il répond et s'adapte. Dans cet environnement, Sorauf englobe une multitude d'éléments : les structures constitutionnelles, le système électoral, les « règles du jeu », les traditions et la culture politique, les structures économiques et sociales. C'est essentiellement la manière dont le parti assume ces fonctions qui détermine son organisation et sa *structure*.

Il existe donc une série d'effets : environnement → fonctions → structures. Comme le souligne le schéma ci-dessous (p. 486).

En d'autres termes, l'*environnement*, avec ses exigences et ses contraintes, engage le parti à assumer certaines *fonctions*. Et la manière dont il remplit lesdites fonctions modèle ses *structures*. Pour Sorauf, le parti est, dans son activité et ses conduites aussi bien que dans ses structures, une *réponse* à l'environnement.

Cette prise de conscience est fondamentale. Même si l'inventaire très limitatif des fonctions partisanes dressé par Sorauf s'applique beaucoup mieux aux partis américains qu'à certains partis européens très structurés et fortement idéologiques, pour qui la formation doctrinale des militants ou le travail d'organisation du parti, notamment, sont des fonctions très importantes. Sans parler des nombreuses autres fonctions assurées par les partis des pays en voie de développement.

L'omnifonctionnalisme des partis des pays en voie de développement. — Dans une société en voie de modernisation, où la spécialisation des rôles et des structures est encore réduite, les partis assument, en effet, une multiplicité de fonctions. Dans ces Etats nouveaux, faute d'institutions déjà fortement différenciées et bien établies (gouvernement, parlement, administration, armée, etc.), les partis sont amenés à exercer des fonctions beaucoup plus variées et étendues que dans les pays plus développés. David E. Apter (*The Politics of Modernization*, Chicago, 5e éd. 1969, p. 186-187) constate :

« Ici les partis de masses ont développé une *multiplicité de fonctions*, touchant à la justice, l'administration, la police, l'éducation et la sécurité sociale, qui s'ajoutent à leurs fonctions électorales et parlementaires traditionnelles. S'il s'agit de partis d'opposition à un régime colonial, cela peut vouloir dire que le parti constitue, en fait, un Etat parallèle. S'il s'agit d'un parti au pouvoir, cela peut signifier que s'estompe la distinction entre les fonctions et responsabilités du parti, d'une part, et celles du gouvernement et de l'administration, d'autre part. »

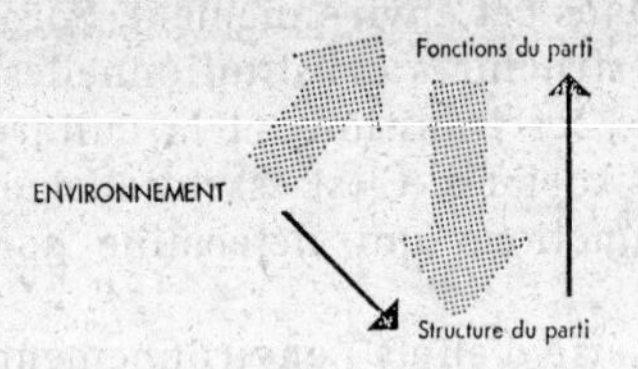

FIG. 1. Schema général des relations entre le parti et son environnement

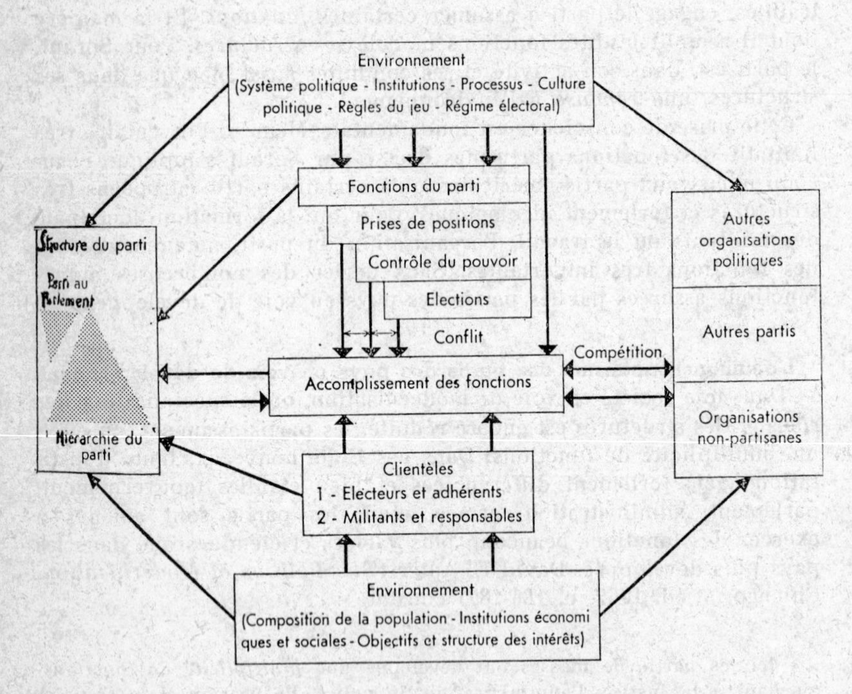

FIG. 2. **Le parti et son environnement : les relations internes**

Frank J. SORAUF, *Political Parties in the American System*, Boston, Little Brown and Co., 1964, pp. 157 et 159 (trad. George LAVAU, *Revue française de Science politique*, 1968, p. 449).

Dans une société en voie de développement, le parti constitue souvent l'instrument essentiel de la modernisation. Devenu *omnifonctionnel,* il se trouve impliqué dans de nombreuses activités. Leur nature et leur variété contrastent avec les activités des partis des pays développés et rappellent celles des partis totalitaires.

C'est, une nouvelle fois, souligner combien l'environnement marque le système partisan. D. E. Apter (*ib.*, p. 181-182) note ainsi :

« Une caractéristique essentielle des partis politiques, c'est que leur forme est déterminée par le cadre socio-politique d'ensemble de la société... En ce sens, les partis politiques sont des variables dépendantes. »

Les partis et la fonction agrégative selon G. Almond. — Cela dit — et Almond et Powell l'ont bien marqué dans *Comparative Politics* (Boston, 1966, p. 99) — même dans les systèmes développés, les partis remplissent des fonctions nombreuses et diverses : un parti politique moderne est « *multifonctionnel* ».

• Les partis participent aux fonctions d'*élaboration,* d'*application* et d' « *adjudication* » *des règles* (rule making, rule application, rule adjudication). En détenant ou en contrôlant les organes du pouvoir, ils participent à l'exercice de ces fonctions « gouvernementales ».

• Parmi d'autres groupes ou organes, les partis constituent des structures de *communication,* des canaux appropriés pour l'exercice de la fonction de communication.

• Ils contribuent aussi aux fonctions visant à « l'adaptation et au maintien du système », c'est-à-dire aux fonctions de *recrutement* et de *socialisation* politiques.

A cet égard, Almond et Powel distinguent entre deux types de socialisation politique assurés par les partis. Le premier vise à garantir la continuité, en renforçant la culture politique existante (ex. de la Grande-Bretagne ou des Etats-Unis). Le second vise à la modification des modèles de culture politique établis (ex. des partis socialistes en Europe au XIXe siècle, ou des partis des pays en voie de développement). Il ne s'agit plus alors de conforter les attitudes et les opinions politiques existantes, mais d'en inculquer de nouvelles.

L'activité du parti peut *façonner la culture politique dans chacune de ses trois dimensions :* cognitive, affective, évaluative. *Cognitive :* le parti est une source d'information sur les problèmes nationaux. *Affective :* la participation aux activités du parti accroît le sentiment d'appartenance à l'ensemble national; les symboles du « Parti » et du « Chef » satisfaisant des besoins émotionnels latents. *Evaluative :* le parti fournit à la fois les objectifs et les critères pour apprécier les réalités politiques ou économiques, propose une idéologie, engage les individus dans des systèmes de valeurs nouveaux ou confirmés, etc.

• Enfin — et surtout — les partis contribuent à deux « processus de conversion » fondamentaux : l'*articulation des intérêts* (en complétant ou en suppléant les groupes d'intérêts) et, bien plus encore, l'*agrégation des intérêts,* qui est la fonction essentielle des partis dans un système moderne (2).

Immergé dans le système social, le système politique recueille des « soutiens » et des « demandes », qu'il doit convertir en « décisions » et en « actions » pour répondre aux impulsions de son « environnement ». Ce processus comporte trois phases principales. D'abord, l' « *articulation* », la formulation des exigences spécialement par les divers groupes d'intérêts. Ensuite, leur « *agrégation* » par les partis politiques pour homogénéiser, harmoniser ces multiples revendications disparates, ainsi exprimées à l'état brut, et les transmuter en quelques options synthétiques. Enfin, sur ces bases, l'arrêt des choix définitifs (final *rule-making* choices) par les gouvernants.

En réduisant la multiplicité des exigences particulières à quelques objectifs collectifs, la fonction agrégative sert donc de plaque tournante entre la société et le pouvoir. Finalement, sans se trouver bloqués par l'amas des demandes catégorielles, les décideurs obtiennent une *vue globale des exigences initialement « articulées » par de nombreux groupes sociaux.* Ainsi le système politique accroît son efficacité et sa « capacité de réponse » aux impulsions du milieu.

Dans un système moderne, l'articulation des intérêts est assurée par les groupes d'intérêts « associatifs », tandis que leur agrégation revient au système de partis. Pour Almond et Powell, « le parti politique peut être considéré comme la structure d'agrégation spécialisée des sociétés modernes ».

Cela dit, cette agrégation peut emprunter divers *styles.* Le style de la négociation pragmatique *(pragmatic-bargaining),* comme en Grande-Bretagne ou aux Etats-Unis : l'accommodation et le compromis l'em-

(2) Pour une analyse, selon les mêmes catégories, des diverses fonctions des partis dans les systèmes en voie de développement : M. Weiner, J. La-Palombara, « The Impact of Parties on Political Development », in *Political Parties and Political Development,* p. 399-435.

portent sur les perspectives idéologiques. Le style idéaliste-intransigeant *(absolute-value oriented)*, qui a provoqué les difficultés de Weimar et de la IVe République : ici, les partis qui se réclament souvent d'une Weltanschauung ou d'une idéologie spécifique, refusent de compromettre les principes pour accommoder les intérêts. Un logicisme et un rationalisme rigides prévalent. Enfin, le style traditionaliste *(traditionalistic)*, qui se fie aux solutions du passé pour suggérer des options politiques pour le futur.

C'est dire combien le style de l'agrégation des intérêts varie avec les traditions culturelles, et spécialement avec le degré de « sécularisation culturelle » de chaque société.

Fonctions latentes et fonctions manifestes selon R. K. Merton. — Pour inventorier complètement les activités des partis, il faut dépasser l'analyse de leurs intentions subjectives, de leurs buts conscients, voulus et avoués. Pour examiner aussi *les conséquences objectives et observables de leur action.* Telle est pour R. K. Merton la définition du concept de « fonction ». D'autant que, dans un langage dérivé de Freud, Merton distingue légitimement fonctions manifestes et fonctions latentes :

« Les fonctions *manifestes* sont les conséquences objectives qui, contribuant à l'ajustement ou à l'adaptation du système, sont comprises et voulues par les participants du système. Les fonctions *latentes* sont, corrélativement, celles qui ne sont ni comprises ni voulues » (R. K. Merton, *Eléments de théorie et de méthode sociologique,* tr. 1965, p. 126 et s.).

Les fonctions manifestes contribuent en pleine conscience à l'ajustement ou à l'adaptation. Les fonctions latentes comportent des conséquences du même ordre, mais involontaires et inconscientes (*supra,* p. 137).

Merton applique cette distinction à l'étude de *la machine partisane* aux Etats-Unis. Si cette machine survit à toutes les critiques, c'est qu'elle exerce des fonctions nécessaires dans la société américaine, c'est qu'elle satisfait à des fonctions manifestes et latentes essentielles. Et Merton d'énumérer trois fonctions souvent négligées par l'analyse.

- D'abord, par ses agents locaux qui maintiennent des contacts directs et constants avec les électeurs de chaque quartier, la machine remplit « la fonction sociale importante *d'humaniser et de personnaliser tous les procédés d'assistance* à ceux qui sont dans le besoin ». L'agent électoral doit être « l'ami de chacun », prompt à procurer conseils juridiques, subsides, bourses scolaires, secours divers, etc. Dans une société devenue impersonnelle, il réintroduit l'élément humain : « La machine reconnaît que l'électeur est avant tout un homme vivant dans un quartier déterminé, avec ses problèmes et ses désirs personnels spécifiques. »

- Ensuite, la machine remplit « la fonction de *procurer des privilèges politiques* qui permettent des gains économiques immédiats ». Elle intervient au profit des entreprises qui ont besoin de faveurs politiques, pour asseoir ou développer leur situation. « Le boss rationalise les relations entre les affaires publiques et les affaires privées. Il sert d'ambassadeur du commerce privé auprès du souverain étranger (et souvent inamical) qu'est pour lui le gouvernement. » D'une certaine manière, « le boss et sa machine font partie intégrante de l'organisation de l'économie », dont ils pallient les carences.

- Enfin, la machine assure « la fonction essentielle d'ouvrir des avenues *à la mobilité sociale* pour les groupes déshérités ». Elle fournit « un moyen important de mobilité sociale à des individus qui, à cause de leur origine ethnique et de leur appartenance à la classe inférieure, voyaient leur avancement bloqué ».

La machine répond donc à des besoins que la structure sociale officielle satisfait d'une manière incomplète ou inadéquate. D'où l'échec des assauts périodiques contre la machine et des tentatives de « nettoyage politique ». « Est condamnée à l'échec toute tentative faite pour éliminer une structure sociale existante sans fournir des structures de remplacement adéquates, c'est-à-dire capables de remplir les *fonctions* précédemment assurées par l'organisation abolie. » Il est vain de « rechercher un changement social sans reconnaître ouvertement les fonctions manifestes et latentes remplies par l'organisation à transformer » (R. K. Merton, *op. cit.*, p. 126-138).

La fonction tribunitienne selon G. Lavau. — Dans diverses analyses (3), Georges Lavau a appliqué et enrichi cette distinction des fonctions latentes et manifestes. Distinction qui permet de comprendre « comment certains partis, théoriquement hostiles au système politique et à ses valeurs, peuvent à la fois constituer une gêne réelle mais

(3) G. Lavau, « A la recherche d'un cadre théorique pour l'étude du parti communiste français », *RFSP* 1968, p. 445; « Le Parti communiste dans le système politique français », in *Le Communisme en France,* 1969, et « Partis et systèmes politiques : interactions et fonctions », *Revue canadienne de science politique,* mars 1969, p. 36-44.

non insurmontable pour ce système politique et « contribuer » cependant, de façon indirecte, au maintien de certains éléments de ce système ».

Ainsi, au sein d'un régime politique qu'il récuse théoriquement, le parti communiste français exercerait une « *fonction tribunitenne* ». A l'instar des tribuns de la plèbe dans la République romaine, mais de façon *latente*, inattendue, *il intégrerait au système qu'il conteste les éléments plébéiens qu'il représente*, en leur donnant un défenseur, un porte-parole. Indirectement, il renforcerait le système, en lui permettant de fonctionner avec ses plébéiens mal intégrés et en détournant l'élan révolutionnaire de ceux-ci vers des revendications plus limitées. Ainsi, de manière latente, un parti révolutionnaire et antisystème contribuerait à légitimer partiellement ce système :

« Des partis politiques qui seront « *manifestement* » hostiles au système pourront donc remplir de façon *latente* cette fonction tribunitienne... L'accomplissement de cette fonction tribunitienne est-elle une contribution au système politique ? Non, en ce sens qu'elle gêne son fonctionnement harmonieux... Oui, en ce sens qu'elle dévie des virtualités révolutionnaires et qu'elle est, dans certaines situations explosives, un des moyens de vivre avec ces clivages » (G. Lavau, « Partis et systèmes politiques : interactions et fonctions », *Revue canadienne de science politique*, mars 1969, p. 36-44).

Depuis 1965, le P.C.F. s'oriente vers la « fonction de *relève politique* » et vise à participer aux responsabilités du pouvoir, à l'intérieur puis au-delà du système (*infra*, p. 537). Mais jusqu'alors, il s'est souvent cantonné dans cette fonction *tribunitienne;* de sorte qu' « en fait il a, de façon latente, contribué à *légitimer* et à *stabiliser* certains éléments du système politique » *(ibid.)*. Paradoxalement, ce parti révolutionnaire en devenait presque un parti « constituant », utile au fonctionnement et à la conservation du système établi.

Pour Theodore J. Lowi (« Party, Policy and Constitution in America », in W. N. Chambers, W. D. Burnham, ed., *The American Party Systems. Stages of Political Development*, New York, 1967, p. 239), en effet : « Le mot « *constituant* » peut être valablement défini comme « ce qui est nécessaire « à la formation du tout; ce qui forme; ce qui compose; ce qui constitue »... Un parti qui remplit des *fonctions constituantes* aura — de façon manifeste ou latente — quelque rapport régulier et fondamental avec la structure, la composition et le fonctionnement du régime ou système. »

Ce type d'analyse fonctionnaliste montre bien l'affinement constant des « approches » utilisées pour l'étude des partis politiques.

§ 4. — LES APPROCHES DU PHÉNOMÈNE PARTISAN

Le phénomène partisan est, en effet, justiciable de plusieurs types d'analyse. On peut se placer à divers points de vue pour l'étudier dans toute sa richesse. C'est ce qu'a fait la science politique en privilégiant successivement plusieurs angles d'étude.

La doctrine. — Premier point de vue, qui a prévalu dans la première moitié du XIXe siècle : le parti est essentiellement considéré comme un « porteur d'idéal », comme *le porte-parole d'une doctrine,* d'une idéologie. Benjamin Constant note en 1816 : « Un parti est une réunion d'hommes qui professent la même doctrine politique. » C'est l'époque des grands débats d'idées, celle de la Restauration, puis de la Monarchie de Juillet, où s'opposent doctrines libérales et thèses conservatrices. Alors l'analyse des partis relève plus de *l'étude des idées politiques* que de la recherche sociologique.

L'infrastructure sociale. — Marx allait bientôt soutenir que les superstructures — et spécialement l'idéologie politique — dérivent de l'infrastructure. Et considérer les partis comme les *modes d'expression des différentes classes sociales.* Les idées ne sont que le reflet d'une réalité socio-économique concrète : *les partis représentent les diverses classes sociales en lutte.* Leurs rivalités expriment les antagonismes de classes. *Le parti est l'expression politique d'une classe.*

A la notion libérale du *parti-doctrine* succédait la notion marxiste du *parti-classe.* D'où beaucoup d'études sur la composition sociale des partis, sur les rapports entre l'appartenance politique et divers traits sociologiques (éducation, profession, niveau de vie, etc.).

La structure. — Puis les spécialistes de la sociologie politique allaient mettre l'accent sur les structures des partis. Considérant surtout dans les partis l'aspect *organisationnel,* le caractère d' « *appareil* » (dans le vocabulaire russe) ou de « *machine* » (dans le vocabulaire américain). Déjà Burke (1730-1797) en Angleterre définissait le parti comme une « *organisation en vue de la prise du pouvoir* ». Bientôt aux Etats-Unis, Andrew Jackson, président en 1828 et 1832, accentue le caractère de « machine » du parti démocrate : machine orientée vers la conquête des postes politiques et administratifs, à cette époque de « spoils system ». Cette étude de l' « appareil » devient encore plus essentielle avec l'apparition des partis de masses, qui doivent posséder une forte *organisation* administrative : en 1910, le parti social-démocrate allemand compte 3 000 « permanents », soit environ un fonctionnaire pour 250 adhérents.

Dès lors, l'approche « *organisationnelle* » ou « *structurelle* » prévaut. On voit surtout dans le parti politique la machine, l'appareil, un système d'encadrement des citoyens, des adhérents et des élus. Le premier, Moisei Ostrogorski ouvre la voie à ce type d'analyse dans *La démocratie et l'organisation des partis politiques* (Paris, 1903). Suivi par Roberto Michels, dans un livre paru en 1911 et traduit en 1914 sous le titre : *Les partis politiques, Essai sur les tendances oligarchiques des démocraties.* La même année, James Bryce décrit sévèrement l'organisation des partis américains (*The American Commonwealth,* New York, 1911, t. II, p. 660). Ces analyses réalistes, souvent pessimistes, allaient placer durablement l'accent sur le problème de la distribution du pouvoir dans le parti. Pour longtemps, l'étude des partis, ce sera l'étude du *pouvoir* au sein des partis.

A leur tour, en effet, les auteurs américains des années 1920-1940, puis Maurice Duverger dans son livre classique *Les partis politiques* (1re éd., 1951, 7e éd. 1969), allaient aussi insister sur l'aspect *organisationnel,* sur la *structure* et l'architecture des machines partisanes.

Dans la préface de son ouvrage, M. Duverger écrit significativement : « Les partis actuels se définissent beaucoup moins par leur programme ou la classe de leurs adhérents que par la nature de leur organisation : *un parti est une communauté d'une structure particulière.* Les partis modernes se caractérisent avant tout par leur anatomie : aux protozoaires des époques antérieures, a succédé le parti à organisme complexe et différencié du xxe siècle. »

Aujourd'hui, cependant, l'étude de la *communauté* partisane ne se réduit pas à la simple étude de la *structure* partisane. On commence à analyser aussi l'image que le partisan se fait de son parti, la signification de son adhésion, la nature du lien d'appartenance. On considère le parti comme une société particulière, comme un *microcosme* spécifique, avec ses lois, ses rites, ses sentiments collectifs, etc.

En ce sens, *Annie Kriegel* a donné à son livre *Les communistes français* (1re éd. 1968, 2e éd. 1970) un sous-titre significatif : *Essai d'ethnographie politique.* Dont elle s'explique dans son introduction :

« J'ai pris le parti de l'ethnographe et décidé d'observer les communistes français comme on ferait de n'importe quelle *microsociété close* ». Le livre sera la description de cette « contre-société minoritaire. »

Les fonctions. — Depuis plusieurs années, l'on s'interroge moins sur ce que *sont* les partis que sur ce qu'ils *font*. A quoi servent les partis ? Quelles sont leurs fonctions ? Cette approche *fonctionnelle* dépasse le simple inventaire des *activités* de l'organisation, pour examiner — suivant la définition mertonienne du concept de fonction — les *conséquences* objectives et observables de cette action.

Ces conséquences sont-elles *manifestes* (comprises et voulues) ou *latentes* ? Sont-elles *fonctionnelles* (contribuant à l'ajustement ou à l'adaptation du système), *dysfonctionnelles* (gênant l'ajustement ou l'adaptation du système) ou *afonctionnelles* (c'est-à-dire neutres, ne contribuant ni à renforcer ni à affaiblir le système) ? Existe-t-il des *substituts fonctionnels*, capables de suppléer les partis dans l'exercice de leurs fonctions ?

Tel est le type de questions qui se trouvent posées dans cette approche fonctionnelle, illustrée par les travaux d'auteurs comme Frank J. Sorauf, Leon D. Epstein, Georges Lavau. Et l'on sait combien cette approche s'est révélée féconde appliquée aux systèmes en voie de développement, avec les recherches notamment d'Almond, Coleman, Powell, Weiner, LaPalombara, Apter.

Le sytème partisan et son environnement. — Ainsi le parti se trouve saisi dans ses rapports avec son environnement plutôt qu'en lui-même. Il est considéré comme la partie d'un tout, comme un élément — parmi d'autres — d'un système, dont il est une variable à la fois dépendante et indépendante. L'aproche structuro-fonctionnelle et l'aproche systémique replacent ainsi le sous-système partisan dans le système d'ensemble.

Un système se définissant comme un ensemble d'éléments en interrelations structurelles, on peut, en effet, parler de « système partisan ». Dans chaque pays, le nombre des partis, leurs dimensions respectives, leurs alliances forment *un ensemble de rapports relativement stable*. M. Duverger a proposé d'appeler « *système de partis* » cet assemblage de rapports, cette « structure ».

Cette double approche systémique, qui considère d'abord le système de partis, puis replace ce sous-système dans le système d'ensemble, est très propre à inspirer une étude des *stratégies* partisanes. Ainsi, utilisant le schéma conceptuel d'Easton, Gunnar S. Sjöblom examine tous les rapports concevables entre le système politique et les stratégies partisanes dans *Party Strategies in a Multiparty System* (Lund, 1968).

Les stratégies. — Ce type de recherches se prête assez bien à la *formalisation mathématique.* En effet, un assez grand nombre de choix sociaux ou de décisions à prendre peuvent être formulés en termes empruntés à la *théorie des jeux.* Sur cette base, on peut bâtir des « *modèles stratégiques* », élucidant les processus d'élaboration des décisions (decision making). Dès lors, l'accent est mis bien plus sur la stratégie que sur l'organisation ou l'idéologie partisanes.

Dans cette voie, il faut particulièrement signaler l'ouvrage d'Anthony Downs, *An Economic Theory of Democracy* (New York, 1957). Economiste de formation, A. Downs bâtit son modèle par analogie avec le modèle des échanges de biens et de services, dans une économie de marché. Sur le marché, les producteurs offrent leurs produits aux consommateurs et sont en concurrence pour les vendre. Sur le marché électoral, les partis proposent leurs services aux électeurs et rivalisent pour l'obtention des voix.

— Situant son analyse dans le cadre d'une démocratie concurrentielle recourant périodiquement à des élections, Downs avance des *postulats* relatifs aux motivations des acteurs politiques.

Du côté des *partis,* d'abord, l'objectif primordial de la formation au pouvoir est d'y demeurer; l'objectif des autres formations est d'y accéder. Toutes feront le nécessaire pour atteindre ces objectifs : elles s'efforceront donc de maximer le nombre de leurs voix.

Du côté de l'*électorat,* ensuite, chaque électeur votera conformément à ses intérêts (non exclusivement matériels d'ailleurs). Il ne cherchera pas à utiliser la consultation pour atteindre un intérêt général. Il votera pour celui des partis qui lui promet le maximum de satisfactions « crédibles ».

Car, pour Downs, l'électeur recherche dans la politique *l'utilité maximale,* comme le consommateur dans l'économie. L'électeur, supposé rationnel et parfaitement informé, comparera les gains, qu'il pourra obtenir de chaque parti s'il place celui-ci au pouvoir. Il choisira celui qui lui procurera l'utilité maximale, celle-ci correspondant aux biens collectifs qu'il recevra de l'Etat.

Dès lors, un parti obtiendra d'autant plus de voix qu'il fournira une plus grande quantité de biens collectifs. Il perdra d'autant plus de voix qu'il augmentera le montant des impôts nécessaire au financement de ces biens.

— De ces prémisses, Downs tire deux *conclusions* principales.

Au lieu de se présenter aux élections avec une politique de principe, *les partis adoptent la politique dont ils pensent qu'elle leur donnera la victoire.* En vérité, leur idéologie est toute de circonstances. Plutôt que d'expliquer la position du parti par l'idéologie, Downs suggère d'expliquer l'idéologie par la situation électorale. Chaque parti ajuste son programme et sa politique afin de maximiser le nombre de ses voix.

En conséquence, les partis *choisiront leur stratégie en fonction de la structure de l'électorat* présumée ou connue (par les résultats électoraux précédents, par des sondages, des enquêtes, etc.). Le parti s'alignera, se modèlera sur son électorat réel ou potentiel. Il adaptera ses positions à la structure de l'électorat telle qu'il la connaît ou la présume.

L'exemple du bipartisme anglais est probant. En général, chacun des deux grands partis adultère son idéologie et modèle ses positions sur celles de l'électorat centriste; celui-ci étant la seule force électorale disponible, qui fera pencher décisivement la balance du côté travailliste ou conservateur.

Les modèles de coalitions. — D'autres tentatives ont été faites pour mathématiser un certain nombre de relations politiques, en partant surtout des hypothèses de la *théorie des jeux.* Ainsi ont été construits divers modèles de coalitions entre partis.

Von Neumann et Morgenstern prédisent qu'une coalition n'inclura aucun parti qui ne serait pas nécessaire à la victoire. En effet, les vainqueurs ne souhaitent pas partager les dépouilles entre plus de partis que nécessaire.

Selon la théorie du marchandage de Leiserson, il faut choisir parmi ces coalitions celles qui regroupent le moins de partis, car le processus de marchandage est plus facile si la coalition englobe un petit nombre de formations (4).

Pour Riker, seules les coalitions de taille minimale se formeront, car seule la coalition avec le plus petit nombre de sièges sera capable de donner à ses membres la plus grande part des gains (5).

Typologie des partis et des sytèmes de partis. — Il faut évidemment conjoindre ces diverses approches, pour comprendre pleinement le phénomène partisan. Mais, dans le cadre limité de ce précis — et l'approche fonctionnelle ayant été déjà évoquée (*supra*, p. 480-491) — il est opportun de se borner à deux points de vue fondamentaux. En

(4) A. Leiserson, *Parties and Politics*, New York, 1958.

(5) William H. Riker, *The Theory of Political Coalitions*, New Haven, 1962.

étudiant les partis, d'abord en eux-mêmes, puis dans leurs relations réciproques.

Quels sont, en premier lieu, les grands *types de partis?* Pour répondre à cette question, il importe de privilégier l'approche structurelle ou organisationnelle, qui s'avère ici la plus synthétique. En effet, l'idéologie et l'infrastructure sociale d'un parti influencent nécessairement son organisation interne.

Quels sont, en second lieu, les grands *types de systèmes de partis ?* Quels genres d'assemblages de rapports peuvent-ils s'établir durablement entre les partis d'un même pays? Ici, c'est l'approche systémique qui convient pour examiner ces divers modèles de relations.

SECTION II
LES TYPES DE PARTIS

Dans une critique excessive de la tentative de M. Duverger, G. Lavau (*Partis politiques et réalités sociales,* 1953) avait dénié la possibilité d'une véritable typologie en la matière : ici les réalités sociales et historiques sont plus fortes que les types et les formes d'organisation. Les partis sont des réalités complexes situées dans l'espace et dans le temps. Pour les analyser et les décrire, il faut les replacer dans l'histoire, dans le milieu social, dans l'ensemble national, dont ils font partie. Et non élaborer des types et des lois.

L'inconvénient de cette position, c'est qu'elle réduit la science politique à une pure description, qui déboucherait rarement sur des tentatives de classification et de systématisation. En revanche, d'autres critiques plus récentes et plus mesurées méritent d'être retenues, car elles remettent en question la typologie de M. Duverger en la confrontant aux réalités du sous-développement et du sur-développement

§ 1. — LA DISTINCTION DES PARTIS DE CADRES ET DES PARTIS DE MASSES

Au plan de la structure et de la vie internes des partis, la distinction fondamentale reste celle des partis de cadres et des partis de masses, que M. Duverger formule dès 1951. De même, Sigmund Neumann (*Modern Political Parties. Approaches to Comparative Politics,* Chicago, 1956) propose une division analogue, opposant les « *partis de représentation individuelle* » — « modèle de parti à éclipses, réduit à un simple comité électoral », groupant des membres peu nombreux et peu actifs — et les « *partis d'intégration sociale* » — recrutant massivement et exigeants envers leurs adhérents.

A. — Les partis de cadres

Notables et comités. — La naissance et l'essor des partis de cadres se situent *aux origines de la démocratie,* à l'époque du suffrage restreint ou de l'institution du suffrage universel. Dans ce monde politique encore fermé, les partis de cadres constituent l'expression politique des classes dominantes et spécialement de la bourgeoisie.

Ces partis de cadres — dont l'activité est surtout électorale — ne visent donc pas à grouper un nombre d'adhérents aussi élevé que possible, mais à réunir des *notables,* représentatifs des élites sociales. Ces notables sont recherchés, soit pour leur prestige, qui leur confère de l'influence sur les électeurs, soit pour leur fortune, qui contribue à couvrir les frais des campagnes électorales. Plus que la quantité d'adhérents, c'est la qualité qui importe.

Ces notables se groupent en *comités* locaux, correspondant aux limites des circonscriptions (l'arrondissement sous la IIIe République, par exemple). L'activité de ces comités (ou caucus) atteint son maximum en période d'élections (désignation, soutien et propagande des candidats), pour se réduire considérablement dans l'intervalle des scrutins.

L'exemple français. — En France, le parti *radical,* fondé en 1901 par la réunion de divers comités, associations et sociétés de pensée, constituait ainsi un parti de cadres. Spécialement à l'époque du « radicalisme de comités », décrit par Albert Thibaudet dans *Les idées politiques de la France* (1932). Mais, en réaction contre cette domination des notables, les tentatives de rénovation du parti radical (celle de P. Mendès France en 1955-1957, celle de J.-J. Servan Schreiber en 1969) se sont traduites par une politique visant à développer les adhésions.

De même, la famille *modérée* constitue des partis de notables, fortement enracinés dans la vie politique locale et prenant leurs cadres dans les élites traditionnelles. C'est vrai pour le Centre national des indépendants — qui a toujours été davantage un cartel électoral qu'un véritable parti — comme pour la Fédération nationale des républicains indépendants, devenue en 1977 Parti républicain, qui proclamait volontiers : « Ni adhésion, ni carte de parti, ni recrutement organisé ».

Les partis de cadres sur l'échiquier politique. — Dans la catégorie des partis de cadres, se classe la majorité des partis libéraux et conservateurs européens. C'est-à-dire que l'univers politique des partis de cadres est celui du centre et surtout de la droite.

La distinction des partis de cadres et des partis de masses correspond, à peu près, à celle de la droite et de la gauche, des partis « bourgeois » et des partis « prolétariens ». Ni politiquement, ni financièrement, la droite bourgeoise n'avait besoin d'encadrer des masses : elle possédait déjà ses élites et ses bailleurs de fonds. A l'exception des partis fascistes (en 1932, le parti national-socialiste comptait 800 000 adhérents), *la notion de parti de masses est étrangère à la droite.*

L'armature des partis de cadres. — En outre, la distinction des partis de masses et des partis de cadres coïncide avec celle des partis à forte et à faible armature. Essentiellement, comme le souligne M. Duverger, « il ne s'agit pas d'une différence de taille, mais de *structure* » (*op. cit.*, p. 84).

Les partis de masses sont centralisés et fortement articulés. Les partis de cadres sont *décentralisés et faiblement organisés.* D'une part, l'organisation interne des comités locaux est assez faible : le nombre réduit de leurs membres ne nécessite d'ailleurs pas une structure rigide. D'autre part, l'autonomie de ces comités locaux est très grande : les organismes centraux du parti n'ont guère d'autorité sur eux, sauf exception (comme en Grande-Bretagne où, dès le XIXe siècle, l'organisation des partis conservateur et libéral est plus centralisée qu'ailleurs).

La prédominance des parlementaires dans les partis de cadres. — Enfin, dans tous les partis de cadres, le rôle dirigeant appartient aux parlementaires. Et généralement l'élu peut agir en toute *indépendance* par rapport aux autres élus du même groupe, la plupart des partis de cadres étant « *souples* » (c'est-à-dire sans discipline de vote), à la différence des partis de masses qui sont « rigides ». Cependant, là encore, la Grande-Bretagne fait exception en fournissant l'exemple de partis de cadres rigides (comme le parti conservateur).

L'apparition des partis de masses, il est vrai, a incité plusieurs partis de cadres à tenter de les imiter, en démocratisant leur recrutement et leur structure. Généralement, ces tentatives ont rencontré peu de succès auprès du public. Si bien que les comités de notables constitués autour des personnalités parlementaires continuent de jouer le rôle essentiel au sein de ces vieilles organisations.

L'évolution des partis de cadres aux Etats-Unis. — Cependant — fait exceptionnel — les Etats-Unis n'ont pas vu se développer de partis de masses. Seuls continuent donc d'exister des partis de cadres, mais qui ont dû *adapter* leurs structures dans un sens plus conforme à la démocratie. Deux traits sont surtout à noter.

1° *Les primaires et le poids des électeurs.* — Le cadre étroit des *caucus,* des comités de notables, s'est trouvé concurrencé par l'établissement progressif, au début du siècle, du système des « *élections primaires* », sortes de pré-scrutins qui remettent la désignation des candidats du parti aux électeurs eux-mêmes. Pour la désignation du candidat à la présidence notamment, l'existence des « primaires » présidentielles dans près d'un Etat sur deux (le premier à en organiser fut le Wisconsin en 1905) permet à un *candidat à la candidature,* vu sans faveur par les dirigeants de l'appareil, par les « kingmakers » de l'état-major, de forcer l'assentiment de ceux-ci en démontrant sa popularité auprès de l'opinion. Les primaires soumettent les comités à l'influence des masses électorales. Le procédé a réussi à John Kennedy en 1960, à George Mac Govern en 1972 et à Jimmy Carter en 1976.

2° *La densité de l'encadrement.* — Second trait original des partis de cadres américains : la minutie de l'organisation. Un système permanent d'encadrement maintient un contact régulier entre le parti et les électeurs. Ainsi chaque ville est divisée en circonscriptions (wards), chaque circonscription se divisant à son tour en bureaux de vote (precincts) groupant environ 500 électeurs. Chaque « ward » est sous le contrôle d'un « boss », qui supervise les « captains » des « precincts » de sa circonscription.

R. K. Merton (*supra,* p. 489) a souligné le rôle essentiel de ce « precinct captain », à la fois confident, « assistant social », conseiller, dispensateur de menus services, etc. Dans une société standardisée, cet agent électoral chevronné remplit « la fonction sociale importante d'humaniser et de personnaliser tous les procédés d'assistance ».

Ainsi s'établissent des « relations directes quasi féodales entre les représentants locaux de la machine et les électeurs du quartier » (*op. cit.*, p. 126-138). Ainsi le parti s'assure la fidélité de ses électeurs.

Cette méthode d'encadrement évoque aussi les analyses de *Paul Lazarsfeld* sur la propagande et les effets des mass media, qui se font sentir par l'intermédiaire des « opinion leaders » (*supra*, p. 167).

Cette double évolution (organisation de primaires et densité de l'encadrement) a permis d'établir avec les électeurs un contact plus étroit et plus régulier que celui des partis de cadres européens. *Mais les partis américains restent néanmoins des partis de cadres* dominés par des comités de notables. Et de surcroît, comme la plupart des partis de cadres, ce sont des partis *souples* n'imposant pas de discipline de vote à leurs élus au Congrès.

B. — Les partis de masses

L'irruption des masses sur la scène politique. — Historiquement, l'apparition des partis de masses est la conséquence de la substitution du suffrage universel au suffrage restreint. Accédant au droit de suffrage, les masses souhaitent voter pour des candidats n'appartenant pas à la bourgeoisie — même libérale —, mais issus eux-mêmes des classes populaires et traduisant leurs aspirations. Alors apparaissent des partis d'un type nouveau, recrutant massivement, tournés vers l'éducation politique des masses et la formation de nouvelles élites.

La formule du parti de masses est inventée par les mouvements *socialistes* à la fin du XIXe et au début du XXe siècle. Elle est ensuite copiée par les partis communistes, les partis fascistes et certains partis démocrates-chrétiens. La généralisation de la formule du parti de masses correspond à *l'élargissement de la démocratie,* qui s'ouvre à toute la population.

D'un conflit à l'autre. — Les partis de cadres traditionnels correspondaient à un conflit limité, celui de l'aristocratie et de la bourgeoisie : classes peu nombreuses que les notables incarnaient parfaitement. En revanche, l'irruption sur la scène électorale des masses populaires nécessite l'apparition de partis de masses, qui les encadrent et expriment leurs intérêts spécifiques. Le conflit *conservateurs-libéraux* (opposant des partis de cadres entre eux) *s'estompe devant le conflit capitalistes-socialistes* (opposant généralement des partis de cadres à des partis de masses).

Dans l'ordre *chronologique* d'apparition, il faut, parmi les partis de masses, distinguer le type socialiste, le type communiste et le type fasciste.

1° *Le modèle socialiste.*

En 1914, la *Social-Démocratie allemande* comptait plus d'un million d'adhérents et avait un budget annuel de près de 2 millions de marks. A la même date, le *Parti travailliste* britannique comptait 1,6 million d'adhérents. Ce nombre élevé s'expliquant par l'organisation originaire de 1900. Parti « indirect », le Parti travailliste ne recrutait point alors d'adhérents directs. On n'adhérait point directement au parti; on adhérait à une organisation (syndicat, mutuelle, coopérative, société de pensée) qui était membre collectif du parti. En 1914 toujours, la *S.F.I.O.* française comptait 93 000 membres. Pourquoi ces grandes communautés humaines, profondément différentes des partis de cadres antérieurs ?

Les nécessités de l'éducation et du financement. — La conception marxiste du parti-classe portait à cette structure massive. Si le parti est l'expression politique d'une classe, il doit naturellement tendre à l'encadrer tout entière, à *la former politiquement*, à *dégager d'elle des élites de direction* et d'administration. Les réunions régulières des sections du parti font office de cours du soir politiques, pour l'éducation *civique* des masses populaires.

Et, surtout, il fallait présenter aux élections des candidats ouvriers, libérer la classe ouvrière de la tutelle des partis bourgeois. Pour ce faire, il fallait remplacer le *financement* capitaliste par un financement collectif. Ce qui était possible en enrôlant le plus grand nombre possible d'adhérents qui payeraient périodiquement une cotisation, alimentant les caisses électorales du parti et finançant sa presse.

L'organisation interne. — Dès lors, l'encadrement de centaines de milliers d'adhérents, le recouvrement régulier des cotisations requièrent une *organisation* beaucoup plus rigide que celle des partis de cadres. Organisés à la base en *sections* regroupées en fédérations, les partis socialistes se dotent, au sommet, d'*un véritable appareil d'Etat* avec séparation des pouvoirs : pouvoir législatif dévolu au Congrès (ou au Conseil national), pouvoir exécutif attribué au *Comité directeur*, pouvoir juridictionnel remis à la *Commission des conflits.*

La bureaucratie partisane. — La complexité de cette machine gouvernementale au sommet s'appuie sur la perfection de la machinerie *administrative* aux échelons inférieurs. Machinerie administrative hiérarchisée et fortement articulée, gérée par les fonctionnaires ou « permanents » du parti. En 1910, le Parti Social-démocrate allemand comptait ainsi 3 000 permanents.

Se consacrant professionnellement et exclusivement à l'action politique, souvent secrétaires de section ou de fédérations, ces permanents disposaient d'un fort ascendant sur les simples adhérents. Ceux-ci leur accordaient volontiers des délégations aux *congrès* locaux ou nationaux chargés de diriger le parti, de désigner ses dirigeants et ses candidats. Ces permanents exerçaient donc une influence déterminante sur la composition des organes dirigeants du parti, désignés par ces congrès. Ainsi se formait une *oligarchie bureaucratique,* soutenant un *cercle intérieur* de dirigeants professionnels, pratiquement inamovibles, monopolisant le pouvoir au sein du parti.

Le modèle bureaucratique-oligarchique. — Tel est le modèle bureaucratique que Roberto Michels (cf. *supra,* p. 221) décrit à partir du parti socialiste allemand, et qui viendrait confirmer sa « loi d'airain de l'oligarchie » :

« Il surgit toujours et nécessairement, au sein des masses, une nouvelle minorité organisée, qui s'élève au rang d'une *classe dirigeante.* » Même les partis socialistes qui se réclament de la démocratie vérifient « le principe d'après lequel une classe dominante se substitue fatalement à une autre, et la loi que nous en avons déduite, à savoir que *l'oligarchie est comme la forme préétablie de la vie en commun des grands agrégats sociaux...* Le parti, en tant que formation extérieure, mécanisme, machine, ne s'identifie pas nécessairement avec l'ensemble des membres inscrits, et encore moins avec sa classe. Devenant une fin en soi, se donnant des buts et des intérêts propres, il se sépare peu à peu de la classe qu'il représente » (*Les partis politiques. Essai sur les tendances oligarchiques des démocraties,* tr. 1914, p. 294-296).

En revanche, analysant les partis américains, partis de cadres faiblement centralisés et articulés, Samuel J. Eldersveld (*Political Parties. A Behavioral Analysis,* Chicago, 1964) décrit un modèle « *stratarchique* », en empruntant cette notion de « *stratarchie* » à H. D. Lasswell et A. Kaplan (*Power and Society,* New Haven, 1950).

Le parti serait « une structure d'accueil ouverte, perméable à la base comme au sommet » et faiblement articulée. Le pouvoir ne serait pas monopolisé par un cercle intérieur, au sommet, mais *partagé entre les divers groupes à tous les niveaux, entre les sous-ensembles qui forment le parti* — ainsi défini comme une « stratarchie », une « group-archie » et non comme une oligarchie. Dans le parti et à tous les niveaux, chacun aurait finalement autant de pouvoir qu'il en prend et qu'il en mérite.

Le conflit des élus et des dirigeants intérieurs. — Le modèle bureaucratique-oligarchique de Michels explique l'existence, dans les partis socialistes, d'une rivalité fréquente entre les « dirigeants intérieurs » (Congrès et Comité directeur) et les élus (groupe parlementaire).

Dans les partis de cadres, on le sait, ce sont les parlementaires qui assurent la direction du parti sans contestation sérieuse. Au contraire, par idéal révolutionnaire, *les partis socialistes se défiaient de l'atmosphère parlementaire et du risque d' « assimilation »* qu'elle comportait pour les députés ouvriers. Danger de la camaraderie parlementaire par-dessus les frontières de parti, bien dépeint par Robert de Jouvenel dans *La République des camarades* (1914). D'où, dans les partis socialistes, le principe de la *subordination des députés aux dirigeants intérieurs* élus par les adhérents.

Cette rivalité entre deux groupes de chefs traduit le conflit entre deux communautés de base : celle des *adhérents,* qui élisent les dirigeants intérieurs, et celle des *électeurs,* qui élisent les députés. Elle exprime une tension naturelle entre une avant-garde plus consciente et plus engagée (les adhérents) et une masse plus passive et plus timide (les électeurs).

En fait, au sein des partis *socialistes* le rôle des parlementaires s'est accru au fur et à mesure que les partis socialistes abandonnaient le socialisme révolutionnaire pour la social-démocratie et acceptaient de s'intégrer au régime parlementaire. Cette valorisation de la démocratie parlementaire donna la primauté aux députés. En revanche, dans les partis *communistes* et surtout *fascistes,* qui continuent de récuser les valeurs parlementaires, les élus demeurent soumis aux dirigeants intérieurs à qui appartient le prestige fondamental.

2° *Le modèle communiste.*

Le parti selon Lénine. — Dès 1902, dans *Que faire ?*, Lénine concevait le parti ouvrier comme une *organisation fortement centralisée et disciplinée,* comme une *élite* restreinte, composée de « révolutionnaires de profession ». Dans la lutte clandestine contre le tsarisme, il doit s'agir, en effet, d'une minorité agissante de « *révolutionnaires professionnels* », et non d'un parti largement ouvert comme la Social-Démocratie allemande. Cette force minoritaire doit diriger le mouvement inorganique et confus de la masse prolétarienne. Elle doit en être l'avant-garde, l'état major de combat, possédant la conscience précise du but et des moyens.

C'est précisément sur cette conception « élitiste » et autoritaire que s'était opérée la rupture entre Bolcheviks de Lénine et Mencheviks de Martov au Congrès du parti social-démocrate russe de 1903.

Dès sa parution, *Que faire ?* avait, en effet, suscité plusieurs critiques clairvoyantes. *Axelrod* requérait contre le « fétichisme centraliste », contre « le régime bureaucratico-bonapartiste » imposé par Lénine au Parti. Au nom de l'élan révolutionnaire, du spontanéisme prolétarien, *Rosa Luxembourg* dénonçait « la cuirasse bureaucratique du centralisme qui réduit le prolétariat militant au rôle d'instrument docile dans les mains du comité central ».

Quant à *Trotsky*, il écrivait prophétiquement, en 1904, dans une brochure publiée à Genève : « Dans la politique intérieure du Parti, ces méthodes mènent l'organisation du Parti à se substituer au Parti, le comité central à se substituer à l'organisation du Parti, et, finalement, un dictateur se substitue au comité central. »

La condition n° 12. — Après la Révolution d'Octobre, l'adoption de structures analogues à celles du parti communiste soviétique allait être imposée aux partis socialistes européens. En juillet et août 1920, se réunit à Moscou le deuxième congrès de l'Internationale communiste. Cachin et Frossard en rapportent les « *21 conditions* » à accepter par le parti français. A noter spécialement la condition n° 12.

« Dans l'époque actuelle de guerre civile aiguë, le parti communiste ne sera en état de remplir son devoir que s'il est *organisé de la manière la plus centralisée possible*, si *une discipline de fer confinant à la discipline militaire* règne en lui et si *le centre du parti*, chargé par la confiance de ses membres de toute la puissance, est *pourvu de l'autorité et des pouvoirs les plus étendus.* »

Au congrès de Tours *(décembre 1920)*, le partage des délégués sur ces « 21 conditions » provoque la *scission de la S.F.I.O. La majorité adhère au Komintern* et forme la S.F.I.C. (Section française de l'Internationale communiste). Un an plus tard (octobre 1921), la S.F.I.C. devient officiellement le « parti communiste ».

Les autres partis communistes occidentaux naissent, dans des circonstances analogues, de scissions à l'intérieur des partis socialistes. A tous, le Komintern impose, en *1924,* l'adoption des *structures* du parti communiste soviétique.

L'organisation. — De tous les partis, les mouvements communistes sont ceux qui possèdent l'organisation la plus perfectionnée.

L'élément de base n'est plus la section comme dans les partis socialistes, mais *la cellule.* De *dimension plus restreinte* (quelques dizaines d'adhérents dans une cellule au lieu de quelques centaines dans une section), et donc plus homogène, plus solidaire, la cellule groupe les adhérents, non selon leur domicile, mais *selon leur lieu de travail* (cellule d'usine, d'atelier, de magasin, d'école, etc.).

L'avantage est double. D'une part, un *contact étroit* et constant entre les membres de la cellule. D'autre part, les problèmes de l'entreprise et du travail fournissent *une base aux discussions* de la cellule et permettent d'alimenter la formation théorique des militants par des réflexions concrètes. Car aucun parti ne se soucie autant de donner à ses adhérents une culture politique et une formation théorique, fondée bien sûr sur le marxisme.

Le « *centralisme démocratique* » entend concilier *la liberté* (élection des dirigeants à tous les niveaux, libre discussion des décisions à prendre) et l'*autorité* (soumission de la minorité à la majorité, stricte obéissance aux directives du sommet).

En réalité, le centralisme l'emporte nettement sur la démocratie. L'organisation hiérarchisée et centralisée entrave la démocratie interne. Certes des débats ont lieu et les dirigeants sont formellement élus. Mais il s'agit d'élections de ratification. *En fait, le choix des dirigeants et la prise de décision appartiennent au centre.* Le pouvoir ne monte pas : il descend du haut vers le bas.

3° *Le modèle fasciste.*

Plusieurs auteurs classent sous la même rubrique les partis communistes et les mouvements fascistes. Contrairement aux partis « *spécialisés* », il s'agit de partis « *totalitaires* » (selon les termes de M. Duverger), débordant le domaine proprement politique, pour encadrer toutes les activités de l'adhérent et exiger son engagement total. Le fascisme a emprunté au communisme l'idée de parti unique et peut-être même — Mussolini l'a prétendu — ses techniques d'organisation : *armature rigide,* forte centralisation et liaisons verticales.

Cependant, même si les mouvements fascistes ont imité les partis de gauche pour mieux lutter contre eux, les différences demeurent très nettes. Le fascisme repose sur le *culte de la force* et de la violence. Spécialement pour maintenir par la contrainte l'ordre ancien quand est redouté l'avènement d'un régime démocratique ou socialiste.

Un encadrement de type militaire. — Souvent créés à partir de mouvements d'anciens combattants ou de corps francs, les partis fascistes appliquent les techniques militaires à l'encadrement politique des masses. A la section socialiste, à la cellule communiste, succède la *milice* fasciste. Les milices ou les sections d'assaut constituent l'élément principal du parti.

Dans les *sections d'assaut nationales-socialistes,* par exemple, de petits groupes s'emboîtaient les uns dans les autres, formant une pyramide hiérarchique à plusieurs degrés, comme dans l'armée : *l'escouade* (4 à 12 membres), la *section* (3 à 6 escouades), la *compagnie* (4 sections), le *bataillon* (2 compagnies), le *régiment* (3 à 5 bataillons), la *brigade* (3 régiments) et, enfin, la *division* (4 à 7 brigades).

Un combat politique de type militaire. — Et ces éléments (qui suivaient un entraînement analogue à celui du soldat, portaient un uniforme, etc.) menaient une lutte politique de style militaire : défilés, démonstrations, manifestations, combats de rue, sabotage des réunions adverses, etc. Les milices sont encore plus loin que les cellules de l'action électorale et parlementaire.

Accessoirement, un parti fasciste peut jouer des mécanismes électoraux et parlementaires; mais c'est en vue de les détruire, non pour agir dans leur cadre. Primordialement, un parti fasciste c'est *l'organisation de la violence,* c'est une sorte d'*armée privée,* cherchant à conquérir ou à conserver le pouvoir par la force.

§ 2. — L'APPROFONDISSEMENT DE L'ANALYSE

La typologie de M. Duverger a provoqué un certain nombre de critiques, dont celles d'Aaron Wildavsky. L'un des griefs majeurs vise le recours à « une analyse unifactorielle », le primat d'une approche *organisationnelle,* analysant presque exclusivement les *structures* partisanes :

« Les autres variables, comme la structure économique et sociale, l'histoire nationale, la culture, les traditions institutionnelles, la géographie, le climat, etc., sont ou bien rejetées, négligées ou bien reléguées à un rôle périphérique » (A. Wildavsky, « A Methodological Critique of Duverger's Political Parties », *Journal of Politics,* mai 1959, p. 303-318).

En réduisant le phénomène partisan à un choix entre diverses structures d'organisation, M. Duverger donnerait « une représentation tronquée du réel ». Plutôt que de privilégier ainsi la variable organisationnelle, il conviendrait de replacer davantage le parti dans l'ensemble de son environnement.

En vérité, la summa divisio des parties de cadres et des partis de masses, pleinement valable en 1951, devrait être révisée aujourd'hui, en fonction des modifications survenues dans l'environnement du phénomène partisan. Ces modifications n'ont pu être sans effet sur la nature même des partis. Et, tout particulièrement, il conviendrait de *confronter cette division majeure aux réalités du sous-développement et du sur-développement* (6). Dans des sociétés qui ne sont plus identiques aux sociétés occidentales de 1950, les partis ont-ils pu rester identiques aux partis de cadres ou de masses décrits alors par M. Duverger ?

A. — Les partis des sociétés en voie de développement

L'innovation principale des dernières années réside, en effet, dans l'apparition et l'essor de partis politiques dans les pays en voie de développement. C'est-à-dire dans un contexte sociologique largement dissemblable de celui des systèmes occidentaux.

La distinction des partis de masses et des partis de patrons. — Etudiant les partis africains dans la période précédant immédiatement l'indépendance, R. S. Morgenthau (*Political Parties in French Speaking West Africa,* Oxford, 1964), comme déjà Th. Hodgkin (*African Political Parties,* Harmondsworth, 1961), reprend partielle-

(6) Les partis politiques sont, à la fois, des *effets* et des *facteurs* du développement. Comme le notent J. LaPalombara et M. Weiner : « D'un certain point de vue, les partis sont le produit du processus de développement... D'un autre point de vue, on peut les considérer comme une force institutionnelle indépendante affectant le développement politique lui-même » (*op. cit.,* p. 41).

ment les cadres d'analyse définis par M. Duverger. Pour distinguer les partis de masses et les « partis de patrons ».

• Les partis de masses sollicitent l'adhésion du plus grand *nombre* et comptent leurs membres par centaines de milliers (comme le Parti démocratique de Côte d'Ivoire, le Parti démocratique de Guinée ou le Convention's People's Party du Ghana). Tandis que les « partis de patrons » recrutent surtout dans les élites traditionnelles, pour réunir des notables, des personnalités de poids sur le plan social et financier, des « patrons » capables d'influencer le vote de leurs « clients ».

• En conséquence, ces partis de patrons (comme le Parti progressiste soudanais ou l'Union nigérienne des indépendants et sympathisants) sont faiblement organisés, peu disciplinés et ne demandent qu'une faible participation à leurs membres. A l'inverse, les partis de masses possèdent une direction moins personnalisée et plus institutionnalisée; ils reposent sur une *organisation* structurée, une hiérarchie complexe et pratiquent une réelle discipline.

Cette distinction de Mme Morgenthau semble peu fondée. D'abord, parce qu'elle transpose le critère structurel que M. Duverger avait utilisé pour les pays occidentaux. Or *les conditions sociologiques*, économiques et historiques *sont trop dissemblables* pour que des apparences organisationnelles puissent être retenues comme facteur principal. Ensuite, parce que, dans leur vie réelle, *les partis de masses des pays en voie de développement diffèrent sensiblement des partis de masses des pays industrialisés*. Ici, la distance sociale est très forte entre la foule des adhérents et le « cercle intérieur » (issu de l'élite sociale ou intellectuelle). Si bien que la déviation oligarchique est encore bien plus forte qu'ailleurs. Enfin, au fil des ans *les partis de masses ont peu à peu intégré les partis de patrons*. Ce qui rend cette summa divisio bien précaire et invite à rechercher une autre typologie.

La distinction des partis révolutionnaires-centralisateurs et des partis pragmatiques-pluralistes. — Définie par J. S. Coleman et C. G. Rosberg (*Political Parties and National Integration in Tropical Africa*, Berkeley, 1966), cette distinction part d'un constat : la difficulté qu'il y a à établir une typologie des partis africains dans des systèmes devenus à parti unique ou dominant. Elle a le mérite de dépasser la pure analyse structurelle pour intégrer la dimension idéologique.

D'un côté se trouvent les partis dits « *révolutionnaires-centralisa-*

teurs » (Ghana, Mali, Guinée). Ils se caractérisent, d'abord, par une préoccupation constante pour les problèmes *idéologiques*, de manière à modifier profondément la société. Ils se caractérisent, ensuite, par une *organisation* monolithique et fortement centralisée : ils s'efforcent, et d'intégrer les autres organisations et de fondre les structures du parti et celles de l'Etat.

A l'opposé, se trouvent les partis « *pragmatiques-pluralistes* » (Sénégal, Côte d'Ivoire, Cameroun). Qui, en premier lieu, sont moins préoccupés par les questions idéologiques et moins portés aux transformations radicales. Qui, en second lieu, possèdent une organisation peu structurée et peu hiérarchisée : encadrant et mobilisant moins fortement les populations, ils pratiquent un « pluralisme contrôlé » qui laisse une certaine autonomie aux autres groupes sociaux.

D'une certaine manière, cette distinction rappelle un peu le clivage, établi par John H. Fenton (*People and Parties in Politics,* Glenview, Ill., 1966), à partir de la réalité américaine, entre l'attitude gestionnaire *(job-oriented parties)* ou volontariste *(issue-oriented parties)* des partis. Car, dans les sociétés post-industrielles aussi, il importe de dépasser le strict point de vue structurel.

B. — Les partis des sociétés sur-développées

En vérité, *l'analyse de Maurice Duverger reposait sur une valorisation du parti de masses,* organisation complexe adaptée à l'ère industrielle, et sur un pronostic défavorable aux partis de cadres, promis à une décadence certaine. Or, dans les sociétés post-industrielles, non seulement les partis de cadres subsistent, mais encore ce sont les partis de masses qui semblent connaître un certain déclin. Alors que prospère un nouveau type, qui n'est ni un parti de cadres, ni un parti de masses, mais un « parti attrape-tout » (O. Kircheimer), un « parti d'électeurs » (J. Charlot) ou ce qu'il vaudrait mieux appeler un « parti d'attraction » (R.-G. Schwartzenberg).

Le maintien des partis de cadres. — Pour A. Wildavsky, M. Duverger nourrit « l'illusion d'une histoire unidimensionnelle » et croit à « une théorie déterministe de l'évolution ». A ses yeux, le *parti de cadres* est un « type archaïque des structures des partis », correspondant à « un régime de suffrage censitaire ou à un régime de suffrage universel encore à ses débuts » (*op. cit.*, p. 37). A l'inverse, le *parti de* *masses* lui apparaît comme le seul type de parti adapté au monde moderne, comme l'étape ultérieure sur l'échelle de l'évolution : « Aux protozoaires des époques antérieures, a succédé le parti à organisme complexe et différencié du XXe siècle » (*op. cit.*, p. X).

Or, l'expérience ne confirme pas ce pronostic. Comme le reconnaît lui-même M. Duverger (*ib.*, p. 38-40), « la décadence des comités n'est pas générale ». Plus ou moins rajeuni, ce type classique s'est maintenu dans les sociétés occidentales : partis américains, parti conservateur britannique, partis libéraux et conservateurs de l'Europe nordique, partis de droite en France. Au total, à droite et au centre, beaucoup de partis des sociétés industrielles avancées restent des partis de cadres.

Déclin et évolution des partis de masses. — A l'inverse, dans ces mêmes sociétés, les partis de masses connaissent souvent un relatif déclin, à moins qu'ils ne se résolvent à une modification de leurs caractères originaires. A cet égard, Leon D. Epstein (*Political Parties in Western Democracies*, Londres, 1967, chap. VI, p. 130-166) a spécialement analysé l'évolution des partis socialistes européens :

> « Il était aisé, au temps de la première guerre mondiale, quand les partis socialistes européens étaient déjà puissamment organisés et continuaient encore à croître, de considérer ces partis comme le produit d'un ordre industriel avancé. Ils semblaient constituer la réponse politique aux sociétés capitalistes déjà mûres. Mais *l'évolution économique continuant*, et s'accélérant spécialement après la deuxième guerre mondiale, *l'ordre industriel de 1914 semble dépassé*. Et *il en est de même des réponses politiques à cet ordre*, même si elles persistent encore. »

L'évolution des conditions socio-économiques semble, en effet, défavorable aux partis de masses traditionnels. D'abord, la base sociale sur laquelle reposaient les partis de masses — c'est-à-dire la classe ouvrière — cesse de s'étendre et commence même à se réduire : dans les économies hautement développées, l'emploi dans le secteur secondaire décroît au profit du secteur tertiaire; le nombre des ouvriers diminue par rapport à celui des « cols blancs ». *Le secteur secondaire stagne ou recule, tandis que le secteur tertiaire tend à devenir majoritaire*. En 1971, il l'est déjà aux Etats-Unis avec 60,4 % de la population active; en Grande-Bretagne et aux Pays-Bas, il l'est presque avec, respectivement, 49,4 % et 48,7 %; en France, dès 1975, il rassemble 47 % des actifs.

Ensuite, en même temps qu'elle se restreint *quantitativement*, la clientèle habituelle des partis de masses se modifie *qualitativement.* A mesure que s'améliore son sort (salaires, conditions de travail, niveau de vie), celle-ci voit ses attitudes politiques se modifier. La conscience de classe et l'engagement idéologique diminuent (7).

Alors que faire ? Réponse d'Epstein : ou bien les partis de masses choisissent de rester eux-mêmes, et ils continueront à perdre des électeurs; ou bien ils consentent à évoluer, comme l'ont fait la plupart des partis sociaux-démocrates européens. Comme l'a fait le S.P.D. allemand, au congrès de Bad-Godesberg en 1959, en renonçant à l'orthodoxie marxiste et en rayant de son programme tout ce qui rappelle le socialisme marxiste (*infra,* p. 532). Comme l'a fait le Labour Party, à Scarborough en 1963, en appuyant le travaillisme pragmatique, « technologique » d'Harold Wilson (*infra,* p. 523). Dans les deux cas, cette correction de l' « image de marque » du parti s'est bientôt traduite par des succès électoraux :

> « Il est temps pour ces partis de *modifier non seulement leur doctrine mais aussi leur caractère de classe,* de façon à conjurer leur déclin électoral... Leur survie implique la *transformation,* déjà largement accomplie de la doctrine socialiste en politique pragmatique de bien-être social, et leur ouverture, plus lente, au-delà de la classe ouvrière, sur des groupes sociaux plus larges et plus divers. »

Si cette prévision est correcte, les vieux partis socialistes ressembleront beaucoup aux autres partis. En effet, le recrutement massif et l'organisation rigide pouvaient apparaître indispensables, quand

(7) Contre cette thèse de l'embourgeoisement de la classe ouvrière : J. H. GOLDTHORPE et al., *The Affluent Worker,* 3 vol., Cambridge, 1968-1970 (enquête sociologique, réalisée en Angleterre, sur l'ouvrier dans la société d'abondance; tr. *L'Ouvrier de l'abondance,* 1973). Sur la spécificité persistante de la classe ouvrière aux Etats-Unis : A. LEVINSON, *The Working-Class Majority,* New York, 1974. Pour la France : le livre de S. MALLET, *La nouvelle classe ouvrière,* 1968, et l'enquête de G. ADAM et al., *L'Ouvrier français en 1970,* 1971 (qui montre une classe ouvrière pofondément divisée politiquement). Consulter aussi la bibliographie détaillée établie par G. ADAM, « Où en est le débat sur la nouvelle classe ouvrière ? », *RFSP,* 1968, p. 1003, ainsi que son article « Introduction à un débat sur la nouvelle classe ouvrière », *RFSP,* 1972, p. 509. — Sans oublier les analyses sur le rôle désormais dévolu aux ingénieurs, techniciens et cadres dans la lutte révolutionnaire : R. GARAUDY, *Pour un modèle français du socialisme,* 1968, et *Le grand tournant du socialisme,* 1970. Aux côtés d'une classe ouvrière qui aurait cessé d'être un acteur historique privilégié : A. TOURAINE, *La Société post-industrielle,* 1969.

l'objectif était de renverser l'ordre existant. Avec un objectif plus limité, ils deviennent moins nécessaires. D'où, paradoxalement, une décroissance des *effectifs* des partis sociaux-démocrates, à mesure même que leur électorat s'étend. De partis d'encadrement, ces mouvements se transforment peu à peu en partis de gestion.

Dès lors, il est probable que cette modification des fonctions et cette baisse des effectifs provoqueront, à leur tour, une mutation des *structures* partisanes. Certes la commodité, la nostalgie du passé ou l'inertie, peuvent inciter au maintien des structures traditionnelles. Mais, en sens inverse, le désir d'efficacité peut provoquer une modification des formes anciennes d'organisation. S'il en était ainsi, le parti de masses perdrait jusqu'à ce qui faisait son originalité même : c'est-à-dire son armature structurelle spécifique.

La description et la prévision d'Epstein pouvaient valoir pour les années 1960. En revanche, elle ne convainc guère dans les années 1970. Ainsi, en France, le P.C. et le P.S. conservent beaucoup des traits des partis de masses et sont en pleine santé et en progrès. Ainsi, au Royaume-Uni, le Labour Party radicalise son programme électoral à sa Conférence de 1973 et remporte les deux consultations de 1974 (*infra*, p. 525).

Dans une explication « économiste », certains diraient peut-être qu'il faut voir là l'effet de l'arrêt du développement. La crise économique des années 70 ferait renaître des tensions sociales, qui serviraient elles-mêmes de fondements à des affrontements idéologiques et partisans de type classique. Bref, à l'opposé de l'expansion des années 60, la crise économique des années 70 aurait donné un second souffle aux partis de masses.

L'apparition des partis « attrape-tout ». — En vérité, l'évolution des années 1960 montre la nécessité de dépasser, dans les sociétés hautement développées, la division majeure proposée par M. Duverger (partis de cadres — partis de masses) ou S. Neumann (partis de représentation individuelle — partis d'intégration sociale). Dans une analyse très remarquable (« The Transformation of the Western European Party Systems », in J. LaPalombara, M. Weiner, ed., *Political Parties and Political Development*, Princeton, 1966, p. 177-200), Otto Kirchheimer soulignait fortement *la mutation du fait partisan dans les sociétés avancées.*

Au stade suprême du développement, l'expansion économique gomme les disparités, efface les antagonismes de classes. L'abondance sape les bases des oppositions idéologiques d'hier. De conflictuelle, la société devient consensuelle. En outre, l'irruption des mass media favorise la personnalisation du pouvoir. D'où une dépolitisation et une « désidéologisation » qui ne peuvent être sans effets sur la nature des partis :

« Après la seconde guerre mondiale, le vieux parti bourgeois de représentation individuelle est devenu l'exception. Même s'il en persiste quelques spécimens, ils ne déterminent plus la nature du système de partis. De même, le parti d'intégration de masses, produit d'un âge aux clivages de classes plus tranchés et aux structures idéologiques plus saillantes, est en train de se transformer en parti attrape-tout *(catch-all party)*. Abandonnant toute ambition d'*encadrement* intellectuel et moral des masses, il se tourne plus pleinement vers la scène électorale, essayant d'échanger une action en profondeur contre une audience plus large et un succès électoral plus immédiat » (*op. cit.*, p. 184).

Les vastes ambitions d'autrefois risquaient de dissuader certains électeurs potentiels. Désormais, au lieu de défendre avec agressivité un message destiné à des catégories limitées de l'électorat, on insistera, sans passion, sur des enjeux peu susceptibles de provoquer l'hostilité. Ainsi se comporte, par exemple, le parti gaulliste, de manière à « capter » diverses catégories d'électeurs :

« Son fondement présumé, c'est une doctrine de l'unité et de l'ambition nationales, assez vague et assez souple pour permettre les interprétations les plus variées, mais néanmoins assez attrayante — du moins tant que le général reste au pouvoir — pour servir de point de ralliement à de nombreux groupes et à des individus isolés » (*ib.*, p. 187).

Dominés par le souci des contingences électorales, ces « partis de rassemblement » sont *tournés davantage vers leurs électeurs que vers leurs adhérents,* à la différence des partis de masses d'hier. Dès lors, le pouvoir y appartient non aux adhérents, mais à *des élites, qui ne se font pas dans le parti, par le parti, mais viennent souvent de l'extérieur.* Enfin, pour attirer le maximum de suffrages dans toutes les catégories socio-professionnelles, le parti « attrape-tout » intensifie et diversifie ses *relations avec les groupes d'intérêts,* qui constituent de massifs « réservoirs » d'électeurs.

Ces « catch-all parties » sont aussi bien de droite (U.D.R. en France), que du centre (Démocratie chrétienne en Italie ou en R.F.A.) ou de gauche (S.P.D. en Allemagne fédérale).

Ainsi de dessine une typologie ternaire. Vers laquelle s'oriente aussi Giovanni Sartori, en distinguant le parti parlementaire-électoral

(Legislative-Electoral Party), le parti d'organisation de masses *(Organizational Mass Party)* — respectivement proches du parti de cadres et du parti de masses — et, enfin, le parti de masses électoral *(Electoral Mass Party)* — proche du parti « attrape-tout ».

L'U.D.R., « parti d'électeurs ». — Pour sa part, Jean Charlot (*Le phénomène gaulliste,* 1970, p. 63-66) propose la trilogie « parti de notables », « parti de militants » et « parti d'électeurs ». Les « *partis d'électeurs* » étant précisément ces mouvements inter-classes et presque inter-idéologies, *tournés tout entiers vers l'électorat.* En France, l'exemple même en est l'Union des démocrates pour la République (devenue le R.P.R. en 1976), qui entre difficilement dans la classification binaire de M. Duverger.

D'une part, *ce n'est pas un parti de masses.* Elle a plus d'adhérents (235 000 en 1974) que le parti socialiste, mais ils n'y jouent pas le rôle essentiel dévolu aux militants d'un parti de masses. Son organisation n'est pas démocratique, mais oligarchique : autorité venant d'en haut, postes de direction pourvus par cooptation et non par des élections libres et disputées. D'autre part, *ce n'est pas un parti de cadres.* Elle a sans doute aspiré à l'être, mais les notables ne semblent guère séduits par le gaullisme jusqu'ici et les efforts de l'Union pour s'implanter dans les conseils généraux et municipaux ont été maigrement récompensés. En outre, l'atmosphère y est plus populaire qu'élitiste : le mouvement ne répugne pas aux manifestations de masses étrangères aux partis de notables.

« En fait, l'U.D.R. n'est tournée ni vers ses militants ni vers les notables, mais bien vers les électeurs. C'est un *parti d'électeurs.* Aux partis de notables, aux partis de militants, il faut ajouter un autre type de parti, que Maurice Duverger néglige, les partis d'électeurs » *(op. cit.).*

Cette extroversion tranche avec l'introversion des partis de masses, qui sacrifient un peu leurs électeurs à leurs militants. Cette tension constante vers l'électorat explique que l'électorat gaulliste soit, en 1970, dans sa structure socio-professionnelle, le plus proche de la structure sociologique complexe de la société française. A cette *diversité sociale,* s'ajoute la *variété idéologique.* Le gaullisme doctrinal se réduit à quelques thèmes sommaires — indépendance nationale. Etat fort, participation, etc. —, à partir duquel peuvent être développées des variations diverses. L'idéologie n'a jamais été le fort de ce parti pragmatiste et non doctrinaire, qui répugne ouvertement à la notion de « programme » :

« Contrairement au « parti de militants », ou de masses, le parti d'électeurs récuse le dogmatisme idéologique qui en ferait une Eglise, voire une chapelle. Il se contente d'un fonds commun de valeurs, assez large pour réunir autour de lui un maximum de supporters » *(ibid.)*.

Les limites de la nouvelle typologie. — Cette typologie ternaire est convaincante. Il reste cependant, comme le fait J. Charlot lui-même, à marquer deux réserves.

• D'abord, il faut éviter toute interférence avec des jugements de valeur. Pour O. Kirchheimer, le parti « attrape-tout » semble être l'instrument idéal de l'ajustement pragmatique des conflits et de la démocratie consensuelle. D'autres pourraient porter un jugement moins élogieux sur ce parti qui cultive habilement l'éclectisme, sinon l'ambiguïté, pour mieux « capter » les électorats les plus divers. Cette divergence d'appréciation est sans solution objective. Elle relève, non de la science politique, mais du choix politique.

• En revanche, ce qui appartient à la science politique, c'est d'éviter « *l'illusion d'une histoire unidimensionnelle* », qu'A. Wildavsky reprochait naguère à M. Duverger. Certes il est tentant d'imaginer, en correspondance avec le développement socio-économique, un cycle évolutif débutant avec les partis de cadres, continuant par les partis de masses et s'achevant par les partis « attrape-tout », qui représenteraient la forme « naturelle » des partis à l'ère post-industrielle. Mais cette analyse — qui trahit des préférences idéologiques latentes — n'est pas recevable. Elle nie la complexité du réel.

Réputés avant-hier obsolètes, les partis de cadres continuent de se bien porter. Déclarés hier anachroniques, les partis de masses ne s'effacent pas davantage pour satisfaire aux pronostics d'autres politistes. La réalité, au contraire, c'est *la variété des expériences sociales.* C'est-à-dire la coexistence durable de partis de types divers au sein d'un même système.

La transformation des partis traditionnels. — Cependant, confrontés aux nouvelles formations, beaucoup de partis traditionnels essaient de les *imiter*, pour mieux soutenir leur concurrence. Mais, selon les cas, cette imitation est plus ou moins aisée.

En fait, il est plus aisé de passer directement de l'étape 1 (partis de cadres) à l'étape 3 (partis « attrape-tout »), que de passer de l'étape 2 (partis de masses) à l'étape 3 (partis « attrape-tout »).

Partis de cadres et partis attrape-tout. — Pourquoi ? Parce qu'en vérité les partis de cadres ont toujours eu des caractéristiques assez proches de celles qu'ont aujourd'hui les partis attrape-tout.

D'abord, les partis de cadres, eux aussi, privilégient par-dessus tout la *fonction électorale :* leur objectif est de remporter des succès électoraux, non de recruter un maximum d'adhérents.

Ensuite, les partis de cadres se situent au centre et surtout à droite. Par position et par tempérament, ils ne visent qu'à la gestion de l'ordre existant. A l'inverse des partis révolutionnaires ou même réformistes, ces partis de cadres ont toujours eu *peu de goût pour les doctrines et les programmes trop précis.* Leur programme, c'est la gestion de l'ordre établi, ce qui ne prédispose pas à l'invention idéologique.

Enfin, ces partis de cadres sont traditionnellement *dominés par leurs parlementaires.* Le pouvoir d'impulsion y appartient à ces élus, et non à des dirigeants internes, qui seraient l'émanation de la base, qui seraient les délégués des adhérents.

C'est dire qu'à ces trois niveaux, les partis de cadres ressemblent déjà beaucoup aux partis attrape-tout. Par conséquent, il leur sera aisé de se transformer en partis attrape-tout, en accentuant leurs traits traditionnels.

Partis de masses et partis attrape-tout. — A l'inverse, les partis de masses tournent le dos aux partis de cadres. Il n'est donc pas étonnant qu'ils *s'opposent, trait pour trait, aux partis attrape-tout.*

Aux débuts de l'industrialisation, les clivages étaient tranchés, les antagonismes sociaux étaient aigus. Pour cette lutte des classes, les masses s'enrôlaient dans de puissants appareils de combat. Nés avec le siècle (la S.F.I.O. apparaît en 1905, le Labour Party en 1906) ou quelques années avant (le S.P.D. est créé en 1875), ces partis de masses présentent des traits spécifiques. Des adhérents par dizaines ou centaines de milliers. Une doctrine sans concessions. Et une direction procédant et dépendant de la base.

A ces lourds dinosaures succèdent des organismes plus mobiles, prompts à exploiter l'opacité des sociétés post-industrielles. La croissance économique masque les disparités, occulte les antagonismes de classes. Les doctrines se fanent; les utopies sont moribondes. La politique se banalise, tandis que les mass media accentuent la personnalisation de la vie publique. Alors, dans cette confusion, surgit un nouveau type de formation politique : le parti attrape-tout. Il *s'oppose, trait pour trait, au parti de masses.*

— L'objectif n'est plus de recruter de gros bataillons d'adhérents. Ce parti glouton préfère *capter le maximum de suffrages,* en attirant des électorats divers ou même contradictoires.

— Recette : *aucun dogme ou programme trop précis;* s'en tenir à des thèmes assez vagues pour permettre toutes les variations, toutes les interprétations.

— Résultat : un mouvement *extroverti,* tourné vers ses électeurs et non vers ses militants, souvent dirigé par des élites non issues de la base.

En bref, un parti de masses, cela signifie : un recrutement massif, une doctrine rigoureuse, une organisation rigide conduite par une direction émanant de la base. A l'inverse, un parti attrape-tout, cela veut dire : un électorat composite, un programme vague et une direction extrovertie.

En conséquence, les partis de masses ont beaucoup plus de mal que les partis de cadres à s'inspirer de l'expérience des partis attrape-tout. Néanmoins, eux aussi se sentent obligés d'entrer dans une certaine évolution.

Les partis d'attraction. — Dès lors, il devient possible d'établir un portrait robot du parti « moderne », du parti « fonctionnel », adapté à la compétition politique dans la société surdéveloppée. Mieux vaut ne pas parler de partis « attrape-tout » pour les désigner. Car ces partis fonctionnels, tout en s'inspirant des « catch-all parties », ne reproduisent pas tous leurs traits, souvent excessifs et caricaturaux.

Mieux vaut parler de « *partis d'attractions* », pour désigner ces formations modelées pour et par la compétition électorale, et qui souhaitent attirer un maximum de suffrages, pour devenir ou demeurer des « partis de gouvernement ». On pourrait aussi les qualifier de « *partis d'agrégation* », car ces formations assurent avec succès et par priorité la fonction d'agrégation des intérêts, telle que l'analyse G. Almond (*supra,* p. 488).

Au total, ces formations « fonctionnelles » tendent à présenter trois traités communs : *un électorat diversifié, un programme d'agrégation et une direction extrovertie.*

Un électorat diversifié. — L'objectif commun, c'est la « *vocation majoritaire* », pour recueillir la majorité absolue des suffrages. A cette fin, le parti vise à dépasser sa base de départ, pour *étendre au maximum sa superficie électorale.* Au lieu de se cantonner à une classe sociale particulière, à une famille politique déterminée ou à une sous-culture politique limitée, il entend *élargir et diversifier son électorat.* Il veut cesser d'être un « parti de classe », pour devenir un « *parti national* », en qui la majorité des électeurs puisse se reconnaître.

Ces partis tendent donc à devenir des « *partis d'électeurs* », préoccupés davantage de leurs électeurs que de leurs adhérents. Cette extroversion tranche avec l'introversion des partis de masses, qui sacrifiaient un peu leurs électeurs à leurs militants.

Un programme d'agrégation. — En conséquence, ces « partis d'attraction » évitent la rigidité doctrinale et l'intransigeance idéologique. Ils se gardent de tout dogmatisme ou sectarisme. Afin de ne pas rebuter ou dissuader des électeurs potentiels par des positions trop tranchées. Ces partis présentent, au contraire, des « *programmes d'agrégation* », des programmes de *synthèse,* qui s'efforcent d'homogénéiser, d'harmoniser, dans la mesure du possible, les diverses demandes des individus et des groupes. Ils exercent ainsi la fonction d' « agrégation des intérêts » (Almond) ou de « réduction des demandes » (Easton).

Une direction extrovertie. — Enfin, ces « partis d'attraction » possèdent une *direction extrovertie.* Les partis de masses étaient tournés davantage vers leurs adhérents que vers leurs électeurs. Le leadership du parti revenait donc naturellement aux dirigeants internes (élus par les adhérents), qui prenaient le pas sur les parlementaires (élus par les électeurs). Ainsi les partis socialistes posaient en principe la subordination des élus (groupe parlementaire) aux dirigeants intérieurs (congrès et comité directeur).

Cette rivalité entre deux catégories dirigeantes (*supra,* p. 504) traduisait précisément la *tension entre deux communautés de base :* celle des *adhérents,* qui désignent les dirigeants intérieurs, et celle des *électeurs,* qui élisent les parlementaires. Elle exprimait un décalage naturel entre une avant-garde plus consciente et plus engagée (les adhérents) et une masse plus passive et plus réservée (les électeurs).

En revanche, les partis d'attraction, dominés par les perspectives électorales, sont tournés davantage vers leurs électeurs que vers leurs adhérents. En fait, la plupart confient leur direction aux élus du corps électoral plutôt qu'aux représentants des adhérents. Dans beaucoup de cas, *les élus prennent le pas sur les dirigeants internes.*

L'idée centrale est la suivante : *la démocratie « externe » doit prévaloir sur la démocratie interne. Un parti est fait d'abord pour ses électeurs.* Fonder un parti sur ses adhérents, c'est presque certainement le couper de ses électeurs, les premiers — moins nombreux et plus intransigeants — n'étant guère représentatifs des seconds. On ne peut plus sacrifier l'électorat à la démocratie interne, à l'omnipotence des congrès ou des comités directeurs. Il faut, au contraire, *confier le leadership du parti aux élus, placés au contact des masses électorales et plus aptes à traduire leurs aspirations.* Bref, *l'investiture « externe »* — plus large — doit primer *l'investiture « interne »* — plus étroite. Telle est la nouvelle formule : des « partis d'électeurs », dirigés par des élus. D'où une *direction extrovertie,* tournée vers l'extérieur.

Ces *partis d'attraction,* on les trouve, par exemple, en Grande-Bretagne, en Allemagne fédérale, en Autriche, etc. Et aussi en France.

Les partis au Royaume-Uni. — Au Royaume-Uni, les partis conservateur et travailliste présentent — généralement — les traits caractéristiques des partis d'attraction. Même si leur évolution récente tend à les écarter quelque peu de ce modèle.

Des électorats diversifiés. — Premier trait : un électorat diversifié, composite. Ainsi le parti conservateur a toujours cherché à donner de lui-même l'image d'un *parti interclasses,* propre à représenter la diversité des intérêts nationaux. Et le parti travailliste s'est engagé dans la même voie.

L'électorat conservateur. — Dès 1872, Disraeli déclarait : « Le parti conservateur, s'il n'est pas un parti national, n'est rien. Il n'est pas une association de nobles, il n'est pas une multitude démocratique; c'est *un parti formé des nombreuses classes du royaume.* » De même, en 1957, M. Mac Millan présentait son parti comme « issu de toutes les catégories de la nation ».

Ces déclarations sont-elles confirmées par les sondages et les résultats électoraux ?

Certes, *le parti conservateur recueille les préférences électorales des partis modérés.* Dans tous les pays, en effet, beaucoup d'électeurs conservateurs présentent des traits bien connus : l'âge (qui se révèle dextrogyre), le sexe féminin (les femmes votent plus à droite que les hommes), la pratique confessionnelle (souvent liée au vote modéré), le statut socio-professionnel élevé, etc.

Mais, en Grande-Bretagne, *l'électorat conservateur ne se borne pas à ces catégories traditionnelles.* Certes, la population rurale, les hommes d'affaires, les membres des professions libérales et, à un moindre degré, les employés sont nettement pro-conservateurs. Certes, la haute et la petite bourgeoisie sont surreprésentées dans la clientèle conservatrice. Mais cette clientèle ne se limite pas aux classes supérieures et à une large partie des classes moyennes. Traditionnellement, près d'un ouvrier sur trois vote conservateur.

L'électorat travailliste. — Face à cet électorat composite du parti conservateur, le *Labour Party* a tenté, lui aussi, d'ouvrir plus largement son éventail électoral. Parti ouvrier à l'origine, il a *pénétré dans les milieux sociaux les plus divers.* Si bien qu'aujourd'hui sa clientèle électorale présente, elle aussi, un caractère composite. Avec la défection d'une partie des travailleurs manuels, le soutien d'une partie des classes moyennes et le ralliement d'une fraction croissante des cadres intellectuels.

Cependant, ce sont toujours les travailleurs manuels — et surtout ceux d'entre eux qui sont syndiqués — qui fournissent au Labour Party le plus gros pourcentage de ses voix. Les autres électeurs se recrutent surtout parmi les petits salariés n'occupant pas d'emploi manuel. Quant aux classes moyennes, elles demeurent réticentes et votent plus volontiers conservateur ou libéral. Enfin, seule une petite fraction de la classe supérieure accorde ses suffrages au Labour.

Ainsi, à la différence du parti conservateur, qui se présente comme une formation « interclasses », le parti travailliste conserve un *électorat à structure socio-professionnelle beaucoup plus homogène.* Il reste d'abord un parti ouvrier, auquel les classes moyennes hésitent à apporter leurs suffrages. Quand ces classes moyennes acceptent de voter davantage en faveur du Labour Party (comme en 1945, 1964, 1966, 1974), ce déplacement détermine souvent sa victoire.

Le vote flottant. — En vérité, l'arbitrage appartient au « *vote flottant* ». Généralement, les campagnes électorales visent à faire basculer les quelques centaines de milliers de voix, ou le million de voix, qui donnera la victoire à l'un ou à l'autre des deux grands partis. Tout sera donc fait pour attirer cette masse d'électeurs, qui ne votent de façon constante ni conservateur ni travailliste, mais qui à chaque élection générale *fait pencher la balance* en se portant d'un côté ou de l'autre.

Beaucoup de ces électeurs hésitants ou indécis se situent au *centre* de l'opinion. Ces électeurs du centre sont les seuls disponibles dans un système bipartisan qui oppose un parti de gauche et un parti de droite. Dès lors, chacun de ces deux partis *se modère, pour gagner la faveur* de ces électeurs marginaux. Toute leur campagne vise à conquérir cet appoint décisif. En conséquence, on assiste, non pas à une opposition idéologique tranchée, mais à une compétition pragmatique entre un centre gauche et un centre droit.

En bref, chaque parti cherche à s'aligner, à se modeler sur cet électorat potentiel. Alors, comme l'a noté Anthony Downs (*supra*, p. 486), la *stratégie* partisane ne résulte guère de l'idéologie. C'est souvent, au contraire, l'idéologie qui procède de la stratégie. Chacun des deux grands partis adultère son idéologie et modèle ses positions sur celles de l'électorat centriste; celui-ci étant la seule force disponible, qui fera décisivement pencher la balance du côté travailliste ou du côté conservateur.

Des programmes d'agrégation. — En conséquence, les éléments de convergence apparaissent de plus en plus nombreux entre les programmes des deux grandes formations concurrentes. Chacune renonce à une doctrine trop précise, qui pourrait dissuader les électeurs marginaux. Chacune atténue l'intransigeance de son programme, pour n'effaroucher aucun électeur potentiel. D'où des « *programmes d'agrégation* », cherchant à opérer des synthèses ou des compromis. Loin du sectarisme et du dogmatisme.

Cette modération « programmatique » est aisée pour le *Parti conservateur.* Comme toutes les formations conservatrices, ce parti borne son ambition à gérer la société existante en respectant les traditions. Il n'a donc jamais brillé par la précision doctrinale ou par l'invention idéologique.

Mais cette modération est beaucoup moins aisée pour le *Parti travailliste.* Fondé par des syndicalistes et longtemps dominé par eux, le Labour Party apparaît d'abord comme un parti de classe, comme le parti qui défend les aspirations et les intérêts du monde ouvrier. Parti « social-démocrate », qui respecte la démocratie libérale, mais qui insiste, dans ses statuts, sur les exigences de la socialisation.

Pour devenir un « parti national », un « parti de gouvernement », les travaillistes seront contraints de *consentir des concessions,* en acceptant d'atténuer, voire de réviser leur programme.

Le Labour Party : fondamentalistes et révisionnistes. — Au pouvoir de 1945 à 1951, les travaillistes réalisent bon nombre de leurs objectifs : nationalisation des industries-clés, création de services sociaux, redistribution des revenus. En 1951, le Labour Party retourne durablement dans l'opposition. Il y demeure treize ans (jusqu'en 1964), subissant *trois échecs électoraux consécutifs* (1951, 1955, 1959).

Pendant toute cette période, deux tendances opposées s'affrontent. La gauche du parti, animée par Aneurin Bevan et forte parmi les adhérents individuels, rêve de radicaliser le mouvement. Au plan intérieur, elle réclame une reprise et une intensification de la politique de *nationalisations.* Au plan extérieur, elle préconise une conversion au *neutralisme.* Bref, davantage de socialisme et de pacifisme. Au contraire, le reste du parti (en particulier, la direction et la plupart des syndicats) prêche la modération. A ses yeux, le Parti doit présenter un programme plus modéré, excluant toute mesure trop agressivement socialiste.

Et c'est tout le conflit entre « *fondamentalistes* » — qui refusent de voir altérer les fondements du socialisme — et *révisionnistes* — qui jugent possible d'amender le capitalisme, pour réaliser des objectifs socialistes comme l'égalité et l'abolition de la pauvreté, qui refusent d'ériger en dogme absolu l'appropriation publique des moyens de production. Les deux tendances s'opposent donc essentiellement sur l'ampleur à donner à de nouvelles nationalisations.

Sensible aux arguments « révisionnistes », le leader Hugh Gaitskell propose de modifier la *clause IV* des statuts, adoptés en 1918, qui assigne au Parti comme objectif « l'appropriation publique des moyens de production, de distribution et d'échange ». A son sens, il n'est pas opportun de conserver dans les statuts cette référence intransigeante au socialisme, qui risque d'effaroucher beaucoup d'électeurs potentiels. Gaitskell sacrifie le dogmatisme à l'électoralisme : « Nous devons procéder graduellement. Nous devons toujours calculer notre programme d'extension de la propriété publique *en fonction de ce que l'électorat est prêt à accepter,* pour la simple raison que si nous procédons autrement les élections ne nous porteront pas au pouvoir. »

Mais la proposition de Gaitskell se heurte à l'hostilité de la gauche et même des syndicats, pourtant plus modérés, mais sentimentalement attachés à la tradition et aux statuts du mouvement. Et la Conférence annuelle du parti, en 1960, refuse de modifier la clause IV. De même, contre l'avis de Gaitskell, cette Conférence adopte une résolution favorable à la renonciation unilatérale de la Grande-Bretagne aux armes nucléaires.

Ainsi, sur deux points essentiels, le congrès du parti refuse la modération préconisée par le leader et le groupe parlementaire. Ce qui illustre le *décalage* existant entre les adhérents et les dirigeants internes, d'une part, et les électeurs et les parlementaires, d'autre part. Les seconds étant plus modérés, plus portés aux compromis, plus détachés de l'idéologie.

Le pragmatisme wilsonien. — En 1963, M. Harold Wilson succède à Gaitskell, décédé. Cet ancien lieutenant de Bevan s'inspire, en fait, de la même philosophie réformiste et modérée que l'ancien leader. Tout en ayant l'habileté de ne pas remettre en cause officiellement l'idéologie et les statuts.

En tout cas, M. Wilson *s'écarte résolument du marxisme.* Allant jusqu'à se flatter publiquement de n'avoir jamais pu dépasser la seconde page du *Capital.* Ou jusqu'à déclarer, à la Conférence de 1966 : « Nous ne pouvons pas nous permettre de nous attaquer aux problèmes des années 1960 en cherchant en vain la réponse dans le cimetière de Highgate » (8). Loin des querelles idéologiques, le nouveau leader préfère mettre l'accent sur les *problèmes techniques.* « Un bon politique doit tenir moins du prophète et davantage du technicien » (*The Observer,* 16 juin 1963).

Sous son impulsion, la Conférence de Scarborough (1963) adopte un mani-

(8) Cimetière où se trouve la tombe de Karl Marx.

feste — *Le travaillisme et la révolution scientifique* —, qui rend un son nouveau, en mettant l'accent sur les exigences et les perspectives du progrès technique.

Thèse : la révolution scientifique et technologique implique une planification de l'activité économique, une réforme de l'entreprise, la modernisation des structures, le renouvellement des méthodes, etc. Par là même, elle condamne le conservatisme. Car celui-ci représente l'absence de planification, la politique économique à courte vue du « stop and go », le sous-développement de l'éducation et de la recherche scientifique, la direction des entreprises par des « héritiers » plutôt que par des managers compétents. Au contraire, le travaillisme, c'est l'imagination, c'est la compétence au pouvoir.

Ce *travaillisme « technologique » et pragmatique* tranche avec les vieilles luttes idéologiques qui ont naguère divisé le parti. Désormais, avec cette plate-forme « attractive », avec ce programme non dogmatique, le Labour Party regarde vers le centre. Pour disputer au Parti conservateur les électeurs centristes ou indécis, qui décident de la victoire.

En 1959, le Parti travailliste avait encore l'image d'un parti ouvrier, défenseur des catégories opprimées ou défavorisées. Aux élections de 1964 et de 1966, il se présente comme un *parti de gouvernement, au service de la nation tout entière.* Et c'est la victoire de 1964 et surtout de 1966.

La tendance à la « *désidéologisation* » s'accentue encore aux élections de 1970. Cette fois à l'excès. Invoquant sa compétence de gestionnaire, le premier ministre sortant, M. Wilson, mène ce qu'il appelle lui-même « une campagne ensoleillée », évitant de poser les grands problèmes. Le parti travailliste aura rarement conduit une campagne électorale si empirique, si pauvre en contenu idéologique, faisant si peu écho à la doctrine socialiste.

Cette campagne, sous-tendue par un optimisme trop complaisant, semble avoir démobilisé un certain nombre d'électeurs travaillistes, sans avoir convaincu pour autant les électeurs marginaux. Et les conservateurs distancent les travaillistes et les remplacent au pouvoir. Jusqu'en février 1974.

Des directions extroverties. — Dernier trait caractéristique des « partis d'attraction » : chacun des deux partis possède une direction extrovertie. *Les parlementaires prennent très nettement le pas sur les « dirigeants internes ».* Au parti conservateur, mais aussi au parti travailliste.

En droit comme en fait, l'Union nationale n'est qu'une « machine » à la disposition du groupe parlementaire et du leader *conservateurs.* On y ignore la démocratie interne. Le pouvoir ne vient pas de la base. La direction du parti est assurée par les parlementaires et, surtout, par le leader que ceux-ci ont désigné.

Depuis 1965, en effet, ce leader est choisi par le groupe parlementaire conservateur des Communes. Loin d'être désigné par les représentants des adhérents, il est donc l'élu des élus du peuple. Disons, en quelque sorte, que le leader conservateur est, dorénavant, l'élu du corps électoral au suffrage indirect. Comme l'a toujours été le leader travailliste.

En effet, les conservateurs se sont directement inspirés de la procédure de désignation du leader en usage au *Parti travailliste.* A quelques nuances près. Reste une différence importante : au moins quand il n'est pas au pouvoir, le leader travailliste est soumis, lui, à réélection annuelle par le groupe parlementaire travailliste des Communes.

Comme le leader conservateur (depuis 1965), le leader travailliste *ne dépend donc* pour sa désignation — et sa réélection — *que du groupe parlementaire.* Le reste du parti n'intervient en rien. Dans chaque formation, le leader est l'élu des représentants des électeurs, et non l'élu des délégués des adhérents. Il est donc tourné davantage vers les électeurs, que vers les adhérents, *vers l' « extérieur »* que vers l'intérieur du parti.

Les élections de 1974 : deux partis en rétraction ? — Cela dit, face aux élections de 1974, ces deux grands partis se comportent de moins en moins en partis d'attractions, caractérisés par les traits décrits ci-dessus. Ils semblent, au contraire, *en rétraction,* en repli sur des bases traditionnelles et souvent dysfonctionnelles. Loin de « rayonner » et d'attirer de nouveaux électeurs, ils paraissent en contraction, *en repli sur eux-mêmes.*

La radicalisation des travaillistes. — A ses congrès de 1972 et de 1973, le parti travailliste prend un net *virage à gauche.* Sous la pression de ses adhérents. Car *la gauche du parti* (derrière MM. Wedgwood-Benn et Michael Foot) *trouve alors l'appui des grands syndicats* (derrière MM. Jack Jones et Hugh Scanlon). En effet, les dirigeants syndicaux ont changé d'attitude. Dans les années 1950, ils jouaient un rôle modérateur, appuyant la direction du parti contre la gauche bevaniste. Au début des années 1970, ils tentent de radicaliser la politique du parti. De plus, la gauche et les syndicats sont en accord sur une autre position fondamentale : l'hostilité à l'adhésion britannique aux Communautés européennes. Ce qui les oppose à la « droite » pro-européenne, conduite par M. Roy Jenkins.

Désormais, la gauche domine la Conférence annuelle du parti grâce à l'appui des syndicats, qui y contrôlent près des 5/6ᵉ des votes. Et elle s'en sert pour imposer ses vues au groupe parlementaire, plus modéré. Ainsi, à la 72ᵉ Conférence (octobre 1973), M. Wilson est contraint d'accepter un *programme électoral très nettement orienté à gauche,* le programme « le plus radical depuis 1945 », selon M. Denis Healey. C'est nettement le congrès de la *radicalisation.*

D'abord, au plan économique. Le programme adopté prévoit la *nationalisation* des ports, des constructions navales et aéronautiques, d'importants secteurs de l'industrie pharmaceutique et des machines-outils, du bâtiment et des transports routiers. De plus, un gouvernement travailliste s'assurerait des pouvoirs très étendus pour contrôler ou diriger la gestion des entreprises industrielles et commerciales. Il existerait, en effet, un *Office national d'entreprises,* chargé d'agir comme un holding pour les entreprises nationalisées, d'assurer l'exploitation du secteur public et de prendre des participations dans des sociétés privées rentables. Enfin, le programme envisage la municipalisation de la propriété foncière.

M. Wilson était favorable, à l'origine, à des propositions plus modérées ou plus vagues : actionnariat ouvrier, participation ouvrière à la marche de l'entreprise, « démocratie industrielle », etc. Il cède donc beaucoup de terrain devant la poussée des « révolutionnaires ».

D'autre part, la campagne contre les structures actuelles du *Marché commun* domine le congrès de 1973. M. Wilson évite de justesse le vote d'une motion exprimant une hostilité de principe à la participation de la Grande-Bretagne au Marché commun. Finalement, sa résolution en vue d'une « *renégociation* » du contrat passé avec les partenaires européens obtient une majorité massive.

Au total, on est loin du réformisme wilsonien des années 1964-1970. Le Labour Party va franchement à gauche. Sous la poussée de ses *adhérents,* qui entreprennent de transformer la direction et les parlementaires du parti en instruments dociles de leurs vues. Par l'intermédiaire de la Conférence annuelle. D'où l'attitude de la gauche, qui se fait le champion de *la base* et qui insiste pour que les résolutions de la Conférence lient rigoureusement les parlementaires, la direction et le leader du parti.

Ce retour à l'introversion et à la radicalisation comporte des dangers électoraux. Le Parti travailliste risque de perdre l'image d'un parti national, pour redevenir, aux yeux de certains, un « parti de classe », s'identifiant à la seule classe ouvrière et à ses syndicats.

Aux élections du 28 février 1974 (*infra,* p. 559), les travaillistes n'obtiendront que 37,2 % des voix. Ils formeront pourtant le gouvernement, les conservateurs obtenant, eux aussi, un score médiocre. Après une nouvelle dissolution, les travaillistes remportent de nouveau une courte victoire, avec 39,3 % des suffrages aux élections du 10 octobre 1974 (*infra,* p. 561). Jamais, avant 1974, le Labour Party n'avait obtenu moins de 40 % des voix à une élection générale.

Le raidissement des conservateurs. — Le parti conservateur connaît, symétriquement, une *rétraction,* un repli analogue. Dans les années précédentes, le premier ministre, M. Heath, avait résisté à la pression des conservateurs traditionnels, pour mener une politique plus novatrice. Ainsi, au congrès d'octobre 1973, il défend sa politique économique et sociale, affirme qu'un « climat nouveau » se manifesterait dans les relations avec les syndicats et promet de promouvoir la « participation » dans l'entreprise. Il juge même une planification économique indispensable pour « modeler l'avenir ». De même, contre les nationalistes de son parti, M. Heath défend sa politique européenne. Bref, contre son aile droite, M. Heath veut, semble-t-il, continuer d'orienter son parti vers le centre.

Pourtant, en quelques mois, c'est *le raidissement et le reflux du parti conservateur vers la droite*. M. Heath apparaît alors comme incapable de dépasser son propre électorat, de mobiliser l'effort de tous et de réconcilier la nation.

On connaît les faits. Le 8 novembre 1973 entre en vigueur la troisième étape du plan de stabilisation. Elle limite la hausse des salaires à 11 % par an, mais prévoit quelques cas spéciaux, dont celui des mineurs. Le même jour, ceux-ci rejettent l'offre de la direction des charbonnages (augmentation moyenne de 13 %). Le 12 novembre, c'est le début de la *grève* des heures supplémentaires des mineurs. Le 5 février 1974, les mineurs se déclarent, par 81 % des voix, en faveur de la grève générale.

Faisant preuve d'obstination, M. Heath refuse de céder d'un pouce aux revendications — pourtant légitimes — des mineurs. Le 7 février, il décide d'en appeler au pays et annonce la *dissolution* des Communes. Sans nuances, la campagne conservatrice est dirigée contre « la dictature des syndicats » — qu'on décrit dirigés ou manipulés par des communistes — et contre l' « extrémisme » des travaillistes, qui les soutiennent.

Le 28 février 1974, les conservateurs obtiennent seulement 38,1 % des voix. Ils perdent le pouvoir au profit des travaillistes (qui n'ont que 37,2 % des suffrages, mais 5 sièges de plus aux Communes). Le 10 octobre 1974, ils rassemblent seulement 35,8 % des voix.

La percée des libéraux. — En revanche, le Parti libéral, rajeuni, rénové, dirigé par un leader de talent, M. Jeremy Thorpe — auquel succédera bientôt M. David Steel — a le vent en poupe. Son manifeste électoral propose des idées originales : décentralisation du pouvoir par la création de Parlements régionaux en Ecosse et au Pays de Galles, salaire minimal garanti, efficacité accrue de l'impôt sur les successions, système d' « amendes contre l'inflation », etc.

Surtout, la percée libérale (19,3 % des voix, mais seulement 14 élus en février 1974, 18,3 % des voix mais seulement 13 élus en octobre 1974) s'explique par la *rétraction des deux grands partis*, par leur *crispation sur des bases « dures »*, marquées d'une certaine intransigeance. Les électeurs marginaux sont troublés par l'obstination de M. Heath, par son conservatisme face à des revendications sociales souvent fondées. Mais ils sont déconcertés par la radicalisation des travaillistes (annonce d'une série de nationalisations, refus de désavouer vraiment les attitudes extrémistes de certains dirigeants syndicaux, etc.). Bref, chacun des deux grands partis se rétractant sur la base de départ et cessant d'être un parti d'attraction, *une place se trouve dégagée au centre*. Il en eût été autrement si, comme d'habitude, les deux grands avaient exercé « la fonction centriste » et donné l'image, l'un d'une formation de centre droit, l'autre d'une formation de centre gauche.

Dernière raison du succès libéral : les Anglais sont *las du duopole*. Le duopole des deux grands partis engendre presque les mêmes inconvénients qu'une situation de monopole ou de parti dominant : usure du pouvoir, non-renouvellement des idées et des dirigeants, etc. Assurés d'alterner au pouvoir, chacun des deux grands partis sombre dans la routine, perd sa capacité à innover. D'où l'envie de voter pour un tiers parti qui dérange ces conformismes et ces situations acquises.

Le nouveau raidissement conservateur. — En février 1975, le raidissement conservateur s'accentue. Les parlementaires désignent comme nouveau leader Mme Margaret Thatcher, qui se situe à l'aile droite du parti et qui remplace M. Heath. C'est donc une victoire, au sein du parti conservateur, des « traditionalistes » sur les « progressistes » (fidèles à M. Heath et à une certaine intervention de l'Etat).

Nostalgique des valeurs traditionnelles, adepte fervente du libéralisme économique, hostile au dirigisme voire aux mesures sociales, Mme Thatcher est presque cette « Pasionaria des privilèges » que décrit le travailliste Denis Healey.

Au congrès conservateur d'octobre 1975, Mme Thatcher rend le socialisme responsable de l'inflation, du sous-emploi, de la récession, de la pression fiscale abusive, des dépenses publiques excessives et de l'endettement extérieur. Attaquant « ceux qui prétendent que le système de la libre entreprise a échoué », Mme Thatcher déclare : « Ce à quoi nous sommes confrontés aujourd'hui, ce n'est pas à une crise du capitalisme, mais du socialisme. Aucun pays ne peut être prospère si la vie économique et sociale est dominée par la nationalisation et le contrôle de l'Etat. »

A la place de cela, Mme Thatcher propose aux congressistes une autre vision de la société, reposant sur « l'héritage britannique » : « le droit pour chacun de travailler comme il l'entend, de dépenser ce qu'il gagne, de posséder des biens et de pouvoir considérer l'Etat comme un serviteur et non comme un maître... Ces droits sont à la base d'une économie libre et toutes nos autres libertés dépendent de celle-là » (*Le Monde* des 12 et 13 octobre 1975).

Au congrès de 1976, Mme Thatcher se lance dans la même croisade antisocialiste.

Le retour à la modération du parti travailliste. — En revanche, le Labour Party revient à la modération. Sur l'Europe, M. Wilson soumet le résultat de la « renégociation » à un référendum, le 6 juin 1975. Préconisé par le premier ministre, le « oui » recueille 67,2 % des suffrages exprimés. Ce qui marque un grand succès pour M. Wilson et une grave défaite pour la gauche travailliste anti-européenne.

D'autre part, M. Wilson présente, en juillet 1975, un plan anti-inflation (limitation volontaire des augmentations de salaires et contrôle renforcé des prix), qui recueille successivement l'approbation du congrès de la confédération des syndicats (T.U.C.) en septembre 1975 et du congrès du parti travailliste en octobre 1975.

Ainsi donc, M. Wilson parvient à renverser le rapport de forces en faveur de ses thèses au sein du mouvement travailliste. Il retrouve l'appui de la majorité des syndicalistes, qui rompent avec la gauche travailliste. Bref, l'aile gauche du parti est isolée; l'alliance se renoue entre le gouvernement travailliste et les syndicats.

En mars 1976, M. Wilson démissionne pour convenance personnelle. Le groupe travailliste des Communes élit donc un nouveau leader, qui sera, du même coup, le nouveau premier ministre. L'aile gauche présente deux candidats rivaux : MM. Tony Benn et Michael Foot. L'aile droite présente M. Roy Jenkins, chef de file des modérés et des pro-européens, et M. Anthony Crossland, théoricien du socialisme non marxiste. Au centre, M. Denis Healey, chancelier de l'Echiquier, et surtout M. James Callaghan, alors Foreign Secretary, typiquement « *middle-of-the-roader* ».

Au troisième tour de scrutin, le 5 avril 1976, M. Callaghan (176 voix) l'emporte sur M. Foot (137 voix). Avec M. Callaghan, 64 ans, vieux routier du parti, c'est donc un travaillisme sage, atlantiste, tièdement européen et disposant de bonnes relations avec les dirigeants syndicaux, qui s'installe au 10 Downing Street.

A noter aussi un autre fait : les élections d'octobre 1974 avaient donné 319 sièges aux travaillistes, soit seulement un de plus que la majorité absolue, qui est de 318. Au fil du temps, divers échecs à des élections partielles les privent de cette majorité. Dès lors, M. Callaghan signe avec les libéraux un « *pacte lib-lab* » (Parti libéral-Labour Party) : moyennant certains engagements quant à la politique suivie par le gouvernement, les treize députés libéraux acceptent de soutenir le gouvernement, qui, sans eux, ne disposerait plus d'une majorité stable aux Communes.

Par son évolution même, comme par ce pacte passé avec les libéraux, le parti travailliste redevient donc un parti de centre-gauche, s'efforçant — avec succès ? — d'attirer un électorat nombreux. En revanche, crispé sur des positions dures, le parti conservateur accentue son raidissement, qui le situe à droite plus qu'au centre-droit.

Les partis en Allemagne fédérale. — En Allemagne fédérale, les deux grands partis continuent de présenter, l'un et l'autre, les traits caractéristiques des partis d'attraction. C'est vrai de la démocratie chrétienne (C.D.U.-C.S.U. : Union chrétienne-démocrate-Union chrétienne-sociale) comme du parti social-démocrate (S.P.D.).

Un électorat composite. — Les deux grands partis rivalisent pour *diversifier et étendre au maximum leur clientèle électorale.* Aujourd'hui, aucun d'eux n'est un parti de classe. Chacun possède un *électorat composite.* Même si on retrouve certains clivages traditionnels dans la répartition des votes. Car, là aussi, la division entre conservateurs et socialistes s'opère souvent encore en fonction de critères socio-professionnels ou culturels.

L'électorat de la C.D.U. — Ainsi, les *femmes* et les *personnes âgées* votent de préférence pour la C.D.U. Il en va de même pour les *catholiques*. Aux élections du 19 novembre 1972, la C.D.U.-C.S.U. réalise ses meilleurs scores dans les Etats du sud (catholiques) : Bavière, Rhénanie-Palatinat, Bade-Wurtemberg. Les *exploitants agricoles* indépendants votent nombreux pour la C.D.U. Enfin, le vote pour ce parti croît, dans l'ensemble, avec le niveau d'instruction et avec le niveau de revenus.

Cependant, la C.D.U. dépasse cet électorat conservateur et possède un électorat diversifié. Elle s'est toujours voulue un parti interclasses. Ainsi, elle recueille des suffrages parmi les *employés* et même parmi les *ouvriers*. D'autre part, même si elle domine surtout dans les régions catholiques, la C.D.U. se veut un parti *interconfessionnel,* où les électeurs protestants et les électeurs catholiques s'équilibrent.

En bref, la C.D.U. s'est attachée à réunir les forces les plus diverses de la société. Ce qui explique son caractère longtemps dominant. Entré plus tard dans cette voie, le S.P.D. y progresse lui aussi. Avec succès.

L'électorat du S.P.D. — Le S.P.D. a, en effet, singulièrement élargi son électorat : 29,2 % des suffrages (élections de 1949), 28,8 % (1953), 31,8 % (1957), 36,2 % (1961), 32,3 % (1965), 42,7 % (1969), 45,9 % (1972) et 42,6 % (1976).

Pourquoi cette progression générale ? Au départ, le S.P.D. s'identifie nettement à un *parti de classe*. Son électorat se compose surtout d'*ouvriers* et de paysans pauvres. Mais il s'ouvre progressivement aux autres travailleurs salariés, aux employés, aux couches moyennes, aux cadres, etc.

Cette ouverture coïncide avec le nouveau programme adopté au congrès de Bad-Godesberg. Ce nouveau document dispose : « D'un parti de la classe ouvrière, le parti social-démocrate est devenu un parti du peuple. » Désormais, le S.P.D. souhaite *s'adresser à l'ensemble de la population*. Comme le Labour Party, comme les « partis frères » d'Autriche et de Scandinavie, le S.P.D. veut être capable d'attirer à lui la majorité d'un corps électoral dans lequel les ouvriers sont de plus en plus minoritaires.

Certes, à l'inverse de la C.D.U.-C.S.U., le S.P.D. continue de dominer dans les milieux ouvriers, dans l'électorat protestant, dans les grandes villes et surtout au nord de l'Allemagne. Ses pôles de puissance sont Hambourg, Brême, l'immense zone industrielle de la Rhur et du Rhin, etc. Mais, en 1969, puis en 1972, il progresse aussi dans d'autres secteurs : régions catholiques (Rhénanie-Palatinat, Sarre), régions rurales, électorat féminin, etc. (8 *bis*).

L'interpénétration des clientèles. — Cette progression du S.P.D. dans l'électorat rural, dans l'électorat féminin et dans l'électorat catholique

(8 *bis*) En revanche, aux élections de 1976, le S.P.D. ne réussit plus la même percée dans les régions catholiques et l'électorat féminin. Il maintient ou améliore ses positions dans le nord, mais la C.D.U.-C.S.U. enregistre ses gains les plus forts au sud.

s'accompagne de la perte d'anciens électeurs, votant cette fois pour la C.D.U. ou pour le F.D.P. Désormais, de forts échanges de voix interviennent entre les trois partis. Un nombre croissant d'électeurs font preuve d'une grande *disponibilité* dans leur comportement électoral. Cette *mobilité* s'incarne d'ailleurs dans l'existence d'un fort *électorat flottant,* qui groupe près du quart des électeurs en 1972.

Ces mouvements de transfert entre les partis, qui se développent depuis 1965, illustre le relâchement des allégeances, le déclin des appartenances permanentes, l'atténuation des clivages socio-culturels traditionnels. Ils dénotent une homogénéisation croissante de la société allemande. Dorénavant, les deux grands partis se montrent, tous deux, désireux et capables de *pénétrer dans tous les milieux, d'attirer les éléments les plus divers* d'un électorat de moins en moins fermement assuré de son choix (9).

Des programmes de synthèse. — A cette fin, chacun d'eux s'efforce à la modération doctrinale, à l'éclectisme programmatique, pour ne dissuader aucun électeur potentiel.

L'éclectisme de la C.D.U. — Depuis sa création, la C.D.U. voit cohabiter en son sein une tendance « progressiste » (chrétiens de gauche, syndicalistes, etc.) et une tendance « libérale », qui a très vite pris le dessus. Cette dualité a longtemps inspiré des programmes assez vagues pour ne dissuader ni les tenants du capitalisme de libre entreprise ni les partisans d'un christianisme social. En vérité, la C.D.U. cultive délibérément l'*éclectisme,* sinon l'ambiguïté, pour capter des électorats divers, sinon contradictoires.

Mais, dans la période récente et spécialement sous la direction de M. Rainer Barzel, la C.D.U. s'était repliée sur des positions plus exclusivement conservatrices. A l'intérieur (« retour à la stabilité » économique et financière; défense « de la loi, de l'ordre et des mœurs », etc.), comme à l'extérieur (opposition à l'Ostpolitik). Bref, elle incarnait la « résistance » contre le « mouvement » (représenté par la coalition S.P.D.-F.D.P.), le conservatisme contre l'innovation. D'où l'échec électoral de 1972, après celui de 1969.

D'où le ressaisissement intervenu au congrès de Hambourg (novembre 1973). Ebranlée par ses défaites électorales, la C.D.U. entend se démarquer de la droite et se veut *réformiste* dans tous les domaines. Pour les commissions sociales du parti (formées de salariés), la C.D.U. doit prendre résolument un tournant « vers la gauche » et perdre sa réputation de « parti des entrepreneurs ». Sans aller aussi loin, la direction de la C.D.U. veut donner l'image d'un « *parti populaire* », représentant les intérêts de toutes les couches sociales. Le congrès adopte un modèle de cogestion novateur; il se prononce pour la « participation » des travailleurs, etc.

(9) Cf. A. Grosser, *L'Allemagne de notre temps,* 1970, p. 238-308; G. Estievenart, *Les partis politiques en Allemagne fédérale,* 1973; R. Lasserre, « Les élections du 19 novembre 1972 en R.F.A. », *RFSP,* 1973, p. 758.

Au total, la C.D.U. prend un nouveau départ sous la présidence de M. Helmut Kohl (élu en juin 1973), qui se veut le « rassembleur » du parti, celui qui concilie les courants opposés sur des *positions de compromis*. Objectif : regagner les électeurs perdus en 1972, sans effrayer pour autant les électeurs traditionnels.

L'évolution du S.P.D. — De son côté, le S.P.D. a accepté de *modifier très sensiblement son programme* pour mieux rivaliser avec la C.D.U. Après 1945, le S.P.D. s'en tenait à une ligne oppositionnelle dure, en politique étrangère comme en politique intérieure. Attaché à la planification et aux nationalisations, il défendait un socialisme assez rigide. Mais ses échecs électoraux successifs l'incitent à évoluer.

Un congrès extraordinaire, réuni à *Bad-Godesberg* en *1959*, adopte un « *programme fondamental* », qui marque une révision doctrinale très importante. Le programme débute par un préambule, qui dispose : « Le socialisme démocratique qui, en Europe, trouve des racines dans l'éthique chrétienne, dans l'humanisme et dans la philosophie classique, ne prétend pas proclamer des vérités dernières... Le parti social-démocrate d'Allemagne est *le parti de la liberté de l'esprit*. Il constitue une communauté d'hommes, qui viennent de différentes directions de croyance et de pensée. »

En matière économique et sociale, le programme renonce aux idées rigides et aux dogmes de naguère. *Il rompt officiellement avec la doctrine marxiste.*

Le programme réclame le plein emploi, revendication de toujours, mais sur la base d'une monnaie stable, car le S.P.D. a longtemps été accusé d'être le parti de l'inflation. Il préconise une « politique conjoncturelle de prévision », car l'Etat moderne agit de plus en plus sur l'économie : mais il ajoute que « la libre concurrence et la libre initiative de l'entrepreneur sont des éléments importants de la politique économique social-démocrate ». Et de conclure : « *De la concurrence autant que possible, de la planification pas plus que nécessaire.* »

Le parti entend éviter toute concentration de puissance économique, que ce soit au bénéfice d'entreprises privées ou à celui de l'Etat. Le programme évoque donc sans insister l'idée de nationalisation, mais aussi celle de décentralisation.

Ainsi, en *troquant l'orthodoxie marxiste contre le réformisme,* le S.P.D. entend élargir et diversifier son électorat. Et c'est la marche vers le pouvoir. De décembre 1966 à septembre 1969, c'est la « *grande coalition* », qui associe au gouvernement la C.D.U. et le S.P.D. Enfin, les élections du 28 septembre 1969 donnent la direction du gouvernement à M. Willy Brandt (président du S.P.D.), à la tête d'une coalition socialistes-libéraux. Et les élections de novembre 1972 confirment cette alliance S.P.D.-F.D.P. au pouvoir.

Pendant cette campagne de 1972, le S.P.D. continue de proposer aux électeurs un *socialisme modéré, réformiste,* qui se veut dégagé des a priori et des dogmes. Il accentue son image « centriste » et son image « nationale », pour mieux attirer l'électorat modéré.

Des directions extroverties. — Ce cap est maintenu après les élections. Malgré la pression des *Jusos,* des Jeunes socialistes, qui reprochent à la direction du S.P.D. d'avoir abandonné l'ambition socialiste, d'être trop timorée et de se borner à gérer la société capitaliste sans pratiquer des réformes de structures qu'ils jugent indispensables.

Le danger est, alors, de voir s'approfondir un fossé entre une majorité électorale relativement modérée ou centriste et un parti, qui serait dominé par sa gauche et qui perdrait le contact avec les simples électeurs.

Au *congrès de Hanovre* (avril 1973), le choix du chancelier Brandt est net. Il n'acceptera pas « d'être le responsable d'un programme en contradiction avec celui qui a été approuvé par la grande masse des électeurs en novembre dernier ». Le parti ne doit pas oublier que les 17,2 millions d'électeurs, qui lui ont donné leur voix, ont choisi une politique déterminée. Cette politique ne peut donc être remise en question. Bref, *priorité est donnée à la démocratie externe, aux électeurs sur les adhérents.* La direction du S.P.D. est tournée bien davantage vers l'extérieur que vers l'intérieur du parti.

Le chancelier fait donc valoir la nécessité de « *récuser les illusions de l'esprit de système* » et de lui préférer la « *réalisation de réformes concrètes* ». Conformément au programme de Bad-Godesberg, qui a clairement repoussé un bouleversement du système économique et social. L'objectif est de promouvoir « *pas à pas* » des réformes concrètes. Le S.P.D. doit demeurer une « *force démocratique et réformiste* », un « grand parti populaire ». Il doit demeurer dans l'alliance avec les libéraux, dans ce « *nouveau centre* » : c'est « uniquement là que le peuple allemand trouvera son équilibre ». Même analyse de M. Helmut Schmidt, qui brocarde avec vivacité les « héros » qui planent dans « les hauteurs sublimes de la discussion de principe ».

Finalement, le Congrès de 1973 maintient sa fidélité à *l'option réformiste* choisie en 1959 à Bad-Godesberg. La gauche, qui rassemblait environ un tiers des mandats, est battue dans tous les votes politiques importants. Le congrès approuve la ligne réformiste de M. Brandt et le réélit à sa présidence. Le glissement à gauche, annoncé par certains, ne s'est donc pas produit. Le S.P.D. reste un *parti de centre gauche,* allié aux libéraux du F.D.P.

Enfin, en mai 1974, à la suite de l'affaire Guillaume, M. Schmidt, chef de l'aile droite du S.P.D. succède à M. Brandt, qui démissionne de la chancellerie, tout en conservant la présidence du S.P.D.

Pour sa part, la C.D.U. possède aussi, désormais, une *direction extrovertie.* En effet, au Congrès extraordinaire de Bonn (juin 1973), M. Helmut Kohl a remplacé M. Rainer Barzel, démissionnaire, à la présidence de la C.D.U. Ce nouveau président peut être un « rassembleur », forçant les adhérents à des compromis, pour attirer de nouveaux électeurs.

La C.D.U. en 1976. — Bientôt, l'on prépare les législatives de 1976. Selon la C.D.U., il s'agirait de « choisir entre la liberté et le socialisme », de combattre « l'étatisation rampante et la bureaucratie galopante ». D'où son slogan : « La liberté au lieu du socialisme ».

Mais, à côté de ces thèmes très polémiques, la C.D.U. adopte aussi une perspective plus ouverte, dans *Alternatives 76* : lutte contre les privilèges des groupes organisés, prise en charge des faibles et des personnes « non organisées », aide au développement, etc. Sous la présidence de M. Kohl, son candidat-chancelier, qui affiche une simplicité bonhomme de modéré sans relief, propre à séduire l'électeur moyen.

Le S.P.D. en 1976. — De son côté, le S.P.D. rejette les propositions de son aile gauche. Il maintient l'image d'un parti de gouvernement, modéré, raisonnable, « non doctrinaire ». Notamment pour maintenir l'alliance avec le F.D.P., qui joue le rôle de frein en matière économique. Au congrès de Mannheim (novembre 1975), M. Schmidt assure : « Un parti qui s'écarte trop de ce qui est possible ou quitte le terrain de la réalité existera seulement comme un parti d'opposition. »

Au congrès de Dortmund (juin 1976), le S.P.D. adopte son « programme gouvernemental pour 1976-1980 ». Les amendements vraiment controversés au départ sont tous repoussés : augmentation des investissements publics, réforme des prestations sociales, contrôle des investissements, nationalisation des industries-clés, taxée par M. Schmidt de « vieux rossignol ». En revanche, le congrès adopte sans surprise des amendements relatifs au droit du travail, à la garantie de l'emploi et à l'extension de la cogestion (d'ailleurs votée au Bundestag avec une grande majorité de la C.D.U.).

En lui-même, le programme du S.P.D. n'apporte pas grand-chose de nouveau. Il se présente surtout comme un bilan de l'action gouvernementale passée. Alors qu'en 1969 et même en 1972, le S.P.D. avait multiplié les projets de réforme, on ne retrouve rien de tel cette fois. Le S.P.D. s'engage désormais à préserver l'acquis et à parfaire ce qu'il appelle le « modèle allemand », *Modell Deutschland* ».

Prudent, M. Schmidt déclare : « Nous apporterons les améliorations petit à petit, là où nous sommes déjà aujourd'hui sur la bonne voie et dans la mesure où l'état des finances le permettra ». (*Le Monde* du 25 mai 1976). Il incarne donc un socialisme modéré, sage et tranquille. D'ailleurs, ne déclare-t-il pas : « La politique n'est pas seulement une question de raison ou d'énergie, c'est aussi une question de cœur; et le cœur se trouve légèrement, très légèrement à gauche. » (*Le Monde* du 29 septembre 1976).

Bref, les élections du 3 octobre 1976 opposent pleinement deux partis d'attraction. Elles offrent l'image d'un choix limité entre le S.P.D. et la C.D.U. et nullement d'un choix tranché ou d'un choix de société. Il s'agit plutôt d'une option sur une tonalité générale.

En vérité, la campagne est ultra-personnalisée. Les profils remplacent presque les programmes et les agences de publicité les appareils de partis. Dans cette campagne à l'américaine, les programmes et les partis passent au second plan, supplantés par les personnalités des candidats-chanceliers. Les affiches du S.P.D. comportent un portrait gigantesque du chancelier sortant, avec l'inscription : « Travaillez avec nous. Votez pour Schmidt » ou « Schmidt doit rester chancelier ». La C.D.U. affiche : « Par amour pour l'Allemagne : Helmut Kohl, chancelier pour l'Allemagne. » Bref, l'affrontement a l'allure d'une campagne « présidentielle » entre deux partis d'attraction, peu soucieux de mettre l'accent sur des programmes, d'ailleurs peu distincts.

Les partis en France. — L'observation du cas français permet d'éviter « l'illusion d'une histoire unidimensionnelle », évoquée plus haut (p. 516). L'avenir n'appartient à aucun type de formation en particulier. D'autant qu'au cours de leur histoire, *les partis évoluent et se transforment* souvent, passant d'un type à un autre.

Cette *mutation* ne s'opère pas à sens unique, des partis de masses vers les partis d'attraction. Elle peut aussi s'opérer dans le sens opposé. En France, le P.S. illustre la première hypothèse, tandis que l'U.D.R. a tendu, un moment, à incarner la seconde.

L'évolution du P.S. — Naguère, au temps de la S.F.I.O., le parti socialiste présentait tous les caractères d'un *parti de masses* traditionnel. Il était cantonné à une clientèle particulière, crispé sur un programme vieilli, dirigé par des permanents et des « bureaucrates » introvertis.

Depuis les congrès d'Epinay (1971), de Grenoble (1973), de Pau (1975) et de Nantes (1977), depuis les législatives de 1973 et les présidentielles de 1974 (où le candidat de la gauche, issu du P.S., recueille 49,19 % des voix au deuxième tour), depuis les succès des cantonales (1976) et des municipales (1977), le P.S., s'il conserve beaucoup de traits d'un parti de militants (fort potentiel d'adhérents, démocratie interne, activité programmatique), présente aussi certains traits d'un parti d'électeurs, d'un parti d'attraction.

L'électorat. — Son électorat s'étend, se diversifie et se « nationalise ». Dès les législatives de 1973, le P.S. attire un électorat très *composite,* venu de tous les horizons politiques, comme de toutes les catégories socio-professionnelles (10). Désormais, il possède l'électorat le plus régulièrement distribué dans tous les groupes socio-démographiques. Ce nouvel électorat socialiste devient — plus encore que celui de la majorité — représentatif de la population française dans toute sa diversité. Avec cet électorat très divers, le P.S. constitue un pôle de rassemblement.

De plus, *cet électorat se « nationalise »*. En fait, la S.F.I.O. n'était plus un parti national. Elle vivait repliée sur quelques zones géographiques, comme le Nord - Pas-de-Calais, le Centre, le Sud-Ouest et le Midi méditerranéen. Au contraire, aux législatives de 1973, le courant socialiste émerge sur l'ensemble du territoire national. Le P.S. prend pied dans des secteurs nouveaux, dans des zones jusqu'alors fort réservées à son égard : Normandie, Bretagne, Lorraine, Alsace, Région parisienne. Et cette pénétration se confirmera, par exemple en Bretagne, avec les municipales de 1977. En revanche, si le P.S. pénètre dans des « terres de mission », il recule dans des fiefs traditionnels, où certains de ses électeurs, anticommunistes, l'abandonnent au profit des réformateurs : Limousin, Aquitaine, Auvergne, voire la Bourgogne et la région du Nord.

Autre trait d'un « parti d'électeurs », d'ailleurs hérité de la S.F.I.O. : le déséquilibre entre le nombre d'*électeurs* et le nombre d'*adhérents*. En 1973, avec 4 500 000 voix, le P.S. ne compte que 100 000 cotisants, regroupés en 3 000 sections, elles-mêmes réunies en 95 fédérations départementales. En 1977, ces adhérents sont 170 000.

Le programme. — Certes, le P.S. exerce la fonction programmatique avec force et précision. En arrêtant un nouveau programme, intitulé *Changer la vie*, en mars 1972, puis en signant le *Programme commun de gouvernement* avec le P.C.F. et le M.R.G. en 1972.

Mais, le P.S. tend à s'écarter du dogmatisme et du sectarisme. Surtout avec la campagne présidentielle de 1974, où le candidat socialiste propose les options « attractives », peu « idéologisées » et peu susceptibles de dissuader des électeurs potentiels.

Dès novembre 1973, devant le comité directeur, M. Mitterrand avait déclaré : « Le P.S., depuis 1973, est le parti dont tout le monde sait qu'il est appelé à gouverner... Le parti socialiste ne peut s'enfermer dans le débat d'idées, sinon il risque de devenir un *parti de laboratoire* et pas un *parti de gouvernement* » (*Le Monde* du 20 novembre 1973).

La direction. — Dernier trait d'un parti d'attraction : la nouvelle formation se construit autour de ses notables, anciens ou nouveaux. Le P.S. existe surtout au niveau de ses élus et de son *groupe parlementaire*.

Sa direction revient à un *leader* de stature nationale, qui a acquis sa popularité avant et ailleurs, qui la tient du suffrage universel plus que d'un congrès ou d'un comité directeur. Elu premier secrétaire en 1971,

(10) Cf. le sondage « post-électoral » de la SOFRES, publié dans *Le Nouvel Observateur* du 28 mai 1973.

réélu en 1973, 1975 et 1977, M. Mitterrand bénéficie d'un puissant prestige, d'un fort ascendant « *externe* », résultant des présidentielles de 1965 et rehaussé par les présidentielles de 1974, où il obtient 49,19 % des voix au deuxième tour.

L'analyse de M. Mitterrand. — Cela dit — et de bonne foi — le premier secrétaire du P.S. se défend de vouloir imprimer à sa formation les caractères d'un « parti attrape-tout ». Même s'il souhaite en faire un vaste rassemblement, où coexistent divers courants, et un parti de gouvernement.

Pour M. Mitterrand, un choix s'offre aux socialistes : « Ou bien il existe un grand parti socialiste unitaire, anarchique, soumis aux pulsions contraires des tendances, doté d'une information multiple, allant d'un radicalisme ayant franchi le pas jusqu'au gauchisme le plus théorique... Ou bien le souci du confort intellectuel amène à la création de trois ou quatre partis socialistes, chacun cherchant non pas à *réaliser une synthèse sociologique, politique et philosophique* dans une même formation, mais au contraire à retrouver les mêmes pensées que la sienne. Dès lors, il faut cesser de vouloir être *un parti de gouvernement* » (*Le Monde* du 8 mai 1973).

Va-t-on vers un « *parti attrape-tout* » ? Non, selon M. Mitterrand, qui précise sa pensée. Il souhaite que naisse « un grand parti socialiste, qui accepte d'avoir en son sein des tendances, des courants, des contradictions, mais qui tende à rassembler le maximum de socialistes. Ce qu'on m'a fait dire, c'est que je souhaiterais un « parti attrape-tout », alors que ce n'est pas vrai. Je veux un parti qui attrape tous les socialistes » (*Le Monde* du 8 juin 1973) (10 *bis*).

L'évolution du P.C.F. — Dans cet effort d'élargissement électoral, le P.S. doit compter avec le P.C.F., son allié, et avec le M.R.G., dans la stratégie d'union de la gauche. Et, à beaucoup d'égards, le P.C.F. se renouvelle.

Dans le *programme commun*, signé avec le P.S. et le M.R.G. en 1972, les communistes ont revu certaines de leurs positions : notamment sur le pluralisme des partis en régime socialiste, les libertés et l'alternance, la construction européenne, l'étendue des nationalisations.

La réalisation du programme commun doit, aux yeux des communistes, mettre fin à la domination des « grands monopoles » et instaurer « *la démocratie avancée* », étape de transition vers l'avènement du socialisme, puis du communisme (11). Donc M. Marchais le précise pendant

(10 *bis*) Cf., en ce sens, les « *assises du socialisme* » (octobre 1974), préparées par trois composantes : P.S., P.S.U. et militants C.F.D.T. ou chrétiens de gauche (cf. *infra,* p. 621 et 653).

(11) Cf. le manifeste « *Pour une démocratie avancée, pour une France Socialiste* », adopté par le comité central du P.C.F. à Champigny, le 6 décembre 1968. Pour une analyse de ce document : R.-G. SCHWARTZENBERG, *La guerre de succession,* P.U.F., 1969, p. 187-189.

la campagne électorale de 1973 : le programme commun, ce n'est pas le socialisme, et encore moins le communisme.

A son comité central de Paris, (3-4 décembre 1973), le P.C.F. reste fidèle à l'analyse du manifeste de Champigny : seul un *rassemblement* populaire peut permettre un changement de société. D'où la stratégie « antimonopoliste », qui lui permet par exemple de rechercher l'alliance des petits commerçants et des exploitants agricoles familiaux.

Après les présidentielles de mai 1974, le P.C.F. entend encore élargir l'alliance construite autour du programme commun. D'où des déclarations destinées à rassurer et à attirer les électeurs marginaux : « Le socialisme n'est pas à l'ordre du jour. » Désormais, ce qui est proposé à l'électorat — y compris à l'électorat gaulliste en déshérence —, ce sont des « *réformes démocratiques* ». Le mot d'ordre est dorénavant : « *union du peuple français pour le changement démocratique* ». Objectif : un large rassemblement électoral, enfin majoritaire, s'étendant au-delà même des bases électorales du programme commun.

A son *XXIIe congrès* (1976), pour marquer sa volonté de respecter la démocratie politique et les libertés publiques, le *P.C.F. abandonne le concept de dictature du prolétariat.* L'histoire, depuis Marx, a donné au mot dictature un sens sanglant. De plus, autour de la classe ouvrière, le P.C.F. entend réaliser l'union des classes sociales non monopolistes : le nouveau pouvoir ne sera donc « pas seulement celui de la classe ouvrière, mais celui de toutes les classes sociales qui auront œuvré à la transformation de la société » (11 *bis*).

Ce cheminement démocratique vers « *un socialisme aux couleurs de la France* » (G. Marchais) contraste avec la voie soviétique. Mais il rapproche le P.C.F. du P.C. italien de M. Berlinguer et du P.C. espagnol de M. Carrillo, qui croient aussi à l'originalité de l'« *eurocommunisme* », combinant démocratie politique et marche vers le socialisme.

L'U.D.R. en mutation. — Deux évolutions, de sens contraire paraissent se produire dans la vie politique française. D'un côté le P.S. rompt avec la « vieille maison », avec les archaïsmes et les errements du passé. De l'autre, l'U.D.R. tourne au parti traditionnel, avec ses dogmes et ses rites. L'un se modernise, se transforme en mouvement attractif. L'autre, naguère parti d'attraction, tend à se transformer, un moment, en parti de masses.

La fonction constituante. — L'U.D.R. était devenue une formation moderne, efficace. Paradoxalement, grâce à la modestie de ses ambitions initiales. De quoi s'agissait-il en 1958 ? De créer un mouvement qui s'identifie complètement à la Ve République et à son fondateur. Pour

(11 *bis*) J. ELLENSTEIN, *Le P.C.*, 1976, p. 19.

exercer ce que Theodore Lowi appelle une « *fonction constituante* » (*supra*, p. 491). Pour étayer le nouveau régime et permettre son fonctionnement. Malgré la réserve ou l'hostilité des formations traditionnelles.

Dès lors, l'U.N.R. ne pouvait être un parti comme les autres. Avec un président, avec un programme. Née pour soutenir le chef de l'Etat et son action, elle renonçait à exister par elle-même. D'ailleurs, ses membres se félicitaient de cet effacement, de cette dépendance. Ainsi M. Habib-Deloncle, qui déclarait en 1959 : « Nous avons remporté notre succès sur une équation : U.N.R. = de Gaulle. Cette équation nous crée un devoir de fidélité inconditionnelle envers le Général, sa personne et sa politique. » (Rapport sur le rôle de l'U.N.R. dans la Ve République, assises de Bordeaux, 13-15 novembre 1959.)

L'U.N.R. devenait un nouveau « parti de la fidélité », une cohorte de compagnons et de vassaux. A la dévotion du général de Gaulle, à la disposition de ses ministres. Elle fournissait un instrument flexible, *sans autonomie, sans identité propre.* Pour mieux engranger les suffrages, pour encadrer des députés zélés, soumis, dociles. Cette masse de manœuvre se bornait à être *le parti de l'Elysée.* Sans aléas et sans complexes.

Un parti de gouvernement. — Avec Pompidou, le mouvement a d'abord conservé et accentué ces caractères. Même allégeance envers l'Elysée. Même soutien indéfectible à sa politique.

Même habileté aussi à *conquérir de nouveaux marchés électoraux.* Car, sous l'influence de Pompidou, l'U.D.R. combine « la continuité et l'ouverture ». Elle réconcilie les deux droites : la droite gaulliste, d'essence nationaliste et plébiscitaire, proche du bonapartisme, et la droite modérée, de caractère libéral et parlementaire, issus de l'orléanisme.

Cette majorité ambidextre se rassemble sous la houlette de l'U.D.R. Celle-ci devient *un vaste parti de gouvernement, porté aux compromis et aux synthèses.* Un *parti de gestionnaires,* cultivant l'empirisme et l'éclectisme. Un *parti dominant* (*infra,* p. 570), accumulant les succès électoraux.

Un parti d'attraction. — Au bout du compte, l'U.D.R. constitue une machine fonctionnelle, un parti d'attraction, qui contraste avec les partis traditionnels, « conventionnels », les vieux partis de masses, héritiers d'une époque déjà ancienne.

Son *électorat* est composite. C'est presque un « *melting pot* », mêlant toutes les catégories sociales et professionnelles, même si certaines sont nettement sous- ou sur-représentées. Au conseil national de Versailles (juin 1970), présentant un rapport sur « La sociologie du gaullisme », M. Charbonnel déclare : « Ce qui caractérise en propre notre électorat, c'est bien son *très fort degré de pénétration dans toutes les catégories socio-professionnelles.* Aucun parti ne peut se prévaloir, vis-à-vis de quelque catégorie que ce soit, d'une implantation supérieure à la nôtre » (*Le Monde* du 27 juin 1970).

Aussi, pour n'effaroucher aucun électeur potentiel, le mouvement se garde d'afficher toute *idéologie* trop rigide. Il propose seulement quelques thèmes sommaires — la stabilité des institutions, la participation, l'indépendance nationale — sur lesquels on peut broder toutes les variations.

Enfin, l'U.D.R. est tournée vers le dehors. Vers ses électeurs bien plus que vers ses adhérents. Dès lors, le pouvoir n'émane pas de la base. La *direction* du parti n'appartient pas vraiment aux militants et à leurs délégués. Elle revient à des responsables patronnés et contrôlés de l'extérieur. Par l'Elysée ou par Matignon.

Vers un parti de masses ? — « Précisément, les militants commencent à secouer cette tutelle. Ils sont las des ukases et des diktats, las de jouer les utilités. D'autant que tout concourt à les inquiéter : certains excès de l' « ouverture », certaines libertés prises avec l'héritage, certaines audaces des républicains indépendants et de leur chef. Alors, ils manifestent de l'humeur et rêvent d'émancipation.

Sous leur poussée, *l'U.D.R. revendique plus d'autonomie et d'indépendance.* Elle souhaite *affirmer sa personnalité, son identité propre.* Désormais, elle entend parler haut et fort, faire claquer son drapeau. Pour mieux imposer ses vues, pour mieux influencer le chef de l'Etat et son gouvernement » (12).

Cette tendance se percevait déjà aux *assises de Strasbourg,* en novembre 1971 (13). Elle s'accentue et inspire *l'élection de M. Sanguinetti* par le comité central au poste de sécrétaire général, en octobre 1973. Pour la première fois, la base — ou tout au moins les délégués des militants — a voulu faire entendre directement sa voix sans que le nom d'un candidat officiel lui soit soufflé par l'Elysée. Le mouvement souhaite accentuer son autonomie et son identité. Il entend exister par lui-même.

Bref, l'U.D.R. rêve de *devenir un parti comme les autres.* Avec un programme — catéchisme qui préserve la foi et le dogme, qui fasse du gaullisme une doctrine plus qu'une attitude. Avec un secrétaire général qui soit l'élu et le haut-parleur de la base, l'interprète des militants.

Elle était un parti d'attraction, opérationnel et efficace. Elle aspire à *devenir un parti de masses.* Avec une doctrine précise. Avec une direction émanant de la base. Avec des adhérents encore plus nombreux (ils seraient déjà 235 000 en 1974), plus actifs. Et, sans doute, moins d'électeurs.

Sous l'influence de ses militants, soucieux d'orthodoxie et de tradition, un mouvement tend à s'accentuer qui déporte l'U.D.R. vers la droite. De même, son électorat de 1973 présente des traits sociologiques propres aux électorats conservateurs : féminisation, vieillissement, ruralisation et poids des inactifs.

(12) R.-G. Schwartzenberg, *L'U.D.R. face à elle-même, Le Monde* des 7-8 octobre 1973.

(13) R.-G. Schwartzenberg, *Un rêve U.D.R., L'Express* du 29 novembre 1971.

La *féminisation* se constate dès l'origine. En 1973, l'U.D.R. compte 57 % d'électrices contre 43 % d'électeurs. *Vieillissement :* les plus de cinquante ans forment 42 % de la population française; en 1973, 47 % des électeurs U.D.R. ont plus de cinquante ans (contre 45 % seulement en 1967). En six ans, les *inactifs* progressent de trois points : 24 % en 1967, 27 % en 1973. Enfin, les *agriculteurs* sont de plus en plus surreprésentés par rapport à leur poids dans la nation (12 % de la population active; 17 % des électeurs U.D.R.).

En revanche, les *ouvriers* votent de moins en moins U.D.R. : ils forment 21 % de l'électorat en 1973, contre 28 % en 1967. L'U.D.R. a perdu en quelques années beaucoup de sa substance populaire, urbaine et « dynamique ». Elle a la clientèle d'un grand parti conservateur (14).

Jean Charlot cite, de même, un sondage IFOP réalisé en octobre 1973 sur *l'image de l'U.D.R.* : 63 % des personnes interrogées situent désormais l'U.D.R. à droite, dont 37 % à l'extrême droite.

En 1970, M. Charbonnel affirmait : l'U.D.R. est actuellement, à égalité avec le P.C., le premier parti *ouvrier* de France. Cela n'est plus vrai à la veille des législatives de 1973 : 33 ouvriers sur 100 s'apprêtent à voter communiste, 27 % pour l'U.G.S.D., 22 % seulement pour la majorité. « Non seulement, la majorité ne représente plus la force politique la plus importante chez les ouvriers, mais elle est également devancée par les socialistes et les radicaux de gauche chez les *employés* et les *cadres moyens*. Elle demeure néanmoins le premier choix des *cadres supérieurs* et *professions libérales*, des *commerçants et artisans*, des *agriculteurs* et des *inactifs* » (J. Charlot, « Un parti à droite ? », *Le Figaro* du 16 novembre 1973).

Ainsi, la superficie électorale de l'U.D.R. paraît se contracter, sous l'influence de ses *adhérents*, partisans d'une orthodoxie qui dissuade certains anciens électeurs. De quel côté va pencher l'U.D.R. ? Du côté de ses *militants*, qui veulent en faire un parti de masses traditionnel ? Ou du côté de ses *dirigeants*, qui, pour la plupart, préfèrent le modèle du parti d'attraction ?

Le décès de G. Pompidou et son remplacement à l'Elysée par M. Giscard d'Estaing — qui appartient non à l'U.D.R. mais aux républicains indépendants — peuvent inciter la formation gaulliste à affirmer davantage son autonomie et son identité propre. Comme le souhaitent les *militants*.

Le R.P.R., parti d'attraction ? — Pour enrayer le déclin de sa formation — et s'assurer un appui externe face à M. Giscard d'Estaing, dont il est alors le premier ministre — *M. Chirac* décide de prendre la tête de l'U.D.R. et d'en devenir le *secrétaire général* en décembre 1974. Bientôt, pourtant, le premier ministre laisse son poste à M. Bord aux assises de Nice en juin 1975.

(14) Cf. C. Ysmal, « Un grand parti conservateur », *Le Monde* du 17 novembre 1973.

Mais après son départ tumultueux de Matignon en août 1976, M. Chirac décide de relancer plus profondément la formation gaulliste et d'en refaire un parti, certes au fort potentiel militant, mais qui redevienne un parti d'attraction.

M. Chirac transforme donc l'U.D.R. en *R.P.R. (Rassemblement pour la République)* et en prend la présidence, le 5 décembre 1976, au cours d'un meeting de masse Porte de Versailles, à Paris.

Le « Rassemblement » aspire à « rassembler » un *électorat* large et *diversifié.* Comme au temps de la République gaullienne. Dans cette perspective, il adopte un manifeste qui mêle idées traditionnelles et aspirations populistes, sans grande précision. Dans son appel d'Egletons, M. Chirac parlait déjà d'une synthèse entre le gaullisme et les aspirations d'un « travaillisme à la française ». Le manifeste du R.P.R. parle d'« indépendance nationale » et défend les institutions de la Vᵉ République. Mais il parle aussi de suppression des privilèges (« Nous voulons une société où il n'y ait pas de privilèges », d'imposition de la fortune, etc. (*Le Monde* du 1ᵉʳ septembre 1976).

Outre cet électorat diversifié — auquel il aspire — outre ce programme d'agrégation, le R.P.R. possède aussi une *direction extravertie.* A sa tête, on trouve un pouvoir présidentiel, qui ne connaît guère la démocratie interne.

Dans ses statuts, le rôle du président du Rassemblement, élu par les assises qui se réunissent tous les deux ans, est prépondérant. Il nomme le secrétaire général (J. Monod) et les membres de la commission exécutive qui assistent ce dernier. Assisté lui-même d'un « conseil politique » où siègent quinze membres élus par le comité central, des personnalités « qui ont dirigé le gouvernement de la France et qui adhèrent au Rassemblement » et des présidents des assemblées parlementaires, il nomme des personnalités en « fonction de leur compétence et de leur audience » sans que le nombre de ces dernières soient limitées.

Ainsi transformée, l'ex-U.D.R. redeviendra-t-elle attractive pour les électeurs ? Ou bien, face au « libéralisme avancé » de M. Giscard d'Estaing, parlant volontiers de réformes, restera-t-elle l'aile droite d'une « majorité », qui deviendra peut-être la minorité de 1978 ? La réponse revient aux électeurs. En mars 1978.

SECTION III

LES TYPES DE SYSTÈMES DE PARTIS

La notion de système de partis. — De même qu'il existe divers types *d'organisation* partisane, il existe divers types de *relations* inter-partisanes. Dans chaque pays, le nombre des partis, leurs dimensions respectives, leurs alliances et leurs stratégies forment *un ensemble des rapports relativement stable.* Il est convenu d'appeler « *système de partis* » cette « structure », cet assemblage de rapports. Pour connaître le fonctionnement réel d'un régime politique, il importe de savoir comment ce « système de partis » se combine avec le système institutionnel.

Parmi ces divers systèmes de partis, parmi ces divers *modèles de rapports,* la classification la mieux établie distingue le parti unique, le bipartisme et le multipartisme. C'est celle que retenait déjà Arthur N. Holcombe (« Parties, Political », *Encyclopaedia of the Social Sciences,* New York, 1933, t. II, p. 590) ou que proposent encore M. Duverger (*op. cit.,* p. 237) ou L. Epstein (*op. cit.,* p. 46).

A cette typologie ternaire, on peut préférer, avec J. LaPalombara et M. Weiner (*op. cit.,* p. 33) une classification binaire opposant les *systèmes compétitifs* et les *systèmes non compétitifs.* Cette classification a le mérite de poser clairement la question capitale : la *concurrence* est-elle libre sur le « marché politique » ?

§ 1. — LES SYSTÈMES COMPÉTITIFS

Au sein des systèmes compétitifs, LaPalombara et Weimer sous-distinguent les situations d'hégémonie *(hegemonic)* et les situations d'alternance *(turnover).* En croisant cette distinction avec celle des partis idéologiques *(ideological)* et pragmatiques *(pragmatic).* Néanmoins cette sous-classification reste trop imprécise.

L'échelle de régression de la concurrence. — Il vaudrait mieux privilégier et approfondir le critère fondamental de la concurrence. Et établir une sous-classification correspondant à une *échelle de régression de la concurrence.* Ce qui conduirait à discerner — selon une courbe de concurrence décroissante — les systèmes multipartisans, les systèmes bipartisans et les systèmes à parti dominant.

Au demeurant, cette échelle peut être encore graduée de manière plus détaillée. Chacune de ces trois grandes catégories peut se diviser elle-même en deux sous-catégories. Ce qui donnerait, *dans le sens d'une fermeture croissante du marché politique :* le multipartisme intégral, le multipartisme tempéré, le bipartisme imparfait, le bipartisme parfait, le parti dominant et, enfin, le parti ultra-dominant.

Les systèmes compétitifs :
échelle de régression de la concurrence.

1. — Systèmes multipartisans :
   - multipartisme intégral,
   - multipartisme tempéré.
2. — Systèmes bipartisans :
   - bipartisme imparfait,
   - bipartisme parfait.
3. — Systèmes à parti dominant :
   - parti dominant,
   - parti ultra-dominant.

A. — Les systèmes multipartisans

Excepté quelques nations anglophones (Grande-Bretagne, Etats-Unis, Canada, Nouvelle-Zélande et Australie — où l'alliance des libéraux et des « agrariens » dans une coalition conservatrice face aux travaillistes équivaut à un bipartisme), la plupart des pays occidentaux pratiquent le multipartisme. Avec une ampleur *variable.* Qui va de l'extrême multipartisme des pays comptant un nombre très élevé de partis (Pays-Bas, où, après les élections de mai 1977, 12 partis sont représentés dans la deuxième Chambre des Etats généraux) au quadripartisme (Scandinavie) ou au tripartisme (Belgique, Allemagne fédérale, Autriche), en passant par la situation intermédiaire de pays comme l'Italie (neuf formations représentées à la Chambre des députés après les élections de juin 1976, malgré une forte bipolarisation autour de la Démocratie chrétienne, 38,7 % des voix, et du P.C.I., 34,4 %) ou la France.

C'est qu'en effet divers *facteurs* se combinent qui peuvent favoriser ou contrarier l'essor du multipartisme (15).

1° *Les facteurs du multipartisme.*

a) **Les facteurs sociaux.** — Pour C. B. Macpherson (Rapport au IIIe congrès international de science politique, Stockholm, sept. 1955), le rôle du système de partis, en démocratie, est de modérer et de contenir les *conflits de classes.* Un système multipartisan est-il mieux adapté à cette fonction qu'un système bipartisan ? Tout dépend du degré de rigidité de la stratification sociale et d'intensité de la conscience de classe. Un système multipartisan est d'autant plus aisé à établir que la stratification est plus poussée, et d'autant plus nécessaire que la conscience de classe est plus ferme.

Dans l'analyse marxiste, les partis sont l'expression politique des *classes sociales.* Si la structure économico-sociale permet une répartition binaire de ces classes, on obtient un système bipartisan; dans le cas contraire, un système multipartisan. En vérité, deux bipartismes distincts se sont succédé et continuent parfois de se superposer.

Au XIXe siècle, le duel des partis *conservateurs* et des partis *libéraux* traduisait un conflit de classes entre l'aristocratie foncière et la bourgeoisie industrielle et commerçante.

Puis, dans la seconde moitié du XIXe siècle, le développement de l'industrie et du prolétariat engendre une troisième force politico-sociale, qui s'organise dans les partis socialistes. Le conflit *capitalistes-socialistes* s'ajoute au conflit conservateurs-libéraux. C'est l'époque où

(15) Pour une analyse détaillée du jeu de ces divers facteurs à travers les grandes épreuves historiques en Europe occidentale : S. ROKKAN : *Citizens, Elections, Parties. Approaches to the Comparative Study of the Processes of Development,* Oslo, 1970. Au total, pour S. ROKKAN, il subsiste en Europe occidentale quatre clivages, dont l'explication est historique :
— clivage entre intérêts agricoles et intérêts urbains-industriels;
— clivage entre Eglise et Etat;
— clivage entre employeurs et salariés;
— clivage entre le centre et les régions périphériques.

le bipartisme cède la place au tripartisme. Le phénomène est nettement perceptible en Grande-Bretagne, en Nouvelle-Zélande, en Australie, en Belgique.

• Certains pays réussiront à *remplacer le premier clivage sociopolitique par le second,* au lieu de les additionner. Le cas est patent en Grande-Bretagne, où, après une période de confusion (1922-1931), renaît un nouveau bipartisme. Ailleurs aussi, l'essor du socialisme incite les conservateurs et les libéraux à se rapprocher. Maintenant que la liberté politique est établie et que les conservateurs ne pensent plus à la contester, les éléments de convergence prennent le dessus : c'est-à-dire le commun souci de préserver la propriété privée et la libre entreprise. Dès lors, ou bien les conservateurs et les libéraux fusionnent, ou bien l'électorat libéral se détourne du parti libéral pour accorder ses suffrages aux conservateurs.

Ainsi *un nouveau bipartisme remplace l'ancien.* L'ancien clivage conservateurs-libéraux s'estompe au profit d'un nouveau clivage capitalistes-socialistes, qui exprime la nouvelle lutte des classes. L'essentiel réside dans ce retour à l'*unicité du clivage,* qui constitue la base même du bipartisme.

• En revanche, d'autres nations ne sont pas parvenues à surmonter, à simplifier ces divisions successives. C'est le cas, notamment, de la France, qui compte quatre grandes familles politiques : les communistes, les démocrates-socialistes, les démocrates-libéraux et les conservateurs. Ce qui est, à l'évidence, la *superposition de deux clivages* successifs : le clivage conservateurs-libéraux et le clivage capitalistes-socialistes. Un second clivage (pour ou contre le socialisme) s'est surajouté au premier (pour ou contre la démocratie libérale), sans le remplacer.

Guy Mollet, ancien secrétaire général de la S.F.I.O., a souvent procédé à cette analyse des familles politiques françaises :

« On trouve dans l'opinion quatre grands courants de pensée :

— Les *conservateurs,* attachés au capitalisme en économie et à l'autoritarisme en politique;

— Les *libéraux,* soucieux de maintenir le régime capitalisme — certains en l'humanisant — mais partisans de la démocratie politique;

— Les *socialistes,* décidés à créer en économie un système socialiste par et dans la démocratie politique;

— Les *communistes,* partisans d'une économie socialiste mais n'ayant jusqu'à ce jour, dans les pays qu'ils dirigent, fait confiance en politique qu'à l'autoritarisme » (*France-Soir,* 6 janvier 1971).

b) **Les facteurs idéologiques et religieux.** — C'est qu'en France, comme dans d'autres pays européens, le multipartisme s'est trouvé aggravé par un facteur proprement idéologique. Car l'avènement du marxisme-léninisme en Russie en 1917 a engendré une division des forces populaires. La plupart des partis socialistes ont refusé de se rallier à la IIIe Internationale, dirigée par Moscou. D'où des scissions et l'apparition, à côté des partis socialistes, de *partis communistes*. Restant faibles dans certains pays (Grande-Bretagne, Commonwealth, Belgique, Pays-Bas, Scandinavie), ces derniers n'ont guère modifié le jeu politique. Devenus puissants ailleurs — Allemagne (de 1919 à 1933), France, Italie (depuis 1945), Finlande —, ils ont accentué le multipartisme, compliquant encore le système de partis.

Il en va de même avec l'apparition de l'idéologie fasciste. Dans l'entre deux-guerres, elle vient compliquer le paysage politique de la droite dans plusieurs pays : en Italie (fascisme), en Allemagne (nazisme), en Belgique (rexisme), en France (avec les Ligues, le Parti populaire français et le Parti social français). Les échecs et les crimes de Mussolini et d'Hitler ont évidemment porté un grave coup au fascisme. Néanmoins, des *partis fascistes* continuent de garder une audience beaucoup plus limitée mais réelle ici et là : Autriche, Allemagne (N.P.D.), Italie (Mouvement social italien), etc. (16). La survivance de cette idéologie d'extrême droite aggrave d'autant le multipartisme.

La conséquence est identique pour une autre école de pensée : la démocratie chrétienne, qui s'organise dans des mouvements distincts surtout à partir de 1944-1945. Dans certains cas, le multipartisme s'en est trouvé accentué : cas de la France, où le Mouvement républicain populaire s'est surajouté aux formations antérieures. Dans d'autres cas, en revanche, les *partis démocrates-chrétiens* ont fini par supplanter ou absorber les tendances conservatrices ou libérales préexistantes; leur centre de gravité se trouve donc souvent à droite (partis chrétiens-sociaux belge et hollandais, parti populiste autrichien, C.D.U. allemande), parfois au centre (Démocratie chrétienne italienne). Cependant, même dans ces dernières hypothèses, leur cléricalisme

(16) Le N.P.D. est en net déclin : aux élections de 1969, il avait obtenu 4,3 % des voix. Mais il n'en recueille plus que 0,6 % en 1972 et 0,3 % en 1976. Pour sa part, le M.S.I.-D.N. (Mouvement social italien - Droite nationale) obtient, en 1976, 6,6 % des voix pour le Sénat et 6,1 % pour la Chambre.

latent peut maintenir ou ranimer de vieilles querelles et nuire à la simplification de l'échiquier politique.

Ainsi, dans l'ensemble, les facteurs *idéologiques* ont nettement contribué à la multiplication des partis européens. Ils jouent aujourd'hui le rôle que tenaient hier les facteurs *religieux*. Quand, dans les pays à pluralisme religieux, les conflits entre Eglises se superposaient aux conflits proprement politiques. Et provoquaient l'éclatement d'une même tendance en plusieurs partis.

Le cas des Pays-Bas est exemplaire. Au XIXe siècle, protestants et catholiques créent deux partis conservateurs distincts. Puis une collaboration s'esquissant, à la longue, entre conservateurs des deux bords, une scission se produit au sein du parti conservateur protestant entre les tenants et les adversaires de cette collaboration. D'où, jusqu'à une date récente, la juxtaposition de *trois partis conservateurs*, l'un catholique (parti chrétien-social), les deux autres protestants (parti « anti-révolutionnaire » et parti « chrétien-historique »). Les conflits religieux avaient été plus forts que la communauté de classe sociale ou d'idéologie politique.

c) **Les facteurs historiques et nationaux.** — Ainsi, chaque nation trouve dans son histoire et dans sa culture spécifique des particularismes qui suscitent des divisions partisanes supplémentaires.

Dans la France du XIXe siècle, par exemple, les circonstances historiques ont suscité des *querelles de légitimité* et divisé la droite en trois tendances (légitimiste, orléaniste et bonapartiste). De là provient le manque d'organisation de la droite, qui a longtemps caractérisé le système de partis français.

C'est encore de circonstances historiques que procède, en Scandinavie, l'existence de *partis paysans,* inexistants dans le reste de l'Europe occidentale. En France, sous l'Ancien Régime, la paysannerie ne possédait pas de représentation autonome : les Etats généraux ne comptaient que trois ordres : le clergé, la noblesse et le tiers état, essentiellement représenté par la bourgeoisie urbaine. Dès lors, habituée à cette absence d'autonomie politique, la paysannerie, au XIXe siècle, ne s'organisa pas dans des partis distincts : elle servit de classe de soutien, d'abord à l'aristocratie, ensuite à la bourgeoisie.

En Suède, en revanche, le Parlement de 1634 comprenait quatre états : le clergé, la noblesse, la bourgeoisie et la paysannerie. Les pays nordiques n'ayant pas connu la féodalité, la classe paysanne se trouvait déjà dotée d'une représentation distincte. D'où la formation, par la suite, de partis paysans; et l'originalité des systèmes de partis scandinaves, fondés sur l'existence de quatre partis principaux (conservateurs, libéraux, socialistes et agrariens).

Autre type de particularisme, générateur de divisions partisanes supplémentaires : l'existence, dans certains pays, de groupes nationaux spécifiques, qui s'organisent dans des *partis nationalistes,* pour mieux revendiquer leur indépendance. De ces conflits de nationalités procèdent les partis polonais, tchèque, croate dans l'Empire austro-hongrois; le parti irlandais en Grande-Bretagne avant l'indépendance de l'Eire; le parti allemand des Sudètes dans la Tchécoslovaquie d'avant 1939; les partis nationalistes flamands en Belgique, les partis nationalistes gallois et écossais : le Scottish National Party a 11 sièges à la Chambre des Communes élue en octobre 1974. De même, cette situation est fréquente dans les pays colonisés en lutte pour leur indépendance nationale.

Dans beaucoup de pays, des clivages *particuliers* (historiques, nationaux, ethniques, religieux, socio-professionnels, etc.) se sont donc ajoutés aux conflits *généraux* (conservateurs contre libéraux, capitalistes contre socialistes), multipliant ainsi le nombre de partis.

d) **Les facteurs institutionnels.** — Dans plusieurs cas, les facteurs institutionnels — et tout spécialement les systèmes électoraux — ont aussi favorisé cette multiplication des partis. Dès 1946, M. Duverger soulignait l'*influence des régimes électoraux sur les systèmes de partis,* en formulant *trois lois* sociologiques : 1° la représentation proportionnelle tend au multipartisme; 2° le scrutin majoritaire à deux tours tend à un multipartisme tempéré par des alliances; 3° le scrutin majoritaire à un seul tour tend au bipartisme.

Les trois lois de M. Duverger. — En premier lieu, la *représentation proportionnelle* conduit à un système de partis multiples et indépendants les uns des autres. *Multiples :* les sièges étant attribués proportionnellement aux voix, toute minorité, si faible soit-elle, est assurée d'une représentation; chacun peut donc courir sa chance, d'où la fragmentation d'une même tendance en plusieurs partis, séparés par de simples nuances. *Indépendants :* car l'alliance entre les partis ne procure pas d'avantages électoraux spéciaux.

• En second lieu, le *scrutin majoritaire à deux tours* conduit à un système de partis multiples et interdépendants. *Multiples :* au premier tour, les partis, qui sont proches les uns des autres, peuvent aller au combat en ordre dispersé, sans grand risque pour la tendance générale dont ils se réclament. *Interdépendants :* car le second tour incite les partis voisins à faire front contre l'adversaire commun en concluant des alliances. Ce fut souvent le cas sous la IIIe République : par exemple avec le Front populaire en 1936. Néanmoins, les désistements et les ententes du second tour ne peuvent que corriger partiellement la dispersion du premier tour. Certes la différence est réelle avec la R. P. qui engendre un multipartisme *intégral;* mais même *tempéré* par des alliances, le multipartisme demeure.

• Enfin, le *scrutin majoritaire à un tour* conduit au *bipartisme.* Sous peine de provoquer la victoire du courant contraire, les tendances voisines sont obligées de se regrouper. Imaginons une circonscription, où la gauche et la droite peuvent respectivement compter sur 60 000 et 40 000 électeurs. Si deux candidats de gauche se présentent, alors que la droite respecte l'unité de candidature, c'est néanmoins cette dernière qui l'emportera. La gauche n'aura pas de second tour pour passer une alliance et opérer un désistement. Avec la brutalité du tour unique, toute division des tendances voisines est fatale. Les *partis* qui appartiennent au même grand courant d'opinion (droite ou gauche) sont donc incités à se regrouper ou à fusionner.

De même, les *électeurs,* soucieux de ne pas perdre leurs voix et de voter « utile », sont portés à n'accorder leurs suffrages qu'aux deux partis susceptibles d'arriver en tête. Irrésistiblement, les suffrages se polarisent sur les deux partis les plus « crédibles » et se détournent des forces de moindre importance. Celles-ci se trouvent d'abord sous-représentées, puis éliminées de la scène parlementaire.

— Ainsi, *le scrutin majoritaire à un seul tour* joue à la fois comme un retardateur et comme un accélérateur. Comme un *retardateur :* car il forme longtemps barrage à l'apparition d'un parti nouveau, tant que celui-ci n'arrive pas à intégrer le tandem de tête. Comme un *accélérateur :* car une fois cette percée réussie, ce scrutin précipite le déclin électoral du parti supplanté.

Ce double rôle a été nettement perceptible en Grande-Bretagne. Le scrutin majoritaire à un tour a d'abord freiné (avant 1918), puis accéléré le succès électoral des travaillistes, au détriment des libéraux quasiment éliminés de la scène parlementaire dès 1935. La clientèle libérale était désormais forcée de choisir entre conservateurs et travaillistes. Ce scrutin avait permis et précipité la substitution d'un bipartisme à un autre (17).

— En revanche, *le scrutin proportionnel* a des effets contraires. Sans verser dans l'analyse pessimiste et moralisatrice de F. A. Hermens (*Democracy or Anarchy ?*, Notre-Dame, Indiana, 1941), qui voit dans la R. P. la cause de l' « anarchie » européenne, il faut reconnaître que celle-ci enregistre fidèlement et passivement toutes les nuances et variations de l'opinion. Même avec un nombre modeste de suffrages, un parti *nouveau* pourra faire son entrée sur la scène parlementaire. Même avec un pourcentage de voix restreint, un parti *ancien* en décadence pourra conserver une représentation parlementaire.

A cet égard, la R. P. est la *planche de salut* des partis anciens, que l'évolution socio-économique tend à faire disparaître. Cette disparition se trouve arrêtée ou ralentie par la R. P.

Le cas belge est exemplaire. Au XIXe siècle, la Belgique connaissait un bipartisme, opposant conservateurs et libéraux. Puis, à la fin du siècle, un parti socialiste se développe et mord sur l'électorat du parti libéral, qui commence à décliner. Normalement, comme au Royaume-Uni, les socialistes auraient dû supplanter, puis éliminer les libéraux. Mais, en Belgique, les conservateurs s'unissent aux libéraux pour *supprimer le scrutin majoritaire et le remplacer par la R. P.* (1899). L'*opération de sauvetage* réussit : à compter de cette date, le déclin du parti libéral subit un net ralentissement. Si bien qu'aujourd'hui encore la Belgique connaît un tripartisme inégalitaire, avec deux grands partis (social-chrétien et socialiste, qui recueillent habituellement plus de 4/5 des voix) et une petite formation (le parti libéral), qui obtient entre 10 et 15 % des suffrages.

En Allemagne et en Autriche, les mêmes causes produisent les mêmes effets. Là aussi, à côté de deux puissantes formations, survit un petit parti libéral, qui se trouverait éliminé par l'adoption d'un scrutin pleinement majoritaire. Une fois encore, ce sont les éléments proportionnels du système électoral qui permettent la survie d'un tiers parti libéral. Et maintiennent, au lieu et place d'un véritable bipartisme, un « bipartisme imparfait », à « deux partis et demi ».

(17) Le scrutin majoritaire à un tour a particulièrement défavorisé les libéraux aux élections anglaises du 28 février 1974 : avec près de 20 % des voix, ceux-ci n'obtiennent que 2 % des sièges aux Communes. De même, le 10 octobre 1974, ils recueillent 18,3 % des voix (au lieu de 19,3 en février) et seulement 13 sièges (au lieu de 14) sur 635.

La portée des lois de M. Duverger. — Sans verser dans les critiques, souvent excessives, formulées contre ces lois, il faut souligner que l'influence des modes de scrutin n'est ni automatique ni isolée.

D'abord, la relation entre régimes électoraux et systèmes de partis n'est évidemment pas *automatique* ou mécanique. Tel régime électoral n'engendre pas nécessairement tel système de partis. Loin d'avoir une portée absolue, ces lois sont purement tendancielles. Elles ne font qu'indiquer une orientation probable. Mais leur jeu peut être modifié ou contrarié par l'intervention d'autres facteurs.

C'est qu'en effet l'action du type de scrutin n'est pas *isolée*. Le mode de suffrage n'est qu'un élément parmi d'autres éléments sociaux, qui peuvent parfois exercer une influence contraire. Comme le rappelait G. Lavau, il est « une bien petite chose » eu égard aux multiples facteurs (nationaux, historiques, idéologiques, etc.) qui influent sur la vie politique d'un pays.

Modes de scrutins et systèmes de partis selon D. W. Rae. — Enfin, d'autres critiques (cf. Colin Leys, dans *Political Studies*, juin 1959) portent plutôt sur la méthodologie : le nombre de cas étudiés semble trop réduit pour établir de véritables lois. A cet égard, l'ouvrage de Douglas W. Rae (*The Political Consequences of Electoral Laws*, New Haven, 1967, 2e éd. 1971) est particulièrement précieux, puisqu'il se fonde sur l'examen systématique de toutes les élections législatives ayant eu lieu entre le 1er janvier 1945 et le 1er janvier 1965 dans 20 démocraties occidentales (soit, au total, 121 consultations). Et D. W. Rae renverse quelques idées reçues.

— D'abord, *il existe quelques effets communs à toutes les lois électorales*. Ainsi, ce ne sont pas seulement les systèmes majoritaires, mais bien tous les systèmes électoraux qui « tendent à la sur-représentation — en sièges — des partis qui recueillent le plus grand nombre de suffrages et à la sous-représentation des partis qui recueillent le plus petit nombre de suffrages ». Tous avantagent les forts et désavantagent les faibles : même la R. P., qui ne contredit pas cette tendance commune, mais qui se borne à l'atténuer :

« L'avantage relatif des grands partis sur les petits partis, constaté dans *tous* les systèmes électoraux, tend à être plus fort avec les scrutins majoritaires (majorité simple et majorité absolue) qu'avec la représentation proportionnelle. Le scrutin majoritaire tend à avantager les partis en tête plus que ne le fait la représentation proportionnelle. »

— Ensuite — seconde idée reçue aussi contestée : « Il est inexact que le scrutin à la majorité simple implique un système de bipartisme. » *Bipartisme et scrutin majoritaire à un tour ne sont pas nécessairement liés.* En effet, le dualisme des partis existe sous d'autres modes de scrutin, tandis qu'il fait parfois défaut avec ce mode de scrutin.

— Enfin — et c'est l'apport très original de cette étude — Rae introduit une nouvelle variable : *l' « amplitude » des circonscriptions. Plus la dimension des circonscriptions s'accroît, plus les suffrages électoraux et les sièges parlementaires s'éparpillent entre les partis.* Autrement dit, pour l'obtention de majorités électorales et parlementaires cohérentes, l'opposition capitale n'est pas, comme le pensait M. Duverger, entre scrutin majoritaire et représentation proportionnelle. Elle est entre les circonscriptions de dimension restreinte (ayant de 1 à 5 sièges à pourvoir) et les autres. Les formules électorales recherchant l'efficacité et la stabilité plutôt que la justice représentative atteindront au maximum leur objectif, si elles s'appliquent à des circonscriptions de très faible dimension : la circonscription uninominale étant la plus appropriée à cet égard.

2° *Les effets du multipartisme.*

Le multipartisme intégral (France de la IVe République, Italie, etc.) engendre surtout trois types d'inconvénients.

— D'abord, comme le soulignent Almond et Powell (*Comparative Politics,* chap. V), à la différence du bipartisme, *le multipartisme convient mal à l'agrégation des intérêts.*

En effet, le bipartisme incite chacun des deux partis rivaux à étendre au maximum son assiette électorale, en incorporant à son programme les « demandes » qui bénéficient d'un large soutien populaire. Ainsi, les multiples revendications disparates, qui avaient été exprimées à l'état brut par les divers groupes d'intérêts, se trouvent homogénéisées, harmonisées, transmutées en quelques options synthétiques. La multiplicité des exigences particulières se trouve réduite à quelques objectifs collectifs. Finalement, sans se trouver submergés par l'amas des demandes sectorielles, les décideurs obtiennent une vue globale des exigences initialement formulées par de nombreux groupes sociaux. Ainsi, le système politique accroît son efficacité et sa « capacité de réponse » aux impulsions du milieu.

En revanche, s'il existe un grand nombre de petits partis, chacun campera sur une position exiguë et exprimera simplement les exigences d'une subculture ou d'une clientèle limitée, sans guère se préoccuper d'harmoniser ces exigences avec celles d'autres catégories. Chaque parti tend à devenir le porte-parole d'une catégorie particulière. Autrement dit, les partis se comportant surtout comme des groupes d'intérêts, il y a bien « articulation », mais guère « agrégation » des intérêts (18).

De même, selon Easton, un système bipartisan assure mieux qu'un système multipartisan la fonction de « *réduction des exigences* » (*supra,* p. 123). Au premier cas, chacun des deux grands partis, désireux d'élargir au maximum sa base électorale, procède aux synthèses nécessaires. En revanche, en *multipartisme,* chaque parti se contente souvent de transmettre telles quelles les exigences exprimées par sa clientèle propre. Pour Easton, la faiblesse de la IVe République tenait à cette insuffisante réduction des exigences, faute de partis à large audience et à forte organisation.

— Second inconvénient du multipartisme : *la médiatisation des choix.* Formellement, l'électeur a le choix entre une multitude de programmes. La richesse de la palette est impressionnante, et chacun est sûr d'y trouver sa nuance favorite. Mais cette liberté de choix est, en fait, illusoire. L'électeur ne décide pas directement de son destin, n'arrête pas lui-même les grandes décisions nationales. Il s'en remet à des *médiateurs,* les députés, qui décideront ensuite à sa place, en fonction des coalitions et des compromis rendus possibles par les résultats électoraux. L'électeur ne fait que distribuer les cartes du jeu politique : tout dépendra, ensuite, des combinaisons et des alliances parlementaires que contracteront les partis. Ainsi le multipartisme intégral conduit non à la « démocratie directe », mais à la « démocratie médiatisée ».

— Dernier grief : le multipartisme intégral implique l'absence d'une majorité parlementaire stable et cohérente, capable de soutenir fidèlement et durablement le gouvernement. Formées de pièces et de morceaux, les majorités parlementaires se nouent et se dénouent, investissant et renversant des cabinets éphémères. L'*instabilité gouvernementale* est la rançon directe du multipartisme intégral.

(18) Cf. sur la fonction agrégative en système multipartisan : L. D. EPSTEIN, *Political Parties in Western Democracies,* 1967, p. 73-76; et sur le cas français : R.-G. SCHWARTZENBERG, « La politique ailleurs », *Le Monde* du 17 juin 1971.

3° *Du multipartisme intégral au multipartisme tempéré.*

Cependant ces effets néfastes peuvent être évités ou atténués, si ce multipartisme se trouve *tempéré* par l'existence d'alliances stables et cohérentes. Si deux grandes coalitions se forment, qui présentent aux électeurs une plate-forme commune et agissent de concert au parlement, le système multipartisan se trouve profondément modifié. Ce dualisme d'alliances ressemble davantage au bipartisme qu'au multipartisme intégral.

En l'espèce, tout dépend évidemment de la solidité des alliances et de la discipline des coalisés. Autrement dit, tout dépend du fait de savoir si ces alliances englobent des *partis rigides* (imposant une discipline de vote à leurs élus) ou de partis souples (n'en imposant pas). C'est dire que pour prévoir les effets d'un système multipartisan, il faut connaître non seulement le nombre des partis mais aussi leur degré de *discipline.*

Si cette discipline est réelle, la formation d'alliances inter-partisanes modifie profondément le visage du multipartisme. *Cette formation d'alliances se trouve favorisée par le scrutin majoritaire à deux tours,* scrutin de coalition par excellence, comme le montre le cas de l'Allemagne de 1870 à 1914 ou celui de la France des IIIe et Ve Républiques.

En ce cas, deux grandes coalitions peuvent se former aux élections et se maintenir au parlement. Cette « *bipolarisation* » stable crée une situation proche du bipartisme. Ainsi, sur l'échelle de régression de la concurrence, le *multipartisme tempéré* marque un degré intermédiaire entre multipartisme intégral et bipartisme.

B. — Les systèmes bipartisans

1° *Les facteurs du bipartisme.*

Nombreux sont les politistes qui font l'éloge du bipartisme. Pour certains, il serait même imposé par la nature et par l'histoire.

Soutenant l'existence d'un dualisme politique naturel, M. Duverger (*op. cit.*, p. 245-246) écrit ainsi : « *Le bipartisme semble présenter un caractère naturel.* On veut dire par là que les options politiques se présentent d'ordinaire sous une forme dualiste... Toute politique implique un choix entre deux types de solutions. »

Qu'il s'agisse d'une lutte de tendances (l' « ordre » contre le « mouvement »), de tempéraments (tempérament conservateur contre tempérament radical), de classes (bourgeoisie contre prolétariat), le dualisme semble correspondre à la *nature* des choses. Et au cours de l'*histoire* : dans le passé, toutes les grandes luttes de factions furent dualistes : Armagnacs et Bourguignons, Guelfes et Gibelins, Catholiques et Protestants, Girondins et Jacobins, Conservateurs et Libéraux, Capitalistes et Socialistes, Occidentaux et Communistes.

Conclusion : « Chaque fois que l'opinion publique est placée en face de grands problèmes de base, elle tend à se cristalliser autour de deux pôles opposés. Le mouvement naturel des sociétés incline au bipartisme » (*ibid.*, p. 246).

Cette vision manichéiste a été souvent contestée. Notamment par L. D. Epstein (*op. cit.*, p. 56) ou par A. Wildavsky, critiquant cette « illusion mystique » : « Nous entendons par là le fait, pour l'auteur, de surimposer aux données qu'il analyse sa croyance personnelle dans le caractère « *naturel* » de certains phénomènes. Cette illusion est considérablement renforcée par l'impression superstitieuse que les phénomènes vont par paire » (A. Wildavsky, *Journal of Politics,* mai 1959, p. 305-306).

A vrai dire, cette analyse paraît doublement contestable. D'abord, parce qu'elle repose sur un postulat indémontrable : comment assurer que par *nature* tout problème comporte seulement deux solutions ? Ensuite parce que l'*histoire* — au moins l'histoire française — démontre l'importance du centre. Comme M. Duverger l'a lui-même exemplairement montré (19) il n'est pas rare que des batailles électorales dualistes engendrent finalement des majorités parlementaires centristes. Le bipartisme sporadique des législatives se résorbant peu à peu dans une conjonction parlementaire des centres.

2° *Les effets du bipartisme.*

Cependant cette controverse sur le caractère « naturel » du bipartisme importe peu. *Naturel ou non, le bipartisme est utile parce qu'il est « fonctionnel »* : ses effets sont profitables au bon fonctionnement du système politique.

(19) M. DUVERGER, « L'éternel marais. Essai sur le centrisme français », *RFSP*, 1964, p. 33-51; et *La démocratie sans le peuple,* 1967.

Sommairement, ces effets sont directement opposés à ceux du multipartisme intégral. Le bipartisme *facilite l'agrégation des intérêts et la réduction des exigences.* Il « *démédiatise* » *les options fondamentales :* c'est l'électeur lui-même qui, directement, choisit les grandes options et les gouvernants chargés de les appliquer. Nécessairement formé par le chef du parti victorieux, le gouvernement sort directement des urnes, sans passer par les combinaisons de médiateurs. Enfin, le bipartisme *garantit la stabilité gouvernementale,* puisque le parti au pouvoir détient nécessairement la majorité absolue des sièges parlementaires.

Cependant, ces *effets varient avec les divers types de bipartismes.* Car il existe plusieurs systèmes bipartisans, qui se distinguent et qualitativement et quantitativement.

3° *Les types de bipartismes.*

a) **Bipartisme rigide et bipartisme souple.** — La première distinction, qualitative, se fonde sur le *degré de discipline* des deux partis. Pour opposer un bipartisme rigide (avec discipline de vote) et un bipartisme souple (sans discipline de vote). Ce dernier n'est, en réalité qu'un bipartisme d'apparence ne procurant pas tous les effets du bipartisme véritable.

La *Grande-Bretagne* incarne — habituellement — le bipartisme *rigide.* Dans les scrutins politiques importants, tous les députés d'un même groupe sont tenus de voter de la même façon : ceux qui enfreindraient les directives de vote seraient exclus du parti. Cette *discipline des votes parlementaires* fonde la stabilité et l'autorité du gouvernement. Le chef du gouvernement, leader du parti majoritaire, est sûr de la fidélité des membres de sa majorité. La majorité et le gouvernement sont dans des *relations de troupes à état-major.* L'état-major du parti majoritaire compose le gouvernement, et les cadres de ce parti (les députés) obéissent docilement à cet état-major. La discipline du parti majoritaire transforme les Communes en Chambre d'enregistrement.

En revanche, les *Etats-Unis* incarnent un *bipartisme souple.* Les deux partis n'imposent *pas de discipline de vote* à leurs élus. Chaque « congressman » vote comme il l'entend, sans consulter son parti. Dès lors, à la différence des Communes, *le Congrès est totalement dépourvu de clivage bipartisan.* Sur chaque problème, il y a une majorité et une opposition différentes, qui ne coïncident pas avec la division des deux partis. Ce bipartisme souple est, en réalité, proche du multipartisme. Il produirait les mêmes conséquences (instabilité de l'Exécutif) si la séparation organique des pouvoirs n'assurait stabilité et autorité à l'Exécutif.

b) **Bipartisme parfait et bipartisme imparfait.** — Le bipartisme pur est une hypothèse d'école. Aux côtés des deux grands qui dominent la scène politique, il existe toujours de petits partis qui survivent tant bien que mal. L'important est de connaître la proportion de suffrages recueillie par ces petites formations.

D'où une distinction quantitative, opposant le bipartisme *parfait*, où les deux partis de tête totalisent 90 % des voix ou davantage, et le bipartisme *imparfait* — « à deux partis et demi » (20) — dans lequel un tiers parti obtient assez de suffrages pour perturber le jeu des deux grands, qui totalisent seulement, à eux deux, 75 à 80 % des suffrages.

Dans le premier cas, les deux grands partis sont si puissants électoralement que l'un ou l'autre possède normalement la majorité absolue des sièges parlementaires. Il pourra donc gouverner seul, sans recourir à une alliance. Si bien que les petits partis sont pratiquement exilés du jeu politique. Tel est le cas de la Grande-Bretagne et de son parti libéral de 1935 à 1974.

En revanche, dans l'hypothèse du *bipartisme imparfait*, le succès électoral des deux partis de tête est moins massif. Les deux grands dominent bien le marché politique; mais, néanmoins, aucun d'eux ne parvient normalement à obtenir, seul, la majorité absolue. Ils devront donc, soit s'allier avec le troisième parti, soit s'allier entre eux.

Ce système « *para-dualiste* » caractérise notamment l'Allemagne fédérale. L'alliance s'est d'abord faite entre la C.D.U. et le parti libéral, de 1961 à 1966. Puis, une « grande coalition » a réuni les deux partis de tête (C.D.U. et S.P.D.), de 1966 à 1969. Enfin, depuis les élections de 1969, une nouvelle alliance réunit les socialistes (S.P.D.) et les libéraux (F.D.P.).

La situation est analogue en Belgique, où la présence du parti libéral suffit en général à empêcher les socialistes ou les chrétiens-sociaux de recueillir, à eux seuls, la majorité absolue. Dans les deux cas, l'adop-

(20) Selon l'image de Jean BLONDEL, « Party Systems and Pattern of Government in Western Democracies », *Revue canadienne de science politique*, juin 1968, p. 183.

tion d'un véritable scrutin majoritaire à un tour accélérerait sans doute le déclin du tiers parti, et transformerait probablement ce tripartisme inégalitaire (juxtaposant deux grands partis et un petit) en bipartisme parfait à l'anglaise.

Les élections anglaises du 28 février 1974. — Cela dit, avec les législatives du 28 février 1974, la Grande-Bretagne n'incarne plus le bipartisme parfait. Les résultats sont, en effet, les suivants :

Travaillistes	301 sièges	(37,2 % des voix)
Conservateurs	296 sièges	(38,1 % des voix)
Libéraux	14 sièges	(19,3 % des voix)
Nationalistes écossais	7 sièges	
Nationalistes gallois	2 sièges	
Unionistes irlandais	11 sièges	
Divers	4 sièges	

On remarquera que les conservateurs ont un peu plus de voix, mais moins de sièges que les travaillistes.

On remarquera surtout *l'injustice du mode de scrutin* (uninominal majoritaire à un tour), qui sous-représente gravement le parti libéral. Au plan des suffrages exprimés, les libéraux font un bond considérable : ils passent de 7,4 % (1970) à 19,3 % des suffrages exprimés (1974). Ainsi, avec près de 20 % des voix, les libéraux n'obtiennent que 2 % des sièges aux Communes. D'où leur insistance à obtenir une réforme électorale.

On notera, enfin, qu'*aucun des deux grands partis n'obtient à lui seul la majorité absolue des sièges* aux Communes (soit 318, sur les 635 sièges que compte désormais la Chambre basse). Ce qui ne s'était pas vu depuis très longtemps.

La médiatisation. — Le résultat, c'est la « *médiatisation* » du jeu politique britannique, le glissement de la démocratie « directe » à la démocratie « médiatisée » : le choix des gouvernants n'appartient plus directement à l'électorat; *le gouvernement ne sort plus directement des urnes,* directement constitué. Il résulte — après les élections — de négociations, de tractations entre états-majors de partis, pour dégager telle ou telle combinaison gouvernementale.

Les négociations entre conservateurs et libéraux n'aboutissant pas, M. Heath remet sa démission de premier ministre. Et la reine nomme M. Wilson, qui forme un *gouvernement travailliste minoritaire.*

La « latinisation ». — Le sentiment prévaut que, dans le même temps qu'il entre dans la Communauté européenne, le Royaume-Uni commence à se « latiniser ». Comme si gouvernants et gouvernés y adoptaient des attitudes et des comportements politiques moins anglo-saxons et plus latins. Pour glisser vers une vie politique à la française (type IIIe ou IVe République) ou à l'italienne.

Cette « *latinisation* » semble gagner de proche en proche. Comme par ondes successives.

1° D'abord, au *niveau parlementaire*. Depuis octobre 1971, depuis la décision historique des Communes sur l'entrée de la Grande-Bretagne dans les Communautés européennes, le Parlement britannique tend à se comporter comme un Parlement « continental » : *indiscipline* de plusieurs élus, appoint du groupe libéral (qui fournit un précieux renfort à la manière d'un groupe charnière), frontière qui s'estompe entre la majorité et l'opposition, conjonction des extrêmes, batailles de procédure, scrutins disputés aux résultats imprévisibles, etc.

Tout cela évoque le « parlementarisme à la française » des IIIe et IVe Républiques. Car, sous la Ve République, la France politique s' « *anglicise* »; elle renchérit sur le « parlementarisme à l'anglaise » de naguère : majorité fidèle et disciplinée, stabilité gouvernementale à toute épreuve, etc. On assiste presque à une *permutation,* à un échange des climats politiques entre la France et la Grande-Bretagne.

2° Au *niveau électoral,* la latinisation se marque par la *rupture du consensus.* Le Labour Party se radicalise et glisse à gauche (au moins jusqu'en 1975); le Parti conservateur se marque nettement à droite. Chacun des deux grands partis devient l'expression politique de *classes sociales antagonistes.* Comme dans l'analyse marxiste. Chacun est moins un parti d'attraction (*supra,* p. 520), un « parti national », qu'un *parti de classe.*

Il se produit une radicalisation des esprits, une accentuation des clivages de classe — et de leur prise de conscience — qui vont durcir et compliquer le jeu politique.

3° Enfin, au *niveau gouvernemental,* la conséquence possible sera l'*instabilité gouvernementale.* Le parlementarisme majoritaire se dégrade, cède la place à un parlementarisme non majoritaire. Faute de s'appuyer sur une majorité absolue, le gouvernement risque de connaître les deux travers propres à cette situation. L'*immobilisme,* pour ne pas prendre de risques et ne mécontenter aucun soutien parlementaire potentiel. L'*instabilité*, car, finalement, les Communes le tiennent à leur merci.

Le modèle latin et le déclin économique. — Tout cela, c'est l'émergence d'un *modèle latin d'instabilité politique et sociale* en Grande-Bretagne. Et ce modèle est peut-être le *produit* des difficultés économiques et sociales. Une société, qui s'enrichit moins que d'autres sociétés occidentales, que les « sociétés d'abondance » voisines, connaît nécessairement des tensions sociales, engendrées par ces difficultés économiques. Et ces tensions sociales engendrent, à leur tour, des tensions politiques.

Bref, le modèle latin serait le lot des pays moins riches, des sociétés industrielles moins avancées, voire en déclin économique. Et la Grande-Bretagne paierait aujourd'hui *la rançon politique de son retard économique. Comme si le modèle latin était le produit du déclin économique.*

Les élections anglaises du 10 octobre 1974. — La nouvelle dissolution, qui provoque les élections du 10 octobre 1974, vise à pallier ces inconvénients. Ce nouveau scrutin donne aux travailleurs 319 sièges, soit juste un de plus que la majorité absolue (318).

Travaillistes	319 sièges	(39,3 % des voix)
Conservateurs	276 sièges	(35,8 % des voix)
Libéraux	13 sièges	(18,3 % des voix)
Nationalistes écossais	11 sièges	
Nationalistes gallois	3 sièges	
Unionistes irlandais	10 sièges	
Divers	3 sièges	

Mais, au fil des mois et des élections législatives partielles, les travaillistes perdent la majorité absolue aux Communes. Ce qui les incite à passer avec les libéraux le « *pacte lib-lab* », qui moyennant certains engagements quant à la politique gouvernementale suivie, garantit à M. Callaghan l'appoint des treize députés libéraux.

Bref, on s'écarte du bipartisme parfait et du parlementarisme majoritaire véritable.

Les élections ouest-allemandes de 1972 et 1976. — En revanche — est-ce la conséquence de sa croissance économique ? —, l'Allemagne fédérale s'oriente de plus en plus vers une vie politique « à l'anglaise » (de naguère) et *vers un bipartisme parfait.*

L'électorat se polarise de plus en plus autour des deux grands partis (*supra,* p. 530), qui atteignent presque une situation de *duopole* à mesure que se succèdent les élections législatives. Ainsi, à eux deux, la C.D.U.-C.S.U. et le S.P.D. totalisent 60,2 % des suffrages exprimés en 1949, 74 % en 1953, 82 % en 1957, 81,5 % en 1961, 86,9 % en 1965, 88,8 % en 1969, 90,7 % en 1972 et 91,2 % en 1976.

Cependant, le S.P.D. maintient l'alliance parlementaire et gouvernementale qu'il a contractée, depuis 1969, avec le petit *parti libéral F.D.P.* (8,4 % des suffrages en 1972 et 7,9 % en 1976). En effet, depuis son congrès de 1968 (qui avait porté M. Walter Scheel à sa présidence), le F.D.P. s'est renouvelé, rajeuni et a déplacé son centre de gravité vers la gauche. Au moins au plan de la politique extérieure et des libertés, sinon au plan économique et social, où le F.D.P. freine parfois les projets du S.P.D.

Par rapport à 1972, les élections d'octobre 1976 marquent un certain recul de la coalition socialiste-libérale.

Partis	Pourcentage des suffrages en 1972	Pourcentage des suffrages en 1976	Nombre de sièges en 1972	Nombre de sièges en 1976
S.P.D.	45,9	42,6	230	214
F.D.P.	8,4	7,9	41	39
C.D.U.-C.S.U.	44,9	48,6	225	243

La coalition socialiste-libérale obtient donc 50,5 % des suffrages exprimés et dispose d'une courte majorité de 10 sièges au Bundestag.

c) **Bipartisme équilibré et bipartisme dominé.** — Il conviendrait encore d'introduire, parmi les systèmes parfaitement bipartisans, une autre distinction quantitative, fondée sur l'écart électoral séparant les deux partis.

Le *bipartisme équilibré* est le bipartisme véritable : *les deux partis sont de taille et de force à peu près égales, et alternent au pouvoir* selon que les électeurs « marginaux » se portent d'un côté ou de l'autre. La majorité se faisant sur un très faible écart de suffrages. Tel est le cas de la Grande-Bretagne, où, de 1945 à 1977, les conservateurs ont gouverné pendant 17 ans et les travaillistes durant 15 ans.

A l'opposé, *l'écart entre les deux partis peut être très considérable,* de sorte que le second est exclu durablement de l'espérance du pouvoir.

On sort alors du bipartisme véritable pour entrer dans un système de parti dominant. Entre 1958 et 1963, quelques pays africains (Haute-Volta, Niger, Mali, Mauritanie) ont connu ce « *bipartisme dominé* », où l'un des deux partis exerçait son hégémonie. Mais, rapidement, ce bipartisme inégalitaire disparut au profit du système de parti unique.

C. — Les systèmes a parti dominant

Rares, en effet, sont les systèmes à parti dominant qui peuvent subsister avec seulement deux partis : le parti hégémonique cherchera vite à absorber ou à supprimer son faible rival. Généralement, le système de parti dominant fonctionne donc sur le fond de multipartisme. Mais, là encore, selon la puissance électorale du parti de tête, il faut distinguer entre partis dominants et partis ultra-dominants.

1° *Le parti dominant.*

Définition. — En 1951, M. Duverger crée l'expression « parti dominant » pour qualifier, dans un système pluripartisan, un parti présentant les deux traits suivants : 1° *surclasser nettement ses rivaux* sur l'ensemble d'une période (même si, exceptionnellement, il lui arrive d'être distancé à une élection); 2° *s'identifier à l'ensemble de la nation;* ses doctrines, ses idées, son style coïncidant avec ceux de la période.

A un certain moment de la IIIe République, le parti radical a connu cette situation : et par ses performances électorales et par son identification à l'ensemble de la nation. C'est l'époque où l'on parlait de « République radicale », et où l'on assurait : « Le radicalisme, c'est la France même. »

Aujourd'hui, selon Jean Blondel *(op. cit.)*, cette position dominante se retrouve dans cinq démocraties occidentales : la Suède, la Norvège, le Danemark (où le parti dominant est socialiste), l'Islande et l'Italie (où il s'agit d'un parti conservateur ou démocrate-chrétien).

Le parti dominant se définit par sa dimension absolue et par sa dimension relative. D'une part, il doit dépasser un certain *seuil,* que l'on peut fixer entre 30 et 35 % des suffrages exprimés : dans les cinq pays cités ci-dessus, le parti dominant obtient généralement 40 % des voix ou davantage, soit le double ou près du double du deuxième parti. D'autre part, en effet, il dépasse nettement ses *rivaux :* ces cinq pays multipartites ont tous 4 ou 5 partis de moindre importance, qui ne recueille, chacun, qu'entre 10 et 20 % des suffrages (20 *bis*).

En somme, le parti dominant acquiert et conserve sa position hégémonique grâce à la multiplicité et à l'émiettement de ses adversaires, contrairement au parti unique qui fonde son monopole sur l'interdiction des autres formations.

La différence est d'autant plus claire que le parti dominant, lui, n'occupe pas nécessairement le pouvoir. S'ils se coalisent contre lui, les autres partis demeurent encore assez puissants pour lui ravir la direction du gouvernement.

Ainsi, en *Norvège,* en 1965, les travaillistes sont remplacés au pouvoir par une coalition « bourgeoise ». Ils y reviennent en 1971. Mais, en 1972, l'échec du référendum sur l'adhésion aux Communautés européennes provoque la démission du gouvernement socialiste. Enfin, après les élections de septembre 1973, M. Trygve Bratteli, chef du parti travailliste, forme un gouvernement minoritaire homogène, à la tête duquel lui succède son dauphin, M. Ovar Nordli, en janvier 1976.

Au *Danemark,* en 1968, les sociaux-démocrates cèdent la place à une coalition « bourgeoise » de centre droit (radicaux, agrariens et conservateurs). Mais, en octobre 1971, ils reprennent le pouvoir, sous la direction de M. Krag, puis de M. Joergensen (octobre 1972). Enfin, les élections anticipées de décembre 1973 marquent une déroute du parti social-démocrate (25,7 % seulement des suffrages), qui perd de nouveau le pouvoir. Le chef du parti libéral (ex-agrarien), M. Hartling, forme le nouveau gouvernement. Mais, après les élections anticipées du 9 janvier 1975, M. Joergensen forme un gouvernement social-démocrate minoritaire.

Néanmoins, le plus souvent, c'est bien le parti dominant qui se trouve au gouvernement. Dès lors, il dispose généralement d'une majorité parlementaire fidèle : ce qui garantit la stabilité gouvernementale. Ainsi en Suède, les sociaux-démocrates se trouvent au pouvoir de 1932 à 1976. Depuis cette date, la Suède n'a connu que trois premiers ministres, tous sociaux-démocrates : MM. Hansson (1932-1946), Erlander (1946-1969) et Palme (depuis 1969), confirmé au pouvoir de justesse par les élections de septembre 1973.

(20 *bis*) Depuis les élections de juin 1976, la Démocratie chrétienne italienne, bien que recueillant 38,7 % des voix pour la Chambre, a cessé d'être un parti dominant, car, parmi ses adversaires, le P.C.I. recueille 34,4 % des suffrages. C'est la nouveauté de ce scrutin : cette vie politique italienne soudain bipolarisée. Avec les deux grands partis finissant par trouver des bases d'accord en juin 1977.

Mais les élections du 19 septembre 1976 voient la défaite des sociaux-démocrates de M. Palme et la victoire de la coalition « bourgeoise » (parti du centre, parti libéral et parti conservateur). Le chef du Parti du centre (ex-agrarien), M. Fälldin dirige le nouveau gouvernement.

Les avantages du système à parti dominant. — Le principal avantage du système à parti dominant, c'est, habituellement, de permettre la *stabilité gouvernementale*. Dans un système socio-politique profondément divisé, il limite le regroupement nécessaire des forces politiques à un seul secteur : la gauche (Suède, Norvège, Danemark), le centre (Italie), ou la droite (Islande, France). Sans ce regroupement minimum, c'est le multipartisme intégral et son inévitable instabilité (Pays-Bas, Finlande, France de la IVe République).

Cependant, il est des cas où *la présence au pouvoir d'un parti dominant n'assure pas pour autant la stabilité gouvernementale.* D'une certaine manière, il faudrait introduire ici aussi la distinction des parts rigides et des partis souples. Un rassemblement trop ambitieux perd en rigidité ce qu'il gagne en extension. Regroupant des courants idéologiques divers, il ne peut, faute d'homogénéité, obtenir de ses élus une véritable discipline de vote. A la limite, des fractions s'institutionnalisent au sein même du parti dominant et ses crises internes contribuent à entretenir l'instabilité gouvernementale.

Le cas de l'Italie est probant. Malgré son immense électorat (40 % environ des suffrages exprimés dans toutes les élections depuis la guerre : 38,7 % aux élections de juin 1976), malgré la multiplicité et la faiblesse des autres partis, la Démocratie chrétienne n'est nullement parvenue à fonder un régime stable. Les divisions internes du parti dominant et les alliances composites contractées par celui-ci ont provoqué de nombreuses crises gouvernementales. Ici, paradoxalement, le système de parti dominant procure les mêmes effets néfastes que le multipartisme intégral. Tant est net le contraste entre parti dominant souple (Italie) et parti dominant rigide (France).

En juillet 1977, la Chambre des députés italienne approuve *l'accord pour un programme de gouvernement signé par les six partis « constitutionnels »* (Démocrate chrétien, Parti communiste, Parti socialiste, Parti social-démocrate, Parti républicain et Parti libéral). Pour la première fois donc, les deux grands partis, *la D.C. et le P.C. coopèrent* en vue de l'action gouvernementale, commençant ainsi à réaliser ce « compromis historique », cher aux communistes italiens.

Les inconvénients du système à parti dominant. — Au demeurant, le système de parti dominant, même rigide, comporte au moins trois types d'inconvénients.

— D'abord, un risque d'*immobilisme*. Installé au pouvoir pour de longues années, bénéficiant d'une « rente de situation » électorale, le parti dominant risque de sombrer dans une certaine torpeur. A gouverner sans concurrence, on gouverne sans talent.

— Ensuite, le *transfert de la politique sur d'autres sites*. Une repolitisation se produit ailleurs, en marge des mécanismes traditionnels de délibération et de représentation (cf. *supra*, p. 363). L'opposition trouve des pouvoirs de compensation en dehors du parlement. Ainsi la pression des milieux d'affaires sur le parti dominant socialiste (Suède jusqu'en 1976) ou celle des syndicats ouvriers sur le parti dominant de droite (France) compense l'effacement des catégories sociales ou des familles politiques exclues du pouvoir. Les partis d'opposition tendent à se transformer en groupes d'intérêts.

Autrement dit, *le jeu parlementaire* — public, ouvert, contrôlable et appréciable par l'opinion publique — *se trouve remplacé par la pression* — souvent occulte et clandestine — d'organisations poursuivant la défense d'intérêts particuliers. La régression est évidente. Certes plusieurs groupes de pression (spécialement les syndicats ouvriers) pratiquent aussi une action ouverte et publique. Mais le risque est grand de voir le *débat public remplacé par l'action discrète ou secrète,* par un jeu de contacts et d'influences. Au bout du compte, ce serait le *lobbying* (l'action de couloirs) supplantant le débat parlementaire. Et le gouvernement des lobbies remplaçant le gouvernement des partis.

— Enfin — dernier risque — la *cassure du consensus,* provoquée par cet exil d'une partie de l'opinion. Durant plusieurs années, le parti dominant rejette vers le non-pouvoir la moitié ou plus de l'électorat. Et sa massive suprématie rend peu crédible une revanche électorale de l'opposition. Alors, faute d'alternative constitutionnelle crédible, se développe une opposition extra-parlementaire. Confondant le parti dominant avec le régime politique, celle-ci lutte non plus *dans* le régime, mais *contre* lui.

Le cas scandinave. — Les *inconvénients* du système à parti dominant semblent ressentis par une large partie de l'électorat scandinave. De septembre à décembre 1973, trois élections générales ont donc lieu en Scandinavie (*supra,* p. 564). Dans chaque cas, le *parti dominant social-démocrate,* atteint par un sentiment de lassitude, en sort amoindri, même s'il reste la première formation du pays. Recul en Suède, déroute en Norvège, désastre au Danemark.

Norvège. — En Norvège, aux élections des 9-10 septembre 1973, le parti travailliste ne recueille que 35,5 % des suffrages exprimés : il perd donc 11 points par rapport aux élections précédentes de 1969. C'est un recul sans précédent : jamais, depuis la seconde guerre mondiale, le parti travailliste norvégien n'était descendu aussi bas. Ses positions sont, en effet, entamées; à gauche, par la coalition électorale du parti communiste et des socialistes populaires (travaillistes de gauche dissidents) ; à droite, par les partis « bourgeois » : chrétiens-populaires, conservateurs, centristes-agrariens, libéraux.

Résultat : sur 155 sièges, la gauche en obtient 78 (62 pour les travaillistes, 16 pour les communistes et les socialistes populaires), les partis non socialistes 77. M. Trygve Bratteli, chef du parti travailliste, forme un gouvernement minoritaire homogène. En janvier 1976, M. Odvar Nordli lui succède à la tête de ce gouvernement et remporte les élections de septembre 1977.

Suède. — En Suède, le parti social-démocrate des travailleurs (S.A.P.) est *au pouvoir depuis 1932*. Mais ce parti dominant est fortement contesté par ses adversaires, las de son éternelle hégémonie. Ceux-ci lui reprochent son « arrogance », voire son « terrorisme intellectuel » ; certains qualifient même ses dirigeants de « *nouveaux totalitaires* »...

Car le parti a investi tous les rouages de l'Etat-providence, qui prend en charge la sécurité, le bien-être, la vie même des administrés. De plus, la Confédération des syndicats (L.O.) est liée au S.A.P. Par la pratique de l'adhésion collective du syndicat, un tiers des syndiqués ont aussi leur carte du S.A.P.

D'où le sentiment d'un hyper-encadrement, d'un écrasement par une administration omniprésente, par une puissance étatique envahissante. Ce qui favorise le développement d'une sorte de poujadisme antibureaucratique.

Résultat : aux législatives du 16 septembre 1973, *le parti social-démocrate subit un certain recul*. Il perd 1,7 % des voix et passe de 45,3 % des suffrages en 1970 à *43,6 % en 1973*. Sur sa gauche, on trouve les communistes (5,3 %), les communistes dissidents (0,4 %) et les marxistes-léninistes (0,1 %). Sur sa droite, les partis « bourgeois » progressent au total : libéraux : 9,4 % ; modérés (ex-conservateurs) : 14,3 % ; centristes (ex-agrariens) : 25,1 %. En effet, le parti du centre profite de la « vague verte » : il prône le retour à la province natale, la décentralisation des décisions, le maintien en activité des petites entreprises. Cédant à quelque démagogie, M. Fälldin a fait de son parti un rassemblement des mécontents.

Curieusement, chaque bloc (socialiste ou bourgeois) obtient 175 sièges. C'est donc le match nul, même s'il y a eu un transfert de 1,1 % des suffrages et de 5 mandats du bloc socialiste au bloc bourgeois. M. Olof Palme, chef du S.A.P., se maintient à la tête du gouvernement.

En revanche, *les élections du 19 septembre 1976 mettent fin à 42 ans de pouvoir social-démocrate. La coalition des trois partis « bourgeois »* (parti du centre de M. Fälldin, parti libéral de M. Ahlmark et parti conservateur de M. Bohman) *remporte la victoire,* avec 50,7 % des voix et 180 sièges sur 349 au Parlement. Le parti socialiste de M. Palme obtient 42,9 % des suffrages (soit 0,7 % de moins qu'en 1973). Ce petit tassement s'accompagne de pertes similaires chez son allié communiste (4,7 % contre 5,3).

Ce léger tassement de la gauche et cette petite poussée de la droite suffisent cependant à faire basculer la majorité. Et M. Fälldin forme le nouveau gouvernement.

Danemark. — Au Danemark, aux élections du 4 décembre 1973, le parti social-démocrate perd 11,6 points et n'obtient que *25,7 % des suffrages exprimés.* Depuis le début du siècle, il n'avait jamais essuyé un tel échec. Les autres partis traditionnels subissent aussi des pertes. C'est le cas des trois formations « bourgeoises », qui ont gouverné ensemble de 1968 à 1971 : conservateurs, libéraux (ex-agrariens) et radicaux.

En revanche, trois formations entièrement neuves entrent avec fracas au Folketing. Ce sont :

— le *Parti du Progrès,* parti « anti-impôts », fondé seulement en juin 1972, qui, avec 15,9 % des voix, devient la seconde formation du pays. Son chef, M. Morgens Glistrup, avocat et expert fiscal, multiplie les propositions « poujadistes » : suppression de l'impôt direct, réforme administrative qui supprimerait les 9/10e des « paperassiers », etc.

— le *Centre démocrate,* créé en novembre 1973, obtient 7,8 % des suffrages. Son chef, M. Ehrard Jacobsen (dissident du parti social-démocrate), dénonce lui aussi le « système », en porte-parole d'une majorité silencieuse découragée (petits propriétaires, petits commerçants, etc.).

— enfin, le *Parti chrétien-populaire,* fondé en 1970, a 4 % des voix : c'est le parti favorable aux vieilles traditions morales et familiales, qui dénonce la pornographie et la révolution des mœurs.

M. Hartling forme un *gouvernement minoritaire libéral* et, pour tenter d'élargir son asise parlementaire, provoque les *élections anticipées du 9 janvier 1975.*

Le *parti libéral* (ex-agrarien) recueille 23,3 % des voix et double presque son audience. Toutefois, ce triomphe a son revers, car il est remporté aux dépens d'autres formations non socialistes, qui sont ses alliées : parti conservateur, parti radical, centre démocrate. Mais, toujours à droite, le parti chrétien populaire progresse légèrement et le parti du progrès (anti-impôts) limite son recul.

A gauche, le *parti social-démocrate,* très éprouvé en 1973, effectue une certaine remontée avec 30 % des voix : il progresse de 4,4 % et gagne 7 députés, ce qui le fait demeurer la formation la plus nombreuse du Folketing.

En février 1975, M. Joergensen forme un gouvernement minoritaire social-démocrate.

Le recul de la social-démocratie en Scandinavie. — Une *crise de confiance* dans la social-démocratie secoue donc toute la Scandinavie : fort recul en Norvège en 1973 et en 1977, maigre score au Danemark en 1975, défaite en Suède en 1976. Quelles en sont les causes ?

D'abord, la longue controverse sur l'adhésion aux Communautés européennes a joué, au moins en Norvège et au Danemark, comme un facteur de division et d'insécurité.

Ensuite, l'usure du pouvoir, la sensation d'une pesante hégémonie, jouent aussi contre le parti dominant.

Enfin, des électeurs de gauche ou gauchistes abandonnent la social-démocratie, en lui reprochant de composer, de compromettre les principes socialistes pour se maintenir au pouvoir. C'est le grief adressé aux socialistes danois et norvégiens. A l'inverse, d'autres électeurs reprochent au parti social-démocrate suédois d'aller « trop loin » vers le socialisme; d'autres encore, en Norvège et surtout au Danemark, se laissent tenter par des formations de style démagogique.

Bref, la social-démocratie perd des voix, et sur sa gauche (du côté de la gauche doctrinaire ou extrémiste), et, surtout, sur sa droite, notamment au profit de formations « *anti-système* », démagogiques, qui attirent l'électorat centriste et les classes moyennes, répugnant à un surcroît de « socialisme » ou d'intervention publique.

La politique rétro. — Car le reflux de la social-démocratie profite souvent à des partis de la grogne et de la rogne, avec la démagogie pour tout programme. Parfois à des partis champignons, poussés en quelques mois. Leur tactique ? Rassembler la majorité silencieuse, réunir tous les mécontents. En exploitant l'inquiétude générale faite de trois courants.

D'abord, *la crainte du progrès*. Le « choc du futur » multiplie secousses et saccades. Tout passe, tout casse, à un rythme accéléré. D'où le vertige et l'angoisse dans ce monde mouvant. Et l'instinct de se raccrocher à tout ce qui incarne la stabilité perdue : les croyances d'autrefois, les anciens tabous, les traditions du « bon vieux temps ». D'où l'échec de la gauche, qui symbolise le mouvement, le changement.

Il y a surtout le désarroi de ceux qui se sentent directement *menacés par l'évolution économique*. Et spécialement des classes moyennes archaïques. C'est la révolte des « petits » — boutiquiers, artisans, etc. — contre les « gros ». C'est une vague néo-populiste contre tous les pouvoirs établis (partis traditionnels, hiérarchies syndicales, grandes entreprises), contre l'Establishment sous toutes ses formes.

Enfin, la récession s'amorce, avec la *crise* de l'énergie. Alors, comme à chaque crise grave, l'instinct est de chercher refuge et réconfort dans des mythes tutélaires, dans des valeurs sécurisantes : la mère patrie, la terre natale, la loi et l'ordre, les bonnes mœurs.

La vague démagogique. — Dans ce climat, le succès revient aux démagogues. A ceux qui cultivent les nostalgies et les angoisses, les rancunes et les rancœurs. Avec des *thèmes négatifs, régressifs, proprement réactionnaires.*

Ainsi, on est *contre le Marché commun,* contre l'ouverture sur l'extérieur. Ce qui prévaut, c'est la défiance envers l'étranger. Une sorte de nationalisme rabougri, de chauvinisme frileux.

Ainsi, on prône *le retour à la terre.* Loin des villes polluées et corrompues. En Suède, c'est la « vague verte », dont profite le parti du centre (ex-agrarien) de M. Fälldin, qui devient premier ministre en 1976.

De même, on est *contre l'évolution des mœurs.* Contre l'émancipation accomplie au Danemark, par exemple (abolition totale de la censure, libéralisation de l'avortement, éducation sexuelle obligatoire). En 1970, le parti chrétien-populaire se crée pour défendre l'ordre moral, les vertus et les traditions familiales. Même vague puritaine en Norvège, où les chrétiens-démocrates dénoncent le « relâchement des mœurs ». La pornographie, voilà l'ennemie. Martin Luther efface Wilhelm Reich.

Autre thème démagogique : la lutte *contre le fisc.* En Norvège, c'est la percée du parti « anti-impôts » de M. Lange. Au Danemark, surtout, c'est le triomphe du Parti du Progrès de Me Glistrup en 1973. En 1975, il reculera seulement de 2,3 %.

Cette *réaction* ne se limite pas à la Scandinavie. Les Etats-Unis ont connu ce même phénomène avec M. Wallace, puis avec M. Agnew. La France avec M. Royer, parmi d'autres. Refus de l'évolution, fuite devant l'avenir, nostalgie du passé : ainsi va ce qu'on pourrait appeler « *la politique rétro* » (21).

Le cas français. — En France aussi le *parti dominant* subit un recul aux élections de 1973. Mais pour d'autres raisons et au profit d'autres courants.

Cependant, là aussi, jouent contre lui le phénomène d'usure du pouvoir, la lassitude provoquée par une longue hégémonie et le sentiment d'une mainmise sur les institutions. D'où la contestation de « l'Etat U.D.R. ». D'où la prise de conscience des *inconvénients* du système à parti dominant et l'évolution vers un autre système.

Le système à parti dominant. — A partir de 1962, le système de partis français connaît, en effet, une profonde mutation.

La IIIe République, la IVe et les débuts de la Ve se caractérisent par un système de partis nombreux, de force électorale inégale, mais toujours très moyenne : aucun parti n'atteint 30 % des suffrages exprimés, la plupart représentent, au mieux, 15 % de ces suffrages. Au contraire, à partir de 1962, le parti gaulliste (avec l'appoint de ses alliés républicains indépendants) *progresse et franchit le seuil des 30 %* : 35,4 % en 1962, 37,7 % en

(21) Cf. R.-G. SCHWARTZENBERG, *La politique rétro,* dans *L'Express* du 17 décembre 1973.

1967, 43,6 % en 1968. Après ces législatives de 1968, l'U.D.R. dispose, à elle seule, de la majorité absolue des sièges à l'Assemblée.

En termes d'étude de marché, J. Charlot analyse cette mutation comme « *le passage d'un marché « ouvert »*, « atomisé » ou « brownien » sur lequel aucune marque ne parvient à s'imposer, *à un marché « fermé »*, dans lequel une marque, grâce à une novation couronnée de succès, sort du lot des petits potentats locaux ou spécialisés pour prendre, sur tout le marché, une position dominante » (« Du parti dominant », *Projet,* sept.-oct. 1970, p. 941-952).

Ainsi, à partir de 1962, le système de partis français présente les caractéristiques d'un *système à parti dominant.* Comme en Suède, en Norvège, au Danemark, en Italie et en Islande, et même d'une manière plus complète, un parti domine le marché politique.

Vers la bipolarisation. — Cette domination serait-elle ou non durable ? La question se posait, car cette position dominante résultait du morcellement et de la désunion des forces d'opposition, dont rien ne garantissait la pérennité.

C'est qu'en effet un autre schéma est aussi concevable. Car depuis 1962, et surtout depuis 1965, les diverses consultations électorales révèlent une tendance à la bipolarisation. Qui s'explique par divers facteurs.

Les facteurs de la bipolarisation. — D'abord, la *multiplication de consultations électorales binaires* (référendums, second tour du scrutin présidentiel) divisant nécessairement l'électorat en deux camps : deux types de vote (« oui » ou « non », de Gaulle ou Mitterrand, etc.) et deux types seulement étant possibles.

Ensuite, l'effet du *scrutin majoritaire à deux tours,* institué en 1958 et qui engage les partis à former des coalitions en vue du second tour des législatives.

Enfin, *l'affaiblissement ou la modération des extrêmes.* Numériquement, l'extrême droite atteint son « plafond » électoral avec les 5,27 % de suffrages qui se portent sur son candidat aux présidentielles de 1965. Doctrinalement, le parti communiste se modère et privilégie le passage pacifique au socialisme (22). Ce double apaisement ne fait plus redouter, comme par le passé, l'affrontement de deux blocs hostiles et ne rend donc plus nécessaire une conjonction des modérés de gauche et des modérés de droite pour faire tampon entre les extrémistes des deux bords.

Désormais, les modérés et les extrémistes de chacune des deux tendances (gauche ou droite) peuvent envisager de collaborer. Au lieu du schéma cen-

(22) Cf. le manifeste « *Pour une démocratie avancée, pour une France socialiste* », adopté par le comité central du P.C.F. à Champigny le 6 décembre 1968. Pour une analyse de ce document : R.-G. Schwartzenberg, *La guerre de succession,* P.U.F., 1969, p. 187-189.

triste (conjonction du centre gauche et du centre droit), fréquent naguère, on peut envisager une division bipolaire : alliance de la gauche et du centre gauche, contre alliance du centre droit et de la droite.

Cette dernière alliance est vite acquise. La majorité de de Gaulle, puis de Pompidou, couvre bientôt pratiquement tout le secteur, qui va *de l'extrême droite au centre :* de l'Alliance républicaine de M. Tixier-Vignancour au Centre Démocratie et Progrès de M. Duhamel, rallié en 1969.

La bipolarisation de 1965 à 1968. — En face, de 1965 à 1968, *la gauche non communiste s'organise* dans la Fédération de la Gauche Démocrate et Socialiste (F.G.D.S.). Cette Fédération regroupe la S.F.I.O., le Parti radical, la Convention des Institutions Républicaines et d'autres clubs. Le 20 décembre 1966, *elle conclut avec le P.C.F. un accord électoral* de désistement réciproque en vue du second tour des législatives de mars 1967.

Le second tour des présidentielles, le 19 décembre 1965, avait déjà été un duel entre le général de Gaulle et M. Mitterrand, président de la F.G.D.S., soutenu par toute la gauche (P.C.F., P.S.U., S.F.I.O., Convention, Parti radical). De même, réserve faite des candidats du Centre démocrate et de quelques autres, les législatives de mars 1967 sont véritablement bipolaires : d'un côté, la gauche, de l'autre, le camp gaulliste, qui ne conserve la majorité parlementaire que d'extrême justesse.

L'éclipse de la bipolarisation (1968-1969). — En revanche, après la crise de mai et la naissance d'une nouvelle extrême gauche, les législatives de juin 1968 sont un désastre pour l'opposition. Cette fois, l'alliance électorale du P.C.F. et de la F.G.D.S. suscite l'inquiétude d'une partie de l'électorat. Et c'est la victoire électorale et parlementaire — sans précédent — de la coalition gaulliste. Le triomphe est tel que, dans cette coalition, l'U.D.R. détient, à elle seule, la majorité absolue des sièges à l'Assemblée, et apparaît nettement comme le *parti dominant* le jeu politique français.

Cette situation entraîne l'*éclatement de la F.G.D.S.* fin 1968, puis la *dégradation de la stratégie unitaire,* qui apparaît pleinement aux présidentielles de juin 1969. Au premier tour, la gauche présente quatre candidats distincts; au second, la gauche non communiste soutient le candidat centriste, M. Poher, tandis que le P.C.F. donne des consignes d'abstention. Une résurgence du *centrisme* semble alors menacer la bipolarisation.

Le retour à la bipolarisation. — Cependant la gauche se réorganise et le clivage bipolaire réapparaît peu à peu. En mai et juillet 1969, aux congrès d'Alfortville puis d'Issy, un *nouveau parti socialiste* se forme, réunissant la S.F.I.O., l'U.C.R.G. (Union des clubs pour le regroupement de la gauche) et l'U.G.C.S. (Union des groupes et des clubs socialistes), mais non la Convention de M. Mitterrand. Le congrès d'Issy réoriente le parti socialiste à gauche et *rouvre le débat avec le P.C.F.;* débat qui aboutira à la publication d'un « premier bilan » commun le 22 décembre 1970. En juin 1971, le congrès d'Epinay marque l'entrée de la Convention dans le parti socialiste, qui choisit M. Mitterrand comme premier secrétaire. Enfin, le 27 juin 1972, le P.C. et le P.S. signent un « *programme commun de gouvernement* », auquel adhère le Mouvement des radicaux de gauche en juillet 1972.

Une situation analogue, mais non identique, à celle d'avant 1968, semble donc se recréer et menacer, comme alors, l'hégémonie du parti dominant. Ce monopole pourrait se transformer en duopole, si le parti socialiste parvenait à être, dans la coalition de gauche, l'axe qu'est l'U.D.R. dans la coalition de droite.

Avec cette bipolarisation qui se redessine, on retrouve d'une certaine manière, la situation d'avant 1939. Sous la IIIe République, deux grandes coalitions rivalisaient aux élections et alternaient plus ou moins au pouvoir : la coalition de gauche (Bloc de 1902, 1906 et 1914; Cartel de 1924, 1928 et 1932; Front populaire de 1936) et la coalition de droite (Bloc national). De 1947 à 1965, l'exil des communistes a divisé la gauche, ne rendant possible que des majorités du centre ou de droite. L'alliance entre le P.C.F. et la F.G.D.S., de 1965 à 1968, puis la reprise du dialogue entre le P.C.F. et le parti socialiste depuis 1969, permettent d'envisager de nouveau l'*alternance* d'une majorité de gauche et d'une majorité de droite, dans un système de partis redevenu bipolaire.

D'où ce pronostic émis dans la première édition de ce manuel en 1971 : « C'est dire que, si l'alliance de gauche s'avérait solide et « attractive », le système de parti dominant pourrait céder la place à un système bipolaire. Après le multipartisme intégral (de 1947 à 1962), après le système de parti dominant (depuis 1962), ce serait la renaissance d'un *multipartisme tempéré* par l'existence d'alliances stables et cohérentes (*supra*, p. 555). Ce dualisme d'alliances devant ressembler, sans doute, avec plus de solidité, à celui pratiqué avant 1939. »

Les législatives de mars 1973. — En vérité, les élections législatives des 4 et 11 mars 1973 marquent un *nouveau progrès de la bipolarisation. Deux coalitions s'affrontent surtout.* D'une part, l'U.R.P. (Union des Républicains de progrès), qui rassemble l'U.D.R., les républicains indépendants et les centristes du C.D.P. (Centre Démocratie et Progrès). D'autre part, la coalition de gauche, qui réunit le parti communiste et l'U.G.S.D. (Union de la gauche socialiste et démocrate, qui regroupe les socialistes et les radicaux de gauche).

Entre les deux, *au centre,* le Mouvement réformateur, créé à la fin 1971, qui rassemble le parti radical valoisien, le Centre démocrate, le Centre républicain et le parti social-démocrate. Mais cette fédération centriste n'obtiendra qu'un résultat médiocre.

Les résultats. — Le 4 mars 1973, au premier tour, les résultats sont les suivants, en pourcentages par rapport aux suffrages exprimés (23).

Parti communiste	21,29 %
P.S.U. et extrême gauche	3,29 %
U.G.S.D.	19,16 %
Divers gauche	2,75 %
Réformateurs	12,56 %
U.R.P.	35,54 %
Divers majorité	3,30 %
Divers droite	2,79 %

Au second tour, les désistements opérés entre réformateurs et U.R.P. et les reports de voix réformatrices donnent la victoire à la majorité sortante.

La fin du système à parti dominant. — Cependant, avec cette accentuation de la bipolarisation, avec cette « bicoalition », *le système de partis se transforme*. On tend à passer d'un système où une coalition domine des oppositions extrêmement divisées à un système où il y a deux coalitions face à face : l'une détient — et continue de détenir — le pouvoir, mais l'autre acquiert une crédibilité croissante pour accéder à son tour au pouvoir. Bref, l'U.D.R. tend à perdre sa nature de parti dominant.

Au demeurant, il aurait été plus exact de parler de « coalition dominante », plutôt que de « parti dominant ». Car, à lui seul, sans ses alliés, le parti gaulliste a rarement franchi le seuil des 30 % de voix. Ainsi, limité à ses seules forces, il recueille 20,3 % des suffrages exprimés au premier tour des législatives de 1958 et 23,6 % en 1962. De même, selon le Ministère de l'Intérieur, le résultat global de l'U.R.P. au premier tour de 1973 se décompose ainsi : *U.D.R. : 24 %;* R.I. : 7,01 %; C.D.P. : 3,81 %.

On ne peut donc parler de « *parti dominant* », puisque à elle seule l'U.D.R., avec 24 % des suffrages exprimés, est au-dessous du « seuil de domination » (30 à 35 %).

Peut-on, au moins, parler de « *coalition dominante* », puisque l'*U.D.R.* atteint ce seuil avec *35,54 %* des suffrages exprimés ? Il semble que non. En effet, pour parler de « coalition dominante », il faudrait que celle-ci surclasse nettement et durablement les formations rivales. Ce n'est nullement le cas. Car *le P.C. et l'U.G.S.D. totalisent 40,45 %* des voix au premier tour de 1973 (le P.C. et la F.G.D.S. totalisaient 41,47 % en 1967 et 36,55 % en 1968).

Le résultat est identique, si l'on additionne, d'une part, toutes les voix de droite, d'autre part toutes les voix de gauche. Même si l'on ajoute à l'U.R.P. les voix des « divers majorité » (3,30 %) et des « divers droite » (2,79 %), la somme finale n'est que de *41,63 %*. En revanche, si l'on ajoute

(23) D'après *Le Monde* du 6 mars 1973.

aux voix du P.C. et de l'U.G.S.D. celles du P.S.U. et de l'extrême gauche (3,29 %) et celles des « divers gauche » (2,75 %), on constate que la gauche tout entière totalise *46,49 %* des voix.

En vérité, ce qui se produit en 1973, c'est la victoire électorale, non d'une « coalition dominante », mais d'une coalition minoritaire dans l'électorat du premier tour. Par l'effet de distorsions (anomalie du scrutin à deux tours, injustice du scrutin majoritaire, découpage peu équitable des circonscriptions, etc.).

Si l'on fait le total des voix recueillies le 4 mars dans les 49 circonscriptions pourvues et le 11 mars dans les 424 circonscriptions à pourvoir (en métropole seulement), on parvient au résultat suivant :

Majorité (U.R.P. + divers majorité) : 1 186 667 + 9 873 523 = 11 160 190.

Gauche (P.C. + P.S.U. et extrême gauche + U.G.S.D. + divers gauche) : 892 608 + 10 034 456 = 10 927 064.

Soit un écart total d'environ 240 000 voix entre la majorité et la gauche, au profit de cette première (données du Ministère de l'Intérieur, *Le Monde* du 16 mars 1973).

La bicoalition. — En tout cas, la vie politique française apparaît de plus en plus marquée par la *bipolarisation.* Une coalition de gauche affronte une coalition de droite.

La première progresse, animée notamment par un P.S., devenu plus « attractif » (*supra,* p. 535), qui attire, plus que par le passé, un électorat venu de toutes les catégories socio-démographiques et d'horizons politiques divers. La seconde recule et perd son caractère dominant. Elle déplace son centre de gravité vers la droite et, d'élection en élection, prend de plus en plus l'allure d'une grande fédération conservatrice. A mesure que sa formation principale, l'U.D.R., cesse d'être le « parti d'attraction » éclectique qu'elle était naguère pour prendre le visage d'une formation conservatrice plus traditionnelle (*supra,* p. 535). La transformation de l'U.D.R. en R.P.R., derrière M. Chirac, arrêtera-t-elle ce recul ?

La « nationalisation » du jeu politique. — On notera, en outre, la « *nationalisation* » du jeu politique, très visible au premier tour de 1973. Tous les partis connaissent une dégradation de leur position dans leurs zones d'implantation traditionnelle et une progression relative dans des secteurs nouveaux. Comme si les électeurs se déterminaient moins que par le passé en fonction de l'enracinement et des traditions locales. Cette *réduction des sous-cultures politiques* procure une *mobilité* croissante de l'électorat, propice à l'*alternance* entre deux coalitions.

Par rapport à 1967, la *majorité* recule dans les régions fortement urbanisées et industrialisées (Paris et nord du Bassin parisien; Est). En revanche, au sud d'une ligne Le Havre-Genève, elle maintient et parfois améliore ses positions de 1967 : quasi-stabilité dans le Centre et le

Sud-Est ; progrès réel dans l'Ouest et le Sud-Ouest. La majorité tend donc à se méridionaliser et à se ruraliser.

L'*U.G.S.D.* recule dans des fiefs du socialisme ou du radicalisme (Limousin, Aquitaine, Auvergne, voire la Bourgogne ou la région du Nord), où elle perd des électeurs anticommunistes au profit des réformateurs. En revanche, elle conquiert de nouveaux électeurs dans des « terres de mission » : Bretagne, Alsace, Lorraine, Normandie. Elle effectue une percée dans l'Est et dans l'Ouest et progresse dans la Région parisienne. Bref, le P.S. « nationalise » son influence électorale, surmonte des obstacles traditionnels à sa pénétration (comme l'influence exercée naguère par la religion).

Les résultats du premier tour des présidentielles de 1974 *confirment et amplifient cette « nationalisation »*. Ainsi, la gauche connaît une défection de son électorat dans des fiefs traditionnels : Nord, Limousin, et Auvergne surtout, ainsi que le Centre et l'Aquitaine. Dans ces régions, le mouvement de décrue amorcé en 1973 s'accentue. En compensation, on relève quelques progrès dans des zones de très forte progression du P.S. en 1973. Surtout au détriment du centrisme : Est, Ouest intérieur, bordure sud-est du Massif central. Mais, à la différence de 1973, la gauche ne reçoit de la majorité qu'un apport réduit.

Les présidentielles de mai 1974. — Surtout, les élections présidentielles des 5 et 19 mai 1974 voient encore la *bipolarisation* s'accentuer. Spécialement au second tour où M. Giscard d'Estaing l'emporte seulement par 50,81 % des suffrages exprimés contre 49,19 % à M. Mitterrand.

Un sondage réalisé le 13 mai 1974 par l'IFOP (*France-Soir* du 16 mai 1974), sur les *intentions de vote pour le second tour,* donne vraiment l'image de deux grands camps opposés.

Les deux France. — Ces réponses donnent le sentiment d'une *coupure en deux.* Ce sont *deux France* qui s'affrontent. Au plan politique comme au plan sociologique.

Au plan *politique,* M. Mitterrand fait le plein des voix de la gauche classique : 95 % des électeurs communistes et 88 % des électeurs de la gauche non communiste se déclarent décidés à voter pour lui. En revanche, M. Giscard d'Estaing attire 75 % des électeurs réformateurs et 88 % des électeurs de l'ancienne majorité. Il apparaît comme le fédérateur de la droite et du centre. Les réformateurs entrent dans la nouvelle majorité et siégeront au gouvernement.

Au plan *sociologique* ou socio-démographique, l'électorat de M. Mitterrand est plus jeune et plus masculin et compte une très forte proportion de petits salariés. 71 % des ouvriers votent pour M. Mitterrand. Mais celui-ci ne réussit pas à l'emporter parmi les employés et cadres moyens (49 %). Les agriculteurs ne votent pour lui qu'à 34 % et les professions libérales et cadres supérieurs qu'à 28 %.

	Giscard d'Estaing	Mitterrand
	%	%
Ensemble	50	50
Sexe :		
Hommes	47	53
Femmes	52	48
Age :		
21 à 34 ans	44	56
35 à 49 ans	49	51
50 à 64 ans	48	52
65 ans et plus	62	38
Profession du chef de famille :		
Professions libérales, cadres supérieurs	72	28
Patrons de l'industrie et du commerce	63	37
Employés, cadres moyens	51	49
Ouvriers	29	71
Inactifs	58	42
Agriculteurs	66	34
Habitat :		
Communes rurales	54	46
Villes ou agglomérations de :		
— moins de 20 000 habitants	49	51
— 20 000 à 100 000 habitants	51	49
— plus de 100 000 habitants	48	52
Agglomération parisienne	45	55
Préférences politiques :		
Parti communiste	5	95
Gauche socialiste (PS + RAD + PSU)	12	88
Réformateurs	75	25
Majorité	88	12
Ont voté au premier tour :		
M. Chaban-Delmas	86	14
M. Giscard d'Estaing	96	4
M. Mitterrand	3	97
M. Royer	78	22
Extrême gauche	18	82

En revanche, l'électorat de M. Giscard d'Estaing est plus âgé, plus féminin et compte davantage d'inactifs (58 %). M. Giscard d'Estaing obtient ses meilleurs résultats parmi les professions libérales et cadres supérieurs (72 %), les agriculteurs (66 %) et les patrons de l'industrie et du commerce (63 %). Les employés et cadres moyens sont en majorité pour lui (51 %). Mais 29 % seulement des ouvriers se déclarent en sa faveur.

Rarement le vote aura autant évoqué un *vote de classe.* Rarement la *bipolarisation* aura été aussi marquée. On trouve vraiment, face à face, la France de gauche et la France modérée, la France des salariés (surtout des petits salariés) et la France traditionnelle des travailleurs indépendants, du monde rural et de la bourgeoisie.

2° *Le parti ultra-dominant.*

LaPalombara et Weiner classent sous la même rubrique — qu'il qualifie « systèmes hégémoniques » — des pays comme l'Italic, la Norvège ou l'Inde. De même, Sartori parle identiquement de « systèmes à parti prédominant ». Pourtant, il semble nécessaire d'introduire une sous-division, pour distinguer partis dominants et partis « ultra-dominants ».

La différence essentielle réside dans la dimension, dans *la surface électorale et parlementaire* des partis. Le parti dominant dépasse le seuil de 30-35 % des suffrages exprimés et obtient, généralement, 40 % des voix (cas de l'Italie) ou davantage. Mais il recueille rarement, à lui seul, la majorité absolue des voix ou des sièges. Le fait n'est pas inconnu (Suède de 1940 à 1944, Norvège de 1945 à 1961, France en 1968), mais il reste exceptionnel.

Cette exception est, au contraire, la règle pour le parti ultra-dominant, qui s'adjuge généralement la majorité absolue. C'était le cas, par exemple, de *l'Inde,* où grâce à un système électoral favorable (scrutin majoritaire à un tour), *le Parti du Congrès disposait régulièrement, à lui seul, de la majorité absolue des sièges* à la Chambre du peuple : 364 sièges sur 489 aux élections de 1951-1952; 365 sur 494 en 1957; 361 sur 494 en 1962; 275 sur 507 en 1967.

A ce déclin enregistré aux élections de 1967, s'ajoute en 1969 la scission du parti en deux formations rivales : l'Ancien Congrès (regroupant les adversaires du premier ministre, Mme Gandhi) et le Nouveau Congrès (réunissant ses partisans). Dès lors, ce dernier ne disposait plus, à lui seul, de la majorité absolue à la Chambre du peuple. D'où la dissolution de décembre 1970 et les *élections de mars 1971,* qui donne au Nouveau Congrès la majorité des deux tiers à la Chambre du peuple (*supra,* p. 296). Effaçant le revers — relatif — de 1967, le parti retrouve sa popularité des années 1950 et 1960. Il redevient « ultra-dominant » et affirme massivement sa prépondérance sur les petits partis en compétition avec lui.

En revanche, après une phase quasi dictatoriale marquée par l'application prolongée de l'état d'urgence de juin 1975 au début de 1977, Mme Ghandi et son Parti du Congrès subissent une lourde défaite aux *élections de mars 1977*. Ce parti, naguère ultra-dominant, perd donc le pouvoir. Un nouveau gouvernement est formé que dirige M. Desai, chef du principal parti de la coalition opposée, le Janata (Parti du peuple).

Le concept de *parti « ultra-dominant »* (cas de l'Inde jusqu'en 1977 ou de certaines Républiques d'Afrique noire) désigne donc un *système intermédiaire entre le pluralisme et le parti unique*. Il existe dans le pays plusieurs partis qui s'affrontent aux élections : celles-ci sont vraiment libres et compétitives. Mais, parmi ces partis, l'un d'eux, beaucoup plus puissant que tous les autres, surclasse très nettement tous ses rivaux et *dépasse régulièrement, à lui seul, la majorité absolue des sièges parlementaires*. L'espoir de le voir quitter le pouvoir est donc pratiquement nul. Et, dans l'exercice de ce pouvoir, il jouit d'une stabilité et d'une autorité analogues à celles d'un parti unique.

Cependant, *les autres partis ne sont nullement interdits*. Ils conservent une existence réelle et totalisent un nombre important de voix. Le parti ultra-dominant doit donc subir les critiques d'une opposition, qui maintient un contrôle et un dialogue. En cela, l'esprit du système diffère essentiellement du système de parti unique. Le style de la vie politique est plus proche du multipartisme que du parti unique.

Du parti ultra-dominant à l'abus de position dominante. — Il reste que le parti ultra-dominant peut être tenté d'*abuser* de sa puissance. Cet « abus de position dominante » caractérise certaines Républiques d'Afrique noire, où, face à une opposition très réduite, le parti hégémonique manifeste de nettes tendances autoritaires. Et se comporte un peu à l'image d'un parti unique.

En pratique, d'ailleurs, le parti ultra-dominant n'a souvent été qu'une *étape* sur la voie qui mène au parti « unifié » ou unique *(supra*, p. 301-302). Surtout quand il s'agissait, non de « *multipartisme dominé* » — où plusieurs partis pouvaient rivaliser avec le parti dominant et s'épauler —, mais de « *bipartisme dominé* ». Dans cette situation fort incommode, l'unique petit parti qui subsistait s'est généralement trouvé absorbé ou supprimé par le parti hégémonique. Comme ce fut le cas, entre 1958 et 1962, en Haute-Volta, au Niger, au Mali et en Mauritanie.

Cette issue est peut-être regrettable. Car le système du parti dominant, loyalement pratiqué, s'adapterait assez bien à la structure des pays en voie de développement. Il permettrait d'éviter l'autoritarisme du parti unique. Sans encourir les risques que comporte le pluripartisme intégral pour l'autorité gouvernementale et pour l'unité nationale dans des sociétés qui comportent encore de nombreux facteurs d'instabilité et de division.

§ 2. — LES SYSTÈMES NON COMPÉTITIFS

Sur l'échelle de régression de la concurrence, le *parti ultra-dominant* marque donc la limite extrême entre systèmes compétitifs et systèmes non compétitifs. Puisqu'il verse aisément dans l' « abus de position dominante », qui l'apparente bientôt au *parti unique*. Type pur — et non dissimulé — de système non compétitif, fondé sur l'interdiction et la répression des autres formations politiques.

On peut donc tenir « systèmes non compétitifs » et « systèmes de parti unique » pour deux synonymes. Et, comme LaPalombara et Weiner, distinguer divers types de systèmes non compétitifs — ou de systèmes à parti unique — selon la *nature* même du parti en cause. Autrement dit — et c'est l'évidence même — *il faut ici intégrer la typologie des partis à la typologie des systèmes de partis*. Puisque le critère « externe » du *nombre* des partis devient évidemment inopérant, il faut en revenir au critère « interne » de la *nature* du parti unique. Cette « nature » se définissant surtout par deux traits : l'idéologie et l'organisation interne du parti.

A. — La signification du parti unique

Cette signification diffère selon qu'il s'agit d'un système communiste, d'un système fasciste ou d'un système en voie de développement.

1° Les systèmes communistes. — Dans l'analyse de Marx et de Lénine, un parti est l'expression politique d'une classe sociale. Dès lors, à partir du moment où la révolution a *unifié la société, supprimé les classes* ou du moins les antagonismes de classes, il peut n'y avoir plus qu'un seul parti.

Dans une société sans classes, la diversité des partis n'a plus de raison d'être. Une société unanime possède nécessairement un parti unique.

2° **Les systèmes fascistes.** — M. Manoïlesco (*Le parti unique,* 1936) expliquait l'unité de parti en régime fasciste par l'abandon du principe de la neutralité politique de l'Etat. A l'Etat neutre, s'est substitué *l'Etat « porteur d'idéaux »*.

Mussolini assurait ainsi : « *L'Etat libéral* ne dirige pas le jeu et le développement matériel et spirituel des collectivités, mais se limite à enregistrer les résultats. *L'Etat fasciste* est conscient, il a une volonté et c'est pourquoi il est qualifié d'Etat « éthique »... L'Etat, tel que le fascisme le conçoit et le réalise, est un fait spirituel et moral » (« La doctrine fasciste », in *L'Encyclopédie italienne*).

Dans un système de neutralité, le pluripartisme est naturel : l'Etat « laïc » respecte tous les idéaux, donc tous les partis. Tout change évidemment si l'Etat se réclame lui-même d'une idéologie déterminée : il ne peut alors admettre que le seul parti qui la défend. Nécessairement intolérant, l'Etat *totalitaire* postule l'unité de parti.

3° **Les systèmes en voie de développement.** — Aujourd'hui en se fondant sur divers arguments (*supra,* p. 302-304), beaucoup de pays en voie de développement adoptent un système de parti unique.

Pour préserver l'*unité nationale :* le pluripartisme risquant de prendre pour fondements des divisions ethniques ou régionales. Pour mobiliser les efforts en vue du *développement économique.* Pour pallier l'insuffisance numérique des *élites* politico-administratives.

B. — Le rôle du parti unique

Dans tous les cas, le parti unique permet au moins de *maintenir la communication entre les dirigeants et les masses,* alors que les mécanismes parlementaires et électoraux ont été supprimés ou vidés de sens. L'armature pyramidale des cellules ou des sections joue dans le sens *descendant* et *ascendant.* En diffusant la propagande du sommet vers la base. En informant le sommet des réactions de la base.

1° **Les fonctions du parti unique.** — Dans les systèmes compétitifs, les partis se consacrent surtout à leurs fonctions électorales et parlementaires traditionnelles. En revanche, dans les systèmes non compétitifs, les partis uniques sont conduits à exercer des fonctions beaucoup plus étendues et variées.

Ils deviennent aisément *multifonctionnels.* Surtout s'il s'agit de systèmes totalitaires, visant à contrôler toutes les activités de la société. Ou encore de systèmes en voie de développement, où la spécialisation des rôles et des structures reste encore réduite (*supra,* p. 485).

Cela dit, tous les partis uniques mettent l'accent sur une *fonction principale d'impulsion et d'encadrement,* qui se trouve exercée de diverses manières selon les systèmes.

— En régime *communiste,* le parti unique constitue « l'avant-garde de la révolution », l'élite « consciente », qui s'emploie à enseigner et à convaincre la masse, qui sert d'*aiguillon* à la société dans tous les domaines de l'activité collective.

— Le parti *fasciste,* lui, n'entend guère éveiller la conscience politique des masses. La propagande qu'il diffuse est plus obsessionnelle qu'éducative; elle s'adresse à la passion plus qu'à la raison. Elle vise au « viol des foules », non à l'éveil des masses. Organisation para-militaire, le parti remplit surtout des *tâches de sécurité et de police.* Il constitue la « clientèle » et la garde prétorienne des dirigeants.

— Enfin, les partis uniques des pays en voie de développement insistent sur la « *mobilisation* » des masses. Le parti est utilisé pour développer le sens de l'identité nationale, pour légitimer l'autorité des dirigeants, pour « impliquer » les citoyens dans les processus politiques, etc.

Cette « *mobilisation* » constitue un procédé original pour satisfaire tant bien que mal l'aspiration des citoyens à la « *participation* » politique. Pour LaPalombara et Weiner (*op. cit.*, p. 402-404), le système de parti unique « est donc typiquement un procédé pour faciliter la mobilisation de masses, tout en évitant la participation de masses ». *La mobilisation est une « participation contrôlée » ou dirigée :* « Elle procure les apparences de la participation, sans fournir en même temps le contrôle du pouvoir. »

En d'autres termes, avant d'instaurer la participation politique véritable, il faut, d'abord, créer l'unité nationale et l'autorité gouvernementale (*supra,* p. 294). A ce stade, *le parti mobilisateur (mobilist party) fournit une solution d'attente.* Modifiant les attitudes et les comportements politiques des masses, jouant un *rôle pédagogique,* il prépare ainsi l'accès ultérieur à une authentique participation.

2° **La place du parti unique dans l'Etat.** — Cette place est plus ou moins importante, selon le poids qu'à l'appareil du parti par rapport aux autres appareils, susceptibles de partager le pouvoir avec lui. Comme le note Ghita Ionescu, même dans un « Etat sans opposition », on trouve habituellement « *huit appareils :* le parti, l'armée, l'administration d'Etat, la police politique, la bureaucratie, l'organisation de la jeunesse, la commission du Plan et les syndicats ». L'une de ces organisations centralisées s'impose comme « *appareil principal* » et transforme les autres en « *appareils secondaires* » travaillant sous son autorité.

« *L'appareil principal n'est pas toujours le même.* En U.R.S.S., c'est l'appareil du parti, en Egypte celui de l'armée, au Portugal, celui du gouvernement. L'appareil principal peut être aussi changé, comme en Algérie, où l'appareil de l'armée a réussi à se mettre au premier plan et à ravaler l'appareil du parti à une position secondaire » (G. Ionescu, *L'avenir politique de l'Europe orientale,* 1967, p. 25-28).

— En régime *communiste,* le parti est officiellement considéré comme le « *noyau dirigeant* » de toutes les organisations y compris étatiques, comme le moteur même de l'Etat. Toutes les grandes décisions sont débattues et arrêtées d'abord par les instances du parti : les instances de l'Etat n'interviennent qu'ensuite, pour ratification formelle.

— En régime *fasciste,* la théorie place aussi le parti au premier rang. Mais, en pratique, *le rôle du parti dans l'Etat est généralement moins important,* avec beaucoup de variations selon les cas d'espèce. En Allemagne, le N.S.D.A.P. exerçait des fonctions capitales, qui paraissent s'être accrues avec le temps. Dans l'Italie de Mussolini, le rôle du parti fasciste était beaucoup plus limité et semble avoir décrû à plusieurs égards. En Espagne, la Phalange n'a jamais eu le premier rôle : devant compter avec d'autres forces (l'Opus Dei, l'armée, etc.), elle a vu son influence diminuer sans cesse. Au Portugal d'avant 1974, l'Action nationale populaire était sans importance réelle.

— Dans les *pays en voie de développement,* enfin, le parti unique est un fondement du pouvoir, mais parmi d'autres fondements aussi importants que lui (notamment l'armée) : c'est le cas, par exemple, de la Chine, de Cuba, de l'Egypte ou de l'Algérie.

En outre, dans beaucoup d'Etats d'Afrique noire, le parti unique n'a qu'un rôle *instrumental*. Dans le modèle communiste, il était l'organisation initiale et primordiale. Ici, il apparaît comme un élément second et annexe (*supra*, p. 304). Au lieu d'être le moteur du pouvoir comme dans le modèle léniniste, il devient un *rouage du présidentialisme*. Pour conforter son autorité, le président a besoin d'un parti à sa dévotion, qui sera d'autant plus efficace qu'il sera unique.

3° **Le parti unique et les autres groupes sociaux.** — Envers les autres groupes sociaux, le parti unique peut adopter deux attitudes. Ou bien chercher à les contrôler ou à les absorber : ce qui est le cas de tous les partis « *totalitaires* » et de nombreux partis « *autoritaires* ». Ou bien admettre que ces groupes non partisans subsistent avec une certaine indépendance : ce qui est le cas des partis uniques *pluralistes*.

Cette opposition est empruntée à LaPalombara et Weiner (*op.cit.*, p. 37-41), qui marquent une *corrélation entre l'intensité de l'idéologie et l'intensité du contrôle* exercé par le parti unique ou ultra-dominant *sur les autres groupes sociaux*. Plus l'engagement idéologique est profond, plus la dépendance des groupes non partisans est accentuée.

Forte avec les partis « *autoritaires* » (Espagne franquiste, certains Etats d'Amérique latine et d'Afrique), cette dépendance est à son comble avec les partis « *totalitaires* » : dans cette catégorie, les deux auteurs classent pêle-mêle l'Italie fascite, l'Allemagne nazie, l'U.R.S.S., la Chine, etc.

En revanche, cette dépendance est limitée avec les partis « *pluralistes* », comme le Parti Révolutionnaire Institutionnel du Mexique ou les partis de Côte d'Ivoire et du Cameroun. Portés davantage au pragmatisme qu'à l'idéologie, ces partis ont une organisation plus souple et ouverte, moins monolithique et centralisée. Dès lors, ils se montrent « absorbants plutôt qu'impitoyablement destructifs dans leurs relations avec les autres groupes ».

Cette opposition qui combine l'idéologie et l'organisation du parti, rappelle la distinction que font J. S. Coleman et C. G. Rosberg (*Political Parties and National Integration in Tropical Africa*, Berkeley, 1964) entre partis « *révolutionnaires-centralisateurs* » et partis « *pragmatiques-pluralistes* » (*supra*, p. 509). Mobilisant et encadrant plus faiblement la population, dotés d'une organisation interne moins structurée, ces derniers entretiennent des relations moins « impérialistes » avec les autres groupes, « dans un climat de pluralisme toléré mais contrôlé ».

C. — La vie du parti unique

Le parti unique ayant supprimé ou dénaturé les éléments de démocratie externe (mécanismes électoraux et parlementaires, autres partis, etc.), il importe de savoir si, en son sein, il pratique ou non la *démocratie interne.*

— Les partis *fascistes* récusent les valeurs démocratiques. Ils reposent sur le culte du chef, et sur la nomination (et non l'élection, même formelle) des dirigeants. Ici le problème de la démocratie interne n'a pas de sens.

— En revanche, les partis *communistes* se réclament du « *centralisme démocratique* », qui comporte l'élection des dirigeants et la libre discussion aux différents niveaux de la hiérarchie. Ainsi, au sommet, le Congrès ou le Comité central du parti unique pourrait tenir lieu de parlement interne. Le parti « intérioriserait » le débat, mais sans le supprimer.

En fait, le centralisme démocratique est interprété d'une manière abusive, qui fait prévaloir une stricte soumission de la base au sommet. Et, même au sommet, les véritables débats sont rares (*supra*, p. 506).

Ainsi, le parti communiste roumain est à la dévotion de son secrétaire général, M. Nicolas Ceausescu. Celui-ci règne en maître absolu sur la Roumanie. Il est à la fois secrétaire général du parti, président du Conseil d'Etat, président de la République (depuis 1974), président du Conseil de défense et président du Conseil supérieur pour le développement socio-économique.

En U.R.S.S., M. Brejnev, promu maréchal, est à la fois secrétaire général du P.C.U.S. et, depuis 1977, président du Praesidium du Soviet suprême (c'est-à-dire chef de l'Etat). *Il cumule donc les fonctions de chef du parti et de chef de l'Etat* comme le font déjà MM. Ceaucescu (Roumanie), Husak (Tchécoslovaquie) et Jikov (Bulgarie). Sans parler du maréchal Tito (Yougoslavie).

— Enfin, dans les *pays en voie de développement*, on note généralement ce même décalage entre les statuts et la réalité. Et le parti unique dissimule souvent la domination d'une oligarchie ou un pouvoir personnel (*supra*, p. 304-305).

Mais il pourrait en être autrement. Ainsi le *Parti républicain du peuple* fondé par Kémal Ataturk, qui a fonctionné comme parti unique en Turquie de 1923 à 1946, n'était totalitaire ni par son idéologie ni par sa structure. Il se réclamait de l'*idéologie démocratique,* de la démocratie occidentale pluraliste qu'il se proposait d'acclimater progressivement en Turquie. Sa structure était celle d'un *parti de cadres,* d'un parti de comités, à l'image du parti radical français. Enfin, sa discipline n'était pas rigide et une certaine *diversité de tendances* pouvait se manifester en son sein.

Ataturk ne manquait pas d'assurer : « Le parti du peuple sera une *école* pour donner à notre peuple une éducation politique... Je ne mourrai pas en laissant l'exemple pernicieux d'un pouvoir personnel; j'aurais fondé auparavant une République parlementaire » (cité par A. Kislali, *Les forces politiques dans la Turquie moderne,* Ankara, 1967, p. 79).

A deux reprises, mais sans succès, Ataturk tente d'introduire le pluripartisme. En suscitant la création du Parti républicain progressiste, en 1924, puis du Parti libéral, en 1930. Son successeur, Ismet Inonu, montre la même sollicitude envers l'opposition virtuelle. Et, en 1946, d'anciens membres du Parti républicain du peuple (Menderes, Bayar) fondent le *Parti démocrate.* Remportant une victoire éclatante aux élections de 1950, ce Parti démocrate s'installera au pouvoir pour dix ans.

Voilà donc l'exemple rare, mais fort intéressant, d'un parti unique s'employant à servir d'école à la démocratie pluraliste, et donnant naissance à deux formations par scissiparité.

Aujourd'hui, la Turquie compte plusieurs formations politiques et deux grands partis, dont les leaders alternent au poste de premier ministre : le *Parti républicain du peuple* (centre-gauche), le vieux parti fondé par Ataturk et dirigé aujourd'hui par M. Bülent Ecevit et le *Parti de la justice* (droite) de M. Soliman Demirel. Bien qu'arrivé en seconde position aux élections de juin 1977, le parti de M. Demirel forme un gouvernement de coalition des partis de droite (avec le parti du Salut national, etc.).

D. — La finalité du parti unique

En toute hypothèse, l'existence d'un parti unique est la base d'une *dictature,* même provisoire. Mais, comme toutes les dictatures, celles qui s'appuient sur un parti unique peuvent avoir deux orientations opposées.

La dictature *révolutionnaire* accélère l'évolution et enfante un ordre social nouveau. La dictature *conservatrice* entrave cette évolution et maintient par la force l'ordre traditionnel.

La seconde ne pourra jamais se passer de la contrainte. Par sa nature même, elle ne peut être provisoire. C'est l'antithèse même de la démocratie et son antithèse durable.

La fin de trois dictatures conservatrices. — L'Europe fournissait encore récemment trois exemples de *dictature conservatrice,* voire réactionnaire : le Portugal, la Grèce et l'Espagne.

Le Portugal. — En septembre 1968, M. Marcelo Caetano remplace le Dr Salazar à la présidence du conseil. Mais, après une brève tentative avortée de libéralisation, il maintient et accentue les habitudes conservatrices et l'arsenal répressif du régime.

Les partis politiques restent interdits — à l'exception de *l'Action nationale populaire, parti unique* —; les autorisations préalables (d'association et de réunion de plus de vingt personnes) sont de rigueur; les libertés civiques sont inexistantes; les moyens d'information sont strictement contrôlés, etc. Le contrôle policier demeure permanent — avec ses excès (emprisonnements arbitraires, torture) — sous l'empire de la toute-puissante et omniprésente *police politique* (P.I.D.E.), véritable Etat dans l'Etat.

Dans ce climat ont lieu les *élections législatives du 28 octobre 1973.* Des obstacles de toutes sortes paralysent les quelques candidats d'opposition : réunions interrompues ou interdites par la police, candidats arrêtés arbitrairement, etc. Le 25 octobre, l'opposition, qui regroupait pour la première fois sur des listes uniques toutes ses tendances (communistes, socialistes, chrétiens), décide de *retirer tous ses candidats* en raison des multiples pressions des autorités et de l'impossibilité de défendre réellement ses chances.

Mais, *le 25 avril 1974,* sous l'influence des « jeunes capitaines », une large partie de *l'armée se soulève.* C'est la fin du régime en place. Le général Spinola, choisi par les officiers contestataires du Mouvement des capitaines, devient président de la République. Il forme un gouvernement où siègent notamment des ministres socialistes et communistes. L'objectif est le *retour à la démocratie* et la fin de la guerre outre-mer, dans les « provinces » africaines (Angola, Guinée-Bissau, Mozambique). Après une période révolutionnaire tourmentée (surtout pendant l'été 1975), le parti socialiste de M. Soarès domine nettement le parti communiste de M. Cunhal aux élections de 1976.

La Grèce. — En Grèce, le « *régime des colonels* », né du coup d'Etat du 21 avril 1967, est lui-même renversé par un autre coup d'Etat. En effet, une tentative de « normalisation », de libéralisation — relative — du régime par M. Papadopoulos donne lieu à un certain re-décollage de l'opposition et à des émeutes (notamment d'étudiants) le 16 novembre 1973, suivies d'une répression sanglante.

Le 25 novembre 1973, un *coup d'Etat militaire* se produit. Et le général Ghizikis remplace le colonel Papadopoulos à la tête de l'Etat. Apparemment, cependant, les nouveaux dirigeants appartiennent à l'aile conservatrice et « modérée » des forces armées. Ils veulent tenter d'imposer un autoritarisme « raisonnable ».

Le 23 juillet 1974, la crise de Chypre provoque le retour d'exil de M. Caramanlis, chef de la droite parlementaire, qui devient premier ministre. Cependant, le général Ghizikis demeure chef de l'Etat. Mais, en remettant en vigueur la Constitution de 1952 (sauf les articles concernant le rôle du roi, qui restent suspendus), le nouveau gouvernement s'engage sur la voie du *retour à la normale et à la démocratie*. Bientôt ont lieu des élections législatives, qui confirment M. Caramanlis au pouvoir.

Ainsi, au Portugal (avril 1974) comme en Grèce (juillet 1974), la dictature conservatrice ne s'efface pas d'elle-même. Elle s'incline *sous la pression de l'armée*, qui lui retire son appui. Elle cède sous la pression externe des militaires, d'un coup d'Etat ou d'un conflit international. La dictature conservatrice ne peut se passer de la force armée. Elle est donc contrainte de s'effacer quand celle-ci vient à lui faire défaut.

L'Espagne. — Le 20 novembre 1975, le général Franco décède. Après près de quarante ans d'un pouvoir dictatorial. Progressivement, le roi Juan Carlos engage l'Espagne dans la voie du retour à la démocratie.

Une nouvelle constitution est adoptée par référendum. Et des élections ont lieu en juin 1977, où les « centristes » du premier ministre Adolfo Suarez et les socialistes de M. Felipe Gonzales arrivent, respectivement en première et seconde positions.

BIBLIOGRAPHIE

I. — *Ouvrages généraux.*

Avant tout, lire le livre classique, et tout à fait remarquable, de M. Duverger, *Les partis politiques*, 7e éd., 1969, qui demeure, de loin, le meilleur ouvrage sur la question. Malgré les critiques formulées par G. Lavau, *Partis politiques et réalités sociales*, 1952; S. H. Beer, « Les partis politiques », in *Western Political Quarterly*, VI, sept. 1953, et A. Wildavsky, « A Methodological Critique of Duverger's Political Parties », *Journal of Politics* 21 (2), mai 1959, p. 303-318.

On le complétera très utilement par la lecture de J. Charlot, *Les partis politiques*, 1971, qui constitue une sélection commentée d'une cinquantaine de textes émanant des meilleurs spécialistes et souvent inédits en langue française.

En anglais, les ouvrages essentiels sont ceux de S. NEUMANN, ed., *Modern Political Parties. Approaches to Comparative Politics,* Chicago, 1956 (avec une utile bibliographie) ; J. LAPALOMBARA, M. WEINER, ed., *Political Parties and Political Development,* Princeton, 1966 (qui, de surcroît, contient une remarquable bibliographie établie par N. E. KEIS, p. 439-464) ; L. D. EPSTEIN, *Political Parties in Western Democracies,* Londres, 1967 (qui comporte une bibliographie dispersée, mais très riche).

On n'oubliera pas les ouvrages anciens, mais classiques, de M. OSTROGORSKI, *La démocratie et l'organisation des partis politiques,* 2 vol., 1903, et de R. MICHELS, *Les partis politiques. Essai sur les tendances oligarchiques des démocraties,* tr. 1914, rééd. 1971. Sur le débat oligarchie ou « stratarchie » : S. J. ELDERSVELD, *Political Parties. A Behavioral Analysis,* Chicago, 1964.

— *Sur les fonctions des partis,* on consultera particulièrement :

G. A. ALMOND, G. B. POWELL, *Comparative Politics. A Developmental Approach,* Boston, 1966 (surtout le chap. V, intitulé « Interest Aggregation and Political Parties », p. 99 et s.) ; F. J. SORAUF, *Political Parties in the American System,* Boston, 1964 ; *Party Politics in America,* Boston, 2e éd., 1972, ainsi que sa contribution à l'ouvrage dirigé par W. N. CHAMBERS et W. D. BURNHAM, *The American Party Systems, Stages of Political Development,* New York, 1967 ; D. E. APTER, *The Politics of Modernization,* Chicago, 5e éd., 1969 (sur l' « omnifonctionnalisme » des partis dans les systèmes en voie de modernisation) ; R. K. MERTON, *Eléments de théorie et de méthode sociologique,* 2e éd., tr. 1965 (pour la distinction fonctions latentes-fonctions manifestes).

Pour une application très fine de cette approche : G. LAVAU, « la recherche d'un cadre théorique pour l'étude du parti communiste français », *RFSP,* 1968, p. 445 ; « Le parti communiste dans le système politique français », in *Le Communisme en France,* 1969 ; et « Partis et systèmes politiques : interactions et fonctions », *Revue canadienne de science politique,* mars 1969, p. 36-44.

Sur la fonction « constituante » : T. J. LOWI, « Party, Policy and Constitution in America », in W. N. CHAMBERS, W. D. BURNHAM, ed., *The American Party Systems,* New York, 1967.

— *Sur les « jeux » et les stratégies partisanes :*

A. DOWNS, *An Economic Theory of Democracy,* New York, 1957 ; W. H. RIKER, *The Theory of Political Coalitions,* New Haven, 1962 ; G. S. SJOBLOM, *Party Strategies in a Multiparty System,* Lund, 1968 ; et, en français, J. ATTALI, *Analyse économique de la vie politique,* 1972, et *Les modèles politiques,* 1972.

— *Sur les types de partis :*

La division binaire de S. NEUMANN ou de M. DUVERGER (partis de cadres — partis de masses) semble devoir céder la place à une typologie ternaire, incorporant le « catch-all party » d'O. KIRCHHEIMER, dont il faut absolument lire le remarquable article « The Transformation of the Western European Party Systems », in J. LAPALOMBARA, M. WEINER, *op. cit.,* p. 177-200. Dans le même sens, sur le « parti d'électeurs » : J. CHARLOT, *Le phénomène gaulliste,* 1970. Le thème du déclin du parti de masses se trouve aussi dans L. D. EPSTEIN, *op. cit.* (sp. le chap. VI : « The Socialist Working-Class Party », p. 130-166).

— *Sur les systèmes de partis :*

M. DUVERGER, *op. cit.,* p. 237-461; L. D. EPTEIN, *op. cit.* (chap. III : « The Nature of Competition », p. 46-76), et J. LAPALOMBARA, M. WEINER, *op. cit.,* qui, outre l'introduction des deux « éditeurs » (sp. p. 33-41), contient trois importantes contributions sur les systèmes de partis et leur transformation : G. SARTORI, « European Political Parties : The Case of Polarized Pluralism », p. 137; O. KIRCHHEIMER, « The Transformation of the Western European Party Systems », p. 177; et I. WALLERSTEIN, « The Decline of the Party in the Single-Party African States », p. 201.

On lira aussi, avec profit, l'analyse de S. ROKKAN, *Citizens, Elections and Parties. Approaches to the Comparative Study of the Processes of Development,* Oslo, 1970 (sur l'origine historique des clivages partisans). Et l'excellent article de J. BLONDEL, « Party Systems and Pattern of Government in Western Democracies », *Revue canadienne de science politique,* juin 1968, p. 183.

• Pour l'influence des régimes électoraux sur les systèmes de partis : M. DUVERGER, *op. cit.,* p. 236-312; M. DUVERGER (et autres), *L'influence des systèmes électoraux sur la vie politique,* 1950; D. W. RAE, *The Political Consequences of Electoral Laws,* New Haven, 2e éd. 1971 (une enquête très minutieuse, qui corrige quelques idées reçues); l'excellent petit livre de J.-M. COTTERET, C. EMERI, *Systèmes électoraux,* 2e éd. 1973. Consulter enfin le réquisitoire contre la R.P. de F.A. HERMENS, *Democracy of Anarchy ?,* Notre-Dame, Indiana, 1941; et la précieuse monographie de J. CADART, *Régime électoral et régime parlementaire en Grande-Bretagne,* 1948.

• Sur le système de parti unique : voir H. ARENDT, *Le système totalitaire,* rééd. 1972 (sur l'hitlérisme et le stalinisme); S. HUNTINGTON, C. H. MOORE, ed., *Authoritarian Politics in Modern Society, The Dynamics of Established One-Party Systems,* New York, 1970. — Sur le modèle *communiste :* LÉNINE, *Que faire ?* (dans la rééd. de 1966, remarquablement présentée par J.-J. MARIE, qui reproduit les objections de Trotsky et de Rosa Luxembourg); G. VEDEL, *Les démocraties soviétiques et populaires,* 1963-1964, et la bibliographie citée *supra,* p. 96 sur le P.C.U.S. On consultera tout particulièrement G. IONESCU, *L'avenir politique de l'Europe orientale,* 1967 (sur la compétition entre « appareils » dans les Etats sans opposition).

— Sur le modèle *fasciste :* M. MANOILESCO, *Le parti unique,* 1936; M. DEAT, *Le parti unique,* 1942; A. PROST, « Le rapport de Déat en faveur d'un parti national unique », *RFSP* 1973, p. 933-971; E. NOLTE, *Les mouvements fascistes en Europe de 1919 à 1945,* tr. 1969; P. MILZA, *Fascismes et idéologies réactionnaires en Europe (1919-1945),* 1969; P. MILZA, M. BENTELI, *Le Fascisme au XXe siècle,* 1973; C. J. FRIEDRICH, Z. BRZEZINSKI, *Totalitarian Dictatorship and Autocraty,* Cambridge, 2e éd., 1970; H. R. KEDWARD, *Fascisme in Western Europe, 1900-1945,* Glasgow, 1969; Sur l'Italie mussolinienne : A. TASCA, *Naissance du fascisme. L'Italie de l'armistice à la marche sur Rome,* 1re éd.,

1938, rééd. 1967 (un classique qui n'a pas vieilli); M. Prelot, *L'Empire fasciste,* 1936; G. Bibes, « Le fascisme italien : état des travaux depuis 1945 », *RFSP,* 1968, p. 1191 (une très utile bibliographie); P. Guichonnet, *Mussolini et le fascisme,* 4e éd., 1974; M. A. Macciochi, *Eléments pour une analyse du fascisme,* 2 vol., 1976; M. Kitchen, *Fascisme,* London, 1976.

Sur l'Allemagne nazie : A. Grosser, dir., *Dix leçons sur le nazisme,* 1976; M. J. Thornton, *Nazism, 1918-1945,* Oxford, 1966 (une introduction brève et très claire à l'étude du nazisme); W. Maser, *Naissance du parti national-socialiste allemand,* tr. 1967 (l'action d'Hitler jusqu'en 1924); S. Kogon, *L'Etat S.S.,* rééd. 1971; E. N. Perterson, *The Limits of Hitler's Power,* Princeton, 1969 (une thèse paradoxale : l'incapacité et la faiblesse du système nazi, malgré le pouvoir théoriquement absolu d'Hitler); H. Lebovics, *Social Conservatism and the Middle Classes in Germany, 1914-1933* (Weimar et les racines socio-économiques du nazisme). Voir aussi : N. Poulantzas, *Fascisme et dictature. La IIIe Internationale face au fascisme,* 2e éd., 1974. — Sur l'Espagne franquiste et sur le Portugal et la Grèce d'avant 1974 : A. et F. Demichel, *Les dictatures européennes,* 1973. Voir aussi : C. Rudel, *La Phalange, Histoire du fascisme en Espagne,* 1972.

— Sur le système de parti unique dans les *pays en voie de développement :* J. LaPalombara, M. Weiner, ed., *op. cit.* (sp. R. Emerson, « Parties and National Integration in Africa », p. 267); D. E. Apter, *The Politics of Modernization,* Chicago, 5e éd., 1969; J. S. Coleman, C. G. Rosberg, *Political Parties and National Integration in Tropical Africa,* Berkeley, 1966; G. M. Carter, *African One-Party States,* New York, 1962; A. Mahiou, *L'avènement du parti unique en Afrique noire,* 1969; D.-G. Lavroff, *Les partis politiques en Afrique noire,* 1970 (succinct et très utile), et les autres monographies citées *supra,* p. 326.

Sur l'ensemble du problème, voir aussi : S. P. Huntington, C. H. Moore, ed., *Authoritarian Politics in Modern Society. The Dynamics of Established One-Party System,* New York, 1970.

• Sur le système de parti dominant : le très bon article de J. Charlot, « Du parti dominant ». *Projet,* sept.-oct. 1970, p. 941-952; dans ce même numéro, sur les inconvénients du système de parti dominant, R.-G. Schwartzenberg, « Les impasses de la Ve *bis* », p. 925-940, ainsi que « La politique ailleurs », *Le Monde* du 17 juin 1971. Sur un exemple de parti « ultra-dominant », deux monographies : M. Weiner, *Party Building in a New Nation, The Indian National Congress,* Chicago, 1967 (par un spécialiste du développement politique); et S. A. Kochanek, *The Congress Party of India. The Dynamics of One-Party Democracy,* Princeton, 1968.

II. — *Monographies.*

On trouvera des indications détaillées sur les partis aux Etats-Unis, en Grande-Bretagne, en Allemagne fédérale et en U.R.S.S., dans R.-G. Schwartzenberg, *Politique comparée,* 1972-1973 (Cours de l'Institut d'Etude, politiques de Paris, polycopié par Les Cours de droit).

— *Sur les Etats-Unis :*

F. J. Sorauf, *Political Parties in the American System,* Boston, 1964 (une étude des partis à partir des fonctions qu'ils assurent); W. N. Chambers, W. D. Burnham, ed., *The American Party Systems,* New York, 1967; J. H. Fenton, *People and Parties in Politics,* Glenview, Ill., 1966; R. A. Goldwin, ed., *Political Parties, U.S.A.,* Chicago, 1964 (sept spécialistes tentent une redéfinition du rôle des partis aux Etats-Unis); F. I. Greenstein, *The American Party System and the American People,* Englewood Cliffs, 2e éd., 1970; R. F. Nichols, *The Invention of the American Political Parties,* New York, 1967 (analyse très documentée de l'origine du système de partis américains); K. Lawson, *Political Parties and Democracy in the United States,* New York, 1968 (analyse précise et à jour, articulée autour de l'analyse des fonctions partisanes dans un système démocratique); A. P. Spindler, *Political Parties in the United States,* New York, 1966 (étude théorique succincte, mais intéressante); H. F. Gosnell, *Machine Politics, Chicago Model,* Chicago, 2e éd., 1968 (réédition d'un classique de 1937 sur la machine et le « bossism »); ainsi que C. E. Merriam, H. F. Gosnell, *The American Party System,* New York, 4e éd., 1949 (par deux maîtres de la science politique américaine); V. O. Key, *Politics, Parties and Pressure Groups,* New York, 1950 (par un autre maître du genre); J. Bryce, *La République américaine,* t. III, 2e éd., tr. 1912 (le classique des classiques). — En français, on lira aussi l'étude de J.-L. Seurin, *La structure interne des partis politiques américains,* 1953, et surtout le remarquable cours d'A. Mathiot, *La vie politique aux Etats-Unis,* Les Cours de droit, 1975. Voir aussi : C. Rossiter, *Démocrates et républicains,* tr. 1965, J. K. Galbraith, *La gauche américaine,* tr. 1971.

— *Sur les anciens Dominions de peuplement britannique :*

Pour le Canada : F. C. Engelmann, M. A. Schwartz, *Political Parties and the Canadian Social Structure,* Scarborough, 1967 (d'après le schéma d'Easton); H. G. Thorburn, *Party Politics in Canada,* Toronto, 2e éd., 1967. — Pour l'Australie : J. Jupp, *Australian Party Politics,* Melbourne, 2e éd., 1968 (un bon ouvrage de référence); L. Overacker, *The Australian Party System,* New Haven, 1952; S. R. Davis (et autres), *The Australian Political Party System,* Sidney, 1954.

— *Sur le Japon :*

A. B. Cole, G. O. Totten, C. H. Uyehara, *Socialist Parties in Postwar Japan,* New Haven, 1966; F. Langdon, *Politics in Japan,* Boston, 1967; R. E. Ward, *Japan's Political System,* Englewood Cliffs, 1967; ainsi que R. Ward, D. Rustow, ed., *Political Modernization in Japan and Turkey,* Princeton, 1964 (par deux spécialistes du développement politique). — En français : l'excellent ouvrage de J. Robert, *Le Japon,* 1969, et l'article de S. Nishira, « Les élections générales au Japon depuis la guerre », *RFSP,* 1971, p. 772-789.

— *Sur la Chine :*

Mao Tsé-Toung, *Citations du Président Mao Tsé-Toung,* 1967; K. S. Karol, *La Chine de Mao : l'autre communisme,* 1966; S. Schramm, *Mao Tsé-Toung,* 1963; M.-A. Macciochi, *De la Chine,* tr. 1971 (la Chine vue du P.C. italien); J. Guillermaz, *Histoire du parti communiste chinois, t. 1 (1921-1949),* 1968, *t. 2 (1949-1972)*, 1972; F. MARMOR, *Le Maoïsme*, 1976. Et les ouvrages cités *supra*, p. 99.

— *Sur le Tiers-Monde :*

D. E. APTER, *The Politics of Modernization*, Chicago, 5e éd., 1969, et, par-dessus tout : J. LAPALOMBARA, M. WEINER, ed., *Political Parties and Political Development*, Princeton, 1966.

Pour l'Afrique : A. MAHIOU, *L'avènement du parti unique en Afrique noire*, 1969; D.-G. LAVROFF, *Les partis politiques en Afrique noire*, 1970; T. HODGKIN, *African Political Parties*, Harmonds worth, 1961; G. CAETER, *African One-Party States*, Ithaca, 1962; R. S. MORGENTHAU, *Political Parties in French-Speaking West Africa*, Oxford, 1964; J. S. COLEMAN, C. G. ROSBERG, *Political Parties and National Integration in Tropical Africa*, Berkeley, 1966.

Pour les pays arabes : J. et S. LACOUTURE, *L'Egypte en mouvement*, 2e éd., 1962; A. ABDEL MALEK, *Egypte, société militaire*, 1962; M. FLORY, R. MANTRAN, *Les régimes politiques des pays arabes*, 1968.

Pour l'Amérique latine : M. M. TOLEDO, *Partidos politicos de Ibero America*, Mexico, 1961; H. KANTOR, *Latin America Political Parties : A Bibliography*, Gainesville, 1968 (bon recensement des écrits publiés sur ce thème); R. J. ALEXANDER, *Latin American Political Parties*, New York, 1973.

Pour l'Asie : sur l'Inde : M. WEINER, *Party Building in a New Nation, The Indian National Congress*, Chicago, 1967; S. A. KOCHANEK, *The Congress Party of India, The Dynamics of One-Party Democracy*, Princeton, 1968. — Sur la Turquie : A. KISLALI, *Les forces politiques dans la Turquie moderne*, Ankara, 1967; R. WARD, D. RUSTOW, ed., *Political Modernization in Japan and Turkey*, Princeton, 1964. — Sur le Japon et la Chine : *supra*, p. 597. — Sur l'Indonésie : F. CAYRAC-BLANCHARD, *Le parti communiste indonésien*, 1973.

Pour l'ensemble du Tiers-Monde : cf. la bibliographie donnée *supra*, p. 249.

— *Sur l'Europe de l'Est :*

G. VEDEL, *Les démocraties soviétique et populaires*, 1963-1964; G. IONESCU, *L'avenir politique de l'Europe orientale*, 1967; F. FETJO, *Histoires des démocraties populaires*, 1969; L. SCHAPIRO, *De Lénine à Staline. Histoire du parti communiste de l'Union soviétique*, tr. 1967; B. LAZITCH, *Le Rapport Khrouchtchev et son histoire*, 1976; M. TATU, *Le pouvoir en U.R.S.S.*, 1967; P. BROUE, *Le Parti bolchevique. Histoire du P.C. de l'U.R.S.S.*, 2e éd., 1971; M. P. GEHLEN, *The Communist Party of Soviet Union : A Functional Analysis*, Bloomington, 1969; T. H. RIGBY, *Communist Membership in the U.R.S.S., 1917-1967*, Princeton, 1968 (la composition du parti). Sur le P.C.U.S., voir aussi : R.-G. SCHWARTZENBERG, *Politique comparée*, 1972-1973, p. 589 et s., ainsi que la bibliographie sur l'U.R.S.S. citée *supra*, p. 248.

— *Sur l'Europe occidentale :*

L'excellent panorama de M. DUVERGER, *La démocratie sans le peuple*, 1967; le remarquable ouvrage de P. LALUMIÈRE, A. DEMICHEL, *Les régimes parlementaires européens*, 1966; et le classique de A. L. LOWELL, *Government and Parties in Continental Europa*, Londres, 1896. Voir aussi : D. CAUTE, *La gauche en Europe depuis 1789*, tr. 1966.

• Sur la Grande-Bretagne : S. H. BEER, *Modern British Political Parties. A Study of Parties and Pressure Groups, Londres,* 2e éd., 1969 (excellente étude, qui analyse notamment les relations des partis et de leur environnement social) ; G. K. ROBERTS, *Political Parties and Pressure Groups in Britain,* Londres, 1970 ; R. T. MACKENZIE, *British Political Parties : The Distribution of Power Within the Conservative and Labour Parties,* Londres, 2e éd., 1964 (malgré des traditions et des structures dissemblables, les deux partis confèrent à leur « leader » une autorité très forte et à peu près identique) ; I. JENNINGS, *Party Politics,* 2 vol., Cambridge, 1960-1961 ; J. D. LEES, R. KIMBER, ed., *Political Parties in Modern Britain,* London, 1972 ; R. ROSE, *Politics in England,* Londres, 1965 (une approche originale). Sur le parti conservateur : R. BLAKE, *The Conservative Party from Peel to Churchill,* London, 1970. Sur le parti libéral : J. VINCENT, *The Formation of the Liberal Party, 1857-1868,* Londres, 1966 ; T. WILSON, *The Downfall of the Liberal Party, 1914-1935,* Londres, 1966. — Sur le parti travailliste : C. F. BRAND, *The British Labour Party,* Stanford, 1965 (excellente analyse du parti depuis ses origines) ; W. T. RODGERS, B. DONOUGHUE, *The People into Parliament. An Illustrated History of the Labour Party,* Londres, 1966 (la lutte des travaillistes pour le pouvoir vue par deux sympathisants) ; H. PELLING, *A Short History of the Labour Party,* London, 1974 ; S. HASELER, *The Gaitskellites, Revisionism in the British Labour Party 1951-1964,* London, 1969 ; R. MILIBAND, *Parliamentary Socialism. A Study in the Politics of Labour,* Londres, 1964 (la condamnation, par un politiste marxiste, de l'électoralisme et du « parlementarisme » du L. B.) ; P. FOOT, *The Politics of Harold Wilson,* Harmondsworth, 1968 (une étude très sévère, mais talentueuse, de la carrière d'H. Wilson, tenu pour le champion de l'opportunisme social-démocrate) ; H. WILSON, *Que veulent les travaillistes ?,* 1965 (tr. d'une étude sur la conception anglaise du socialisme) ; B. LAPPING, *The Labour Government,* 1970 ; T. FORESTER, *The Labour Party and the Working Class,* London, 1976.

A signaler, en français, cinq excellentes études : A. MABILEAU, M. MERLE, *Les partis politiques en Grande-Bretagne,* 3e éd., 1972 ; J. BLONDEL, *La société politique britannique,* 1964 ; et M. CHARLOT, *La vie politique dans l'Angleterre d'aujourd'hui,* 1967 (sélection de textes commentés), *La démocratie à l'anglaise,* 1972, et *Le Système politique britannique,* 1976. Voir aussi l'article de M. SZEKELY, « *La gauche travailliste et le gouvernement Wilson* », *RFSP,* 1971, p. 584-614.

• Sur les pays scandinaves : R. FUSILIER, *Les pays nordiques,* 1965, et *Le parti socialiste suédois,* 1964 ; O. PALME, *Socialisme à la scandinave,* tr. 1971, et *Le Rendez-vous suédois,* 1976 ; D. PHILIP, *Le mouvement ouvrier en Norvège,* 1958 ; H. VALEN, D. KATZ, *Political Parties in Norway. A Community Study, Oslo,* 1966 ; N. ANDREN, *Government and Politics in the Nordic Countries,* Stockholm, 1965. — Sur le reflux social-démocrate en 1973 : R.-G. SCHWARTZENBERG, *La politique rétro, L'Express* du 17 décembre 1973.

• Sur les Pays-Bas : outre l'ouvrage déjà cité de R. FUSILIER, *Les pays nordiques,* 1965, lire l'analyse de J. BARENTS, « La vie politique hollandaise depuis la Libération », *RFSP,* 1951, p. 371.

• Sur la Belgique : outre R. FUSILIER, *op. cit.;* A. MELOT, *Le Parti catholique en Belgique,* Louvain, 1934; E. VANDERVELDE, *Le Parti ouvrier belge de 1885 à 1925,* Bruxelles, 1925; M. A. PIERSON, *Histoire du socialisme en Belgique,* Bruxelles, 1953; M. VAUSSARD, *Histoire de la démocratie chrétienne (France, Belgique, Italie),* 1956.

• Sur la Suisse : F. MASNATA, *Le Parti socialiste et la tradition démocratique en Suisse,* 1963.

• Sur l'Allemagne fédérale : O. K. FLECTHEIM, *Dokumente zur parteipolitischen, Entwicklung in Deutschland seit 1945,* 5 vol., Berlin, 1962-1966 (qui contient une documentation très précieuse); R. WALLRAF, *Parteien, Wahlen und Programme,* Cologne, 1965 (données statistiques et bibliographie très complète); F. A. F. VON DER HEYDTE, K. SACHERL, *Soziologie des Deutschen Parteien,* Munich, 1955; M. G. LANCE, G. SCHULZ, K. SCHUTZ, *Parteien in der Bundesrepublik,* Stuttgart, 1955; B. ZEUNER, *Innerparteiliche Demokratie,* Berlin, 1969; V. LOHMAR, *Innerparteiliche Demokratie,* Stuttgart, 1963. Voir surtout : A. GROSSER, *L'Allemagne de notre temps (1945-1970),* 1970; G. ESTIEVENART, *Les partis politiques en Allemagne fédérale,* 1973. Consulter : R. LASSERRE, « Les élections du 19 novembre 1972 en R.F.A. », *RFSP,* 1973, p. 758-770.

Sur la démocratie chrétienne : J. ROVAN, *Le catholicisme politique en Allemagne,* 1956, l'annuaire du parti : *Politische Jahrbuch der C.D.U.,* et A. J. HEIDENHEIMER, *Adenauer and the C.D.U.,* The Hague, 1960.

Sur la social-démocratie : D. A. CHALMERS, *The Social Democratic Party of Germany,* New Haven, 1964; H. K. SCHELLENGER, *The S.P.D. in the Bonn Republic, A Socialist Party Modernizes,* The Hague, 1968; D. CHILDS, *From Schumacher to Brandt. The Story of German Socialism, 1945-1965,* Oxford, 1966; G. SANDOZ, *La gauche allemande de Karl Marx à Willy Brandt,* 1970; H. MENUDIER, *L'Allemagne selon Willy Brandt,* 1975; T. PIRKER, *Die S.P.D. nach Hitler,* Munich, 1965; F. OSTERROTH, D. SCHUSTER, *Chronik der deutschen Sozial-Democratie,* Hanovre, 1963.

Voir aussi W. BRANDT, B. KREISKY, O. PALME, *La Social-Démocratie et l'avenir,* tr. 1976 (un échange de lettres entre les trois leaders socialistes); et W. PATERSON, I. CAMPBELL, *Social Democracy in Post-War Europe,* London, 1974.

• Sur l'Italie : M. VAUSSARD, *op. cit.;* M. EINAUDI, F. GOGUEL, *Christian Democracy in Italy and France,* Notre-Dame, Ind., 1952; M. P. FOGARTY, *Christian Democracy in Western Europe,* 1957; T. GODECHOT, *Le Parti démocrate-chrétien italien,* 1964; J. P. CHASSERIAUD, *Le Parti démocrate-chrétien en Italie,* 1965; F. CERVELLATI CANTELLI, *L'organizzazione partitica del P.C.I. et della D.C., Bologne,* 1968; J.-M. DOMENACH, A. GAROSCI, *Communism in Western Europe,* Ithaca, 1951; P. FERRARI, H. MAISL, *Les groupes communistes aux assemblées parlementaires italiennes et françaises,* 1969 (une remarquable analyse par P. FERRARI du communisme parlementaire à l'italienne); et l'excellent et bref ouvrage de J. MEYNAUD, *Les partis politiques en Italie,* 1970. Voir aussi : G. BIBES, *Le système politique italien,* 1974; J. NOBECOURT, *L'Italie à vif,* 1970; R. ROSSANDA, *Il Manifesto, Analyses et thèses de la nouvelle extrême gauche italienne,* 1971; G. DE ROSA, ed., *I partiti politici in Italia,* Bergamo, 1972.

Sur l'Espagne : C. RUDEL, *La Phalange. Histoire du fascisme en Espagne,* 1972.

• Sur la France : on lira, d'abord, des études relatives aux partis sous les Républiques précédentes : A. SIEGFRIED, *Tableau des partis en France,* 1931; F. GOGUEL, *La politique des partis sous la III*^e^ *République,* 2e éd., 1958 (une excellente analyse, devenue justement classique); et, sur la période postérieure, trois remarquables études de J. FAUVET, *Les partis politiques dans la France actuelle,* 1947, *La France déchirée,* 1957 et *La IVe République,* 3e éd., 1963. Sur ce dernier sujet, consulter aussi J. JULLIARD, *La IVe République,* 1968. F. FONVIEILLE-ALQUIER, *Plaidoyer pour la IVe République,* 1976. Ainsi que P. WILLIAMS, *La vie politique en France sous la IVe République,* tr. 1971. Et l'ouvrage très précieux de J. CHAPSAL, A. LANCELOT, *La vie politique en France depuis 1940,* 4e éd., 1975 (qui retrace toute l'histoire politique depuis 1940).

Lire aussi M. DUVERGER, *La démocratie sans le peuple,* 1967 (interprétation historique et comparative du système de partis français), et, publié sous sa direction, *Partis politiques et classes sociales en France,* 1955.

Sur la période actuelle : F. GOGUEL, A. GROSSER, *La politique en France,* 5e éd., 1975; E. DEUTSCH, D. LINDON, P. WEILL, *Les familles politiques dans la France d'aujourd'hui,* 1966; D. LINDON, P. WEILL, *Le choix d'un député. Un modèle explicatif du comportement électoral,* 1974; P. FOUGEYROLLAS, *La conscience dans la France contemporaine,* 1963; et deux très intéressants ouvrages collectifs : G. VEDEL (et autres), *La dépolitisation, mythe ou réalité ?,* 1962 et S. HOFFMANN (et autres), *A la recherche de la France,* tr. 1963.

Sur l'histoire de la Ve République : P. VIANSSON-PONTE, *Histoire de la République gaullienne,* t. I, *1958-1962,* t. II, *1962-1969,* 1970-1971 (une synthèse particulièrement brillante).

Sur les élections présidentielles : l'ouvrage collectif intitulé *L'élection présidentielle des 5 et 19 décembre 1965,* 1970 (cahier de la Fond. nle des sciences politiques); et R.-G. SCHWARTZENBERG, *La campagne présidentielle de 1965,* P.U.F., 1967 et *La Guerre de succession. Les élections présidentielles de 1969,* P.U.F., 1969 (ces deux études soulignant spécialement le rôle des partis dans des campagnes de ce type).

De 1963 à 1969, la *Revue française de science politique* a comporté une rubrique « Les forces politiques », dirigée par G. LAVAU, où l'activité des divers partis se trouvait régulièrement analysée.

On trouvera une analyse détaillée des partis français actuels et de leurs stratégies dans R.-G. SCHWARTZENBERG, *Introduction à l'étude de la vie politique,* polyc. par Les Cours de droit, 1970-1971, p. 277-344. Consulter aussi : F. BORELLA, *Les partis politiques dans la France d'aujourd'hui,* 2e éd., 1975; et J.-P. BACHY, M. BENASSAYAG, *Les partis politiques français,* 1973.

Sur les principales tendances et formations politiques, on consultera surtout les monographies suivantes :

Sur le « gauchisme » : trois aspects de cette tendance : COHN-BENDIT, *Le gauchisme, remède à la maladie sénile du communisme,* 1968 (le Mouvement du 22 mars); A. KRIVINE, *La farce électorale,* 1969 (la Ligue communiste) et *Questions sur la révolution,* 1973; A. GEISMAR, *Vers la guerre civile,* 1969 (la Gauche prolétarienne). Cf. les livres cités *supra,* p. 462, sur mai 1968. Voir aussi : A. LAGUILLER, *Moi, une militante,* 1974, et *Une travailleuse révolutionnaire dans la campagne présidentielle,* 1974 (par la dirigeante de Lutte Ouvrière). Enfin : R. GOMBIN, *Les origines du gauchisme,* 1971.

Sur le Parti communiste français : pour l'histoire du parti, l'étude essentielle de J. FAUVET (en collab. avec A. DUHAMEL), *Histoire du parti communiste français,* 2e éd., 1977; A. KRIEGEL, *Aux origines du parti communiste français, 1914-1920,* 2 vol. 1964, et *Le Congrès de Tours* (documents), 1964; J. P. BRUNET, *L'enfance du parti communiste (1920-1938),* 1971; R. WOHL, *French Communism in the Making 1914-1924,* Stanford, 1966; G. WALTER, *Histoire du parti communiste français,* 1948; et l'ouvrage édité sous la direction de F. BILLOUX et J. DUCLOS, *Histoire du parti communiste français,* Editions sociales, 1964.

Pour la période actuelle, deux études capitales : l'ouvrage collectif intitulé *Le Communisme en France,* 1969 (avec une remarquable contribution de G. LAVAU), et le livre bref mais très riche d'A. KRIEGEL, *Les communistes français,* 2e éd., 1970. Lire aussi l'interrogation de R. GARAUDY, *Peut-on être communiste aujourd'hui ?* 1968. Voir enfin les analyses d'A. LAURENS, T. PFISTER, *Les nouveaux communistes,* 1974; A. HARRIS, A. DE SEDOUX, *Voyage à l'intérieur du parti communiste,* 1974; A. ANDREV et J. L. MINGALON, *L'Adhésion,* 1975; P. GABORIT, *Contribution à la théorie générale des partis politiques : l'exemple du parti communiste français,* 1975; et J. ELLENSTEIN, *Le P.C.* (vu par le plus « moderniste » des siens).

Le programme du P.C.F. a été publié sous le titre *Changer de cap. Programme pour un gouvernement démocratique d'union populaire,* 1971. Lire aussi : le *Programme commun de gouvernement,* 1972 (signé avec les socialistes et les radicaux de gauche). A signaler encore deux livres du secrétaire général du P.C.F., G. MARCHAIS, *Le défi démocratique,* 1973 et *La politique du parti communiste français,* 1974; ainsi que *Le Socialisme pour la France,* 1976 (qui contient le rapport de G. MARCHAIS au XXIIe congrès et le document adopté à la fin du congrès); et de J. DUCLOS, *Que sont donc les communistes ?,* 1971. Voir également, d'un minoritaire du XXIIe congrès, *Sur la dictature du prolétariat,* 1976. Voir aussi : A. BARJONET, *Le parti communiste français,* 1969 (le point de vue critique d'un ancien membre). Lire aussi M. BOSI, H. PORTELLI, *Les P.C. espagnol, italien et français face au pouvoir,* 1976; D. BLACKMER, S. TARROW, éd., *Communism in Italy and France,* Princeton, 1975.

Sur le Parti socialiste unifié : G. NANIA, *Le P.S.U. avant Rocard,* 1973; M. ROCARD, *Le P.S.U. et l'avenir socialiste de la France,* 1969 (avec une très bonne contribution de R. CAYROL, « Histoire et sociologie d'un parti », p. 7-44). Voir aussi : M. ROCARD, *Questions à l'Etat socialiste,* 1972; E. DEPREUX, *Servitude et grandeur du P.S.U.,* 1974.

Sur le Parti socialiste : pour l'histoire du socialisme : G. D. H. COLE, *Socialist Thought,* 5 vol., Londres, 1953-1960; E. HALEVY, *Histoire du socialisme européen,* 1948; M. LEROY, *Histoire des idées sociales en France,* 3 vol., 1946-1950; L. VALIANI, *Histoire du socialisme au XXe siècle,* 1948; D. LIGOU,

Histoire du socialisme en France (1871-1961), 1962; G. LEFRANC, *Le mouvement socialiste sous la IIIe République*, 1963; A. NOLAND, *The Founding of French Socialist Party, 1893-1905*, Cambridge, Mass., 1956; J.-J. FIECHTER, *Le socialisme français de l'Affaire Dreyfus à la Grande Guerre*, Genève, 1965. Et les biographies de deux grands dirigeants : H. GOLDBERG, *Jean Jaurès*, tr. 1970; J. COLTON, *Léon Blum*, 1968; et G. ZIEBURA, *Léon Blum*, tr. 1971 (très utile pour l'histoire et la sociologie de la S.F.I.O.).

Sur la S.F.I.O. sous la IVe République : B. D. GRAHAM, *The French Socialists and Tripartism, 1944-1947*, Londres, 1965; et deux témoignages opposés : J. MOCH, *Socialisme vivant*, 1960 et A. PHILIP, *Le socialisme trahi*, 1957, ainsi que *Les socialistes*, 2e éd. 1969 (par un ancien membre de la S.F.I.O. en désaccord avec la politique de M. Guy Mollet). Comme transition avec la Ve République : H. G. SIMMONS, *French Socialists in Search of a Role 1956-1967*, Ithaca, 1970. Sur la C.I.R. : D. LOSCHAK, *La Convention des institutions républicaines*, 1971. Sur la F.G.D.S. : C. ESTIER, *Journal d'un fédéré. La Fédération de la gauche au jour le jour (1965-1969)*, 1970. Voir aussi J. POPEREN, *L'Unité de la gauche (1965-1973)*, 1975; R. VERDIER, *P.S./P.C. Une lutte pour l'entente*, 1976 (deux témoignages directs).

Sur le parti socialiste aujourd'hui : C. HURTIG, *De la S.F.I.O. au nouveau parti socialiste*, 1970; P. GUIDONI, *Histoire du nouveau parti socialiste*, 1973; J.-F. BIZOT, *Au parti des socialistes*, 1975 (un panorama complet); A. SAVARY, *Pour le nouveau parti socialiste*, 1970 (par son avant-dernier secrétaire); F. MITTERRAND, *Un socialisme du possible*, 1970 (par l'actuel premier secrétaire du P.S.). Lire aussi F. MITTERRAND, *Ma part de vérité*, 1969; *La rose au poing*, 1973, et sur ses entreprises : R. CAYROL, *François Mitterrand, 1945-1967*, Fond. nle des sciences politiques, 1967; R. BARRILLON, *La gauche française en mouvement*, 1967. Le programme du P.S. est paru sous le titre *Changer la vie*, 1972. Sur le premier secrétaire du P.S., lire la biographie de F.-O. GIESBERT, *François Mitterrand ou la tentation de l'histoire*, 1977. — Sur le CERES : M. CHARZAT, G. TOUTAIN, *Le CERES, un combat pour le socialisme*, 1975. — Voir enfin T. PFISTER, *Les Socialistes*, 1977.

Sur le parti radical : pour l'histoire du parti : C. NICOLET, *Le radicalisme*, 4e éd., 1974 (bref et riche); J. KAYSER, *Les grandes batailles du radicalisme 1820-1901*, 1962; D. HALEVY, *La République des comités*, 1934; M. REBERIOUX, *La République radicale ? 1898-1914*, 1975; P. J. LARMOUR, *The French Radical Party in the 1930's*, Stanford, 1964; F. DE TARR, *The French Radical Party from Herriot to Mendès France*, Londres, 1961; M. SOULIÉ, *De Ledru-Rollin à J.-J. S.-S., Le Parti radical entre son passé et son avenir*, 1971; J. T. NORDMANN, *Histoire des radicaux, 1820-1973*, 1974 (très complet) et *La France radicale*, 1977.

Pour la doctrine : ALAIN, *Eléments d'une doctrine radicale*, rééd. 1933; F. BUISSON, *La politique radicale*, 1908.

Sur deux dirigeants radicaux : M. SOULIÉ, *La vie politique d'Edouard Herriot*, 1962; P.-O. LAPIE, *Herriot*, 1967; P. ROUANET, *Mendès France au pouvoir 1954-1955*, 1965; J. NANTET, *Pierre Mendès-France*, 1967; A. GOURDON, *Mendès-France où le rêve français*, 1977. Lire aussi : P. MENDÈS-FRANCE, *Choisir*, 1974 et *La Vérité guidait leurs pas*, 1976.

Sur l'organisation et la doctrine du parti radical aujourd'hui : D. BARDONNET, *Evolution de la structure du parti radical,* 1960; J.-J. SERVAN-SCHREIBER, M. ALBERT, *Ciel et terre. Le Manifeste radical* (adopté par le Congrès de février 1970) ; J.-J. SERVAN-SCHREIBER, *Appel à la Réforme,* 1971.

Sur le Mouvement Républicain Populaire (aujourd'hui fondu dans le Centre démocrate) et la démocratie chrétienne : M. EINAUDI, F. GOGUEL, *Christian Democracy in Italy and France,* Notre-Dame, Ind., 1952; R. E. M. IRVING, *Christian Democracy in France,* London, 1973; M. VAUSSARD, *Histoire de la démocratie chrétienne,* 1956; M. FOGARTY, *Christian Democracy in Western Europe 1820-1953,* Londres, 1957; J.-B. DUROSELLE, *Les débuts du catholicisme social en France, 1822-1870,* 1951; A. DANSETTE, *Destin du catholicisme français 1926-1956,* 1957; L. BITON, *La démocratie chrétienne dans la politique française,* 1954; V. LEMIEUX, *Le M.R.P. dans le système politique français,* 1962, th. dact. Fond. nle sciences politiques; G. SUFFERT, *Les catholiques et la gauche;* et l'ouvrage polémique de R. HAVARD DE LA MONTAGNE, *Histoire de la démocratie chrétienne, de Lamennais à Georges Bidault,* 1948.

Sur l'Union des Démocrates pour la République, devenue le R.P.R. : trois études très intéressantes de J. CHARLOT, *L'U.N.R., étude du pouvoir au sein d'un parti politique,* 1967; *Le phénomène gaulliste,* 1970, et *Le gaullisme,* 1970 (sélection de textes); P. AVRIL, *U.D.R. et gaullistes,* 1971; S. MALLET, *Le gaullisme et la gauche,* 1965; G. POMPIDOU, *Le Nœud gordien,* 1974; S. RIALS, *Les Idées politiques du président Georges Pompidou,* 1977; et l'excellent article d'O. KIRCHEIMER, « The Transformation of Western European Party Systems », in J. LAPALOMBARA, M. WEINER, *Political Parties and Political Development,* Princeton, 1966, p. 177-200 (qui considère l'U.N.R. comme le prototype du « catch-all party »). Sur la période antérieure : C. PURTSCHET, *Le Rassemblement du Peuple Français, 1947-1953,* 1965. Sur l'ensemble : A. HARTLEY, *Gaullism, The Rise and Fall of a Political Movement,* London, 1972. Lire aussi : U.D.R., *L'Enjeu,* 1975 (le « corps d'objectifs » du parti gaulliste).

Sur la Fédération Nationale des Républicains Indépendants: J.-C. COLLIARD, *Les républicains indépendants,* 1972, et l'article de M.-C. KESSLER dans la *RFSP,* 1966, p. 940; M. BASSI, *Valéry Giscard d'Estaing,* 1968; F. LANCEL, *Valéry Giscard d'Estaing,* 1974; O. TODD, *La Marelle de Giscard,* 1977.

Sur la droite en général : R. RÉMOND, *La droite en France, De la première Restauration à la Ve République,* 3e éd. 1968 (une étude capitale) ; J.-F. REVEL, *Lettre ouverte à la droite,* 1968 (la droite vue de la gauche dans un pamphlet très pénétrant) ; J.-CH. PETITFILS, *La droite en France de 1789 à nos jours,* 1973.

Sur l'extrême droite : E. WEBER, *L'Action française,* tr. 1964; E. R. TANNENBAUM, *The Action française,* New York, 1962; R. GIRARDET, « L'héritage de l'Action française », *RFSP,* 1957, p. 765; S. M. OSGOOD, *French Royalism under the Third and Fourth Republic,* La Haye, 1960; P. POUJADE, *J'ai choisi le combat,* Saint-Céré, 1955 (par le chef de l'U.D.C.A.) ; S. HOFFMANN, *Le mouvement Poujade,* 1966; J. PLUMYENE, R. LASIERRA, *Les fascismes français,* 1923-1963, 1963; R. CHIROUX, *L'extrême-droite sous la Ve République,* 1974 (une étude très complète et précise) ; F. DUPRAT, *Les mouvements d'extrême-droite en France depuis 1944,* 1972 (par un militant).

CHAPITRE II

LES GROUPES DE PRESSION

L'expression vient de la science politique américaine : *pressure groups*. On sait (*supra*, p. 476) tout ce qui fait la distinction entre partis politiques et groupes de pression. Les premiers visent à exercer le pouvoir. Les seconds se bornent à l'influencer, cherchent à faire pression sur lui, tout en lui demeurant extérieurs.

L'étude des groupes d'intérêts et des processus décisionnels. — En précurseur, Arthur F. Bentley (*The Process of Government. A Study of Social Pressures*, Chicago, 1908, rééd. 1949; cf. *supra*, p. 13) dépassait déjà l'approche institutionnelle pour l'analyse en termes de groupes. Il étudiait le « processus politique », envisagé comme la résultante des interactions de groupes.

Objectif : renoncer aux descriptions d'institutions, trop juridiques, trop formelles et souvent trop optimistes. En réalité, les décisions prises par les pouvoirs publics sont la résultante d'un rapport de forces entre les groupes concernés. Il faut donc appréhender le réel : en s'intéressant aux *processus* plutôt qu'aux structures, aux *groupes* qui contrôlent vraiment le pouvoir plutôt qu'à l'aménagement constitutionnel de celui-ci.

Dans l'immédiat, cette approche plus *dynamique* (par le processus) et plus *réaliste* (par les groupes) demeurera sans influence. Mais trente à quarante ans plus tard, à l'âge d'or behavioriste, les analystes des groupes d'intérêts et des processus décisionnels *(decision making)* devaient retrouver cette inspiration. Et redonner vogue à Bentley, comme le fit David B. Truman dont *The Government Process* (New York, 1951) constitue un évident hommage.

Aujourd'hui, vingt-cinq ans après, l'étude des groupes d'intérêts connaît un relatif déclin. Mais, dans l'intervalle, beaucoup de recherches fécondes ont été entreprises. Elles permettent de mieux cerner le *phénomène* des groupes de pression, de connaître leurs méthodes d'*action* et de mesurer leur *place* réelle dans la structure du pouvoir.

Dans le cadre limité de ce précis, on analysera surtout les groupes de pression en France, en se bornant à quelques indications comparatives sur les autres pays.

SECTION I

LE PHÉNOMÈNE DES GROUPES DE PRESSION

Le phénomène est difficile à appréhender, tant ces groupes sont *nombreux et divers :* syndicats ouvriers, mouvements féministes, organisations patronales, associations pour la défense de la laïcité (ou de l'enseignement libre), mouvements d'anciens combattants, clubs et sociétés de pensée, organisations paysannes, groupements religieux, mouvements de jeunesse, associations familiales, associations de parents d'élèves, etc.

Il importe donc de définir la *notion* de groupe de pression, avant de recenser les *types* de groupes de pression et les *fonctions* qu'ils exercent.

§ 1. — LA NOTION DE GROUPE DE PRESSION

Un groupe de pression peut se définir comme une organisation constituée pour la défense d'intérêts et exerçant une pression sur les pouvoirs publics afin d'obtenir d'eux des décisions conformes à ces intérêts.

Cette définition requiert donc la réunion de trois éléments : l'existence d'un *groupe* organisé, la défense d'*intérêts,* et l'exercice d'une *pression.*

A. — L'EXISTENCE D'UN GROUPE ORGANISÉ

Dans certains cas, la communauté d'intérêt provoque des manifestations sporadiques et éphémères. Dans d'autres, elle est assez vivement ressentie pour provoquer la constitution d'une *organisation* véritable et durable, qui prend spécialement en charge l'intérêt commun. Ainsi s'instituent des rapports collectifs stables, sinon permanents, au lieu d'actions spontanées et fugaces.

Ce *critère organisationnel* permet donc une distinction utile entre « groupes organisés » et actions « non organisées » justement marquée par Allen Potter (*Organized Groups in British National Politics*, Londres, 1961).

De manière plus détaillée encore, G. A. Almond et G. B. Powell (*Comparative Politics. A Developmental Approach*, Boston, 1966, chap. IV, p. 72) discernent quatre types de groupes d'intérêts, selon leur *degré de spécialisation et d'organisation :*

— les groupes d'intérêts anomiques *(anomic) :* formations spontanées et éphémères, souvent violentes (ex. : manifestations, émeutes);

— les groupes d'intérêts non associatifs *(non associational) :* groupements informels, intermittents et non volontaires (sur la base de la parenté, de la religion, de la région, etc.), caractérisés par l'absence de continuité et d'organisation;

— les groupes d'intérêts institutionnels *(institutional) :* organisations formelles (partis, assemblées, administrations, armées, églises), remplissant d'autres fonctions que l'articulation des intérêts, mais pouvant s'y livrer, en corps ou en partie (clique d'officiers, état-major de parti, etc.);

— les groupes d'intérêts associatifs *(associational) :* organisations volontaires et spécialisées dans l'articulation des intérêts : syndicats, groupements d'hommes d'affaires ou d'industriels, associations ethniques ou religieuses, groupements civiques.

Ces derniers possèdent le degré d'organisation et de spécialisation, qui caractérise les groupes de pression efficaces.

B. — La défense d'intérêts

Dans la notion de groupe d'intérêts *(interest group),* chère aux politistes américains, le concept d' « *intérêt* » doit s'entendre au sens large. Comme devant le juge administratif de l'excès de pouvoir, l' « *intérêt à agir* » n'est pas nécessairement matériel; il peut être purement moral.

Cette acception large a l'avantage d'éviter les incertitudes de frontière et les jugements moralisateurs, qui deviennent inéluctables si l'on adopte, avec les politistes européens, une sous-distinction supplémentaire. Sous-distinction entre les groupes qui défendent des *intérêts* et ceux qui luttent pour des *idées :* les premiers formulant des exigences matérielles, les seconds soutenant des causes morales.

En ce sens, Jean Meynaud écrit : « Il semble permis de distinguer deux séries d'organismes. Les uns ont comme objectif essentiel la conquête d'avantages matériels pour leurs adhérents ou la protection de situations acquises, tendant ainsi à accroître le bien-être de la catégorie représentée. On les désignera ici comme les organisations professionnelles. Les autres trouvent leur raison d'être dans la défense, d'esprit désintéressé, de positions spirituelles ou morales, dans la promotion de causes ou l'affirmation de thèses : nous les classerons sous une formule assez vague, mais souple, celle des groupements à vocation idéologique » (*Les groupes de pression*, 1960, p. 13-14).

En vérité — comme Jean Meynaud le reconnaît lui-même — il ne faut pas surestimer la portée de cette distinction, fondée sur *le dyptique action intéressée-action désintéressée.*

— D'abord, certains groupes défendent *à la fois* des intérêts matériels et des causes morales. Les syndicats d'enseignants, par exemple, se préoccupent aussi bien de questions corporatives (traitements, conditions de travail) que de problèmes pédagogiques (améliorations des méthodes d'enseignement).

— Ensuite, certaines organisations *dissimulent* parfois des objectifs très concrets derrière des thèmes moralisateurs : défense de la « libre entreprise » par les groupements patronaux, éloge de la « propriété familiale » par les syndicats agricoles, etc. Vieille technique de « *camouflage* », mettant en avant des valeurs apparemment désintéressées — la liberté, la famille — pour préserver des avantages matériels moins avouables.

— Enfin, cette distinction angélique omet une dure réalité : pour vivre et faire vivre ses idées, tout groupement, même sincèrement désintéressé, même purement idéologique, doit disposer de *ressources matérielles.* Même une Eglise ne saurait ignorer le siècle, et s'abstenir de solliciter les pouvoirs publics, afin d'obtenir des subventions pour ses écoles, sinon pour son culte.

L'interprétation des idéologies et des préoccupations matérielles restreint donc singulièrement la distinction entre les groupes qui défendent des *idées* et ceux qui représentent des *intérêts.* Il est préférable d'élargir le concept d'intérêt, en y incorporant l'intérêt purement moral. Ce qui autorise à parler uniformément de « groupes d'intérêts ». Pour le reste, la morale reconnaîtra les siens.

C. — L'exercice d'une pression

Les auteurs américains parlent plus volontiers de « groupes d'intérêts » *(interest groups)* que de « groupes de pression » *(pressure groups)*. Implicitement, cela signifie que l'activité de pression sur le pouvoir n'est pas inéluctable.

Ainsi, pour David Truman, un « groupe d'intérêt » ne devient un « groupe d'intérêt politique » ou un « groupe de pression », que s'il tente d'influencer les décisions des pouvoirs publics. Sinon (cas du syndicat patronal se bornant à discipliner la profession en réglementant l'activité de ses membres), il demeure un simple groupe d'intérêts.

Au fond, étudier les groupes de pression, c'est analyser les groupes d'intérêts *dans leur dynamique externe, et spécialement dans leur activité politique.* Un groupe de pression est un groupe d'intérêts en extraversion. Un groupe de pression est un groupe d'intérêts qui exerce une pression.

Dans cette optique, « la catégorie « groupe de pression » englobe un secteur d'activité des groupes d'intérêts : plus exactement, elle consiste à analyser ceux-ci sous un aspect déterminé » (J. Meynaud, *op. cit.*, p. 10).

Cette distinction subtile est inutilisable, car elle procède d'une vision singulièrement idéaliste. En vérité, *il n'est pas un seul groupe d'intérêts qui ne recourra un jour à la pression.* A l'occasion, toute organisation peut être tentée ou forcée d'exercer une pression : qu'il s'agisse de l'Académie Française ou de la C.G.T. Ce qui varie, c'est simplement la fréquence, l'ampleur ou le style de ce recours à la pression. Mais *tout* groupe d'intérêts est virtuellement un groupe de pression. On peut donc tenir les deux expressions pour synonymiques.

§ 2. — LES TYPES DE GROUPES DE PRESSION

Les groupes de pression constituent donc une catégorie particulièrement vaste et hétérogène. Au sein de cette catégorie, plusieurs types peuvent être cependant discernés, en s'attachant, soit au *but* (groupes d'intérêts-groupes d'idées), soit au *genre* (groupes privés-groupes publics), soit enfin à la *structure* (groupes de masses-groupes de cadres) des divers groupes de pression.

A. — GROUPES D'INTÉRÊTS ET GROUPES D'IDÉES

Cette première distinction appelle les plus grandes restrictions (cf. *supra*, p. 603); car il est très malaisé de séparer radicalement la défense d'idées et la défense d'intérêts. De plus, les préférences subjectives de l'observateur risquent d'influencer le classement du côté noble ou du côté mesquin, du côté « intéressé » ou du côté « désintéressé ».

Sous ces réserves, et pour la commodité de l'exposé, on peut en effet distinguer des organisations défendant *plutôt* des intérêts matériels et des organisations soutenant *plutôt* des causes idéologiques ou morales (promotional groups en anglais). Les uns sont *surtout* des groupes d'intérêts, les autres sont *surtout* des groupes d'idées.

En gros, ce clivage recoupe une distinction moins séduisante mais plus pratique : celle des organisations professionnelles (dont les membres sont réunis par leur activité économique, par la profession exercée) et des organisations non professionnelles.

1° Les groupes d'intérêts et organisations professionnelles

Il n'est aujourd'hui aucune profession qui n'ait son propre organe de défense et de représentation. Malgré une forte tradition d'individualisme, même les membres des professions libérales (médecins, avocats, etc.) ont compris l'efficacité de l'action collective.

Mais l'influence des groupes de pression est spécialement forte dans trois grands secteurs socio-professionnels : l'agriculture, le patronat, le travail.

a) *Les organisations paysannes.*

En Europe occidentale, la paysannerie constitue une force sociale très influente. Par le canal d'*organisations professionnelles,* qui pèsent sur les décisions publiques : comme la puissante Deutscher Bauernverband en Allemagne fédérale. Et aussi, parfois, par le canal de *formations politiques.* Soit qu'il existe des partis « agrariens » (cas du quadripartisme scandinave — *supra,* p. 548 — ou de la Suisse avec le parti des « paysans et bourgeois »). Soit qu'il existe des liens organiques entre partis et organisations paysannes (cas de l'Autriche, où celles-ci forment l'une des bases du Parti populiste Oe.V.P.).

La profession agricole. — En France, outre certaines institutions particulières (Chambres d'agriculture, Mutuelles, etc.) et certains groupements spécialisés par produit (blé, betteraves, vin, etc.), il faut surtout citer la *Fédération nationale des syndicats d'exploitants agricoles* (F.N.S.E.A.), qui constitue le groupement général de l'agriculture, et regroupe actuellement 600 000 exploitants.

Contrairement à l'agriculture italienne, et à la différence de l'industrie et du commerce français, la paysannerie française n'est guère divisée par l'opposition des « grands » et des « petits ». Absorbés par leurs tâches, ceux-ci ont souvent abandonné à ceux-là le soin de les représenter et de diriger les organismes professionnels. En contrepartie, les grands exploitants réclamaient des tarifs protectionnistes et des prix élevés, indispensables à la survie des petites exploitations archaïques. Ce qui augmentait d'autant les marges bénéficiaires de leurs propres exploitations, plus étendues et plus modernes, donc plus rentables.

Ainsi, à la F.N.S.E.A., cohabitent petits propriétaires menacés et gros exploitants opulents. L'angoisse et la rationalité économique s'y croisent. La traditionnelle rivalité d'avant guerre entre le syndicalisme agricole des ducs — c'est-à-dire des patriciens grands propriétaires terriens — et le syndicalisme jacobin de tendance radicale s'est estompée.

Cependant, sous l'influence des jeunes générations, réunies dans le *Centre national des jeunes agriculteurs* (C.N.J.A.), le syndicalisme agricole commence à se détacher des forces conservatrices et à concevoir de nouvelles formes d'agriculture (planification, organisation des marchés, coopératives). Aujourd'hui, le C.N.J.A., qui compte environ 60 000 adhérents, exerce une influence réelle au sein même de la F.N.S.E.A., où ses animateurs s'emparent progressivement des leviers de commande. Ainsi en octobre 1971, M. Debatisse, ancien animateur du C.N.J.A., est élu président de la F.N.S.E.A. Une certaine relève s'opère donc. Après la guerre, les gros producteurs avaient pris le pouvoir au sein de la F.N.S.E.A., avec René Blondelle. Aujourd'hui, l'équipe sagement ouverte venue du C.N.J.A., assez représentative de l'exploitation moyenne en cours de modernisation, leur succède.

Enfin, une partie de la population paysanne paraît sensible à l'influence des partis de gauche (P.S.U., P.C.F. : *La Terre,* organe du P.C.F. voit sa diffusion augmenter régulièrement; elle est de 164 000 exemplaires, selon l'O.J.D., en 1972) et des organisations professionnelles issues de la même tendance : comme le M.O.D.E.F., Mouvement de défense des exploitants familiaux, dont l'implantation s'élargit et qui recueille environ un tiers des voix aux élections aux Chambres d'agriculture en 1974. En outre, la C.F.D.T. domine chez les salariés agricoles. A noter enfin, en 1975, la création du M.O.N.A.T.A.R. (Mouvement national des travailleurs agricoles et ruraux, qui situe son action « dans la mouvance de la gauche », pour l'instauration d'une société socialiste).

Une certaine radicalisation politique paraît s'opérer. Mais elle se cantonne, pour l'instant, à de petites minorités. Dans sa masse, la population paysanne conserve une orientation modérée et vote fidèlement pour la majorité.

Le poids des revendications paysannes. — En tout cas, en France — comme en Allemagne — la paysannerie jouit d'une influence politique considérable, sans rapport avec sa place dans la population et la production nationales. Malgré la décroissance de la population agricole depuis 1945 — seule parmi les pays industriels, l'Italie a encore le quart de sa population à la terre —, les organisations agricoles conservent tout leur poids auprès des élus et des gouvernants.

Désormais, cependant, le style des revendications prend parfois une allure brutale. Ainsi, pendant l'été 1974, les manifestations paysannes — souvent violentes — se multiplient : routes et voies ferrées barrées, récoltes invendues déversées sur la voie publique, cargaisons importées interceptées et détruites, porcs égorgés pendus aux grilles des préfectures, purin déversé sur la chaussée, opérations-éclair contre des bâtiments officiels et déprédations, etc. C'est l'été de la colère verte.

Les facteurs de la puissance paysanne. — Cependant, la puissance paysanne demeure une réalité. Elle s'appuie surtout sur deux facteurs. Le premier relève de la psychologie collective et du contexte socio-culturel : c'est le *mythe de la terre* et de la paysannerie, conservatoire des valeurs et des vertus traditionnelles, cher aux partis conservateurs. Pour ces derniers, la paysannerie apparaît encore — peut-être à tort — comme la « classe de soutien » naturelle contre les formations de gauche.

Second facteur, qui relève, lui, de la *sociologie électorale : la dispersion de l'électorat paysan dans l'ensemble du pays* le rend présent, et donc influent, dans la plupart des circonscriptions électorales. C'est évident pour les élections municipales et cantonales. C'est vrai aussi pour les élections à l'Assemblée nationale et surtout au Sénat — qualifié de « Chambre d'agriculture » : 53 % des électeurs sénatoriaux émanent des petites communes rurales de moins de 1 500 habitants. Avec ces inégalités de représentation, les régions rurales pèsent plus lourd que les régions urbaines.

b) *Les organisations patronales de l'industrie et du commerce.*

Après l'expérience corporative de Vichy, le *Conseil national du patronat français* (C.N.P.F.) succède à la Confédération générale de la production française (C.G.P.F.) à la Libération.

Il s'agit d'un groupement de superposition : les patrons n'adhèrent pas directement au C.N.P.F.; ils adhèrent à des Fédérations (par branches de production) ou à des Unions (par régions), elles-mêmes adhérentes du C.N.P.F. Le C.N.P.F. vise à représenter les grandes comme les petites entreprises, l'industrie comme le commerce; en son sein, les entreprises commerciales possèdent d'ailleurs une organisation autonome : le Conseil national du commerce.

Au total, par le *nombre* de ses adhérents indirects, le C.N.P.F. constitue un groupe de masses; mais par sa *structure,* il est typiquement un groupe de cadres (*infra,* p. 635).

Malgré sa prétention à représenter tous les patrons, le C.N.P.F. se trouve surtout dominé par les Fédérations représentant les grandes industries. D'où l'existence, en dehors du C.N.P.F., d'organisations propres aux entreprises industrielles de plus faible dimension et aux entreprises commerciales.

Fondée dès octobre 1944, la *Confédération générale des petites et moyennes entreprises* (C.G.P.M.E.) s'adresse aux entreprises qui n'excèdent pas une certaine taille (jusqu'à 50 salariés pour les petites, jusqu'à 300 pour les moyennes). Animée par la défiance envers les « trusts » et l'Etat « technocratique » soupçonné de vouloir brider l'initiative individuelle, la C.G.P.M.E. recourt à des interventions fréquentes : tri des candidats aux élections, sommations aux députés, voire au gouvernement, etc. C'est donc un groupe de pression utilisant des moyens plus ouvertement politiques — sinon plus efficaces — que le C.N.P.F.

A partir de 1952, le développement de l'*Union de défense des Commerçants et Artisans* (U.D.C.A.) de M. Pierre Poujade, vient concurrencer la C.G.P.M.E. Mais l'U.D.C.A. a surtout recruté dans le petit commerce, les P.M.E. maintenant mieux leur influence sur les entreprises moyennes.

Utilisant des thèmes d'extrême-droite (« poujadisme » est devenu synonyme de démagogie régressive) et des moyens bruyants et parfois violents, proche d'un « fascisme des classes moyennes » (S. M. Lipset), l'U.D.C.A. change de nature en 1956. *De groupe de pression, elle devient formation partisane* briguant le pouvoir, puisqu'elle présente des candidats et remporte une cinquantaine de sièges aux législatives du 2 janvier 1956.

Depuis 1957-1958, le Mouvement Poujade est en déclin. Redevenu surtout un groupe de pression, il soutient la majorité et ses candidats, notamment à l'élection présidentielle de 1969.

A noter, enfin, l'action du *C.I.D.-U.N.A.T.I.* de M. Gérard Nicoud, qui s'est surtout développée fin 1969-début 1970 (manifestations, meetings, appel à la grève de l'impôt, barrages sur les routes, etc.), et qui entend aussi défendre l'artisanat et le petit commerce contre les « super-marchés » et les « grandes surfaces ».

En 1973, sous la pression — très active — des commerçants et des artisans, le Parlement adopte la *loi d'orientation du commerce et de l'artisanat,* préparée par le ministre compétent, M. Jean Royer. Ce texte protège le petit commerce contre les « hyper-marchés ». Mais il limite la liberté d'établissement et l'exercice de la concurrence; il verse dans un certain corporatisme, avec l'institution et la composition des commissions départementales d'urbanisme commercial.

L'influence des organisations patronales. — Quelle est la puissance réelle de ces organisations patronales, et surtout de celles qui regroupent les entreprises industrielles, exclusivement (Federation of British

Industries, Bundesverband der Deutschen Industrie) ou principalement (C.N.P.F.) ?

Dans l'analyse *marxiste* élémentaire, le gouvernement et les parlementaires seraient manipulés, dirigés, par les organisations patronales, qui, en secret, tireraient les ficelles du jeu politique. Derrière le paravent démocratique, ces organisations seraient les véritables maîtres de l'Etat. A l'inverse, les *conservateurs et les libéraux* soutiennent que les institutions démocratiques ne sont pas formelles, mais réelles. Qu'en tout cas il y a équilibre entre la pression des forces populaires et la pression des forces capitalistes, qu'il y a pluralité des centres de décision ou d'influence (*infra*, p. 664).

Il conviendrait de distinguer l'influence *sectorielle* et l'influence globale. S'il s'agit de décisions concernant tel secteur d'activité, telle branche d'industrie, le poids de l'organisation patronale concernée se fait efficacement sentir. Mais il s'agit d'une décision *globale,* de politique générale, l'intervention du patronat est moins fréquente ou moins efficace.

Reste, tout de même, « *l'organisation de la reconnaissance* ». Les campagnes électorales de certaines formations sont financées en grande partie par le patronat (*infra,* p. 648). Ce qui produit des distorsions entre les campagnes démunies des candidats de gauche et les campagnes « somptuaires » d'autres candidats. L'ingratitude de ces derniers, une fois au pouvoir, ne saurait être totale.

Reste aussi, contre les gouvernements de gauche, accédant au pouvoir avec un programme de réformes qui inquiète le patronat, l'exercice éventuel de ce que Montesquieu aurait appelé la « *faculté d'empêcher* » : Herriot se brise contre « le mur d'argent » en 1924-1925. Léon Blum fait campagne contre « les deux cents familles », etc.

c) *Les organisations de salariés.*

Avant d'analyser les organisations générales, il faut mentionner les organisations de cadres et les organisations de classes moyennes.

• Les *cadres* (techniciens, ingénieurs, salariés supérieurs, chefs de service, etc.) forment des syndicats membres des organisations générales. Mais, en dehors de ces dernières, il existe aussi une *Confédération générale des cadres* (C.G.C.). Créée en 1944, elle groupe environ 250 000 adhérents. Ce syndicalisme pose des problèmes délicats, vu la situation hybride des cadres. Exerçant des *fonctions d'encadrement ou d'autorité,* les cadres croient à la discipline et à la hiérarchie. Mais, même pourvus de revenus appréciables, ils restent des *salariés,* conscients de la frontière qui les sépare des propriétaires de l'entreprise.

Récusant la lutte des classes, la C.G.C. hésite à prendre part aux manifestations dirigées contre l'action gouvernementale, même s'il lui arrive de participer à telle ou telle grève avec les syndicats ouvriers. Cette combativité réduite explique peut-être son efficacité réduite. Spécialement en matière fiscale, où les réformes de la Vᵉ République font peser lourdement sur les cadres salariés le poids de l'impôt sur le revenu.

En juin 1977, le congrès de la C.G.C. réélit à sa présidence M. Yvan Charpentié.

• Les groupements de *classes moyennes* ne se rattachent que de façon lointaine aux organisations de salariés. Ils visent essentiellement à réunir dans une même organisation les classes moyennes *traditionnelles* (travailleurs indépendants, commerçants, artisans, médecins, avocats, etc.) et les classes moyennes *nouvelles* (cadres salariés). Parfois, cette confusion aboutit souvent à sacrifier les intérêts des secondes à ceux des premières, spécialement en matière fiscale.

En janvier 1977, MM. Debatisse (président de la F.N.S.E.A.), Gingembre (président de la C.G.P.M.E.), Combe (président de l'A.P.C.M., l'Assemblée permanente des Chambres de métiers), Yvan Charpentié président de la C.G.C.) et le docteur Monier (président de la C.S.M.F., la Confédération des syndicats médicaux français) cosignent une lettre, adressée aux responsables départementaux de l'agriculture, de l'artisanat, des cadres, des professions libérales, des petites et moyennes entreprises, leur annonçant la création d'une « structure de réflexion et d'action » dénommée « *Groupes Initiative et responsabilité* » (G.I.R.).

S'adressant aux classes moyennes, les G.I.R. mettent, en effet, l'accent sur « le respect de l'initiative individuelle et de la responsabilité dans les entreprises et l'économie ». M. Louis Lauga, l'ancien président du C.N.J.A., devient secrétaire général des G.I.R.

• Les organisations *générales* de salariés sont évidemment — et de très loin — les plus importantes. Par tradition, on parle toujours de « *syndicats ouvriers* ». Mais aujourd'hui, dans les sociétés hautement développées, le secteur *tertiaire* (commerce et services) devient de plus en plus important. En 1971, il occupe 60,4 % de la population active aux Etats-Unis, 49,4 % en Grande-Bretagne, 48,7 % aux Pays-Bas. En 1975, il rassemble 47 % des actifs en France. Tandis que le secteur *secondaire* stagne ou recule. Si bien que les ouvriers d'industrie tendent à devenir minoritaires dans l'ensemble des salariés.

Le poids des syndicats ouvriers en Europe. — Ce poids croît évidemment en proportion du nombre de syndiqués et de l'unité syndicale.

Le syndicalisme français n'a que des moyens limités en effectifs comme en ressources matérielles. Le *nombre de syndiqués* doit représenter 20 % de la population active. Ce pourcentage est faible comparé à ceux d'autres pays : 30 % en Italie, 40 % en Grande-Bretagne et en Allemagne fédérale, 70 % en Belgique, 90 % en Suède.

En outre, au moins en ce qui concerne la population « ouvrière » *stricto sensu,* beaucoup de ces pays pratiquent une *unité syndicale* de principe ou de fait. Comme l'Allemagne, où la Confédération des syndicats allemands (D.G.B. : Deutscher Gewerkschaftsband) regroupe plus de six millions d'adhérents. Ou comme la Grande-Bretagne, où le puissant Trade Union Congress contrôle largement le Parti travailliste.

En France, en revanche, les divergences politiques ont divisé le syndicalisme ouvrier.

Un syndicat unique et regroupant la majorité des salariés possède évidemment une efficacité accrue. Et vis-à-vis du *patronat :* la crédibilité d'un ordre de grève est sans faille et son pouvoir de dissuasion intact; le patronat ne peut plus miser sur des dissensions internes et des surenchères, qui affaibliraient son partenaire. Et vis-à-vis des *instances politiques* — gouvernement et partis — obligées de compter avec cette puissante force socio-économique.

Les syndicats ouvriers en France. — La France compte trois grands syndicats ouvriers; cette division des forces syndicales résulte, en grande partie, de dissensions politiques.

— La *Confédération générale du travail* (C.G.T.) est, à la fois, la plus ancienne et la plus puissante. Fondée en 1895, elle déclarait grouper 2 400 000 adhérents en 1976.

En 1921, une scission se produit à la C.G.T., parallèlement à la scission de la S.F.I.O. au congrès de Tours de 1920. Mais avec un résultat inverse : à Tours, les communistes avaient obtenu la majorité; ici ils animent, pour l'essentiel, la minorité. En décembre 1921, cette minorité constitue la *Confédération générale du travail unitaire* (C.G.T.U.). Désormais les divisions et les réunifications de la gauche syndicale reproduiront les dissensions et les retrouvailles de la gauche politique.

En 1935-1936, dans le climat du Front populaire qui se prépare, c'est la réunification, qui a lieu au congrès de Toulouse, le 5 mars 1936. Mais, en septembre 1939, quand la guerre éclate, c'est, de nouveau, l'expulsion des dirigeants ex-C.G.T.U. La communauté de lutte dans la Résistance reconstitue l'unité (accords du Perreux, du 17 avril 1943). Au lendemain de la Libération, la C.G.T. se trouve dominée par l'influence communiste.

— Les grèves de 1947 provoquent une nouvelle division. Mais cette fois, c'est la tendance modérée qui fait scission en décembre 1947, et qui constitue, en 1948, la Confédération générale du travail-*Force ouvrière* (C.G.T.-F.O.).

Cette ultime scission coïncide avec la rupture du tripartisme (P.C.-S.F.I.O.-M.R.P.), et plus spécialement avec la rupture entre le P.C. et la S.F.I.O., consommée par l'éviction des ministres communistes du gouvernement Ramadier (5 mai 1947). Cet anti-communisme de naissance marquera durablement F.O. Il empêchera longtemps toute action commune avec la C.G.T.

Par son recrutement, son implantation (forte parmi les fonctionnaires), ses sympathies, F.O. a été longtemps assez proche de la S.F.I.O. Mais, depuis quelques années, le parti socialiste semble plus en harmonie avec la C.F.D.T.

Selon son secrétaire général, M. Bergeron (rapport au 12ᵉ congrès, Toulouse, 1974), F.O. compte 850 000 adhérents, retraités compris. F.O. exerce son influence prépondérante dans la fonction publique, où elle compte environ 50 % de ses membres, 25 % se trouvant dans le secteur nationalisé et le dernier quart dans le secteur privé.

A la différence de la C.G.T. et de la C.F.D.T., qui, toutes deux, se réclament désormais de la lutte des classes, F.O. incarne le syndicalisme résolument *réformiste*. La masse des adhérents appuie cette ligne réformiste pragmatique et patiente de la direction confédérale. Mais, la liberté d'expression y étant totale, F.O. compte aussi quelques courants très minoritaires : anarchistes, tels que Maurice Joyeux, anarcho-syndicalistes, trotskystes. Ainsi, Mˡˡᵉ Laguiller est membre de F.O.

— Troisième grande centrale syndicale : *la Confédération française démocratique du travail* (C.F.D.T.). Née en 1919 sous le nom de *Confédération française des travailleurs chrétiens* (C.F.T.C.), cette organisation, avant 1939, reposait surtout sur les syndicats d'employés (et plus encore d'employées) : sa combativité et son influence étaient limitées. Depuis la Libération, des animateurs venus de la J.O.C.

(Jeunesse ouvrière chrétienne) lui ont donné une impulsion nouvelle, en l'inclinant vers la gauche.

Si bien qu'en 1945, la C.F.T.C. s'est trouvée *fort proche du M.R.P.* (Mouvement républicain populaire), auquel elle fournissait nombre de militants et de dirigeants.

Mais à partir de 1947-1948, l'évolution des deux organisations a été dissemblable. En schématisant, on peut dire que le M.R.P. évoluait de gauche à droite, pendant que la C.F.T.C. évoluait de droite à gauche. Cette « *poussée à gauche* » s'est poursuivie sous l'influence croissante des « minoritaires » dont l'un des dirigeants, M. Eugène Descamps, devient, en 1961, secrétaire général de la Confédération.

En *novembre 1964,* le Congrès décide la transformation de celle-ci en *Confédération française démocratique du travail* (C.F.D.T.). Signe de « *déconfessionnalisation* », la disparition du C final entend ouvrir l'organisation à une clientèle nouvelle. Une faible majorité, implantée surtout chez les mineurs, refuse d'accepter cette laïcisation et se constitue en « *C.F.T.C. maintenue* ».

La C.F.T.C., présidée par M. Jacques Tessier depuis 1970, rejette à la fois les excès du libéralisme économique et le « socialisme matérialiste ». Organisation réformiste, la C.F.T.C. rejette la lutte des classes et la révolution. Elle refuse de s'engager sur le terrain politique. A la différence de la C.F.D.T., la C.F.T.C. réunit 200 000 adhérents.

Dans la plupart des domaines, la C.F.D.T. se situe entre F.O. et la C.G.T., avec laquelle elle a engagé de nombreuses actions communes, d'abord au plan local, puis, à partir de 1966, au plan national.

En *mai 1968,* la C.F.D.T. s'est montrée plus réceptive que la C.G.T. aux thèmes nouveaux. Alors que la C.G.T. privilégiait les revendications « quantitatives » (augmentations salariales), la C.F.D.T. n'omettait pas les revendications « qualitatives », visant à modifier la condition du travailleur dans l'entreprise (« contrôle ouvrier », autogestion, etc.).

A la fin du mois de mai 1968, cette divergence débouche sur une traduction politique concrète. Le 27 mai, la C.F.D.T. organise avec l'U.N.E.F. et le P.S.U. la manifestation du stade Charléty, qui lance des mots d'ordre révolutionnaires et hostiles au P.C.F. Le 29 mai au contraire, le P.C.F. et la C.G.T. organisent, de la Bastille à Saint-Lazare, un cortège qui prend comme slogan majeur : « gouvernement d'union démocratique ».

Cette divergence sensible affectera, dès lors, les relations entre la C.G.T. et la C.F.D.T. Cependant, en décembre 1970, les deux centrales contracteront un nouvel accord en vue d'une action commune.

Entre-temps, la C.F.D.T. a poursuivi sa radicalisation. En *mai 1970*, à son *35e Congrès* confédéral, elle se donne pour objectif de « substituer à la société capitaliste et technocratique *une société socialiste* et démocratique », qui assure à chacun « la possibilité de construire librement sa personnalité ». Les « trois caractéristiques de la société à construire » sont : « Autogestion. Propriété sociale des moyens de production et d'échanges. Planification démocratique. »

A ces perspectives correspond une nouvelle stratégie : « La stratégie de la C.F.D.T. est une *stratégie offensive* tendant, à travers la *lutte des classes* », à hâter l'instauration de cette société. » Une telle action « implique que soient actualisés les rapports entre les courants et les partis politiques concernés, d'une part, et le syndicalisme, d'autre part » (1).

Au 31 décembre 1975, la C.F.D.T. estimait rassembler 1 045 000 adhérents, dont 804 000 cotisants réguliers. *L'unité d'action* est maintenue avec la C.G.T. L'alliance, conclue en janvier 1966, confirmée en 1970, est reconduite en juin 1975. Cet « accord offensif » vise à renforcer la « dynamique unitaire », après la campagne présidentielle d'avril-mai 1974 qui voit militants cégétistes et cédétistes s'engager côte à côte dans le soutien au candidat commun de la gauche.

En mai 1976, la C.F.D.T. tient son 37e congrès à Annecy et conçoit les élections de 1978, si elles sont remportées par la gauche, comme une étape vers le *socialisme autogestionnaire*. En juin 1977, son conseil national adopte une plate-forme de revendications et d'objectifs immédiats », qui met aussi l'accent sur ce point. En ce sens, M. Edmond Maire déclare : « Changer la société, c'est certes, mettre bas la domination capitaliste, mais c'est en même temps réfuter toute appropriation du pouvoir par les techniciens et chef de partis..., c'est rendre les travailleurs actifs dans tous les domaines de leur vie, c'est éliminer tous les mécanismes de domination politiques, sociaux, sexuels. Bref, c'est considérer la dimension autogestionnaire comme la dimension centrale du socialisme. »

Syndicalisme et politique en France. — Un des problèmes constants posés aux syndicats, est, bien sûr, celui des rapports entre l'action syndicale et l'action politique.

(1) Ce document d'orientation se trouve reproduit dans l'ouvrage collectif présenté par E. Descamps et intitulé *La C.F.D.T.*, 1971.

L'apolitisme des origines. — La tradition apolitique provient des origines, c'est-à-dire du *syndicalisme révolutionnaire* et de *l'anarcho-syndicalisme.* Pour les fondateurs de la C.G.T., le syndicat, société parfaite, se suffit à lui-même. Il est le germe de l'avenir.

Pour *Pelloutier :* « Les groupes corporatifs sont les cellules de la société fédéraliste prochaine. » Sa vision de la société future s'apparente à celle de Proudhon, de Bakounine et de la tradition libertaire. Il s'agit, à partir du syndicat, de bâtir une société nouvelle.

Pouget écrit aussi : « Le syndicalisme ne vise pas à une simple modification du personnel gouvernemental, mais bien à la *réduction de l'Etat à zéro,* en transportant dans les organismes syndicaux les quelques fonctions utiles qui font illusion sur sa valeur, et en supprimant les autres purement et simplement. »

Ce n'est donc pas un apolitisme de réserve ou de prudence. Mais un *apolitisme de combat,* méfiant envers les organisations politiques, et préconisant « l'*action directe* ». *Griffuelhes* l'explique : « Action directe veut dire action des ouvriers eux-mêmes... Par action directe, l'ouvrier *crée lui-même sa lutte;* c'est lui qui la conduit, décidé à ne pas s'en rapporter à d'autres que lui-même du soin de se libérer » (*in* J. Capdevielle, R. Mouriaux, *Les syndicats ouvriers en France,* 1970, p. 12).

Dans ses *Réflexions sur la violence* (1908), Georges Sorel théorise cette volonté de développement autonome des syndicats ouvriers.

La Charte d'Amiens (1906). — Dans ce contexte d'hostilité envers l'Etat et le jeu politique, la Charte d'Amiens que la C.G.T. adopte à son congrès de 1906, prend tout son sens :

« La C.G.T. groupe, *en dehors de toute école politique,* tous les travailleurs conscients de la lutte à mener pour la disparition du salariat et du patronat...

« Le Congrès considère que *le syndicat,* aujourd'hui groupement de résistance, sera, dans l'avenir, le groupement de production et de répartition, *base de réorganisation sociale.*

« Le Congrès affirme l'entière liberté, pour le syndiqué, de participer, en dehors du groupement corporatif, à telles formes de lutte correspondant à sa conception philosophique ou politique, se bornant à lui demander, en réciprocité, de *ne pas introduire dans le syndicat les opinions qu'il professe au dehors.* »

Cet apolitisme n'est donc nullement la marque de la prudence ou de la réserve. Comme le note J.-D. Reynaud : « La C.G.T. ignore les partis parce qu'elle entend que la révolution les supprime, avec tout l'appareil d'Etat et le jeu parlementaire. La Charte d'Amiens est moins un pacte de neutralité qu'une proclamation de méfiance à l'égard de toute l'organisation politique » (*Les syndicats en France*, 2e éd., 1967, p. 63).

Le tournant de 1921. — Mais l'effondrement de 1914, le ralliement de la C.G.T. à l' « Union sacrée », les transformations de l'industrie et de l'action ouvrière imposées par la guerre, la grande crise de 1920, enfin, ont emporté le vieil anarcho-syndicalisme. Il a tout de même laissé un héritage : l'antiparlementarisme, encore latent en milieu syndical.

A partir de 1921, à la C.G.T. comme à la C.G.T.U., on sacrifie le credo de l'autonomie des producteurs, *on rend sa place à l'Etat. Soit pour coexister avec lui :* réformistes de la C.G.T. : dès 1918, Léon Jouhaux, secrétaire général de 1909 à 1947, déclare : « Il faut renoncer à la politique du poing tendu pour adopter une politique de présence dans les affaires de la nation... Nous voulons être partout où se discutent les intérêts ouvriers. » *Soit pour conquérir l'Etat par la révolution :* minoritaires de la C.G.T.U.

A la C.G.T.U., en effet, les communistes l'emportent bientôt sur la vieille garde anarcho-syndicaliste. Et avec eux tend à prévaloir l'analyse de *Lénine*, qui subordonne le syndicat au parti, qui voit dans les syndicats « *le mécanisme de transmission du parti communiste aux masses* ». Malgré certaines réticences, les liens de la C.G.T.U. avec le P.C.F. se resserrent peu à peu.

Jean-Daniel Reynaud souligne ce tournant, pris à la C.G.T.U. comme à la C.G.T. : « De part et d'autre, *on admet que le syndicalisme n'est plus le mouvement total qui suffit aux salariés :* lié à un parti dans son entreprise de révolution ou jouant habilement de son audience au Parlement et dans l'opinion, *il cesse de faire cavalier seul* » (*op. cit.*, p. 71).

Climat politique et climat syndical. — Désormais (cf. *supra*, p. 612), le climat syndical *reflétera* le climat politique. *A deux reprises, la C.G.T. se réunifie : de 1936 à 1939, puis de 1943 à 1947.* Dans les deux cas, cette réunification correspond à un regroupement des partis (Front populaire de 1936) ou des forces politiques (l'accord du Perreux d'avril 1943 suit la constitution du Conseil national de la Résistance).

A l'inverse, *en 1947, la rupture de l'unité* coïncide avec la rupture de l'unité d'action entre communistes et socialistes et l'éviction des ministres communistes du gouvernement Ramadier en mai 1947. Cette fois, les majoritaires restent à la C.G.T., et les minoritaires fondent la C.G.T.-F.O., officiellement constituée en avril 1948.

Si bien qu'à cette date la correspondance entre action syndicale et action politique semble évidente. Chacune des trois grandes centrales est plus ou moins proche d'un parti politique : la C.G.T. du P.C.F.; F.O. de la S.F.I.O.; et la C.F.T.C. du M.R.P.

Les difficultés de l'apolitisme. — Car, hier comme aujourd'hui, l'apolitisme syndical n'est guère possible. Dès que l'Etat a une *politique économique,* il trace un cadre à l'action syndicale. Il agit sur l'emploi, la monnaie, les prix, les débouchés extérieurs, etc. Le syndicalisme peut-il assister passivement à ce choix ?

De plus, la politique économique d'un Etat n'est pas séparable de sa *politique d'ensemble.* Qu'il s'agisse de construire des écoles ou des hôpitaux, d'aider les pays en voie de développement, de mettre sur pied une force nucléaire, ces dépenses sont des emplois du revenu national. Elles ne peuvent être sans conséquences sur la consommation des ménages, les salaires, les transferts sociaux, etc. C'est-à-dire sur la situation des syndiqués.

Cela dit, les *syndicats* hésitent à troquer la *contestation* contre *l'intégration,* leur participation à diverses commissions et procédures de négociation ou de consultation (notamment au Plan, au Conseil économique et social, etc.) pouvant donner l'impression de légitimer un ordre social condamné. Le refus de l'intégration du syndicalisme à l'Etat est vigoureux dans les trois centrales.

Du côté de *l'Etat,* existe un autre type de réticences. Aux yeux de l'Etat, les syndicats, comme tout groupe d'intérêts, représentent des *intérêts particuliers.* En tant que tels, ils n'ont pas à prendre la place des représentants de la nation, habilités par l'élection à parler pour le pays tout entier.

Vis-à-vis des *partis,* ces pièces du jeu politique, les syndicats continuent d'insister aussi sur leur indépendance. Mais, en fait, il ont — ou ont eu — avec les partis des liens, fort différents d'ailleurs selon les centrales.

Syndicats ouvriers et partis politiques en France. — Au demeurant, le problème des *rapports partis-syndicats* se pose sous un jour nouveau. Les *partis* de gauche en général, le P.C., le P.S. et le P.S.U. en particulier, entendent ne pas limiter leur action à ce qu'on peut appeler le « domaine traditionnel » de la politique (assemblées locales, Parlement). Ils entendent agir aussi au plan des luttes sociales, dans les entreprises, les universités, les quartiers, etc. En élargissant ainsi leurs perspectives, les partis se trouvent fatalement confrontés à leur partenaires syndicaux. Y a-t-il là *concurrence ou complémentarité ?*

A l'inverse, les *syndicats* qui se limitaient, jusqu'à une période encore récente, à une action strictement économique et professionnelle, semblent eux-mêmes appelés à prendre position et à agir dans des domaines plus vastes : transports, santé, logement, éducation, politique générale, etc.

D'où la difficulté — mais aussi la nécessité — pour les partis et les syndicats de coordonner leur action.

Le principe de l'indépendance syndicale. — En théorie, chacune des trois grandes centrales continue de se réclamer du principe de l'indépendance syndicale.

Ainsi, l'article 8 des statuts adoptés par la C.F.D.T. en 1964 dispose : « La Confédération estime nécessaire de *distinguer ses responsabilités de celles des groupements politiques,* et entend garder à son action une *entière indépendance* à l'égard de l'Etat, des partis, des Eglises, comme de tout groupement extérieur. »

De même, le secrétaire général de *F.O.*, M. Bergeron, insiste sur « *le respect rigoureux de l'indépendance syndicale* » : « Nous attendons de nos membres qu'ils n'introduisent pas dans nos syndicats des consignes prenant leur source à l'extérieur du mouvement syndical, en particulier dans les partis politiques » (Déclaration dans *France-Soir* du 11 décembre 1970).

Enfin, de manière plus nuancée, les statuts de la *C.G.T.* (avec les rectifications du congrès de novembre 1969) disposent aussi dans leur préambule :

« Le mouvement syndical... décide de son action dans *l'indépendance absolue* à l'égard du patronat, des gouvernements, des partis politiques, des sectes philosophiques ou autres groupements extérieurs.

« Il se réserve le droit de répondre favorablement ou négativement aux appels qui lui seraient adressés par d'autres groupements en vue d'une action déterminée. Il se réserve également le droit de prendre l'initiative de ces *collaborations momentanées,* estimant que *sa neutralité à l'égard des partis politiques ne saurait impliquer son indifférence à l'égard des dangers* qui menaceraient les libertés publiques, comme les réformes en vigueur ou à conquérir. »

L'incompatibilité des mandats. — Cependant, à la différence des deux autres centrales, la C.G.T. a, depuis son congrès de 1946, officiellement abandonné la règle de *l'incompatibilité des mandats,* qui interdisait à un dirigeant de syndicat d'exercer une fonction de direction dans un parti.

• Dès lors, *les liens entre la C.G.T. et le P.C.F.* sont réels. Si, à la base, il ne doit guère y avoir plus d'un adhérent communiste sur dix syndiqués, au sommet la proportion devient d'un sur deux (cf. J. Ranger, G. Adam, « Les liens entre le P.C.F. et la C.G.T. », *RFSP*, fév. 1969).

Le secrétaire général de la C.G.T., M. Georges Séguy, est membre du Bureau politique du P.C.F. De façon générale, la C.G.T. a toujours épousé les attitudes du P.C.F.

• *F.O.* reste attachée à l'*incompatibilité des mandats. Mais elle a longtemps entretenu des liens privilégiés avec la S.F.I.O.* sous la IVe République. Il n'y avait pas de dépendance, mais souvent de l'aide mutuelle et une communauté d'adhérents. De plus, les appareils étaient souvent proches, et le passage de l'un à l'autre était loin d'être exceptionnel.

Depuis quelques années, il est vrai, F.O. marque son autonomie, et insiste sur son strict apolitisme. Ainsi, la confédération ne s'est pas engagée dans la campagne présidentielle de 1974, malgré la présence du premier secrétaire du P.S. parmi les candidats.

• Enfin, la *C.F.T.C.* avait, dès 1946, affirmé l'incompatibilité des mandats confédéraux et des responsabilités politiques. Très tôt, d'ailleurs, les distances s'étaient affirmées à l'égard du M.R.P. Evoluant vers la gauche tandis que le M.R.P. glisse vers la droite, la C.F.T.C. devient de plus en plus méfiante envers les parlementaires, même ceux sortis de ses rangs.

En toute hypothèse, la fusion du M.R.P. au sein du Centre démocrate (constitué en décembre 1965), sa disparition officiellement consommée en octobre 1967, privent la C.F.D.T. de parti « correspondant ».

D'une certaine manière, ce rôle a été un peu assumé par la *F.G.D.S.;* car, par le biais de certains clubs, les « *chrétiens progressistes* » étaient déjà présents en force au sein de cette organisation politique. De même, la C.F.D.T. semblait proche du P.S.U., surtout en mai 1968.

Ainsi, dans les années récentes, la C.F.D.T. se situe nettement au côté des partis de gauche. Dès 1970, elle se prononce pour un socialisme autogestionnaire. Certes, aux *législatives de 1973,* la C.F.D.T., à la différence de la C.G.T., ne soutient pas le programme commun, jugé trop peu autogestionnaire. Mais aux *présidentielles de 1974*, elle appuie le candidat commun de la gauche, M. Mitterrand, premier secrétaire du P.S.

En effet, le P.S. a la faveur des militants cédétistes. M. Eugène Descamps (à qui M. Edmond Maire succède comme secrétaire général de la C.F.D.T.) y adhère dès septembre 1971. Et, en juin 1974, dix membres du bureau national de la C.F.D.T. souscrivent à un appel, lancé par M. Mitterrand, en faveur d' « *assises nationales du socialisme* ».

Ils y reconnaissent « la nécessité *d'une force socialiste puissante et populaire,* insérée dans toutes les luttes sociales, dans et hors de l'entreprise, et capable d'être un pôle de rassemblement autour d'un projet socialiste fondé sur l'autogestion ». Ils entendent donc contribuer « à la constitution d'une *force politique* cohérente ». (*Le Monde* du 12 juin 1974).

Ainsi, la direction de la C.F.D.T. opte finalement pour la constitution d'une force socialiste, qui, au niveau politique, pourrait être son répondant (*infra*, p. 653). Et plusieurs dirigeants de la C.F.D.T. appartiennent au P.S.

Les organisations de consommateurs. — A côté des organisations professionnelles de producteurs, il existe maintenant des organisations de consommateurs.

Le « *consumerism* », l'action des consommateurs, se développe d'abord aux Etats-Unis. A l'initiative d'un jeune avocat, Ralph Nader, qui dénonce la mauvaise qualité des produits offerts aux consommateurs, les hausses de prix excessives, les pratiques commerciales abusives, la publicité mensongère, etc. Dans plusieurs livres à succès : *Unsafe at Any Speed* (*Ces voitures qui tuent*, tr. 1966 : sur l'insécurité de certaines automobiles), *Le Festin empoisonné* (tr. 1971 : sur l'usage des produits chimiques par l'industrie alimentaire, la pollution de l'air et de l'eau), etc.

Dressés contre la Général Motors, les trusts et les pollueurs, Nader, ses équipes et ses émules ont obtenu des résultats importants et concrets : vote de lois protectrices, abandon de pratiques abusives, etc.

Ce mouvement des consommateurs gagne l'Europe. Il demeure faible et mal organisé en France, malgré l'existence de plusieurs associations de défense des consommateurs, de l'Institut national de la consommation et d'une secrétaire d'Etat à la consommation. D'où l'idée lancée d'instituer, à l'exemple de la Suède, un ombudsman ou un médiateur des consommateurs (2).

2° Les groupes d'idées

En gros, on tend à identifier groupes d'intérêts et organisations professionnelles, d'une part, groupes d'idées et organisations non professionnelles, d'autre part. Commode pour l'exposé, cette classification a deux torts.

Elle omet d'abord qu'il existe des intérêts non professionnels. Elle omet aussi qu'intérêts matériels et intérêts moraux se trouvent parfois indissociables. Ainsi, les groupements féminins, non réunis par la communauté de profession, poursuivent des intérêts à la fois moraux (émancipation et promotion de la femme) et matériels (égalité dans l'emploi et les salaires).

Sous cette double réserve, cette catégorie des « groupes d'idées » peut être retenue pour regrouper les organisations militant *plutôt* pour la promotion d'idées, d'intérêts moraux, que pour la conquête d'intérêts matériels.

Cette catégorie est nécessairement *hétéroclite* et rassemble des groupements très nombreux et très divers. En effet, à certains moments et dans certains domaines, *tout* groupement peut être tenté d'exercer une pression politique, même s'il est en lui-même très éloigné de l'action politique.

Il est donc utile de retenir quelques sous-catégories principales.

Les groupements idéologiques et confessionnels. — Toute Eglise peut être tentée d'exercer une influence sur les pouvoirs publics. En France c'est essentiellement le cas de l'Eglise catholique, qui intervient par ses organes officiels (Assemblée des cardinaux et archevêques, Assemblée plénière de l'épiscopat) ou par ses groupements de fidèles (Action catholique, etc.). Soit pour défendre des positions générales, voire politiques. Soit pour défendre des intérêts plus particuliers (comme l'aide à l'enseignement privé).

Les mouvements catholiques sont *spécialisés*. Selon l'âge : il existe ainsi des mouvements d'enfants (Cœurs Vaillants) et de jeunes (J.O.C., etc.). Selon

(2) R.-G. Schwartzenberg, *Deux médiateurs, Le Monde* du 6 juillet 1974.

le sexe de leurs adhérents : Action catholique générale des hommes, Action catholique générale féminine. Selon les catégories socio-professionnelles : la J.O.C., l'Action catholique ouvrière s'adressent uniquement à des ouvriers, le Mouvement de la jeunesse rurale catholique (ex-J.A.C.), le Mouvement familial rural (M.F.R.) à des agriculteurs, etc.

Il existe une presse catholique, émanant de plusieurs groupes de presse : Bayard-Presse (ex-Maison de la Bonne Presse), qui publie *La Croix* (quotidien), *Le Pèlerin* (hebdomadaire), etc.; les Publications de la Vie catholique, qui regroupent *La Vie catholique illustrée, Télérama, Informations catholiques internationales,* etc. Le premier groupe est lié aux Assomptionnistes, le second aux Dominicains. A signaler aussi les revues publiées par les Jésuites (*Etudes, Projet,* etc.). Ainsi que l'hebdomadaire *Témoignage chrétien,* qui incarne le catholicisme de gauche.

A cette sous-catégorie — groupements idéologiques et confessionnels —, on peut rattacher les organisations qui militent soit pour (Associations des parents d'élèves de l'enseignement libre, Association parlementaire pour la liberté de l'enseignement) soit contre (Comité national d'action laïque) l'aide à l'enseignement libre.

Les groupements à objectif spécialisé. — Il s'agit de groupes luttant pour *la défense d'une cause particulière* : les droits de l'homme (Ligue des Droits de l'homme), la lutte contre le racisme (Mouvement contre le racisme, l'antisémitisme et pour la paix; Ligue internationale contre le racisme et l'antisémitisme), l'Europe (Gauche européenne, Mouvement fédéraliste européen), le désarmement, la défense de l'environnement (comme l'Environmental Planning Lobby, qui coordonne l'action de plusieurs groupements aux Etats-Unis), l'arrêt de la croissance démographique (comme le Zero Population Growth aux Etats-Unis), la liberté (Mouvement pour la liberté de l'avortement et de la contraception, Choisir, etc.) ou l'interdiction (Laissez-les vivre) de l'avortement et de la contraception, etc.

Il faut encore citer d'autres groupes militant pour une ambition plus limitée : la tempérance (Anti-Saloon League aux Etats-Unis, où les ligues de « moralité » sont nombreuses), l'observance ou la non-observance du repos dominical (Lord's Day Observance Society et Sunday Freedom Association en Grande-Bretagne), la protection des animaux (Royal Society for the Prevention of Cruelty to Animals, fondée dès 1824 dans ce même pays), etc.

Les groupements de condition. — On entend par là les organisations qui regroupent des membres *partageant la même condition socio-démographique ou sociale.*

Il s'agit, par exemple, des mouvements de *jeunesse,* dont l'influence politique est généralement faible, à l'exception des mouvements de jeunesse catholique : J.O.C., Mouvement de la jeunesse rurale catholique (ex-J.A.C.), etc. Il s'agit encore des organisations d'*étudiants :* la plus importante, l'Union nationale des étudiants de France (U.N.E.F.) suit un cours sinusoïdal quant à l'efficacité de son influence. Influente au moment de la guerre d'Algérie, elle perd de l'importance jusqu'à mai 1968 qui lui redonne un second souffle. Mais, depuis, l'abondance des dissensions internes a, de nouveau, réduit son influence.

A signaler aussi les mouvements de *lycéens* et de collégiens, et spécialement l'U.N.C.A.L. (Union nationale des comités d'action lycéens). Créée en 1968, proche du P.C.F., cette organisation affirme regrouper 30 000 adhérents (6e Congrès, février 1974). L'U.N.C.A.L. a animé le vaste mouvement de protestation contre la loi Debré et la suppression des sursis militaires en mars-avril 1973, ainsi que les manifestations contre le projet Fontanet, de réforme de l'enseignement secondaire en mars 1974.

Il faut aussi citer les mouvements *féminins,* dont on sait l'importance aux Etats-Unis (*supra,* p. 407). En France, à quelques exceptions près — dont le Mouvement de libération des femmes, la Ligue du droit des femmes, etc. (*supra,* p. 409) — ceux-ci sont beaucoup plus modérés et poursuivent une action analogue à celle des mouvements *familiaux.* Les principaux d'entre eux servent à étendre l'influence de l'Eglise catholique : comme l'Action catholique générale féminine. Mais les mouvements féminins et familiaux proches du P.C.F. ont aussi une grande importance, notamment l'Union des femmes françaises.

Aux groupements de condition peuvent aussi se rattacher les *associations d'anciens combattants,* qui sont à la fois des groupes d'intérêts (pensions, retraites, etc.) et des groupes d'idées. Sous ce dernier aspect, leur influence s'exerce généralement en faveur de la droite, voire de l'extrême-droite. *Parfois même, ces associations sont à l'origine de véritables partis.* Ce fut le cas, dans l'entre-deux-guerres, en Italie, en Allemagne, puis en France où les Croix de Feu, constitués en ligue, participent au 6 février, puis se transforment en Parti social français.

Cependant certains groupements d'anciens combattants font pression dans le sens opposé, de même, généralement, que les amicales de résistants et de déportés.

Les groupements civiques. — Dans la tradition du libéralisme américain, M. John Gardner, naguère secrétaire à la Santé et à l'Education dans l'Administration Johnson, a fondé, en août 1970, *Common Cause*. Qu'il définit lui-même comme « *un lobby national de citoyens* », visant à « *exercer des pressions dans l'intérêt du public* » sur les problèmes d'intérêt général les plus divers (3). *Common Cause* a fait campagne pour démocratiser et moraliser le système politique (vote à 18 ans, limitation des dépenses engagées pour les campagnes électorales) et social (égalité des droits pour les femmes, réforme de l'aide sociale, etc.).

En l'espace d'un an, ce « lobby des citoyens » avait déjà réuni 230 000 membres, versant tous une cotisation minimum de 15 dollars. Objectif : *mettre au service de l'intérêt public les méthodes* utilisées jusqu'à présent, dans les coulisses, par d'innombrables groupes de pression pour la défense d'intérêts particuliers.

De même, on le sait (*supra*, p. 366), Ralph Nader prolonge aujourd'hui la défense des consommateurs par la *défense des citoyens*. Pour faire pression sur les pouvoirs publics et obtenir d'eux une gestion plus active et plus efficace, la « production » de lois et de décisions de meilleure qualité, etc. Ainsi, dans *Who Runs Congress ?* (1972, tr. *Main basse sur le pouvoir*, 1973). Nader explique comment les citoyens pourraient contraindre le Congrès à mieux exercer ses prérogatives, à mieux servir l'intérêt public (4).

Les sociétés de pensée et les clubs. — A ces groupements civiques s'apparentent, en Europe, les sociétés de pensée et les clubs. Au XVIIIe siècle, ce sont les sociétés de pensée, groupements intellectuels et philosophiques, qui ont élaboré les thèmes de la Révolution française et préparé celle-ci. De même, en 1848, ce sont les clubs qui animent la Révolution.

Sous la IIIe République, la franc-maçonnerie et la Ligue des Droits de l'homme (fondée en 1898) exercent une influence analogue pour la défense de la République et de la laïcité. De même, en 1901, le Parti radical se constitue par la réunion de divers comités, associations et

(3) *Le Monde* du 2 septembre 1971.
(4) Cf. R.-G. SCHWARTZENBERG, *Le citoyennisme*, *L'Express* du 4 juin 1973.

sociétés de pensée. L'année précédente, en Angleterre, la Fabian Society contribue à la création du Labour Party.

Aujourd'hui ces sociétés de pensée revivent dans les *clubs,* fondés sous la IVe République (le premier est le club des Jacobins fondé par M. Charles Hernu dès 1951) et surtout au début de la Ve République (le Club Jean-Moulin, Citoyens 60, la Ligue pour le Combat républicain, etc.). Les premiers clubs sont nés à gauche. Mais, depuis 1965, quelques-uns appartiennent à la majorité : Nouvelle Frontière, Clubs Perspectives et Réalités, etc.

L'objectif des clubs. — Ambition commune, surtout à gauche : *pallier la carence et la sclérose des partis,* remplacer leur langage vieilli, leurs programmes inadaptés, élaborer des solutions nouvelles, adaptées aux besoins actuels de la société française, *inciter les partis à la rénovation programmatique et structurelle,* au regroupement. Dès lors, ils rassemblent tous ceux qui, sans dédaigner l'activité civique et politique, refusent cependant de militer dans des partis vieillis et archaïques. Les « *clubistes* », au moins à l'origine, *ne participent pas aux élections et à la vie parlementaire.* Les clubs ne sont pas des partis : *ils font pression sur les partis,* le gouvernement, l'opinion.

Selon les *types* d'organisations, cette position marginale — difficile à tenir — sera plus ou moins respectée. En fait, plusieurs clubs s'engageront dans des entreprises de *regroupement* aux côtés de forces politiques et se transformeront en formations partisanes.

— **Typologie des clubs.** — Avec Janine Mossuz (*Les clubs et la politique en France,* 1970), il faut en effet distinguer les sociétés de pensée et les clubs de combat politique.

a) Les *sociétés de pensée* naissent à gauche, entre 1955 et 1963. Elles rassemblent des membres qui, ensemble, veulent *réfléchir* aux problèmes concrets de la société contemporaine. Elles se défient des idéologies, des appareils partisans et des tractations électorales. Parmi ces sociétés de pensée, J. Mossuz sous-distingue deux types.

Les « *pures* » — Rencontres, Positions —, « par souci du dialogue et par foi en leur mission d'information », *tiennent à conserver un relatif apolitisme et n'envisagent pas d'entrer un jour dans l'arène politique* ».

Les « *déchirées* » — le Club Jean-Moulin, le Cercle Tocqueville, Citoyens 60, Démocratie nouvelle, etc. —, « tout en professant un certain dédain vis-à-vis des jeux et des hommes politiques, se demandent parfois si, pour être efficaces, elles ne devraient pas s'unir et jouer le rôle du brain-trust, d'un leader ou du laboratoire d'idées d'un parti. Certaines, comme Tocqueville, comme Jean-Moulin, seront amenées à *s'engager à leur tour dans le combat politique.* Rares sont cependant celles qui s'y trouvent parfaitement à l'aise et qui resteront longtemps sur le ring : aussi les appellerons-nous « les déchirées » (*op. cit.*, p. 10-11).

b) Les *clubs de combat politique* naissent dès 1951, puis surtout dans les premières années de la Ve République. A la différence des « sociétés de pensée », tous ont en commun d'avoir été *créés par des hommes politiques,* désireux de disposer d'un instrument supplémentaire et nouveau dans le combat politique. Ici, J. Mossuz sous-distingue trois vagues.

— La première vague est celle des clubs qui rassemblent les *minoritaires* d'un parti. Qu'ils entendent comme le *Club des Jacobins* (créé par Charles Hernu en 1951 avec d'autres jeunes radicaux) former une tendance à l'intérieur de ce parti. Ou qu'ils deviennent dissidents et fondent un club après avoir rompu avec le parti, comme l'a fait Alain Savary en 1963 en organisant *Socialisme et démocratie* avec des dissidents du P.S.U.

Il faudrait aussi citer la *Ligue pour le Combat républicain,* fondée en 1959 par F. Mitterrand, le *Club Pierre-Bourdan* créé en 1963, comptant l'un et l'autre beaucoup de membres en provenance de l'U.D.S.R.; *L'Atelier républicain,* créé en 1964 par des radicaux de gauche (Jacques Maroselli, André Cellard) ; *Objectif 72,* créé en octobre 1966 par Robert Buron et des membres de l'aile gauche du M.R.P.; l'*U.G.C.S.* (Union des groupes et clubs socialistes), créée en septembre 1967 par des minoritaires du P.S.U. (Jean Poperen, Guy Desson) qui entrera à la F.G.D.S., puis au nouveau parti socialiste; *Pouvoir socialiste,* créé en septembre 1967 par Gilles Martinet et d'autres minoritaires, qui finiront, eux aussi, par adhérer au P. S.

— La seconde vague est celle des *clubs filiales de partis.* Objectif : « contribuer à *développer l'emprise du parti* ou du courant qui les a fait naître sur des personnes éprouvant une sympathie pour ce parti, mais en même temps une certaine réticence devant l'engagement total ».

En fait, ces clubs, qui apparaissent pour la plupart *à partir de 1965* « tendent à être des structures de passage vers le parti dont ils sont issus ». Ce sont essentiellement, d'une part, les *clubs de la S.F.I.O.* (Les Cercles Jean-Jaurès, le C.E.D.E.P., c'est-à-dire le Centre national d'études et de promotion) et, d'autre part, les *clubs de la majorité* (les clubs Perspectives et Réalités de tendance giscardienne, le club Nouvelle frontière, proche de l'U.D.R.).

— La dernière vague est celle des « *clubs-wagons* », *nés dans les années 1966 et 1967* dans un but bien précis : permettre à des hommes n'ayant, pour bon nombre d'entre eux, jamais eu d'activité politique ou ayant depuis longtemps rompu avec leur organisation d'origine, *d'entrer ensemble* et non pas à titre individuel dans l'un des éléments constitutifs de la F.G.D.S., *l'U.C.R.G.* ». L'Union des Clubs pour le Renouveau de la gauche, fondée en octobre 1965, accueille ainsi Socialisme et Démocratie d'Alain Savary, l'Association pour le renouveau socialiste de Robert Verdier, Socialisme moderne de Pierre Beregovoy, etc.

Les regroupements. — Il s'agit d'abord, de rassembler des clubs entre eux. Puis ces entreprises de regroupement s'ouvrent bientôt aussi aux partis politiques.

a) *Les assises de Vichy et les assises de la Convention des institutions républicaines.* — En 1964, apparaissent deux regroupements de clubs. Le premier est celui des « *Assises de la démocratie* », tenues à Vichy les 25-26 avril 1964 par diverses « sociétés de pensée » : Jean-Moulin, Tocqueville, Citoyens 60, Positions, Rencontres, Démocratie nouvelle, etc.

Par ailleurs, à Paris, au Palais d'Orsay, les 6-7 juin 1964, une cinquantaine de « clubs de combat politique » se constituent en « *Convention des institutions républicaines* » : Club des Jacobins de M. Hernu, Ligue pour le combat républicain de M. Mitterrand, etc. Critiquant l'attentisme prudent des clubs de Vichy, ces clubs de la Convention n'hésitent pas à s'engager dans l'action politique.

b) *La « Grande » Fédération de Gaston Defferre.* — En fait, comme les « clubs de combat politique », certaines « sociétés de pensée » — les « déchirées » et non les « pures », dans le vocabulaire de J. Mossuz — vont se trouver engagées, elle aussi, dans l'action politique.

— A citer d'abord, de décembre 1963 à juin 1964, *les colloques socialistes,* organisés par *Georges Brutelle,* secrétaire général adjoint de la S.F.I.O., qui rassemblent des membres de partis politiques, de syndicats et de clubs pour tenter une réflexion commune. Le dernier colloque, en juin 1964, porte sur les « structures d'un parti socialiste ». Il sera l'occasion, pour certains de ses participants (Jean-Moulin, Citoyens 60, des dirigeants du C.N.J.A. et de la C.F.D.T.) de constituer un *groupe d'études* sur ce sujet.

Aboutissement : le livre *Un parti pour la gauche,* publié au Seuil dans la collection Jean-Moulin au début de 1965. Ce parti, dont l'axe serait une S.F.I.O. rénovée, que rejoindraient les radicaux et une partie du M.R.P., obtiendrait le concours de « multiplicateurs » issus des « *forces vives* » (clubs, associations éducatives, mouvements coopératifs, etc.). A noter ce point essentiel : la présence des clubs dans ce nouveau parti.

— Cette analyse s'incarne concrètement avec la *candidature de Gaston Defferre à l'Elysée.* Lancée par le Club Jean-Moulin et par *L'Express,* cette candidature est officiellement annoncée, le 18 décembre 1963, par un communiqué du comité directeur de la S.F.I.O. Dans le même temps, « *Le Monde » du 17 décembre 1963 publie un manifeste* signé par Jean-Moulin, Tocqueville, Citoyen 60, l'Association Jeunes Cadres, Démocratie nouvelle et le G.R.O.P. (Groupe de recherche ouvrier et paysan, créé au début de 1963 par des dirigeants nationaux de la C.F.T.C. et du C.N.J.A.). Ce manifeste souligne l'importance de l'enjeu constitué par la première élection présidentielle au suffrage universel et son importance pour les « forces vives ».

Ce sont donc, pour l'essentiel, les « sociétés de pensée déchirées » qui se trouvent à l'origine de la candidature Defferre. Et ce seront surtout leurs membres qui, à titre personnel, animeront les *comités Horizon 80* et l'Association nationale Horizon 80, formés pour soutenir cette candidature. En mai 1965, paraît le fruit de ces travaux : le livre *Un nouvel horizon,* qui constitue un véritable programme.

Ultime étape : le 8 mai 1965, Gaston Defferre propose la création d'une « *fédération démocrate socialiste* », allant des « *socialistes jusqu'aux chrétiens démocrates* ». Cette « grande fédération comprendrait la S.F.I.O., le Rassemblement démocratique (c'est-à-dire le groupe parlementaire englobant le parti radical et l'U.D.S.R.), le M.R.P. et les clubs (des clubs de Vichy et la Convention des institutions républicaines).

Les 15 et 17 juin 1965, les représentants des organisations concernées ne parviennent pas à s'accorder sur ce projet de fédération. Tirant la conséquence de cet échec, M. Defferre renonce à sa candidature à l'Elysée, le 25 juin 1965.

c) *La « petite » Fédération de François Mitterrand.* — Dès juillet 1965, une nouvelle initiative est lancée. Cette fois, elle n'émane plus des « sociétés de pensée » même « déchirées » — comme Jean-Moulin —, mais des « clubs de combat politique » rassemblés dans la Convention des institutions républicaines, animée par M. Mitterrand.

Par rapport à la tentative précédente, deux changements situent la nouvelle entreprise *plus à gauche.* D'une part, le sentiment qu'une victoire électorale est impossible sans accord avec le P.C.F. D'autre part, la conviction que l'unité organique avec le M.R.P. est irréalisable.

Le 9 septembre 1965, M. Mitterrand annonce sa candidature à l'Elysée. Le 10, la *Fédération de la gauche démocrate et socialiste (F.G.D.S.)* naît officiellement. Elle se compose de trois familles : 1° la S.F.I.O., 2° le Parti radical et l'U.D.S.R.; 3° la Convention et quelques autres clubs (dont Socialisme et démocratie de M. Savary).

A l'origine, la Convention domine donc très largement la troisième famille de la F.G.D.S. : *la famille des clubs.* Mais, dès 1966, ce leadership se trouve remis en cause par l'entrée à la F.G.D.S. d'autres clubs : certains sont des clubs de Vichy, qui ont surmonté leur réticence initiale.

A partir d'avril 1966, le *Comité exécutif de la F.G.D.S.* compte 54 sièges. La « famille des clubs » a ses 18 sièges ainsi répartis : 10 sièges reviennent directement ou indirectement à la *Convention* (7 lui appartiennent en propre; elle désigne les deux titulaires des sièges dévolus à *Citoyens 60;* enfin, elle a dans sa mouvance le siège de Droit et démocratie). Les *Cercles Jean-Jaurès* (« clubs filiales » de la S.F.I.O.) disposent de 3 sièges. Deux sièges sont attribués à *Jean-Moulin.* Enfin, *Reconstruction* (née d'une tendance minoritaire de l'ancienne C.F.T.C.), les *Indépendants de gauche* et l'*U.C.R.G.* disposent, chacun, d'un siège.

L'*U.C.R.G. (Union des clubs pour le renouveau de la gauche)* est née à l'*automne 1965* et rassemble Socialisme et démocratie d'Alain Savary, le Cercle Tocqueville, Démocratie socialiste, Démocratie nouvelle, l'Association Jeunes cadres. C'est-à-dire qu'*elle compte plusieurs clubs qui étaient présents à Vichy, et dont la rivalité avec la Convention est assez ancienne.*

Enfin, en avril 1968, entre à la F.G.D.S. l'*Union des groupes et des clubs socialistes (U.G.C.S.)*, formée en *septembre 1967* par des *minoritaires du P.S.U.* (Jean Poperen, Guy Desson).

Mais la crise de mai et l'échec des législatives de juin 1968 provoquent la disparition de la F.G.D.S., dont M. Mitterrand assumait la présidence depuis décembre 1965.

d) *La rencontre socialiste de Grenoble.* — En marge de la F.G.D.S. — et un peu contre elle —, les animateurs du P.S.U., de la C.F.D.T., du C.N.J.A. et de certains clubs de Vichy (Citoyens 60, Tocqueville, etc.) avaient organisé une « rencontre socialiste » à Grenoble, les 30 avril et 1er mai 1966. A cette rencontre participaient notamment MM. Mendès France et Rocard.

Objectif : définir les éléments d'un *programme socialiste* moderne, en se plaçant, à la différence de la F.G.D.S., en dehors de toute tactique électorale et de toute vue à court terme.

e) *Le nouveau parti socialiste.* — Aujourd'hui, après des débuts difficiles, le nouveau parti socialiste regroupe plusieurs forces qui étaient présentes à la F.G.D.S.

Les congrès constitutifs d'Alfortville (mai 1969) et d'Issy (juillet 1969) marquent la naissance officielle du nouveau parti, qui réunit la S.F.I.O., l'U.C.R.G. et l'U.G.C.S.

Puis, en juin 1971, le congrès d'Epinay marque l'entrée de la Convention au parti socialiste, dont M. Mitterrand devient le premier secrétaire.

Mais le parti radical refuse, dès novembre 1968, de participer au nouveau parti. Et des clubs qui avaient adhéré à la F.G.D.S. restent en dehors de la nouvelle formation : c'est le cas de Jean-Moulin et de quelques clubs de l'U.C.R.G. (comme le C.A.P.T. et Démocratie nouvelle).

Cependant — et c'est une innovation structurelle capitale — le parti socialiste propose des formules de coopération aux clubs. Outre l'article 25 des statuts prévoyant l'existence de clubs « participant à la vie du parti », il faut noter l'article 27, qui dispose : « Des *contrats d'association* peuvent être passés entre une organisation locale du parti, après accord de la fédération départementale, *avec des groupements de réflexion, d'études ou de recherches* organisés hors du parti lui-même. Des contrats d'association de ce même type peuvent être conclus sur le plan national avec des groupements spécialisés. »

Participent ainsi au parti socialiste ou lui sont associés : l'O.U.R.S. (Office universitaire de recherche socialiste) de M. Mollet, le C.E.D.E.P. (Centre national d'étude et de promotion) de M. Mauroy, le C.E.R.E.S.

(Centre d'études, de recherche et d'éducation socialiste) de M. Chevènement, et l'A.E.R.I.S. (Association d'études, de recherches et d'informations socialistes — qui correspond à l'ancienne U.G.C.S.) de M. Poperen.

Bilan : groupes de pression désintéressés ou partis ? — En matière de bilan, il faut constater une nette évolution. A l'origine, les clubs se comportent comme des groupes d'idées, comme des *groupes de pression* désintéressés. Ils agissent de l'extérieur sur les partis. Pour les conduire à modifier leurs options et leurs habitudes. Pour mieux provoquer un renouvellement des structures et des dirigeants politiques.

Mais, bientôt, beaucoup de clubs *se constituent en formations analogues aux partis politiques* (Convention en 1964, U.C.R.G. en 1965, U.G.C.S. en 1968). Puis *ils forment avec ces partis des regroupements communs : d'abord la F.G.D.S.,* où entrent la Convention (1965), l'U.C.R.G. (1966) et l'U.G.C.S. (1968); *puis le parti socialiste* où entrent l'U.C.R.G. et l'U.G.C.S. (1969) et enfin la Convention (1971).

Ceux qui ont refusé cette attitude et cherché à maintenir leur autonomie sont, aujourd'hui, dépourvus d'efficacité (comme Jean-Moulin), sinon d'existence.

Quant aux clubs de la majorité, nés à partir de 1965 [Nouvelle Frontière (4 *bis*), Perspectives et Réalités], ce sont des *clubs* filiales de l'U.D.R. ou de la F.N.R.I. « Ils constituent, en fait un vivier de recrutement des futurs responsables politiques; le club sert d'école, de purgatoire où l'on « s'habitue au parti » (J. Mossuz, *op. cit.*).

En vérité, *les clubs se sont identifiés aux partis, puis confondus avec eux.* A gauche, *ils exercent désormais leur pression de l'intérieur.* Sous leur influence, la liberté et l'originalité de la réflexion s'accroissent. Ils ont, notamment, contribué à renouveler la doctrine, les structures et les instances dirigeantes du parti socialiste. Ce qui n'est pas sans importance.

Renaissance des clubs ? — En 1973-1974, plusieurs nouveaux clubs apparaissent. Surtout dans la majorité ou à ses frontières.

C'est le cas d'*Echange et Projets*. Même s'il est proche de la « Nouvelle Société », chère à M. Chaban-Delmas et à ses conseillers, ce club refuse de s'engager au côté de telle ou telle formation politique. Son objectif est une réflexion sur les problèmes de fond de notre société. Par l'inspiration, comme par certains de ses membres, cette organisation rappelle un peu le Club Jean-Moulin de naguère.

(4 *bis*) Aujourd'hui, le club Nouvelle Frontière, animé par M. Charbonnel, incarne plutôt le gaullisme d'opposition.

Par ailleurs, après l'élection présidentielle de mai 1974, divers clubs et groupements naissent, surtout au sein de la majorité, pour préparer de nouveaux regroupements politiques. Ces clubs (*Echanges et liberté*, etc.), généralement fondés par des élus, ressemblent souvent à des intergroupes parlementaires. A l'image du *Comité d'études pour un Nouveau Contrat Social*, créé il y a déjà plusieurs années par M. Edgar Faure.

Ainsi, comme il y a dix ans, on retrouve encore la dualité des « sociétés de pensée » et des « clubs de combat politique ».

B. — GROUPES PRIVÉS ET GROUPES PUBLICS

Toutes les organisations citées jusqu'ici sont des *groupes privés*. Pour les théoriciens classiques de l'Etat, il n'en peut exister d'autres. L'unité de l'organisation étatique est un dogme intangible. On ne saurait imaginer que *certains éléments de l'Etat se comportent comme des groupes de pression*. Un tel comportement serait proprement pathologique et traduirait une grave crise de l'Etat.

Il reste que la science politique doit décrire les faits tels qu'ils sont, non tel qu'ils devraient être. En réalité, *le principe juridique de l'unité de l'Etat ne doit pas faire illusion*. Opposés par des rivalités d'influence, *les divers services publics, administrations et corps de fonctionnaires* sont parfois enclins à faire pression sur le gouvernement, le parlement ou l'opinion : pour obtenir des avantages ou pour faire prévaloir telle politique.

G. Almond parle très justement de « groupes d'intérêts institutionnels » *(institutional interest groups)*, pour désigner ces organisations (assemblées, administrations, armées, etc.), qui remplissent normalement d'autres fonctions que l'articulation des intérêts, mais qui peuvent s'y livrer en corps ou en partie (corps de fonctionnaires, clique d'officiers, etc.) (*supra*, p. 602).

Parmi ces organisations, que l'on peut dénommer « *groupes publics* », une distinction majeure doit opposer groupes civils et groupes militaires.

1° **Les groupes civils.** — La pression est le fait, soit d'administrations ou de services, soit de corps de fonctionnaires.

• En premier lieu, telle ou telle institution du « secteur public » peut avoir tendance à défendre son intérêt particulier par rapport à l'Etat, gérant de l'intérêt général. Tel peut être le cas des *collec-*

tivités locales, des *établissements publics* (universités, offices de recherches, etc.) ou des *entreprises publiques.* D'une certaine manière, E.G.F. peut être tentée d'agir sur l'Etat de la même façon que le ferait une grande entreprise privée.

A la limite même, tel *ministère* peut s'ériger en défenseur zélé de ses administrés particuliers : le ministère de l'Agriculture pour défendre le point de vue et les intérêts des agriculteurs, le ministère de l'Education nationale pour soutenir ceux des enseignants, etc.

• En second lieu, les fonctionnaires et autres *agents publics,* organisés en syndicats et disposant du droit de grève, peuvent se comporter en groupes de pression pour faire aboutir leurs revendications matérielles.

De plus, certains *corps* de fonctionnaires ont une technicité et une cohérence qui leur donnent un fort esprit de corps (Inspection des Finances, Ingénieurs des mines, etc.). Ils peuvent être tentés d'infléchir les décisions des pouvoirs publics conformément à leurs vues.

C'est aussi vrai des anciens d'une même grande école (E.N.A., Polytechnique) qui conservent, même placés dans des corps différents, une identité d'analyse et de préoccupations. Toutes données qui posent le problème de la technocratie et de la technostructure politico-administrative (*supra,* p. 344).

2° **Les groupes militaires.** - - Malgré le principe de la subordination du pouvoir militaire au pouvoir civil, l'armée tente parfois d'influencer l'action des pouvoirs publics, en alliance, quelquefois, avec des groupes d'intérêts privés.

Les pressions. — Au terme de son mandat présidentiel en 1961, le général Eisenhower dénonçait *le « complexe militaro-industriel »,* déjà analysé par C. Wright Mills dans *L'Elite du pouvoir* (*infra,* p. 660). Certaines firmes privées (sociétés de construction aéronautique, industries d'armement, etc.) vivent des commandes de l'armée et placent à leur tête d'anciens officiers, de manière à développer contacts et relations avec l'administration militaire. Il se forme ainsi une communauté d'intérêts et un faisceau de liens, qui peuvent peser sur l'orientation de la politique — notamment extérieure — des Etats-Unis.

Selon un rapport du sénateur W. Proxmire, les cent plus gros fournisseurs du Pentagone employaient, en 1969, 2 072 retraités à partir du grade de colonel. Plus de la moitié (1 065) étaient employés par les dix plus grandes industries aéro-spatiales recevant le quart des commandes du Pentagone.

En 1969, le Pentagone passe 200 000 contrats de fourniture pour une valeur de 40 milliards de dollars. La même année, le « complexe » réussit à diminuer d'un tiers la réduction prévue du budget militaire, en pesant de tout son poids sur le Congrès. Mais, depuis cette date, le Congrès paraît décidé à empêcher la « dictature » de la Défense, et à imposer des réductions d'effectifs et de crédits (cf. C. Moisy, *L'Amérique sous les armes*, 1971).

A une échelle plus réduite, on trouverait en France des phénomènes analogues : même perméabilité entre l'administration militaire et le monde des affaires, et même pesée sur les orientations de la politique étrangère (avec la recherche de débouchés nouveaux pour la construction aréonautique et les industries d'armement : Proche-Orient, Afrique du Sud, etc.).

La prise du pouvoir. — Dans d'autres cas, l'armée peut dépasser la simple pression et devenir elle-même une force politique, en prenant le pouvoir par un *coup d'Etat militaire*. On sait la fréquence de ces interventions militaires dans le Tiers-Monde (*supra*, p. 317). Une technique moins brutale — mais aussi efficace — est celle du *pronunciamento*. L'armée « se prononce » en faveur de telle ou telle équipe de gouvernants. Ceux-ci ne fondent plus leur pouvoir sur l'approbation populaire, mais sur l'appui de l'armée.

Fréquente en Amérique latine, cette technique s'est récemment perfectionnée avec le « *cuartelazo* » (coup de caserne), forme hispanique du kriegspiel. Les principaux chefs militaires se déclarent en faveur de tel ou tel clan, en mettant dans la balance les effectifs qu'ils commandent. Dès lors, la victoire appartient à la tendance numériquement la plus forte, sans que les troupes quittent leur casernement et sans combats.

En France, *le 13 mai 1958* a été assez analogue à un pronunciamento. L'insurrection algéroise « couverte » par l'armée, la menace d'une intervention militaire en métropole, provoquent la démission du gouvernement Pflimlin, remplacé par un gouvernement que préside le général de Gaulle. Les « barricades » de janvier 1960, puis le « putsch des généraux » d'avril 1961 témoigneront, à nouveau, de la propension des militaires à intervenir dans la vie politique. Cette emprise de l'armée sur la vie publique cessera avec l'indépendance de l'Algérie en 1962.

C. — GROUPES DE CADRES ET GROUPES DE MASSES

Une dernière classification utilise ici une distinction forgée à propos de la structure des partis politiques. Elle oppose, en conséquence, groupes de cadres et groupes de masses.

1° **Les groupes de cadres.** — Ces groupes s'adressent seulement aux « *cadres* », aux « *notables* ». Ils se caractérisent donc par le nombre restreint de leurs adhérents et, surtout, par leur structure interne.

a) Le *nombre* réduit d'adhérents tient tantôt à la nature des choses, tantôt à une volonté délibérée.

Par *nature,* certaines organisations ne concernent qu'une « population » peu nombreuse. C'est le cas des syndicats de l'enseignement supérieur, des associations de hauts fonctionnaires, des syndicats patronaux de telle ou telle branche d'industrie particulièrement concentrée (chimie, métallurgie). C'est l'état même de la profession concernée qui produit, naturellement, ce caractère de groupe de cadres.

En revanche, ce caractère tient parfois à une *volonté délibérée* d'élitisme ou d'efficacité. Comme les partis de cadres, certains groupes ne recherchent l'adhésion que de notables influents ou prestigieux. Ainsi, fin 1968, le Club Jean-Moulin ne comptait que 480 membres. Sa composition socio-professionnelle était la suivante : fonctionnaires : 34 %; professions libérales : 20 %; universitaires : 13 %; cadres : 26 %; étudiants : 7 %. Le poids de ce club très fermé tenait à l'influence de ses membres et à la qualité de leurs travaux.

b) Mais, comme M. Duverger le soulignait pour les partis, une organisation de cadres se caractérise plus encore par sa *structure* que par le nombre de ses adhérents. Ainsi *le C.N.P.F.,* groupe « indirect » (*supra,* p. 608), rassemble un nombre élevé de membres; mais, son organisation reste typiquement celle d'un groupe de cadres, décentralisée et faiblement articulée.

Statutairement, l'organe le plus important du C.N.P.F. est l'*assemblée générale* (500 membres), qui se réunit tous les six mois et qui élit les membres du comité directeur (tous les deux ans). En vérité, ses réunions sont des cérémonies solennelles plutôt que l'occasion d'une confrontation. Le *comité directeur* (120 membres), qui se réunit onze fois par an, est composé de présidents d'associations, mais aussi de fonctionnaires patronaux. Il élit chaque année les membres du bureau et le président. Enfin, le *bureau* (32 membres) est lui-même trop lourd pour être le véritable exécutif du C.N.P.F., bien qu'il prenne lui-même les grandes décisions. Les pouvoirs réels y sont sans doute inégalement répartis : une bonne part d'entre eux étant dans les mains du président et des vice-présidents.

Les statuts du C.N.P.F. soulignent l'*indépendance* des groupements participants, qui, en aucun cas, ne peuvent se voir imposer une décision, serait-ce à la majorité qualifiée : ce qui donne pratiquement à chacun un droit de veto. Le C.N.P.F. doit seulement « *assurer la liaison et la coordination permanente* entre les groupements adhérents, ceux-ci conservant leur individualité et leurs moyens propres d'expression dans le cadre de la politique générale délibérée et acceptée démocratiquement ».

En pratique, malgré ce refus statutaire de toute discipline contraignante, les décisions du C.N.P.F. sont assez largement respectées par ses membres. Spécialement grâce à la stabilité et à l'autorité de la présidence : puisque le C.N.P.F. n'a eu que trois présidents depuis 1946.

2° **Groupes de masses.** — A l'instar des partis de masses, ils visent à réunir le plus grand nombre possible d'adhérents, car c'est ce nombre qui fait leur puissance. Comme eux, ils nécessitent une *organisation* forte et hiérarchisée pour encadrer cette masse d'adhérents. La « loi d'airain de l'oligarchie » de Roberto Michels tend donc à se retrouver à l'intérieur de ces groupes de masses, dont les *syndicats ouvriers* constituent le type même.

a) *Les syndicats ouvriers.* — S. M. Lipset a signalé le phénomène aux Etats-Unis. En France, la *stabilité des directions confédérales* est également réelle. Depuis 1895, la C.G.T. n'a eu que dix secrétaires généraux. Depuis 1919, la C.F.T.C.-C.F.D.T. n'en a eu que cinq. Et, depuis 1948, F.O. n'a été dirigée que par deux secrétaires généraux.

Les *effectifs* des syndicats ouvriers soulignent ce caractère d'organisations de masses.

La C.G.T. déclare réunir 2 400 000 adhérents. F.O. en revendique 850 000 (retraités compris) : le nombre des adhérents en activité s'élèverait à environ 730 000. Enfin, la C.F.D.T. revendique 1 045 000 adhérents, dont 804 000 cotisants réguliers au 31 décembre 1975.

Selon les sources et les auteurs, l'estimation de ces effectifs varie (cf. les diverses sources citées par J. Capdevielle, R. Mouriaux, *op. cit.*, p. 74). Spécialement pour la C.G.T., qui, selon les estimations, groupe de 1,2 à 2,4 millions d'adhérents. Quant à F.O. et à la C.F.D.T., chacune revendique la seconde place. Pour sa part, *Le Monde* du 16 octobre 1973 estimait à 800 000 et à 700 000 le nombre respectif de leurs adhérents.

En ajoutant aux trois grandes centrales quelques autres organisations (syndicalisme indépendant, C.F.T.C., C.F.T., etc.), le total des syndiqués en France doit représenter 20 % de la population active. Ce *pourcentage* reste relativement faible, comparé à celui d'autres pays : 30 % en Italie, 40 % en Grande-Bretagne et en Allemagne fédérale, 70 % en Belgique, 90 % en Suède.

De plus, en France, les *cotisations* syndicales sont moins élevées et leur recouvrement est moins strict qu'en Allemagne ou en Suède, notamment, où les syndicats sont assez riches pour tenir la grève pendant des mois. De même, cette limitation des *moyens financiers* explique le retard du syndicalisme français dans l'organisation de bureaux d'études propres à doter les négociateurs ouvriers de dossiers aussi solides que ceux du patronat ou du gouvernement.

b) *Les autres groupes de masses.* — Inventée par les classes populaires (la C.G.T. naît en 1895; la S.F.I.O. en 1905), cette technique des organisations de masses a été, ensuite, imitée par les organisations *paysannes* et par des organisations de *classes moyennes*. Enfin par des « *groupements de condition* » : mouvements de jeunes ou d'étudiants, organisations féminines, sociétés culturelles, mouvements d'anciens combattants, etc. (*supra*, p. 624).

Actuellement, cette méthode d'encadrement est aussi utilisée par des « *groupements à objectif spécialisé* » (*supra*, p. 623). Ceux-ci constituent des organisations de masses politiques, s'adressant à toutes les catégories sociales et professionnelles comme les partis, mais limitées à un objectif déterminé : le combat contre le racisme, la lutte pour le désarmement, la promotion de l'Europe, etc.

§ 3. — LES FONCTIONS DES GROUPES DE PRESSION

Comme pour les partis politiques, *l'analyse fonctionnelle* ne saurait se borner à l'inventaire des activités, à l'étude des intentions subjectives et des buts avoués. Là encore, il faut analyser les *conséquences objectives et observables* de l'action entreprise. S'interroger sur leur caractère fonctionnel ou dysfonctionnel. Rechercher les fonctions latentes par-delà les fonctions manifestes.

A. — La fonction d'articulation des intérêts.

Pour G. A. Almond et G. B. Powell (*op. cit.*, p. 72 et s.), l' « *interest articulation* » désigne « le processus par lequel les individus et les groupes *formulent leurs demandes* auprès des décideurs politiques ». Cette fonction d'expression des intérêts sert de plaque tournante entre la société et le système politique.

Il est naturel que les divers groupes d'intérêts *fassent connaître leurs revendications. Ensuite, les partis politiques exerceront la fonction agrégative (interest aggregation)*, pour homogénéiser et harmoniser ces multiples revendications disparates; pour réduire la multiplicité des exigences particulières à quelques objectifs collectifs. Enfin, sur ces bases, *le gouvernement et le Parlement arrêteront les choix définitifs* (*supra*, p. 143).

Seulement l'exercice de cette fonction agrégative sera plus ou moins aisé selon les *modes d'expression des demandes* utilisés par les divers groupes d'intérêts. A cet égard, les deux auteurs soulignent quatre traits essentiels, qui caractérisent *le style de l'articulation des intérêts*.

— Les demandes peuvent être *manifestes* (exemple : formulation explicite d'une revendication par un dirigeant patronal) ou *latentes* (exemple : comportements tels qu'un vague mécontentement, des ralentissements dans le travail, etc.).

— Il peut s'agir de déclarations *diffuses* (du genre : « Nous voulons que cela change ! »), qui indiquent une insatisfaction, mais non les moyens d'y remédier, ou bien de requêtes *spécifiques* (exigeant, par exemple, une augmentation de tant pour cent du S.M.I.C.).

— Les demandes peuvent encore être, soit *générales* (« Les riches doivent être imposés plus lourdement »), soit *particulières* (« Le taux de la T.V.A. doit être abaissé sur tel produit de première nécessité »).

— Enfin, l'articulation des intérêts peut être *instrumentale* (prenant la forme d'une négociation, dont les termes sont énoncés avec réalisme : tel soutien financier contre l'adoption de telle mesure) ou bien *affective* (revêtant alors la forme d'une simple expression de gratitude, de colère, de désappointement ou d'espoir).

Du style adopté dépend l'efficacité. Plus il sera latent et diffus, plus il sera difficile d'agréger les intérêts et de les traduire en décisions politiques. De même, des objectifs idéologiques et rigides, des demandes hautement particulières et des expressions émotionnelles rendent malaisée la conciliation des divers intérêts : à l'inverse d'un style plus pragmatique et instrumental.

B. — Fonction manifeste de revendication et fonction latente d'intégration

Implicitement, dans cette analyse, le « bon » groupe d'intérêts est celui qui contribue à l'intégration et à l'adaptation du système existant.

1° **Les fonctions des groupes de pression selon J. Meynaud.** — Il en va un peu de même dans l'analyse de J. Meynaud (*op. cit.*, p. 116-118), qui discerne trois fonctions principales des groupes de pression.

— D'abord, la fourniture d'une *information* complète et circonstanciée, spécialement par les dirigeants des organisations professionnelles. Faute de cette documentation appropriée, les décideurs administratifs ou politiques commettraient davantage d'erreurs sur le sens et le contenu des mesures à prendre.

— Ensuite, le *consentement* des intéressés aux mesures envisagées : « Les dirigeants du groupe rendent de grands services en acceptant d'exposer l'action entreprise à leurs adhérents et de leur en recommander l'exacte application. » Cette fonction d' « acquiescement-participation » consolide le consensus.

— Enfin, la *canalisation* des revendications : « Les organisations rendent à la communauté le service de canaliser et de « rationaliser » des aspirations et des mouvements qui, sans elles, prendraient souvent une forme désordonnée et violente. » Ce « rôle modérateur » prévient les excès de la revendication « sauvage ».

2° **La fonction latente d'intégration.** — Ici aussi, il faut introduire la distinction de R. K. Merton entre fonctions manifestes et fonctions latentes : les secondes contribuant à l'adaptation ou à l'ajustement du système, sans être comprises ni voulues (*supra*, p. 137).

En vérité, les groupes de pression exercent une fonction *manifeste* de revendication, voire de contestation pour certains syndicats ouvriers, mais aussi une fonction *latente* d'intégration. De façon indirecte et inattendue, ils servent le système établi, en canalisant les flux revendicatifs, ainsi dépouillés de leurs virtualités révolutionnaires.

Ce *dilemme contestation-intégration* concerne tout spécialement les organisations ouvrières et explique l'*ambivalence* des luttes syndicales. Il entraîne parfois une distorsion entre le sommet et la base : les militants répondant quelquefois par des grèves « sauvages » à la modération des dirigeants.

En effet, *les dirigeants* syndicaux sont portés à accepter une politique contractuelle de négociations périodiques avec le patronat et le gouvernement, pour fixer des augmentations de salaires. En revanche, *la base* récuse parfois ce type d'accord « intégrateur » et les satisfactions « quantitatives » qu'il procure. Pour privilégier des revendications « qualitatives », qui modifieraient la condition salariale, en développant le « contrôle ouvrier » au sein même de chaque entreprise.

3° Les groupes de pression substituts fonctionnels des partis politiques. — Il y a mieux. A la limite, les groupes de pression peuvent servir de substituts fonctionnels aux partis, *si ceux-ci s'avèrent incapables d'exercer la fonction agrégative*. Là encore, ce sont les grandes centrales ouvrières qui peuvent pallier cette carence.

Cette situation est fréquente quand le système de partis juxtapose une pléiade de formations d'opposition et un parti dominant (de droite ou du centre). Ce dernier verse dans le rassemblement à outrance et devient un parti « attrape-tout », combinant sans rigueur toutes sortes d'atomes assez peu crochus. A l'inverse, les formations d'opposition campent sur des positions exiguës, chacune militant avec rigidité dogmatique, pour une famille ou une clientèle limitée. Dès lors, entre l'opposition qui cultive ses particularismes et la majorité qui trop embrasse pour bien étreindre, l'alchimie agrégative n'opère pas.

Faute de synthèse préparée par les partis, les gouvernants se trouveraient donc directement confrontés à une multitude de demandes non coordonnées, présentées en vrac par les divers groupes d'intérêts. Telle serait la situation si les grandes centrales ouvrières n'exerçaient, par elles-mêmes, *une certaine fonction agrégative*.

Exprimant les intérêts de professions et de catégories diverses, ces grandes centrales *introduisent déjà une certaine cohérence dans l'expression de leurs demandes. En synthétisant et en hiérarchisant les exigences* de millions d'adhérents.

Au besoin, elles peuvent donc *se substituer* à des partis peu habiles à agréger les intérêts. Le gouvernement les reconnaissant comme « interlocuteurs valables », et engageant avec eux une politique de « concertation ». Tel fut souvent le cas en France sous la IVe législature (1968-1973).

C. — Dysfonctions et dangers des groupes de pression

Pour certains, cette pratique serait précisément lourde de risques, et ajouterait aux inconvénients des groupes de pression. Il faut examiner ces divers griefs, dont certains sont assez mal fondés.

1° *La négociation avec les groupes socio-professionnels remplace le dialogue avec les partis et les parlementaires.* Les délégués des groupes particuliers prennent la place des élus du peuple. *L'intérêt général se désagrège;* reste une multitude d'intérêts particuliers. L'individu ne se comporte plus en citoyen, conscient de la solidarité nationale, mais en agent socio-économique, attaché aux intérêts de sa catégorie.

En 1971, les présidents U.D.R. des commissions de l'Assemblée mettent ainsi en garde le Premier ministre contre « les excès possibles de la concertation » et l' « audience disproportionnée » accordée aux groupes d'intérêts :

« A l'heure où les organisations socio-professionnelles sont devenues les interlocuteurs privilégiés du gouvernement, il importe de prendre conscience des limites de la politique de concertation. Sous la IVe République, la vie politique était dominée par les partis... Aujourd'hui, le régime exclusif des partis risque d'être peu à peu remplacé par *le régime des groupes de pression*... Les véritables engagements envers l'Etat ne peuvent être pris qu'avec le concours des élus de la nation, issus du suffrage universel » (5).

Aux journées parlementaires de l'U.D.R. à Hyères, en septembre 1971, plusieurs participants réclament, de même, que la concertation du gouvernement avec les partenaires sociaux ne remplace pas le dialogue avec les élus de la majorité (6).

Cette analyse omet l'essentiel. De 1968 à 1973, un parti dominant

(5) Manifeste des présidents U.D.R. de commissions de l'Assemblée, *Le Monde* du 14 juillet 1971.

(6) Cf. les interventions de MM. Peyrefitte et Sanguinetti, *Le Monde* du 17 septembre 1971.

de centre-droit monopolise le jeu parlementaire, rejetant dans le non-pouvoir plusieurs couches sociales ou familles politiques. Il est naturel que celles-ci s'expriment par des forces de substitution.

D'ailleurs, ce transfert de l'opposition — des partis aux groupes de pression — *contribue de façon latente au maintien du système.* En intégrant des forces sociales, qui se dresseraient peut-être contre un système les sous-représentant, si elles ne trouvaient des pouvoirs de compensation hors du Parlement.

2° Cependant, l'intervention des groupes de pression peut aussi entraîner de véritables *inconvénients.* Avec J. Meynaud (*Les groupes de pression en France,* 1962, p. 370-389), on peut en discerner surtout quatre :

— *le protectionnisme social :* protection du passé, malthusianisme, tendance des groupes à revendiquer la sauvegarde de situations assises et de droits acquis;

— *l'immobilisme gouvernemental :* conséquence de l'altitude précédente, l'action et les initiatives gouvernementales se trouvent souvent bloquées;

— *le refus des disciplines collectives :* chaque groupe essaie de reporter sur d'autres la contribution aux charges nationales;

— *l'altération des forces :* et, dans cette entreprise, les groupes sont les uns à l'égard des autres, dans une position d'inégalité relative. L'équilibre entre les divers intérêts risque d'être faussé. Car chaque groupe possède des moyens d'influence inégaux. Qui donnent une efficacité variable à son action.

SECTION II

L'ACTION DES GROUPES DE PRESSION

Canaux d'intervention. — Almond et Powell (*op. cit.,* chap. IV) le notent justement : les procédés de pression varient, d'abord, selon la nature de l'organisation concernée. Tel type de groupe recourra plus volontiers à tel mode de pression.

Ce sont surtout les groupes d'intérêts *anomiques,* qui pratiquent les démonstrations physiques et parfois violentes. Au contraire, les groupes *non associatifs* utilisent plutôt les relations personnelles (liens familiaux, sociaux ou locaux). Enfin, les groupes *institutionnels* et *associatifs* préfèrent les procédures de représentation (consistant, par exemple, à faire élire des membres du groupe au Parlement).

C'est qu'en effet dans les systèmes politiques modernes, il existe de nombreux « canaux d'accès » formels et institutionnels (organes d'information; partis; parlements et administrations). Ils permettent aux groupes d'entrer en contact avec les élites politiques qui prennent les décisions les intéressant.

Points d'intervention. — Par ailleurs, les points d'application des pressions varient aussi d'un système à l'autre. Selon le contexte, les groupes feront porter le meilleur de leur effort *sur tel ou tel secteur de l'appareil public.* Pour le choix de cette tactique, ils tiendront compte de divers éléments : structure des institutions, système de partis, régime électoral, statut de la fonction publique, etc.

Ainsi, de la IVe à la Ve République, *le centre de gravité du pouvoir* s'est déplacé du Législatif à l'Exécutif, qui prend la plupart des décisions économiques et sociales. En conséquence, une pression sur les parlementaires devient moins efficace qu'une intervention auprès des ministres, de leurs cabinets ou de leurs administrations.

De même, selon l'ampleur des intérêts en cause, les *niveaux d'intervention* peuvent être soit locaux ou sectoriels, soit nationaux ou généraux.

Organes d'intervention. — Parfois cette intervention émane d'organes spécialisés dans la technique de la pression, comme les *lobbies* aux Etats-Unis. *Lobby* signifie couloir. Le *lobbying* consiste à faire les couloirs du Congrès ou de l'Administration, pour intervenir auprès des hommes politiques ou des fonctionnaires.

Progressivement se sont constitués des bureaux *spécialisés* dans le lobbying, qui louent leurs services aux groupes d'intérêts désireux d'exercer une pression.

Selon l'Associated Press (*Pentagon Lobby,* 29 octobre 1969), le département de la Défense entretient une armée de « lobbyistes », pour assiéger et investir les parlementaires ou leurs assistants. Chaque année, 340 fonctionnaires civils ou militaires du Pentagone dépensent 4 millions de dollars à seule fin de maintenir de bonnes relations avec le Congrès.

Types d'intervention. — Dans sa définition stricte (*supra,* p. 590), la pression ne s'exerce qu'auprès des pouvoirs publics. Il est évident, cependant, que cette pression peut s'exercer aussi efficacement sur l'environnement de ces pouvoirs publics, c'est-à-dire sur les organes qui contrôlent ou influencent leurs décisions.

D'où la nécessité de distinguer trois grands types d'action :

— l'action sur le pouvoir lui-même;
— l'action sur les partis (qui détiennent ou contrôlent le pouvoir);
— l'action sur l'opinion publique (qui influence le pouvoir).

§ 1. — L'ACTION SUR LE POUVOIR

Il s'agit de la pression sur les organes du pouvoir (parlementaires, ministres et cabinets ministériels, hauts fonctionnaires et administrations).

Le degré de publicité des interventions. — Que les groupes tentent de faire prévaloir leurs intérêts n'a rien d'anormal. Cela le deviendrait, en revanche, si leur action était *clandestine.* Alors l'opinion ne pourraît pas apprécier les conditions dans lesquelles les décisions sont prises. Alors la façade des institutions représentatives risquerait de dissimuler le jeu des forces réelles, c'est-à-dire des groupes œuvrant pour un intérêt particulier.

Le vrai problème est d'empêcher que ces groupes dépassent la fonction de revendication qui est la leur, et en viennent à exercer un véritable pouvoir de décision, derrière le paravent des institutions officielles.

Les Etats-Unis ont recherché la solution de ce problème dans la *publicité.* Selon une idée chère aux Anglo-Saxons : dès qu'une action est connue, elle cesse d'être dangereuse. Aussi existe-t-il une législation (le *Federal Regulation of Lobbying Act* de 1946), qui officialise le *lobbying,* qui impose la *déclarations des lobbies,* ainsi que l'indication du personnel et des moyens financiers mis en œuvre.

Il importe donc de distinguer l'*action ouverte* et *l'action occulte.* La première émane généralement de groupes faisant appel à une clientèle de masse (syndicats ouvriers, organisations paysannes, etc.). En revanche, certains groupes de cadres (groupements patronaux, intérêts financiers, etc.), ne répugnent pas à une action plus discrète.

A. — L'ACTION OUVERTE

L'action ouverte peut prendre la forme de l'information, de la consultation ou de la menace.

1° **L'information.** — Le premier souci d'un groupe est de faire connaître ses désirs. L'information constitue donc son moyen d'action le plus naturel et le plus « respectable ».

Comment persuader l'autorité compétente de la justesse des revendications ? Par l'établissement et la remise d'une *documentation* détaillée — et souvent préparée par des experts qualifiés —, de ton modéré et d'apparence objective. Car cette information, *souvent orientée,* donne aux faits une présentation conforme aux intérêts et aux vœux du groupe.

Faute d'autres éléments d'information, le procédé est efficace. Ainsi la documentation d'un parlementaire sur la matière d'un projet ou d'une proposition de loi « technique » provient en grande partie des groupes d'intérêts concernés.

Pour une bonne part, la réussite du Centre national des jeunes agriculteurs tient à ce qu'il est l'un des premiers groupes à avoir pratiqué une véritable *politique de l'information* (brochures, revues, publications), au niveau tant local que national.

2° **La consultation.** — Les organismes publics consultent souvent les groupes, réalisant ainsi une officialisation des contacts. Cette consultation est soit *occasionnelle* (table ronde, auditions de délégations par les commissions et les groupes parlementaires, les ministres, etc.), soit *institutionnalisée* (Conseil économique et social, Commissions du Plan, Comité économique et social dans chaque région, etc.).

Cette « *administration consultative* » engendre, surtout auprès des administrations centrales, la prolifération d'organismes (conseils, comités, commissions, etc.) rassemblant généralement fonctionnaires, experts et représentants des intérêts.

Cette pratique de la consultation ouvre un nouveau canal d'accès aux intérêts organisés. Mais elle peut entrer en conflit avec la fonction de contestation qu'entendent exercer certains groupes, comme les syndicats ouvriers. Cette *tension entre participation et contestation* leur pose un problème constant. Elle conduit parfois la base à condamner la politique d' « *intégration* » que mèneraient les directions confédérales.

3° La menace. — A l'égard des *parlementaires,* la menace peut prendre des formes plus ou moins brutales : engagements extorqués des candidats aux élections; lettres comminatoires adressées aux élus à la veille de scrutins importants, avec menace d'entraver leur réélection en cas de vote défavorable aux intérêts du groupe; visites nocturnes à domicile; occupation des tribunes ou manifestations devant le siège des assemblées, etc.

Ainsi, en décembre 1972, à l'occasion de la discussion par l'Assemblée Nationale du projet de loi sur l'information sexuelle, un groupe de jeunes femmes, favorables à l'avortement et proches du M.L.F., manifestent dans les tribunes, lancent des tracts et perturbent les débats. En juin 1973, ce sont des membres de la Nouvelle Action Française qui, dans le même cadre, manifestent contre le projet de loi sur l'interruption de la grossesse.

A l'égard des *fonctionnaires,* la menace porte évidemment sur le déroulement de leur carrière. Son efficacité dépend donc des garanties statutaires dont bénéficient les agents publics.

B. — L'action occulte

La menace peut aussi se situer au niveau de l'action occulte. Sans parler du *chantage* exercé sur tel ou tel politicien — qui reste exceptionnel —, il faut mentionner les résultats que peuvent obtenir des groupes économiques ou financiers en pesant sur le crédit ou la monnaie de l'Etat. Dans l'entre-deux-guerres, l'obstacle du « mur d'argent » a particulièrement gêné les gouvernements de gauche.

1° Les relations privées. — A côté des « relations publiques », qui relèvent de l'information et de l'action ouverte, il faut mentionner les relations privées, les contacts personnels avec les parlementaires, les ministres, les hauts fonctionnaires.

J. LaPalombara (*Interest Groups in Italian Politics,* Princeton, 1964) montre bien comment, en Italie, l'existence de *rapports de clientèle ou de parenté* crée une interaction entre les groupes d'intérêts et l'administration d'Etat.

A une moindre ampleur, la France connaît un phénomène analogue. F. Goguel et A. Grosser le notent avec justesse : « Les syndicats ne sont pas sur un pied d'égalité quand il s'agit de négocier avec l'administration.

Quelle que soit l'orientation politique des hauts fonctionnaires, il y a entre eux et les dirigeants industriels ou bancaires *une communauté de milieu, de langage, d'attitudes intellectuelles* qui permet à ces dirigeants une sorte d'*action par sympathie* » (*La politique en France,* 4e éd., 1970, p. 183).

Ce phénomène n'est pas près de s'atténuer, avec *la fermeture sociale de l'E.N.A. :* de 1958 à 1970, le concours étudiants n'a laissé entrer à l'Ecole que trois fils d'ouvriers. La prépondérance des enfants des classes aisées est écrasante parmi les reçus du concours étudiants, qui fournissent ensuite l'essentiel des membres des grands corps.

La symbiose entre le pouvoir politique, la haute administration et le monde des affaires. — La Ve République a encore accentué trois autres traits.

D'abord, *les cabinets* qui entourent les ministres sont largement composés de membres des grands corps (Inspection des finances, Conseil d'Etat, Cour des comptes).

Ensuite, *les postes de commandement de l'administration* (directions de ministères) reviennent de plus en plus souvent à d'anciens membres des cabinets ministériels : ce qui accroît les liens entre la haute administration et les gouvernants en place.

Enfin, la pratique du « *pantouflage* » se développe : plusieurs membres des grands corps quittent l'administration pour des emplois importants dans le secteur privé.

Ainsi voit-on se dessiner une *parenté d'origine* entre ceux qui prennent les décisions (le ministre et son cabinet), ceux qui les font exécuter (les directeurs de ministères), ceux qu'elles concernent et qui les ont parfois inspirées (les milieux d'affaires). Ainsi le pouvoir politique, la haute administration et le monde des affaires tendent à se compénétrer, pour former un « triangle du pouvoir » (*supra,* p. 351), une « élite du pouvoir » (*infra,* p. 660), une caste dirigeante.

2° La corruption. — Dernière technique de pression occulte : la corruption.

La corruption *individuelle* reste rare, surtout sous sa forme la plus directe (achat des votes ou des décisions). Elle revêt généralement des formes plus subtiles (cadeaux de fin d'année, invitations, voyages, chasses, vacances, etc.).

En revanche, il existe un risque de « corruption » *collective,* par le financement des partis et des campagnes électorales. A cet égard, les dépenses somptuaires (sondages, marketing, affichage publicitaire, etc.)

exposées par certains candidats parlent d'elles-mêmes. Souvent plusieurs firmes ou groupes s'unissent pour constituer un organisme distributeur. Dissimulée fréquemment sous l'apparence d'une association d'études, une caisse électorale recueille et distribue les fonds. Double avantage par rapport à l'action isolée de tel ou tel groupe : une pression plus efficace et plus discrète.

Le financement des partis et des dépenses électorales. — Trop de candidats s'adressent aux milieux d'affaires pour financer leur campagne. Et ceux-ci considèrent leur contribution comme une police d'assurance ou comme un placement, avec l'espoir que l'élu saura ne pas se montrer ingrat. Car l'Etat peut accorder au secteur privé toutes sortes de faveurs ou de contreparties (subventions, dégrèvements fiscaux, etc.).

Tout reste à faire, en France, pour prévenir ces risques d'abus et de pressions, qui sont *la pollution de la démocratie*. En gros, l'on peut envisager trois types de mesures : la publicité des dépenses électorales, leur plafonnement, leur financement par l'Etat (7).

• La *publicité,* d'abord. L'électeur doit pouvoir voter en connaissance de cause, en sachant qui finance qui. En Allemagne fédérale, la loi du 24 juillet 1967 sur les partis politiques oblige ceux-ci à présenter chaque année une comptabilité détaillée, qui indique la provenance de leurs ressources financières. En Grande-Bretagne, chaque grand parti public son budget annuel, depuis que le *Compagnies Act* de 1967 contraint les sociétés à déclarer leurs contributions politiques.

• On peut aussi songer à *plafonner* les dépenses électorales, pour empêcher les campagnes dispendieuses ou somptuaires. C'est encore la solution anglaise, avec les *Representation of the People Acts* de 1949 et 1969. Certes, ces lois ne limitent pas les débours des partis au plan national. Mais, au plan local, nul candidat ne peut dépenser plus de 1 075 livres, auxquelles s'ajoute une somme forfaitaire, variant avec le nombre des électeurs et calculée différemment selon qu'il s'agit d'une circonscription rurale ou urbaine. De même, aux Etats-Unis, les *Federal Election Campaign Acts* de 1974 et 1976 plafonnent les dépenses électorales pouvant être engagées par un candidat à la Maison Blanche recourant au financement public.

• Car la solution la plus équitable est le *financement des dépenses électorales par l'Etat.* Comme en Allemagne fédérale. Les dépenses totales de l'Etat sont calculées sur la base de 2,50 DM par électeur. Et la répartition entre les partis se fait en fonction des suffrages obtenus par chacun aux élections du Bundestag. On peut estimer à 5 F par électeur la charge que représenterait l'institution en France d'un tel système.

(7) Cf. R.-G. SCHWARTZENBERG, *Rendre le suffrage universel, Le Monde* du 5 avril 1974.

Est-ce payer trop cher, pour *séparer la politique et les affaires,* pour éviter la collusion des élus et des intérêts privés ? Après tout, les élections constituent une activité d'intérêt général, un « service public », qui mérite d'être financé par la collectivité. Qui pourrait regretter que l'argent public subventionne la démocratie ?

En 1974, après la découverte d'importants scandales, l'Italie s'est ralliée à cette solution du financement public (loi du 2 mai 1974).

§ 2. — L'ACTION SUR LES PARTIS

Beaucoup de groupes d'intérêts, en effet, sont sans relations avec les partis ou n'entretiennent avec eux que des rapports épisodiques (à l'occasion d'une campagne électorale, par exemple). Mais d'autres ont avec les partis des relations stables, voire des liens organiques, qui peuvent être de trois types.

1° **Les partis dans la dépendance de groupes de pression.** — C'est souvent le cas des « partis de création extérieure » (*supra,* p. 478), qui naissent en dehors du cycle électoral et parlementaire, à l'initiative de groupements divers (syndicats, sociétés de pensée, associations d'anciens combattants, etc.).

Le parti politique devient presque l'annexe d'un groupe de pression. Mais cette subordination peut être officielle ou occultée.

— *Dépendance officielle,* inscrite dans les statuts : tel est en gros la situation des « *partis indirects* ». On n'adhère pas directement au parti lui-même, mais à une organisation qui en est membre collectif. C'est le cas, jusqu'à 1918, du *Labour Party,* constitué par des syndicats, des coopératives, des mutuelles et des sociétés de pensée. Depuis 1918, il s'est ouvert aux adhérents directs et possède donc davantage d'autonomie.

Mais, aujourd'hui encore, l'appareil travailliste reste très dépendant des syndicats qui lui procurent l'essentiel de ses ressources et de ses effectifs. Les *adhérents directs* ne représentent que 15 % de ses effectifs. Pour le reste, 85 % des effectifs spécialement des 68 syndicats, qui sont membres du Congrès des Trade Unions et représentent environ 5 500 000 adhérents. Dès lors, la Conférence annuelle du Parti est, évidemment, sous la coupe des syndicats, qui y contrôlent les 5/6 des votes (*supra,* p. 525).

Cette dépendance se retrouve aussi dans les partis démocrate-chrétiens à base corporative : comme le Parti populiste autrichien (Oe.V.P.), qui dépend des groupes d'intérêts — organisations paysannes, syndicats, chambre de commerce — qui le constituent.

— *Dépendance occultée,* en revanche, par plusieurs partis de droite, qui sont parfois l'instrument de groupes économiques ou financiers (banques, grandes entreprises, syndicats patronaux, etc.). Mais cette intervention s'entoure toujours d'une grande discrétion.

Ici la dépendance s'accroît en proportion inverse de la dimension du parti. Ce sont surtout les partis peu nombreux et peu organisés qui s'exposent à cette dépendance envers leurs bailleurs de fonds.

2° **Les groupes de pression dans la dépendance de partis.** — Ce schéma opposé caractérise les partis socialistes, puis surtout les partis communistes, qui inspirent volontiers des « *organisations annexes* ». C'est-à-dire des organisations étroitement liées à un parti et dociles à ses directives.

C'est le cas de tout un réseau d'organismes suscités par le P.C.F., pour étendre son recrutement au-delà de ses adeptes : Union des femmes françaises, Association républicaine des anciens combattants (A.R.A.C.), etc. Le parti contrôle le groupe, dont il a souvent provoqué la création. Il n'hésite pas à employer celui-ci, de manière plus ou moins ouverte, pour la défense de ses propres objectifs.

D'autres organisations trouvent la limite de leur indépendance dans le système de l'*union personnelle :* les fonctions de direction du groupe sont exercées par des membres du parti.

Ainsi le secrétaire général de la C.G.T. est aussi membre du bureau politique du P.C.F. Cependant, il serait simpliste de reprendre l'image de Lénine sur les syndicats ouvriers, simples « *courroies de transmission* » entre le parti et la masse. Certes le P.C.F. fait reprendre ses mots d'ordre par la C.G.T. Mais celle-ci se sert aussi du P.C.F. pour faire déboucher ses propositions au plan politique et parlementaire. On peut donc presque se demander qui, de la C.G.T. ou du P.C.F., sert de « courroie de transmission » à l'autre.

3° **La collaboration égalitaire.** — Sur un pied d'égalité, partis et groupes de pression collaborent à titre soit provisoire, soit durable.

— *Collaboration provisoire :* ce fut le cas, en France, avec les comités de lutte anti-fasciste en 1934-1936, avec les organismes de résistance de 1940-1944. Et aussi avec les comités « Horizon 80 », qui, en 1964-1965, appuyaient la candidature à l'Elysée de M. Defferre et réunissaient des membres de partis et de clubs (*supra*, p. 628).

— *Collaboration durable :* c'est celle, dans les pays scandinaves, du parti socialiste et des syndicats ouvriers, mutuelles et coopératives, qui coopèrent étroitement et sur un pied d'égalité.

Cette coopération est parfois très poussée. Ainsi, en Suède, la Confédération des syndicats (L.O.) est très liée au parti social-démocrate des travailleurs (S.A.P.). Par la pratique de l'adhésion collective du syndicat, un tiers des syndiqués ont aussi leur carte du S.A.P. Au demeurant, cet encadrement systématique est accepté de moins en moins facilement par les travailleurs. D'où des grèves sauvages dirigées contre la bureaucratie syndicale.

LE CAS DE LA C.F.D.T. — En France, les groupes de pression acceptent plus volontiers une coopération provisoire qu'une coopération durable. C'est notamment le cas de la *C.F.D.T.* dont certains animateurs ont participé au lancement de la candidature de Gaston Defferre (signature du manifeste des clubs du 17 décembre 1963 par le Groupe de recherche ouvrier et paysan; participation aux comités « Horizon 80 »), aux colloques socialistes de 1963-1964 et à la rencontre socialiste de Grenoble du 30 avril 1966. Mais elle répugne, en tant qu'organisation, à s'engager organiquement dans une structure commune avec des partis politiques (projet de « Fédération démocrate-socialiste » de Gaston Defferre, F.G.D.S., Parti socialiste).

• *Le rapport Jeanson.* — Comme le note M. André Jeanson dans son rapport au 35e congrès (Revue *Syndicalisme,* fév. 1970, n° spécial 1279 A, p. 54), *à la question des rapports partis-syndicats,* pendant plusieurs années, au sein de la C.F.D.T., deux écoles apportent deux réponses opposées : « Pour les uns, les partisans d'une « *stratégie commune* », le syndicalisme doit, ayant au préalable fixé ses propres priorités dans la liste de ses objectifs de réforme des structures, *confronter publiquement ses choix avec ceux des formations politiques socialistes, pour aboutir à un contre-plan ou à un contrat* qui définit les réformes à opérer et les objectifs à atteindre sur lesquels s'engagent les formations politiques pour leur accès au pouvoir et la première étape de leur gouvernement, les organisations syndicales, elles, faisant du contenu du contrat le cadre de leur action.

« D'autres, en revanche, s'opposaient à cette « stratégie commune aux organisations du monde ouvrier », et préféraient une « *stratégie autonome* ». Pour ces derniers, en effet, une « stratégie commune », une telle orientation « politico-syndicale » serait « mortelle pour le syndicalisme » qui risquerait de se laisser enfermer, surtout dans l'hypothèse où la gauche accéderait au pouvoir, « à l'intérieur de contraintes résultant des pressions contradictoires qui s'exercent sur tout gouvernement, fût-il élu avec la voix des travailleurs » (C. J. Monnier). *En aucun cas,* ni par contrat, ni autrement, *le syndicalisme ouvrier ne doit accepter de limiter son action dans le cadre d'un programme de gouvernement,* même établi par des amis politiques. C'est par le déploiement *en toute liberté* de son action, qu'indirectement, mais efficacement, le syndicalisme pèse sur l'orientation et l'activité des formations politiques. »

• *Le document d'orientation du 35e Congrès (1970).* — Selon M. Jeanson, « il convient de dépasser le conflit entre ces deux stratégies ». C'est ce que fait *le document d'orientation, adopté par le 35e Congrès* (mai 1970), en s'inspirant de son rapport.

Certes, le document insiste, de nouveau, sur l' « *autonomie syndicale* ». L'article 78 dispose ainsi :

« Afin d'éviter tout risque de confusion entre l'action syndicale et l'action des partis politiques..., *la distinction doit être clairement observée et maintenue entre les organisations politiques* qui ont naturellement vocation à accéder au gouvernement et à exercer le pouvoir, *et les organisations syndicales* qui n'ont, en aucune façon, une telle vocation. Elle se concrétise notamment par le *non-cumul des mandats politiques et syndicaux.* »

Mais cependant, « il s'agit d'une *autonomie engagée* ». La C.F.D.T. peut choisir de s'engager aux côtés de « partenaires ». « Ainsi, c'est en terme d'*alliance* et non de courroie de transmission qu'une action commune pourra s'envisager. »

Dans cet esprit, l'article 80 dispose :

« Etant entendu qu'aucune force sociale ou politique (syndicats, partis) ne peut prétendre diriger seule les luttes et subordonner à son profit les autres organisations, *l'action des forces syndicales et celle des forces politiques doivent* pouvoir se déployer sans aucune subordination des unes aux autres, mais *parvenir à une certaine convergence, à une certaine complémentarité.* »

Et l'article 81 précise :

« Pour la définition et la mise en œuvre de ces moyens la C.F.D.T. est disposée à mener toutes réflexions et discussions à l'intérieur de ses organisations comme toutes les *confrontations* extérieures qui pourraient être utiles. »

Dans le livre *La C.F.D.T.* (1971, p. 179), M. Jeanson souligne toute l'importance de ce document d'orientation, adopté par le 35e Congrès :

« Il n'est pas non plus négligeable que le congrès ait accepté de suivre son rapporteur pour surmonter le conflit qui depuis plusieurs années divisait, parmi les militants de la C.F.D.T., les partisans de la « stratégie commune » et les tenants de la « stratégie autonome », en considérant que dans une société moderne, *l'organisation syndicale,* rien qu'en faisant son « métier », *est en fait une force politique, et que cette force politique doit jouer consciemment son jeu parmi les autres forces politiques* de même nature qu'elle, ou d'autre nature, comme les partis.

A partir de cette affirmation, je suis heureux que le congrès ait, d'une part, reconnu que la réalisation de la société socialiste impliquait une « *action politique de masse* » pour le succès de laquelle toutes les forces populaires devraient être mobilisées, et ait d'autre part décidé, pour que le syndicalisme puisse pleinement participer à cette mobilisation, de « *réactualiser* » *ses rapports avec les partis* et les courants politiques, de rechercher avec ses partenaires politiques, sans rien aliéner de son indépendance, les moyens d'*assurer* « *une certaine convergence* », *une* « *certaine complémentarité* » *entre l'action syndicale et l'action politique.* »

Pour importante qu'elle soit, cette « réactualisation » reste marquée par le refus d'engager la C.F.D.T. en tant que telle dans des liens *durables* — et a fortiori dans une structure commune — avec des partis politiques.

• **La résolution sur « l'union des forces populaires » (janvier 1974).** — Aux législatives de 1973, la C.F.D.T., contrairement à la C.G.T., ne soutient pas le programme commun, jugé trop peu autogestionnaire. En janvier 1974, le conseil national de la C.F.D.T. adopte une résolution sur « *l'union des forces populaires,* c'est-à-dire des sept organisations politiques et syndicales de gauche (P.C., P.S.U., P.S., C.G.T., C.F.D.T., C.F.T.C., F.E.N.). Une fois encore, la volonté d'unité y alterne avec le désir d'autonomie et l'esprit d'indépendance de la centrale, qui désire conserver sa « maîtrise totale de décision en toutes circonstances ».

Le processus unitaire ainsi proposé comporte deux temps : les *syndicats* doivent définir leur propre plate-forme commune, puis, s'étant mis d'accord, engager une discussion de même ordre avec les *partis* se réclamant du socialisme. De cette confrontation sortira un « *constat de convergences* capable de rassembler et de mobiliser l'ensemble des forces populaires sur des objectifs de transformation conduisant au socialisme ». Syndicats d'un côté et partis de l'autre en tireront leurs plans d'action respectifs, les premiers n'étant point engagés dans les responsabilités des seconds.

Remarque de M. Maire : « Les travailleurs ne veulent pas être l'infanterie des partis politiques. » (*Le Monde* du 30 janvier 1974).

« Les assises nationales du socialisme » (octobre 1974). — Cependant, avec l'élection présidentielle de mai 1974, la C.F.D.T. s'engage plus nettement (*supra,* p. 621). En juin 1974, dix membres du bureau national de la C.F.D.T. souscrivent à un appel, lancé par M. Mitterrand, en faveur d' « *assises nationales du socialisme* ».

Ils y reconnaissent « la nécessité d'*une force socialiste puissante et populaire,* insérée dans toutes les luttes sociales, dans et hors de l'entreprise, et capable d'être un pôle de rassemblement autour d'un projet socialiste fondé sur l'autogestion ». Ils entendent donc contribuer « à la constitution d'une *force politique* cohérente » (*Le Monde* du 12 juin 1974).

Certes, la confédération n'est pas encore engagée en tant que telle dans cette opération politique. Mais sa direction opte clairement pour l'engagement. Ainsi, après avoir paru tentée naguère par une stratégie de type « anarcho-syndicaliste » privilégiant le rôle du syndicat dans le changement des structures de la société, la direction de la C.F.D.T. se prononce finalement *pour la constitution d'une force socialiste,* qui, au niveau politique, pourrait être *son répondant.*

Aujourd'hui, plusieurs dirigeants de la C.F.D.T. font donc partie du P.S. Mais, à titre personnel. En juin 1976, la C.F.D.T. présente une « plate-forme de revendications et d'objectifs immédiats, qui insiste sur la dimension autogestionnaire du socialisme (conseils d'atelier élus par les travailleurs, etc.).

LE CAS DES CLUBS. — Cette réticence à une collaboration *permanente ou structurelle* ne caractérise plus la plupart des clubs. Beaucoup ont naguère adhéré à la Fédération de la gauche démocrate et socialiste (F.G.D.S.) et coopéré égalitairement en son sein avec des partis. Et, dans ses statuts de 1969, le parti socialiste leur propose des « contrats d'association » (*supra,* p. 630). Le M.R.G. fait de même.

§ 3. — L'ACTION SUR L'OPINION PUBLIQUE

En régime démocratique, influencer l'opinion publique, c'est influencer *indirectement* le pouvoir. Il s'agit de peser, par un détour, sur la position des pouvoirs publics : ceux-ci peuvent difficilement prendre des décisions hostiles à un groupe bénéficiant d'un fort courant d'opinion favorable.

Cette action peut prendre la forme, soit de la contrainte, soit de la persuasion.

A. — LA CONTRAINTE

Certaines formes de contrainte agissent sur le public, pour mieux amener les autorités publiques à céder. Celles-ci ne sauraient rester passives devant un mouvement qui a l'appui du public ou qui paralyse une région ou une industrie vitale. Elles seront donc contraintes de se soumettre, pour éviter aux citoyens des inconvénients excessifs et immérités.

1° **La grève** est le mode privilégié de cette tactique. Le poids de l'opinion publique peut décider du succès, ou de l'échec d'une grève. Ainsi, la grève des mineurs (qui a duré du 1er mars au 4 avril 1963) a trouvé dans l'opinion publique un écho favorable, qui a contraint le gouvernement à la conciliation.

La grève est surtout efficace quand elle entrave de grandes entreprises nationalisées (électricité, transports), dont la marche conditionne toute l'économie. Mis au point par les syndicats ouvriers, le procédé a été imité par d'autres organisations. Aujourd'hui, il ne s'applique plus aux seuls rapports du travail : grève des médecins, fermeture des boutiques par les commerçants, grève des achats sur les marchés de gros, etc.

2° D'autres groupements se sont inspirés de ces méthodes contraignantes, en accentuant leur caractère de **troubles à l'ordre public** : manifestations de masse sur les voies publiques, barrages de routes et de voies ferrées par des organisations paysannes, blocage des grands axes par des organisations de routiers, déversement de légumes ou de fruits dans les artères des villes, obstruction aux opérations fiscales, etc.

Sous ces diverses formes, cette pression « violente » a été utilisée, par exemple, par le Mouvement Poujade, et l'est parfois par le C.I.D.-U.N.A.T.I. de M. Nicoud.

Ce type de pression contraignante se révèle très efficace dans une société développée, ayant atteint un haut niveau de complexité et donc de fragilité, de *vulnérabilité*. Ici, la contrainte exercée sur quelques points de l'organisme social, peut engendrer, assez vite, une paralysie générale, tant les *interrelations* sont nombreuses et complexes.

B. — La persuasion

Mais, le plus souvent, l'action sur le public n'atteint pas cette extrémité. Généralement, les groupes se bornent à tenter de persuader le public, soit par la propagande, soit par l'information.

1° **La propagande.** — Il s'agit de faire valoir auprès du public — et non plus seulement du pouvoir — les besoins et les vœux des groupes concernés. Cette propagande auprès du public peut revêtir diverses formes.

• Elle peut, d'abord, emprunter le canal de *journaux syndicaux ou corporatifs,* qui sont officiellement l'organe de tel ou tel groupe de pression. En général, cette presse spécialisée est destinée aux membres du groupe, bien plus qu'au public extérieur.

• Ensuite, les groupes adressent habituellement à la grande presse tout un *matériau rédactionnel pré-élaboré :* communiqués contenant le texte des motions votées à un congrès, lettres ouvertes, interviews, etc. De même, la pratique des conférences de presse se développe. Parfois les groupes obtiennent l'insertion gratuite de tout ou partie de cette documentation : mais c'est loin d'être toujours le cas.

• D'où le recours à une technique plus franche — et plus coûteuse : *la location de pages de journaux* par les groupes pour assurer la *publicité* de leurs thèses. Cette publicité (se dissimulant parfois sous des termes plus discrets : « publicité rédactionnelle », « publi-information », « information industrielle », etc.) peut parfois s'insérer dans une campagne générale, mobilisant d'autres supports : affiches, brochures, « spots » télévisés, etc.

Cette dernière pratique est fréquente aux Etats-Unis. Comme toute action publique, cette publicité à visage découvert n'est pas choquante. Ce en quoi elle diffère d'une pression occulte des groupes d'intérêts sur les organes de presse. Pression dépassant le cadre de la *propagande* ouverte, pour influencer l'*information* elle-même.

2° **L'information.** — En effet, la plupart des organes d'information n'ont qu'une indépendance limitée envers les groupes industriels et financiers. Cette indépendance restreinte peut tenir à diverses causes.

a) *L'emprise des intérêts industriels et financiers.* — En France, la presse issue de la Résistance a progressivement disparu. Aujourd'hui, beaucoup de quotidiens sont retombés sous la dépendance de groupes industriels et financiers, qui possèdent une partie ou la totalité de leur capital. Le journal *Le Temps,* acheté par le Comité des Forges en 1929, et financé par lui avant 1939, fournissait un bon exemple de cette situation.

Ainsi de grands industriels, des banques ou de puissants groupes capitalistes s'assurent le contrôle d'*organes de presse.* L'entreprise n'est pas toujours rentable. Mais elle permet souvent d'accroître son influence sur le public et le pouvoir.

Cette dépendance est fréquente, mais elle n'est pas universelle. Il existe au moins un quotidien — *Le Monde* — qui a su conserver son indépendance : grâce à une gestion régulièrement bénéficiaire, grâce à la qualité de ses journalistes, grâce surtout à l'autorité et à la rigueur de deux grands directeurs, M. Hubert Beuve-Méry, puis M. Jacques Fauvet depuis 1969.

D'autre part, dans beaucoup d'Etats occidentaux, si la presse est organisée suivant le modèle capitaliste, il n'en va pas de même de *la radio-télévision,* dirigée par l'Etat ou érigée en établissement public autonome.

Ainsi la B.B.C. anglaise possède une autonomie réelle par rapport au pouvoir : car elle est gérée par un conseil d'administration (composé de délégués des journalistes, de représentants des usagers et de personnalités indépendantes) qui s'emploie à faire respecter sa liberté d'action. Malgré une analogie formelle timide (depuis les statuts de 1964 et 1972), on ne pouvait en dire autant de l'O.R.T.F. En droit — et surtout en fait — l'Office demeurait soumis à la *tutelle* du gouvernement, que celui-ci exerçait sans modération. Dès lors la radio-télévision d'Etat, si elle échappe à l'emprise des intérêts privés, n'échappe pas à l'emprise du pouvoir.

b) *Le poids de la publicité.* — Leur prix de vente ne peut procurer aux journaux — et spécialement aux quotidiens — des recettes suffisantes, vu leur prix de revient, la hausse du papier, les frais de distribution, etc. Dès lors, pour éviter le déficit ou pour l'atténuer, la plupart des titres recherchent une augmentation des recettes publicitaires. Or la publicité (plus difficile à obtenir avec la rivalité de la radio-télévision, qui draine une partie des budgets publicitaires), est à la fois bienfaisante et redoutable.

Bienfaisante : puisqu'elle permet de maintenir un faible prix de vente et d'assurer l'équilibre des budgets. Ce qui préserve l'indépendance financière du journal, si, du moins, il bénéficie d'annonceurs assez diversifiés.

Redoutable, pour deux raisons inégalement valables. En premier lieu, on peut craindre que la rédaction ne se soumette à des *consignes dictées* directement ou indirectement *par tel ou tel annonceur.* Ce type de pression, s'il a pu exister au temps où la publicité s'apparentait parfois à une subvention déguisée, est peu concevable aujourd'hui. Les annonceurs sont eux-mêmes soumis aux impératifs commerciaux. Ils ne peuvent se permettre — sauf exception pour tel journal électoral ou de parti — de distribuer des budgets à fonds perdus. Se préoccupant plus de rendement que d'influence, ils s'adressent indistinctement aux organes de grande diffusion.

C'est précisément le second danger, réel lui. Les ressources de publicité ne sont pas également réparties. Elles varient en fonction du pouvoir d'achat prouvé ou présumé des lecteurs de chaque titre.

Elles varient surtout en fonction de la vente. Soucieux de ne pas disperser leurs publicités, les annonceurs tendent à les concentrer sur des titres de grande audience, en négligeant ceux dont la diffusion est plus faible.

Ainsi, consciemment ou non, *les annonceurs accélèrent le mécanisme des lois de la concentration.* L'argent va à l'argent, le succès va au succès, selon un *processus cumulatif.* Plus un journal aura des ventes élevées, plus il aura de lecteurs et plus il obtiendra de budgets publicitaires — donc plus il sera riche. A l'inverse, moins un journal vendra, moins il aura de lecteurs et moins il obtiendra de recettes publicitaires — donc plus il sera démuni. Nécessairement, la publicité vole au secours du succès commercial, et accentue ses effets.

Ce processus cumulatif a une conséquence déplorable. Pour conserver ou accroître leurs chiffres de vente et leurs recettes publicitaires, beaucoup de journaux se plient au *conformisme.* Pour avoir le maximum de lecteurs — et d'annonceurs —, ils s'alignent sur le goût du plus grand nombre, et évitent tout ce qui pourrait éloigner des sentiers battus ou des idées reçues. Les points de vue originaux ou controversés sont soigneusement évités, car ils risqueraient d'effaroucher une partie de la clientèle et de la faire fuir.

Cette pratique conduit à écarter les attitudes critiques ou réformistes, pour ne choquer personne. Et à privilégier les institutions établies et les valeurs traditionnelles. Mécaniquement, cette recherche de l'opinion moyenne favorise le *conservatisme.*

c) *La concentration des entreprises de presse.* — On tend ainsi à une concentration de plus en plus forte de la presse. Le phénomène est très net en Grande-Bretagne et aux Etats-Unis. Mais il se constate aussi en France.

En 1945, il existait 32 quotidiens d'information générale à Paris. En 1954, il n'en subsistait plus que 14. Cette tendance à la concentration est longtemps accentuée (disparition de *Paris-Jour,* de *Combat,* etc.). Mais, depuis quelques années, de nouveaux titres apparaissent : *Le Quotidien de Paris, Libération, Rouge, le Matin, J'informe.* Cependant, certains se constituent un véritable empire de presse. Comme M. Robert Hersant, présent depuis peu dans *Le Figaro, France-Soir* et *Paris-Normandie.* La presse de province connaît chaque année une concentration plus poussée. Seuls subsistent les « grands régionaux » et, dans leur orbite, les titres de diffusion plus restreinte, qui acceptent avec eux les couplages rédactionnels ou publicitaires.

Bilan : organe d'information et pression. — Au total, le phénomène de la pression concerne donc les organes d'information, passivement et activement. Au premier cas, ils la subissent; au second, ils l'exercent.

a) *La pression subie.* — C'est le cas des organes de presse placés sous la coupe d'intérêts industriels ou financiers. Certes, ces groupes d'intérêts ne dictent pas quotidiennement leur volonté à la rédaction. Mais celle-ci veille à ne pas s'écarter d'une ligne générale favorable aux intérêts concernés, en s'imposant au besoin une auto-censure.
Dans certaines occasions ou affaires précises, on constate nettement une relation de cause à effet entre l'attitude et le financement du journal : celui-ci se pliant aux directives — explicites ou implicites — des groupes qui contrôlent son capital ou ses budgets publicitaires.

b) *La pression exercée.* — Elle s'exerce sur l'opinion publique, les partis ou le pouvoir. D'une certaine manière, *la presse « fait » l'opinion,* et façonne les attitudes ou les convictions du public. Cette influence — qui lui valut naguère le titre de « *quatrième pouvoir* » — en fait une puissance avec qui le personnel politique doit compter.
Prolongeant ou remplaçant la fonction d'information, cette activité de pression s'exerce au bénéfice soit d'intérêts matériels, soit d'idées. Si bien que les organes d'information peuvent se comporter soit comme des « groupes d'intérêts », soit comme des « groupes d'idées » (*supra,* p. 605).

Groupes d'intérêts : les organes qui dissimulent, derrière une information apparemment objective, la défense des intérêts chers aux milieux qui assurent leur financement.

Groupes d'idées : les organes qui prolongent leur fonction d'information par des prises de position non dissimulées en faveur de telle ou telle thèse. Ainsi *Le Monde,* tout en rendant compte scrupuleusement des faits, exerce aussi une sorte de magistère moral sur ses lecteurs et sur le personnel politique, par ses commentaires et ses analyses. Il constitue alors un groupe d'idées, un groupe de pression désintéressé, à la manière de certaines universités ou sociétés de pensée.

SECTION III

LES GROUPES ET LA STRUCTURE DU POUVOIR

Cette pression des divers groupes sur la vie publique incite plusieurs sociologues à poser une question fondamentale : la démocratie représentative est-elle une réalité ou une simple façade ? *Qui détient la réalité du pouvoir* dans les sociétés modernes ?

La plupart des analyses admettent que le pouvoir de direction est exercé par des minorités. Mais les controverses commencent quand on cherche à déterminer la nature de ces minorités dirigeantes.

Les trois thèses principales sur la structure du pouvoir. — Pour les sociétés occidentales, trois thèses principales s'affrontent :

— la thèse *élitiste* : le pouvoir appartient à *une élite,* dotée d'une certaine unité, qu'aucune structure constitutionnelle ne peut dessaisir;

— la thèse *pluraliste :* il n'existe pas *une* classe dirigeante, mais *plusieurs* catégories dirigeantes, qui tantôt coopèrent et tantôt s'affrontent, se font en quelque sorte contrepoids et représentent les pressions de la base;

— la thèse *marxiste :* le pouvoir est détenu par une *classe dominante* et ses auxiliaires, dont l'emprise est « camouflée », « occultée » par l'idéologie de la démocratie bourgeoise.

§ 1. — LA THÈSE ÉLITISTE

En science politique, les thèses élitistes sont déjà classiques (*supra,* p. 215). Parmi elles, on peut en gros discerner une approche psychologique (Pareto), une approche organisationnelle (Mosca, Michels), une approche économique (Burnham). A quoi s'ajoute une approche *institutionnelle* avec le sociologue Charles Wright Mills.

C. Wright Mills : L'Elite du pouvoir. — En 1956, Mills publie *The Power Elite* (tr. fr. : *L'Elite du pouvoir,* 1969). Il y récuse et la simplification marxiste — qui fonde le pouvoir sur la détention des moyens de production — et l'illusion libérale — qui repose sur le mythe d'un ordre politique autonome.

Pour Mills, l'élite du pouvoir est plus un « groupe de *status* » (au sens webérien) qu'une « classe » (au sens marxiste). Elle résulte de la détention de certains « *rôles* » stratégiques.

Les trois grandes hiérarchies institutionnelles. — Dans la société moderne, le pouvoir est institutionnalisé. Parmi ces « *institutions* », trois possèdent une position pivot : l'institution politique, l'institution économique, l'institution militaire. Par là même, ceux qui sont placés à la tête de ces hiérarchies institutionnelles occupent « les postes de commande stratégique de la structure sociale ».

En résumé, dans la société américaine, les « décisions-clé » (key decisions) sont prises par une élite, qui se compose des dirigeants des *trois grandes hiérarchies institutionnelles :* les dirigeants politiques de premier plan, les grands capitaines d'industrie et les seigneurs de la guerre (War Lords).

Le « triangle du pouvoir ». — A l'intérieur de chaque grande institution (politique, industrielle, militaire), le pouvoir est de plus en plus concentré. Et, entre les trois grandes institutions, la *solidarité* est de plus en plus affirmée, les hommes sont de plus interchangeables. *Les trois grandes hiérarchies institutionnelles se pénètrent, se compénètrent, et l'on circule aisément et fréquemment de l'une à l'autre.* Car à leur tête se trouvent des dirigeants, dont les origines, la formation et les intérêts sont identiques.

Beaucoup de « ministres » ou d'ambassadeurs sont des transfuges de l'industrie. Beaucoup d'officiers entrent dans le secteur privé, etc.

Cette solidarité, cette unification des cercles dirigeants des trois hiérarchies dominantes, résultent surtout de deux facteurs. D'une part, « les diverses *coïncidences d'intérêts objectifs* qui unissent les institutions économiques, militaires et politiques ». D'autre part, « *les similitudes sociales et les affinités psychologiques* des hommes qui occupent les postes de commandement de ces structures, en particulier le caractère de plus en plus interchangeable des postes supérieurs dans chacune d'entre elles, et le va-et-vient de plus en plus fréquent des hommes de pouvoir entre ces trois ordres ».

Les dirigeants de ces trois appareils, qui se compénètrent ainsi, forment un « triangle du pouvoir », une « *élite du pouvoir* », qui prend les décisions capitales :

« Par élite du pouvoir, nous entendons ces cercles politiques, économiques et militaires qui, dans un ensemble complexe de coteries entrecroisées, partagent les décisions d'importance au moins nationale. Dans la mesure où les événements nationaux font l'objet de décisions, l'élite du pouvoir est l'ensemble des personnes qui les prennent » (*op. cit.*, p. 23).

Au total, cette élite possède une forte cohérence, fondée à la fois sur la communauté d'intérêts et sur la solidarité personnelle (formation et origine sociale communes, rapports interpersonnels, affinités psychologiques, etc.). D'où l'osmose des cercles dirigeants et la perméabilité d'une institution à l'autre.

La hiérarchie politique. — Au sein de cette triple élite, quelle est, en particulier, la composition de la hiérarchie politique ? Pour Mills, celle-ci comprend seulement les politiciens les plus importants. *Elle n'englobe pas la majorité des congressmen,* dotés d'un maigre prestige et relégués dans les étages inférieurs du pouvoir.

Le centre de décision s'est déplacé du Congrès à l'Exécutif. Et l'Exécutif est, en fait, dirigé par une cinquantaine d'hommes : le président, le vice-président, les chefs des départements ministériels, les dirigeants des agences et des commissions administratives les plus importantes, et des membres de l'Executive Office of the President (y compris surtout les « assistants » du Président).

Les « political outsiders ». — En 1956, sur ces 50 dirigeants de l'Exécutif, quatorze seulement — soit un peu plus d'un tiers — sont des *politiciens professionnels,* qui passent la majeure partie de leur vie à mener une carrière politique et à briguer des mandats électifs. Car Mills constate « la relégation du politicien professionnel de parti aux échelons mineurs du pouvoir ». Les autres sont des *« political outsiders ».* Qui n'ont pas exercé de fonctions locales ou d'Etat, mais ont débuté à l'échelon fédéral. Qui ne sont pas passés par les assemblées législatives nationales. Qui doivent leur carrière à des nominations plus qu'à des élections. Qui, enfin, passent une partie beaucoup plus limitée de leur vie active dans la politique.

Ces *« intrus politiques »* viennent souvent du monde des affaires et y retourneront. Ils seront donc naturellement enclins à prêter attention aux besoins et aux intérêts de la grande industrie. Qu'ils identifieront, de bonne foi, aux intérêts de la nation. On connaît la phrase de Charles Erwin Wilson, président de la General Motors, placé par le général Eisenhower à la tête du Département de la Défense : « Ce qui est bon pour la General Motors est bon pour les Etats-Unis. »

Bilan : l'élite du pouvoir : une oligarchie non élue. — Au total, la hiérarchie politique en particulier, et l'élite du pouvoir en général, relèguent les politiciens professionnels à l'arrière-plan. *Les décisions capitales sont prises par l'élite du pouvoir, mais celle-ci ne comporte que très peu de politiciens de carrière détenteurs de mandats électifs.* Les Etats-Unis sont dirigés par une élite restreinte, qui est une *oligarchie non élue* par les citoyens. Les représentants élus des citoyens ne participent guère à la prise des décisions capitales.

La description est sévère, car elle n'insiste pas assez sur le rôle du Président des Etats-Unis et des présidents des grandes commissions parlementaires, désignés directement ou indirectement par le suffrage universel (1). Mais il est exact que ceux-ci gouvernent au sein d'une élite qui, en majeure partie, ne résulte pas de l'élection. Derrière l'apparence représentative, une élite oligarchique empiète sur la réalité du pouvoir.

G. W. Domhoff : Who Rules America ? — Dans des études plus récentes (*Who Rules America ?*, Englewood Cliffs, 1967; *The Higher Class*, New York, 1970), G. William Domhoff conclut, à son tour, à l'existence d'une classe dirigeante aux Etats-Unis. Il existe au niveau national une *classe supérieure*, qui concentre une large part de la richesse nationale, qui contrôle les grandes industries et les principales banques, lesquelles à leur tour conduisent l'économie du pays. Les membres de cette classe supérieure dirigent les grandes sociétés, les fondations, les universités et les moyens de communication de masse. Cette élite contrôle l'Exécutif fédéral et ses annexes.

Floyd Hunter : Community Power Structure. — Dès 1953 (*Community Power Structure. A Study of Decision Makers*, Chapell Hill, 1953), Floyd Hunter avait abouti à des conclusions analogues au plan *local*, en étudiant la structure du pouvoir dans la ville d'Atlanta.

Résultat de cette approche « *réputationnelle* » (cf. *infra*, p. 672) :

(1) Il faudrait aussi nuancer la thèse de Mills sur le « vide administratif » provoqué par le *spoil system* et les luttes partisanes. En vérité, aujourd'hui, le *merit system* tend à s'étendre jusqu'aux postes les plus élevés des départements « politiques », tandis que le *spoil system* s'applique dans les départements « commerciaux » ou militaires. Ce qui offrirait au pouvoir politique un instrument indépendant et limiterait quelque peu l'influence du complexe militaro-industriel. Sur ce point de vue : P. BIRNBAUM, « La place des hauts fonctionnaires dans l'élite du pouvoir aux Etats-Unis. A propos de la théorie de C. W. Mills. » *RFSP*, 1973, p. 771.

Atlanta est dirigée par une élite remarquablement peu nombreuse et homogène. De cette élite, les autorités politiques ne font partie qu'accessoirement : en fait, les vraies décisions sont prises par une oligarchie d'affaires.

Jean Meynaud : Rapport sur la classe dirigeante italienne. — Le même type d'analyse pourrait s'appliquer à d'autres sociétés occidentales. Jean Meynaud l'a fait pour l'Italie, dans son *Rapport sur la classe dirigeante italienne* (Lausanne, 1964). Rejetant ici le concept pluraliste de « catégories dirigeantes », J. Meynaud préfère se référer à Mosca et à Mills et parler de « *classe dirigeante* ». Cette classe se définissant à la fois par la « couche de provenance » de ses membres et par la « structure oligarchique d'influence » qu'elle fait peser sur l'ensemble de la vie sociale.

Cette classe compte de 4 à 5 000 personnes, recrutées en majorité dans la même couche de la bourgeoisie capitaliste. Elle se renouvelle partiellement par des éléments dynamiques pris dans les classes voisines.

Cette oligarchie assure sa cohésion par un *réseau de relations* personnelles et non formelles entre ses membres. Elle dispose des moyens d'influence essentiels sur le corps social, qu'elle conditionne et exploite.

Raison d'être du système : *maintenir l' « ordre social »*, qui se trouve fonctionner au bénéfice de cette classe privilégiée. Les rivalités entre personnes ou groupes ne sont tolérées qu'à condition de ne pas remettre en cause les fondements de cet ordre.

Selon J. Meynaud, ce schéma d'interprétation de la vie politique italienne peut valablement s'appliquer à toutes les sociétés capitalistes modernes.

§ 2. — LA THÈSE PLURALISTE

En revanche, d'autres politistes n'acceptent pas cette thèse d'une élite relativement unifiée, disposant d'un pouvoir politique stratégique.

Selon eux, il n'existe pas *une* classe dirigeante, mais *des* catégories dirigeantes. La réalité n'est pas l'*unité* d'une classe dirigeante, mais la *pluralité* des catégories dirigeantes. Ces diverses catégories dirigeantes, tantôt coopèrent et tantôt s'affrontent, se font contrepoids et représentent les pressions de la base.

Raymond Aron : la pluralité des catégories dirigeantes. — Dans plusieurs analyses (9), Raymond Aron a souligné la complexité de la structure du pouvoir dans les sociétés modernes.

Outre l'élite politique, il existe encore cinq autres « *catégories dirigeantes* » :

— les détenteurs du « pouvoir spirituel », qui influencent les façons de penser et de croire (prêtres; intellectuels, écrivains ou savants; idéologues de partis);

— les chefs de l'armée et de la police;

— les « gestionnaires du travail collectif », propriétaires ou gérants des moyens de production;

— les « meneurs de masses » (dirigeants de syndicats ouvriers et de partis politiques;

— les hauts fonctionnaires, détenteurs du « pouvoir administratif ».

« Ces catégories dirigeantes sont toutes présentes dans n'importe quelle société moderne. Les régimes de type occidental sont définis non par la seule différenciation de ces catégories, mais par le libre dialogue entre ces catégories. Les régimes de type soviétique sont définis par une moindre différenciation et surtout par une moindre liberté de dialogue ou d'opposition » (R. Aron, in *Archives européennes de sociologie,* I, Paris, 1960, p. 260-281).

Conclusion : c'est une « erreur d'imaginer que les sociétés modernes sont définies par *une* classe dirigeante, alors qu'elles sont caractérisées par la compétition entre les catégories dirigeantes; l'unification étant l'exception plutôt que la règle » (R. Aron, *La lutte des classes,* 1964, p. 278). La réalité, dans la plupart des systèmes occidentaux, c'est la pluralité des catégories dirigeantes.

David Riesman : les « veto groups ». — David Riesman (*The Lonely Crowd,* New Haven, 1952; tr. *La foule solitaire,* 1964) s'oppose, de même, à l'idée d'une classe dirigeante unique.

Selon lui, on observe, en gros depuis le début du New Deal, un fractionnement du pouvoir précédemment détenu par une certaine classe dirigeante. Cette classe aurait été remplacée par des groupes, qu'il

(9) R. Aron, « Social Structure and the Ruling Class », *British Journal of Sociology,* juin 1950, vol. I, nos 1 et 2; « Note sur la stratification du pouvoir », *RFSP,* 1954, p. 474; « Classe sociale, classe politique, classe dirigeante », in *Archives européennes de sociologie,* I, Paris, 1960, p. 260-281; et sa contribution au numéro de la *RFSP* (n° 1, fév. 1965, p. 23), consacré à « Catégories dirigeantes ou classe dirigeante ? ».

appelle « *veto groups* », qui se partagent le pouvoir, aucun d'eux ne pouvant imposer seul sa volonté.

« A une hiérarchie unique, couronnée par une classe dirigeante, se sont substitués plusieurs groupes de pression, d'intérêts *(veto groups)* qui, aujourd'hui, se partagent le pouvoir. Tous ont plus ou moins réussi à s'assurer une position qui leur permet de *neutraliser leur adversaire* » (*op. cit.*, p. 279 et s.).

Et ce serait la classe moyenne qui fournirait surtout les membres et les dirigeants de ces « veto groups ». Ainsi, au cours du dernier demi-siècle, on serait passé de « la hiérarchie de pouvoir d'une classe dominante à la dispersion des pouvoirs » dans des « groupes de veto ».

« Alors, qui commande en réalité ?... Le pouvoir en Amérique m'apparaît comme conditionné par la situation du moment et soumis à toutes sortes de changements; *il résiste aux tentatives de localisation* à peu près comme la molécule, selon les lois de Heisenberg, résiste à nos efforts pour la situer exactement et mesurer sa vitesse » (*op. cit.*, p. 290-294).

Bref, pour Riesman, ce « labyrinthe » du pouvoir « ne comporte aucun fil d'Ariane ». Les décisions politiques ne sont pas le fait d'une élite unie, mais le résultat du rapport de forces momentané entre les divers groupes de pression.

Mills a critiqué « ce pot-pourri de pouvoirs qu'invente M. Riesman », « ce *pluralisme romantique* », cette thèse qu'il résume ainsi : « Aujourd'hui, personne ne domine rien; tout dérive sans gouverne » (*L'Elite du pouvoir*, tr. 1969, p. 249).

J. K. Galbraith : le pouvoir compensateur. — A mentionner aussi l'analyse de John Kenneth Galbraith (*American Capitalism*, New York, 1952; tr. *Le capitalisme américain*, 1956). La concentration économique croissante donne naissance à de puissants monopoles et paraît ainsi supprimer toute lutte entre les groupes.

Mais, malgré cette disparition de la concurrence, un nouvel équilibre demeure possible. Non plus entre les producteurs rivaux. Mais entre ceux-ci et les fournisseurs et les consommateurs. Le danger de cette accumulation de puissance est atténué par la formation quasi automatique d'un « *pouvoir compensateur* » : « Le pouvoir économique privé est tenu en échec par le pouvoir compensateur de ceux qui y sont soumis » (*op. cit.*, p. 143).

Cette notion de *countervailing power* (pouvoir de compensation, force de contrepoids) constitue un peu l'application à l'ensemble de la société de la « *faculté d'empêcher* », chère à Montesquieu, et du principe des « freins et contrepoids » *(checks and balances)*, introduit dans la constitution américaine par les Pères Fondateurs. Pour Madison, par exemple, « *l'équilibre des factions* », des divers groupes sociaux, est essentiel au jeu démocratique.

Arthur Bentley et David Truman : l'équilibre des groupes d'intérêts. — Une conception analogue se retrouve chez les analystes des groupes d'intérêts. D'Arthur Bentley (*The Process of Government,* Chicago, 1908 : cf. *supra,* p. 13) à David Truman (*The Governmental Process,* New York, 1951), le processus politique est envisagé comme la résultante des interactions de groupes.

Le « public » se divise en de nombreux groupes, qui font valoir des intérêts divers. Toute décision résulte d'un processus d'*affrontement* des groupements intéressés et d'*ajustement* de leurs intérêts.

Robert Dahl : la polyarchie. — De même, pour Robert A. Dahl (*A Preface to Democratic Theory,* Chicago, 1956), la vie politique américaine se caractérise par la *pluralité des centres de décision autonomes.* Nulle élite ou classe dirigeante ne règne dans ce *modèle « polyarchique »*, qui se caractérise par un profond « *pluralisme social* », par une large « diversité d'organisations sociales avec une large part d'autonomie de chacune vis-à-vis des autres ». On y trouve, au contraire, une grande diversité de leaders de groupes indépendants. Ceux-ci entrent en concurrence, composent et bâtissent ensemble des coalitions sans cesse changeantes, sous le contrôle du peuple.

La polyarchie rend nécessaires le compromis et la conciliation. Les décisions résultent d' « interminables négociations » *(bargaining)* (*op. cit.,* p. 150), qui opposent des groupes concurrents.

C'est de cette libre compétition entre groupes rivaux que, dans les limites imposées par le consensus, résulte un *équilibre* spontané. Equilibre qui sera d'autant plus stable que la société elle-même sera plus diversifiée.

Ce schéma polyarchique se trouve confirmé par l'étude de la vie *locale.* A l'issue d'une enquête minutieuse sur New Haven (ville du Connecticut, où se trouve l'Université de Yale), R. Dahl (*Who Governs ? Democracy and Power in an American City,* New Haven, 1961; tr. *Qui gouverne ?* 1971) aboutit à deux conclusions essentielles.

D'une part, les « *ressources politiques* » sont diverses : et, bien qu'inégalement réparties, elles ne sont plus l'objet d'une possession cumulative. Loin d'être concentrés par un seul groupe, les éléments du pouvoir se trouvent fragmentés (*supra,* p. 193).

« Dans la vieille oligarchie de New Haven, les ressources politiques étaient concentrées. » Elles étaient marquées par leur « caractère d'*inégalité cumulative* : quand un homme était très avantagé par rapport à son prochain en une ressource particulière, l'argent par exemple, il l'était d'habitude en presque toutes les autres : le statut social, la légitimité, le pouvoir légitime, l'autorité sur les institutions religieuses et scolaires, l'instruction, la fonction publique. »

L'avènement de la société industrielle a eu pour effet la dispersion de ces ressources. « Dans le système politique d'aujourd'hui, les inégalités politiques demeurent mais tendent à devenir non cumulatives. Le système politique de New Haven est donc un système d'*inégalités dispersées* » (*op. cit.*, p. 95-104).

D'autre part, ceux qui détiennent ces ressources ne s'allient pas pour former une oligarchie. La politique américaine est de structure *pluraliste,* et non oligarchique, contrairement aux thèses de C. Wright Mills ou de Floyd Hunter.

« Ce n'est plus *une élite* qui règne sur New Haven. » Il n'existe plus d'élite formant un bloc homogène. Désormais, il s'agit d'un « *système pluraliste* », d'une « démocratie pluraliste ».

Même réfutation chez Aaron Wildavsky (*Leadership in a Small Town,* Totowa, N. J., 1964). En se fondant toujours sur une enquête menée au plan local (à partir de décisions municipales prises à Oberlin, Ohio), A. Wildavsky formule une distinction très nette entre la « réputation de puissance » et le pouvoir réel, contrairement aux analyses réputationnelles, qui affirmaient l'unicité du pouvoir sur la base de la réputation de puissance.

Conclusion : le pouvoir est pluraliste. Selon la nature des problèmes, des groupes divers possèdent la puissance.

La position « élitiste-pluraliste ». — En fait, comme le note justement Geraint Parry (*Political Elites,* Londres, 1969), la position dominante dans la recherche américaine actuelle de science politique sur les élites, ne peut être appelée simplement « pluraliste », au sens classique du terme.

En effet, cette recherche, illustrée par David Truman, Nelson W.

Polsby (*Community Power and Political Theory,* Yale, 1963) et surtout Robert Dahl, ne nie pas le rôle privilégié de minorités influentes dans la société. D'où ce vocable insolite d' « élitiste-pluraliste ».

Pour Truman, Polsby ou Dahl, le jeu politique est joué par un grand nombre de groupes, chacun de ces groupes cherchant un avantage pour lui-même. *Le gouvernement est le point de rencontre de la pression de ces groupes.* Sa fonction consiste à mener une politique qui reflète le plus de facteurs communs aux réclamations des groupes. Ainsi la direction des affaires publiques est *partagée* entre un grand nombre de groupes. Groupes rivaux, chacun tentant, au détriment des autres, d'exercer une influence plus importante sur la société.

Ainsi, loin d'accepter la thèse « élitiste-moniste » de Whright Mills d'*une* élite relativement unifiée, disposant d'un pouvoir de direction stratégique, ces « *élitistes-pluralistes* » (selon l'expression de Geraint Parry) proposent une thèse plus nuancée.

Des élites différenciées coexistent, chacune dans son domaine propre (gouvernement, administration, affaires, armée, etc.). L'élite *politique* est distincte des autres élites, et, au sein même de l'élite politique, on rencontre *plusieurs sortes d'élites,* puisque, explique Dahl, la minorité influente en matière de défense ne sera pas la même que la minorité influente en politique intérieure ou encore en politique sociale.

Ainsi, conclut G. Parry : « Selon les pluralistes, comme Dahl, dans les démocraties avancées, les décisions politiques sont influencées par un certain nombre d'élites. » En conclusion, contrairement à l'analyse de Wright Mills, il n'y aurait pas unité — même relative — de l'élite, mais *pluralité des élites.* Pour sa propre part, G. Parry conclut plutôt en faveur de ces thèses des « élitistes-pluralistes », tout en notant l'existence de liens entre ces différentes élites.

§ 3. — LA THÈSE MARXISTE

Quant aux politistes marxistes (10), ils récusent et la thèse « élitiste » de Mills et la thèse « pluraliste » de Dahl. La première, parce qu'elle ne fonde pas le pouvoir sur la détention des moyens de production. La seconde — surtout — parce qu'elle serait une tentative de « camouflage », accréditant l'illusion libérale d'un ordre politique autonome.

(10) Sur l'apport d'A. Gramsci, voir *supra,* p. 90.

Nicos Poulantzas. — Ainsi, dans *Pouvoir politique et classes sociales* (1968), Nicos Poulantzas conteste également ces deux schémas d'explication.

a) *Contre la thèse pluraliste.* — Pour lui, *la thèse* de la pluralité des élites « n'est qu'une réaction idéologique typique à la théorie marxiste du politique : celle du courant fonctionnaliste ». Cette thèse vise à masquer la lutte des classes et la véritable nature du pouvoir d'Etat. En considérant le pouvoir comme éparpillé entre divers groupes, les « élitistes-pluralistes » veulent faire oublier la réalité du pouvoir de la *classe dominante.* Pour faire croire, au contraire, à l'autonomie du politique et à la neutralité de l'Etat.

b) *Contre la thèse élitiste.* — Mais s'il rejette la thèse de la pluralité des élites, N. Poulantzas n'est pas moins sévère pour *la thèse de l'unicité.* Sous ces divers aspects (Mosca, Michels, Mills, Meynaud), cette thèse lui paraît avoir toujours pour objet de retenir le schéma général de la *domination politique.* Schéma évidemment inconcevable pour un marxiste : la classe politiquement dirigeante s'identifiant nécessairement à *la classe économiquement dominante* (c'est-à-dire à la classe qui possède les moyens de production : *supra,* p. 66).

Ainsi Mills aurait le tort de ne pas donner la prépondérance au facteur économique, de ne pas recourir à la théorie marxiste de la lutte des classes. Allant jusqu'à écrire, dans *L'Elite du pouvoir* (p. 284) : « *L'expression « classe dominante » a un contenu trop chargé.* « Classe » est un terme économique; « dominante », un terme politique. Donc l'expression renferme l'idée qu'une classe économique est politiquement dominante... Spécifiquement, l'expression « classe dominante », dans son acception politique habituelle, n'accorde pas une *autonomie* suffisante à l'ordre politique et à ses agents, et elle ne dit rien des militaires en tant que tels. Nous n'acceptons pas *l'idée simpliste selon laquelle les grands dirigeants économiques prennent unilatéralement toutes les décisions d'importance nationale.* Nous affirmons qu'à cette idée simple du « déterminisme économique », il faut ajouter le « *déterminisme politique* » et le « déterminisme militaire ». Les agents supérieurs de chacun de ces trois domaines ont souvent aujourd'hui une assez grande autonomie. C'est seulement dans une *coalition souvent complexe* qu'ils prennent et exécutent les décisions les plus importantes. Voilà les raisons essentielles pour lesquelles nous préférons « élite du pouvoir » à « classe dominante ». »

Ralph Miliband. — En vérité, c'est la notion même d'élite que rejette Poulantzas comme inemployable par un marxiste. Sur ce point, il diverge du point de vue soutenu par un autre auteur marxiste, Ralph Miliband, dans *L'Etat dans la société capitaliste. Analyse du système de pouvoir occidental* (tr. 1973).

Selon Miliband, il est possible pour un marxiste d'admettre le concept d'élite, et même de reconnaître la pluralité des élites. Mais il ne faut jamais omettre que *ces élites, même diversifiées, appartiennent toutes à la classe dominante.* Des élites distinctes existent dans la société capitaliste (élites économiques, élites politiques, etc.), mais ces élites font toutes partie de la classe dominante.

Ces différentes élites, et singulièrement l'élite politique, sont étroitement liées à la classe dominante par l'origine sociale, le milieu, les rapports inter-personnels et l'idéologie. Il serait ainsi possible et utile pour un chercheur marxiste d'*accepter la thèse de la pluralité des élites, à condition de toujours considérer celles-ci comme parties intégrantes de la classe dominante.*

La controverse Poulantzas-Miliband. — Cette analyse a provoqué une controverse entre Poulantzas et Miliband dans la *New Left Review*, controverse reprise en français dans *Politique aujourd'hui* de mars 1970.

Poulantzas estime, en effet, que *la participation directe de la classe dominante à l'appareil d'Etat* (au gouvernement, à l'administration, à la magistrature, à l'armée, à la police) *n'est nullement un facteur important.* La classe dirigeante reflète objectivement et nécessairement les intérêts de la classe dominante, mais si cette classe dirigeante ne se compose pas subjectivement de membres de la classe dominante.

Poulantzas écrit : « Le rapport entre la classe bourgeoise et l'Etat est un *rapport objectif.* La correspondance, dans une formation sociale déterminée, de la fonction de l'Etat et des intérêts de la classe dominante dans cette formation, est due au système lui-même. La participation directe des membres de la classe dominante à l'appareil d'Etat n'est pas la cause, mais l'effet, d'ailleurs éventuel et *aléatoire,* de cette correspondance. »

Fraction hégémonique et fraction régnante. — Dans la terminologie de Poulantzas, la classe dominante et les classes alliées forment un « *bloc au pouvoir* ». Mais la classe dominante n'est pas monolithique. Elle comprend plusieurs fractions. Le bloc au pouvoir ne peut fonctionner régulièrement que sous la direction d'une de ces classes ou fractions dominantes : c'est la *fraction hégémonique.*

De la classe dominante et de sa fraction hégémonique, il faut distinguer la classe ou *fraction régnante, celle qui fournit le personnel politique* et occupe l'appareil d'Etat. Car fraction hégémonique et fraction régnante ne se confondent pas nécessairement.

Ainsi, en Europe occidentale, le personnel politique est souvent issu de la moyenne et même de la petite bourgeoisie. Selon Poulantzas, cela n'empêche pas l'hégémonie politique du grand capital. Même sous des gouvernements sociaux-démocrates (Grande-Bretagne, Allemagne fédérale, Autriche). Car cette hégémonie n'est pas fondée sur des liens *personnels.* Elle repose sur des coordonnées *objectives :* dans une économie et une société organisées sous la coupe des grands monopoles, l'Etat ne peut, finalement, que servir leurs intérêts.

Tel est le rôle objectif de l'Etat. Même si, en majorité, les membres de la *fraction régnante* se recrutent en dehors de la fraction hégémonique. Même si peu de membres des grands monopoles occupent eux-mêmes les sommets de l'appareil d'Etat.

§ 4. — BILAN : DIVERSITÉ DES APPROCHES ET DES RÉSULTATS

En vérité, ces conclusions dissemblables d'auteur à auteur tiennent souvent à la diversité des *méthodes* utilisées pour enquêter sur la structure réelle du pouvoir, spécialement au niveau local.

Diversité des approches. — Pour la recherche des leaders dans une collectivité locale, quatre *approches* peuvent être surtout employées.

a) *L'approche réputationnelle.* — Cette méthode repose sur l'idée que le pouvoir n'est pas clandestin. Dans une ville, voire dans une nation, ceux qui subissent le pouvoir sont capables d'identifier ses détenteurs. On demandera donc aux personnes interrogées d'établir une liste des leaders *réputés les plus influents.* C'est ainsi qu'a procédé Floyd Hunter dans son enquête sur Atlanta (*supra,* p. 663).

Cette méthode a provoqué les critiques d'A. Wildavsky. Selon lui, il existerait une nette distinction entre la « *réputation de puissance* » et le pouvoir réel. Contrairement aux analyses réputationnelles, qui affirment l'unicité du pouvoir sur la base de la réputation de puissance.

b) *L'approche décisionnelle.* — Même critique de la part de Dahl : la réputation des membres de l'élite peut être surfaite. Quand on interroge les citoyens pour leur demander « qui détient le pouvoir dans votre ville ? », tout ce qu'on obtient, c'est l'idée la plus répandue, et non une réponse rigoureuse et scientifique.

Dans *Qui gouverne ?*, Dahl préfère donc la méthode décisionnelle. Elle consiste à examiner un certain nombre de *décisions,* et à déterminer quels sont les dirigeants ou les groupes qui l'ont emporté, quand il y a eu conflit. Dahl sélectionne donc un ensemble de décisions importantes prises à New Haven pendant un certain nombre d'années. Il examine chacune d'elles comme une tension entre groupes ou individus, pour identifier les participants influents au processus décisionnel. L'avantage de cette méthode est de mettre l'accent sur ce que *font* les gens et non sur leur réputation ou leur position formelle.

c) *L'approche positionnelle.* — Elle conduit à l'identification des *dirigeants en titre* des principales organisations. On établit la liste des organisations les plus importantes dans chaque zone institutionnelle (monde des affaires, administration, éducation, etc.). Puis on recense les *leaders positionnels,* qui sont les dirigeants en titre de ces organisations.

Cette méthode est la plus simple et la moins arbitraire. Mais ce n'est pas la plus féconde. Elle ne fournit en effet que peu d'indications sur les phénomènes de pouvoir ou de pression qui ne se manifestent pas publiquement. Comme le note R. Dahl : « La méthode ne découvrira pas l'identité de l'éminence grise du faiseur de rois, du boss politique, du confident » (*L'analyse politique contemporaine,* tr. 1973, p. 74-75).

d) *L'approche par l'activité sociale.* — Cette approche peut utilement compléter les approches précédentes. On demandera aux personnes découvertes, par exemple, par l'étude décisionnelle, de remplir un questionnaire portant sur leur situation sociale et leurs différentes *activités.* En indiquant particulièrement les *adhésions à des associations volontaires* (organisations professionnelles, syndicales, culturelles, religieuses, partis, clubs, etc.).

On peut ensuite fixer un *indice brut global de l'activité volontaire,* en additionnant pour chaque personne le nombre de ces adhésions. Et déterminer les individus les plus « actifs ».

Diversité des résultats. — Ces diverses méthodes aboutissent à des résultats rarement concordants. On n'en veut qu'un exemple.

Utilisant l'approche *réputationnelle,* Floyd Hunter arrive à la conclusion qu'Atlanta est dirigée par une élite remarquablement homogène et peu nombreuse.

Employant l'approche *décisionnelle,* Robert Dahl parvient à une conclusion opposée. A New Haven, les éléments du pouvoir lui paraissent fragmentés. Et ceux qui détiennent ces éléments divers ne s'allient pas pour former une oligarchie. Selon les problèmes, les domaines et les époques, tel groupe ou tel individu utilisera avec plus d'efficacité ses « ressources politiques » et l'emportera dans le processus décisionnel.

La combinaison des diverses appoches. — Linton Freeman, Thomas Ferero, Werner Bloomberg et Morris Sunshine (*American Sociological Review,* octobre 1963, p. 794) ont utilisé simultanément toute la gamme des méthodes disponibles, pour découvrir la structure réelle du pouvoir dans les collectivités locales. Recourant aussi bien à l'approche réputationnelle (Hunter) qu'à l'étude décisionnelle (Dahl), sans oublier l'approche positionnelle et l'examen de l'activité sociale des participants.

Constat : « L'on est loin de la concordance parfaite dans l'identification des leaders au moyen de ces autres méthodes. Dans un seul cas, deux de ces méthodes concordent sur plus de 50 % de leurs désignations. Les approches réputationnelle et positionnelle semblent présenter une concordance réelle dans la localisation des leaders. Dans une large mesure, par conséquent, les leaders réputés comme tels sont les dirigeants en titre des organisations les plus importantes de la communauté. Toutefois, ils ne sont pas en eux-mêmes actifs et ne participent pas véritablement à la prise de décision. »

Conclusion : « Les diverses approches destinées à permettre l'étude du leadership communautaire semblent découvrir des types différents de leaders. Les divers procédés servant à identifier les leaders ne présentent pas de résultats convergents. *La découverte de tel ou tel leader semble être en grande partie fonction du mode d'étude* » (L. Freeman et al., *op. cit.*, p. 794-798).

Science politique et politique. — On mesure donc toute l'importance de la technique particulière retenue par chaque chercheur pour déterminer la structure réelle du pouvoir, au niveau local ou national.

Il est à parier que le choix de telle approche produira plutôt tel résultat. Une fois de plus, on trouve ce qu'on cherche. Il est peu de domaines où l'intuition et les préjugés de l'observateur jouent un tel rôle. Où les préférences subjectives guident à ce point la recherche. Consciemment ou non.

La science politique retrouve la politique. Comment pourrait-il en être autrement ? Reste à jouer cartes sur table. Pour l'avenir de la science politique, le politiste ouvertement engagé est moins dangereux que le politiste qui prétend indûment à l'impartialité, sans s'imposer ses disciplines.

BIBLIOGRAPHIE

I. — *Théorie des groupes de pression.*

On pourra d'abord consulter l'ouvrage précurseur d'A. F. Bentley, *The Process of Government. A Study of Social Pressures,* Chicago, 1908, rééd. 1949. Et dans la même voie : D. B. Truman, *The Governmental Process,* New York, 1951.

Une fois encore, il faut se reporter à G. A. Almond, G. B. Powell, *Comparative Politics. A Developmental Approach,* Boston, 1966 (sp. le chap. IV, p. 72, essentiel pour une analyse fonctionnelle des groupes d'intérêts).

Une importante étude comparative est celle de H. W. Ehrmann, *Interest Groups on Four Continents,* Pittsburgh, 1958. Consulter aussi l'article de R. Macridis, « Interest Groups in Comparative Analysis », *Journal of Politics,* fév. 1961.

En français, on consultera avant tout les ouvrages du spécialiste du problème : J. Meynaud, *Les groupes de pression en France,* 1958; *Nouvelles études sur les groupes de pression en France,* 1962, et son petit livre, bref et très utile, *Les groupes de pression,* 3e éd. 1965. Du même auteur : *Les groupes de pression internationaux,* 1961; et, sous sa direction, *La décision politique en Belgique. Le pouvoir et les groupes,* 1965. Voir aussi : L. Dion, *Société et politique : la vie des groupes,* 2 vol., Québec, 1971.

II. — *Etudes nationales.*

— Sur les groupes de pression en Grande-Bretagne :

A. Potter, *Organized Groups in British National Politics,* Londres, 1961; S. H. Beer, *Modern British Politics. A Study of Parties and Pressure Groups,* Londres, 1965 (une analyse très remarquable); G. K. Roberts, *Political Parties and Pressure Groups in Britain,* Londres, 1970; S. E. Finer, *Anony-*

mous Empire : A Study of the Lobby in Great Britain, Londres, 1958; J. D. STEWART, *British Pressure Groups*, Oxford, 1958 (qui étudie surtout la pression sur les Communes).

En ce qui concerne particulièrement les syndicats : l'excellent ouvrage de M. CHARLOT, *Le syndicalisme en Grande-Bretagne*, 1970; V. L. ALLEN, *Trade Unions and the Government*, Londres, 1960; H. WELTON, *The Trade Unions, the Employers and State*, Londres, 1960; D. F. MAC DONALD, *The State and the Trade Unions*, Londres, 1960.

— *Sur l'Italie :*

J. LAPALOMBARA, *The Italian Labor Movement*, Ithaca, 1957, et surtout *Interest Groups in Italian Politics*, Princeton, 1964; J. MEYNAUD, *Rapport sur la classe dirigeante italienne*, Lausanne, 1964; J. NOBECOURT, *L'Italie à vif*, 1970.

— *Sur l'Allemagne :*

R. BREITLING, *Die Verbünde in der Bundesrepublik*, Meisenham, 1955. Sur le patronat, les études de K. PRITZKOLEIT, *Männer, Mächte, Monopole*, Dusseldorf, 1953; *Die Neuen Herren*, Munich, 1955; *Weingehört Deutschland*, Munich, 1957. Sur les syndicats ouvriers : l'ouvrage collectif *Gewerkschaften und Staat*, Dusseldorf, 1955; et surtout F. G. DREYFUS, éd., *Le syndicalisme allemand contemporain*, 1968 (la plupart des études de ce recueil portent sur le D.G.B.). Consulter aussi G. BRAUNTHAL, *The Federation of German Industry in Politics*, Ithaca, 1965. Et d'une manière générale l'excellent ouvrage d'A. GROSSER, *L'Allemagne de notre temps (1945-1970)*, 1970.

— *Sur les pays scandinaves :*

G. HECKSCHER, *Démocratie efficace. L'expérience politique et sociale des pays scandinaves*, tr. 1957; H. FERRATON, *Syndicalisme ouvrier et social-démocratie en Norvège*, 1960.

— *Sur les Etats-Unis :* la bibliographie est immense. Outre les ouvrages fondamentaux cités *infra*, p. 666, sur les groupes et la structure du pouvoir, on citera surtout :

• Comme *ouvrages généraux :* R. DAHL, C. LINDBLOM, *Politics Economics and Welfare*, New York, 5e éd., 1964; V. O. KEY, *Politics, Parties and Pressure Groups*, New York, 1958; H. ECKSTEIN, *Pressure Groups Politics*, Stanford, 1960; H. R. MAHOOD, *Pressure Groups in American Politics*, New York, 1967; L. MILBRAITH, *The Washington Lobbyists*, Chicago, 1963; S. CHASE, *Democracy under Pressure*, New York, 1945; D. BLAISDELL, *American Democracy under Pressure*, New York, 1957. En français : l'excellent article d'A. MATHIOT, « Les « pressure groups » aux Etats-Unis », *RFSP*, 1952, p. 430; L. DION, *Les groupes et le pouvoir aux Etats-Unis*, 1965; et le bref et éclairant ouvrage de P. BIRNBAUM, *La structure du pouvoir aux Etats-Unis*, 1971.

• Des *monographies* existent sur presque tous les groupes de pression influents. On consultera par exemple : P. ODEGARD, *Pressure Politics : The Story of the Anti-Saloon League*, New York, 1928; O. M. KILE, *The Farm Bureau*, New York, 1921; L. KESSELMAN, *The Social Politics of F.E.P.C., A Study in Reform*, Chapell Hill, 1948; O. GARCEAU, *The Political Life of the*

American Medical Association, Connecticut, 1941, et *The Public Library in the Political Process*, New York, 1959; R. B. Talbot, D. F. Hadwiger, *The Policy Process in American Agriculture*, San Francisco, 1968. Cf. les bibliographies très complètes données par D. Truman, *op. cit.*, p. 538-544, et A. Mathiot, *op. cit.*, p. 429-430.

• *Sur le monde des affaires :* J. K. Galbraith, *Le capitalisme américain*, tr. 1956; F. Lundberg, *Les riches et les super-riches*, tr. 1969, et *America, 60 Families*, New York, 1937; M. Josephson, *The Robber Barons*, New York, 1937; R. Brady, *Business as a System of Power*, New York, 1947; C. W. Mills, *Les causes de la troisième guerre mondiale*, tr. 1970.

• *Sur la haute administration :* P. Birnbaum, « *La place des hauts fonctionnaires dans l'élite du pouvoir aux Etats-Unis* », *RFSP*, 1973, p. 771.

• *Sur les militaires :* C. Moisy, *L'Amérique sous les armes*, 1971 (précis et très documenté); J. M. Swomley, *The Military Establishment*, Boston, 1964 (une analyse pénétrante du « complexe militaro-industriel »); F. J. Cook, *Les vautours de la guerre froide*, tr. 1964 (une analyse moins convaincante du même sujet); J. K. Galbraith, *How to Control the Military*, Doubleday, 1969 (les suggestions d'un démocrate libéral pour maîtriser le « complexe »); C. R. Mollenhoff, *The Pentagon*, New York, 1967 (une mine d'informations par un prix Pulitzer de journalisme). Et surtout : S. P. Huntington, *The Soldier and the State*, Harvard, 1957 (la théorie et la pratique des relations entre civils et militaires); M. Janowitz, *The Professional Soldier*, 1960 (étude sociologique sur la formation et le comportement du militaire de carrière américain); A. Ekirch, *The Civilian and the Military*, New York, 1956.

• *Sur l'action auprès des instances fédérales, et spécialement auprès du Congrès :* R. Nader, *Main basse sur le pouvoir*, tr. 1973 (titre original : *Who Runs Congress ?*, 1972); D. Cater, *Qui gouverne à Washington ?*, tr. 1964; L. W. Dexter, *How Organizations Are Represented in Washington*, Indianapolis, 1969 (les voies et moyens de la pression sur les autorités fédérales); S. Bailey, *Congress Makes a Law*, New York, 1950; S. Bailey, H. Samuel, *Congress at Work*, New York, 1952; E. Griffith, *Congress : Its Contemporary Role*, New York, 1952; P. Herring, *Groups Representation before Congress*, 1929. Sur la détermination de la politique étrangère : R. Dahl, *Congress and Foreign Policy*, New York, 1950; G. A. Almond, *The American People and Foreign Policy*, New York, 1950; W. O. Chittick, *State Department, Press and Pressure Groups*, New York, 1970.

— *Sur l'Amérique latine :*

J. Payne, *Labor and Politics in Peru*, New Haven, 1965; C. A. Astiz, *Pressure Groups and Power Elites in Peruvian Politics*, Ithaca, 1969; J. Arcos, *El sindicalismo en America latina*, Bogota, 1964 (rapide historique des mouvements syndicaux latino-américains).

— *Sur l'Afrique :*

J. Meynaud, A. Salan-Bey, *Le syndicalisme africain*, 1963); J. Davies, *African Trade Unions*, Harmonsdsworth, 1966 (un panorama bref et utile des questions syndicales dans l'ensemble de l'Afrique).

— *Sur l'U.R.S.S. :*

H. G. Skilling, F. Griffiths, *Interest Groups in Soviet Politics*, Princeton, 1970. Sur le poids des militaires : R. L. Grathoff, *Soviet Military Policy. A Historical Analysis*, New York, 1966; R. Kolkowicz, *The Soviet Military and the Communist Party*, Princeton, 1967.

III. — *Les groupes de pression en France.*

Outre les études de J. Meynaud citées *supra*, p. 660, consulter un autre ouvrage général : J.-D. Reynaud, *Les syndicats en France*, 3e éd., 1975.

— *Sur les syndicats ouvriers :*

J. Julliard, *Fernand Pelloutier et les origines du syndicalisme d'action directe*, 1971; H. Dubief, *Le syndicalisme révolutionnaire*, 1969; G. Lefranc, *Le mouvement syndical* (t. I : *Sous la IIIe République;* t. II : *De la Libération aux événements de mai-juin 1968*), 1967-1969; G. Lefranc, *Juin 36, L'explosion sociale du Front populaire*, 1966 (les grèves de mai-juin 1936); P. Bauchard, M. Bruzek, *Le syndicalisme à l'épreuve*, 1968 (les syndicats face à mai 68); G. Caire, *Les syndicats ouvriers*, 1971; L. Rioux, *Clés pour le syndicalisme*, 1972; J. Capdevielle, R. Mouriaux, *Les syndicats ouvriers en France*, 2e éd., 1973 et « Le militantisme syndical en France », *RFSP*, 1972, p. 566 (esquisse bibliographique).

• *Sur la C.G.T. :* A. Kriegel, *La croissance de la C.G.T., 1918-1921, Essai statistique*, 1966; J. Bruhat, M. Piolot, *Esquisse d'une histoire de la C.G.T., 1895-1965*, 1965 (la manière dont la C.G.T. présente sa propre histoire); A. Prost, *La C.G.T. à l'époque du Front populaire, 1934-1939*, 1964 (une thèse très sûre); A. Barjonet, *La C.G.T.*, 1968 (vue par un ancien dirigeant, démissionnaire en mai 1968); J. Ranger, G. Adam, « Les liens entre le P.C.F. et la C.G.T. », *RFSP*, fév. 1969.

• *Sur la C.F.D.T. :* G. Adam, *La C.F.T.C., 1940-1958*, 1964; et l'ouvrage collectif présenté par E. Descamps, *La C.F.D.T.*, 1971; et E. Descamps, *Militer*, 1971; E. Maire, *Pour un socialisme démocratique. Contribution de la C.F.D.T.*, 1971; G. Declerq, *Syndicaliste en liberté*, 1974 (autoportrait par un autre dirigeant cédétiste); E. Maire, J. Julliard, *La C.F.D.T. d'aujourd'hui*, 1975.

• *Sur la C.F.T.C. :* H. Landier, *La C.F.T.C., pourquoi ?*, 1975.

• *Sur F.O. :* A. Bergeron, *Lettre ouverte à un syndiqué*, 1975 (par le secrétaire général de F.O.) et *Ma route et mes combats*, 1976 (avec en annexe les statuts de F.O.); A. Bergougnoux, *Force ouvrière*, 1975 (la première approche scientifique globale de la centrale).

• *Sur les fonctions syndicales :* R. Lesire-Ogrel, *Le syndicalisme dans l'entreprise*, 1967; A. Bockel, *La participation des syndicats ouvriers aux fonctions économiques et sociales de l'Etat*, 1965; H. Krasucki, *Syndicats et lutte de classes*, 1969 (par un dirigeant de la C.G.T.).

• *Sur les syndicats au plan international :* C. Levinson, *Le contre-pouvoir multinational. La riposte syndicale*, 1974 (par le célèbre syndicaliste canadien).

— *Sur le patronat :* la très bonne étude de W. Ehrmann, *La politique du patronat français (1936-1955)*, 1959; B. Brizay, *Le Patronat. Histoire, structure, stratégie du C.N.P.F.*, 1975. Sur les *cadres :* J. Dubois, *Les cadres, enjeu politique*, 1971; A. Malterre, *La Confédération générale des cadres*, 1972 et *Les cadres et la réforme de l'entreprise*, 1969; J.-P. Bachy, *Les cadres en France*, 1971; J. Doublet, O. Passelecq, *Les cadres*, 1973.

— *Sur les organisations paysannes :*

J. Fauvet, H. Mendras, *Les paysans et la politique dans la France contemporaine*, 1958 (qui contient des analyses très pénétrantes); L. Prugnaud, *Les étapes du syndicalisme agricole en France*, 1963; Y. Tavernier, *Le syndicalisme paysan*, 1969 (une très bonne étude); F.-H. de Virieu, *La fin d'une agriculture*, 1967; M. Faure, *Les paysans dans la société française*, 2e éd., 1967; B. Lambert, *Les paysans dans la lutte des classes*, 1970; H. Mendras, *La fin des paysans*, 1967. Lire aussi : *L'Univers politique des paysans*, 1972 (ouvrage collectif issu d'un colloque de l'Association française de science politique); P. Gratton, *Les paysans français contre l'agrarisme*, 1972; M. Bodiguel, *Les Paysans face au progrès*, 1975. Et aussi : H. Mendras, *Sociétés paysannes*, 1976.

— *Sur les commerçants :* M. Roy, *Les commerçants. Entre la révolte et la modernisation*, 1971.

— *Sur les organisations de consommateurs :*

R. Nader, *Ces voitures qui tuent*, tr. 1966; *Le Festin empoisonné*, tr. 1971, et *Main basse sur le pouvoir*, tr. 1973; C. Mac Carry, *Ralph Nader*, tr. 1973; M. Mintz, J. Cohen, *America Inc.*, tr. 1972; M. Wieviorka, *L'Etat, le patronat et les consommateurs* (étude des mouvements de consommateurs), 1977.

— *Sur le poids de l'armée :*

R. Girardet et al., *La crise militaire française, 1945-1962, Aspects sociologiques et idéologiques*, 1964; R. Rémond, « Les anciens combattants et la politique », *RFSP*, 1955, p. 267; Club Jean-Moulin, *La force de frappe et le citoyen*, 1963; et surtout J. Planchais, *Une histoire politique de l'armée* (t. I : *De Pétain à Pétain, 1919-1942;* t. II : *De de Gaulle à de Gaulle, 1940-1967*).

— *Sur les forces religieuses :*

A. Latreille, A. Siegfried, *Les forces religieuses et la vie politique*, 1951; A. Dansette, *Destin du catholicisme français (1926-1956)*, 1957; A. Coutrot, F. Dreyfus, *Les forces religieuses dans la société française*, 1966; R. Remond, éd., *Forces religieuses et attitudes politiques en France depuis 1945*, 1965; A von Campenhausen, *L'Eglise et l'Etat en France*, 1964; S. R. Schram, *Protestantism and Politics in France*, Alençon, 1954.

— *Sur les intellectuels :* le numéro spécial de la *RFSP* de décembre 1959 sur « Les intellectuels dans la société française contemporaine » : M.-A. Burnier, *Les existentialistes et la politique*, 1966.

— *Sur les étudiants :* A. B. Fields, *Student Politics in France. A Study of the Union Nationale des Etudiants de France*, New York, 1970. Et la bibliographie, *supra*, p. 461. Sur les *lycéens*, *supra*, p. 450.

— *Sur les clubs* : l'excellent livre de J. Mossuz, *Les clubs et la politique en France,* 1970; J.-A. Faucher, *Les clubs politiques en France,* 1965 (à utiliser avec précaution); R. Cayrol, G. Lavau, « Les clubs devant l'action politique », *RFSP,* 1965, p. 555-569; G. Lavau, « Les clubs politiques », *RFSP,* 1965, p. 103-113; R.-G. Schwartzenberg, *La campagne présidentielle de 1965,* P.U.F., 1967 (sp. p. 164 et s. : les clubs de la « petite » à la « grande » Fédération). On consultera deux témoignages : F. Mitterrand, *Ma part de vérité,* 1969; C. Hernu, *Priorité à gauche,* 1969. Enfin, parmi les divers travaux du Club Jean-Moulin, on lira surtout *Un parti pour la gauche,* 1965 (pour un modèle de parti intégrant les « forces vives » et les clubs).

— *Sur l'information :* F. Balle, *Institutions et publics des moyens d'information : presse, radiodiffusion, télévision,* 1973; R. Cayrol, *La presse écrite et audio-visuelle,* 1973; J.-L. Servan-Schreiber, *Le pouvoir d'informer,* 1972.

• *Sur la presse écrite :* P. Albert, F. Terrou, *Histoire de la presse,* 1970; B. Voyenne, *La presse dans la société contemporaine,* 4e éd., 1971; J. Kayser, *Le quotidien français,* 1963, et *Mort d'une liberté : technique et politique de l'information,* 1955; R. Manevy, *Histoire de la presse (1914-1939),* 1958; J. Mottin, *Histoire politique de la presse (1944-1949),* 1950; C. Ledre, *Histoire de la presse,* 1958; F. Terrou, *L'information,* 1962; R. Pinto, *La liberté d'opinion et d'information,* 1955; F. Archambault, M. Ambault, *Un journal pour 30 centimes ! Mythes et réalités de la presse moderne,* 1966; J. Schwoebel, *La presse, le pouvoir et l'argent,* 1968; D. Morgaine, *Dix ans pour survivre,* 1972; P. Boegner, *Presse, argent, liberté,* 1969, et *Cette presse malade d'elle-même,* 1973; E. Derieux, J. C. Texier, *La presse quotidienne française,* 1974.

On consultera avec beaucoup de profit la série d'articles de J. Sauvageot, intitulée « La presse quotidienne et ses paradoxes », dans *Le Monde* du 22 au 25 septembre 1970; et l'analyse du rapport de la commission sur les sociétés de rédacteurs, présidée par R. Lindon, dans *Le Figaro* du 5 janvier 1971.

A signaler aussi deux monographies : A. Chatelain, *« Le Monde » et ses lecteurs sous la IVe République,* 2e éd., 1963; P. Brisson, *Vingt ans de « Figaro », 1938-1958,* 1959.

En anglais, sur l'influence des directeurs de journaux et des grands éditorialistes : W. L. Rivers, *The Opinion Makers,* Boston, 1965.

• *Sur la radio-télévision,* on consultera plus spécialement : G. Dupuis, J. Raux, *L'O.R.T.F.,* 1970; R. Louis, *L'O.R.T.F., un combat,* 1968, (sur la crise de mai); J. G. Moreau, *Le règne de la télévision,* 1967; J. Thibau, *Une télévision pour tous les Français,* 1970 et *La télévision, le pouvoir et l'argent,* 1973 (par le directeur adjoint de la télévision française de 1965 à 1968); D. Bombardier, *La Voix de la France,* 1975 (l'O.R.T.F. vue par une Canadienne); C. Debbasch, *Le droit de la radio et de la télévision,* 1969; et l'analyse du rapport de la commission d'étude du statut de l'O.R.T.F. présidée par L. Paye, dans *Le Monde* des 23 et 24 juillet 1970. Pour les Etats-Unis : R. Burbage, J. Cazemajou, A. Kaspi, *Presse, radio et télévision aux Etats-Unis,* 1972; J. Meynaud, *La télévision américaine et l'information sur la politique,* Montréal, 1972. (Le Devoir, 22 jan 72, p. 16

• *Sur l'impact du médium télévisuel :* M. Mac Luhan, *La Galaxie Gutenberg,* tr. 1967; *Pour comprendre les média,* tr. 1968; *Message et massage,* tr. 1969 et *Guerre et paix dans le village planétaire,* 1970; J. Miller, *Mac Luhan,* 1971; l'excellent ouvrage de J. Cazeneuve, *Les pouvoirs de la télévision,* 1970 (sociologie de la télévision par un professeur à la Sorbonne) et *La société de l'ubiquité,* 1973; R. G. Schwartzenberg, *L'Etat spectacle,* 1977.

Sur ses effets politiques : J. G. Blumler, D. Mac Quail, *Television in Politics. Its Uses and Influence,* Londres, 1968 (essentiellement sur la campagne électorale anglaise de 1964); J. D. Halloran, *The Effects of Mass Communication with Special Reference to Television,* Leicester, 1968; S. Kraus, ed., *The Great Debates. Background. Perspective. Effects,* Bloomington, 1962; C. A. H. Thomson, *Television and Presidential Politics. The Experience in 1952 and Problems Ahead,* Washington, 1956; J. Treneman, J. D. Mac Quail, *Television and the Political Image. A Study of the Impact of Television on the 1959 General Election,* Londres, 1961; H. Mendelsohn, I. Crespi, Polls, *Television and the New Politics,* Scranton, 1970; E. W. Chester, *Radio, Television and American Politics,* New York, 1969.

En français sur ce même thème : T. W. White, *Comment on fait un président,* tr. 1961 (un grand reportage sur la campagne présidentielle de John Kennedy); J. Mac Giniss, *Comment on vend un président,* tr. 1970 (Richard Nixon en campagne vu par un de ses anciens conseils en campagne). Sur la télévision et les élections présidentielles en France : R.-G. Schwartzenberg, *La campagne présidentielle de 1965,* P.U.F., 1967 (p. 75) et *La guerre de succession. Les élections présidentielles de 1969,* P.U.F., 1969 (p. 259). Quant aux effets de la télévision sur le comportement électoral : deux articles, légèrement contradictoires : R. Remond, C. Neuschwander, « Télévision et comportement politique », *RFSP,* 1963, p. 325; G. Michelat, « Télévision, moyens d'information et comportement électoral », *RFSP,* 1964, p. 877.

— *Sur la persuasion et la propagande politiques en général :* l'excellente sélection de textes présentée par M. Charlot, *La persuasion politique,* 1970 (avec une précieuse bibliographie); D. Nimmo, *The Political Persuaders : The Technics of Modern Elections Campaigns,* Englewood Cliffs, 1970 (sur les techniciens de la persuasion politique); J.-M. Domenach, *La propagande politique,* 7e éd., 1973; J. Ellul, *Propagandes,* 1962 (très pessimiste) et *Histoire de la propagande,* 1970; J. Driencourt, *La propagande, nouvelle force politique ?,* 1950; et un classique : S. Tchakhotine, *Le viol des foules par la propagande politique,* 1939, rééd. 1952. On pourra consulter : H. D. Lasswell, R. D. Casey, B. L. Smith, ed., *Propaganda and Promotional Activities. An Annotated Bibliography,* Chicago, 1969 (rééd. très utile d'une bibliographie commentée, parue pour la première fois en 1935); R. Agranoff, *The New Style in Election Campaigns,* Boston, 1972 (sur les nouvelles méthodes utilisées dans les campagnes américaines).

IV. — *Les groupes et la structure du pouvoir.*

— *Sur la thèse élitiste :* outre les ouvrages de V. Pareto, G. Mosca et R. Michels, cités *supra,* p. 245 : C. Wright Mills, *L'Elite du pouvoir,* 1956, tr. 1969 (justement classique); S. Schram, « Elites politiques et classes sociales aux Etats-Unis », *RFSP,* janvier-mars 1957; F. Hunter, *Community*

Power Structure. A Study of Decision Makers, Chapell Hill, 1953 (le pouvoir dans la ville d'Atlanta), et *Top Leadership U.S.A.*, Chapell Hill, 1959; G. W. DOMHOFF, *Who Rules America ?,* Englewood Cliffs, 1967, et *The Higher Class,* New York, 1970; F. LUNDBERG, *Les riches et les super-riches,* tr. 1969, et *America 60 Families,* New York, 1937; J. MEYNAUD, *Rapport sur la classe dirigeante italienne,* Lausanne, 1964.

Sur la théorie de l'élite, voir aussi : T. B. BOTTOMORE, *Elites et société,* 1967; D. GAXIE, *Les professionnels de la politique,* 1973. — Sur le personnel politique : G. ROSSI-LANDI, *Les hommes politiques,* 1973.

— *Sur la thèse pluraliste :*

R. DAHL, *Qui gouverne ?,* 1961, tr. 1971 (le pouvoir à New Haven), *L'analyse politique contemporaine,* tr. 1973; *A Preface to Democratic Theory,* Chicago, 1956, et *Polyarchy, Participation and Opposition,* New Haven, 1971; R. DAHL, C. LINDBLOM, *Politics, Economics and Welfare,* New York, 1963; C. E. LINDBLOM, *The Policy-Making Process,* Englewood Cliffs, 1968 (le processus d'élaboration d'une politique aux Etats-Unis par un des précurseurs de la « policy analysis »); R. ARON, *La lutte des classes,* 1964 et diverses études : « Social Structure and the Ruling Class », *British Journal of Sociology,* juin 1950; « Note sur la stratification du pouvoir », *RFSP,* 1954, p. 474; « Classe sociale, classe politique, classe dirigeante » in *Archives européennes de sociologie,* I, Paris, 1960, p. 260-281; « Catégories dirigeantes ou classe dirigeante », *RFSP,* fév. 1965.

A. F. BENTLEY, *The Process of Government. A study of Social Pressures,* Chicago, 1908; D. B. TRUMAN, *The Governmental Process,* New York, 1951 (l'équilibre des groupes d'intérêts); D. RIESMAN, *La foule solitaire,* tr. 1964 (les « veto groups »); J. K. GALBRAITH, *Le capitalisme américain,* tr. 1956 (le pouvoir compensateur), et *Le nouvel Etat industriel,* tr. 1968 (correction de la thèse précédente : la domination de la technostructure).

Sur la polyarchie : outre R. DAHL, *op. cit. :* F. BOURRICAUD, « Qu'est-ce que la polyarchie ?, *Revue de l'action populaire,* 1962, p. 813; « Le modèle polyarchique et les conditions de sa survie », *RFSP,* 1970, p. 893; et *Esquisse d'une théorie de l'autorité,* 2e éd., 1970.

Lire aussi : E. BANFIELD, *Political Influence,* Glencoe, 1961; N. W. POLSBY, *Community Power and Political Theory,* Yale, 1963, A. WILDAVSKY, *Leadership in a Small Town,* Totowa, N. J., 1964 (le pouvoir à Oberlin, Ohio); J. MIESEL, *The Myth of the Ruling Class,* Ann Arbor, 1958; S. KELLER, *Beyond the Ruling Class,* New York, 1963. Et pour la position « élitiste-pluraliste » : G. PARRY, *Political Elites,* Londres, 1969.

— *Sur la thèse marxiste :*

N. POULANTZAS, *Pouvoir politique et classes sociales* 1968; et son article « Les classes sociales », *L'homme et la société,* août-septembre 1972, n° 24, p. 23-57; R. MILIBAND, *L'Etat dans la société capitaliste, Analyse du système de pouvoir occidental,* tr. 1973. Et la controverse entre ces deux auteurs dans la *New Left Review,* reprise en français dans *Politique aujourd'hui* de mars 1970. — Voir aussi *supra,* les pages sur A. GRAMSCI et la bibliographie de la page 98.

— *A titre de synthèse :* l'étude de L. FREEMAN et autres dans l'*American Sociological Review,* oct. 1963, p. 794 (diversité des approches et des résultats) ; H. EULAU, M. M. CZUDNOWSKI, éd., *Elite Recruitement in Democratic Politics, Comparative studies accross Nations,* New York, 1976 (une somme d'observations et de réflexions) ; R. D. PUTNAM, *The Comparative Study of Political Elites,* Englewood Cliffs, 1976 ; P. HASSNER, « Le problème de la classe dirigeante dans l'histoire des doctrines de science politique », *Association française de science politique,* Paris, 1963, p. 16 ; l'article de R. CAYROL, J.-L. PARODI, C. YSMAL, « Recherches actuelles sur les parlementaires et les élites », *RFSP,* 1970, p. 789 ; P. et J.-D. ANTONI, *Les Ministres de la Ve République,* 1976 ; P. BIRNBAUM, *La structure du pouvoir aux Etats-Unis,* 1971 ; et enfin les divers rapports sur les élites présentées dans les groupes de travail B-IX et B-X au VIIIe Congrès mondial de l'Association internationale de science politique, août-sept. 1970.

TABLE DES MATIÈRES

INTRODUCTION

SUR LA SOCIOLOGIE POLITIQUE

PREMIÈRE PARTIE

THÉORIE POLITIQUE

DEUXIÈME PARTIE

SYSTÈMES POLITIQUES

TROISIÈME PARTIE

ORGANISATIONS POLITIQUES